"Thomas Schreiner es conocido por ser un hábil y cuidadoso estudioso del Nuevo Testamento. En su *Teología del Nuevo Testamento* saca a relucir sus habilidades y su estilo claro y conciso al ofrecernos un relato sintético de este complejo tema, un relato que refleja su elevada visión de las Escrituras. Se trata probablemente de la mejor teología del Nuevo Testamento escrita en las últimas décadas desde un punto de vista decididamente reformado y evangélico. Aunque no estoy de acuerdo con el análisis en varios puntos, sigue siendo un buen trabajo, y me complace recomendarlo".

Ben Witherington III

Profesor de Nuevo Testamento, Asbury Theological Seminary.

"La *Teología del Nuevo Testamento* de Schreiner ha sido desde hace tiempo esperada por colegas, amigos y estudiantes. El apéndice, que ofrece un útil estudio de la disciplina de la teología del Nuevo Testamento, y la discusión de la justificación, que contiene un resumen del debate moderno y una defensa de la interpretación forense de la enseñanza paulina, valen por sí solos el precio del libro".

Robert H. Stein

Profesor senior de interpretación del Nuevo Testamento, Southern Baptist Theological Seminary.

"La *Teología del Nuevo Testamento* de Tom Schreiner es una valiosa adición al campo, proporcionando a los estudiantes el tipo de visión general que solo un erudito experimentado puede aportar. El volumen es especialmente significativo por adoptar un enfoque más temático que la mayoría de las demás teologías del Nuevo Testamento. Por tanto, Schreiner se acerca más que la mayoría de los demás a ofrecernos una auténtica 'teología' del Nuevo Testamento (en lugar de 'teologías' del Nuevo Testamento)".

Douglas J. Moo

Profesor Blanchard de Nuevo Testamento, Wheaton College.

"Lúcido, incisivo y, sobre todo, entregado a la escucha del texto del Nuevo Testamento, el volumen de Tom Schreiner es como una bebida fresca en un desierto posmoderno. Schreiner despliega la riqueza de la teología neotestamentaria a través del lente de la historia de la salvación, mostrando cuán fructífero es el paradigma promesa-cumplimiento, ya-no todavía para entender el Nuevo Testamento. Si usted desea una teología del Nuevo Testamento informada, exegéticamente fundamentada, canónicamente basada, trinitaria y escrita desde la perspectiva de una fe sólida, ¡este es su libro!".

Donald A. Hagner
Profesor Emérito George Eldon Ladd de Nuevo Testamento, Fuller Theological Seminary.

"Con frecuencia, los eruditos se centran tanto en los detalles de los documentos del Nuevo Testamento que se pierden la visión de conjunto. Por otra parte, con demasiada frecuencia los intentos de resumir el mensaje del Nuevo Testamento ignoran las expresiones particulares y los diversos énfasis de sus veintisiete libros. Sin perderse los árboles por el bosque, la *Teología del Nuevo Testamento* de Schreiner ofrece una magnífica exposición del mensaje central del Nuevo Testamento, la gloria de Dios en Cristo. Pastores y estudiantes encontrarán en él un recurso inestimable para responder a la pregunta que se hacen la mayoría de los lectores: ¿de qué trata el Nuevo Testamento?".

Brian S. Rosner
Profesor senior de Nuevo Testamento y ética, Moore Theological College.

"¡Un logro magnífico! Schreiner ha combinado la amplitud y profundidad de su conocimiento del Nuevo Testamento con un extenso análisis de la literatura académica. Lo mejor de todo es que sigue al Nuevo Testamento en su testimonio de la majestad y gloria de Dios".

Simon J. Gathercole
Profesor de estudios neotestamentarios, Universidad de Cambridge.

"Schreiner es un erudito riguroso con corazón de pastor, y su *Teología del Nuevo Testamento* ha sido muy esperada... El libro de Schreiner incluye un tratamiento bastante completo y sólido de los textos que tratan de la virilidad y la feminidad... *Teología del Nuevo Testamento* es una obra magistral... Schreiner presenta una imagen clara, audaz y cautivadora de la hombría y la feminidad bíblicas".

Christopher W. Cowan
Council for Biblical Manhood and Womanhood.

"En lo que parece un mercado saturado de teologías neotestamentarias, la contribución de Thomas Schreiner a la descripción de una teología neotestamentaria es refrescante y, sencillamente, innovadora por derecho propio... Cualquier lector serio se encontrará ricamente inmerso en una discusión bien controlada que se mueve entre narraciones y discusiones doctrinales, así como contribuciones eruditas y debates contemporáneos que continúan hasta nuestros días... El control de la erudición de Schreiner emerge sutilmente en su manejo de numerosas discusiones académicas. Schreiner no rechaza con facilidad las ideas y propuestas novedosas, incluso de reciente cuño, sino que se muestra muy dispuesto a sopesar las distintas vertientes del diálogo y a llegar a una posición bien razonada... Aunque los elementos temáticos puedan parecer familiares, la obra de Schreiner pisa sin complejos nuevos terrenos con su enfoque centrado en Dios, junto con un compromiso con los libros del Nuevo Testamento y los debates académicos que han surgido en el último siglo. Esta contribución al campo de la teología del Nuevo Testamento será leída y apreciada durante muchos años".

Donald Kim
Southwestern Journal of Theology.

"La teología clave del Nuevo Testamento este año es *Teología del Nuevo Testamento* de Thomas Schreiner... Schreiner ofrece una panorámica temática del Nuevo Testamento en lugar del enfoque libro por libro adoptado por otras teologías recientes del Nuevo Testamento. Ambos enfoques tienen sus puntos fuertes, por lo que es bueno contar ahora con el de Schreiner desde esta dirección... Schreiner escribe explícitamente para pastores y estudiantes, haciendo que este gran volumen sea accesible y muy útil para el predicador".

Ray Van Neste
Preaching.

"Esta sustancial obra resuena claramente con la perspectiva evangélica de su autor... El enfoque de Schreiner se centra directamente en la exposición del mensaje teológico de las obras del Nuevo Testamento. Dentro de ese marco, esta es una adición bienvenida a un creciente número de libros recientes que intentan dar una mirada comprensiva a la teología del Nuevo Testamento como un todo".

Donald Senior
Bible Today.

"Felicitaciones al Dr. Schreiner y a Baker Academic por esta magnífica demostración de sus habilidades de colaboración... Una característica adicional de esta voluminosa exposición es que está bien nutrida por la reserva de fuentes contemporáneas con las que Schreiner interactúa (identificadas en concisas notas a pie de página y en una amplia bibliografía)... Para pastores y estudiantes de teología que buscan una presentación contemporánea y competente de la enseñanza del Nuevo Testamento integrada por el desarrollo de la historia de Jesucristo en términos de su persona divina y su obra salvadora, este volumen servirá admirablemente durante muchos años de estimulante estudio y predicación".

Nelson D. Kloosterman
Mid-America Journal of Theology.

"Este enorme volumen se enfoca en la centralidad de Dios y Cristo en la empresa teológica del Nuevo Testamento ... Su apéndice ofrece una excelente visión histórica de la investigación teológica del Nuevo Testamento en el pasado, incluyendo una discusión sobre la definición misma de la teología del Nuevo Testamento... Hay aquí mucho material de interés para lectores de todas las convicciones religiosas y/o académicas".

Casimir Bernas
Religious Studies Review.

"En lo más alto de la lista de estudios teológicos recientes, cabe destacar la publicación de *Teología del Nuevo Testamento: Magnificando a Dios en Cristo*... Esta extensa teología del Nuevo Testamento es uno de los volúmenes más importantes de teología bíblica que se han publicado en muchos años. La obra de Schreiner debe estar en la estantería de todo predicador y servirá para redefinir y reorientar la teología del Nuevo Testamento en los años venideros. La aguda comprensión teológica y el ojo exegético de Schreiner se combinan en este volumen".

Preaching.

"Schreiner ha producido una teología casi exhaustiva del Nuevo Testamento que adopta un enfoque temático distintivo de la tarea... El reto para cualquier teólogo del Nuevo Testamento es equilibrar la contingencia con la coherencia y realizar de forma pareja un estudio inductivo con una síntesis teológica adecuada. El libro de Schreiner es un digno modelo en esa tarea... Este es un libro que debería estar en la estantería de todo cristiano que se interese por el tema. ¡Que sea leído durante muchos años!".

Michael F. Bird
Themelios.

"La presentación de un libro importante sobre la teología del Nuevo Testamento siempre es un acontecimiento bienvenido, tanto más cuando el autor tiene un historial probado de publicaciones en el campo de los estudios sobre el Nuevo Testamento... El método de Schreiner se basa en una sólida exégesis de todos los pasajes principales… El tratamiento global de Schreiner de la teología neotestamentaria ofrece una excelente exposición del mensaje central del Nuevo Testamento: la gloria de Dios en Cristo. Este libro es especialmente significativo por adoptar un enfoque más temático que la mayoría de las demás teologías del Nuevo Testamento. El apéndice y la útil y completa bibliografía proporcionarán a los estudiantes una fuente excepcional para profundizar en el estudio y la investigación en el área y los temas de la teología del Nuevo Testamento. Estudiantes y eruditos están en deuda con el autor por proporcionar una herramienta muy útil que demostrará su valor".

Panayotis Coutsoumpos
Review of Biblical Literature.

"Schreiner ha escrito algunos volúmenes importantes a lo largo de su carrera… sin embargo, ninguno de ellos ha intentado combinar toda la gama de la exégesis profunda con el trazado de temas amplios como lo hace su última obra. *Teología del Nuevo Testamento...* constituye por sí sola una obra maestra de la teología bíblica evangélica calvinista... Este libro tiene muchos puntos fuertes que lo hacen muy recomendable para estudiantes de las Escrituras, ya sean laicos, pastores o eruditos. La obra de Schreiner muestra ciertamente una delicadeza característica al tratar pasajes y cuestiones difíciles... El apéndice, un ensayo sobre la Teología del Nuevo Testamento es lo más destacado del libro, ya que Schreiner ofrece una breve historia de la Teología del Nuevo Testamento y algunos de los diversos debates en torno a la teología bíblica, la teología sistemática y la diferencia entre ambas... La *Teología del Nuevo Testamento* es una contribución sólida y podría encajar en cualquier colección de Teología del Nuevo Testamento".

Ron C. Fay
Criswell Theological Review.

"La tesis central [de *Teología del Nuevo Testamento*] es sobresaliente: el fundamento y la meta de la teología del Nuevo Testamento es glorificar a Dios en Cristo, y Dios cumple soberanamente esa meta en la historia de la salvación... La Teología del Nuevo Testamento no está divorciada de la aplicación. Refleja el corazón pastoral de Schreiner, quien ha servido como pastor predicador durante los últimos once años. Está bien documentada y evidencia décadas de enseñanza a tiempo completo a nivel de seminario... Teología del Nuevo Testamento es útil como un mini comentario que vale la pena consultar cuando se trabaja en un pasaje o tema en particular... El apéndice de veintidós páginas es una visión general especialmente útil de la teología del Nuevo Testamento... La Teología del Nuevo Testamento de Schreiner es encomiable por su profundidad y amplitud. Schreiner comprende dónde encaja una teología bíblica del Nuevo Testamento en la tarea teológica general, a saber, que es fundamental para la teología sistemática. La Teología del Nuevo Testamento es una adición grata y notable a los estudios del Nuevo Testamento para beneficio de la iglesia de Cristo".

Andrew David Naselli
Detroit Baptist Seminary Journal.

"La redacción es clara, las discusiones sucintas y las referencias bíblicas muy completas... En un tema principal tras otro y en la gran mayoría de los temas menores, estoy totalmente de acuerdo con la exégesis y la síntesis de Schreiner... En debates teológicos recientes, Schreiner adopta regularmente una posición judicial y mediadora... Incluso los lectores más minuciosos y actualizados pueden aprender nuevas posibilidades de la exégesis de Schreiner... La obra de Schreiner surgió de la enseñanza de este material a nivel universitario y de seminario durante años, por lo que su mayor atractivo será sin duda como libro de texto... El libro servirá como una destacada obra de referencia, mientras que el lector que persevere en leerlo de principio a fin lo encontrará enciclopédico en su cobertura y, sin embargo, a veces incluso devocionalmente inspirador debido a su consistente inmersión en las mismas palabras de las Escrituras".

Craig L. Blomberg
Journal of the Evangelical Theological Society.

"La temática de Schreiner es exhaustiva; conoce muy bien los textos bíblicos pertinentes; sus interpretaciones están bien argumentadas y son conservadoras; la erudición moderna utilizada para apoyar sus argumentos es amplia y ecuménica; su presentación es ordenada; el resultado es el producto de un trabajo muy duro. Los lectores que compartan las opiniones teológicas e históricas de Schreiner sobre la naturaleza del Nuevo Testamento y su enfoque temático de la teología del Nuevo Testamento sacarán el máximo provecho de esta inmensa empresa. Los que no lo hagan deben admirar al menos su erudición, su laboriosidad y su respeto por el texto bíblico".

Daniel J. Harrington
Catholic Biblical Quarterly.

"Schreiner propone un enfoque temático, una decisión que hace justicia a la naturaleza unificada de los escritos del Nuevo Testamento, destacando el tema general reflejado en las diversas subdivisiones del Nuevo Testamento. Este es, en efecto, el rasgo más distintivo del presente volumen... La obra incluye útiles conclusiones al final de cada capítulo... El apéndice que traza el desarrollo de la teología del Nuevo Testamento como disciplina teológica *bona fide* es una buena guía para los lectores que se inician en este campo... El volumen de Schreiner... no tiene competencia entre los enfoques temáticos de la teología bíblica del Nuevo Testamento... Todo estudiante y pastor se beneficiará inmensamente de su lectura y uso".

Radu Gheorghiță
Midwestern Journal of Theology

"Teología del Nuevo Testamento se caracteriza por varios puntos fuertes. En primer lugar, al argumentar consistentemente a favor de una tesis, Schreiner contribuye a las importantes discusiones de la enseñanza del Nuevo Testamento tanto sobre Dios como sobre la vida de fe. En segundo lugar, es sistemáticamente inductivo y utiliza categorías derivadas del relato bíblico más que de la teología sistemática. En tercer lugar, proporciona un modelo repetible para la reflexión teológica que se esfuerza por explicar el mensaje que los autores bíblicos humanos y divinos trataron de comunicar, reconociendo al mismo tiempo el desarrollo teológico dentro del propio Nuevo Testamento... En cuarto lugar, la interacción con la literatura secundaria ofrece al estudiante la oportunidad de profundizar en los aspectos más interesantes... Schreiner ha logrado producir un volumen útil para pastores y estudiantes".

Craig M. Long
Trinity Journal.

"Es un placer ver un enfoque temático fresco… Schreiner ofrece un amplio resumen temático de la historia del Nuevo Testamento desde una perspectiva reformada con un fuerte énfasis en la teología del pacto… y la gloria de Dios… Además de su novedoso enfoque, el punto fuerte de este volumen es su cuidadosa y coherente consideración del subtexto y el argumento del Antiguo Testamento para la teología del Nuevo Testamento … Este volumen enfatiza acertadamente la gran narrativa de la historia de Dios con este mundo, de un modo que recuerda a algunos de los grandes credos de la Iglesia cristiana… En la búsqueda de la teología del Nuevo Testamento quedan aún varios caminos por recorrer y apasionantes tareas por delante. Con este volumen, la actual generación de estudiosos y quizá incluso la siguiente disponen de un excelente punto de partida".

Christoph Stenschke
Religion & Theology.

"Un monumental *tour de force*, que es a la vez minucioso y exhaustivo. El autor adopta un enfoque temático, que él mismo resume como magnificar a Dios en Cristo por medio del Espíritu. Ofrece un resumen exhaustivo de las pruebas bíblicas, a menudo con un comentario lingüístico. El conjunto se sitúa en su contexto histórico... El autor escribió los tres primeros borradores del libro sin consultar fuentes secundarias y afirma que 'el corpus literario de los estudios sobre el Nuevo Testamento supera con creces la capacidad de cualquier persona para acercarse siquiera a leer todo lo que está escrito'. Sin embargo, con una bibliografía de 46 páginas y más de 1.200 referencias, ¡lo ha hecho bastante bien! Las notas a pie de página guían al lector hacia la bibliografía pertinente y, a menudo, sobre todo cuando hay cuestiones controvertidas, Schreiner ofrece un resumen y una evaluación de lo que dicen varios eruditos. Aunque se trata de una obra conservadora, el autor es muy justo en su tratamiento de los puntos de vista opuestos. Esto es especialmente cierto en el valioso apéndice que ofrece un resumen histórico reflexivo del tema desde el siglo XVIII hasta la actualidad. Se trata de un libro muy significativo, que no se puede elogiar demasiado, y que sin duda seguirá siendo una valiosa obra de referencia en los años venideros".

Reg Luhman
Faith and Thought.

"Este libro es el producto de una prolongada reflexión sobre toda la gama de textos del Nuevo Testamento... Incluso los más escépticos respecto al enfoque de Schreiner encontrarán abundantes y valiosas observaciones textuales que les harán reflexionar".

Peter Oakes
Journal for the Study of the New Testament.

x

TEOLOGÍA DEL NUEVO TESTAMENTO

VOL. 2

TEOLOGÍA PARA VIVIR
Fe y Palabra

Magnificando a Dios en Cristo

THOMAS R. SCHREINER

Impreso en Lima,
Perú

ii

TEOLOGÍA DEL NUEVO TESTAMENTO – VOL. 2

Autor: ©Thomas R. Schreiner
Traducción: Jorge De Sousa
Revisión de estilo: Jaime D. Caballero
Diseño de cubierta: Angela García-Naranjo
Título original: *New Testament Theology: Magnifying God in Christ*

Editado por:
©TEOLOGIAPARAVIVIR.S.A.C
José de Rivadeneyra 610. Urb. Santa Catalina, La Victoria.
Lima, Perú.
ventas@teologiaparavivir.com
https://www.facebook.com/teologiaparavivir/
www.teologiaparavivir.com
Primera edición: Diciembre del 2023
Tiraje: 1000 ejemplares

Hecho el depósito legal en la Biblioteca Nacional del Perú, N°: 2023-11825
ISBN Tapa Blanda: 978-612-5099-01-3

Se terminó de imprimir en diciembre del 2023 en:
ALEPH IMPRESIONES S.R.L.
Jr. Risso 580, Lince
Lima, Perú.

Temas: Teología bíblica. Crítica bíblica. Hermenéutica. Nuevo Testamento.
Imagen de la portada: Agony in the Garden, por Pietro Perugino (1446-1523), at Uffizi Gallery, Florence. Rights Reserved.

A Bruce Ware

Amado amigo, colega,
e inspiración.

MAGNIFICANDO A DIOS EN CRISTO

TABLA DE CONTENIDOS

MAGNIFICANDO A DIOS EN CRISTO

ABREVIATURAS

Textos y versiones de la Biblia

ESV	English Standard Version
HCSB	Holman Christian Standard Bible
KJV	King James Version
LXX	Septuaginta
TM	Texto masorético
NASB	New American Standard Bible
NVI	Nueva Versión Internacional
NJB	The New Jerusalem Bible
NRSV	New Revised Standard Version
NT	Nuevo Testamento
AT	Antiguo Testamento
RSV	Revised Standard Version
TNIV	Today's New International Version

Apócrifos y Septuaginta

1-4 Esd.	1-4 Esdras
1-4 Mac.	1-4 Macabeos
Sir.	Sirácides
Tob.	Tobit
Sab.	Sabiduría de Salomón

Pseudepígrafos del Antiguo Testamento

Apoc. Moi.	*Apocalipsis de Moisés*
2 Bar.	*2 Baruc (Apocalipsis siriaco)*
1 En.	*1 Enoc*

4 Esd.	*4 Esdras*
Jub.	*Jubileos*
Car. Aris.	*Carta de Aristeas*
Od. Slm.	*Odas de Salomón*
Ps.-Foc.	*Pseudo-Focílides*
Sal. Slm.	*Salmos de Salomón*
Or. Sib.	*Oráculos sibilinos*
T. Benj.	*Testamento de Benjamín*
T. Dan	*Testamento de Dan*
T. Jos.	*Testamento de José*
T. Jud.	*Testamento de Judá*
T. Lev.	*Testamento de Levi*
T. Moi.	*Testamento de Moisés*
T. Nef.	*Testamento de Neftalí*
T. Rub.	*Testamento de Rubén*
T. Sim.	*Testamento de Simeón*

Qumrán

CD-A	*Documento A de Damasco*
CD-B	*Documento B de Damasco*
1QH^a	*1QHodayotA*
1QM	*1QRollo de guerra*
1QpHab	*1QPesher Habacuc*
1QS	*1QRegla de la Comunidad*
1QSa	*1QRegla de la Congregación*
1QSb	*1QRegla de las bendiciones*
3Q15	*3QRollo de cobre*
4Q246	*Apócrifo de Daniel*
4Q369	*4QOración de Enosh (?)*
4QComGen^a	*4QComentario sobre el Génesis A*
4QFlor	*4QFlorilegio*
4QMMT	*4QCarta de Halakhic*
4QpIsa^a	*4Q Isaías PesherA*
4QSM	*4QSefer ha-Milhamah*
11QMelq.	*Melquisedec*
11QT^a	*11QRollo del temploA*

Literatura rabínica

m. ʾAbot	Mishnah ʾAbot
m. Ber.	Mishnah Berakot
m. Sanh.	Mishnah Sanedrín
m. Soṭah	Mishnah Soṭah
m. Sucá	Mishnah Sucá
y. Ber.	Talmud de Jerusalén Berakot

Textos targúmicos

Tg. Frg.	Targum fragmentario

Padres apostólicos

Ber.	Epístola de Bernabé
Did.	Didache
Ign. *Ef.*	Ignacio, *A los Efesios*

Dion Crisóstomo

Ven.	Venator (Or. 7)

Epícteto

Enq.	Enqiridión

Josefo

Con. Ap.	Contra Apión
Ant.	Antigüedades judías
G.J.	Guerra de los judíos

Juvenal

Sat.	Satirae

Ovidio

Am.   Amores

Filón

Querubines   Sobre los Querubines
Confusión   Sobre la confusión de lenguas
Decálogo   Sobre el decálogo
Fug.   Sobre la fuga y el encuentro
Hipotética   Hipotética
PG   Preguntas y respuestas sobre el Génesis
Ley. Esp.   Sobre las leyes especiales

Plutarco

Conj. praec.   Conjugalia praecepta

Séneca

Ben.   De beneficiis
Helv.   Ad Helviam
Ira   De ira

Tácito

Ann.   Annales

Publicaciones periódicas, obras de referencia y publicaciones en serie

AB   Anchor Bible
ABD   *Anchor Bible Dictionary*, ed. D. N. Freedman (6 vols.; Nueva
                 York: Doubleday, 1992)
ABRL   Anchor Bible Reference Library
AGJU   Arbeiten zur Geschichte des antiken Judentums und des
                 Urchristentums

ALGHJ	Arbeiten zur Literatur und Geschichte des hellenistischen Judentums
AnBib	Analecta biblica
ATANT	Abhandlungen zur Theologie des Alten und Neuen Testament
AUSDD	Serie de Disertaciones Doctorales del Andrews University Seminary
BA	Biblical Archaeologist
BBB	Bonner biblische Beiträge
BBR	Bulletin for Biblical Research
BDAG	*Greek-English Lexicon of the New Testament and Other Early Christian Literature*, por W. Bauer, F. W. Danker, W. F. Arndt y F. W. Gingrich (3ª ed.; Chicago: University of Chicago Press, 1999)
BECNT	Baker Exegetical Commentary on the New Testament
BETL	Bibliotheca ephemeridum theologicarum lovaniensium
BevT	Beiträge zur Evangelischen Theologie
BGBE	Beiträge zur Geschichte der biblischen Exegese
Bib	Biblica
BIS	Biblical Interpretation Series
BJRL	Boletín de la John Rylands University Library of Manchester
BNTC	Black's New Testament Commentaries
BSac	Bibliotheca sacra
BZ	Biblische Zeitschrift
BZNW	Beihefte zur Zeitschrift für die neutestamentliche Wissenschaft
CBQ	Catholic Biblical Quarterly
CNT	Commentaire de Nouveau Testament
ConBNT	Coniectanea biblica: New Testament Series
CTJ	Calvin Theological Journal
DJG	*Dictionary of Jesus and the Gospels*, ed. J. B. Green y S. McKnight (Downers Grove, IL: InterVarsity Press, 1992)
DLNT	*Dictionary of the Later New Testament and Its Developments*, ed. R. P. Martin y P. H. Davids (Downers Grove, IL: InterVarsity Press, 1997)
DPL	*Dictionary of Paul and His Letters*, ed. G. F. Hawthorne y R. P. Martin (Downers Grove, IL: InterVarsity Press, 1993)
EBib	Etudes bibliques
EDNT	*Exegetical Dictionary of the New Testament*, ed. H. Balz y G. Schneider (ET; 3 vols.; Grand Rapids: Eerdmans, 1990-1993)

EKKNT	Evangelisch-katholischer Kommentar zum Neuen Testament
EvQ	Evangelical Quarterly
ExAud	Ex auditu
ExpTim	Expository Times
FFNT	Foundations and Facets: New Testament
FRLANT	Forschungen zur Religion und Literatur des Alten und Neuen Testament
HBT	Horizons in Biblical Theology
HDR	Harvard Dissertations in Religion
HNTC	Harper's New Testament Commentaries
HTKNT	Herders theologischer Kommentar zum Neuen Testament
HTR	Harvard Theological Review
HUT	Hermeneutische Untersuchungen zur Theologie
IBC	Interpretation: A Bible Commentary for Teaching and Preaching
IBS	Irish Biblical Studies
ICCI	International Critical Commentary
IDB	*The Interpreter's Dictionary of the Bible*, ed. G. A. Buttrick (4 vols.; Nashville: Abingdon, 1962)
Int	Interpretation
IVPNTC	IVP New Testament Commentary
JBL	Journal of Biblical Literature
JBLMS	Journal of Biblical Literature Monograph Series
JETS	Journal of the Evangelical Theological Society
JPTSup	Journal of Pentecostal Theology: Supplement Series
JSJSup	Suplementos del Journal for the Study of Judaism
JSNT	Journal for the Study of the New Testament
JSNTSup	Journal for the Study of the New Testament: Supplement Series
JSOTSup	Journal for the Study of the Old Testament: Supplement Series
JTC	Journal for Theology and the Church
JTS	Journal of Theological Studies
JTT	Journal of Translation and Textlinguistics
KEK	Kritisch-exegetischer Kommentar über das Neue Testament (Meyer-Kommentar)
KSt	Kohlhammer Studienbücher
Ls	Louvain Studies
MdB	Le monde de la Bible
NAC	New American Commentary
NACSBT	NAC Studies in Bible and Theology

NCB	New Century Bible
NDBT	*New Dictionary of Biblical Theology*, ed. T. D. Alexander y B. S. Rosner (Downers Grove, IL: InterVarsity Press, 2000)
Neot	Neotestamentica
NIBCNT	New International Biblical Commentary on the New Testament
NICNT	New International Commentary on the New Testament
NICOT	New International Commentary on the Old Testament
NIDNTT	*New International Dictionary of New Testament Theology*, ed. C. Brown (4 vols.; Grand Rapids: Zondervan, 1975-1985)
NIGTC	New International Greek Testament Commentary
NIVAC	NIV Application Commentary
NovT	Novum Testamentum
NovTSup	Novum Testamentum Supplements
NTAbh	Neutestamentliche Abhandlungen
NTOA	Novum Testamentum et Orbis Antiquus
NTS	New Testament Studies
NTT	New Testament Theology
OTL	Old Testament Library
PBM	Paternoster Biblical Monographs
PBTM	Paternoster Biblical and Theological Monographs
PNTC	Pillar New Testament Commentary
PSB	Princeton Seminary Bulletin
QD	Quaestiones disputatae
RB	Revuebiblique
RTR	Reformed Theological Review
SBEC	Studies in the Bible and Early Christianity
SBJTS	Southern Baptist Journal of Theology
SBLDS	Society of Biblical Literature Dissertation Series
SBLMS	Society of Biblical Literature Monograph Series
SBT	Studies in Biblical Theology
SBTS	Sources for Biblical and Theological Study
SESJ	Suomen eksegeettisen seuran julkaisuja
SHS	Scripture and Hermeneutics Series
SJLAS	Studies in Judaism in Late Antiquity
SJT	Scottish Journal of Theology
SJTOP	Scottish Journal of Theology Occasional Papers
SNT	Studien zum Neuen Testament
SNTSM	Society for New Testament Studies Monograph Series

SNTSU   Studien zum Neuen Testament und seiner Umwelt
SNTW   Studies of the New Testament and Its World
SOTBT   Studies in Old Testament Biblical Theology
SP   Sacra Pagina
SR   Studies in Religion
StBL   Studies in Biblical Literature
TB   Theologische Bücherei: Neudrucke und Berichte aus dem 20.
           Jahrhundert Jahrhundert
TBei   Theologische Beiträge
TDNT   *Theological Dictionary of the New Testament*, ed. G. Kittel y G.
           Friedrich, trad. G. W. Bromiley (10 vols.; Grand Rapids:
           Eerdmans, 1964-1976)
TJ   Trinity Journal
TJT   Toronto Journal of Theology
TNTC   Tyndale New Testament Commentaries
TOTC   Tyndale Old Testament Commentaries
TPINTC   TPI New Testament Commentaries
TS   Theological Studies
TSAJ   Texte und Studien zum antiken Judentum
TUGAL   Texte und Untersuchungen zur Geschichte der altchristlichen
           Literatur
TynBul   Tyndale Bulletin
TZ   Theologische Zeitschrift
USQR   Union Seminary Quarterly Review
VCSup   Supplements to Vigiliae christianae
VT   Vetus Testamentum
WBC   Word Biblical Commentary
WEC   Wycliffe Exegetical Commentary
WMANT   Wissenschaftliche Monographien zum Alten und Neuen
           Testament
WTJ   Westminster Theological Journal
WUNT   Wissenschaftliche Untersuchungen zum Neuen Testament
ZNW   Zeitschrift für die neutestamentliche Wissenschaft und die
           Kunde der älteren Kirche
ZTK   Zeitschriftfür Theologie und Kirche

PARTE 3: EXPERIMENTANDO LA PROMESA: *CREER Y OBEDECER*

§14. EL PROBLEMA DEL PECADO

Hasta ahora hemos visto que las promesas de salvación se cumplieron con la venida de Jesucristo y la obra del Espíritu Santo. La nueva era, la nueva creación y el nuevo pacto habían llegado. Dios merece alabanza y honor, pues la salvación es obra del Padre, del Hijo y del Espíritu. Los escritores del Nuevo Testamento no reflexionan filosóficamente sobre la relación del Padre, el Hijo y el Espíritu, y no se enuncia una doctrina formal de la Trinidad. Su atención se centra en la obra de salvación que llevan a cabo el Padre, el Hijo y el Espíritu. Las promesas de salvación de Dios se han cumplido mediante la cruz de Jesucristo y la obra salvífica del Espíritu Santo. Pero, ¿por qué es necesaria la obra salvífica del Padre, del Hijo y del Espíritu? Esta obra de Dios presupone que los seres humanos necesitan ser rescatados del pecado. Por lo tanto, en esta coyuntura, retrocederemos para analizar la penosa situación de la que los seres humanos necesitan ser rescatados.

Los Evangelios Sinópticos

Los Evangelios Sinópticos presuponen que el pueblo de Dios, Israel, necesita una obra salvadora de Dios. La historia del Antiguo Testamento (AT) se asume como telón de fondo, de modo que el lector tendrá dificultades para comprender la cosmovisión de los Sinópticos si no tiene al menos un conocimiento rudimentario del Antiguo Testamento. Por ejemplo, Mateo da comienzo a su Evangelio refiriéndose al exilio de Israel a Babilonia en el 586 a.C. (Mt. 1:11-12, 17).[1]

> **Mateo 1:11–12, 17** Josías fue padre de Jeconías y de sus hermanos durante la deportación a Babilonia. Después de la deportación a Babilonia, Jeconías fue padre de Salatiel, y Salatiel de Zorobabel… De manera que todas las generaciones desde Abraham hasta David son catorce generaciones; y desde David hasta la deportación a Babilonia, catorce generaciones; y desde la deportación a Babilonia hasta Cristo, catorce generaciones.

Cualquiera que conozca el Antiguo Testamento recordará que Israel fue exiliado a causa de su pecado. Dado que el exilio ocupa un lugar destacado en la genealogía de Mateo —una genealogía que promete un rey que salvaría a Israel—, Mateo parece sugerir que las promesas que el Señor hizo a Israel no se han cumplido a causa del pecado de Israel. Así lo confirma la promesa de que Jesús vendría y salvaría al pueblo de Israel de su pecado (Mt. 1:21).

Ninguno de los escritores de los Evangelios insiste en que Israel siga en el exilio, aunque la genealogía de Mateo se refiere a él tres veces.[2] Sin embargo, hay indicios de que Israel sigue en el exilio o, quizá sea preferible, porque los escritores de los Evangelios no hablan específicamente de que el pueblo de Dios esté en el exilio, decir que las promesas salvíficas de Dios no se han cumplido. La proclamación del Bautista en el desierto (Mt. 3:3; par.) y el bautismo en el Jordán sugieren que Israel estaba, por así decirlo, en el lado equivocado del Jordán.[3] Necesitaban confesar sus pecados (Mt. 3:6) para recibir el perdón de los pecados, de modo que se cumplieran las promesas del pacto de Dios con Israel. No estaban protegidos de la ira de Dios simplemente porque Abraham fuera su padre (Mt. 3:9; par.). Una conexión genealógica con el progenitor del pueblo judío no asegura que uno será receptor de la salvación de Dios. El arrepentimiento se evidencia con buenas obras que demuestren que

---

[1] Davies y Allison (1988: 187) señalan que varias obras judías (Daniel, 1 Enoc, 2 Baruc) "coinciden en situar la época del exilio inmediatamente antes de la época de la redención".

[2] Sobre el tema del exilio, véase Wright 1992b. La cuestión de si es apropiado decir que Israel se consideraba todavía en el exilio es objeto de un intenso debate entre los eruditos. Para un estudio del tema, véase Scott 1997. Para agudas críticas a la opinión de Wright, véase Seifrid 1994: 86-92; Bryan 2002: 12-20.

[3] Para un análisis de este tema en el Evangelio de Marcos en relación con el nuevo éxodo, véase Watts 2000.

uno ha cambiado en verdad. El Bautista identificó a la gente común (Lc. 3:7-8) y a los fariseos y saduceos (Mt. 3:7) como una "generación de víboras". Eran, por tanto, simiente no de Abraham, sino de la serpiente (Gn. 3:15). A menos que se arrepintieran, no disfrutarían de la obra salvífica de Dios para Israel, sino que serían juzgados del mismo modo que los gentiles.

Los Sinópticos subrayan, por tanto, que el pecado es una enfermedad profundamente arraigada en Israel. Los seres humanos son fundamentalmente merecedores de la ira de Dios, pues carecen de la piedad que se exige de ellos. Su pecado debería provocar lamentos y hambre y sed por la justicia que les falta (Mt. 5:4, 6).

Los seres humanos son descritos vívidamente como árboles podridos (Mt. 7:17-19; 12:33; Lc. 6:43-44).[4] El mal que acosa a los seres humanos no se limita a las malas acciones que necesitan reforma y corrección. El propio "árbol" tiene una contaminación profundamente arraigada que requiere un nuevo árbol bueno que reemplace al podrido. Jesús anuncia que los seres humanos no son "justos", sino "pecadores". Utiliza la metáfora de la enfermedad para describir lo que aqueja a las personas (Mt. 9:12-13; par.). Desgraciadamente, muchos, especialmente los líderes religiosos, se negaron a admitir que padecían una enfermedad, insistiendo en que eran justos y no necesitaban un médico.[5] El orgullo humano se niega a reconocer la pobreza espiritual y la necesidad radical de renovación.

La maldad de los seres humanos no significa que los seres humanos sean tan malvados como podrían ser. Jesús dijo que los seres humanos son "malos", pero al mismo tiempo reconoció que los padres conceden buenos dones a sus hijos (Mt. 7:11; Lc. 11:13). Los seres humanos pueden sentir un profundo afecto por sus hijos, tratar a sus vecinos con civismo e incluso practicar la virtud en la plaza pública, y aun así estar contaminados por el mal. El problema más grave entre los seres humanos es la incapacidad de reconocer el mal interior y el impacto de ese mal en los demás. De ahí que Jesús elogiara al centurión porque reconocía su indignidad (Mt. 8:8-10; par.), pues el centurión

---

[4] Sobre la visión lucana de los gentiles antes de la fe en Cristo, véase Stenschke 1999. El cuidadoso y exhaustivo estudio de Stenschke demuestra que tanto en Lucas como en Hechos encontramos una antropología que hace hincapié en que los gentiles son pecadores necesitados de la obra salvífica de Dios. Su estudio funciona como un útil contraste y correctivo para quienes ven una antropología optimista en los escritos lucanos.

[5] Acertadamente Hagner 1993b: 240.

era plenamente consciente de que no estaba a la altura de las exigencias de Dios. Los que realmente conocen a Dios lo conocen en medio de su miseria, porque ven constantemente la viga del pecado que empaña su visión (Mt. 7:3, 5; par.).

A menudo, Jesús fustigaba el pecado de los líderes religiosos, sobre todo de los fariseos.[6] Estas fuertes acusaciones han suscitado la cuestión del antisemitismo, sobre todo si tenemos en cuenta la historia del maltrato cristiano a los judíos. Sin embargo, los escritores del Nuevo Testamento nunca pretendieron que estas acusaciones sirvieran de plataforma para maltratar a los demás. Los líderes religiosos representaban la tendencia de todos los seres humanos cuando llegan a la cima de una estructura religiosa o social.[7] Por lo tanto, lo que Jesús dijo a los líderes religiosos sirve como acusación contra todos los que no se arrepienten y revela lo que hay naturalmente en el corazón de todo ser humano, ya sea judío o gentil.[8]

Se critica a los fariseos y escribas porque, aunque reconocían la adoración a Dios con los labios, sus corazones se desviaban en otra dirección (Mt. 15:8-9 par.). El Dios vivo y verdadero estaba lejos de ellos, y su amor profeso carecía de realidad. Jesús enumeró sus pecados en Mateo 23 (Mc. 12:38-40; Lc. 11:37-52; 20:46).[9] No practicaban lo que predicaban, enseñaban una cosa y hacían otra. Se dedicaban a la observancia religiosa para que los demás se fijaran en ellos y quedaran debidamente impresionados por su comportamiento. Codiciaban puestos de honor en las fiestas y saludos en público porque la alabanza de la gente se había convertido en su dios. Descuidaron lo que es importante y claro en la ley y se preocuparon por lo que es secundario. Por fuera parecían justos y puros, pero por dentro estaban manchados por una profunda corrupción, de modo que eran comparables a sepulcros blanqueados. Su maldad culminó con la ejecución de los mensajeros

---

[6] La bibliografía sobre los fariseos es inmensa. Véase especialmente la historia de la investigación en Deines 1997. Véase también Neusner 1971; Rivkin 1978; E. Sanders 1990: 380-451; Silva 1986. Para la respuesta de Neusner a la opinión de Sanders, véase Neusner 1991.

[7] La noción de que no todos los fariseos eran iguales se refleja en los siete tipos diferentes de fariseos. Véase Montefiore y Loewe 1974: 487-89.

[8] Fitzmyer (1985: 1185) capta bien la realidad al decir que "en todo el mundo hay más que un poco de fariseo".

[9] Para un análisis intensivo de Mateo 23, véase Garland 1979.

de Dios, demostrando que no eran en absoluto la descendencia de Abraham, sino una "generación de víboras", la descendencia de la serpiente.

Lo que se dice de los dirigentes no puede limitarse a ellos. Por naturaleza, los corazones de todas las personas son embotados e insensibles a las cosas de Dios, y no tienen verdadero interés en escuchar y ver lo que Dios tiene que decirles (Mt. 13:15). Marcos subraya que el mismo mal aflige a los discípulos. Sufrían de un corazón duro que se resistía a la revelación de Dios en Jesús (Mc. 6:52; 8:17, 21).[10] No lograban captar el significado de las enseñanzas de Jesús, y su fracaso no puede atribuirse meramente a la incapacidad intelectual. En el fondo también eran idólatras, y por eso discutían sobre cuál de ellos era el más grande y recibiría las mayores recompensas en el reino (Mc. 9:33-37; 10:35-45; Lc. 9:46-48; 22:24-27).

> **Lucas 22:24–27** Surgió también entre ellos una discusión, *sobre* cuál de ellos debía ser considerado como el mayor. Y Jesús les dijo: «Los reyes de los gentiles se enseñorean de ellos; y los que tienen autoridad sobre ellos son llamados bienhechores. »Pero no es así con ustedes; antes, el mayor entre ustedes hágase como el menor, y el que dirige como el que sirve. »Porque, ¿cuál es mayor, el que se sienta *a la mesa,* o el que sirve? ¿No lo es el que se sienta *a la mesa?* Sin embargo, entre ustedes Yo soy como el que sirve.

Habrá juicio para los que infrinjan la ley y hagan pecar a otros (Mt. 13:41, 49). El problema con los fariseos y saduceos, aunque no se limita a ellos, era que eran "malos" y una "generación adúltera" (Mt. 16:4). Su devoción no estaba genuinamente dirigida al Dios vivo y verdadero, aunque afirmaban que vivían a su servicio. De hecho, Israel en su conjunto es una nación "incrédula" y "perversa" (Mt. 17:17; par.). Esta es la misma queja que el Señor expresó sobre el Israel de antaño (Dt. 32:5). Aunque fueron redimidos por el Señor de Egipto, no le amaron ni le obedecieron de verdad. Israel afirmaba amar al Señor, pero Jesús sostenía que siempre habían matado a los profetas y rechazado a los mensajeros de Dios, lo que culminaba en el rechazo de Jesús como Hijo de Dios (Mt. 21:33-46; par.).[11] Israel no tenía verdadero interés en la celebración

---

[10] Sobre la dureza de corazón y la incomprensión de los discípulos en Marcos, véase Hawkin 1972; Watts 2000: 228-36.

[11] Schlatter (1997: 149) dice acertadamente: "Jesús no buscaba avergonzar a una persona mediante la exposición de su pecado. Donde se reconoce el pecado, el amor calla".

de las bodas mesiánicas y, en el fondo, se aburría de lo que Dios ofrecía (Mt. 22:5). Incluso cuando asiste, Israel no lleva el atuendo apropiado para una boda (Mt. 22:11-13). Israel sabía lo que Dios exigía, pues está plasmado en el AT (Dt. 6:4-9). Sin embargo, es evidente que la nación y sus líderes no amaron al Señor con todo su ser (Mt. 22:37-40; par.).

Por tanto, lo que se exigía de Israel era arrepentimiento (Mt. 3:2; par.). Jesús no descartó a Israel y a sus líderes; les ofreció la oportunidad de arrepentirse de sus pecados y recibir el perdón (Mt. 4:17; Mc. 1:14-15). Los que no se arrepintieran perecerían (Lc. 13:3, 5).[12] Los discípulos y los recaudadores de impuestos y pecadores no eran fundamentalmente mejores que los fariseos o los líderes religiosos. Jesús no se enzarzó en una guerra de clases en la que exaltara al campesinado por encima de la élite y los ricos. Los pobres pueden ser tan mezquinos, vanidosos y egoístas como los ricos (Mt. 11:20-24). Los recaudadores de impuestos y los pecadores se diferenciaban de los líderes religiosos porque se arrepentían, no por su nobleza (Mt. 9:10; par.).[13]

Pedro, como líder de los Doce, representaba los defectos y el ensimismamiento de los discípulos de Jesús. Se distinguía de los líderes religiosos porque admitía que no era un "buen árbol": "¡Apártate de mí, Señor, pues soy hombre pecador!" (Lc. 5:8). La misma distinción aparece en la parábola de los dos hijos perdidos, que representan a los recaudadores de impuestos y pecadores y a los fariseos, respectivamente (Lc. 15:11-32). Ambos hijos eran egoístas y malvados. El hijo menor, sin embargo, reconoció en lo que se había convertido. Se dio cuenta de lo que merecía: "Padre, he pecado contra el cielo y ante ti; ya no soy digno de ser llamado hijo tuyo; hazme como uno de tus trabajadores" (Lc. 15:18-19). Los que pecan desprecian a Dios. Están muertos y separados de la vida y se pierden en lugar de ser encontrados (Lc. 15:24, 32).

El extravío de los seres humanos queda plasmado en el aforismo "el Hijo del Hombre ha venido a buscar y a salvar lo que se había perdido" (Lc. 19:10). El hijo mayor, sin embargo, siguió insistiendo en su bondad, afirmando haber

---

[12] En la erudición lucana algunos han argumentado que la salvación no está vinculada al perdón de los pecados, y que no se exige el arrepentimiento. Para una crítica vigorosa y convincente de tales puntos de vista, véase Stenschke 1998; Witherington 1998.

[13] Contra E. Sanders (1985: 203-11), que opina que el llamamiento al arrepentimiento es una redacción lucana. Acertadamente Meier 1994: 212n154.

obedecido perfectamente a su padre (Lc. 15:29). Despreciaba al hijo menor y le reprochaba su inmoralidad, sin ver su propia maldad (Lc. 15:30). El padre suplicó al hijo mayor que se arrepintiera y se uniera a la celebración del regreso del hijo menor. La crítica a los líderes religiosos no es una prueba de antisemitismo, sino que funciona como advertencia para todos. Nadie está libre del mal. Todos deben arrepentirse y alejarse de su maldad para volverse hacia Dios. No basta con decir que uno va a cumplir la voluntad de Dios; lo que cuenta es si al final uno se arrepiente y hace lo que Dios manda (Mt. 21:28-32).[14] Demasiados fariseos se congratulaban de su rectitud, contrastándose con los recaudadores de impuestos, que eran notoriamente malvados (Lc. 18:9-14).[15] El recaudador de impuestos, en cambio, tenía una visión auténtica de sí mismo. Se percató de lo que es el verdadero arrepentimiento, y por eso exclamó: "Dios, ten piedad de mí, pecador" (Lc. 18:13).

Que el pecado perturba la relación entre los creyentes y Dios es evidente en los textos que hablan del perdón de los pecados (Mt. 9:2; par.; 26:28; Lc. 1:77). Incluso los creyentes necesitan orar regularmente por el perdón de los pecados (Mt. 6:12; par.). Lo que llama la atención de la enseñanza sobre el perdón de los pecados es su nivelación "democrática", ya que todos están corrompidos y son culpables a causa del pecado, por lo que todos necesitan vivir en arrepentimiento.

Quizás lo que más evidencia la pecaminosidad de los seres humanos es su rechazo de Jesús y de Dios. Los que no reconocen a Jesús serán negados por él (Mt. 10:32-33; par.). Los que se escandalizan de Jesús se oponen a Dios mismo (Mt. 11:6; par.). La blasfemia contra el Espíritu Santo se produce cuando los milagros de Jesús se clasifican como obra de Beelzebú (Mt. 12:24; par.). La gente tiene que arrepentirse ahora que Jesús ha venido, porque es más grande que Jonás (Mt. 12:41). El rechazo de Jesús en su propia ciudad natal indicaba que estaban lejos de Dios (Mt. 13:53-58; par.).

Mateo 13:53–58 Sucedió que cuando Jesús terminó estas parábolas, se fue de allí. Y llegando a Su pueblo, les enseñaba en la sinagoga de ellos, de tal manera

---

[14] Véase Schlatter 1997: 150.

[15] Para una útil exposición de la parábola, véase Bailey 1980: 142-56. Jesús critica aquí claramente la mentalidad legalista del fariseo (acertadamente Marshall 1978b: 681; Fitzmyer 1985: 1184-85), y como señala Fitzmyer, tenemos aquí las raíces de la enseñanza de Pablo sobre la justificación.

que se maravillaban y decían: «¿Dónde *obtuvo* Este tal sabiduría y *estos* poderes milagrosos? »¿No es Este el Hijo del carpintero? ¿No se llama Su madre María, y Sus hermanos Jacobo, José, Simón y Judas? »¿No están todas Sus hermanas con nosotros? ¿Dónde, pues, *obtuvo* Este todas estas cosas?» Y se escandalizaban a causa de Él. Pero Jesús les dijo: «No hay profeta sin honra, sino en su propia tierra y en su casa». Y no hizo muchos milagros allí a causa de la incredulidad de ellos.

La supuesta bondad del gobernante rico demostró ser falsa porque se negó a seguir a Jesús como su discípulo (Mt. 19:21). De este modo se reveló que su dinero era su ídolo, que no obedecía ni el primero ni el décimo mandamiento, pues servía a otro dios y codiciaba las posesiones (Lc. 12:15; 16:14-15).[16]

En la narrativa de los Evangelios, el pecado de Israel culminó con la traición y crucifixión de Jesús, el Mesías. Cuando apareció en medio de Israel, el elegido de Dios no fue abrazado, sino asesinado. Obviamente, los romanos fueron cómplices de los hechos, pero los relatos evangélicos, a pesar de la labor de los revisionistas modernos, son claros. Los líderes judíos tomaron la iniciativa de condenar a muerte a Jesús. De hecho, los Evangelios también enseñan que Israel en su conjunto no abrazó a Jesús. Tal verdad histórica podría conducir y ha conducido al antisemitismo. El antisemitismo es, por supuesto, un mal horrible y funciona como un ejemplo de lógica retorcida por parte de cualquiera que lo adopte. De hecho, quienes lo practican reproducen el mal perpetrado por los judíos que condenaron a Jesús, lo que revela la ironía y la profundidad del pecado.

Los escritores de los Evangelios nunca pretendieron que la ejecución de Jesús por parte de los judíos se convirtiera en un pretexto para el antisemitismo, ya que desde un punto de vista teológico los evangelistas consideran sistemáticamente que *todas* las personas son malas. El objetivo de la historia es que, si los líderes del pueblo de Dios, que conocían las promesas de salvación del Antiguo Testamento gracias a la lectura de las Escrituras, ejecutaron a Jesús, entonces no hay ningún grupo étnico en ningún lugar y en ningún momento que hubiera hecho lo contrario. El faro que ilumina los

---

[16] "Porque el hecho de que el hombre se vaya con el semblante ensombrecido es señal de que ha hecho de sus riquezas un ídolo, del que le resulta demasiado difícil desprenderse" (Cranfield 1963: 330).

pecados y la dureza de corazón de los discípulos indica que habrían hecho lo mismo si no fuera por la gracia de Dios.

Por eso, quienes utilizan el relato como pretexto para discriminar a los judíos revelan hasta qué punto han sido incapaces de comprender el significado del relato, y cómo ellos mismos, ironía de las ironías, se han convertido en fariseos modernos. También debemos reconocer que aquí tenemos una disputa judía interna sobre la verdad y la justicia. La acusación contra Israel era similar a las mordaces acusaciones de los profetas del Antiguo Testamento, cuyas palabras contra el pueblo de Dios no son una prueba de odio, sino que representan una llamada y una oportunidad para el arrepentimiento.[17]

En los Evangelios Sinópticos, el pecado se describe de forma vívida. Todas las personas están manchadas por el pecado y las voluntades egoístas, incluso los líderes religiosos. El "árbol" está podrido y necesita ser reparado. Un corazón obstinado y malvado se manifiesta en una vida de maldad, en la que no se valora a Dios y en la que las personas se dejan corromper por el orgullo. Por eso, todos están llamados a arrepentirse, y este arrepentimiento se manifiesta escuchando y atendiendo el mensaje del reino proclamado por Jesús.

El Evangelio de Juan y las cartas joánicas

El pecado nunca se analiza de forma abstracta en la literatura joánica, ni vemos en ella nada parecido a un tratamiento a gran escala del tema.[18] El argumento del Antiguo Testamento y la revelación de Dios se presuponen y funcionan como telón de fondo para entender el pecado. Quizá también se pueda decir que el pecado no recibe un tratamiento "objetivo", ya que todos los seres humanos lo han experimentado. Reconocen su presencia en su corazón y en la vida de sus semejantes.

---

[17] Véanse especialmente los ensayos de Evans y Hagner 1993, que sostienen que los escritores del Nuevo Testamento no eran culpables de antisemitismo. Lo que encontramos es una polémica dentro del judaísmo similar a las críticas que encontramos en los profetas del Antiguo Testamento.

[18] Aquí he juntado el Evangelio y las Epístolas de Juan al hablar del pecado porque el retrato del pecado en ellos es sustancialmente el mismo.

El pecado de los seres humanos es retratado por Juan con imágenes impactantes. Por ejemplo, los que pecan viven en el reino de las tinieblas. Caminar en las tinieblas no es accidental, ni una cruel jugarreta del destino. La gente "ama" las tinieblas porque ama practicar el mal (Jn. 3:19-20).[19] Huyen de la luz porque la luz pone al descubierto los malos motivos del corazón y las malas acciones (Jn. 3:21). La única forma de escapar de las tinieblas es mediante la fe y la obediencia a Jesús, porque él es la luz del mundo (Jn. 8:12; 12:35, 46) y es quien vence a las tinieblas (Jn. 1:5).

Los que viven en el odio habitan en las tinieblas, lo que revela que pertenecen a la era antigua en la que reinan las tinieblas, en lugar de la nueva era en la que está amaneciendo la luz (1 Jn. 2:8-11). Para Juan, la "noche" desempeña una función simbólica. Nicodemo visitó a Jesús de noche, lo que reveló su estado espiritual (Jn. 3:2; cf. 9:4; 11:10).[20] Elogió a Jesús como maestro por las señales que realizaba, pero Jesús no se sintió gratificado por los elogios de este miembro de la élite religiosa. Nicodemo vivía en las tinieblas y no comprendía la identidad de Jesús. Necesitaba nacer de lo alto (Jn. 3:3, 5, 7) para entrar en el reino de la luz. Después de que Judas traicionara a Jesús (Jn. 13:30), Juan observó que "era de noche", pues la traición de Jesús y su muerte son el ápice del mal.[21]

Juan también utiliza una metáfora espacial para delinear a los que viven en el reino de las tinieblas. Ellos son "de abajo", mientras que Jesús es "de arriba" (Jn. 8:23). Otra forma de decir esto es que están restringidos a este mundo, dominado por el mal. En algunos casos, el término "mundo" (*kosmos*) se utiliza de forma más bien neutra en el Evangelio de Juan: Jesús estaba con el Padre antes de la creación del mundo (Jn. 17:5, 24); el mundo no puede contener todo lo que Jesús dijo o hizo (Jn. 21:25); el mundo hace referencia a los seres humanos (Jn. 12:19). Pero Juan suele utilizar el término para referirse al mundo de los seres humanos que se oponen a Dios y a su voluntad.[22]

Aunque Jesús "estaba en el mundo" y creó el mundo, el mundo de los seres humanos no lo conoció ni lo acogió como Hijo de Dios (Jn. 1:10). El mundo

---

[19] Véase Köstenberger 2004: 131. Lindars (1972: 161) reduce erróneamente el impacto del pecado separándolo de las emociones.

[20] Carson 1991b: 186; Barrett 1978: 204-5 (con cautela). Contra Köstenberger 2004: 120.

[21] Acertadamente Barrett 1978: 448-49.

[22] Véase Barrett 1978: 161-62. Carson (1991b: 122-23) sostiene que el término se centra en la rebelión del orden creado.

no conoce ni ama al Padre (Jn. 17:25). Jesús vino al mundo y Dios demostró su amor por el mundo enviando a Jesús para que el mundo se salvara (Jn. 3:16-17), lo que revela que el estado natural del mundo es de condenación y juicio. Juan subraya a menudo que la misión de Jesús era dar vida al mundo mediante su muerte.[23] De ahí se deduce que el mundo reside en la muerte y las tinieblas. El amor de Dios por el mundo, por tanto, llama la atención, al menos implícitamente, al lado oscuro del mundo, al mal que hay en el mundo y que necesita cura.

El mundo odia a Jesús porque reprueba su maldad y la expone (Jn. 7:7; 8:26). Se regocija poderosamente por la muerte de Jesús (Jn. 16:20). Por eso, en cierto sentido, Jesús vino a juzgar al mundo (Jn. 9:39). Satanás es el soberano del mundo (Jn. 12:31; 14:30; 16:11), y por eso todos los incrédulos viven bajo su dominio (1 Jn. 5:19), y prestan atención a la sabiduría del mundo (1 Jn. 4:5; 2 Jn. 7). El reino de Jesús no es de este mundo ni del presente siglo malo (Jn. 18:36). Pero Jesús ha vencido a Satanás y al mundo, de modo que sus discípulos pueden alegrarse incluso en este mundo de adversidades (Jn. 16:33). Los creyentes vencen al mundo porque han nacido de nuevo y por su fe en Jesús como Hijo de Dios (1 Jn. 5:4-5).

1 Juan 5:4–5 Porque todo lo que es nacido de Dios vence al mundo. Y esta es la victoria que ha vencido al mundo: nuestra fe. ¿Y quién es el que vence al mundo, sino el que cree que Jesús es el Hijo de Dios?

El mundo no puede ni quiere recibir por sí solo al Espíritu, que da testimonio de la verdad (Jn. 14:17). El mundo cree las mentiras del anticristo en lugar de recibir el testimonio de la verdad (1 Jn. 4:1, 3, 5). Los que aman al mundo no pertenecen a Dios (1 Jn. 2:15-17). Debido a que el mundo está entregado al mal, no recibirá una revelación de la identidad de Jesús (Jn. 14:19, 22) a menos que el Espíritu convenza al mundo de su pecado (Jn. 16:8). Sin embargo, los que pertenecen a Jesús han sido llamados a salir de este mundo y ahora forman parte de su rebaño, aunque originalmente también pertenecían al mundo (Jn. 13:1; 15:19; 17:6). De ahí que su liberación del mundo solo pueda explicarse por la gracia de Dios.

---

[23] Juan 1:29; 3:16–17; 4:42; 6:33, 51; 8:12; 9:5; 10:36; 11:9, 27; 12:46–47; 16:21; 18:20, 37; 1 Juan 2:2; 4:9, 14.

No existe un dualismo absoluto entre el rebaño de Jesús y el mundo, como si los primeros no conocieran el mal. Los discípulos también conocían muy bien el mal, pero han sido liberados por obra del Cordero de Dios, que expió sus pecados (Jn. 1:29). El mundo, en cambio, odia a los discípulos de Jesús porque pertenecen a Jesús, de tal manera que el odio a los discípulos de Jesús indica que odian a Jesús mismo (Jn. 15:18-19; 17:14; 1 Jn. 3:13; cf. 1 Jn. 3:1). De ahí que Jesús orara especialmente por sus discípulos, que seguían residiendo en un mundo opuesto a él y a la verdad (Jn. 17:9, 11). Oró para que fueran preservados del maligno que domina el mundo, y para que su separación del mundo del mal continuara (Jn. 17:15-16). Tampoco están fijas las líneas entre el bien y el mal, de modo que solo los discípulos se oponen al mundo. Son enviados al mundo para rescatar a los que están bajo el dominio del mal, sabiendo que algunos, como ellos, se salvarán y reconocerán a Jesús como el enviado del Padre (Jn. 17:18, 21, 23).[24]

Juan se enfrenta directamente al poder del mal en sus escritos. Incluso los judíos, el pueblo elegido por Dios, no reconocieron ni recibieron a Jesús (Jn. 1:11). A menudo, el retrato que Juan hace de los judíos se juzga de antisemita porque regularmente pinta a "los judíos" como opositores a Jesús. El término "los judíos" (*hoi Ioudaioi*) en el Evangelio de Juan suele referirse a los líderes religiosos del judaísmo,[25] pero el término también puede utilizarse para designar las prácticas judías.[26] Jesús mismo se identifica como "judío", y los judíos son distinguidos de los samaritanos (Jn. 4:9). El propio Jesús proclamó que "la salvación viene de los judíos" (Jn. 4:22).

En algunos contextos no está claro si "los judíos" se refiere solo a los líderes religiosos o si tiene un referente más amplio.[27] Por ejemplo, es probable que los judíos que creyeron en Jesús pero luego quisieron darle muerte no puedan limitarse a los líderes religiosos (Jn. 8:31, 48, 52, 57).

Juan 8:31, 48, 52, 57 Entonces Jesús decía a los judíos que habían creído en Él: «Si ustedes permanecen en Mi palabra, verdaderamente son Mis

---

[24] Véase Köstenberger 2004: 492.

[25] Para la opinión de que el término se refiere más a menudo a los líderes judíos, pero con sensibilidad a otros usos, véase Carson 1991b: 141-42. Véase también Barrett 1978: 171-72. Para referencias, véase Juan 1:19; 2:18, 20; 5:10, 15, 16, 18; 7:1; 8:22; 9:18, 22; 10:19, 24, 31, 33; 11:8, 54; 13:33; 18:12, 14, 31, 36, 38; 19:7, 12, 14, 21, 31, 38.

[26] Juan 2:6, 13; 5:1; 6:4; 7:2, 11, 13, 15; 11:55; 19:40, 42; 20:19.

[27] Juan 6:41, 52; 7:35; 11:19, 31, 33, 36, 45; 12:9, 11; 18:20, 33, 39; 19:3, 19, 20, 21.

discípulos... Los judíos le contestaron: «¿No decimos con razón que Tú eres samaritano y que tienes un demonio?»... Los judíos le dijeron: «Ahora sí sabemos que tienes un demonio. Abraham murió, y *también* los profetas, y Tú dices: "Si alguien guarda Mi palabra no probará jamás la muerte"... Por esto los judíos le dijeron: «Aún no tienes cincuenta años, ¿y has visto a Abraham?»

Los que acusan a Juan de antisemitismo lo leen superficialmente y no captan su mensaje.[28] Lo que Juan quiere decir es que, si el pueblo de la promesa rechazó a Jesús, entonces los tentáculos del mal son más poderosos de lo previsto. Se expanden y lo atrapan todo. Nadie está exento. Juan, después de todo, era judío, y no se exime a sí mismo ni a ninguno de los discípulos del mal. Su liberación solo puede explicarse por el amor de Dios al enviar a su Hijo para salvarlos de la condena merecida. En la medida en que la iglesia ha caído presa del antisemitismo, también ella delata el sometimiento al mal. Pero no es antisemitismo decir que Jesús es el Salvador del mundo, y que aparte de Jesús todos están aprisionados por el mal.

Jesús enseña sin vacilar que quienes se nieguen a creer en él morirán en sus pecados (Jn. 8:21, 24). Solo quienes permanezcan en sus enseñanzas serán liberados de la esclavitud del pecado (Jn. 8:31, 34). Por eso, los que no creen en Jesús tienen por padre al diablo (Jn. 8:44); no son hijos ni de Dios ni de Abraham (Jn. 8:39-40, 42, 47). Deseaban matar a Jesús, aunque negaban que tal fuera su intención (Jn. 8:37, 40; cf. 8:59; 10:31). Como estaban esclavizados a la maldad y se negaban a confiar en Jesús, vivían bajo la ira de Dios (Jn. 3:18, 36). Los que practican la maldad serán resucitados para ser juzgados en el último día (Jn. 5:29). Juan define el pecado como falta de ley (1 Jn. 3:4), lo que significa negarse a hacer la voluntad de Dios y a guardar sus mandamientos. La falta de ley, por tanto, no puede limitarse a la inobservancia de los mandamientos de Dios. Implica rebelión contra Dios y un rechazo deliberado a someterse a él.[29]

Otra forma de describir el poder del pecado es decir que los que nacen en este mundo son espiritualmente ciegos. Si los seres humanos se humillaran y

---

[28] Véase Carson 1991b: 142.

[29] Marshall (1978a: 176-77) argumenta acertadamente que el pecado aquí no es simplemente el incumplimiento de la ley, sino que constituye más bien una rebelión contra Dios. Véase también Smalley 1984: 154-55; R. Brown 1982: 399-400.

admitieran que son ciegos, entonces verían de verdad (Jn. 9:39-41).[30] Pero el orgullo y la terquedad invaden el corazón humano, de modo que la gente no admite que camina en tinieblas. Si estuvieran dispuestos a cumplir la voluntad de Dios, se darían cuenta de que Jesús vino de Dios (Jn. 7:17). Se negaron a venir a Jesús por la vida (Jn. 5:40) o a recibirlo en el nombre del Padre (Jn. 5:43). Este rechazo de Jesús se debe al deseo de obtener la aprobación humana y la gloria y el honor que provienen de sus iguales (Jn. 5:44).[31]

La gente se negaba a creer en Jesús porque no querían enfrentarse a la expulsión de la sinagoga (Jn. 9:22; 12:42-43), ya que "amaban más el reconocimiento de los hombres que el reconocimiento de Dios" (Jn. 12:43). La finalidad de la vida humana es vivir para gloria y alabanza de Dios. No es sorprendente, entonces, que el pecado en su fundamento viva para la gloria y alabanza de los seres humanos en lugar de vivir para agradar al único y verdadero Dios.

Juan retrata crudamente el pecado humano. El mundo se opone a las cosas de Dios. Incluso el pueblo judío, que era el elegido de Dios, rechazó a Jesús el Mesías. Los seres humanos viven bajo el dominio de Satanás; residen en las tinieblas y no en la luz; son de abajo y no de arriba; aman la mentira en lugar de aferrarse a la verdad; odian la luz porque las tinieblas les parecen hermosas. La manifestación suprema del pecado es la negativa a creer en Jesús. Los seres humanos prefieren la alabanza y la gloria de otros seres humanos al amor de Dios. El pecado, entonces, es la falta de ley, porque representa la negativa a creer en Jesús como el Cristo; es una rebelión feroz que se niega a someterse a Jesús como Señor.

Hechos

El libro de Hechos no reflexiona profundamente sobre el pecado humano, aunque esto no es de extrañar, dado su género literario. También debemos recordar que lo que Lucas dice sobre el pecado (véase el análisis de los Sinópticos más arriba) debe añadirse a lo que se encuentra en Hechos. En el

---

[30] "De hecho, hasta ahora todos estaban ciegos; pues el v. 41 muestra que los 'que veían' eran solo los que imaginaban que podían ver, mientras que los 'ciegos' eran los que sabían que estaban ciegos" (Bultmann 1971: 341).

[31] Véase Barrett 1978: 269; Lincoln 2000: 80.

sermón de Pentecostés, Pedro exhortó a sus oyentes a salvarse "de esta perversa generación" (Hch. 2:40).[32] La redacción recuerda a Deuteronomio 32:5 y al cántico de Moisés sobre Israel, en el que se reprocha a Israel tener un corazón alejado de Dios. La alusión al Deuteronomio es importante, pues revela el poder y la influencia del pecado incluso sobre los que recibieron la revelación de Dios y fueron objeto de su obra salvífica. Esteban también se remontó a la historia de Israel y encontró que los mismos pecados estaban presentes en sus días y en las generaciones anteriores.

Los israelitas eran "tercos" e "incircuncisos de corazón y de oídos" (Hch. 7:51). La apostasía de Israel en el incidente del becerro de oro reveló que el pueblo era duro de cerviz (Hch. 7:39-41; cf. Ex. 33:3, 5; 34:9; Dt. 9:6, 13).[33] El corazón incircunciso de Israel indica que el pueblo no estaba regenerado (Lv. 26:41; cf. Dt. 10:16; Jer. 4:4; 9:25-26). En la historia de Israel, los que tenían la cerviz dura y se resistían a Dios no cumplieron la voluntad de Dios revelada en la Torá. A causa de su desobediencia, fueron exiliados tanto a Asiria (722 a.C.) como a Babilonia (586 a.C.). Esteban argumentó que la idolatría era característica de la historia de Israel (Hch. 7:42-43).[34] Los judíos de su época habían caído presa del mismo pecado; decían atesorar la ley de Dios pero no la observaban (Hch. 6:11, 13-14; 7:39, 53).

Hechos de los Apóstoles 6:11, 13-14 Entonces, en secreto persuadieron a *algunos* hombres para que dijeran: «Le hemos oído hablar palabras blasfemas contra Moisés y *contra* Dios»… Presentaron testigos falsos que dijeron: «Este hombre continuamente habla en contra de este lugar santo y de la ley; porque le hemos oído decir que este Nazareno, Jesús, destruirá este lugar, y cambiará las tradiciones que Moisés nos dejó».

La incapacidad de guardar la ley de Dios también aparece en los comentarios de Pedro en el Concilio de Jerusalén (Hch. 15:10-11).[35] Los fariseos de entre

---

[32] Véase Barrett 1994: 157.

[33] Sobre el significado del incidente del becerro de oro y Éxodo 32-34, véase Hafemann 1995: 189-254.

[34] "Fueron idólatras todo el tiempo que estuvieron en el desierto" (Lake y Cadbury 1979: 79).

[35] Nolland (1980) sostiene que Hechos 15:10 enseña la incapacidad de la gente para observar la ley, aunque no la opresión de la ley. Véase también Fitzmyer 1998: 548; Haenchen 1971: 446-47; Barrett 1998: 718-19.

los creyentes cristianos exigían que los conversos gentiles practicaran la circuncisión para salvarse (Hch. 15:1, 5). Pedro señaló que el yugo de la Torá no había sido observado ni por los padres ni por la gente de su propia generación. Por lo tanto, la única forma de salvación es la gracia, porque la obediencia humana no ha garantizado (ni puede garantizar) la bendición prometida. Pedro no se limitó a acusar de pecado a otras personas; admitió que el propio Israel había sido incapaz de cumplir la ley. Hechos 13:38-39 debe interpretarse de forma similar. En lugar de liberar a la gente del pecado, la ley mosaica expone los pecados que la gente ha cometido, mostrando que todos están destituidos del favor de Dios.

La maldad que impregna la vida humana llegó a su clímax con la crucifixión del Señor y Mesías, Jesús de Nazaret. Esteban declaró que Israel perseguía y mataba regularmente a los profetas (Hch. 7:52), y ahora su generación había traicionado y asesinado al "Justo" (Hch. 7:52). Los apóstoles predicaron audazmente a los judíos que habían pecado atrozmente al crucificar al Mesías (Hch. 2:23; 3:13, 17; 4:10-11; 5:30; 13:28). La persecución de los judíos a los mensajeros del evangelio también señalaba su rechazo a la salvación de Dios: el Sanedrín amenazó a Pedro y Juan por proclamar la resurrección (Hch. 4: 1-22); los apóstoles fueron encarcelados, interrogados y apaleados por proclamar el evangelio (Hch. 5:17-42); Esteban fue apresado, llevado ante el Sanedrín y apedreado hasta la muerte (Hch. 6:8-7:53); Pablo persiguió a los creyentes en varias zonas antes de su conversión (Hch. 8:3; 9:1-2, 13-14, 21); los judíos conspiraron para matar a Pablo tras su conversión (Hch. 9:23-25); ampliaron su persecución tras la muerte de Esteban (Hch. 11:19); Herodes condenó a muerte a Santiago, hermano de Juan, y al parecer pretendía matar a Pedro para complacer a los judíos (Hch. 12:1-19); los judíos estaban celosos en Antioquía y hablaban en contra del evangelio y perseguían a Pablo y Bernabé (Hch. 13:45, 50). Los gentiles también maltrataron a los creyentes: los magistrados de Filipos azotaron a Pablo y Silas (Hch. 16:19-24); Demetrio y sus colaboradores incitaron a un motín en Éfeso (Hch. 19:23-41).

Algunos han sostenido que la polémica contra los judíos en Lucas-Hechos es una muestra de antisemitismo.[36] Tal juicio es comprensible, dados los pecados cometidos por cristianos contra judíos a lo largo de la historia, pero

---

[36] Véase la exhaustiva explicación de esta tesis en J. Sanders 1987.

es erróneo.[37] Si aceptamos que Lucas era un historiador fiable, registra sucesos en los que judíos maltrataron a cristianos. No se da ningún ejemplo en el que los cristianos, a su vez, persiguieran a los judíos, ni hay ninguna indicación de que tal giro de los acontecimientos fuera bien recibido. Esteban no oró pidiendo venganza, sino perdón por los que le dieron muerte (Hch. 7:60), imitando el ejemplo de Jesús (Lc. 23:34). Tampoco se demoniza a los perseguidores y con ello se erige una plataforma para justificar el odio. El antiguo perseguidor Pablo se salvó y se convirtió en heraldo del evangelio, lo que demuestra que los primeros cristianos no se consideraban exentos de pecado. Es de suponer que la esperanza de conversión se mantenía para todos aquellos que se volvían contra los creyentes.

Además, como ya hemos señalado, en ocasiones los gentiles también perjudicaban a los creyentes. Tales casos demuestran que la oposición al evangelio era un problema humano, no un asunto particular de los judíos. No es sorprendente, sin embargo, que la atención se centre en el rechazo judío. Jesús era judío, al igual que los primeros cristianos. Creían que su mensaje era el cumplimiento de las Escrituras hebreas. De ahí que el rechazo de los judíos fuera especialmente doloroso y notable.

La condición pecaminosa de todos se hace evidente en el llamamiento al arrepentimiento y a la fe, que investigaremos a continuación. El mundo gentil servía vanamente a los ídolos y no al Dios creador, que es verdadero y viviente (Hch. 14:15). En el pasado, Dios les permitió que "siguieran sus propios caminos" (Hch. 14:16), pero ahora los llama al arrepentimiento.

Hechos de los Apóstoles 14:15–16 «Señores, ¿por qué hacen estas cosas? Nosotros también somos hombres de igual naturaleza que ustedes, y les anunciamos el evangelio para que se vuelvan de estas cosas vanas a un Dios vivo, que hizo el cielo, la tierra, el mar, y todo lo que hay en ellos. »En las generaciones pasadas Él permitió que todas las naciones siguieran sus propios caminos.

Pablo no contempló los ídolos de Atenas con indiferencia, comentando el bello arte evidente en los numerosos ídolos. Al contrario, se sintió provocado e

---

[37] Véase el ensayo de Tiede (1993), quien sostiene que Lucas no debe ser calificado de antisemita.

irritado por su idolatría (Hch. 17:16). Encontró un punto de contacto con los atenienses cuando se dirigió a ellos (Hch. 17:22-23), pero claramente creía que tenían nociones equivocadas de Dios que necesitaban ser corregidas (Hch. 17:23-28). Su culto a Dios puede resumirse como "ignorancia" (Hch. 17:30), recordando la visión veterotestamentaria de la idolatría de las naciones paganas (cf. 1 P 1:14). De ahí que los atenienses no se salvaran por sus dioses y se les exhortara a arrepentirse (Hch. 17:30).

Se insiste en la necesidad del arrepentimiento para todas las personas. La justicia que Dios exigía para el juicio venidero fue proclamada a Félix, lo que le hizo sentirse claramente incómodo (Hch. 24:25). Pablo suplicó al rey Agripa y a todos los presentes en su juicio que se hicieran cristianos (Hch. 26:27-29). Los que no se arrepienten residen en las tinieblas y en el reino de Satanás (Hch. 26:18). Si no creen, se enfrentarán al juicio en el último día (Hch. 17:31; cf. 2:40; 3:23; 4:12; 13:40-41).

Lucas en Hechos argumenta que el pecado caracterizó la historia de Israel. De hecho, Israel siempre incumplió la ley, lo que demuestra que una voluntad egoísta dominaba sus vidas. Sin embargo, ese egoísmo no se limita a los judíos, pues representa la condición humana en general. El pecado alcanzó su punto culminante en la crucifixión de Jesucristo, el agente de la salvación de Dios. De ahí que todos sean llamados a arrepentirse y a poner su confianza en Jesucristo para escapar del juicio venidero.

La literatura paulina

Pablo escribió trece cartas dirigidas a situaciones diversas, por lo que no es de extrañar que el pecado de los seres humanos reciba su tratamiento más profundo y extenso en sus escritos. De ahí que nos centremos especialmente en Pablo a la hora de ofrecer un retrato del pecado humano.

El pecado fundamental, según Pablo, no es el incumplimiento de la ley de Dios, por graves que sean tales infracciones. El pecado fundamental es no alabar, adorar y dar gracias a Dios, no glorificarlo como Dios (Ro. 1:21).[38] Todos los seres humanos conocen a Dios porque se ha revelado a través del mundo creado. Reconocen que es verdaderamente Dios y que es el Dios

---

[38] Véase Moxnes 1988: 213.

Todopoderoso, el omnipotente. Tal reconocimiento de la existencia de Dios no es producto de razonamientos filosóficos ni de sofisticados argumentos que demuestren la existencia de Dios.

Todos los seres humanos, incluso los que tienen una capacidad de razonamiento muy limitada, disciernen el ser y el poder de Dios al percibir el mundo creado. Pero también rechazan el señorío de Dios sobre sí mismos, pues recurren a la adoración de ídolos en lugar de al único Dios vivo y verdadero (Ro. 1:23). Abrazan la mentira de la gloria y la autonomía humanas, y por eso adoran a la criatura en vez de al creador (Ro. 1:25). Pablo tampoco contempla aquí excepciones, pues su acusación contra los seres humanos se produce en una sección que demuestra que nadie está exento del poder del pecado, que el pecado abarca a toda la humanidad (Ro. 1:18-3:20).

Pablo también argumenta que los pecados proceden del pecado. Tres veces dice: "Dios los entregó" (Ro. 1:24, 26, 28), refiriéndose a los pecados que los seres humanos cometen como consecuencia de su rechazo de Dios como Dios. Puesto que Dios no es adorado como Dios, entrega a los seres humanos a pecados por los que sus vidas y su sociedad se degradan. La idea de que la idolatría es la raíz de todos los demás pecados no es exclusiva de Pablo. Muchos eruditos han notado la influencia de la Sabiduría de Salomón en esta sección: "Porque el culto a ídolos innombrables es la fuente, la causa y el fin de todo mal" (Sab. 14: 27).

Negarse a honrar a Dios como Dios y a darle gloria, a adorarlo y venerarlo, constituye el pecado según Pablo. Por eso identifica la codicia con la idolatría (Ef. 5:5; Col. 3:5).

> **Efesios 5:5** Porque con certeza ustedes saben esto: que ningún inmoral, impuro o avaro, que es idólatra, tiene herencia en el reino de Cristo y de Dios.
> **Colosenses 3:5** Por tanto, consideren los miembros de su cuerpo terrenal como muertos a la fornicación, la impureza, las pasiones, los malos deseos y la avaricia, que es idolatría.

La prohibición de codiciar es el décimo mandamiento del Decálogo, y vemos en el comentario de Pablo que el décimo y el primer mandamiento abordan la misma realidad. Cualquier cosa que una persona codicie se ha convertido en un ídolo, y por lo tanto codiciar coloca el objeto del deseo por encima de Dios mismo. Curiosamente, cuando Pablo habla del papel de la ley en la estimulación del pecado, selecciona la prohibición de codiciar (Ro. 7:7).[39]

Se sigue debatiendo si Pablo habla de sí mismo, de Adán o de Israel en este texto. En otro lugar he argumentado que Pablo se refiere a sí mismo, pero en última instancia la identidad de la persona en cuestión no es de gran importancia, ya que incluso si Pablo se refiere a sí mismo, refleja la experiencia de Adán e Israel y ejemplifica la experiencia de todos los que han intentado observar la ley.[40] El mandamiento de abstenerse de codiciar produjo todo tipo de deseos ilícitos, de modo que el mandamiento que pretendía traer la vida acabó produciendo la muerte (Ro. 7:8-11). No podemos limitar la prohibición de codiciar a la lujuria sexual, como si Pablo reflexionara sobre la entrada en la pubertad.[41] El objeto de la codicia, a diferencia de lo que ocurre en el Decálogo, sigue sin enunciarse, de modo que queda incluida toda codicia. El mandamiento de no codiciar, por tanto, revela que los seres humanos valoran más sus deseos que la voluntad de Dios, con lo que demuestran que el Dios verdadero no es su tesoro, que otro dios gobierna en sus vidas.

La inclinación a la idolatría se manifiesta en la jactancia humana. Pablo no condena toda jactancia, pues la jactancia en el Señor es la expresión de la verdadera alabanza (Ro. 5:11; 1 Co. 1:31; 2 Co. 10:17). Sin embargo, queda excluida la jactancia de los seres humanos pecadores (Col. 2:18). La división en Corinto sobre la sabiduría de los ministros (1 Co. 1:10-4:21) preocupó a Pablo porque el problema de fondo era el orgullo. Los corintios contrastaron y compararon a Pablo y a Apolos, evaluando su eficacia en términos de habilidad para hablar (1 Co. 1:17-18; 2:4), en cuanto a si utilizaban brillantemente la retórica griega.[42]

Sus evaluaciones los llevaron a envanecerse (1 Co. 4:6). La arrogancia se apoderó de ellos hasta el punto de subvertir el reino de Dios (1 Co. 4:18-21).

---

[39] Aquí, codiciar no puede identificarse con el deseo de guardar la ley (Bultmann 1955: 247-48; Käsemann 1980: 194; Hübner 1984a: 72); claramente, se refiere a la transgresión de la ley (Räisänen 1992: 95-111; Wilckens 1980: 76, 239). Tampoco se puede reducir aquí la codicia a la lujuria sexual (contra Gundry 1980). Véase el útil estudio de Ziesler 1988.

Sab. – Sabiduría de Salomón

[40] La identidad del "yo" en Romanos 7:7-12 es bastante controvertida. Véase Schreiner 1998: 359-65.

[41] Contra Gundry 1980.

[42] En apoyo la tesis de que la cuestión se refiere a la retórica griega están Litfin 1994; Winter 1997. Véase también Hays 1997: 22, 27, 29-30, 36.

Habían olvidado el insensato mensaje de la cruz, un mensaje que había sido categóricamente rechazado por los sabios y sofisticados de este mundo (1 Co. 1:18-31). Dios eligió a los necios, débiles e innobles para impedir la jactancia humana (1 Co. 1:27-29). La jactancia humana contradice el mensaje mismo de la cruz. Enaltece el potencial humano, la sabiduría humana y la fuerza humana en lugar de centrarse en lo que Dios ha hecho en Cristo. Es la prueba A de la idolatría.

La misma preocupación anima a Pablo al dirigirse a los "conocedores" en 1 Corintios 8:1-11:1. Despreciaban a los débiles que pensaban que se contaminaban comiendo alimentos de ídolos. El amor a Dios y el ser conocidos por Dios habían sido olvidados, y los conocedores se habían quedado embelesados por su comprensión teológica. Carecían de la humildad que confiesa que ante Dios nadie sabe nada.[43] De hecho, su arrogancia los llevó al precipicio, pues Pablo les advirtió de que estaban coqueteando con la idolatría (1 Co. 10:1-22). No es de extrañar, pues la soberbia se exalta a sí misma como Dios en lugar de adorar y honrar al único Dios verdadero.

El orgullo acecha detrás de cada esquina y se manifiesta de maneras inesperadas. Los corintios también eran propensos a jactarse de los dones que ejercían, en particular los que tenían el llamativo y espontáneo don de hablar en otras lenguas (1 Co. 12:1-14:40). Sin embargo, la arrogancia sobre el don ejercido debía ser erradicada porque era contraria al camino del amor. El amor nunca se jacta ni hace alarde de sí mismo (1 Co. 13:4). Los que encuentran su principal deleite en sus dones han exprimido al dador y se han exaltado a sí mismos.

El corazón del pecado es la adoración propia que exalta al yo por encima del único y verdadero Dios. El rechazo del señorío de Dios se manifiesta en el pecado, y Pablo también subraya que el pecado se manifiesta en relación con la ley. Por supuesto, el pecado también existe sin la ley. Como señalamos anteriormente, todas las personas, aunque no hayan oído la ley, conocen al único Dios verdadero, pero se niegan a honrarlo como Dios (Ro. 1:18-21).

Romanos 1:18–21 Porque la ira de Dios se revela desde el cielo contra toda impiedad e injusticia de los hombres, que con injusticia restringen la verdad.

---

[43] Sin embargo, es bien sabido que la humildad no era apreciada como virtud en el mundo grecorromano. Véase Grundmann, *TDNT* 8:1-26.

Pero lo que se conoce acerca de Dios es evidente dentro de ellos, pues Dios se lo hizo evidente. Porque desde la creación del mundo, Sus atributos invisibles, Su eterno poder y divinidad, se han visto con toda claridad, siendo entendidos por medio de lo creado, de manera que ellos no tienen excusa. Pues aunque conocían a Dios, no lo honraron como a Dios ni *le* dieron gracias, sino que se hicieron vanos en sus razonamientos y su necio corazón fue entenebrecido.

El pecado es la incredulidad, pues la fe da gloria a Dios en todo y confía en sus promesas (Ro. 4:20), pero todo lo que el ser humano hace al margen de la fe es pecado (Ro. 14:23), dado que la fe mira a Dios como el único que satisfará toda necesidad. Dios paga a cada uno según sus obras (Ro. 2:6). Los que hacen el mal, se les haya enseñado o no la ley de Dios, se enfrentarán a la ira de Dios en el día del juicio (Ro. 2:8-9). Los que pecan sin tener la ley no están, por tanto, libres de culpa; perecerán porque han violado sus conciencias, que atestiguan que la ley ha sido escrita en sus corazones (Ro. 2:12-15).

Los judíos a los que se les enseñó la ley desde su más tierna infancia tendían a considerar la posesión de la ley como una indicación de su condición de favorecidos. Pero ellos mismos estaban condenados porque no cumplían lo que la ley exigía; practicaban "las mismas cosas" que condenaban en los gentiles (Ro. 2:1; cf. 2:3). La mera posesión de la ley no evita el juicio. Los que "han pecado bajo la ley, por la ley serán juzgados" (Ro. 2:12). Tanto los judíos como los gentiles serán juzgados imparcialmente por Dios (Ro. 2:11).[44] Los que hacen el bien serán recompensados con la vida y la paz, mientras que todos los que hacen el mal se enfrentarán al juicio de Dios (Ro. 2:6-10).

Pablo no niega que haya un privilegio en ser receptor de la ley (Ro. 2:17-20) y en la circuncisión (Ro. 2:25), ya que la circuncisión es el signo de entrada en el pacto con Dios.[45] Pero nada de esto sirve de algo a menos que los propios judíos observen la ley (Ro. 2:21-22, 25).[46] De poco sirve predicar contra el robo, el adulterio y la idolatría si uno cae presa de los mismos males que se denuncian. De hecho, la desobediencia judía a Dios deshonra su nombre, de modo que incluso los gentiles injuriaban el nombre de Dios por no hacer ellos

---

[44] Sobre la importancia del tema de la imparcialidad en Pablo, véase Bassler 1982.

[45] Räisänen (1983) sostiene que la visión paulina de la ley está plagada de contradicciones. Para una refutación convincente de Räisänen, véase Weima 1990.

[46] Moo (1983) y Westerholm (1986; 2004: 341-97) aclaran de forma útil y convincente el significado de la palabra *nomos* en Pablo, y ambos sostienen que el referente suele ser la ley mosaica.

lo que Dios exigía (Ro. 2:23-24). Pablo se dirige aquí a los judíos que no se han arrepentido, que tienen un corazón duro e impenitente (Ro. 2:5). Debido a su terquedad se han negado a creer el evangelio que él proclama. Son "duros de cerviz" como la generación del becerro de oro (Ex. 32:9; 33:3, 5; 34:9; Dt. 9:6, 13).

La misma desobediencia y falta de arrepentimiento llevó a la nación al exilio (Is. 40:2; 42:24-25; 43:22-28; 50:1; Esd. 9:5-9). Wright, en particular, ha popularizado la idea de que el Israel de la época de Pablo seguía en el "exilio" a causa de sus pecados. Sigue siendo objeto de debate si el término "exilio" es el más adecuado para describir el estado de Israel en aquel momento.[47] Quizá se pueda llegar a un acuerdo al decir que las promesas dadas a Israel en el AT seguían sin cumplirse, y la mayoría en Israel estaría de acuerdo en que eso se debía al pecado de Israel.

Todas las personas han pecado. Pablo no abrió una grieta en la puerta sugiriendo que algunos han respondido positivamente a la revelación de Dios evidente a través del mundo creado. La ira de Dios se cierne sobre todos los hombres (Ro. 1:18), y todos están sin excusa (Ro. 1:20). Todos son mentirosos en contraste con la verdad de Dios (Ro. 3:4). Los judíos no son superiores a los gentiles, pues "todos" están "bajo pecado" (Ro. 3:9). La cadena veterotestamentaria de Romanos 3:10-18 corrobora la conclusión. Ni siquiera una persona es justa. Nadie busca a Dios; todos huyen de él y violan su voluntad. "Todos se han desviado... no hay quien haga lo bueno, no hay ni siquiera uno" (Ro. 3:12). La raíz de todo pecado se remonta a la falta de temor de Dios (Ro. 3:18).[48] "Todos pecaron y no alcanzan la gloria de Dios" (Ro.

---

[47] Algunos académicos sostienen que la visión paulina del cumplimiento de las promesas de Dios debería describirse como un retorno del exilio. Véase Wright 1992a; Scott 1993a: 645-65; W. Webb 1993. Para un examen más detallado del tema del exilio, véase Scott 1997. Seifrid (1994; 2000a) sostiene que el tema del exilio no es auténticamente paulino. Sus advertencias son oportunas. Lo que hay que reconocer es que, independientemente de la terminología, Pablo considera que las promesas relatadas en Isaías (especialmente Isaías 40-66) se cumplen en Cristo.

[48] En ocasiones se ha observado que los contextos de los que se extrae la cadena del AT plantean una distinción entre justos e impíos (así G. Davies 1990: 80-104). Por tanto, Pablo no puede afirmar que todas las personas, sin excepción, sean pecadoras. Tal objeción no alcanza a ver la profundidad del argumento de Pablo, pues su punto es que las personas se vuelven justas solo reconociendo que son pecadoras y poniendo su fe en Jesucristo para el perdón de los pecados. Véase especialmente Dunn (1988a: 147-48, 150-51), que argumenta que Pablo vuelve ahora contra los judíos los mismos textos que ellos utilizaban para defender su justicia (véase también Moo 1991: 205).

3:23).[49] El perdón no puede obtenerse bajo el antiguo pacto y el culto sacrificial; solo está disponible en Jesucristo.

Nadie puede ser justo ante Dios ni recibir el Espíritu por las "obras de la ley", pues nadie hace lo que exige la ley (Ro. 3:20, 28; Gl. 2:16; 3:2, 5, 10).

> **Gálatas 3:2, 5, 10** Esto es lo único que quiero averiguar de ustedes ¿Recibieron el Espíritu por las obras de *la* ley, o por el oír con fe?... Aquel, pues, que les suministra el Espíritu y hace milagros entre ustedes, ¿lo hace por las obras de *la* ley o por el oír con fe?... Porque todos los que son de las obras de la ley están bajo maldición, pues escrito está: «Maldito todo el que no permanece en todas las cosas escritas en el libro de la ley, para hacerlas».

El término "obras de la ley" ha sido objeto de considerable debate, especialmente con la aparición de la "nueva perspectiva" sobre Pablo.[50] Se han propuesto varias interpretaciones de las "obras de la ley". Bultmann argumenta que el mero deseo de hacer lo que la ley exige es pecado.[51] Fuller piensa que "obras de la ley" es una manera sintética de referirse al legalismo; por tanto, los que intentan sobornar a Dios con las obras exigidas por la ley están intentando merecer el favor de sus ojos.[52]

Dunn, en representación de la nueva perspectiva, afirma que las obras de la ley se centran en los marcadores de identidad de la ley, aquellas partes de la ley que separan a los judíos de los gentiles, como la circuncisión, las leyes de pureza y el sábado.[53] Pablo, según Dunn y otros, critica el nacionalismo, no el activismo, el etnocentrismo, no el legalismo, el exclusivismo, no la justicia de las obras. Ninguno de estos puntos de vista resulta convincente. Pablo nunca criticó a nadie por el deseo de guardar la ley de Dios; más bien, encontró defectos en el hecho de no guardarla.

Aunque el legalismo existía en el judaísmo en los días de Pablo, la frase "obras de la ley" no debe definirse como legalismo. La expresión se refiere a

---

[49] El propio AT enseña con regularidad que todos pecan y necesitan perdón (1 R. 8:46; Sal. 143:2; Pr. 20:9; Ecl. 7:29).

[50] Para un excelente estudio de las opiniones históricas y más recientes de Pablo en relación con la ley, véase Westerholm 2004: 3-258.

[51] Bultmann 1951: 264.

[52] Fuller 1975.

[53] Dunn 1983; 1985; 1992a; 1992b; 1998: 354-71. Para una variante de la opinión de Dunn con respecto a Gálatas, véase Wisdom 2001.

los mandamientos de la ley y no se refiere intrínsecamente al legalismo. Tampoco está claro que las obras de la ley se concentraran en las insignias de la ley, como la circuncisión y las restricciones alimentarias.[54] En Gálatas, las obras de la ley se convirtieron en un problema debido a la circuncisión y las leyes alimentarias, pero Pablo amplió el debate para incluir la ley en su conjunto (Gl. 2:16, 19, 21; 3:10). Lo más probable es que frases comparables de la literatura judía se refieran a la totalidad de la ley (4QFlor I, 7; 1QS V, 21; VI, 18; 4QMMT; cf. *2 Bar.* 4:9; 57:2).[55]

El argumento de Romanos 1:18-3:20 también apoya la noción de que las "obras de la ley" se refieren a las acciones o hechos exigidos por la ley.[56] Pablo no critica a los judíos por intentar imponer límites a los gentiles, sino que los declara culpables ante Dios por no cumplir sus mandamientos (cf. Ro. 2:21-22), centrándose en los requisitos morales generales.[57] Pablo pasa fácilmente y sin aclaraciones de las "obras de la ley" (Ro. 3:20, 28) a las "obras" en general (Ro. 4:2, 4, 6). La frase "obras de la ley" es inapropiada en referencia a Abraham porque él no vivió bajo la ley. En Romanos 9:11-12 Pablo define "obras" como hacer algo bueno o malo. Puesto que Pablo pasa directamente de "obras de la ley" a "obras" y define "obras" como la realización de algo bueno o malo, "obras de la ley" se refiere a hacer todo lo que la ley exige.

La misma conclusión debe extraerse con respecto a Gálatas 3:10: "Porque todos los que son de las obras de la ley están bajo maldición, pues escrito está: Maldito todo el que no permanece en todas las cosas escritas en el libro de la ley, para hacerlas". La forma más natural de interpretar este versículo consiste en afirmar que nadie cumple todo lo que exige la ley.[58] Como ya hemos

---

[54] Véase Cranfield 1991; Schreiner 1991.
4QFlor – *4QFlorilegio*
1QS – *1QRegla de la Comunidad*
4QMMT – *4QCarta de Halakhic*
2 Bar. – *2 Baruch (Apocalipsis siríaco)*
[55] Fitzmyer (1993b: 18-35) concluye a partir de textos de la literatura de Qumrán (véase 1QpHab VII, 11; VIII, 1; XII, 4; 11QTa LVI, 3; 4QMMT) que "obras de la ley", para Pablo, designa la ley en su totalidad. Véase también Yeung 2002: 239-49. Para una opinión contraria, véase Dunn 1997.
[56] Para más apoyo a este punto de vista, véase Kim 2002: 66. Véase también Watson 2004: 68-69n74, 77.
[57] Westerholm (2004: 315) sostiene que para Pablo, "obras de la ley" y "ley" son complementarias, "porque él ve la esencia misma de la ley en su exigencia de obras".
[58] Véase Hofius 1989: 53-54. Pablo no se limita a amenazar con que los que no cumplan la ley serán maldecidos (contra Stanley 1990; Braswell 1991; F. Young 1998);

señalado, esta conclusión no sería sorprendente, ya que el propio Antiguo Testamento atestigua que todos pecan.[59] Los judíos no están malditos por no haber visto con buenos ojos la inclusión de los gentiles en el pacto si estos permanecían incircuncisos; más bien, la maldición recae sobre ellos por no cumplir lo que exige la ley.[60] Curiosamente, las últimas cartas paulinas confirman esta interpretación.

En el caso de los eruditos que no aceptan estas últimas cartas como paulinas, de todos modos, se llega a la misma conclusión, porque en este caso los primeros intérpretes paulinos entendieron que Pablo se refería a las obras en general, no a los mojones.[61] Por ejemplo, en Efesios 2:9 Pablo dice que la salvación no es por obras y, por tanto, queda excluida la jactancia humana. Aquí no se dice nada sobre las "obras de la ley" o la circuncisión. Claramente, lo que está a la vista son las obras en general, y no contribuyen a la salvación, porque de lo contrario se descarta la gracia y se da cabida a la jactancia humana.[62]

Tito 3:5 apunta en la misma dirección: Dios "nos salvó, no por las obras de justicia que nosotros hubiéramos hecho, sino conforme a Su misericordia, por medio del lavamiento de la regeneración y la renovación por el Espíritu Santo". La explicación de las obras es bastante sorprendente aquí, ya que las obras son aquellas "hechas en justicia" (NASB). Se podría pensar que Lutero mismo compuso este versículo. En cualquier caso, no hay justificación para limitar el versículo a la circuncisión, el sábado y las leyes alimentarias. Pablo piensa en la ley de manera integral (cf. 2 Ti. 1:9). Puesto que estos textos posteriores generalizan la enseñanza paulina sobre las obras de la ley y las

---

pronuncia una maldición sobre todos los que violan la ley (así Das 2001: 145-70). Para una crítica penetrante de Stanley y Young, véase Kim 2002: 135.

[59] La lectura que hace Pablo de Deuteronomio 27:26 en Gálatas 3:10 parece estar corroborada por el contexto veterotestamentario (Dt. 27:15-26), donde el texto hace hincapié en los pecados cometidos en secreto que evaden los ojos humanos y, sin embargo, son vistos y juzgados por Dios mismo (Weinfeld 1972: 276-78; Bellefontaine 1993: 58).

[60] Wright (1992a: 137-56) y Scott (1993b) sostienen que Pablo se refiere aquí a la maldición del exilio por el incumplimiento de la ley por parte de Israel (véase también Watson 2004: 433). Esta opinión también adolece de falta de pruebas. Véanse especialmente los agudos comentarios de Kim 2002: 136-40; Das 2001: 148-55. Kim (2002: 141-43) demuestra que la interpretación defendida aquí es la más convincente.

[61] Véase Marshall 1996; Westerholm 2004: 404-6.

[62] Acertadamente Lincoln 1990: 112-13; Best 1998: 227; O'Brien 1999: 176-77; Hoehner 2002: 344-45.

NASB – New American Standard Bible

aplican a las obras en general, tenemos buenas razones para concluir que "obras de la ley" se refiere a la ley en general. Pablo argumenta que las obras y las obras de la ley no salvan ni pueden salvar, porque todos han pecado. Todos están por debajo de la norma de Dios. Incluso Abraham era impío (Ro. 4:5).

Legalismo

¿Existe alguna polémica contra el legalismo en relación con la ley? Desde la Reforma, los eruditos han sido casi unánimes a la hora de ver tal polémica. La cuestión saltó a la palestra con la publicación de la obra de E. Sanders, *Pablo y el judaísmo palestino* (Paul and Palestinian Judaism), en 1977.[63] Sanders argumenta enérgicamente que el judaísmo no era legalista. El judaísmo no propugnaba la justicia meritoria, sino el nomismo del pacto. Los judíos no enseñaban que hubiera que ponderar méritos para obtener la salvación; más bien, todos los judíos son introducidos en el pacto por elección, por la gracia de Dios. Deben mantener su lugar en el pacto observando la ley, pero su entrada en el pacto se debe a la misericordia pactual de Dios, no a su observancia de la ley.

La observancia de la ley era una respuesta a la gracia de Dios, no un intento de obtener su gracia. La obra de Sanders tuvo un impacto inmediato y es una saludable corrección de quienes caricaturizaban el judaísmo y no veían en él más que legalismo. Sin embargo, parece que Sanders hizo demasiado hincapié en su propia visión. Importantes desafíos al paradigma de Sanders han demostrado que su punto de vista no da cuenta de todas las pruebas de manera satisfactoria. Elliott sostiene que el judaísmo durante el periodo del Segundo Templo no preveía la salvación de todo Israel, sino solo la de aquellos que guardaban la Torá.[64]

---

[63] Tanto Moore (1921) como Montefiore (1914) precedieron a Sanders y protestaron que el judaísmo no era legalista, y que tal visión del judaísmo era una distorsión de las fuentes documentales judías.

[64] M. Elliott 2000. Watson (2004: 9), en contra de E. Sanders, comenta sobre la ley y el pacto en el judaísmo: "Si es posible generalizar sobre estos textos, parece haber un amplio acuerdo en que la observancia o no observancia de la ley por parte de Israel es fundamental para el propio pacto". Véase la discusión más detallada en Watson 2004: 6-13.

Avemarie ha demostrado que los dos temas de la elección y las obras se encuentran en una tensión incómoda en la literatura tanaítica, de modo que no se puede decir simplemente que las obras estén siempre subordinadas a la elección.[65] Gathercole ha llegado a conclusiones similares en su estudio de la literatura judía durante el período del Segundo Templo, mostrando que las obras desempeñaban un papel importante en la obtención de la salvación.[66] Un estudio del nomismo en la literatura judía indica también que el judaísmo de la época de Pablo era diverso, y había corrientes en el pensamiento judío que no concuerdan con las conclusiones de Sanders.[67]

Cuando examinamos los escritos paulinos, parece que hay indicios de que entabló una polémica contra el legalismo. El legalismo se define aquí como la opinión de que las obras de uno son la base de una relación correcta con Dios, de modo que uno puede vanagloriarse de lo que ha logrado. En Romanos 3:27, Pablo pregunta si se excluye la jactancia, después de haber aclarado que la salvación se concede por la obra expiatoria de Cristo y se recibe por la fe (Ro. 3:21-26). La palabra "ley" (*nomos*) aquí podría referirse a la ley mosaica, y es bastante difícil tomar una decisión al respecto.

Parece más probable que aquí Pablo utilice *nomos* en términos de "principio", "regla" u "orden".[68] Porque en este contexto sería bastante confuso para Pablo decir que la ley mosaica es una ley de fe, ya que en este marco opone sistemáticamente fe y ley (véase también Ro. 4:13-16).

---

[65] Avemarie 1996; 1999.

[66] Gathercole (2003) sostiene que la soteriología judía anterior al año 70 d.C. sostenía que la salvación final dependía de la elección divina (el pacto) y de la obediencia a la Torá. Véase también Das 2001: 12-69.

[67] Por supuesto, el propio Sanders admite que hubo excepciones a su paradigma, pero no supo ver hasta qué punto su paradigma no da cuenta de las pruebas. Véanse especialmente los ensayos sobre nomismo heterogéneo en Carson, O'Brien y Seifrid 2001. Esta colección de ensayos, tomada en su conjunto, sostiene que la opinión de Sanders sobre el nomismo del pacto debería matizarse. El judaísmo del periodo del Segundo Templo es verdaderamente "heterogéneo". A veces se hace hincapié en la gracia de Dios, mientras que en otros casos se centra en la obediencia a la ley. Explicar la relación entre "pacto" y "nomismo" suele ser difícil porque los propios autores judíos no explicaron sistemáticamente cómo debían explicarse estas dos vertientes. Algunos de los escritos se inclinan en una dirección más legalista (por ejemplo, Josefo, *2 Enoc, 4 Esdras, 2 Baruc*), mientras que otros hacen hincapié en la gracia de Dios (por ejemplo, Sabiduría de Salomón, Sirácides, salmos y oraciones penitenciales, *1 Enoc*).

[68] Muchos estudiosos sostienen que se trata de la ley mosaica. Véase Friedrich 1954; Rhyne 1981: 67-71; Das 2001: 192-200; 2003: 155-65. Por otro lado, "regla" o "principio" también cuenta con un fuerte apoyo (Cranfield 1975: 361-62; Räisänen 1986: 119-47; Moo 1991: 487). La cuestión es difícil, ¡y yo mismo he cambiado de opinión más de una vez!

Romanos 4:13–16 Porque la promesa a Abraham o a su descendencia de que él sería heredero del mundo, no fue hecha por medio de la ley, sino por medio de la justicia de la fe. Porque si los que son de la ley son herederos, vana resulta la fe y anulada la promesa. Porque la ley produce ira, pero donde no hay ley, tampoco hay transgresión. Por eso *es* por fe, para que *esté* de acuerdo con la gracia, a fin de que la promesa sea firme para toda la posteridad, no solo a los que son de la ley, sino también a los que son de la fe de Abraham, quien es padre de todos nosotros.

El principio que excluye la jactancia, entonces, no son las obras, porque las obras son la plataforma misma para la jactancia. Los que hacen las obras exigidas pueden jactarse de haber cumplido lo que se demandaba de ellos. La fe, por el contrario, excluye cualquier jactancia humana porque se orienta hacia lo que Dios ha hecho en Cristo (Ro. 3:21-26). Recibe la justicia de Dios por medio de Cristo, en lugar de mostrar a Dios cuán justo se es. De ahí que la justificación venga por la fe, al margen de las obras exigidas en la ley. La justicia ante Dios se obtiene creyendo, no haciendo.

La línea argumental de Romanos 4:1-8 es similar, aunque aquí Pablo retoma el caso de Abraham por ser el progenitor del pueblo judío. De hecho, muchas tradiciones judías veneraban a Abraham por sus obras. Pablo se pregunta, pues, en qué se basaba la justificación de Abraham ante Dios. Si Abraham hizo las obras requeridas, podía jactarse con toda legitimidad. Sin embargo, Pablo añade que Abraham no podía jactarse "delante de Dios" (Ro. 4:2).

El punto del versículo no es que Abraham era en realidad un hombre piadoso, pero que Dios aun así rechazó sus obras, a pesar de que era piadoso. La condición es real. Si Abraham hizo las obras que Dios le exigió, podría jactarse verdaderamente ante Dios, y tal jactancia no sería pecado, porque Abraham habría cumplido lo que Dios exigió. Tal interpretación de Romanos 4:2 se confirma en Romanos 4:4, donde se aduce un ejemplo de la vida cotidiana. Si los empleados hacen lo que se les exige, su sueldo no es un regalo, sino algo que merecen.

Así también, si Abraham hubiera hecho lo que Dios le exigía, su jactancia sería merecida. Pero Abraham no tenía motivos para jactarse ante Dios, ya que no hizo las obras requeridas. Era, como indica Romanos 4:5, "impío". Pablo alude aquí a José 24:2, que indica que Abraham una vez sirvió a dioses extraños. Abraham, entonces, no tenía derecho ante Dios sobre la base de las obras, porque no hizo lo que Dios le mandó. Abraham también pecó, estando destituido de la gloria de Dios (Ro. 3:23). Abraham fue contado como justo ante Dios, como lo verifica Génesis 15:6, porque confió en Dios, no porque obró para Dios. No se considera justos a quienes obran para Dios, sino a quienes confían en el Dios que "justifica al impío" (Ro. 4:5).[69]

La interpretación que aquí se ofrece es confirmada por Romanos 4:6-8. David también da testimonio de la justicia por la fe en las palabras del Salmo 32:1-2. Esta justicia es "aparte de las obras" (Ro. 4:6). Por lo tanto, aquellos cuyos pecados son perdonados, cubiertos y no contados reciben una bendición de Dios. Estos versículos aclaran que las obras que David dejó de hacer constituyen fracasos morales. David ciertamente se circuncidó y presumiblemente observó las leyes de pureza y el Sabbath. Tampoco se le acusa de excluir a los gentiles de la promesa. Necesitaba el perdón debido a sus infracciones morales.[70] El ejemplo de David apoya la interpretación ofrecida en relación con Abraham. Ambos eran impíos, en el sentido de que ninguno observó lo que Dios ordenó. Por tanto, su única esperanza de una relación correcta con Dios se basaba en el perdón concedido.

La misma polaridad entre hacer y creer se refleja en Romanos 4:13-16. La herencia prometida a Abraham no se concede por la observancia de la ley; la herencia se recibe por la fe. Si la recepción de la herencia depende de la observancia de la ley, entonces la fe queda excluida y desaparece la gracia de la promesa de Dios. La observancia de la ley no puede asegurar la herencia porque interviene el pecado humano y, como consecuencia, trae la ira de Dios. La fe, en cambio, funciona según un principio distinto. La fe es fundamentalmente receptiva, de modo que mira a la promesa de Dios (no al desempeño humano) para recibir la herencia. Las obras dirigen la atención a los seres humanos y a su capacidad para llevar a cabo lo que se requiere, mientras que la fe descansa en la gracia y la promesa de Dios, reconociendo que los seres humanos son pecadores.

---

[69] Yeung (2002: 249-50) sostiene que Sirácides 44:19-21 se aparta del significado de Génesis 15:6 porque ahora la fidelidad de Abraham es la "causa" de su justicia, de modo que la obediencia de Abraham se vuelve meritoria en Sirácides. Para más información sobre las interpretaciones judías de Génesis 15:6 que apoyan la idea de que Pablo interpretó el texto de una forma radicalmente distinta, véase Yeung 2002: 237-71.

[70] Hofius (1989: 131) dice que Pablo ciertamente tiene en mente el adulterio de David con Betsabé y el asesinato de Urías el heteo.

Así pues, la polémica de Pablo contra las obras como base de la salvación debe dirigirse contra quienes creían que las obras les cualificaban para recibir la herencia. De lo contrario, las observaciones de Pablo son meramente teóricas y abordan un problema al que no se enfrentó en su ministerio. Es mucho más probable que Pablo se dirija a un problema real que la gente enfrentaba. Al parecer, algunos creían que sus obras eran la base de su relación correcta con Dios, y Pablo rebate esa afirmación.

La polémica contra las obras tampoco está reservada a unos pocos textos. Las obras de la ley se contraponen a la fe en Jesucristo en Gálatas 2:16. De hecho, en este único versículo Pablo contrapone tres veces las obras de la ley y la fe en Cristo. Obrar y creer también se contraponen en Gálatas 3:10-12. Aquellos que piensan que pueden ser justificados por las obras de la ley están malditos porque todos fallan en hacer lo que Dios requiere. Por el contrario, como afirma Habacuc 2:4, la justicia con Dios no se obtiene obrando, sino por medio de la fe. De hecho, la justicia por el cumplimiento de la ley y por la confianza en Dios se contraponen específicamente en Gálatas 3:12.[71]

La ley exige obras para obtener la vida escatológica, pero la fe opera un principio diferente: mira a Cristo para la eliminación de la maldición (Gl. 3:13-14).[72] Por lo tanto, si la herencia se recibiera sobre la base del cumplimiento de la ley, entonces la promesa de Dios y la fe quedarían descartadas como la base del don de Dios (Gl. 3:18). Puesto que la herencia se da en virtud de la promesa de Dios, seguramente se hará realidad, y la reciben los que confían en Dios en lugar de los que obran ante Dios.[73]

El argumento de Pablo en Romanos 9:30-10:13 sigue la misma línea.[74] Los gentiles que han confiado en Cristo son justos a los ojos de Dios aunque no estuvieran buscando una relación correcta con él. Israel, por otra parte, perseguía la ley para obtener una relación correcta con Dios. No obstante, ese

---

[71] Silva (1990) sostiene que Pablo se resiste a la idea de que la ley funcionara como fuente de vida.

[72] Los sacrificios del AT ya no expían ahora que Cristo se ha ofrecido a sí mismo como sacrificio (véase Das 2001: 113-44), pues los sacrificios del AT apuntan hacia el sacrificio de Cristo.

[73] Westerholm (2004: 307-8) señala que Pablo contrasta ley y gracia, y que tal contraste habría sido rechazado por los contemporáneos judíos no cristianos de Pablo. Para el contraste, véanse, por ejemplo, Romanos 4:13-16; 11:5-6; Gálatas 5:2-4. Watson (2004), en su interpretación de Pablo, también ve un fuerte contraste entre la ley y la fe, argumentando que tal interpretación surge de la lectura que Pablo hace del AT.

[74] Para una exégesis de Romanos 9:30-33, véase Hofius 1989: 155-66.

intento fracasó, presumiblemente a causa de la desobediencia de Israel y porque Israel persiguió la ley por obras en lugar de por fe. En lugar de confiar en Cristo para obtener la justicia, quien es tanto el objetivo como el fin (*telos* [Ro. 10:4]) de la ley, intentaron establecer su propia justicia.

Nada se dice en este contexto acerca de la exclusión de los gentiles o de marcadores de identidad como la circuncisión, por lo que establecer su propia justicia se refiere a las obras en general y no puede restringirse a los marcadores de límites. La justicia de la ley se basa en el hacer (Ro. 10:5),[75] pero la verdadera justicia viene por la fe y mira a Dios, que ha resucitado a Cristo de entre los muertos. La fe aparta la mirada del yo y de la actuación humana hacia lo que Dios ha hecho en Cristo para la salvación. Una vez más, la polémica de Pablo solo tiene sentido si hubiera algunos judíos que intentaran ser justos ante Dios basándose en sus obras. De lo contrario, sus comentarios son superfluos.

Entonces, ¿Pablo cae presa del antisemitismo? Filipenses 3:2-9 nos ayuda a responder a esa pregunta. Pablo repasa su propia historia al advertir a los filipenses sobre quienes querrían imponer la circuncisión y la ley a la Iglesia. Su observancia de la ley era extraordinaria. Se circuncidó al octavo día conforme a la ley (cf. Lv. 12:3). Era un auténtico israelita y conocía la tribu de la que procedía. De hecho, la tribu de Benjamín fue una de las dos tribus que permanecieron leales a David, y es probable que Pablo (de nombre hebreo "Saúl") recibiera su nombre por el primer rey de Israel. Cuando Pablo dice que era "hebreo de hebreos", probablemente quiere decir que hablaba arameo (o posiblemente hebreo).[76]

Pertenecía a la secta de los fariseos, que era especialmente rigurosa en la observancia de la ley. Su celo se manifestaba en la persecución de la Iglesia, y se consideraba intachable en la observancia de la ley. Todas estas cualidades le situaban por encima de los que intentaban imponer la circuncisión a los filipenses. Pablo se dio cuenta, sin embargo, de que sus logros bajo la ley no agradaban genuinamente a Dios. Era nada menos que confianza "en la carne"

---

[75] Para una defensa de la lectura paulina de Levítico 18:5, véase Watson 2004: 315-36 (aunque, al contrario que Watson, creo que se exige una obediencia perfecta).

[76] Véase Hengel 1991: 25.

(Fil. 3:4); depender de lo que los seres humanos son en Adán.[77] Su supuesta irreprochabilidad en la justicia legal no era verdadera justicia ante Dios (Fil. 3:6).[78] Pablo había pensado que era irreprochable ante Dios, pero en realidad era culpable de profundos pecados. Al perseguir a la iglesia estaba convencido de que agradaba a Dios, pero en realidad se oponía a Dios y a Cristo Jesús. Cuando Pablo miraba hacia atrás en su vida, no dejaba de asombrarse de la gracia de Dios, dada la gravedad de su pecado al perseguir a la iglesia (1 Co. 15:9; Ef. 3:8; 1 Ti. 1:13-14).

> **1 Timoteo 1:12–14** Doy gracias a Cristo Jesús nuestro Señor, que me ha fortalecido, porque me tuvo por fiel, poniéndome en el ministerio, aun habiendo sido yo antes blasfemo, perseguidor y agresor. Sin embargo, se me mostró misericordia porque lo hice por ignorancia en *mi* incredulidad. Pero la gracia de nuestro Señor fue más que abundante, con la fe y el amor que *se hallan* en Cristo Jesús.

La justicia que Pablo tenía antes de su conversión, por tanto, era la suya "propia" en lugar de la justicia que "es por la fe en Cristo" (Fil. 3:9). Está claro que era una justicia basada en hacer en lugar de creer. La fe contrasta con las obras como camino hacia la salvación. Los oponentes que pregonaban la observancia de la circuncisión y la ley, por lo tanto, habían caído en la misma trampa que anteriormente atrapó a Pablo. No dependían del Espíritu ni se jactaban en Cristo; dependían de sí mismos.

Cuando Pablo criticaba a los judíos por su justicia propia, estaba acusando su vida anterior. Tampoco se le puede culpar de antisemitismo, pues la inclinación a confiar en las obras no es fundamentalmente un problema judío, sino más bien un problema humano. Si se limitara a los judíos, Pablo no tendría necesidad de advertir a los gentiles sobre el peligro de confiar en sus propias obras. La polémica contra la confianza en las obras continúa en las últimas

---

[77] Por lo tanto, la opinión de que Pablo no se opone aquí al legalismo es forzada (contra E. Sanders 1983: Liebers 1989: 58-60; acertadamente Gundry 1985: 13; O'Brien 1991: 356, 362, 364, 394-96; Fee 1995: 296-97).

[78] Stendahl (1976: 78-96) argumenta a partir de este versículo, entre otros, que la noción de que Pablo estaba atormentado en conciencia antes de su conversión es errónea. En esta cuestión Stendahl tiene razón, pero otras dimensiones de su retrato de Pablo necesitan corrección (véase Espy 1985). Véase también O'Brien 1991: 378-81; Westerholm 2006.

cartas paulinas. La fe se opone a las obras, pues estas conducen a la jactancia, mientras que aquélla exalta la gracia y el don de Dios (Ef. 2:8-9; véase también 2 Ti. 1:9; Tit. 3:5).

La nueva perspectiva de Pablo ve con razón su preocupación por la exclusión de los gentiles de la promesa (Ro. 4:9-12). La salvación está abierta a todos sin distinción, tanto judíos como gentiles, por la fe en Cristo Jesús (Ro. 1:16; 2:6-11; 3:9, 22-23, 29-30; 4:9-12, 16; Gl. 3:7-9, 14; Ef. 2:11-22). Pero Pablo también entabla una polémica contra las obras como base de la salvación, pues quienes confían en sus propias obras confían en sí mismos y en su propia bondad más que en la gracia de Dios.

La esclavitud del pecado

Los seres humanos no solo cometen pecados. Son esclavos del pecado, de modo que el pecado reina sobre ellos. Pablo señala que "el pecado reinó en la muerte" (Ro. 5:21). La muerte aquí se refiere tanto a la muerte espiritual —separación de Dios— como a la muerte física.[79] El pecado como poder gobierna sobre los que viven en el reino de la muerte. Antes de convertirse en creyentes, las personas son esclavas del pecado (Ro. 6:6, 16-18, 20, 22) y no pueden escapar de sus garras por sí mismas. Los que viven bajo el pacto del Sinaí están esclavizados al pecado (Gl. 4:24-25). La subyugación de los humanos bajo el pecado se expresa en los dichos "bajo" (*hypo*) de Pablo.

Los incrédulos están "bajo maldición" (Gl. 3:10), "bajo pecado" (Gl. 3:22), "bajo ley" (Ro. 6:14-15; Gl. 3:23), "bajo pedagogo" (Gl. 3:25 mi traducción),[80] "vendido(s) al pecado" (Ro. 7:14), y "bajo los elementos del mundo" (Gl. 4:3 mi traducción).[81] Para Pablo, estar "bajo la ley" equivale a estar bajo la vejez de la historia redentora, de modo que estar bajo la ley y estar bajo el pecado son realidades equivalentes (Gl. 5:18). La ley funcionaba como un pedagogo o "niñera" (Gl. 3:23, 25), supervisando a las personas hasta el

---

[79] Con razón Beker 1980: 224. Contra los que enfatizan solo la muerte física (p.ej., Murray 1959: 181-82; Ziesler 1989: 145).

[80] Así pues, es bastante improbable, en contra de Lull (1986), que Pablo enseñe en Gálatas que el propósito de la ley era refrenar el pecado. Véase Schreiner 1993a: 74-81.

[81] La interpretación de *stoicheia* ha sido objeto de debate, con estudiosos que proponen que se refiere a la Torá, los principios de la religión y la moral, los cuatro elementos físicos y los poderes angélicos, entre otras interpretaciones. Para un estudio y defensa de la última opción, véase Arnold 1996.

tiempo de la promesa, hasta la venida de Cristo. Los que viven bajo la ley están esclavizados por el pecado (Ro. 7:14-25) y no pueden cumplir los requisitos de la ley de Dios.[82] Inevitablemente ponen su mente en las cosas de la carne (Ro. 8:5). Como todavía viven en el reino de la carne, no pueden observar la ley de Dios, ni tienen capacidad alguna para agradar a Dios (Ro. 8:7-8). Su hostilidad hacia Dios no puede ser eliminada simplemente a través de la fuerza de voluntad.

Dado que los seres humanos están esclavizados al pecado, "el poder del pecado" es "la ley" (1 Co. 15:56).[83] La afirmación de Pablo aquí funciona como un resumen epigramático de Romanos 7:7-25. La ley en sí es santa y buena (Ro. 7:12), pero el pecado ha envuelto sus tentáculos tan estrechamente alrededor de los seres humanos que hace que la ley quede bajo la órbita de su influencia.[84] La ley no ha resultado en que el pecado se refrene; ha formado una alianza impía con el pecado, de manera que este ha aumentado aún más (Ro. 5:20;[85] 7:13). Todo esto atestigua la impotencia de los seres humanos en Adán.[86] El contraste de Pablo entre la letra y el Espíritu apunta a la misma verdad (Ro. 2:29; 7:6; 2 Co. 3:6).

Romanos 2:29 Pues es judío el que lo es interiormente, y la circuncisión es la del corazón, por el Espíritu, no por la letra; la alabanza del cual no procede de los hombres, sino de Dios.

---

[82] Existe un antiguo debate sobre si Romanos 7:13-25 denota una experiencia precristiana (Kümmel 1974: 57-73, 97-138; Ridderbos 1975: 126-30; Beker 1980: 237-43; Moo 1991: 468-96; Stuhlmacher 1994: 114-16) o cristiana (Cranfield 1975: 341-47, 355-70; Dunn 1975a; Laato 1991: 137-82; Garlington 1994: 110-43). Preguntar si Pablo habla de experiencia cristiana o precristiana nos aleja del punto principal del texto, ya que Pablo reflexiona sobre la capacidad de los seres humanos para cumplir la ley de Dios. Su respuesta es que la carne no tiene capacidad para hacer lo que la ley exige. En la medida en que los creyentes todavía luchan contra la carne, mientras esperan el cumplimiento de las promesas de Dios, experimentan, al menos parcialmente, lo que Pablo describe en Romanos 7. Para este punto de vista, véase Schreiner 1998: 371-96.

[83] Sobre este versículo, véase Fee 1987: 806.

[84] Contra Bultmann (1960: 147-57), el pecado de Romanos 7 no es el deseo de cumplir la ley, sino el incumplimiento de la misma.

[85] Hofius (2001: 200) dice que en Romanos 5:20 encontramos "un realce tanto cuantitativo como cualitativo del pecado".

[86] Laato (1991: 83-97) demuestra que el punto de vista de Pablo sobre la impotencia humana diverge del judaísmo, donde se pensaba que los seres humanos eran capaces de cumplir la ley ejerciendo su libre albedrío. Para algunos textos del judaísmo que celebran el poder del libre albedrío, véanse Sir. 15:11-22; *Sal. Slm.* 9:4-5; *2 Bar.* 54:15, 19; 85:5; m. 'Abot 3:16.

Romanos 7:6 Pero ahora hemos quedado libres de la ley, habiendo muerto a lo que nos ataba, de modo que sirvamos en la novedad del Espíritu y no en el arcaísmo de la letra.

2 Corintios 3:6 el cual también nos hizo suficientes *como* ministros de un nuevo pacto, no de la letra, sino del Espíritu. Porque la letra mata, pero el Espíritu da vida.

La letra se refiere a los mandamientos de la ley. Por desgracia, la letra de la ley conduce a la muerte porque los seres humanos carecen de la capacidad de practicar lo que la ley ordena.[87] Solo los que tienen el Espíritu pueden obedecer a Dios. Esto concuerda con el Antiguo Testamento, donde se anuncia que el don del Espíritu es el medio por el que el pueblo de Dios será transformado (Is. 44:3; Jer. 31:31-34; Ez. 11:18-19; 36:26-27; Jl. 2:28).[88]

La impotencia de los seres humanos con respecto a la realidad espiritual es comunicada de diversas maneras por Pablo. La persona natural —es decir, la persona sin el Espíritu— no acoge las verdades del Espíritu y, de hecho, no tiene capacidad para tal comprensión (1 Co. 2:14). Los no regenerados alejan de sí mismos la verdad del Evangelio, pues encuentran su placer en el mal más que en abrazar la verdad (2 Ts. 2:10-12). Sin que ellos lo sepan, Satanás es su dios, y ha tejido un velo sobre las mentes de los incrédulos para que no vean la belleza de Cristo (2 Co. 4:3-4; cf. 3:14). Han sido atrapados por el diablo y él los tiene prisioneros, por lo que invariablemente hacen su voluntad (2 Ti. 2:26) incluso cuando pregonan su propia libertad.

El estado de los incrédulos es la muerte espiritual, y la consecuencia de esa muerte es el pecado (Ef. 2:1, 5; cf. Ro. 5:12).[89] Los incrédulos viven bajo la esclavitud del mundo, del diablo y de la carne (Ef. 2:1-3). Podríamos decir que el cautiverio es sociológico, espiritual y psicológico. Es sociológico en el sentido de que los incrédulos siguen los dictados y las modas del mundo. Es espiritual porque el diablo obra en sus corazones para provocar la desobediencia. Es psicológico en que los no regenerados siguen los deseos de

---

[87] Sobre este tema, véase Hofius 1989: 84-85.

[88] Como ya se ha señalado, Jeremías 31:31-34 no hace referencia al Espíritu Santo, pero su contenido concuerda con otros textos en los que se promete el Espíritu.

[89] Best (1981: 15) sostiene que Efesios 2:1 no debe limitarse a los gentiles, sino que se refiere a toda la humanidad precristiana. Best (1981: 16) continúa diciendo que la muerte en cuestión es "una concepción escatológica realizada de la muerte". Cf. Lincoln 1990: 91-93; O'Brien 1999: 156-57.

la carne. Los incrédulos, siempre que sea posible, siguen los deseos de sus corazones, y, sin embargo, esta supuesta libertad para satisfacer los deseos no es otra cosa que esclavitud.

Todos nacen en el mundo como "hijos de ira" (Ef. 2:3),[90] destinados a la destrucción. Los que no pertenecen a Jesús se enfrentarán a la ira venidera (1 Ts. 1:10; 5:9). Viven en tinieblas espirituales (Ef. 5:8; Col. 1:13; 1 Ts. 5:4-5), ajenos a la verdad que brilla en Cristo (Ef. 4:17). Su pensamiento con respecto a la realidad está torcido (Ef. 4:17), de modo que se han vuelto necios en lugar de sabios (Ro. 1:21-23). Su torpeza intelectual se debe a que han sido apartados de la vida de Dios, y la consecuencia son vidas entregadas al mal (Ef. 4:18-19). Sirven a ídolos en lugar de creer y obedecer al Dios vivo y verdadero (1 Ts. 1:9), de modo que están esclavizados a dioses falsos (Gl. 4:8). Pablo no imagina a nadie ocupando un lugar neutral. Uno se alinea con la justicia o con la anarquía, con la luz o con las tinieblas, con Cristo o con Satanás, con el templo de Dios o con los ídolos (2 Co. 6:14-16). Los gentiles que no confían en Cristo están separados de Israel y no tienen parte en las promesas del pacto de Dios. Puesto que no conocen a Cristo, carecen de esperanza y están separados de Dios (Ef. 2:12).

Pablo expresa a menudo la alienación de los seres humanos con respecto a Dios con el término "carne" (*sarx*).[91] Puede denotar a los seres humanos (p. ej., Ro. 3:20; Gl. 2:16) y la vida en el cuerpo (p. ej., 1 Co. 15:39; Gl. 2:20; Fil. 1:22, 24) o centrarse en la descendencia, el parentesco y las relaciones terrenales (Ro. 1:3; 9:5; Ef. 6:5). El término es utilizado distintivamente y con frecuencia por Pablo para referirse a lo que las personas son en Adán. Los que están espiritualmente muertos están "en la carne". La "carne" debe entenderse en categorías redentoras-históricas en vez de ontológicas.[92] Los incrédulos están en la carne porque están en Adán (Ro. 5:12-19), y por lo tanto pertenecen a la presente era malvada (Gl. 1:4) en vez de a la venidera. El contraste

---

[90] Véanse los perspicaces comentarios de Lincoln (1990: 98-99), quien argumenta acertadamente que el versículo habla de lo que los seres humanos son por nacimiento y encaja con una noción de pecado original. Cf. O'Brien 1999: 162-63; Hoehner 2002: 323. Véase también Best 1998: 210-12.

[91] Véanse los análisis de Ridderbos 1975: 64-68, 100-107; Dunn 1998: 62-73; Barclay 1988: 178-215. La dimensión escatológica de la carne se reconoce cada vez más en la erudición del NT.

[92] La carne no debe identificarse con la materia en Pablo (acertadamente Schlatter 1999: 209-11).

escatológico entre la carne y el Espíritu es evidente en el Antiguo Testamento (Is. 44:3; Ez. 11:18-19; 36:26-27; Jl. 2:28). Los que son transformados por el Espíritu integran la nueva creación (2 Co. 5:17), pero los que son de la carne estiman todo de acuerdo con los valores y opiniones de la carne, incluso a Jesucristo (2 Co. 5:16).

La sabiduría de la carne se impresiona con las habilidades retóricas de los que proclaman el evangelio y se queda embelesada con la sabiduría secular en lugar de con Cristo crucificado (1 Co. 1:20, 26; 3:18-20). Los falsos maestros se jactan en la carne y combaten según la carne (2 Co. 10:3; 11:18), pero Pablo, en cambio, no hace promesas según la carne (2 Co. 1:17). Del mismo modo, los opositores de Colosas se enaltecen por su forma carnal de pensar (Col. 2:18), pero su régimen ascético no ofrece ninguna ayuda para refrenar la carne y sus malas inclinaciones (Col. 2:23). La carne puede montar un espectáculo deslumbrante y aparentar ofrecer justicia, de modo que la gente se jacta de su contribución (Gl. 6:12-13; Fil. 3:3-4).

> **Gálatas 6:12–13** Los que desean agradar en la carne tratan de obligarlos a que se circunciden, simplemente para no ser perseguidos a causa de la cruz de Cristo. Porque ni aun los mismos que son circuncidados guardan la ley, pero ellos desean hacerlos circuncidar para gloriarse en la carne de ustedes.
> **Filipenses 3:3–4** Porque nosotros somos la *verdadera* circuncisión, que adoramos en el Espíritu de Dios y nos gloriamos en Cristo Jesús, no poniendo la confianza en la carne, aunque yo mismo podría confiar también en la carne. Si algún otro cree *tener motivo para* confiar en la carne, yo mucho más.

Tal enfoque carnal está en contradicción con la cruz de Cristo y exalta a los seres humanos en lugar de a Dios.

Los incrédulos viven "en la carne" (Ro. 7:5), y en este contexto Pablo no se refiere simplemente a que vivan en el cuerpo. Vivir en la carne contrasta con la vida en el Espíritu, de modo que se refiere a los que están espiritualmente muertos y bajo el dominio de Satanás como dios de este mundo. La misma realidad se designa como "la incircuncisión de su carne" (Col. 2:13; cf. Ef. 2:11). Ser incircunciso es estar separado del pueblo del pacto de Dios y, por tanto, estar condenado ante Dios. Los que están en el reino de la carne, es decir, en los que no mora el Espíritu, no guardan ni pueden guardar la ley de Dios (Ro. 8:5-13). Las "obras de la carne" descalifican a las personas para entrar en el reino de Dios (Gl. 5:19-21).

Las obras de la carne no se limitan al pecado sexual y la embriaguez. También destacan los pecados sociales, como la ira, los celos, las contiendas, las disensiones, la codicia y el orgullo (Ro. 13:14; 2 Co. 11:18; Gl. 5:19-21; 6:12-13; Fil. 3:3-4).[93] Quienes practican tales obras revelan que pertenecen a la edad antigua en vez de a la venidera. Aquellos que proporcionan una oportunidad a la carne y siembran para la carne experimentarán la destrucción escatológica (Gl. 5:13; 6:8-9), y por lo tanto se dan severas advertencias a los creyentes sobre someterse a la carne (p. ej., Ro. 8:13).

El viejo Adán

Todas las personas entran al mundo como pecadores porque son hijos e hijas de Adán. La influencia de Adán (y Eva) está atestiguada en la tradición judía: "Oh Adán, ¿qué has hecho? Porque, aunque fuiste tú quien pecó, la caída no fue solo tuya, sino también nuestra, que somos tus descendientes" (4 Esd. 7:118). "Oh Adán, ¿qué hiciste a todos los que nacieron después de ti? ¿Y qué se dirá de la primera Eva que obedeció a la serpiente, para que toda esta multitud vaya a la corrupción?" (*2 Bar.* 48:42-43). "Adán no es, pues, la causa, sino solo para sí mismo, pero cada uno de nosotros se ha convertido en su propio Adán" (*2 Bar.* 54:18). "Pero por la envidia del diablo entró la muerte en el mundo, y los que pertenecen a su compañía la experimentan" (Sab. 2:24). "De una mujer tuvo principio el pecado, y por ella morimos todos" (Sir. 25:24).

Pablo pone el acento en Adán más que en Eva al trazar el impacto del pecado en toda la humanidad. Los dos personajes centrales de la historia humana son Adán y Cristo. El pecado entró en el mundo a través de Adán, y como consecuencia del pecado la muerte reinó sobre todos (Ro. 5:12).[94] Las consecuencias del pecado de Adán se relatan con cinco afirmaciones en Romanos 5:15-19: (1) la muerte entró en el mundo a través de su única transgresión; (2) su único pecado trajo la condenación; (3) su único pecado inauguró el reino de la muerte; (4) su única transgresión resultó en la

---

[93] Para la prominencia de los pecados sociales en Gálatas, véase Barclay 1988: 152-54, 207-9.

[94] Para una exégesis de Romanos 5:12-14, véase Schreiner 1998: 270-81. Sobre la importante construcción *eph' hō* en Romanos 5:12, véase Fitzmyer 1993c.

condenación de todas las personas; (5) su desobediencia llevó a que muchos se convirtieran en pecadores.

Las consecuencias del pecado de Adán fueron la muerte, el pecado y la condenación. Pablo no explica específicamente cómo el pecado de Adán condujo a estas consecuencias para todos. Lo más probable es que considere a Adán como la cabeza del pacto para la humanidad, al igual que Cristo es la cabeza del pacto para la nueva humanidad. En cualquier caso, los seres humanos no entran en el mundo suspendidos neutralmente entre el bien y el mal. Como hijos e hijas de Adán, están predispuestos a hacer el mal. Así lo confirma 1 Corintios 15:21-22. El dominio de la muerte sobre toda la humanidad se remonta al pecado de Adán. Nos guste o no a los seres humanos, somos una comunidad. El manantial de la raza humana afecta a todos los que vienen después de él.[95]

Conclusión

La teología paulina del pecado es polifacética y profunda. La raíz del pecado es la falta de agradecimiento y glorificación a Dios por su bondad, la adoración de la criatura en lugar del Creador. La pecaminosidad del ser humano se manifiesta en la codicia y la jactancia: en la codicia, porque aquello que el ser humano más desea es su dios, y en la jactancia, porque el ser humano se enorgullece increíblemente de lo que ha logrado. El pecado también puede medirse objetivamente y es universal. En otras palabras, todos los seres humanos en todas partes dejan de hacer lo que Dios requiere. Violan su ley escrita o la ley inscrita en sus corazones.

Las "obras de la ley" no pueden traer la salvación, porque nadie cumple lo que la ley exige. En lugar de frenar el pecado, la ley lo revela. De hecho, la notable sutileza del pecado sale a la luz en que los pecadores que no guardan la ley de Dios se enorgullecen de su supuesta moralidad y obediencia y piensan que es suficiente para merecer la salvación de Dios. El problema con los seres humanos no es superficial, ya que la raza humana está esclavizada al pecado, y tanto el pecado como la muerte gobiernan sobre todos. Los seres

---

[95] Hofius (2001: 186n135) dice con razón que, aunque Agustín malinterpretó Romanos 5:12, "sigue siendo cierto que la doctrina del pecado original representa adecuadamente lo que Romanos 5:12 tiene que decir sobre el carácter fatídico del pecado y la muerte".

humanos, después de todo, nacieron en el mundo como hijos e hijas de Adán, y en virtud de su unión con Adán están bajo el reinado del pecado y de la muerte y están condenados ante Dios.

Hebreos

Cuando examinamos las Epístolas Generales o Católicas y el Apocalipsis, no encontramos una discusión en profundidad sobre el pecado humano. Ninguno de los escritores contempla intensamente el estado del ser humano antes de la salvación. Esto no es sorprendente, dada la ocasión que motivó cada escrito. Todos ellos se dirigen a creyentes en Jesucristo, y la mayoría se dirigen a iglesias que se enfrentan a falsos maestros o a la persecución. La carta a los Hebreos, por ejemplo, advierte a los *creyentes* contra la caída en el pecado y la desobediencia.

La relación entre fe, obediencia y perseverancia en Hebreos se analizará en el próximo capítulo. En Hebreos es obvio, por supuesto, que el pecado consiste en la incredulidad y la desobediencia (p. ej., Heb. 3:12, 18; 4:2-3, 6, 11). La apostasía contra la que el autor advierte a los lectores se describe de las siguientes maneras: endurecimiento del corazón (Heb. 3:8), poner a prueba a Dios (Heb. 3:9), extraviarse (Heb. 3:10), torpeza de oído (Heb. 5:11; 6:12), apartarse (Heb. 6:6), pecar deliberadamente (Heb. 10:26), despreciar al Hijo de Dios, profanar la sangre del pacto y ultrajar al Espíritu de gracia (Heb. 10:29), y rehusar y rechazar lo que Dios dice (Heb. 12:25).

El pecado es nada menos que apartarse del Dios vivo, no confiar ni esperar en él, lo que conduce a las personas hacia el mal. Aunque estas advertencias se dirigen a creyentes, está claro que el pecado de los incrédulos consiste en no confiar ni obedecer a Dios en Jesucristo. El autor habla de las "obras muertas" de los incrédulos (Heb. 6:1; 9:14). Esta expresión se refiere a las malas obras de los incrédulos que conducen a la muerte. El énfasis en la limpieza y purificación de los pecados mediante la muerte de Jesucristo (p. ej., Heb. 1:3; 9:14, 26, 28; 10:12, 18) demuestra que el pecado necesita ser perdonado.

Hebreos 9:14, 26, 28 ¿cuánto más la sangre de Cristo, quien por el Espíritu eterno Él mismo se ofreció sin mancha a Dios, purificará nuestra conciencia de obras muertas para servir al Dios vivo?... De otra manera, a Cristo le hubiera sido necesario sufrir muchas veces desde la fundación del mundo; pero ahora, una sola vez en la consumación de los siglos, se ha manifestado para destruir el pecado por el sacrificio de sí mismo... así también Cristo, habiendo sido ofrecido una vez para llevar los pecados de muchos, aparecerá por segunda vez, sin *relación con* el pecado, para salvación de los que ansiosamente lo esperan.

La maldad de los seres humanos debe ser expiada si quieren escapar al juicio de Dios en el último día (Heb. 9:27). El autor de Hebreos, basándose en el Antiguo Testamento, cree que los seres humanos sufren de culpa a causa del pecado y necesitan ser perdonados. El autor también enseña que Jesús libera a los creyentes de la esclavitud y el miedo a la muerte (Heb. 2:14-15). La muerte, pues, parece ser una consecuencia del pecado, y el ministerio sumosacerdotal de Jesús sirve de propiciación por los pecados que acarrean la muerte (Heb. 2:14-18).

Santiago

Santiago está repleto de exhortaciones contra el pecado, pero el autor no reflexiona específicamente sobre por qué los creyentes necesitan la obra salvífica de Dios. Casi con toda seguridad, da por sentado que sus lectores ya saben por qué es necesaria esa obra salvadora, e insiste en las preocupaciones concretas que motivaron su carta. Santiago 1:13-15 abre una interesante ventana respecto al pecado. Nadie puede culpar a Dios del pecado, como si Dios sedujera a la gente para que peque. El pecado tiene su origen en los deseos humanos que atraen y seducen a las personas a obrar mal. Los seres humanos tienen diversos deseos, y algunos de estos deseos son malos. Si capitulan ante los malos deseos, pecan, y el pecado a su vez conduce a la muerte.

La referencia a la muerte indica que es necesaria la salvación para quienes caen en el pecado. Y el pecado es la porción de todas las personas, sin excepción, pues "todos fallamos de muchas maneras" (Stg. 3:2). El "todos" en este contexto incluye a los creyentes, incluso a los que enseñan y dirigen la iglesia, de modo que Santiago enseña claramente aquí que el pecado sigue afligiendo a los creyentes "de muchas maneras".[96] En particular, como Santiago señala inmediatamente, los seres humanos tropiezan y pecan al hablar. Incluso un solo pecado lo marca a uno como transgresor (Stg. 2:10).[97] Aquí, Santiago suena notablemente similar a Pablo. Nadie puede pretender ser justo si se ha abstenido de cometer adulterio y al mismo tiempo ha violado otro mandamiento. Cualquier infracción lo identifica a uno como transgresor de la ley.

Aunque Santiago no llega explícitamente a la conclusión de que solo Cristo puede expiar el pecado, parece que opera con un marco similar al de Pablo. Incluso un solo pecado acarrea la muerte y, por tanto, los seres humanos necesitan una nueva vida procedente de Dios (Stg. 1:18; 2:5). Santiago también describe el pecado como adulterio espiritual (Stg. 4:4),[98] inspirándose en el Antiguo Testamento, donde el abandono de Dios por parte de Israel es nada menos que prostitución espiritual. El pecado, en otras palabras, es una traición en la que la gente anhela el favor y la aprobación del mundo en lugar de la amistad con Dios. El pecado no es simplemente hacer el mal; es algo fundamentalmente personal que implica el rechazo del señorío de Dios sobre la vida de la persona.

1 Pedro

Aunque 1 Pedro es relativamente breve y está dirigida a las iglesias que se enfrentan a la persecución, la razón por la que la gente necesita la salvación se comunica de varias maneras diferentes en la carta. Por ejemplo, Pedro dice dos veces que los creyentes han nacido de nuevo (1 P. 1:3, 23). La metáfora "nacer de nuevo" implica que los seres humanos necesitan una nueva vida para escapar del castigo y el juicio. Están, por así decirlo, "muertos" antes de nacer de nuevo. Del mismo modo, los creyentes son los que se salvarán en el último día (1 P. 1:5, 9), lo que indica que estaban encaminados a la destrucción antes de oír y creer en el evangelio.

---

[96] Véase Davids 1982: 137; Dibelius 1975: 183-84.

[97] Véase la discusión sobre paralelismos e influencias en Dibelius 1975: 144-46; Moo 2000: 114; Laws 1980: 111-12.

[98] Santiago los llama literalmente "adúlteras" (así la NASB; véase Laws 1980: 174; Dibelius 1975: 219-20; L. Johnson 1995: 278).

La mayoría de los comentaristas coinciden en que Pedro se dirigió a los gentiles en lugar de a los judíos, que disfrutaban de una relación de pacto con Dios. La incredulidad de estos gentiles inconversos se designa como "ignorancia" (1 P. 1:14). Tal ignorancia no se limita al ámbito intelectual; se manifiesta en un comportamiento malvado que encuentra sus raíces en deseos contrarios a la voluntad de Dios. Sus vidas se caracterizaban por una "vana manera de vivir heredada de sus padres" (1 P. 1:18).[99] Es probable que Pedro tuviera en mente la idolatría típica de los gentiles, transmitida de generación en generación. Tal idolatría no conducía a la vida. La tradición gentil no es venerada aquí. Su idolatría era fútil y vana, pues separaba a la gente del Dios vivo y verdadero.

El pasado gentil de los lectores se comunica también en 1 Pedro 4:2-4. Los que no conocen a Dios viven para las pasiones y los deseos humanos. Se entregan al pecado sexual, a las fiestas de borrachera y a una idolatría reprobable. Viven para el placer humano y no para la voluntad de Dios. Por eso Pedro puede decir a sus lectores que antes no formaban parte del pueblo de Dios (1 P. 2:10). Estaban fuera del ámbito del pueblo del pacto de Dios, confinados en las "tinieblas" (1 P. 2:9).

1 Pedro 2:7b–10 «La piedra que desecharon los constructores, Esa, en piedra angular se ha convertido," y, «Piedra de tropiezo y roca de escándalo». Pues ellos tropiezan porque son desobedientes a la palabra, y para ello estaban también destinados. Pero ustedes son linaje escogido, real sacerdocio, nación santa, pueblo *adquirido* para posesión *de Dios*, a fin de que anuncien las virtudes de Aquel que los llamó de las tinieblas a Su luz admirable. Ustedes en otro tiempo no eran pueblo, pero ahora son el pueblo de Dios; no habían recibido misericordia, pero ahora han recibido misericordia.

Los incrédulos son los que se niegan a obedecer la llamada del evangelio (1 P. 2:8; 4:17; cf. 3:20). Están perdidos y, por tanto, necesitan ser ganados para la fe en Cristo (1 P. 3:1). Necesitan el perdón de sus pecados mediante la muerte de Jesucristo (1 P. 2:24).

Otra forma de decirlo es que todas las personas han llegado al mundo enfermas y, por tanto, necesitan la obra de sanación que supone el perdón de

---

[99] Véase van Unnik 1969; Schreiner 2003: 84-85.

sus pecados. Antes de escuchar el evangelio, las personas se alejan de Dios y se apartan de la verdad (1 P. 2:25; cf. Is. 53:6). Son injustos y están separados de Dios, y la única manera en que pueden ser llevados a Dios es a través de la muerte de Jesucristo (1 P. 3:18). Sus conciencias están manchadas por su mal comportamiento, pero son limpiadas en el bautismo, que simboliza la muerte de Jesús por sus pecados (1 P. 3:21).

Judas y 2 Pedro

Judas escribió para contrarrestar a los intrusos que habían entrado en la iglesia (o iglesias), animando y advirtiendo a los creyentes para que resistieran su influencia. Aunque la carta es breve, el pecado ocupa un lugar importante porque la condena de los intrusos se sitúa en primer plano. Judas insiste en que el pecado conduce al juicio final. Utiliza el término "impíos" (grupo de palabras *asebeia*) para describir el pecado de los falsos maestros que han tenido una influencia tan adversa (Jud. 4, 15, 18). El término indica un rechazo a someterse al señorío de Dios, y, para Judas, se manifiesta en un estilo de vida libertino, particularmente en términos de pecado sexual (Jud. 4, 6-8). El estado espiritual de estas personas se aclara en Judas 19: "no tienen el Espíritu". En otras palabras, no son cristianos genuinos. Son simplemente gente mundana (Jud. 19) que piensa que pertenece al pueblo de Dios. El término "gente mundana" (*psychikoi*) recuerda 1 Corintios 2:14, donde Pablo dice que la persona natural no acoge ni puede acoger la enseñanza del Espíritu porque carece del Espíritu. Así también, aquí en Judas los intrusos están separados de Dios y viven en el reino de este mundo porque están privados del Espíritu.

En muchos aspectos, 2 Pedro es similar a Judas porque también fue escrita en respuesta a los falsos maestros, aunque en este caso los falsos maestros parecen haber surgido de dentro de la comunidad (2 P. 2:1). Pedro, como Judas, subraya la maldad de los falsos maestros y su juicio certero (véase especialmente 2 P. 2). Tal vez interpretaron el evangelio paulino de tal manera que se convirtió en una plataforma para el libertinaje (2 P. 3:15-16; cf. 2:2, 7, 10, 12-14, 18-19). Los seres humanos han pecado ante Dios, por lo que necesitan ser limpiados de tal pecado para recibir el perdón (2 P. 1:9). Pedro no dice nada más sobre el perdón de los pecados y nunca menciona la cruz de Cristo, pero tales omisiones se explican por el carácter circunstancial de la carta. El estado natural de los seres humanos se expresa en la frase "la corrupción que hay en el mundo por causa de los malos deseos" (2 P. 1:4).

Los creyentes han escapado de la "corrupción" (2 P. 1:4) o de las "contaminaciones" (2 P. 2:20) del mundo al conocer a Jesucristo. Tal corrupción o contaminación tiene sus raíces en el deseo de lo que es malo. Los seres humanos naturalmente se inclinan y eligen llevar a cabo acciones que son malvadas. El uso de la palabra "escapar" (*apopheugō* [2 P. 1:4; 2:20]) implica que antes los creyentes eran cautivos de la corrupción y el pecado. Esto se confirma en 2 Pedro 2:19, donde se dice que los incrédulos son "esclavos de la corrupción".

2 Pedro 2:19–20 Les prometen libertad, mientras que ellos mismos son esclavos de la corrupción, pues uno es esclavo de aquello que lo ha vencido. Porque si después de haber escapado de las contaminaciones del mundo por el conocimiento de nuestro Señor y Salvador Jesucristo, de nuevo son enredados en ellas y vencidos, su condición postrera viene a ser peor que la primera.

Pregonan su libertad a bombo y platillo, pero separados de Jesucristo no pueden escapar de las garras del pecado. El pecado también es intensamente personal en el sentido de que se manifiesta en la negación de Jesucristo como Amo y Señor (2 P. 2:1). Tal negación se aplica especialmente a aquellos que dicen ser creyentes y que participan en la comunidad cristiana.

Apocalipsis

El Apocalipsis proclama a menudo el juicio de Dios contra los que pecan y no se arrepienten (p. ej., Ap. 2:5, 16, 21; 3:3; 9:20-21; 16:8-9). Los seres humanos se enfrentarán a la feroz ira de Dios a menos que se aparten de sus malos caminos. Es evidente que el autor no es optimista respecto a la bondad humana, ni está ciego ante la corrupción endémica de la sociedad humana y las estructuras gubernamentales. Los seres humanos son pecadores y necesitan ser liberados de su pecado para entrar en la ciudad celestial (Ap. 1:5; 14:4). Esta libertad llega a través de la sangre de Cristo. En Apocalipsis 21:8 se describen los tipos de pecado que destruyen a los seres humanos (a menos que sean denunciados y rechazados) y los llevan al lago de fuego: la cobardía, el asesinato, el pecado sexual, la idolatría y la mentira.

El pecado se describe como una inmundicia que contamina y destruye a los seres humanos (Ap. 22:11). El impuro y el que hace lo que es detestable no serán librados (Ap. 21:27) a menos que laven sus vestiduras. Dios juzgará a las personas en el último día según sus obras (Ap. 20:11-15; 22:12, 15). Los que se entregan a la falsedad y la idolatría y se sumergen en el pecado serán condenados (Ap. 22:15).

Según el Apocalipsis, el mal fundamental de los seres humanos es la idolatría. Los seres humanos no quieren admitir que son pobres, ciegos y desnudos (Ap. 3:17), y el contexto indica aquí que incluso los creyentes se ven tentados a hacerse ilusiones sobre su propia bondad o falta de ella. Los incrédulos se aferran a sus ídolos y a sus malas acciones incluso cuando llega el juicio (Ap. 9:20-21), llegando hasta a maldecir a Dios cuando el juicio viene a causa de su apasionado apego a otros dioses (Ap. 16:9).

> **Apocalipsis 9:20–21** El resto de la humanidad, los que no fueron muertos por estas plagas, no se arrepintieron de las obras de sus manos ni dejaron de adorar a los demonios y a los ídolos de oro, de plata, de bronce, de piedra, y de madera, que no pueden ver ni oír ni andar. Tampoco se arrepintieron de sus homicidios ni de sus hechicerías ni de su inmoralidad ni de sus robos.

Blasfeman e injurian a Dios porque le odian (Ap. 13:6).

En cambio, rinden pleitesía a la bestia, el emperador y el Imperio Romano, con toda su gloria y su promesa de prosperidad económica. Por lo tanto, adoran a la bestia en lugar del único Dios vivo y verdadero (Ap. 13:8, 12, 15). Maldicen a Dios porque sus juicios intervienen e impiden la realización de sus propios planes (Ap. 16:11). Demuestran su hostilidad a Dios haciendo la guerra al Cordero (17:14; 19:11-21). De ahí que maten a los creyentes, que pertenecen al Cordero (Ap. 16:6; 17:6; 19:2). Anhelan las riquezas de Roma y se entristecen cuando Roma es juzgada (Ap. 18:7, 9, 11-15, 19). No dan gloria a Dios (Ap. 16:11) ni le rinden culto (Ap. 14:7). Aparte de Cristo, las personas se dirigen a la muerte y al Hades (Ap. 1:18). Aquellos con vestiduras manchadas no serán inscritos en el libro de la vida y se enfrentarán a la muerte segunda (Ap. 3:4-5).

Conclusión

Cuando consideramos la totalidad del Nuevo Testamento, vemos que el pecado se describe de diversas maneras, comunicando así la complejidad y plenitud de lo que implica. A menudo, el pecado se define como el incumplimiento de lo que Dios ha ordenado, especialmente en la ley mosaica. Este es un enfoque particular de Pablo, aunque vemos el mismo sentir en Hechos y Santiago. Tanto Pablo como Santiago sostienen que solo la obediencia completa y perfecta constituye la verdadera obediencia. Cualquier infracción lo marca a uno como transgresor de la ley. Juan resume el mensaje del Nuevo Testamento cuando dice que "el pecado es infracción de la ley" (1 Jn. 3:4). Los que pecan son culpables ante Dios y merecen su juicio. De hecho, la ira de Dios se derrama sobre los que son desobedientes y culpables ante Él.

El pecado no se resume al definirlo como desobediencia. El corazón del pecado es la falta de adoración, alabanza y agradecimiento a Dios (Ro. 1:21). Implica la adoración de la criatura en lugar del creador. Juan describe la misma realidad como amar el honor y la alabanza de los seres humanos más que el honor y la alabanza de Dios (Jn. 5:44). El pecado raíz es la idolatría, y la idolatría se manifiesta en la jactancia y el orgullo humanos. El legalismo es otra especie de este mismo pecado, ya que las personas religiosas piensan que agradan a Dios por su virtud (aunque no sean tan virtuosas como creen). De este modo, la religión se convierte en un vehículo para la autocomplacencia y el ensimismamiento, en lugar de la adoración a Dios. La fe agrada a Dios porque lo considera poderoso y espera que satisfaga todas sus necesidades. Depender de las propias obras es una insensatez, porque fija sus ojos en la capacidad de los seres humanos.

Todos los seres humanos llegan al mundo pecadores y condenados porque son hijos e hijas de Adán (Ro. 5:12-19). El pecado ciega a los seres humanos ante su propia maldad y los engaña haciéndoles creer que son justos. El pecado no es una mera cuestión de pecadillos o errores. Los seres humanos son ferozmente rebeldes y obstinados, algo que capta la metáfora de ser de dura cerviz. El pecado de los seres humanos se manifiesta de manera suprema en la historia en la crucifixión de Jesús de Nazaret —el Hijo de Dios y el Hijo del Hombre—, el Mesías de Israel. Todos vienen al mundo espiritualmente muertos hacia Dios y encaminados hacia la muerte física y el juicio. Por naturaleza, los humanos son hijos de la ira y son árboles podridos. Por nacimiento, están bajo el dominio de la vieja era de la carne en lugar de la nueva era del Espíritu. Son una camada de víboras en lugar de hijos de Dios.

El poder y la profundidad del pecado sirven de telón de fondo a las promesas salvíficas de Dios, pues tales promesas representan una buena noticia asombrosa, dada la devastación que el pecado inflige a los seres humanos. Con la venida de Jesucristo ha amanecido la era de la salvación y la liberación, de modo que con la muerte y resurrección de Jesús ha terminado el reinado del pecado y de la muerte. Aunque Cristo ha triunfado sobre el pecado y la muerte, los cristianos deben esperar pacientemente hasta que todo el universo se transforme en una nueva creación. Mientras tanto, Dios pide confianza y obediencia a todos los hombres del mundo.

§15. FE Y OBEDIENCIA

En el capítulo anterior vimos que los seres humanos, como hijos e hijas de Adán, se niegan a estimar a Dios como Dios y a darle gracias y alabarlo. Anhelan más la autonomía que la teonomía. Pertenecen al presente siglo malo y están destinados a la muerte, sin la obra salvífica de Dios en Cristo. En este capítulo se examina lo que el ser humano debe hacer para librarse de este siglo de pecado y muerte. La respuesta que se espera de los seres humanos puede resumirse bajo los términos "fe" y "obediencia". Lo que los escritores del Nuevo Testamento quieren decir con estos términos será investigado en este capítulo. Aunque hay algunas ventajas si se estudia Lucas y Hechos juntos, combinaré los Evangelios Sinópticos porque comparten mucho material común. Juan y las Epístolas joánicas se examinarán conjuntamente, ya que la visión joánica de la fe y la obediencia adquiere un perfil más nítido cuando sus cartas se integran con su Evangelio.

Los Evangelios Sinópticos

La prioridad de la fe

Para ser salvos, los creyentes deben reconocer su desesperada necesidad de Dios y de su justicia. Los que son conscientes de su pobreza de espíritu reciben la bendición del reino (Mt. 5:3).[1] Los que tienen sed de justicia se saciarán con

---

[1] Jeremias (1954-1955: 369) señala que este dicho es conceptualmente similar a la afirmación de Pablo de que son los impíos los que son justificados (Ro. 4:5). Véase también Davies y Allison 1988: 442-44. Véase también Bryan (2002: 46-83), quien sostiene que Jesús proclamó el juicio final sobre el Israel apóstata, pero al mismo tiempo anunció la gracia gratuita e inmerecida de Dios a quienes se consideraban pecadores.

la justicia que viene de Dios mismo (Mt. 5:6).[2] Lucas parece hacer hincapié en la pobreza física y el hambre (Lc. 6:20-21). Sin embargo, no concluye que quienes sufren privaciones materiales confíen por definición en Dios. El término "pobre" en Lucas deriva del Antiguo Testamento, donde los pobres son aquellos que dependen completamente de Yahve.[3] Para Lucas, los que sufren económicamente son más propensos a depender de Dios y a poner su esperanza en él. Además, no habría necesidad de anhelar la justicia si los seres humanos ya gozaran de ella. La fe reconoce que los seres humanos están espiritualmente enfermos y necesitan un médico que los cure; es decir, los seres humanos carecen de justicia, y esa justicia solo puede venir de Dios mismo (Mt. 9:12-13; Mc. 2:17; Lc. 5:31-32).[4] La fe busca a Dios como su bien primordial, y esa búsqueda de Dios no es un hecho puntual, sino más bien una pauta de por vida de petición, búsqueda y llamado (Mt. 7:7-8; Lc. 11:9-10).

La fe se ilustra en el relato del centurión. Estaba convencido del poder de la palabra de Jesús para producir una nueva realidad. La fe del centurión superaba la que Jesús había encontrado en Israel (Mt. 8:10; Lc. 7:9). Esta fe tampoco puede limitarse meramente a la curación física, pues Jesús, según Mateo, procede a decir que los gentiles disfrutarán del banquete del reino, mientras que muchos de los de Israel quedarán excluidos (Mt. 8:11-12). De ahí que la fe que trajo la curación fuera también prueba de la fe salvífica en Jesús. La mujer que padecía una hemorragia desde hacía doce años estaba convencida de que tocando el borde del manto de Jesús se curaría.

Jesús afirmó que su "fe la ha salvado" (Mt. 9:22; par. mi traducción). Una vez más, esta fe no se limita a la curación física, aunque ciertamente la fe trajo la curación. Los sinópticos utilizan el término "salvado" porque la curación física funciona aquí como emblema de la curación espiritual.[5] De ahí que tanto

---

[2] El enfoque de Hagner (1993b: 93) sobre el hambre y la sed literales se desvía de lo que realmente dice el versículo.

[3] Marshall (1978b: 249) dice: "No es la pobreza como tal lo que califica a una persona para la salvación; las bienaventuranzas se dirigen a los discípulos, a los que están dispuestos a ser perseguidos por causa del Hijo del Hombre".

[4] Acertadamente Lane 1974: 105; contra France 2002: 135.

[5] Véase Hagner 1993b: 250-51; Luz 2001: 42. Contra France (2002: 238), que sugiere que la fe de la mujer tiene elementos de superstición. Twelftree (1999: 156-57, 163, 173) argumenta acertadamente que "salvar" en Lucas a menudo apunta tanto a la curación física como a la salvación espiritual. Véase el detallado estudio de Yeung (2002: 53-195), que defiende la autenticidad de los dichos "tu fe te ha salvado" y presenta pruebas convincentes de que se trata de una salvación tanto física como espiritual.

Marcos como Lucas añadan inmediatamente las palabras "Ve en paz", dando a entender una nueva relación con Dios.

No en todos los casos debe insistirse en la relación entre curación física y salvación escatológica. Sin embargo, el relato de la curación del paralítico ilustra que ese tema también está presente aquí (Mt. 9:2-8; par.). Jesús sanó al ver la fe de quienes se tomaron tantas molestias para llevar al paralítico a Jesús. La curación, sin embargo, se convierte en un emblema del perdón de los pecados, y parece que dicho perdón se da en respuesta a la fe.[6] El vínculo entre curación y arrepentimiento y fe se confirma por la escasa posibilidad de Jesús de hacer milagros en su ciudad natal (Mt. 13:53-58; Mc. 6:1-6). Los escasos milagros se atribuyen a la incredulidad, lo que indica que la gente de estas localidades se resistía a Jesús de forma más general. Su negativa a creer en su poder sanador indicaba que también rechazaban su poder salvador, pues lo primero apuntaba hacia lo segundo.

La curación del ciego debe interpretarse en el mismo sentido. En el Evangelio de Mateo, Jesús curó a los ciegos a causa de su fe, pues creían que Jesús podía realizar el milagro (Mt. 9:28-30). Mateo registra otra curación de dos ciegos y en este caso no hace hincapié en su fe (Mt. 20:29-34). Sin embargo, su fe está implícita, ya que aclamaron a Jesús como "Hijo de David", lo que sugiere que creían que era el Mesías de Israel. El mismo relato de Marcos y Lucas contiene la curación de un hombre, Bartimeo (Mc. 10:46-52; Lc. 18:35-43). Jesús fue aclamado como Hijo de David, pero se añaden las palabras "Tu fe te ha salvado" (Mc. 10:52 mi traducción; Lc. 18:42), señalando una realidad más profunda que la recuperación de la vista física. Jesús también fue reconocido como el Mesías.

El ciego (o los "hombres", según Mateo) percibieron quién era Jesús. Cada relato subraya también que la curación no fue meramente física. El ciego siguió a Jesús a Jerusalén. Era un discípulo dispuesto a seguir a Jesús cuando este va a la cruz.[7] Las palabras "tu fe te ha salvado" apuntan más allá de la curación física, a la salvación que Jesús concede a quienes confían en él. El mismo tema es evidente en el relato de los diez leprosos que fueron curados por Jesús (Lc.

---

[6] Jesús sana en respuesta a la fe de los cuatro hombres que llevaban al paralítico, pero no debemos excluir la propia fe del paralítico (Davies y Allison 1991: 88; Hagner 1993b: 232; contra France 2002: 124).

[7] "Bartimeo, liberado ya de su ceguera, representa a todos los que han encontrado la iluminación y siguen al Maestro" (France 2002: 425).

17:11-19).[8] Solo el samaritano regresó y dio gracias y alabó a Dios, y también adoró a Jesús. Su curación física, la alabanza en su corazón y su adoración a Jesús apuntan a una realidad mayor. Así, Jesús declaró: "Tu fe te ha salvado" (Lc. 17:19 mi traducción).[9]

El requisito fundamental dado a los seguidores de Jesús es la fe. Esto se resume en sus palabras a Jairo: "No temas, cree solamente" (Mc. 5:36; par.). Lo que asombró a Jesús en Nazaret fue que los de su propia ciudad natal carecían de fe (Mt. 13:53-58; par.). Jesús reprendió a los judíos por su incredulidad (Mt. 17:17; par.). El demonio fue expulsado de la hija de la mujer sirofenicia debido a la fe persistente de la mujer en Jesús (Mt. 15:22-29; par.). Lucas subraya la fe de la mujer pecadora que se entrometió en la fiesta en casa de Simón (Lc. 7:36-50). Manifestó su amor a Jesús lavándole los pies, secándoselos con sus cabellos y ungiéndoselos con ungüento.

Su amor por Jesús fluía del reconocimiento de que sus pecados habían sido perdonados. Algunos han argumentado, basándose en Lucas 7:47, que fue perdonada a causa de su amor. Pero la parábola de los dos deudores sugiere lo contrario, ya que el que amó mucho fue al que se le perdonó una gran deuda, lo que indica que el amor es la consecuencia del perdón.[10] El relato concluye con Jesús diciendo: "Tu fe te ha salvado, vete en paz" (Lc. 7:50). La mujer no se salvó por su amor; se salvó porque confió en Jesús para el perdón de sus pecados, y como resultado de ese perdón se desbordó en amor por Jesús.

La historia del fariseo y el recaudador de impuestos debe interpretarse de forma similar, aunque la palabra "fe" no aparezca en el relato (Lc. 18:9-14).[11] Claramente, el fariseo piensa que está "justificado" (Lc. 18:14) ante Dios por su devoción a la rectitud, ya que se abstiene de robar y de cometer pecados

---

[8] Witherington (1998: 150) limita aquí las palabras de Jesús a la curación física, pero el paralelo que cita en Lucas 7:50 sugiere un significado más profundo.

[9] La traducción "tu fe te ha sanado" (NRSV, ESV) en lugar de "tu fe te ha salvado" oscurece la conexión articulada entre fe y salvación hacia la que apuntan los milagros. Lucas, en particular, entreteje en su narración la verdad de que "tu fe te ha salvado". Las versiones inglesas traducen acertadamente este dicho en Lucas 7:50, pero al traducirlo como "tu fe te ha sanado" en Lucas 8:48; 17:19; 18:42, no logran retratar la totalidad de lo que Lucas pretendía. Para más información sobre esta cuestión, véase Witherington 1998.

[10] Véase Jeremías 1972: 127; Fitzmyer 1981a: 687, 692; Marshall 1978b: 306, 313.

[11] Marshall (1978b: 681) observa: "La lección de Jesús es precisamente que la actitud del corazón es en última instancia lo que importa, y la justificación depende de la misericordia de Dios hacia el penitente más que de las obras que se podría pensar que ganan el favor de Dios".

sexuales y vive con justicia.[12] Es más, trasciende su deber ayunando y pagando el diezmo de artículos que ni siquiera exige la ley.[13] El recaudador de impuestos, en cambio, pone su confianza en Dios para que le perdone, implorando su misericordia. Este relato es notable porque demuestra claramente que Jesús se pronunció en contra de la idea de que los seres humanos pudieran obtener el perdón de Dios sobre la base de sus obras. También sugiere que algunos en el judaísmo creían que la justicia podía asegurarse a través de las obras. De lo contrario, la parábola abordaría el problema de confiar en las obras, ¡con el que nadie luchaba! Además, la enseñanza paulina sobre la justificación se anticipa en este texto, pues Lucas da a entender claramente que el recaudador de impuestos es justo para con Dios gracias a su fe en Dios.[14]

Los relatos sinópticos retratan con honestidad las luchas que tuvieron los discípulos de Jesús para creer, aun cuando una fe tan pequeña como un grano de mostaza (Lc. 17:6) tiene un gran efecto.[15] Jesús reprochó a Pedro su poca fe cuando dudó en medio de la caminata sobre las aguas (Mt. 14:31). Todos los discípulos fueron acusados por su falta de fe durante la tormenta (Lc. 8:25). Marcos, en particular, llama la atención sobre la reprimenda de Jesús a los discípulos por su dureza de corazón (Mc. 6:52; 8:14-21) y su terquedad espiritual. Pero, a pesar de su torpeza y falta de fe, confesaron que Jesús era el Cristo de Dios (Mt. 16:16; Mc. 8:29; Lc. 9:20).[16]

La deficiencia de su fe se ilustra en la curación en dos tiempos de Marcos (Mc. 8:22-26). La ubicación del relato es crucial porque se produce justo antes de que Pedro aclame a Jesús como el Cristo (Mc. 8:27-30) y la posterior aclaración de Jesús de que sufriría y moriría como el Mesías (Mc. 8:31-38). La sanación en dos etapas no indica que Jesús careciera de la capacidad de sanar instantáneamente, pues en ninguna otra parte es necesario un proceso de

---

[12] "La rectitud ante Dios no se alcanza por la actuación propia, sino por el reconocimiento contrito de la pecaminosidad propia ante él" (Fitzmyer 1985: 1185).

[13] El fariseo da gracias a Dios por su rectitud, pero esas palabras no deben sobreinterpretarse en la parábola. Vemos por los comentarios editoriales de Lucas en Lucas 18:9, 14 que el fariseo confiaba en sí mismo, no en Dios. De ahí que su acción de gracias a Dios no fuera genuina. No brotaba del corazón, sino que era más bien un ademán verbal.

[14] Para esta opinión, véase Jeremias (1954-1955: 369-70; 1972: 139-44), quien argumenta que los semitismos de Lucas 18:14 demuestran que el dicho es auténtico.

[15] Véase Bock 1996: 1390-91.

[16] Pedro habla aquí en nombre de todos los discípulos.

sanación. Las dos etapas de la curación simbolizan la fe de los discípulos.[17] Comprendieron que Jesús era el Mesías, pero no vieron que era un Mesías sufriente. De ahí que fuera necesario un crecimiento en la fe para que no se limitaran a aclamar a Jesús como Mesías, sino que también comprendieran que es el Mesías que sufre y muere para expiar el pecado. Además, el relato de la curación del niño epiléptico (Mc. 9:14-29; par.) sugiere que la fe es imperfecta en esta vida y necesita crecer. El padre confesó su fe, pero pidió a Jesús que le ayudara en su incredulidad (Mc. 9:24).[18] Tal petición representa implícitamente un reconocimiento de la deidad de Jesús, pues solo Dios puede aumentar la fe de alguien. También refleja la verdad de que la fe humana es intrínsecamente débil e inestable, y necesita la ayuda de Dios para crecer.

Nueva obediencia

En los Evangelios Sinópticos, la fe salvadora es una fe viva.[19] No es una aceptación abstracta de verdades acerca de Jesús. Por lo tanto, la fe nunca puede separarse de una nueva forma de vida: una nueva obediencia en la vida de los seguidores de Jesús. Esto se ilustra en Marcos 1:15: "Arrepiéntanse y crean en el evangelio". La fe genuina no puede existir sin arrepentimiento (cf. Mt. 4:17) y, de hecho, todo arrepentimiento fluye de la fe. El arrepentimiento significa que la gente vuelve al Señor y al camino del bien (Lc. 1:16-17).[20] La relación entre fe y arrepentimiento queda bien ilustrada en la insistencia de Jesús en que la gente se convierta y sea como niños (Mt. 18:3-4; cf. 19:14).[21] Los que se humillan como niños demuestran su confianza en Dios, lo que

---

[17] Acertadamente Best 1970a: 325-26; Hays 1996: 77; France 2002: 322-23.

[18] Algunos comentaristas creen que se refiere a la fe de Jesús, pero es más probable que se refiera a la fe del padre (Twelftree 1999: 87). Para un breve estudio de las opciones barajadas por los eruditos, véase Meier 1994: 655, 669-70n37.

[19] Dado que Mateo y Lucas enfatizan con cierta extensión la nueva vida en los discípulos, he decidido, en aras de la claridad, discutir la nueva obediencia en cada uno de los Evangelios Sinópticos por separado.

[20] Stuhlmacher (1993: 17) dice que el arrepentimiento "significa apartarse de la vieja forma de vida en injusticia y alienación de Dios, y volverse hacia el único Dios y Padre, al que Jesús mismo pertenece. En segundo lugar, significa cumplir la voluntad de este Dios mediante actos de amor y justicia".

[21] Véase Hagner 1995: 517-18. Para un buen estudio de las posibles interpretaciones, véase Jeremias 1972: 190-91; Luz 2001: 426-29 (quien hace hincapié en la baja condición social de los niños en la cultura judía de la época de Jesús [así también Davies y Allison 1991: 757]).

explica por qué solo los que se humillan serán exaltados (Mt. 23:12). Por el contrario, los que se exaltan serán humillados en el último día porque se consideran, a pesar de su maldad, cualificados para heredar la salvación.

Cada uno de los Evangelios Sinópticos insiste a menudo en el nuevo tipo de vida que es necesario para entrar en el reino. Tales afirmaciones, sin embargo, no contradicen la verdad de que la fe salva en lugar de las obras. El cambio de vida de los discípulos es fruto de la fe y el resultado de la fe. Los que siguen a Jesús en el discipulado lo hacen porque confían en él. La obediencia de los creyentes nunca debe interpretarse como si fuera independiente de la fe. Por otra parte, es impensable que la nueva relación con Jesús sea algo menos que transformadora.

LA NUEVA OBEDIENCIA EN MATEO

El énfasis que pone Mateo en la obediencia ilustra el punto que se está tratando. Los que cumplen la voluntad de Dios forman parte de la familia de Dios (Mt. 12:46-50). En la parábola de la tierra, solo los que dan fruto pertenecen realmente a Dios (Mt. 13:18-23).[22] Los que reciben la palabra del reino con alegría pero no obedecen no entrarán en el reino. Tampoco recibirá la herencia la persona que responda inicialmente al evangelio del reino pero luego permita que el deseo del reino sea lentamente exprimido por los tentadores placeres de este mundo. Las parábolas del tesoro en el campo y de la perla de mayor valor enseñan que el reino debe ser la pasión que consuma nuestra vida, más valioso que cualquier otra cosa (Mt. 13:44-46).[23]

El gobernante rico solo se salvaría si renunciaba a todas sus posesiones y seguía a Jesús como discípulo (Mt. 19:21). Aquellos que se niegan a tomar su cruz y seguir a Jesús, sino que tratan de preservar sus propias vidas, se arruinarán (Mt. 16:24-26). Solo aquellos que sigan a Jesús en un discipulado radical se salvarán en el último día. Deben estar dispuestos a sacrificar hogares confortables y cortar los lazos familiares por seguir a Jesús (Mt. 8:18-22). Los que aman a sus familiares más que a Jesús no son dignos de él, porque los que

---

[22] Acertadamente Hagner 1993b: 380-81. Véanse también los comentarios de Hooker (1991: 131-32) sobre el paralelo marcano.
[23] Véase Hagner 1993b: 396-97; Nolland 2005: 564-66.

se convierten en discípulos de Jesús deben estar dispuestos a morir por su causa (Mt. 10:37-39).

En el día del juicio solo se salvarán los árboles buenos que produzcan buenos frutos, pues las personas serán juzgadas por cada palabra pronunciada (Mt. 12:33-37). Los que se niegan obstinadamente a perdonar a los demás no serán perdonados por Dios en el día del juicio (Mt. 6:14-15; 18:21-35).[24] Jeremias dice: "Pero el secreto más profundo de este amor que caracteriza al discipulado realizado es que han aprendido a perdonar. Extienden a los demás el perdón divino que ellos han experimentado, un perdón que sobrepasa todo entendimiento".[25] Todo lo que haga que la gente tropiece o caiga debe ser eliminado de sus vidas.

Jesús utiliza el lenguaje hiperbólico de cortar un pie o una mano o sacar un ojo (Mt. 5:29-30; 18:8-9) para describir las medidas radicales que deben tomarse para evitar la apostasía. Tanto la ira (Mt. 5:21-26) como la lujuria (Mt. 5:27-28) deben ser vencidas por los creyentes, y no se puede permitir que arraiguen en los corazones de los discípulos de Jesús.[26] Los verdaderos discípulos de Jesús no son los que profesan hacer la voluntad del Padre (es decir, los fariseos), sino los que realmente llevan a cabo la voluntad del Padre arrepintiéndose (es decir, los recaudadores de impuestos y las prostitutas). Los esclavos fieles hacen lo que manda el amo y serán debidamente recompensados, pero los esclavos infieles serán excluidos del reino y llorarán y crujirán los dientes (Mt. 24:45-51).

Para Mateo, la obediencia no es un extra que conlleve una recompensa adicional a la vida eterna.[27] Los que no cumplen la voluntad de Dios son excluidos del reino. Las parábolas de Mateo 25 insisten en el mismo tema. Las

---

[24] Hultgren dice con razón que el perdón no es "un requisito previo ni un medio para obtener el perdón de Dios" (2000: 29). Sin embargo, parece socavar la necesidad del perdón también en sus comentarios aquí, y Crump dice erróneamente que el perdón "no es la condición sino la evidencia de ser perdonado" (2006: 139). Crump no ve que las condiciones no excluyen la gracia. Creer es una condición para la salvación, pero tal condición no lleva a la conclusión de que la gracia esté comprometida. Además, debemos ver que en el NT seguir perdonando es otra forma de describir la creencia continua en el evangelio.

[25] Jeremias 1972: 210. Véase la exposición completa en Jeremias 1972: 210-14.

[26] Hays (1996: 98-99) sostiene que Mateo considera que el carácter fluye de lo que hay en el corazón, aunque ese comportamiento recto también se debe a la formación y al discipulado en los caminos de la justicia.

[27] Para una discusión sobre la obediencia y la recompensa en la teología de Mateo que interactúa con la erudición mateana, véase France 1989: 265-70.

cinco vírgenes excluidas del banquete de bodas no trajeron el aceite necesario (Mt. 25:1-13). El hecho de no traer aceite no puede calificarse simplemente de despiste; significa no estar preparados para el regreso de Jesús.[28] En la parábola de los talentos, los que cumplieron las órdenes del amo fueron recompensados, pero el que, por pereza, no hizo nada y escondió su talento fue arrojado a las tinieblas exteriores, donde está "el llanto y el crujir de dientes" (Mt. 25:14-30). El juicio de Jesús sobre las ovejas y los cabritos se ajusta a lo que han hecho, si han mostrado misericordia y amor a los creyentes ("uno de los más pequeños" [Mt. 25:45]).[29] De nuevo, la cuestión no es meramente un asunto de recompensas desconectadas de la vida eterna, pues los injustos "irán al castigo eterno, pero los justos a la vida eterna" (Mt. 25:46).

El llamado radical de Jesús a sus discípulos es evidente a lo largo de todo Mateo.[30] Los que dan limosna, oran y ayunan (Mt. 6:1-18) para obtener alabanzas de la gente han recibido la única recompensa que alguna vez obtendrán. Solo los que hacen tales cosas *coram Deo* recibirán una recompensa escatológica. Del mismo modo, los tesoros en el cielo están reservados solo para aquellos cuyo tesoro es Dios mismo (Mt. 6:19-21). Si el "ojo" de las personas (es decir, los deseos de su corazón) está cautivado por las riquezas, entonces revelan que sirven a otro amo: a las riquezas en lugar de a Dios (Mt. 6:22-24).[31] En el día final las personas deberán entrar por la puerta estrecha para salvarse (Mt. 7:13-14). Para Mateo, es evidente que la puerta estrecha se refiere a la obediencia: el cambio de vida que se exige a los discípulos de Jesús.[32]

Los falsos profetas no recibirán recompensa, porque no son árboles buenos (Mt. 7:15-20). En lugar de producir buenos frutos, sus vidas son perversas y

---

[28] Hagner (1995: 728-30) advierte contra la sobreinterpretación de la referencia al aceite según la cual se identifica con vivir una vida ética.

[29] Para una defensa de la idea de que los creyentes están a la vista, véase Carson 1984: 519-20; véase también Hagner 1995: 744-45; Luz 1995: 129-30. Contra Jeremias (1972: 207); Hultgren (2000: 318-25), y Davies y Allison (1997: 428-29), que piensan que todas las personas están a la vista aquí, no solo los discípulos. Luz (2005: 267-74) documenta que la interpretación favorecida aquí fue la más común hasta los siglos XIX y XX.

[30] Para un breve esbozo sobre el discipulado en Mateo, véase France 1989: 261-65.

[31] Estos versículos son bastante difíciles de interpretar y, por tanto, controvertidos. Para una discusión exhaustiva, véase Davies y Allison 1988: 635-41. Para una crítica de algunos aspectos de su interpretación, véase Hagner 1993b: 158-59.

[32] Davies y Allison (1988: 696-701) demuestran el carácter escatológico del pasaje. Véase también Hagner 1993b: 178-80.

no se ajustan a la voluntad de Dios. El mero hecho de invocar a Jesús como Señor no le cualifica a uno para el reino (Mt. 7:21-23). La gente puede incluso hacer milagros, exorcizar demonios, y pronunciar profecías y aun así ser excluidos del reino debido a su fracaso en hacer la voluntad de Dios. Tan solo aquellos que construyan con seguridad sobre el fundamento sobrevivirán a la tormenta del juicio final (Mt. 7:24-27). Edificar sobre el fundamento, en este contexto de Mateo, significa con toda claridad escuchar y poner en práctica las palabras de Jesús.

Jesús denuncia a los fariseos y escribas por no cumplir la voluntad de Dios. Su acusación fundamental no era que fueran legalistas. Criticó a los que "dicen y no hacen" (Mt. 23:3).[33] Vivían para la alabanza de los demás en lugar del honor y la alabanza que proceden del único y verdadero Dios (Mt. 23:5-12).[34] Excluían a los demás de entrar en el reino porque sus conversos habían sido formados a su imagen y, por tanto, practicaban el mal (Mt. 23:13-15). Se dedicaban a la casuística para evitar cumplir los juramentos hechos en presencia de Dios (Mt. 23:16-22). Se concentraban en observar las minucias de la ley, pero pasaban por alto lo verdaderamente crucial: "la justicia, la misericordia y la fidelidad" (Mt. 23:23). Colaban el mosquito y se tragaban el camello (Mt. 23:24).

Por fuera parecían justos porque eran devotos de las normas de la Torá, pero por dentro el mal se extendía como un tumor canceroso (Mt. 23:25-28). Demostraron ser víboras, la simiente de la serpiente (Mt. 23:33; cf. Gn. 3:15), pues siguieron los pasos de sus antepasados matando a los profetas y mensajeros de Dios, lo que culminó en la crucifixión del Hijo de Dios. En Mateo, Jesús subraya en dos ocasiones, al dirigirse a los fariseos, que Dios desea misericordia en lugar de sacrificios (Mt. 9:10-13; 12:5-7).[35] Los "preceptos más importantes de la ley" son la justicia, la misericordia y la fe (Mt. 23:23). Toda la ley debe interpretarse a la luz de los mandamientos de amar a Dios y al prójimo (Mt. 22:34-40).

---

[33] Silva (1986: 113-21) sostiene que la crítica fundamental a los líderes religiosos era su incapacidad para hacer la voluntad de Dios, su atenuación de lo que Dios exigía.

[34] Para un estudio detallado de Mateo 23, véase Garland 1979.

[35] Véase la perspicaz discusión en Hays 1996: 99-101.

Algunos concluyen que el énfasis de Mateo en la obediencia contradice el evangelio paulino, en el que la justicia se obtiene por la fe y no por las obras.[36] Sin duda, Mateo hace hincapié en la nueva vida de obediencia que se requiere para entrar en el reino de los cielos. Aun así, es posible exagerar la polaridad entre Mateo y Pablo. Mateo reconoce que los seres humanos son pobres de espíritu (Mt. 5:3); solo quienes así lo reconozcan recibirán el poder del reino. En otras palabras, la gente necesita el poder del reino para vivir de la nueva manera exigida por Jesús. La nueva vida que se necesita solo es posible con Dios y no puede suscitarse mediante el esfuerzo humano (Mt. 19:26). El llamado a la obediencia es nada menos que un compromiso radical con Jesús, de tal manera que los discípulos deben estar dispuestos a seguirlo y a valorarlo por encima de todo.

La invitación a seguir a Jesús y a obedecer no debe interpretarse como si la perfección fuera necesaria para obtener la recompensa final. Dios exige la perfección (Mt. 5:48), pero el perdón es la última palabra para los que se arrepienten. La oración que Jesús enseñó a sus discípulos reconoce la necesidad de pedir perdón por los pecados (Mt. 6:12), presumiblemente todos los días. La base última del perdón de los pecados es la muerte de Jesús, que inaugura el nuevo pacto (Mt. 26:28).[37] La obediencia es necesaria para entrar en el reino, y Mateo piensa en continuar siguiendo a Jesús hasta el final: "Pero el que persevere hasta el fin, ese será salvo" (Mt. 10:22; 24:13). Los que reconocen a Jesús serán reconocidos ante Dios, pero los que lo niegan serán rechazados (Mt. 10:32-33). La obediencia exigida en Mateo revela si uno atesora a Jesús por encima de todo. Además, esa obediencia es fruto de la fe. No se concibe la obediencia como la base para entrar en el reino; la muerte de Jesús es la única base para el perdón de los pecados, pero quienes confían en Jesús demuestran esa fe con una nueva forma de vida.

---

[36] Por ejemplo, Mohrlang 1984: 42-43. Luz (1995: 146-53) ve una tensión útil. Aun así, Luz (1995: 59) parece admitir que, en última instancia, se contradicen, y considera que ninguno de los dos tiene la última palabra.

[37] Jeremias (1972: 209) afirma que solo los que obedecen y perdonan serán vindicados en el juicio final, y sin embargo tal vindicación sigue siendo una cuestión de misericordia, no de recompensa.

LA NUEVA OBEDIENCIA EN MARCOS

El tema mateano de la obediencia también aparece en el Evangelio de Marcos, aunque con menos detalle, dada la brevedad comparativa de Marcos. Nuestra mirada a Marcos también será abreviada porque no reproduciré en detalle los textos examinados en Mateo. El anuncio del reino implica una llamada al arrepentimiento (Mc. 1:4, 15). Solo entrarán en el reino quienes lo reciban como niños (Mc. 10:15). Los que cumplen la voluntad de Dios conforman la familia de Jesús (Mc. 3:31-35). Los que se niegan a perdonar a los demás no serán perdonados por Dios (Mc. 11:25). La parábola de los suelos, como en Mateo, indica que solo se salvarán los que perseveren hasta el final y den fruto (Mc. 4:13-20). La historia del hombre rico revela que nada puede tener prioridad sobre Jesús, y el compromiso del hombre con Dios se medirá por su voluntad de seguir a Jesús y renunciar a sus riquezas (Mc. 10:17-22).

Marcos enlaza bien el destino de Jesús, llamado a ir a la cruz, con el llamamiento al discipulado. En tres ocasiones, Jesús predice que sufrirá y luego resucitará de entre los muertos (Mc. 8:31-33; 9:30-32; 10:32-34). A cada predicción le sigue una instrucción sobre el llamado al discipulado (Mc. 8:34-38; 9:33-37; 10:35-45).[38] Los discípulos necesitan darse cuenta de que el llamado de Jesús a sufrir también es paradigmático para sus propias vidas. Pedro delató una mentalidad satánica al decir que la cruz no podía ser la voluntad de Dios para Jesús (Mc. 8:32-33). Del mismo modo, solo entrará en el reino quien emprenda el camino de la abnegación y cargue con una cruz para seguir a Jesús (Mc. 8:34).

Los discípulos deben estar dispuestos a perder "su vida por causa de Mí y del evangelio" (Mc. 8:35). De lo contrario, serán destruidos cuando llegue el juicio. Después de la segunda predicción de la pasión de Jesús, los discípulos discutían sobre quién de ellos era el más grande (Mc. 9:33-37). Jesús puso a un niño en medio de ellos y se lo llevó en brazos. En el mundo antiguo, a los niños se les veía y no se les oía, pero sus discípulos deben acoger a los niños en nombre de Jesús, porque los discípulos viven para servir a los demás, no para promover su propio ego. Por último, Santiago y Juan pidieron sentarse al lado de Jesús en su reino (Mc. 10:35-45). Los demás discípulos mostraron su irritación, demostrando que las normas de privilegio y honor de la cultura

---

38 Este tema es comúnmente reconocido. Véase Best 1970a: 328-37.

contemporánea eran las que les animaban. Jesús rechazó la búsqueda de estatus que impregnaba el mundo gentil. Los discípulos deben imitar a Jesús sirviendo a los demás en lugar de buscar ser servidos (Mc. 10:45). El modelo de vida de Jesús es el modelo para los discípulos.

LA NUEVA OBEDIENCIA EN LUCAS

La enseñanza lucana sobre el arrepentimiento y el discipulado encierra los mismos temas que se observan en Mateo y Marcos.[39] Solo los que perseveren hasta el final ganarán la vida (Lc. 21:19), de modo que solo los que den fruto hasta el final serán preservados del juicio (Lc. 8:11-15). La familia de Jesús está formada por los que hacen la voluntad de Dios (lc. 8:19-21), y los que no hacen lo que Jesús dice construyen sobre cimientos que se derrumbarán (Lc. 6:46-49). La puerta estrecha por la que hay que entrar para salvarse es la práctica de la justicia (Lc. 13:24-30), de modo que solo salvarán sus vidas quienes tomen su cruz y sigan a Jesús (Lc. 9:21-27).

Los esclavos fieles serán recompensados por hacer la voluntad de Dios (Lc. 12:35-48). Jesús debe ser lo primero en la vida, por eso el rico debía venderlo todo y seguir a Jesús (Lc. 18:22). El arrepentimiento se manifiesta en la reconciliación familiar y en un compromiso renovado de vivir rectamente (Lc. 1:17). Los ricos deben compartir con los menos afortunados (Lc. 3:10-11). A los recaudadores de impuestos no se les pedía que abandonaran su trabajo, pero debían cumplir con sus obligaciones con justicia y sin extorsión (Lc. 3:12-13). Del mismo modo, a los soldados no se les pedía que renunciaran a su cargo, pero debían desistir de extorsionar a los demás y contentarse con su paga (Lc. 3:14).

Lucas está especialmente interesado en la forma en que los creyentes utilizan su dinero como fruto del arrepentimiento, y examinaremos este tema más detalladamente después.[40] Aquí simplemente hay que señalar que los que encuentran sus tesoros en las riquezas en lugar de en Dios quedarán excluidos del reino (p. ej., Lc. 6:20-26; 12:13-21, 32-34; 16:1-13, 19-31). Los que verdaderamente pertenecen al pueblo de Dios muestran misericordia hacia los

---

[39] De ahí que estos temas se presenten aquí de forma somera.
[40] Véase la discusión en el capítulo 18.

necesitados (Lc. 10:25-37).[41] El llamado al discipulado en Lucas tiene prioridad sobre todo lo demás en la vida. Las relaciones familiares, el hogar y cualquier otra preocupación deben pasar a un segundo plano frente al reino de Dios (Lc. 9:57-62). Jesús incluso pidió a los suyos que "odiaran" a padre y madre, a cónyuge e hijos, y a hermanos y hermanas para convertirse en sus discípulos (Lc. 14:26). La palabra "odiar" aquí es claramente hiperbólica, pues Jesús procedió a incluir la propia vida entre lo que hay que odiar. El punto es que ninguna persona o cosa puede tener prioridad sobre Jesús. Él debe imperar por encima de todo.[42] La gente debe calcular el coste y estar dispuesta a renunciar a todas sus posesiones por amor a Jesús (Lc. 14:27-33).[43]

Es posible interpretar que Lucas enseña que la obediencia garantiza la entrada en el reino de Dios. Sin embargo, esta lectura no tiene en cuenta todo lo que escribe Lucas. Como se ha señalado en la primera sección de este capítulo, Lucas enseña con frecuencia y claridad que el fundamento de la nueva vida es el perdón de los pecados. La vida de obediencia siempre está arraigada en la fe, una fe que encuentra a Jesús como la alegría y el tesoro de su corazón. La obediencia está siempre ligada a la fe y al amor a Jesús. La obediencia es necesaria para entrar en el reino, pero lo que tal obediencia hace es expresar la fe. Lucas tampoco piensa en obediencia perfecta, pues también reconoce que los creyentes deben orar diariamente: "Perdona nuestros pecados" (Lc. 11:4).

Resumen de los Sinópticos

Al examinar los Evangelios Sinópticos hemos visto que hacen hincapié tanto en la fe como en la obediencia. Esta última nunca puede dar derecho de entrada en el reino porque todos son, como enseña Mateo, pobres de espíritu (Mt. 5:3). Un estribillo común en los Sinópticos es "tu fe te ha salvado". Se salvan los que se acercan a Jesús humildemente como niños, los que, como el recaudador de impuestos, reconocen que necesitan el perdón de Dios para entrar en su presencia (Lc. 18:13-14). Y, sin embargo, en los Sinópticos la fe es una realidad viva que sigue a Jesús en el discipulado. Se manifiesta en una vida de

---

[41] Véase la exposición clásica en Jeremias 1972: 202-6.
[42] Véase Marshall 1978b: 592.
[43] Véase Seccombe 1982: 115-16.

obediencia en la que se cumple la voluntad de Dios. Un árbol nuevo siempre da buenos frutos.

La literatura joánica

La centralidad del creer en el Evangelio de Juan

El Evangelio de Juan utiliza el verbo "creer" (*pisteuō*) noventa y ocho veces, indicando así la centralidad del tema.[44] Curiosamente, Juan nunca utiliza el sustantivo "fe" (*pistis*) en el Evangelio, sino solo el verbo "creer".[45] Sin duda, se podría exagerar la importancia del uso del verbo en lugar del sustantivo. Quizá el uso verbal pone el énfasis en creer como acción, excluyendo cualquier noción de una fe pasiva. Aunque el verbo "creer" se utilizara en raras ocasiones, su importancia viene indicada por el propósito del Evangelio, tal y como se expone en Juan 20:31. Juan escribió para que los lectores creyeran que Jesús es el Cristo, y para que así obtuvieran la vida eterna.[46] Tal afirmación final no sorprende, pues a menudo en el Evangelio Juan hace hincapié en que los que creen en Jesús reciben la vida eterna (Jn. 3:15-16, 18, 36; 6:40, 47), y que los que ponen su confianza en Jesús nunca morirán (Jn. 11:25-26). Por el contrario, los que no crean en él se enfrentarán a la muerte a causa de sus pecados (Jn. 8:24).

La forma verbal de "creer" suele ir seguida de la preposición "en" (*eis*) con el objeto acusativo (p. ej., Jn. 1:12; 2:11; 3:15, 16, 18, 36; 4:39; 6:29, 40).[47] Podría parecer que el uso de la preposición *eis* sugeriría una fe más activa y dinámica que el uso del verbo "creer" seguido del caso dativo. Tal teoría no parece corroborada por las pruebas, pues el caso dativo no señala una fe menos

---

[44] En 1 Juan el verbo aparece nueve veces, y el sustantivo *pistis* una vez (1 Jn. 5:4).

[45] Sobre el significado de *pisteuō* en Juan, véase Barth, *EDNT* 3:95-96; Bultmann, *TDNT* 6:222-28.

[46] El propósito del Evangelio de Juan es objeto de debate. Para una defensa de la noción de que es una obra fundamentalmente evangelística, véase Carson 1987a; 2005. Para más información, véase Barrett 1978: 134-44.

[47] He contado treinta y cuatro apariciones del verbo *pisteuō* con *eis* designando la fe en Jesús. En un caso, la luz es el objeto, pero está claro que la luz se refiere a Jesús (Jn. 12:36).

robusta en Jesús (Jn. 5:38, 46; 10:38; 14:11).[48] El caso dativo se usa, en efecto, para los que tienen una fe deficiente (Jn. 8:31), pero más adelante en el capítulo Jesús usa el dativo al reprenderlos por no creer (Jn. 8:45-46), y ciertamente no pretende decir: "¡Deberían tener al menos una fe débil en mí!". Está claro que Juan prefiere el verbo *pisteuō* con la preposición *eis*, pero parece que se trata de una preferencia estilística.

El uso que hace Juan de "creer" indica que los seres humanos reciben la vida eterna creyendo y no obrando. Antes he argumentado que Juan describe a los seres humanos como seres que viven en el reino de las tinieblas, de modo que están aislados de la luz de la vida. Viven bajo el dominio del gobernante de este mundo, y por lo tanto practican el mal, odiando en lugar de amar. Los seres humanos son espiritualmente ciegos, por lo que no pueden percibir la verdad ni comprender a Jesús.

Sin embargo, la vida eterna no se obtiene trabajando; los seres humanos no pueden "expiar" su maldad. Jesucristo ha venido al mundo como Cordero de Dios para eliminar el pecado (Jn. 1:29). La "obra" que Dios exige, pues, es contraria a las expectativas humanas. "Esta es la obra de Dios: que crean en el que Él ha enviado" (Jn. 6:29). Basta una obra para los seres humanos, y esta se define como la confianza en Jesús. Esto tampoco es contrario al Antiguo Testamento, pues los que creían en lo que escribió Moisés pondrían su fe en Jesús dado que los escritos de Moisés dan testimonio de Jesús (Jn. 5:46-47).

El contenido de la fe en el Evangelio de Juan

En Juan, la creencia no es una entidad vaga, como si una fe vaga y amorfa diera acceso a la vida eterna. La fe salvífica está radicalmente centrada en Cristo. Hay que creer en el nombre de Jesús (Jn. 1:12) y confiar en que el amor de Dios se ha manifestado en la entrega de Jesús para la vida eterna (Jn. 3:16-18). Por otra parte, Juan también dice que hay que creer en el Padre (Jn. 5:24), pero es precisamente el Padre quien ha enviado a Jesús (Jn. 5:38; 12:44). Los que creen en Dios deben creer también en Jesús (Jn. 14:1);[49] no hay verdadera

---

[48] Véase la convincente valoración de las pruebas en Bultmann 1971: 252n2; Carson 1991b: 346-47.

[49] Ambos casos de pisteuete en este versículo deben tomarse como imperativos. Para una discusión de las opciones y una preferencia por los imperativos, véase Barrett 1978: 456.

fe en Dios si no se tiene fe también en Jesús. Hay que creer que Jesús ha venido de Dios (Jn. 16:27, 30; 17:8, 21).

La fe de los que pertenecen a Dios tiene un contenido específico. Reconocen a Jesús como "el Santo de Dios" (Jn. 6:69). Los que se niegan a confesar a Jesús como "Yo soy" perecerán en el pecado (Jn. 8:24; cf. 13:19). Un ciego puso su fe en Jesús como el "Hijo del Hombre" (Jn. 9:35). Jesús hizo obras que demostraban que el "Padre está en Mí y Yo en el Padre" (Jn. 10:37-38; cf. 14:10). Los discípulos genuinos confiesan con Marta: "Yo he creído que Tú eres el Cristo, el Hijo de Dios, o sea, el que viene al mundo" (Jn. 11:27). El contenido de la fe salvadora se capta mejor en la declaración de intenciones del Evangelio de Juan, que afirma que Jesús hizo sus señales para que la gente le reconociera como el Mesías y el Hijo de Dios y, como resultado, disfrutara de la vida eterna (Jn. 20:31).

El creer en 1 Juan

La centralidad de la fe en Jesús también es evidente en 1 Juan. El mandato de Dios es "que creamos en el nombre de Su Hijo Jesucristo" (1 Jn. 3:23). Los que han nacido de Dios creen "que Jesús es el Cristo" (1 Jn. 5:1). Los que creen "que Jesús es el Hijo de Dios" vencen al mundo (1 Jn. 5:5; cf. 5:4). Si uno no cree que Jesús es el Hijo de Dios, entonces descarta el testimonio de Dios como una mentira (1 Jn. 5:10). La declaración de propósitos de la primera carta de Juan es notablemente similar a la declaración de propósitos del Evangelio: "Estas cosas les he escrito a ustedes que creen en el nombre del Hijo de Dios, para que sepan que tienen vida eterna" (1 Jn. 5:13).[50] Para Juan, la fe que salva es la fe en Jesús como Hijo de Dios, como el Mesías que ha venido en carne (1 Jn. 2:22-23).

El dinamismo de la fe en el Evangelio de Juan

El dinamismo de la fe se expresa a través de muchos otros términos en Juan, de modo que queda claro que la fe es viva y activa. La fe recibe, obedece, bebe, oye, viene, contempla, come, permanece, va, conoce, ve, sigue, entra, odia,

---

[50] Véase Marshall 1978a: 243; Smalley 1984: 289-91. R. Brown (1982: 608) sugiere acertadamente que se trata del propósito de toda la carta.

ama, y más. Investigaremos brevemente estos diversos términos.[51] Antes de comenzar, empero, debemos señalar algo sobre el significado de "creer" en Juan 20:31. Los académicos han debatido durante mucho tiempo si el propósito de Juan al escribir era llevar a los no creyentes a la fe inicial o animar a los creyentes a continuar en su fe. La diferencia de opinión se refleja en la NRSV. Juan escribió "para que lleguen a creer que Jesús es el Mesías, el Hijo de Dios" (Jn. 20:31).

La lectura alternativa, en la nota a pie de página, dice que Juan escribió "para que ustedes sigan creyendo que Jesús es el Mesías, el Hijo de Dios". La primera acepta el subjuntivo aoristo de "crean" como mejor lectura, mientras que la segunda opta por el subjuntivo presente. Sin embargo, estudios recientes sobre los tiempos verbales ponen en duda que el aoristo pueda limitarse a la llegada inicial a la fe, ya que podría muy bien designar la llamada a la fe en la vida de una persona en su conjunto.[52] La cualidad dinámica de la fe en Juan sugiere que lo que escribe Juan no debería restringirse a la decisión inicial de creer. Para Juan, la creencia salvadora incluye la noción de seguir creyendo y, por lo tanto, tanto el comienzo de la fe como la vida continua de fe están aquí en el punto de mira.

Varias metáforas sensoriales transmiten lo que significa creer en Jesús: oír, ver, beber y comer. Oír la voz de Jesús no es sinónimo de vida. Todos los que están en las tumbas oirán su voz, pero algunos resucitarán para ser juzgados (Jn. 5:28-29). Para disfrutar de la vida eterna es necesario oír y creer (Jn. 5:24). En algunos contextos, sin embargo, la palabra "oír" (*akouō*) se refiere a una audición "efectiva", de tal manera que el que oye vive. Los que están espiritualmente muertos y "oirán la voz del Hijo de Dios... vivirán" (Jn. 5:25).[53] No todos "oyen" la voz de Jesús de esta manera, pues este tipo de audición es una audición de fe. Del mismo modo, Juan 6:45 cita la promesa de Isaías 54:13, que afirma que los niños que regresen del exilio serán enseñados por el Señor, y Dios establecerá una nueva creación en su pacto de paz (cf. Is. 54:10; Jer. 31:33-34).

---

[51] Barth (*EDNT* 3:96) señala esta misma verdad y enumera también algunas de estas expresiones.

NRSV New Revised Standard Version

[52] Véase el trabajo fundamental sobre sintaxis verbal en Porter 1989.

[53] Por el contexto, está claro que "oír" es efectivo aquí (Bultmann 1971: 259).

Por tanto, los que han "oído y aprendido del Padre" vendrán ciertamente a Jesús (Jn. 6:45). En este caso, ese oír conduce inevitablemente a "venir" y creer en Jesús, mientras que los que no pertenecen a Jesús no pueden "oír" (*akouō*) su difícil enseñanza (Jn. 6:60; 8:43). Jesús declara: "El que es de Dios escucha las palabras de Dios; por eso ustedes no escuchan, porque no son de Dios" (Jn. 8:47). La enseñanza joánica sobre la gracia aflora de nuevo aquí. Solo los que son destinatarios de la obra salvadora de Dios pueden oír las palabras de Dios. Las ovejas de Jesús oyen su voz porque pertenecen a su rebaño, y huyen de la voz de los extraños (Jn. 10:3, 5, 8, 27). Los gentiles, que no pertenecen al redil judío, también oirán la voz de Jesús, y Jesús los hará parte de su rebaño (Jn. 10:16). Jesús vino a dar testimonio de la verdad, y "todo el que es de la verdad escucha Mi voz" (Jn. 18:37). La fe "oye" las palabras de Jesús y cree, pero esa capacidad de oír procede de Dios mismo, que concede a su rebaño la capacidad de escuchar sus palabras.

La fe también puede describirse como "ver" a Jesús, como percibirle por lo que realmente es. El que "ve" (*theōreō*) a Jesús también "ve" al Padre, que lo ha enviado (Jn. 12:45). Probablemente el verbo "ver" en Juan 6:40 es sinónimo de "creer", de modo que la fe genuina implica ver quién es Jesús. El relato del ciego en Juan 9 juega con la idea de que los que creen ven quién es Jesús realmente. El ciego vio que Jesús es el Hijo del Hombre, pero los fariseos, que decían tener vista espiritual y no estaban dispuestos a admitir su ceguera, se vieron envueltos en tinieblas (Jn. 9:35-41). De hecho, Dios cegó los ojos de los incrédulos, de modo que les fue imposible ver (Jn. 12:40).

La vitalidad de la fe se comunica a través de las acciones sensoriales de beber y comer. Beber agua física nunca saciará la sed espiritual de los seres humanos (Jn. 4:13). En cambio, los que beban el agua dada por Jesús saciarán su sed para siempre. Los que creen en Jesús encontrarán saciada su sed (Jn. 6:35). Cualquiera que esté sediento debe venir a Jesús y beber libremente (Jn. 7:37-38). De hecho, la gente debe beber la sangre de Jesús para obtener la vida (Jn. 6:54, 56); es decir, deben creer en Jesús como el Señor crucificado para tener vida. La imagen de beber sangre sería especialmente escandalosa para los judíos, dada la prohibición veterotestamentaria de consumir sangre. Enfatiza que la muerte de Jesús debe ser abrazada totalmente y sin reservas por aquellos que han de ser salvos.

La misma verdad transmite la metáfora de comer. Los verbos *esthiō* y *trōgō* se utilizan para denotar la ingesta de la carne de Jesús (Jn. 6:50, 53, 54, 56, 57, 58). Algunos han sostenido que este último término llama la atención sobre el acto de comer como una actividad de crujir, pero dado que Juan utiliza a menudo sinónimos en aras de la variedad, es probable que no debamos insistir en las diferencias entre ambas palabras.[54] Todas las referencias a comer se encuentran en Juan 6, donde Jesús declara que él es el pan de vida. Él insiste repetidamente en que hay que creer en él como pan de vida para disfrutar de la vida eterna (Jn. 6:29, 35, 36, 40, 47, 64, 69).

La imagen del comer es otra forma de describir la fe que conduce a la vida. Hay que comer de Jesús como pan del cielo para escapar de la muerte (Jn. 6:50). Al igual que la gente debe consumir alimentos para vivir físicamente, también debe comer de Jesús para vivir "para siempre" (Jn. 6:51). Juan hace especial énfasis en que la gente debe "comer" la carne de Jesús para vivir. Jesús da su propia "carne" por la vida del mundo (Jn. 6:51), lo que es una clara referencia a la cruz. De ahí que Jesús insista en que hay que comer su carne y beber su sangre para disfrutar de la vida eterna (Jn. 6:53-54, 56-58). La fe no es una mera aceptación de la noción de que Jesús murió; es la ingestión activa de esa verdad, de modo que creer en la muerte de Jesús es el alimento y la bebida de uno. Quien cree se alimenta de la muerte de Jesús como la fuente misma de su vida.

La naturaleza activa de la fe se transmite por el verbo "recibir" (*lambanō*). Los judíos no "recibieron" (*paralambanō*) a Jesús, pero los que lo "reciben" (*lambanō*) se convierten en hijos de Dios (Jn. 1:11-12).[55] Los líderes religiosos no recibieron a Jesús, aunque vino en nombre del Padre (Jn. 5:43). Por el contrario, los que recibieron a Jesús también recibieron al Padre (Jn. 13:20). La recepción de Jesús por parte de los discípulos se manifiesta en que han tomado y acogido sus palabras (Jn. 17:8).

Llegar a la fe también se describe como llegar a conocer a Dios y a Jesucristo. La idea de conocer se transmite mediante los verbos *oida* y, sobre todo, *ginōskō*. Algunos estudiosos han sostenido que el primero se centra en la comprensión intelectual, y el segundo en el conocimiento personal. La

---

[54] Véase Carson 1991b: 346-48; Barrett 1978: 299.
[55] Bultmann (1971: 57n2) señala que los dos verbos son intercambiables. Véase también Barrett 1978: 163.

disyunción entre ambos, sin embargo, sigue siendo poco convincente, pues Juan nunca concibió el conocimiento personal como algo separado del conocimiento sobre Dios y Cristo.[56] El uso de ambos verbos refleja el amor de Juan por los sinónimos. La centralidad del conocimiento se expresa claramente en Juan 17:3: "Y esta es la vida eterna: que te conozcan a Ti, el único Dios verdadero, y a Jesucristo, a quien has enviado".

Los creyentes "conocen" a Jesús como el Santo de Dios (Jn. 6:69). Ellos saben "que Este es en verdad el Salvador del mundo" (Jn. 4:42). Los que están dispuestos a cumplir la voluntad del Padre sabrán si Jesús procede verdaderamente de Dios (Jn. 7:17; cf. 17:8, 25). El mundo está condenado por no conocer a Jesús (Jn. 1:10) ni al Padre (Jn. 7:28; 8:19). Conocer la verdad es lo que libera a los seres humanos, y es el propio Hijo quien es la verdad que libera a las personas (Jn. 8:32, 36). Las ovejas de Jesús le conocen y le siguen (Jn. 10:14) porque conocen su voz (Jn. 10:4-5). Los que conocen a Jesús también conocen al Padre (Jn. 14:7), pero los que persiguen a los creyentes revelan que no han conocido al Hijo ni al Padre (Jn. 8:55; 16:3; cf. 17:25).

Los que creen en Jesús "vienen" (*erchomai*) a él para recibir la vida. La incredulidad se manifiesta en el rechazo a venir a Jesús para recibir vida (Jn. 5:40). Los que practican el mal se apartan de la luz y se niegan a venir a ella para ahorrarse la humillación, mientras que los que practican la verdad "vienen a la luz" para que sea evidente que la buena obra realizada en ellos procede de Dios (Jn. 3:20-21). La correlación entre "venir" y "creer" es evidente en Juan 6:35, pues los que "vienen" a Jesús saciarán su hambre, y los que "creen" en Jesús saciarán su sed. Jesús invita a todos los que tienen sed a venir a él (Jn. 7:37). Venir a Jesús es esencial porque Jesús enseña sin rodeos que "nadie viene al Padre" si no es a través de él, porque él es "el camino, la verdad y la vida" (Jn. 14:6).

Venir a Jesús representa la acción de los que creen, pero tal acto solo puede atribuirse a la gracia de Dios, porque todos aquellos a quienes el Padre ha concedido al Hijo ciertamente vendrán a Jesús (Jn. 6:37). En efecto, los que no son atraídos por el Padre no pueden venir a Jesús (Jn. 6:44), mientras que los que han sido enseñados por Dios vendrán (Jn. 6:45). No es que deseen venir pero Dios se lo impida; más bien, a menos que uno sea atraído por el Padre,

---

56 Véase también Barrett 1978: 162-63. Sobre la estrecha relación entre conocer y creer, véase Bultmann 1971: 55n6.

no tiene inclinación a venir a Jesús para vivir. De ahí que Jesús diga: "Nadie puede venir a Mí si no se lo ha concedido el Padre" (Jn. 6:65). Tal aproximación a Jesús se describe alternativamente como ser "atraído" (*helkō*) por el Padre hacia Jesús (Jn. 6:44; 12:32).

La fe auténtica se mueve hacia Jesús. Esto también es evidente en Juan 6. Muchos de los discípulos de Jesús se ofendieron por su enseñanza y dejaron de seguirle (Jn. 6:66-69). Jesús preguntó a los discípulos si también querían apartarse de él. Pedro respondió: "Señor, ¿a quién iremos? Tú tienes palabras de vida eterna" (Jn. 6:68). Pedro y los demás discípulos "han ido" (*aperchomai*) a buscar la vida. La fe "entra" (*eiserchomai*) en los pastos de la salvación y confía en Jesús como el buen pastor (Jn. 10:9). La fe "sigue" (*akolouthēō*) a Jesús como las ovejas siguen a su pastor (Jn. 10:4, 27), pero los discípulos de Jesús huyen de los extraños y se niegan a seguir a falsos pastores (Jn. 10:5). Puesto que Jesús es la luz del mundo, quienes le "sigan" escaparán de las tinieblas y disfrutarán de "la luz de la vida" (Jn. 8:12). Los discípulos de Jesús deben estar dispuestos a entregarle su vida entera y perderla a fin de ganarla para vida eterna (Jn. 12:25). Este tipo de entrega es lo que significa "seguir" a Jesús (Jn. 12:26). Jesús llama a sus discípulos a "seguirle" tanto al principio como al final del Evangelio de Juan (Jn. 1:43 [cf. 1:37]; 21:19, 22), de modo que el llamado a seguir a Jesús funciona como sujetalibros del material que hay dentro.

Los que creen en Jesús "permanecen" (*menō*) en él.[57] "Comer" y "beber" son formas vívidas de decir que uno "cree" en Jesús, y los que comen la carne de Jesús y beben su sangre "permanecen" en él (Jn. 6:56). Los que "permanecen" (*menō*) en su palabra son discípulos genuinos. La fe genuina es claramente una fe perseverante, una fe por la que uno sigue confiando en Jesús. En Juan 15, permanecer en Jesús se compara con permanecer en una vid, de modo que, al igual que uno no puede dar fruto si no permanece unido a una vid, los discípulos tampoco pueden dar fruto si no permanecen en Jesús (Jn. 15:4-6). Como en Juan 8:31, permanecer en Jesús significa que los discípulos continúan en su enseñanza (Jn. 15:7). Los que no permanezcan en él serán destruidos para siempre porque serán separados de la vid (Jn. 15:6). Permanecer en Jesús es algo que se expresa concretamente en la obediencia a sus mandamientos (Jn. 15:10; cf. 15:16).

---

[57] Para el significado de *menō* en Juan, véase Hübner, *EDNT* 2:407-8.

Lo contrario de creer en el Hijo es "desobedecerle" (*apeitheō*) (Jn. 3:36). Solo los que "aborrecen" su vida la salvarán en el último día (Jn. 12:25). El amor genuino a Jesús se expresa en guardar su palabra y obedecer sus mandatos (Jn. 14:15, 21, 23-24). Jesús afirma que sus discípulos han guardado su palabra (Jn. 17:6). Los que guardan las palabras de Jesús vencerán a la muerte (Jn. 8:51). El mandamiento supremo de Jesús es que los discípulos se amen los unos a los otros (Jn. 13:34-35; 15:12-17), y este amor debe seguir el modelo del amor entregado de Jesús por los discípulos, su acto de entregar su vida por sus ovejas.

Según Juan, la mera fe no salva. Muchos creyeron en Jesús por las señales extraordinarias que hacía (Jn. 2:23). Sin embargo, Jesús no se confió a esas personas, porque sabía lo que había en sus corazones, discerniendo que no comprendían verdaderamente que sus signos apuntaban a la necesidad de la fe en él (Jn. 2:24-25). Jesús sabe lo que hay "en el hombre" (*en tō anthrōpō* [Jn. 2:25]), y Juan pasa inmediatamente a "había un hombre de los fariseos" (Jn. 3:1). Nicodemo ilustra el problema de los seres humanos. Le impresionaban las señales de Jesús y por eso tiene una especie de fe en él, pero necesitaba nacer de lo alto (Jn. 3:3, 5, 7).

Juan observa que muchos "creyeron" en Jesús durante la Fiesta de los Tabernáculos (Jn. 8:30). Sin embargo, a medida que se desarrolla la narración, queda claro que su supuesta fe en Jesús no era una fe duradera.[58] Jesús les exhortó a que permanecieran en su palabra para ser libres del pecado (Jn. 8:31-36), pero ellos se ofendieron ante la sugerencia de que el pecado tenía dominio sobre ellos, alegando que Abraham era su padre. Jesús insistió en que no eran hijos de Abraham, pues deseaban matarlo (Jn. 8:37-42). No podían aceptar el mensaje de Jesús porque el diablo es su padre, y ellos, como el diablo, son asesinos y mentirosos (Jn. 8:43-46). Su rechazo de las palabras de Jesús reveló que no procedían de Dios (Jn. 8:47). Se enfurecieron e insultaron a Jesús llamándole samaritano y endemoniado (Jn. 8:48-52).

Cuando Jesús afirmó que había existido antes que Abraham, intentaron apedrearle (Jn. 8:53-59), confirmando así la afirmación de Jesús de que deseaban matarle. Esta breve recapitulación de la historia confirma que la

---

[58] Véase Barrett 1978: 344. Véase también Lincoln 2000: 90-96; Ridderbos 1997: 307-8.

"creencia" de Juan 8:30 no era una creencia salvífica, pues la auténtica fe en Jesús cumple su palabra y no conspira para darle muerte.

El mismo tipo de creencia deficiente se refleja en Juan 12:42-43. Muchas de las autoridades "creían en" Jesús, pero se negaban a reconocerlo abiertamente porque no querían enfrentarse a la ira de los fariseos y ser expulsados de las sinagogas. Juan señala que "amaban más el reconocimiento de los hombres que el reconocimiento de Dios" (Jn. 12:43). Evidentemente, esa "fe" no es una fe salvadora, ya que no abraza públicamente a Jesús, y puesto que quienes ocultan su fe "salvan" sus vidas en lugar de "perderlas" por causa de Jesús (Jn. 12:25).[59] De hecho, quienes se niegan a reconocer a Jesús son, en última instancia, comparables a los fariseos. Jesús los acusó de no creer, argumentando que no podían creer porque "reciben gloria los unos de los otros, y no buscan la gloria que viene del Dios único" (Jn. 5:44). El ansia de aprobación humana impedía a los fariseos creer, y al parecer los gobernantes cayeron víctimas del mismo deseo de estima humana. La fe auténtica, según Juan, permanece en Jesús, le sigue, guarda su palabra, le demuestra amor cumpliendo sus mandamientos, le escucha, le recibe, le sigue, viene a él, y come su carne y bebe su sangre.

La fe transformadora en 1-3 Juan

La importancia de la fe en 1 Juan ya ha sido explicada anteriormente. Las epístolas joánicas repiten muchos de los temas señalados en el Evangelio de Juan, lo que indica que la fe salvadora es una fe transformadora, no una mera creencia pasiva. Por tanto, quienes afirman tener "comunión" con Dios -es decir, ser miembros de su pueblo (1 Jn. 1:3, 6-7)- pero viven mal contradicen su profesión. Solo los que viven en la luz, es decir, de una manera que agrada a Dios, le pertenecen de verdad. Los hijos de Dios son los que "[caminan] en la verdad" (2 Jn. 4; 3 Jn. 3-4). Los que dicen "conocer" a Cristo pero no obedecen sus mandamientos revelan que no lo conocen de verdad (1 Jn. 2:3-6).

Los creyentes auténticos viven como Jesús vivió. Podríamos pensar que Juan aboga por el perfeccionismo, pero él aclara que quienes afirman estar

---

[59] Bultmann (1971: 454) observa que "su fe no es una fe genuina". También Lincoln 2000: 107-8.

totalmente libres de pecado son los que están fuera del círculo del pueblo de Dios (1 Jn. 1:8, 10). Parece que los secesionistas de la iglesia estaban convencidos de que carecían por completo de pecado (1 Jn. 1:8). Su afirmación, aparentemente, no era que nunca habían pecado en toda su vida, sino que no habían pecado desde que se convirtieron en cristianos (1 Jn. 1:10).[60] Es posible que tal postura tuviera sus raíces en un protognosticismo. Puesto que Juan insiste en que los creyentes deben practicar la justicia, es posible que los secesionistas vivieran licenciosamente y creyeran que el pecado era imposible para ellos.[61]

La razón de su postura se nos escapa porque Juan no se molesta en explicarla en su carta, presumiblemente porque sus lectores conocían su opinión demasiado bien. Los secesionistas, por tanto, afirmaban haber alcanzado la perfección aunque vivieran vidas de maldad flagrante. Juan no está diciendo, pues, que los creyentes han de vivir vidas perfectas, sino más bien que sus vidas han sido transformadas. Se dedican al bien más que al mal, y cuando pecan, lo reconocen libremente (1 Jn. 1:9).

El cambio en la vida de los creyentes es evidente porque aman a sus hermanos y hermanas en la comunidad de fe (1 Jn. 2:7-11). Los que no muestran ese amor siguen en las tinieblas, indicando así que no son creyentes. El tipo de odio que Caín demostró hacia Abel demuestra que no pertenecía a Dios (1 Jn. 3:11-15). La prueba de que la nueva vida ha comenzado, de que los creyentes han "pasado de muerte a vida", es el amor a los demás creyentes (1 Jn. 3:14). Ese amor no es una cualidad etérea ni un cálido resplandor en el corazón, sino que se expresa concretamente en la satisfacción de las necesidades de alimento y cobijo que tienen otros creyentes (1 Jn. 3:17-18). Parece ser que los secesionistas odiaban a los creyentes (1 Jn. 2:11; 4:20), pero el amor genuino por los hermanos y hermanas en Cristo indica que uno ha nacido de Dios (1 Jn. 4:7-8).

El amor de Cristo que se entregó a sí mismo en la cruz es el modelo para los creyentes (1 Jn. 3:16; 4:9-11), y demuestra que "Dios es amor" (1 Jn. 4:8, 16). Nadie puede afirmar que ama a Dios sin cumplir sus mandamientos (1 Jn. 5:3). Una vez más, Juan no está sugiriendo que los creyentes guardan los

---

[60] Véase R. Brown 1982: 212, 234-35.
[61] Marshall (1978a: 14-16) sostiene que no hay pruebas claras de libertinaje. Véase la discusión de R. Brown (1982: 80-83, 234-35), quien sostiene que los opositores no eran gnósticos, sino indiferentes a si pecaban o no.

mandamientos de Dios a la perfección. Parece que los secesionistas se deshicieron de todas las restricciones morales, afirmando que el pecado era ahora imposible para los que habían alcanzado tales alturas espirituales.

Con regularidad, Juan se refiere a los que han nacido de Dios y a las consecuencias de esta nueva vida. Los que verdaderamente han nacido de Dios viven una vida recta (1 Jn. 2:29). Juan declara: "Ninguno que es nacido de Dios practica el pecado" (1 Jn. 3:9);[62] "Sabemos que todo el que ha nacido de Dios, no peca" (1 Jn. 5:18); "Todo el que permanece en Él, no peca" (1 Jn. 3:6); "El que practica la justicia es justo" (1 Jn. 3:7); "El que practica el pecado es del diablo" (1 Jn. 3:8); "Todo aquel que no practica la justicia, no es de Dios" (1 Jn. 3:10). Estas afirmaciones se han interpretado de varias maneras.[63]

(1) Juan enseña que los cristianos son perfectos, pero es incorrecto decir que Juan enseña que los cristianos pueden vivir vidas perfectas, pues ya ha afirmado que los que están convencidos de que no tienen pecado se engañan (1 Jn. 1:8, 10). Asimismo, es difícil creer que Juan, habiendo olvidado lo que escribió en el primer capítulo, se contradiga a sí mismo.

(2) Otros han sugerido que Juan se refiere a un grupo selecto de cristianos que han alcanzado un estatus especial en el que ya no pecan. Sin embargo, tal lectura parece encajar con la teología de los secesionistas, que afirmaban estar por encima de los creyentes de las iglesias joánicas. Además, el texto no restringe la vida piadosa a un grupo especial de cristianos, sino que afirma que todos los creyentes sin excepción —cualquiera nacido de Dios— no peca. Por lo tanto, no puede tratarse de una élite espiritual.

(3) Otros sugieren que sólo se trata de pecados voluntarios y deliberados, pero no hay evidencia en el texto de que solo se trate de una categoría especial de pecados.

(4) Una sugerencia intrigante es que Juan se refiere al pecado de muerte (1 Jn. 5:16-17). Los creyentes, por lo tanto, están a salvo del pecado que conduce a la apostasía. A pesar de la veracidad de este punto de vista, carecemos de pruebas de que Juan se limite únicamente a la apostasía. Parece referirse al pecado en general.

---

[62] Las citas de este párrafo proceden de la NRSV.

[63] Para un análisis de la encuesta de opciones que incluye otras que no se presentan aquí, véase Marshall 1978a: 178-84; R. Brown 1982: 412-16; Smalley 1984: 159-64.

(5) Otro punto de vista es que los creyentes no pecan mientras permanezcan en Cristo. Esta solución podría funcionar si el versículo sobre permanecer fuera el único, pero difícilmente explica la afirmación de que los nacidos de Dios no pecan. El texto no dice que los que tienen nueva vida solo dejan de pecar cuando permanecen; insiste en que la libertad del pecado caracteriza a todos los que son regenerados.

(6) También se ha sugerido que Juan se refiere a un ideal que no siempre se hace realidad, pero tal punto de vista parece socavar el argumento de Juan, pues entonces los secesionistas podrían incluirse en la categoría de los que no siempre alcanzan el ideal. Juan, sin embargo, los excluye de la nueva vida a causa de su desobediencia.

(7) La mejor solución, por tanto, es que Juan habla del modelo y la dirección de la vida del individuo. La vida de los creyentes está marcada por una orientación hacia la bondad y la obediencia. Muchos eruditos han defendido este punto de vista señalando el tiempo presente de los verbos en 1 Juan 3:4-10, aunque los estudiosos han cuestionado si se puede asignar tanto peso al tiempo verbal. Aunque el tiempo presente no confirme esta opinión, situar estos versículos en el contexto de 1 Juan nos ayuda a comprender su significado. Juan vuelve una y otra vez a los mismos temas, por lo que la consideración de la totalidad de su carta es crucial para interpretar una parte concreta.

En 1 Juan 1:5-2:2 indica que la perfección es imposible para los creyentes. Por eso, en 1 Juan 3 no habla de perfección, sino de una nueva dirección y forma de vida. Los creyentes auténticos no llevan una vida antinomiana; dan a conocer su nueva vida por su nuevo comportamiento. Sin embargo, Juan no está sugiriendo que su comportamiento estará exento de toda mancha moral, pues de lo contrario no habría necesidad de confesar los pecados (1 Jn. 1:9).

Como hemos señalado antes, Juan enseña que quienes confiesan a Jesús como Hijo de Dios y tienen su Espíritu "permanecen" (*menō*) en Dios (1 Jn. 3:24; 4:13, 15). Y, sin embargo, el que verdaderamente "permanece en Dios" también "permanece en el amor" (1 Jn. 4:16; cf. 2:10; 4:12) y guarda sus mandamientos (1 Jn. 3:24; cf. 2:6; 3:6), lo que significa ayudar a los creyentes que necesitan alimento, vestido y techo (1 Jn. 3:17). Los creyentes deben permanecer en él hasta el final para librarse de la humillación en el día del juicio (1 Jn. 2:28). Deben permanecer en la enseñanza que recibieron inicialmente y no apartarse de ella (1 Jn. 2:24, 27). Los que han abandonado la comunidad revelan que han amado más al mundo que a Dios y que no le pertenecen de verdad (1 Jn. 2:15-17). Para Juan, la perseverancia es la marca de la fe genuina y de la autenticidad. Lo que dice en 1 Juan 2:19 concuerda bien con el discurso de Juan 8:30-59. Juan dice de los secesionistas: "Ellos salieron de nosotros, pero en realidad no eran de nosotros, porque si hubieran sido de nosotros, habrían permanecido con nosotros. Pero salieron, a fin de que se manifestara que no todos son de nosotros" (1 Jn. 2:19). Juan no cree que los que han abandonado la iglesia fueran creyentes auténticos; sostiene que su secesión demuestra que nunca fueron auténticos.

En 2 Juan, la iglesia recibe la advertencia de no dejarse engañar por los que niegan que Jesús vino en la carne (cf. 1 Jn. 2:22-23; 4:1-3; 5:1, 5-7). Hay que resistir al espíritu anticristo, porque los que se desvíen en materia de la enseñanza perderán la recompensa de la vida eterna (2 Jn. 8).[64] Que la recompensa en vista es la vida eterna queda claro en 2 Juan 9, porque quien no se mantiene en la enseñanza ortodoxa sobre el Cristo "no tiene a Dios". Para Juan, por tanto, la fe salvadora es la que sigue confiando en Jesús hasta el final, y manifiesta esa confianza en el amor a los demás creyentes, la obediencia a los mandatos de Jesús y la fidelidad a la enseñanza de que Jesús es el Mesías venido en carne.

Conclusión

Para Juan, la salvación se obtiene creyendo. Este tema ocupa un lugar destacado tanto en su Evangelio como en 1 Juan. Sin embargo, el creer no es pasivo, sino dinámico y transformador. La obra que Dios exige es creer que Jesús es el enviado de Dios (Jn. 6:29) y, por lo tanto, la vida eterna procede únicamente del creer. Sin embargo, no podemos separar el creer del venir a Jesús, seguirle, oírle, comerle y beberle, guardar sus mandamientos y amar a los hermanos y hermanas. La fe que salva es la que persevera y se manifiesta de manera práctica y concreta. La fe que salva confiesa que Jesús es el Cristo y el Hijo de Dios. Lo mira a él para el perdón de los pecados y la vida eterna.

---

[64] Marshall (1978a: 72) duda sobre el significado. Con razón Smalley 1984: 330-32; R. Brown 1982: 672. Contra Stott (1964: 210), que piensa que se trata de una recompensa específica y no de la vida eterna.

Hechos

La fe y la obediencia son dos caras de la misma moneda en el libro de Hechos, al igual que en el Evangelio de Lucas.[65] Pedro exhortó a los que le escuchaban el día de Pentecostés a que se arrepintieran y se bautizaran para recibir el perdón de los pecados (Hch. 2:38). Sorprendentemente, Lucas no dice nada aquí sobre creer. Hechos 3:19 es similar: "Arrepiéntanse y conviértanse, para que sus pecados sean borrados". Una vez más se requiere el arrepentimiento para recibir el perdón de Dios. El mensaje de Juan el Bautista se resume en "un bautismo de arrepentimiento" (Hch. 13:24; cf. 10:37).

Pablo proclamó a los atenienses que Dios "declara ahora a todos los hombres, en todas partes, que se arrepientan" (Hch. 17:30). De nuevo, en estos textos Lucas no registra nada sobre la necesidad de ejercer la fe. Cuando Pablo resumió el evangelio al rey Agripa, dijo que los seres humanos "debían arrepentirse y volverse a Dios, haciendo obras dignas de arrepentimiento" (Hch. 26:20). Cuando Pedro respondió a las acusaciones del Sanedrín, habló de Dios concediendo "arrepentimiento a Israel, y perdón de pecados" (Hch. 5:31), sugiriendo que lo segundo se hace realidad a través de lo primero. El don del Espíritu se concede a quienes "obedecen" a Dios (Hch. 5:32). En el Concilio de Jerusalén se describe a los gentiles convertidos como los que "se convierten a Dios" (Hch. 15:19), donde la palabra "convertirse" funciona como sinónimo de arrepentimiento. Pablo recuerda su conversión evocando el mandato de Ananías: "Bautízate, y lava tus pecados invocando Su nombre" (Hch. 22:16). Aquí se menciona el bautismo y el invocar su nombre en lugar del arrepentimiento o la fe.

Estas citas podrían sugerir que para Lucas es más importante el arrepentimiento que la fe. En otros textos, sin embargo, se exige la fe y no se dice nada sobre el arrepentimiento. Los samaritanos respondieron al anuncio de Felipe creyendo y bautizándose (Hch. 8:12). El arrepentimiento y el bautismo aparecían juntos en algunos de los textos señalados anteriormente (Hch. 2:38; cf. 13:24), mientras que aquí la fe y el bautismo se sitúan juntos. Pedro declaró a Cornelio y a sus amigos que creer en Jesús trae el perdón de

---

[65] Para un apoyo más detallado del punto de vista aquí defendido, véase Stein 2007.

los pecados, argumentando que este es el mensaje de los profetas (Hch. 10:43). Cuando Pedro recordó el acontecimiento de Cornelio más tarde en el Concilio de Jerusalén, lo resumió como que los gentiles escucharon el mensaje del Evangelio y respondieron con fe y confianza en lo que se proclamaba (Hch. 15:7).

Dios no exigió la circuncisión ni ninguna otra parte de la ley, sino que purificó "por la fe sus corazones" (Hch. 15:9). El procónsul de Chipre, Sergio Paulo, se convirtió cuando creyó en la enseñanza del Señor (Hch. 13:12). En Antioquía de Pisidia, creer en Jesús para recibir el perdón de los pecados se contrapone a cumplir la ley de Moisés (Hch. 13:38-39). El perdón no se basa en hacer sino en creer; procede de la confianza en Jesús más que de la observancia de la ley.

La gracia de Dios en la salvación queda patente en Hechos 13:48, porque los que "estaban destinados a la vida eterna creyeron" (mi traducción). El designio de Dios precedió al creer, por lo que la fe se entiende como un don de Dios.[66] Del mismo modo, cuando terminó el primer viaje misionero de Pablo y Bernabé, Lucas relata el informe que se les dio a su regreso a Antioquía de Siria. Pablo y Bernabé explicaron que Dios "había abierto a los gentiles la puerta de la fe" (Hch. 14:27; cf. 16:14).

Cuando el carcelero de Filipos preguntó qué debía hacer para salvarse, Pablo y Bernabé no le conminaron a arrepentirse. Le respondieron: "Cree en el Señor Jesús, y serás salvo, tú y toda tu casa" (Hch. 16:31). Muchos respondieron creyendo a la predicación de Pablo y Silas en Berea (Hch. 17:12), mientras que en Atenas algunos creyeron cuando Pablo proclamó el Evangelio (Hch. 17:34). En Corinto, Crispo y su familia se convirtieron en creyentes, y muchos otros en Corinto creyeron y se bautizaron (Hch. 18:8).

El énfasis que en algunos textos se hace sobre el creer y en otros sobre el arrepentirse puede parecer desconcertante, incluso contradictorio. La aparente dificultad se resuelve cuando nos damos cuenta de que fe y arrepentimiento son, en última instancia, inseparables para Lucas. La estrecha relación entre ambas se desprende de varios textos. Por ejemplo, observamos que Pablo exhortó a los atenienses a arrepentirse (Hch. 17:30), pero posteriormente los

---

[66] "El presente versículo es una declaración tan incondicional de la predestinación absoluta ——'el propósito eterno de Dios' (Calvino 1961: 393)—— como cualquiera que se encuentre en el NT" (Barrett 1994: 658). Compárese con Marshall 1980b: 231.

que acudieron son identificados como los que creyeron (Hch. 17:34), lo que sugiere la estrecha vinculación entre ambas cosas. En Hechos 9 aparece otro ejemplo instructivo. Cuando Pedro curó al postrado Aenas, Lida y Sarón "se convirtieron al Señor" (Hch. 9:35). Cuando resucitó a Tabita, "muchos creyeron en el Señor" (Hch. 9:42). Los dos relatos de milagros concluyen con respuestas similares. Lucas no pretendía que los lectores establecieran una disyuntiva radical entre volverse al Señor con arrepentimiento y creer en él. Son, simplemente, dos formas distintas de describir la conversión.

Antes hemos visto cómo Pedro subraya que Cornelio y sus amigos se salvaron porque creyeron (Hch. 10:43; 15:7, 9). Pero en Hechos 11:18 los judíos de Jerusalén describen la conversión de Cornelio y sus amigos en términos de que Dios les concedió el arrepentimiento. Al parecer, Lucas no consideraba que creer y arrepentirse fueran mutuamente excluyentes, sino que describían conjuntamente la conversión. La relación vital entre creer y arrepentirse es evidente en Hechos 11:21: "Y gran número que creyó se convirtió al Señor". La misma colocación aparece en Hechos 20:21, donde Pablo resumió a los ancianos de Éfeso su ministerio como uno que llama al "arrepentimiento para con Dios" y a la "fe en nuestro Señor Jesucristo". Lucas no explica la relación lógica o temporal entre la fe y el arrepentimiento, pero los considera inseparablemente unidos en la obra salvadora de Dios.

La relación indisoluble entre la fe y el arrepentimiento se ve confirmada por la necesidad de una fe perseverante. Las decisiones iniciales de fe no garantizan el perdón final de los pecados.[67] Hay que continuar en la fe y no apostatar. Cuando los gentiles respondieron positivamente al evangelio en Antioquía, Bernabé "animaba a todos para que con corazón firme permanecieran fieles al Señor" (Hch. 11:23). Los que han comenzado su nueva vida confiando en Dios deben seguir confiando en él. El mensaje a los nuevos conversos en el primer viaje misionero de Pablo y Bernabé es notablemente similar, pues ellos iban "fortaleciendo los ánimos de los discípulos, exhortándolos a que perseveraran en la fe, y diciendo: Es necesario que a través de muchas tribulaciones entremos en el reino de Dios" (Hch. 14:22).

Es probable que las palabras de Pablo y Bernabé reflejen aquí la amonestación habitual que se daba a los nuevos conversos. La exhortación a perseverar en la fe también aparece después de que Pablo y Bernabé

---

[67] Véase el estudio de estos textos en Stenschke 1999: 347-60.

proclamaran el evangelio en Antioquía de Pisidia. Tras el discurso de Pablo en la sinagoga, animaron a los que habían recibido el Evangelio "a perseverar en la gracia de Dios" (Hch. 13:43). La perseverancia en la fe significa que uno sigue viviendo en la gracia de Dios, confiando en su fuerza en lugar de abandonar a Dios para confiar en los recursos propios.

Lucas también proporciona algunos ejemplos en Hechos de aquellos que "creyeron" pero no continuaron en la fe. Ananías y Safira parecían auténticos miembros de la Iglesia, pero deseaban ser conocidos como generosos benefactores y también estaban atrapados por el amor al dinero (Hch. 5:1-11). De ahí que afirmaran que iban a dar todo el producto de la venta de un campo, pero en secreto se reservaron parte del beneficio. No pecaron por no dar todo el dinero a la iglesia, pues no se requería tal generosidad. Su pecado fue fingir que daban todo el dinero de la venta a la iglesia.[68] Dios hirió a ambos de tal manera que murieron repentinamente por mentir al Espíritu Santo. La historia de Ananías y Safira se hace eco del relato de Acán en el Antiguo Testamento (Jos. 7), quien, sin que lo supieran los demás, pecó al tomar algunos de los bienes prohibidos en Jericó. Por lo tanto, el propio Acán fue condenado y apedreado hasta morir junto con su familia. Del mismo modo, el pecado de Ananías y Safira indica que algunos miembros de la comunidad no eran auténticos creyentes.[69]

Pablo incluso reconoce que entre los dirigentes de las iglesias aparecerían algunos destinados a la destrucción. Advierte a los ancianos de Éfeso: "Sé que después de mi partida, vendrán lobos feroces entre ustedes que no perdonarán el rebaño. También de entre ustedes mismos se levantarán algunos hablando cosas perversas para arrastrar a los discípulos tras ellos" (Hch. 20:29-30). Los falsos maestros no se limitarían a los de fuera, ya que algunos hombres de entre los ancianos se desviarían de la verdad y tendrían un impacto nocivo en los demás. Tal vez el ejemplo más notable de tal desviación fue Simón, aunque todavía no era un líder en la iglesia (Hch. 8:9-24). Antes de abrazar el evangelio, Simón practicaba la magia y era venerado en Samaria como alguien que tenía el poder de Dios.

---

[68] Barrett 1994: 262, 267; Fitzmyer 1998: 316, 323.

[69] Es posible, por otra parte, que Ananías y Safira fueran auténticos creyentes que experimentaron una falta temporal de fe.

Cuando Felipe proclamó el evangelio, Simón creyó y se bautizó. Pero cuando llegaron Pedro y Juan y otorgaron el Espíritu con la imposición de manos, Simón les ofreció dinero si le concedían la misma capacidad. Pedro percibió el estado del corazón de Simón y lo identificó como incrédulo: "Tú no tienes parte ni suerte en esto, porque tu corazón no es recto delante de Dios" (Hch. 8:21 NRSV). Las palabras "parte" (*meris*) y "suerte" (*klēros*) reflejan el lenguaje de la herencia, demostrando que Simón no tenía herencia entre el pueblo de Dios.[70] En cambio, estaba "en hiel de amargura y en cadena de iniquidad" (Hch. 8:23). De la narración se desprende que la creencia inicial de Simón no era genuina, sino más bien un subterfugio, pues estaba impresionado por los milagros que hacía Felipe.[71] Esto no quiere decir que la fe del resto de los samaritanos fuera de la misma naturaleza. La insuficiencia de la fe de Simón queda al descubierto en el flujo de la narración y no es inmediatamente evidente para el lector. De ahí que Lucas indique que la fe auténtica perdura. Produce obras "dignas de arrepentimiento" (Hch. 26:20).

Así pues, podemos resumir el relato de Lucas en Hechos como un énfasis en la naturaleza indisoluble de la fe y el arrepentimiento. Son las dos caras de una misma moneda. Lo que Lucas enseña en Hechos encaja con lo que vimos en su Evangelio. Allí vimos el estribillo "Tu fe te ha salvado", pero Lucas también subraya con fuerza que los verdaderos discípulos siguen a Jesús. Tanto el Evangelio de Lucas como los Hechos subrayan que la fe y el arrepentimiento son necesarios para la salvación.

La literatura paulina

Según el evangelio paulino, la respuesta humana de la fe es fundamental.[72] Los seres humanos son "justificados por la fe" (Ro. 5:1), lo que significa que las

---

[70] Véase Barrett 1994: 414. Pedro no está amenazando aquí a Simón con la perspectiva de la perdición (Fitzmyer 1998: 406-7), ni se trata, estrictamente hablando, de una excomunión (Haenchen 1971: 305), aunque eso se acerque más a la verdad. Más bien, como observa Polhill (1992: 220), se trata "más bien de una declaración de no pertenencia. Su comportamiento delataba que no tenía una verdadera porción en el pueblo de Dios".

[71] Hechos 8:24 podría interpretarse como el arrepentimiento de Simón (Barrett 1994: 417-18; Fitzmyer 1998: 407). Pero en contra de esto, véase Polhill 1992: 220.

[72] Hofius (1989: 158-74) sostiene que la fe no es una condición, ya que tal punto de vista contradiría la enseñanza paulina de que la fe es un don creado por la Palabra de Dios. Es cierto que la fe es un don de Dios. Sin embargo, Hofius crea una falsa disyunción cuando

personas están bien ante Dios por medio de la fe. Cuando Pablo da gracias y alaba la obra de Dios en la vida de sus conversos, a menudo menciona su fe (Ro. 1:8; Ef. 1:15-16; Col. 1:3-4; 1 Ts. 1:2-3; 2 Ts. 1:3; 2 Ti. 1:3-5; Flm. 4-5). Pablo predicaba para que los corintios pusieran su fe en el poder de Dios y no en el arte con el que él presentaba su mensaje (1 Co. 2:5; cf. Col. 2:12). Para Pablo, la fe no es una entidad vaga y escurridiza; siempre se dirige a lo que Dios ha hecho en Cristo. De ahí que la fe confíe en el perdón de los pecados logrado por Cristo en la cruz. Los seres humanos deben poner su fe en Dios, que envió a Jesús como el crucificado y resucitado (Ro. 4:24-25).

Pablo subraya que los seres humanos son justificados por la fe (Ro. 1:17; Gl. 3:11), y ve en Habacuc 2:4 un fundamento para esta afirmación.[73] La relación correcta con Dios se obtiene "por medio de la fe en Jesucristo es para todos los que creen" (Ro. 3:22; cf. 3:25-26). En Gálatas 2:16, Pablo contrapone las "obras de la ley" a la fe en Jesucristo, afirmando tres veces que la justificación no viene por las obras de la ley, sino solo por la fe en Jesucristo. Del mismo modo, el Espíritu se recibe por la fe y no por las obras de la ley (Gl. 3:2, 5). Vemos en Romanos 3:28 que "el hombre es justificado por la fe aparte de las obras de la ley". En Filipenses 3:9 la justicia basada en la ley se contrapone a la justicia que viene por la fe en Cristo.

Muchos académicos, sin embargo, leen los textos anteriores de un modo notablemente diferente, afirmando que los versículos se refieren a "la fidelidad *de* Cristo" más que a "la fe *en* Cristo".[74] En la construcción *pistis Christou*, el sustantivo *Christou* está en genitivo,[75] de modo que tanto "fidelidad de Cristo" como "fe en Cristo" son traducciones gramaticalmente factibles. Se presentan varios argumentos en apoyo de "fidelidad de Cristo".

---

insiste en que la fe no es una condición. Es una condición en el sentido de que las personas no se salvarán a menos que crean. Esta condición no excluye la verdad de que la fe es un don de Dios.

[73] Para una explicación intrigante del enfoque hermenéutico de Pablo sobre Habacuc 2:4, véase Watson 2004: 112-63. Para la opinión de que Pablo interpretó Habacuc 2:4 de acuerdo con su contexto histórico, véase el esclarecedor estudio de Yeung 2002: 196-212. Yeung (2002: 212-25) continúa sosteniendo que la interpretación de Pablo de Habacuc 2:4 estaba influida no solo por el AT y la tradición judía, sino también por la tradición de Jesús.

[74] Véase, por ejemplo, L. Johnson 1982a; S. Williams 1987; Hays 1991; 2001; Wallis 1995.

[75] El genitivo después de *pistis* varía: *Iēsou Christou* (Ro. 3:22; Gl. 2:16; 3:22), *Christou* (Gl. 2:16; Fil. 3:9), *Iēsou* (Ro. 3:26). En aras de la simplicidad, lo limitaré a *pistis Christou*.

(1) En Romanos 3:3 *tēn pistin tou theou* se refiere claramente a la fidelidad de Dios.

(2) En Romanos 4:12 *pisteōs... Abraam* significa "la fe de Abraham".

(3) Se argumenta que el genitivo en tales construcciones se entiende más naturalmente como subjetivo.

(4) Si se toma el genitivo como objetivo, entonces la fe en Cristo es superflua porque en los textos clave (por ejemplo, Ro. 3:22; Gl. 2:16; Fil. 3:9) Pablo ya menciona la necesidad de confiar en Cristo.

(5) La "fidelidad de Jesús" es otra forma de referirse a la obediencia de Jesús, que logró la salvación (Ro. 5:19; Fil. 2:8).

(6) La llegada de la "fe" se refiere a la historia de la redención (Gl. 3:23, 25), designando la fidelidad de Cristo en este momento de la historia de la salvación.

(7) El centro de la teología de Pablo es la obra de Dios en Cristo, no la respuesta humana de la fe.

A pesar de los argumentos que apoyan un genitivo subjetivo, hay buenas razones para preferir un genitivo objetivo, de modo que Pablo se refiere a la "fe en Cristo".[76]

(1) El objeto genitivo con "fe" es claro en algunos casos (Mc. 11:22; Stg. 2:1).[77]

(2) Un objeto genitivo con otros sustantivos verbales muestra que un genitivo objetivo con el sustantivo "fe" es bastante normal gramaticalmente; por ejemplo, "conocimiento de Cristo Jesús" (*tēs gnōseōs Christou Iēsou* [Fil. 3:8 mi traducción]).

(3) De ahí que no convenzan quienes afirman que el genitivo debe ser subjetivo.

(4) Los textos que utilizan el verbo "creer" en una construcción verbal y el sustantivo "fe" con el genitivo no son superfluos, sino más bien enfáticos, subrayando la importancia de la fe para ser justo ante Dios. Los lectores que oyeran la carta leída oirían naturalmente el énfasis en la fe en Cristo, por lo

---

[76] Véase, por ejemplo, Hofius 1989: 154-56; Dunn 1991; Matlock 2000; Silva 2004.

[77] Para esta lectura de Marcos 11:22, véase France (2002: 448), quien señala que una lectura subjetiva "es con toda seguridad forzada". Contra L. Johnson 1995: 220. Acertadamente Moo 2000: 100-101; Davids 1982: 107; Laws 1980: 94; Dibelius 1975: 127-28; L. Cheung 2003: 247-48.

que hay que preferir esta interpretación como la más sencilla de las dos opciones.

(5) En su teología, Pablo contrapone a menudo las obras y la fe humana. Por lo tanto, ver una polaridad entre las obras de la ley y la fe en Cristo, ambas actividades humanas, encaja con lo que Pablo hace en otras partes.

(6) Por otra parte, no hay ningún otro lugar en el que Pablo, al hablar de Jesucristo, emplee la palabra "fe" para describir su "obediencia".

(7) El argumento histórico-salvífico tampoco convence. Ciertamente, Gálatas 3:23, 25 se refieren a la llegada de la fe en un determinado momento de la historia redentora. Pero tal observación difícilmente excluye la fe en Cristo, pues la fe en Cristo se hace realidad cuando él llega y cumple las promesas de Dios. No debemos oponer la historia redentora a la antropología.

(8) El énfasis en la fe en Cristo tampoco es en modo alguno pelagiano, como si de algún modo restara valor a la obra de Dios en la salvación. Una respuesta humana de fe no socava la verdad de que Dios salva, sobre todo si Dios concede la fe a los suyos (Ef. 2:8-9).

¿Cuál es la importancia de la lectura "fe en Cristo"?[78] Algunos de los que defienden la lectura "fidelidad de Cristo" afirman que la interpretación subjetiva-genitiva incluye tanto la fe *en* Cristo de otros textos como la fidelidad *de* Cristo en los textos *pistis Christou*. Por lo tanto, afirman que la idea de creer en Cristo para justificación no se abandona en la interpretación subjetivo-genitiva. Se puede admitir este argumento, pero hay que matizarlo, pues se pierde el énfasis en creer *en* Cristo para justificación, ya que, entre los textos en los que aparece *pistis Christou*, Pablo solo utiliza una forma verbal que expresa la necesidad de la fe en Cristo en Gálatas 2:16. Si *pistis Christou* refleja un genitivo objetivo, entonces Pablo destaca la importancia de la fe en Cristo para la justificación. Debemos detenernos un momento en este punto. Pablo llama a menudo la atención sobre la importancia de la fe, pero esta expresión va más allá de decir que la gente necesita creer. Ahora que Jesucristo ha venido y realizado la expiación, los seres humanos necesitan poner su fe *en* Cristo para salvarse. Se subraya el enfoque cristológico de la fe.

---

[78] Unos pocos estudiosos han defendido un genitivo de fuente (por ejemplo, Seifrid 2000b: 139-46; Watson [incluyendo también el genitivo objetivo] 2004: 74-76). Tal lectura es posible, pero es una lectura menos probable y ha ganado pocos adeptos (véase la reciente discusión del asunto en Silva 2004: 218-20, 227-36).

La polaridad entre la fe en Cristo y las obras de la ley también aclara que los seres humanos se vuelven justos con Dios creyendo y no haciendo. Antes he argumentado que las obras de la ley se refieren a todo lo que la ley exige, de modo que las "obras de la ley" funcionan como un subconjunto de las obras en general.[79] Pablo insiste en varios textos en que la justicia no se obtiene por las obras o las obras de la ley, sino por la fe. Él desarrolla este tema con cierta extensión en Romanos 3:19-4:25; 9:30-10:13; Gálatas 2:16-3:14 y Filipenses 3:2-9.

Estos textos enseñan que nadie puede ser justo por las obras de la ley ni por ninguna otra obra, ya que nadie está a la altura de lo que Dios exige. Una persona solo puede ser justa por obras si ha hecho todo lo que Dios exige (Ro. 3:9-20; Gl. 3:10), y nadie ha obedecido hasta ese extremo. Incluso Abraham y David se clasifican entre los impíos a causa de sus pecados (Ro. 4:5-8).[80] Por tanto, la única esperanza de ser justo ante Dios es confiar en lo que Dios ha hecho en Cristo, en lugar de depender de los propios logros. La jactancia humana queda descartada porque los seres humanos descansan en lo que Cristo ha hecho para salvarlos (Ro. 3:27-28; 4:1-3). La fe llama la atención sobre el poder de Dios, que justifica a los impíos (Ro. 4:5). La muerte y resurrección de Cristo crea una nueva realidad, de modo que la fe en Cristo establece una nueva relación con Dios (Ro. 4:17-25).

Pablo argumenta a menudo que todos, judíos y gentiles, pueden gozar de una posición justa ante Dios (Ro. 3:22-23). No se requiere la circuncisión ni la observancia de ninguno de los signos distintivos del judaísmo (Ro. 3:29-30; Gl. 2:11-21). Dios no justifica a judíos y gentiles por normas diferentes; el único requisito para ambos es la fe. Este requisito único de la fe queda confirmado por el padre del pueblo judío, Abraham (Ro. 4:9-12). Abraham era justo para con Dios *antes* de ser circuncidado (Ro. 4:9-12), y por lo tanto su circuncisión era meramente la señal y el sello de la justicia que disfrutaba antes de la circuncisión. A

braham es el padre tanto de los creyentes gentiles no circuncidados como de los creyentes judíos circuncidados. En ambos casos, sin embargo, solo son hijos de Abraham los que tienen la fe de Abraham (Gl. 3:6-9). Pablo situó Génesis 12 con Génesis 15 en contraste con la tradición judía que leía Génesis

---

[79] Véase el debate sobre las obras de la ley en el capítulo 14.
[80] Véase Das 2001: 201-13.

15 a la luz de Génesis 17 y 22. Se deduce, pues, que Abraham era justo ante Dios por haber creído y confiado, y no por su obediencia.

Antes de su conversión, Pablo siguió cuidadosamente las prescripciones de la ley (Fil. 3:2-11), pero toda esa devoción no sirvió de nada, porque no ganó a Cristo.[81] Lo único que consiguió fue su propia justicia (Fil. 3:9), y no era una justicia genuina, pues había perseguido a la iglesia. De hecho, Pablo miró hacia atrás y vio en la persecución de la iglesia un indicio de la profundidad de su pecado (1 Co. 15:9; 1 Ti. 1:13-15). Tanto judíos como gentiles pueden ser justos ante Dios solamente si creen en Cristo en lugar de cumpliendo la ley. Por lo tanto, cualquier jactancia en la carne queda excluida, y los creyentes solo se jactan en Cristo Jesús (Fil. 3:3-4).

Los que tratan de establecer su propia justicia observando la ley están condenados al fracaso porque no se someten a la justicia de Dios en Cristo (Ro. 10:3). La ley apunta a Cristo, de modo que él es tanto la meta como el fin (telos) de la ley para todos los que ponen su fe en él (Ro. 10:4). La ley obliga a las personas a actuar, preguntándoles qué han hecho por Dios (Ro. 10:5). La fe, por su parte, saca a las personas de sí mismas y las dirige al Cristo crucificado y resucitado y a la salvación que él ha logrado (Ro. 10:6-8).[82]

Los que observan la ley merecen un pago por seguir sus estipulaciones, pero la fe reconoce el pecado, lo que excluye la justicia por la ley, y confía en Dios para efectuar una nueva realidad en la que los impíos son justificados por la gracia de Dios (Ro. 4:4-5). Si la justicia puede obtenerse mediante la obediencia humana, entonces se descarta la gracia (Ro. 11:6). No es necesario ningún don si los seres humanos tienen la capacidad de obtener la justicia por sí mismos. La gracia, por otra parte, excluye las obras como base de una relación correcta con Dios. Nadie cumple las estipulaciones de Dios y, por tanto, la única esperanza de justificación es confiar en lo que Dios ha hecho en Cristo.

La fe es fundamental para el evangelio paulino porque siempre está aliada con la gracia, ya que la fe descansa y cree en lo que Dios ha logrado a través del Señor crucificado y resucitado. Hays señala que el llamamiento a la obediencia en los escritos de Pablo está arraigado en la unión del creyente con

---

[81] Stendahl (1976: 7) sostiene que Pablo fue llamado y no convertido. Sin embargo, este punto de vista malinterpreta claramente las pruebas. Véase Segal 1990; O'Brien 2004.
[82] Para una útil discusión de este texto, véase Seifrid 1985.

Cristo, la obra liberadora de Dios en Cristo y la obra del Espíritu Santo.[83] Si la justicia puede alcanzarse mediante la adhesión a la ley, entonces la muerte de Cristo resultaría superflua (Gl. 2:21). La venida de Cristo es una absoluta pérdida de tiempo si el culto y la ley del Antiguo Testamento proveen salvación. No obstante, según Pablo, la maldición de la ley solo puede eliminarse mediante la muerte de Cristo (Gl. 3:13), y los creyentes son liberados de la maldición de la ley no haciendo lo que esta exige, sino confiando en lo que Cristo ha realizado (Gl. 3:11-12).

Pablo contrapone la obediencia a la ley a la fe (Ro. 10:5-8; Gl. 3:12), ya que ambas representan dos vías de salvación alternativas e incompatibles. La salvación por la ley queda descartada a causa de la desobediencia humana, por lo que la única esperanza de justicia es confiar en Dios en Cristo. Si la justicia se basara en la obediencia humana, entonces la fe y la promesa de Dios quedarían excluidas (Ro. 4:14). La justicia no puede obtenerse por la ley, ya que los seres humanos han transgredido (Ro. 4:15).

Por tanto, la fe no puede equipararse al cumplimiento de la ley. La fe se acerca a Dios vacía de toda pretensión, reconociendo la carencia de la obediencia exigida por Dios. La fe descansa en la promesa de Dios de salvar, confiando en la expiación provista en Jesucristo para el perdón de los pecados. La obediencia a la ley se centra en el rendimiento y la capacidad humanos, mientras que la fe confía en lo que Dios ha hecho en Cristo. La fe y la gracia van unidas, al igual que la obediencia y la recompensa van unidas. La fe está aliada con la gracia porque no depende de lo que los seres humanos puedan lograr, sino que recibe lo que Dios ha hecho en Cristo.

La fe glorifica a Dios porque busca en él toda buena dádiva y bendición, reconociendo que todo procede de él. Esto ayuda a explicar por qué Pablo puede decir que "todo lo que no procede de fe, es pecado" (Ro. 14:23).[84] Aquello en lo que la gente confía es su dios, y la fe honra a Dios porque confiesa que él es el tesoro y la alegría de sus corazones. La fe de Abraham no era un mero reconocimiento pasivo de la existencia de Dios. Él creyó en un Dios que resucita a los muertos y llama a la existencia a lo que aún no existe (Ro. 4:17). En concreto, Abraham creía que Dios podía revivir su cuerpo muerto y el vientre muerto de Sara y concederles un hijo (Ro. 4:19). Abraham

---

[83] Hays 1996: 39.

[84] Véase un análisis más detallado de este versículo en Schreiner 1998: 738-39.

puso su fe en la promesa de Dios de que sería padre de muchas naciones (Ro. 4:18, 22). Al confiar en Dios, dio "gloria a Dios" (Ro. 4:20). Vemos que la fe da gloria a Dios porque le honra como digno de confianza, confesando que sus promesas se cumplirán. La falta de fe lo deshonra porque dice que la promesa de Dios de liberar a su pueblo es falsa. La fe de los creyentes, por supuesto, descansa en la muerte y resurrección de Cristo (Ro. 4:23-25). Esta es la fe que ahora ha invadido la historia (Gl. 3:22-25).

La fe que salva confiesa a Jesús como Señor (Ro. 10:9), pero su señorío solo es reconocido si se le reconoce como el resucitado que ahora gobierna sobre todos. La salvación está abierta a todos, judíos y gentiles, si ponen su fe en Jesucristo y lo reconocen como Señor (Ro. 10:11-13). Todos los que le invoquen con fe serán librados de la ira de Dios en el último día. Incluso los gentiles pueden ser hijos de Dios en Cristo por medio de la fe (Gl. 3:26). El Espíritu obra de manera salvífica entre quienes confiesan a Jesús como Señor (1 Co. 12:3), de modo que tal confesión es obra del Espíritu de Dios. Solo quienes disfrutan de la obra del Espíritu reconocen que el crucificado es realmente el Señor de la gloria (1 Co. 2:6-10).

El Espíritu no es dado a los que observan la ley mosaica, sino a los que creen (Gl. 3:2, 5, 14). Este es un punto crucial en la teología paulina, pues Pablo no era un antinomiano que se deleitaba en la injusticia. En lo que Pablo insiste es en que ninguna obra humana es la base de la justicia o la salvación (Ef. 2:8-9). La salvación es un don inmerecido que se recibe solo por la fe y, por tanto, no hay cabida para que los seres humanos alardeen de su bondad. Sin embargo, los que confían en Cristo reciben el Espíritu. El Espíritu transforma sus vidas para que vivan de otra manera. La vida en el Espíritu no es el fundamento de la justificación, sino el resultado de la justificación. Las buenas obras en la vida de los creyentes suceden, pero no preceden, a su estatus correcto ante Dios.[85] Lo que Pablo subraya, por tanto, es que el Espíritu es dado gratuitamente a los que creen y descansan en lo que Dios ha hecho por ellos en Cristo.

Pablo no entiende la fe como un sentimiento momentáneo que se desvanece. La fe salvadora es una fe perseverante. Los que "recibieron"

---

[85] Rainbow (2005: 79-84) señala acertadamente que Pablo nunca habla de las buenas obras en términos negativos, sino siempre positivamente. Cuando Pablo descarta las obras en cuanto a la justificación, se refiere a las obras de la ley o a las obras pero nunca usa la frase "buenas obras". Véase también Schlatter 1999: 284-86.

(*paralambanō*) el mensaje del evangelio pertenecen a Dios (1 Co. 15:1-2), pero han creído "en vano" si no continúan aferrados a la fe que abrazaron. Las personas se convierten cuando se vuelven al Señor (2 Co. 3:16) y abandonan los dioses falsos para servir al Dios vivo y verdadero (1 Ts. 1:9). La conversión también puede describirse como reconciliación (2 Co. 5:20), es decir, que aquellos que antes eran enemigos de Dios han llegado a ser sus amigos. Los seres humanos aceptan el evangelio proclamado por Pablo como mensaje de Dios; depositan su fe en la verdad del evangelio (2 Ts. 2:13).

La fe sola salva (cf. 1 Ti. 1:16), pero la fe genuina produce fruto y conlleva un cambio de vida. Pablo habla de una "obra de fe" (1 Ts. 1:3), y aquí "de fe" (*pisteōs*) debe entenderse como genitivo de fuente.[86] La fe en Dios es dinámica y produce fruto, y si falta el fruto, cabe cuestionarse si esa fe es genuina. El énfasis en la perseverancia y el fruto en Pablo no contradice su enseñanza de que la justificación es por la fe y no por las obras. Las buenas obras se entienden siempre como fruto de la fe, y funcionan como evidencia de que la fe es auténtica. Nunca se presentan como independientes de la fe, como si las obras por sí solas pudieran justificar. Los que son una nueva creación en Cristo Jesús hacen las buenas obras que han sido ordenadas para ellos (Ef. 2:10), pero estas obras son el resultado de la nueva creación.

En las cartas paulinas abundan las advertencias a sus lectores para que permanezcan en la fe a fin de escapar de la destrucción escatológica.[87] Los que han caído de la fe experimentan la "severidad" de Dios, y los creyentes deben permanecer "en su bondad [de Dios]" o también serán cortados (Ro. 11:22). La severidad de Dios se refiere aquí al juicio escatológico, pues en el contexto de Romanos 9-11 se contempla el destino de los judíos incrédulos. Los creyentes que cedan a los deseos de la carne morirán -no experimentarán la vida eterna (Ro. 8:13)-, pero los que confíen en el Espíritu y maten los deseos carnales disfrutarán de la vida para siempre. La línea de pensamiento en Colosenses 3:5-6 es bastante similar. Los creyentes deben dar muerte a los malos deseos y acciones porque Dios derramará su ira sobre los desobedientes en el último día. Los hijos de Dios son aquellos que son guiados por el Espíritu Santo, es decir, que se someten a él (Ro. 8:14). Los que están habitados por el Espíritu ya no viven en la esclavitud del pecado (Ro. 8:15).

---

[86] Wanamaker (1990: 75) lo identifica como un genitivo subjetivo.

[87] Schnabel (1995) capta bien las motivaciones y normas de la ética paulina.

Pablo estaba preocupado por los corintios por varias razones. En 1 Corintios 6:1-8 expresó su asombro de que se enzarzaran en pleitos con otros creyentes y llamaran a no creyentes para que juzgaran los casos. Los acusó de agraviar (*adikeite*) a los creyentes (1 Co. 6:8). Luego advirtió a los que hacen el mal que "los malhechores [*adikoi*] no heredarán el reino de Dios" (1 Co. 6:9 NRSV).[88] A continuación, Pablo enumera varios pecados que excluyen a las personas del reino y señala que una vida de maldad es incompatible con la obra salvadora de Dios que han experimentado (1 Co. 6:9-11). Pablo no asegura a los corintios que se salvarán en el último día independientemente de lo que hayan hecho. Una vida de maldad los excluirá del reino. Tampoco debemos exagerar la amenaza que se da aquí, como si Pablo afirmara que cualquiera que cometa estos pecados en cualquier ocasión queda por ello excluido del reino de Dios. La advertencia se dirige a quienes caen presa de tales pecados y no se apartan de ellos en arrepentimiento.

La incertidumbre con respecto a la salvación futura de alguien que afirma ser creyente encuentra su expresión en la disciplina del hombre de la iglesia de Corinto que cometía incesto (1 Co. 5). La iglesia fue llamada a juzgar y excomulgar a este hombre porque continuaba en el pecado y se negaba a arrepentirse. La expulsión del hombre se describe como su entrega "a Satanás para la destrucción de su carne, a fin de que su espíritu sea salvo en el día del Señor Jesús" (1 Co. 5:5). La salvación de su espíritu probablemente se refiere a la salvación escatológica, la liberación de la ira de Dios en el día del juicio.[89] Pablo no prometió que aquel hombre se salvaría. Esperaba que la acción emprendida resultara en su arrepentimiento y restauración y, por tanto, en su salvación. Que tal fuera el resultado dependía de su respuesta a la disciplina impuesta.

Cuando Pablo declara que "la paga del pecado es muerte" (Ro. 6:23), se dirige a los creyentes y les advierte sobre las consecuencias del pecado. La consecuencia no es meramente la muerte física, pues aquí la muerte se contrasta con la "vida eterna". La muerte se refiere al juicio final de los malvados. Aquellos que entregan su vida a la maldad, convirtiéndose en esclavos del pecado, experimentarán la muerte (Ro. 6:15-23). Este consejo no

---

[88] Fee (1987: 242) defiende el vínculo entre los dos versículos.
NRSV New Revised Standard Version
[89] Para una útil discusión de las cuestiones implicadas, véase Garland 2003: 169-77.

se da a los que se encuentran neutralmente entre la muerte y la vida, como si Pablo no tuviera certeza sobre la dirección de sus vidas. Los creyentes han sido transformados de tal manera que ahora son "obedientes de corazón" (Ro. 6:17). Han sido "liberados del pecado" (Ro. 6:18). El imperativo se fundamenta en el indicativo de la obra de gracia de Dios en Cristo. El imperativo se hace realidad gracias al indicativo.[90]

Pablo tampoco reserva sus advertencias solo para los cristianos débiles. Todos los creyentes necesitan ser amonestados sobre la necesidad de seguir adelante en los caminos de Dios. Pablo vivió de tal manera que pudiera participar de las bendiciones salvíficas del evangelio (1 Co. 9:23). La imagen de la carrera y de recibir una recompensa en 1 Corintios 9:24-27 ilustra la necesidad de perseverar para obtener la salvación de los últimos tiempos.[91] El contexto, como veremos enseguida, elimina la idea de que se esté pensando en una recompensa superior a la vida eterna.

La vida cristiana es comparable a una carrera, y los creyentes deben correr para ganar el premio. Deben vivir disciplinadamente, como los atletas en su entrenamiento. Deben conducir sus vidas con propósito, como lo hacen los boxeadores cuando golpean a sus oponentes. Deben dominar los deseos pecaminosos y vencerlos para no ser "descalificados" (*adokimos*) en el juicio final.[92] Tal advertencia no llena a Pablo de terror e incertidumbre, haciendo que empiece a dudar de si recibiría la recompensa. Esta advertencia desempeñó un papel saludable en su vida, llamándole nuevamente a poner su fe en Jesucristo para la salvación final.

Pablo también utiliza la imagen de una carrera en Filipenses 3:12-14. Este texto sigue inmediatamente a Filipenses 3:2-11, donde se hace hincapié en la justicia por la fe y no por las obras. Por tanto, la necesidad de correr la carrera en Filipenses 3:12-14 no contradice la afirmación de que la justicia es por la fe y no por las obras. La necesidad de correr la carrera hasta el final, en la mente de Pablo, no implica volver a la justicia por obras. La vida de fe se expresa corriendo la carrera para recibir el premio escatológico. Pablo no

---

[90] Para dos ensayos importantes sobre el indicativo y el imperativo en Pablo, véase Bultmann 1995; Parsons 1995.

[91] Acertadamente Barrett 1968: 218; Fee 1987: 440; Garland 2003: 444. Contra Gundry Volf 1990: 237; Thiselton 2000: 716-17.

[92] Pablo utiliza sistemáticamente la palabra *adokimos* para referirse a los que están excluidos de recibir una recompensa escatológica, a los que serán condenados para siempre (Ro. 1:28; 1 Co. 9:27; 2 Co. 13:5, 6, 7; 2 Ti. 3:8; Tit. 1:16).

pierde de vista el indicativo. Se esfuerza por alcanzar el premio porque ya ha sido alcanzado por Jesucristo.

Volvamos a 1 Corintios y a la advertencia que Pablo les dirige en el capítulo 10, que sigue inmediatamente al llamamiento a correr la carrera hasta el final (1 Co. 9:24-27). Pablo se dirigió especialmente a los "conocedores" en estos versículos. Los conocedores no tenían reparos en comer alimentos ofrecidos a los ídolos, e incluso celebraban fiestas en el templo de los ídolos. Razonaban que, puesto que solo hay un Dios y los ídolos son una ilusión, la comida no podía dañarles, ya que no existe la comida impura porque Dios es el creador de todo. Lo cierto es que Pablo estaba sustancialmente de acuerdo con la teología de los conocedores.

Sin embargo, difería en algunos aspectos y le preocupaba su presunción. Al parecer, creían que su participación en Cristo les libraba de cualquier preocupación por el juicio futuro. El recuerdo de la historia de Israel (1 Co. 10:1-13) arroja algo de luz sobre la postura de los conocedores.[93] Los corintios no debían engañarse a sí mismos, como si participar en los sacramentos les protegiera mágicamente de cualquier daño (cf. 1 Co. 10:14-22). También Israel disfrutó de una especie de bautismo cuando fue bautizado en Moisés en el Mar Rojo. El maná y el agua de la roca simbolizaban la Cena del Señor, de modo que también Israel, por así decirlo, disfrutaba de bendiciones sacramentales. Pero estas bendiciones sacramentales y la liberación de Egipto no les libraron del juicio. La mayoría de ellos fueron destruidos en el desierto, y esta destrucción funciona como un tipo del juicio final. Los pecados de Israel en el desierto sirven de advertencia a los creyentes, a fin de que eviten correr la misma suerte. Aquellos que presumen de poder afrontar el juicio final sin tener en cuenta su comportamiento necesitan ser despertados de su letargo, ya que aquellos que desoyen las advertencias están expuestos a caer. La palabra de Pablo, por supuesto, no es solo de advertencia. Él consuela a los creyentes con la fidelidad de Dios, recordándoles que Dios les sostendrá para que puedan soportar las dificultades que les acechan (1 Co. 10:13).

De todos modos, los corintios debían huir de la idolatría y abstenerse de comer en los templos de los ídolos, pues Dios no admite oposición y no tolera que nadie compita con su supremacía (1 Co. 10:14-22). A veces es difícil

---

[93] Para un buen estudio de interpretación sobre la cuestión de la perseverancia y la apostasía en este texto, véase Oropeza 2000: 1-34.

discernir la línea que separa la apostasía del pecado significativo. Los creyentes que habían pecado descaradamente durante la Cena del Señor fueron disciplinados con la enfermedad e incluso la muerte (1 Co. 11:17-34). Tales juicios del Señor libraban a los creyentes de la condenación final (1 Co. 11:32). Por otro lado, las facciones presentes en la congregación aclaraban quién era aprobado o "genuino" (*dokimoi* [1 Co. 11:19]) en la iglesia.[94] Parece ser, pues, que los que se apartan nunca fueron creyentes genuinos. Su apostasía confirma su falta de autenticidad.

Los creyentes deben examinarse a sí mismos para ver si su fe es genuina (2 Co. 13:5). Si persisten en el pecado (2 Co. 12:20), ponen en duda su salvación. Los creyentes deben permanecer vigilantes para no aceptar la gracia de Dios en vano (2 Co. 6:1). No deben "mezclarse con los incrédulos" (2 Co. 6:14 NRSV), sino que deben "salir de ellos y separarse de ellos", y entonces Dios los acogerá como hijos e hijas (2 Co. 6:17-18). Los que son engañados por los falsos maestros carecen de la pureza necesaria para ser vindicados en el día del juicio (2 Co. 11:2-3). Algunos podrían tildar esto de justificación basada en las obras, pero tal conclusión es errónea.[95] Los que capitulan ante los falsos maestros se apartan de una vida de fe y confianza.

Que la perseverancia tiene sus raíces en la fe queda claro en la carta a los Gálatas. Pablo rechaza las obras de la ley como base o medio de salvación e insiste en que la justificación es solo por la fe. No obstante, la centralidad de la fe no excluye la necesidad de severas advertencias. Los que se circuncidan no reciben ningún beneficio de Cristo (Gl. 5:2-4). Deben observar toda la ley para ser justificados, pero esa obediencia perfecta es imposible y, por tanto, es fútil.[96] Los que aceptan la circuncisión e intentan ser justos por la ley están separados de Cristo y han caído de la gracia. Claramente, para Pablo, la fe que

---

[94] Las divisiones en la iglesia revelarán quién pertenece verdaderamente a Cristo (Fee 1987: 538-39; Hays 1997: 195; Thiselton: 2000: 858-59). Contra Garland (2003: 538-39), que piensa que los aprobados son los miembros de la élite sociológica de la comunidad.

NRSV New Revised Standard Version

[95] El trabajo de Rainbow (2005) sobre el papel de las obras en la justificación es una contribución importante, y argumenta acertadamente que las buenas obras son necesarias para la justificación final. En algunos casos utiliza un lenguaje desafortunado. Rainbow (2005: 83) habla de las obras como "el fundamento" para la aprobación en el último día, y algunos podrían leer esto como si dijera (en contra de la opinión de Rainbow, creo yo) que las buenas obras son el fundamento último para la justificación.

[96] Contra G. Howard (1979: 16) y Bruce (1982a: 231). Para una interpretación similar a la que se defiende aquí, véase Matera 1992: 181-82.

salva es una fe perseverante. Es una fe viva que abraza una nueva realidad, pues la fe genuina se expresa en el amor (Gl. 5:6). Los que practican las obras de la carne quedarán excluidos del reino (Gl. 5:21), pues el hecho de no manifestar el fruto del Espíritu demuestra que han abandonado el camino de la fe (Gl. 5:22-23).[97] Los que siembran para la carne cosecharán corrupción, mientras que los que siembran para el Espíritu cosecharán vida eterna (Gl. 6:8). El contraste demuestra que sembrar para la carne tendrá como resultado el juicio escatológico.[98] Un dicho tan severo puede parecer sorprendente en Gálatas, la carta de la fe, la libertad y la vida en el Espíritu. Sin embargo, lo que muestra es que la fe y la vida en el Espíritu conducen a una nueva forma de vida, una forma de vida en la que la fe produce el fruto del Espíritu.

Los que permanezcan en la fe hasta el final recibirán la recompensa prometida por Dios (Ef. 6:11-14). Los creyentes serán presentados "santos, sin mancha e irreprensibles" solo si permanecen en la fe hasta el final (Col. 1:22-23). Pablo no promete que los creyentes serán vindicados en el último día independientemente de sus acciones. Los que nieguen a Jesús serán negados por él en el último día (2 Ti. 2:12). No todo pecado, por supuesto, constituye una negación de Jesús. Es posible que los creyentes actúen de manera infiel y pequen sin cometer apostasía (2 Ti. 2:13).[99] Dios es fiel a los creyentes en tales casos y no los rechazará como suyos. Algunos, sin embargo, afirman conocer a Dios, pero la forma en que viven niega que lo conozcan de verdad (Tit. 1:16).[100] Solo los que se apartan de la maldad serán residentes en la casa del Señor al final; los que se apartan de la verdad nunca pertenecieron realmente a Dios (2 Ti. 2:18-19).[101] Pablo recibirá la recompensa final porque "terminó

---

[97] Para los antecedentes judíos del tema del juicio según las obras y para una discusión de la propia contribución de Pablo, véase Yinger 1999.

[98] Acertadamente Matera 1992: 216; Dunn 1993: 330-31.

[99] Véase Dibelius y Conzelmann 1972: 109; Knight 1992: 406-7; Lau 1996: 142; W. Mounce 2000: 517-18. Contra Stettler 1998: 190-92. Marshall (1999: 741-42) interpreta que el Señor es fiel al evangelio y a los que sufren por su causa, pero esto ignora la importancia de otros textos en los que se dice que Dios es fiel guardando a los suyos hasta el final.

[100] Es común ver el énfasis en las buenas obras en las Epístolas Pastorales como una desviación del Pablo auténtico, pero la discusión aquí demuestra que encaja con las otras cartas paulinas. Acertadamente Lau 1996: 143-44; W. Mounce 2000: lxxviii-lxxx; cf. Knight 1992: 137-38.

[101] Con razón W. Mounce 2000: 528-29. Contra Marshall (1999: 755-56), que limita la referencia a la iglesia. Se incluye una referencia a la iglesia, siempre que se haga una distinción entre los que son elegidos y los que se apartan y demuestran con ello que no eran elegidos (Knight 1992: 415-16).

la carrera" y "guardó la fe" (2 Ti. 4:7-8, 18). Los que entregan su vida al amor al dinero serán destruidos (1 Ti. 6:9-10). Solo se salvarán los que perseveren en la buena enseñanza (1 Ti. 4:16).[102]

Pablo enseña la justificación por la fe y el juicio según las obras. La interpretación correcta de Romanos 3:28 es que los creyentes son justificados solo por la fe, y sin embargo la fe siempre produce buenas obras, de modo que la fe que salva es una fe perseverante. Las obras y la fe son inseparables en el pensamiento de Pablo, pues las buenas obras son siempre fruto de la fe. La fe busca la salvación fuera de sí misma, en Jesucristo como Señor crucificado y resucitado. Se ancla en el Dios que da vida donde hay muerte, confiando en que Dios resucitará a los creyentes de entre los muertos en el último día. De ahí que el llamado a las buenas obras en los escritos de Pablo no se centre en el poder inherente de los seres humanos para hacer lo que es bueno, correcto y verdadero.

Todo lo bueno es fruto de la fe y del poder de Dios. La perseverancia no puede equipararse a la perfección; es nada menos que seguir confiando en la gracia de Dios hasta el día final. Al considerar la enseñanza de Pablo, vemos que su énfasis en la fe y las obras es bastante compatible con el resto del Nuevo Testamento. Los eruditos del Nuevo Testamento han destacado con razón la polaridad que Pablo establece entre la fe y las obras, según la cual Pablo niega que los seres humanos puedan justificarse por las obras. Sin embargo, los estudiosos a menudo han pasado por alto que Pablo también subraya la necesidad de las buenas obras para la justificación. No existe contradicción alguna en la teología de Pablo, ya que las buenas obras son fruto de la fe. De hecho, parece que Pablo y Santiago, aunque enfatizan verdades diferentes, son compatibles después de todo.

Hebreos

La cuestión de la fe y la obediencia en Hebreos se explorará inicialmente analizando los pasajes de advertencia del libro.[103] La carta de Hebreos en su

---

[102] El verbo *sōzō* se refiere aquí a la salvación escatológica, como es típico en las Epístolas Pastorales y en Pablo (Knight 1992: 211-12; Marshall 1999: 571; W. Mounce 2000: 264-65).

[103] Para un buen resumen de la importancia de la fe en Hebreos, véase Rissi 1987: 104-13.

conjunto es una homilía (Heb. 13:22) en la que el autor exhorta a los lectores a no apartarse de la fe cristiana recayendo en el judaísmo y en los sacrificios ofrecidos bajo el antiguo pacto.[104] Se han hecho muchos intentos de identificar con mayor precisión la situación de los lectores, pero desgraciadamente los detalles se nos escapan.[105] Hebreos no es un tratado en el que el autor considera de forma bella pero abstracta el sacerdocio melquisedéquico de Cristo. El autor presenta a Cristo como el sacerdote melquisedéquico para exhortar a sus lectores a permanecer fieles hasta el final. La teología del libro, en otras palabras, apunta y sirve a las advertencias. El llamado a la fe y la obediencia es el propósito por el que se escribió la carta.

Identificar los parámetros precisos de las advertencias en Hebreos es difícil. Si se incluye la exhortación a la fe, las advertencias abarcan Hebreos 2:1-4; 3:7-4:13; 5:11-6:12; 10:19-12:29. La mayoría de eruditos no consideran Hebreos 10:19-12:29 como una sola advertencia, y las advertencias podrían limitarse en esta sección a Hebreos 10:26-31 y Hebreos 12:25-29. En cualquier caso, las advertencias impregnan el texto de la carta y conforman su propósito. McKnight argumenta con acierto que las advertencias de la carta deben interpretarse de forma conjunta o sinóptica.[106] Una advertencia no debe aislarse de la otra en nuestro intento de entenderlas, ya que las amonestaciones de la carta pretenden producir un único efecto o respuesta en los lectores.

Si consideramos todas las advertencias, veremos que se utilizan diversas expresiones para implorar a los lectores que permanezcan fieles a Cristo y al evangelio. Los lectores no deben "desviarse" del evangelio que se les ha proclamado (Heb. 2:1).[107] No deben endurecer sus corazones (Heb. 3:8, 15; 4:7) ni ninguno debe ser "endurecido por el engaño del pecado" (Heb. 3:13), pues es un "un corazón malo de incredulidad" el que los llevaría a "apartarse del Dios vivo" (Heb. 3:12). La generación del desierto no pudo entrar en el

---

[104] Los estudiosos discuten si los lectores tuvieron la tentación de volver al judaísmo. Sin embargo, se trata de la opinión mayoritaria. Véase Bruce 1964: xxiii-xxx; Lane 1991a: li-lxii; Lindars 1991: 11. Para un estudio de las posibilidades, véase Attridge 1989: 9-13. Con esta observación asumo que Hebreos se escribió antes del año 70 d.C., aunque esto también se discute.

[105] El contraste entre el sacrificio de Cristo y los sacrificios del antiguo pacto sugiere que los lectores encontraban atractivos los sacrificios del AT ofrecidos en el templo. En apoyo de esta opinión, véanse Bruce 1964: xxvi; Lindars 1991: 19-21.

[106] McKnight 1992.

[107] Como señala Rissi (1987: 104), la fe está ligada a la palabra del evangelio en Hebreos y es impensable al margen de la Palabra proclamada.

reposo de Dios por culpa de la desobediencia (Heb. 3:18; 4:6, 11), y el autor ruega a sus lectores que eviten correr la misma suerte. Sin embargo, la desobediencia se debe a la incredulidad, a no creer en las promesas de Dios (Heb. 3:19). La generación del desierto no confió en la buena nueva que se les había anunciado, y solo los creyentes entran en el reposo de Dios (Heb. 4:2-3). La oscilación entre fe y obediencia en Hebreos 3:7-4:13 indica la relación inseparable entre ambas. Las amonestaciones no deben interpretarse como un llamado al moralismo o a un perfeccionismo riguroso, sino más bien como un llamado a la fe. Hebreos 3:12 sugiere que un corazón incrédulo es la raíz, y alejarse de Dios es el fruto. Así pues, la razón fundamental del alejamiento es la ausencia de fe y de confianza en las promesas de Dios.

Hebreos 3:12-4:13 también sugiere que el alejamiento de Hebreos 2:1-4 debe interpretarse como apostasía.[108] La generación del desierto no entró en el reposo de Dios. El descanso en Canaán funciona como un tipo del descanso celestial de Dios, es decir, la entrada en la presencia de Dios mismo en el último día. El autor de Hebreos exhorta a sus lectores para que ciertamente entren en el reposo de Dios. Los que no entren en su reposo experimentarán el juicio final de Dios. Están fuera de su bendición y, por tanto, experimentarán la maldición de Dios. El endurecimiento del corazón, el corazón malo de la incredulidad y la desobediencia sugieren que el pecado de apostasía está a la vista, es decir, un alejamiento definitivo del evangelio que inicialmente confesaron. Los creyentes deben esforzarse por "entrar" en el reposo de Dios (Heb. 4:11). Deben aferrarse a la fe hasta el final para ser salvos en el último día (Heb. 3:14; 4:14; 10:23).

Entre los principales, el siguiente pasaje de advertencia es Hebreos 5:11-6:12. La exhortación a "seguir adelante hacia la perfección" (Heb. 6:1 NRSV) no debe entenderse como una promesa de perfección en esta vida. La perfección (*teleiotēs*) es otra forma de describir el descanso celestial de los creyentes, pero en este caso denota la perfección escatológica que aguarda a los creyentes cuando Jesús regrese (Heb. 9:28).[109] Se advierte a los lectores

---

108 Lindars (1991: 68-69) señala sabiamente que el autor no se refiere a todos y cada uno de los tipos de pecado, sino a la apostasía. La mayoría de los comentaristas coinciden en que el peligro que se menciona en Hebreos es la apostasía.

NRSV New Revised Standard Version

109 Attridge (1989: 162-63) ve aquí, con razón, un componente realizado y otro futuro con respecto a la perfección.

NRSV New Revised Standard Version

que quienes una vez han experimentado numerosas bendiciones de Dios no pueden arrepentirse si se apartan (Heb. 6:4-6).

Algunos intérpretes entienden que el participio "caer" (*parapesontas*) en Hebreos 6:6 se refiere a algunos miembros de la Iglesia que ya han caído. Esta interpretación parece ser apoyada por la NRSV: "y luego han caído". Sin embargo, cuando consideramos los otros pasajes de advertencia en Hebreos, es más probable que el participio deba entenderse como una advertencia, no como un hecho consumado en la vida de algunos. Esto lo representa bien la ESV: "si entonces se apartan". En Hebreos 6 el autor no está comentando ni reflexionando sobre los que se han apartado, sino que está amonestando y animando a sus lectores a que no se aparten del evangelio que han abrazado.[110] Esto parece ser confirmado por Hebreos 6:11, donde se insta a los lectores a mostrar "la misma solicitud hasta el fin, para alcanzar la plena seguridad de la esperanza" y heredar así las promesas escatológicas (Heb. 6:12).

Por otra parte, vemos otros indicios de que la advertencia se refiere a la apostasía y no solo a la falta de fruto en la vida cristiana. Los que se apartan no pueden volver a arrepentirse (Heb. 6:4), y dicho arrepentimiento se refiere casi con toda seguridad a la vuelta inicial a Dios en la fe tras la conversión. Parece que se trata de una deserción radical, pues se describe diciendo que "de nuevo crucifican para sí mismos al Hijo de Dios... y lo exponen a la ignominia pública" (Heb. 6:6). Algunos han interpretado la ilustración de la tierra que recibe la lluvia del cielo como un apoyo a la idea de que no se trata del juicio final, sino solo de una falta general de fecundidad y plenitud en la vida cristiana.[111] Esta interpretación no es convincente.

La tierra que produce espinos y cardos se califica de "inútil" (*adokimos*). Este término se utiliza con regularidad para designar a los que se enfrentarán al juicio final como incrédulos (Ro. 1:28; 1 Co. 9:27; 2 Co. 13:5, 6, 7; 2 Ti. 3:8; Tit. 1:16). Decir que están "cerca de ser maldecidos" no significa que escaparán de la maldición, y que solo estuvieron próximos a ser maldecidos. Están a punto de ser maldecidos temporalmente —la maldición es

---

ESV English Standard Version

[110] En apoyo de la noción de que aquí tenemos una advertencia, véase Attridge 1989: 166. Attridge (1989: 171) observa: "Nuestro autor no acusa a sus destinatarios de estar en esta condición... Es una advertencia que debería recordarles la seriedad de su situación y la importancia de renovar su compromiso". Cf. Lane 1991a: 142, 145.

[111] Véase, por ejemplo, Gleason 2002.

NRSV New Revised Standard Version

inminente—, por lo que la NRSV capta bien el sentido al decir que están "al borde de ser maldecidos".[112] Por último, el texto deja claro que la propia tierra será quemada si no se produce buen fruto, y la tierra representa a los seres humanos, no sólo el fruto o la falta del mismo. Otra cuestión que se plantea es si las descripciones de los amonestados aquí se refieren a los cristianos, pero pospondremos esa cuestión hasta que hayamos examinado todos los pasajes de amonestación.

El llamamiento a la perseverancia debe interpretarse como un llamamiento a la fe y la esperanza.[113] Los que perseveran diligentemente en la fe lo hacen porque tienen la seguridad que da la esperanza (Heb. 6:11).[114] Disfrutarán de las promesas de la salvación de Dios por su "fe y paciencia" (Heb. 6:12; cf. 6:16).[115] Si alguien se aleja, es porque ha dejado de creer y esperar en Dios. Esa persona ha dejado de encontrar la purificación de los pecados por Cristo (Heb. 1:3; 7:1-10:18) como fundamento de la esperanza y la seguridad.

El desarrollo bastante completo que hace el autor del sacerdocio melquisedéquico de Cristo y de la inauguración del nuevo pacto mediante su muerte (Heb. 7:1-10:18) nos lleva a la siguiente advertencia, relativa a pecar "deliberadamente" (Heb. 10:26). El pecado se describe como despreciar al Hijo de Dios, profanar la sangre de Cristo que inauguró el nuevo pacto y ultrajar al misericordioso Espíritu de Dios (Heb. 10:29). Por contraste, los lectores no deben abandonar su confianza en Cristo y perder la recompensa (Heb. 10:35). En otras palabras, deben seguir perseverando en el cumplimiento de la voluntad de Dios (Heb. 10:36) en lugar de retroceder (Heb. 10:38-39). Los que retroceden revelan que no creen en Dios ni confían en sus promesas. Volvemos a ver que la incapacidad de resistir se deriva de la falta de fe, y que

---

112 Véase Attridge 1989: 173; P. Hughes 1977: 223-24.

113 Sobre el carácter pastoral de las advertencias, véanse las útiles observaciones de Emmrich 2003: 88-89. Él observa que la intención del autor no es plantear o responder a la pregunta de si los verdaderos creyentes pueden caer. Los lectores son identificados como creyentes mientras continúen como peregrinos de Dios. El autor no adopta una "perspectiva divina" sobre el destino de sus lectores. Escribe pastoralmente para animarlos a aguantar y perseverar.

114 Käsemann (1984: 39) señala con razón la estrecha relación entre fe y esperanza en Hebreos.

115 Lindars (1991: 71) capta maravillosamente las tres metáforas que el autor utiliza para transmitir seguridad en Hebreos 6: "Es como un lugar de refugio para los necesitados. Es como un ancla en mares agitados. Es como la admisión más allá del velo del santuario, que es el lugar de la presencia de Dios mismo".

creer y obedecer son dos caras de la misma moneda, y esto se desarrollará en breve al estudiar la aportación de Hebreos 11.[116]

La advertencia en Hebreos 10:26-39 apoya la afirmación de que el pecado en cuestión es la apostasía.[117] La persistencia voluntaria en el pecado se refiere al pecado deliberado, que se identifica en el AT como pecado "con mano alzada", para el que no hay perdón (cf. Lv. 4:2, 22, 27; Nm. 15:30; Dt. 17:12; Sal. 19:13). Para los que pecan voluntariamente "ya no queda sacrificio alguno por los pecados" (Heb. 10:26). En otras palabras, si los lectores se apartan de la cruz de Cristo para la limpieza de sus pecados y conciencias, ningún otro sacrificio servirá.[118] Volver al culto del Antiguo Testamento no ofrecerá ninguna ayuda, pues los sacrificios de animales no pueden quitar los pecados (Heb. 10:4). Si los lectores confían en esos sacrificios para obtener el perdón, niegan la eficacia de la expiación de Cristo y se apartan así del único medio por el que los pecados pueden ser perdonados. La amenaza de juicio, fuego, venganza y retribución apunta al juicio final infligido por Dios a los incrédulos (Heb. 10:27, 30). Tampoco se puede considerar creyente genuino a quien pisotea (*katapatēsas*) a Jesús como Hijo de Dios, trata la sangre de Jesús como si fuera impura e inmunda en lugar de preciosa, y ultraja (*enybrisas*) al Espíritu que da la gracia (Heb. 10:29). La referencia a que el Señor juzgará a "Su pueblo" no sugiere que sigan siendo su pueblo si se someten al juicio, pues pretendían ser su pueblo pero lo negaban con sus obras.[119]

Así pues, la "recompensa" que los hebreos corren el riesgo de desechar es la vida eterna (Heb. 10:35), no una mera recompensa extra en el cielo aparte de la vida eterna. Es preciso resistir para recibir la vida prometida por Dios (Heb. 10:36). Es preciso perseverar para recibir la vida que Dios prometió (Heb. 10:36). Aquellos en quienes Dios "no se complace" (Heb. 10:38) serán excluidos de su presencia para siempre. Hebreos 10:39 revela claramente que está en juego la destrucción final o la salvación. Los que "retroceden... son destruidos" (*apōleian*), pero los que confían en Dios "son salvados" (lit.,

---

[116] France (1996: 257) argumenta acertadamente que Hebreos 10:32-12:3 son un solo argumento, por lo que Hebreos 11 no puede separarse de la exhortación de Hebreos 10.

[117] Peterson (1982: 169) advierte, sin embargo, que no todo pecado es apostasía, sino que la apostasía es la expresión final del pecado.

[118] Lindars (1991: 69) señala acertadamente: "Paradójicamente se alejan de los medios de reconciliación en el intento de encontrarla".

[119] Véase P. Hughes 1977: 425.

"posesión del alma" [*peripoiēsin psychēs*]).[120] La palabra para "destruidos" (*apōleia*) se usa regularmente en el Nuevo Testamento para denotar a los que serán arruinados y destruidos para siempre en el juicio final. Los textos anteriores ya han sugerido que la advertencia se refiere a la obtención de la salvación final, pero Hebreos 10:26-39 es el más claro de todos y proporciona ayuda para interpretar los demás pasajes de advertencia. No basta con decir que los textos de advertencia no previenen contra la destrucción final, sino solo contra la pérdida de la fecundidad en la tierra o de un estatus superior en el cielo. Los pasajes de advertencia deben interpretarse conjuntamente, y alertan a los lectores del peligro mortal al que se enfrentan si niegan la eficacia del sacrificio de Cristo.

Cuando pasamos a Hebreos 11, nos damos cuenta de que los textos de advertencia llaman a los lectores a confiar en el evangelio. Las advertencias son una invitación a la fe, un llamado a confiar en Dios hasta el final.[121] En Hebreos 11:1 se ofrece una descripción de la fe: "Ahora bien, la fe es la certeza de lo que se espera, la convicción de lo que no se ve". La fe mira hacia el futuro y tiene la seguridad de que Dios cumplirá sus promesas, en particular las promesas de bendición escatológica que no se experimentan ni se ven ahora.[122] Decir que la fe mira hacia el futuro no equivale a negar que la fe también está anclada en el pasado.[123]

La fe puede confiar en las promesas futuras de Dios solo porque está fundamentada en la obra de Cristo en la cruz que ha asegurado la limpieza completa del pecado (Heb. 7:1-10:18). Para el autor de Hebreos, no confiar en Dios para el futuro demuestra que se ha perdido la confianza en lo que Cristo consiguió en el pasado con su cruz y resurrección. Los que descansan en la cruz de Cristo no se apartarán de la expiación que él proporcionó y volverán a los sacrificios ofrecidos bajo el culto del Antiguo Testamento. Hebreos enfatiza la fe en lo que Dios ha prometido, pues el evangelio llama a cada persona a seguir creyendo en lo que Cristo ha logrado a través de la cruz. La fe genuina cree que Dios "existe, y que recompensa a los que lo buscan" (Heb.

---

[120] Acertadamente Rissi 1987: 94.

[121] Peterson (1982: 168) argumenta acertadamente que la fe es el "tema subyacente" en Hebreos 11, y que la fe se expresa en la "resistencia".

[122] Lindars (1991: 111) considera acertadamente que en Hebreos la fe tiene una orientación futura.

[123] Sobre el carácter futuro y presente de la fe en Hebreos, véase Rhee 2001: 186-221.

11:6), pero para el autor de Hebreos, esta recompensa futura no es una mera creencia en la existencia de Dios y su recompensa. La fe descansa en lo que Cristo ha hecho al asegurar el perdón de los pecados y al inaugurar el nuevo pacto.[124]

Hebreos 11 también apoya marcadamente la relación inseparable entre fe y obediencia, y al mismo tiempo constata que la fe precede a la obediencia, de modo que toda obediencia deriva de la fe y está arraigada en la fe.[125] La conexión entre fe y actividad es evidente en las siguientes frases: "Por la fe Abel ofreció" (Heb. 11:4); "Por la fe Noé... preparó un arca" (Heb. 11:7); "Por la fe Abraham... obedeció" (Heb. 11:8); "Por la fe habitó como extranjero en la tierra de la promesa" (Heb. 11:9); "Por la fe Abraham... ofreció a Isaac" (Heb. 11:17); "Por la fe Isaac bendijo... respecto a cosas futuras" (Heb. 11:20); "Por la fe Jacob... bendijo a cada uno de los hijos de José" (Heb. 11:21); "Por la fe José... mencionó el éxodo de los israelitas, y dio instrucciones acerca de sus huesos" (Heb. 11:22); "Por la fe... Moisés fue escondido por sus padres durante tres meses" (Heb. 11:23); "Por la fe Moisés... rehusó ser llamado hijo de la hija de Faraón" (Heb. 11:24); "Por la fe Moisés salió de Egipto" (Heb. 11:27); "Por la fe celebró la Pascua" (Heb. 11:28); "Por la fe pasaron el Mar Rojo" (Heb. 11:29); el autor habla del pueblo "que por la fe conquistó reinos, administró justicia... se hizo poderoso en la guerra, puso en fuga ejércitos extranjeros" (Heb. 11:33-34 NRSV).

Otros, por la fe, recibieron fuerzas para sufrir, para ser asesinados o para vagar fuera de su patria (Heb. 11:36-38). El ejemplo supremo de la fe es Jesús, "quien por el gozo puesto delante de Él soportó la cruz" (Heb. 12:2).[126] El dinamismo de la fe es evidente. La fe actúa, obedece y perdura. El autor de Hebreos no cae en un rigorismo moral que exija perfección a sus lectores. Les exhorta a creer en las promesas de Dios aseguradas en la muerte de Cristo, a confiar en la cruz hasta el final. La fe no es una mera aceptación pasiva del evangelio, sino que llega hasta el alma y transforma la vida. Según Hebreos,

---

[124] Rhee (2001) demuestra mediante un cuidadoso análisis de toda la carta que en Hebreos la fe tiene a Cristo como objeto y modelo.

[125] Sobre la relación inseparable entre fe y obediencia en Hebreos, véase Käsemann 1984: 38; Rhee 2001: 96-99.

[126] Croy (1998: 177) argumenta con razón que el gozo es prospectivo aquí.

NRSV New Revised Standard Version

esa fe activa salva, y son los que creen quienes evitarán la destrucción en el juicio final.

La fe que ejercieron "los antiguos" fue lo que les valió la aprobación de Dios (Heb. 11:2). Así, Enoc fue llevado a la misma presencia de Dios para siempre a causa de su fe (Heb. 11:5). La fe de Noé lo libró de las aguas embravecidas, por lo que fue considerado justo ante Dios (Heb. 11:7). La fe mira al futuro, confiando en que Dios cumplirá sus promesas, aunque no se cumplan en el presente. Por eso, Abraham, Isaac y Jacob, aunque habitaban en tiendas y vivían como exiliados y extranjeros, esperaban el día en que Dios les daría una ciudad y un país celestiales (Heb. 11:8-16). Abraham creía que las promesas de Dios eran inviolables, y por eso estaba convencido de que Dios resucitaría a Isaac de entre los muertos si era necesario (Heb. 11:17-19). Isaac, Jacob y José esperaban que Dios cumpliera las promesas hechas a su pueblo (Heb. 11:20-22).

Moisés echó su suerte con Israel, dispuesto a sufrir con el pueblo de Dios en el presente y renunciando a las riquezas de Egipto, porque esperaba la recompensa futura (Heb. 11:24-26). Los que rodearon los muros de Jericó confiaron en la promesa de Dios de que los muros caerían (Heb. 11:30). El autor hace hincapié en los que sufrieron mientras esperaban que se cumplieran las promesas de Dios (Heb. 11:35-38). Todos estos santos del AT aguardaban el cumplimiento de la promesa de Dios que ahora se ha hecho realidad por medio de Jesús (Heb. 11:39-40). Por supuesto, Jesús es el ejemplo supremo de alguien que estuvo dispuesto a sufrir para recibir la recompensa de reinar a la diestra de Dios (Heb. 12:2).

El mensaje dirigido a los lectores es claro. Deben tener en cuenta a quienes les precedieron en la lucha de la fe (Heb. 12:1). Deben despojarse de todo lo que les estorba en la carrera que están corriendo. Por la fe deben perseverar hasta el fin. Aunque las promesas de Dios en Cristo han sido inauguradas, ellos también esperan la ciudad celestial. También ellos son exiliados y extranjeros en un mundo que no los comprende. También ellos esperan el cumplimiento final de las promesas de Dios. También ellos pueden sufrir maltrato, tortura y muerte antes de que llegue la recompensa final. El autor los anima a seguir confiando en Dios hasta que la promesa se haga realidad; deben animarse con el ejemplo de los que les precedieron y no desfallecer en la carrera.

Debe quedar claro, pues, que Hebreos 11 no puede separarse del contexto epistolar más amplio de Hebreos. Solo los que confían en Dios y no retroceden (Heb. 10:38-39) entrarán en la ciudad celestial. La fe continua no se fomenta porque traiga felicidad en el presente o haga la vida más fructífera en el aquí y ahora. La fe es necesaria para recibir la herencia prometida porque descansa en la obra sacerdotal de Cristo para la salvación.

Las dificultades que afrontan los creyentes en su camino se comparan con la disciplina que los padres administran a sus hijos (Heb. 12:5-11). Así también, las tensiones y presiones a las que se enfrentan los creyentes deben ser soportadas porque Dios, como Padre amoroso, los está disciplinando para que sean santos. El aguante se describe como el levantamiento de sus manos cansadas y la consolidación de sus rodillas desplomadas (Heb. 12:12). Deben caminar por sendas rectas y no volver al judaísmo. La santidad no es opcional; es necesaria para ver al Señor en el último día (Heb. 12:14).[127] Por el contrario, un espíritu amargo puede contaminar a muchos (Heb. 12:15). Esaú es puesto como ejemplo de una persona que renunció a su primogenitura y perdió su herencia para siempre (Heb. 12:16-17). Su vida sirve de advertencia a la comunidad.

El autor procede con otra severa advertencia en Hebreos 12:25-29. Los lectores no deben rechazar las palabras de Dios que se dirigen a ellos. De nuevo parece que el juicio con que se amenaza se refiere a la destrucción eterna. Esta vez la advertencia no procede simplemente de la tierra, como en el pacto del Sinaí, sino del cielo. "Dios es un fuego consumidor" que destruirá a quienes no confíen en él y no le obedezcan. Las exhortaciones éticas de Hebreos 13 encarnan la vida de fe. Así lo confirma Hebreos 13:7, donde se exhorta a los lectores a "imitar" la "fe" de sus líderes. Por ello, los lectores no deben dejarse seducir por las normas y rituales del antiguo pacto (Heb. 13:9-12). Los ritos practicados no daban resultados notables en ningún caso.

Además, los creyentes se ven fortalecidos por la gracia de Dios, pues comen en un altar mejor gracias a la expiación lograda por Jesús. Del mismo modo que Jesús sufrió fuera de la puerta de Jerusalén, el autor anima por última vez a los lectores a no apartarse de Jesús (Heb. 13:13-14). Deben salir del

---

[127] Peterson (1982: 151) sostiene acertadamente que la santidad es "la respuesta adecuada a la gracia de Dios". Cf. Lane 1991b: 450-51.

campamento del judaísmo, donde hay aceptación y consuelo, y deben soportar el maltrato, pues la ciudad eterna que ha de venir les pertenece.

Los académicos también han discutido si quienes reciben las advertencias son cristianos. El debate se centra en Hebreos 6:4-6. ¿Son cristianos quienes "fueron una vez iluminados", "probaron del don celestial", "fueron hechos partícipes del Espíritu Santo" y "gustaron la buena palabra de Dios y los poderes del siglo venidero"? Algunos han afirmado que son "casi cristianos",[128] es decir, que se han acercado notablemente a la fe cristiana sin llegar a ser realmente miembros del pueblo de Dios. Han sido iluminados en el sentido de que saben mucho sobre la fe cristiana, pero este conocimiento no les ha llevado a la salvación. Han saboreado y probado el don celestial, pero no lo han ingerido ni lo han hecho suyo. Han tenido experiencias del Espíritu Santo y de dones espirituales, pero el Espíritu no ha habitado en ellos. Incluso han experimentado el deleite de la Palabra de Dios sin llegar a abrazarla verdaderamente. Tal interpretación explica cómo pudieron recaer (Heb. 6:6). Se alejaron porque nunca fueron cristianos. De manera similar, según su punto de vista, en Hebreos 10:29 aquellos de quienes se dice que son "santificados" disfrutan de una limpieza externa (cf. Heb. 9:13-14). No estaban verdaderamente apartados para las cosas de Dios. Los advertidos estuvieron a punto de aceptar la fe cristiana, pero la repudiaron tras las experiencias positivas iniciales.

Esta interpretación tiene sus atractivos, pero no convence.[129] La forma más natural de leer la descripción de los destinatarios es identificarlos como creyentes. En Hebreos 10:32 se repite la palabra "iluminados" (*phōtizō*) de Hebreos 6:4, y claramente se refiere al momento de la conversión de los lectores. Después de su iluminación soportaron con alegría toda clase de sufrimientos e indignidades. Determinar con precisión lo que significa gustar el don celestial es difícil. La metáfora de la degustación se utiliza también para referirse a su experiencia de la Palabra de Dios. En ambos casos, degustar no significa que los lectores se limitaron a probar el don celestial y la Palabra de Dios y los poderes del siglo venidero.

---

[128] Véase Nicole 1975; Grudem 2000. Mathewson (1999), basándose en el trasfondo veterotestamentario, concluye que los lectores no eran verdaderos creyentes.

[129] La mayoría de los comentaristas piensan que los destinatarios son cristianos.

El verbo "gustar" (*geuomai*) se utiliza en Hebreos 2:9 para referirse a la muerte de Jesús. Seguramente el autor no quiso decir que Jesús no experimentó plenamente la muerte. Gustar indica que Jesús experimentó la muerte en toda su plenitud. Del mismo modo, el autor se dirige a los lectores que han ingerido el don celestial y han experimentado los poderes del siglo venidero y el gozo de la Palabra de Dios. Lo más importante es que el autor dice que los lectores "fueron hechos partícipes del Espíritu Santo" (Heb. 6:4). La palabra "participaron" (*metochos*) no denota una experiencia inferior con el Espíritu. Tan solo unos versículos antes se utiliza una forma verbal (*metexchōn*) para referirse a la ingestión de leche (Heb. 5:13). No hay ninguna sugerencia de que la ilustración apunte solo a un sorbo de leche o a una ligera ingestión de la misma.

Así pues, la forma más natural de leer los versículos es entender que el autor está diciendo que los lectores han recibido el Espíritu Santo. La recepción del Espíritu Santo es el sello distintivo del cristiano. La presencia del Espíritu indicaba que los gálatas no necesitaban circuncidarse (Gl. 3:1-5). Del mismo modo, Pedro concluyó que Cornelio y los suyos debían ser bautizados porque habían recibido el Espíritu Santo (Hch. 10:44-48; 11:15-17). Al decir que los lectores eran partícipes del Espíritu, el autor los identifica como cristianos. El mismo argumento se aplica a Hebreos 10:29, donde se dice que los destinatarios están "santificados" por "la sangre del pacto". No se puede decir que la santificación aquí es meramente externa o ceremonial, porque la sangre en cuestión aquí es la sangre de Jesús. Los sacrificios del Antiguo Testamento solo purifican externa y exteriormente, pero la sangre de Cristo limpia la conciencia y es efectiva, en contraste con los sacrificios ofrecidos bajo el antiguo pacto. El autor no da ninguna indicación de que se dirija a "casi cristianos".

Se puede presentar un argumento aún más decisivo para apoyar una referencia a los cristianos. Hemos señalado que todos los pasajes de advertencia deben interpretarse conjuntamente. No pueden separarse unos de otros, de tal manera que Hebreos 6 se interprete aisladamente de los demás textos de advertencia. Todas las advertencias juntas apuntan a lo mismo: no te apartes de Jesús y de su expiación, o serás destruido; sigue confiando en Dios hasta el final. La primera advertencia deja muy claro que el autor se dirige tanto a sí mismo como a sus lectores. Declara (con cursivas que he añadido para mayor énfasis) que "debe*mos* prestar mucha mayor atención a lo que he*mos* oído, no sea que *nos* desvie*mos*" (Heb. 2:1); pregunta: "¿Cómo escapare*mos nosotros* si descuida*mos* una salvación tan grande?" (Heb. 2:3). Es evidente que la advertencia se dirige a todos los lectores, no solo a algunos de ellos. Es difícil creer que Hebreos 6:4-6 deba interpretarse de otro modo. Lo mismo puede decirse de la advertencia de Hebreos 3:12-4:13, pues el escritor se dirige directamente a los lectores: "Si ustedes oyen hoy Su voz, no endurezcan sus corazones" (Heb. 3:7-8; cf. 3:15; 4:7).

La advertencia se dirige personalmente a los lectores en Hebreos 3:12: "Tengan cuidado, hermanos, no sea que en alguno de ustedes haya un corazón malo de incredulidad, para apartarse del Dios vivo". La palabra "hermanos" alude directamente a los creyentes. El autor amplía la advertencia para incluirse a sí mismo en Hebreos 3:14, diciendo que "somos hechos partícipes de Cristo, si es que retenemos firme hasta el fin el principio de nuestra seguridad". La cláusula "si" lleva implícita una condición, y el autor la aplica a sí mismo y a toda la iglesia. La primera persona del plural también da comienzo a Hebreos 4:1, "temamos" (NIV), aunque el autor cambia a la segunda persona del plural ("alguno de ustedes") al final del versículo.

La advertencia concluye también con una primera persona del plural: "Por tanto, esforcémonos por entrar en ese reposo" (Heb. 4:11). Puesto que la advertencia se dirige claramente a toda la comunidad en Hebreos 2:1-4 y Heb. 3:12-4:13, es poco probable que Hebreos 5:11-6:12 deba interpretarse de otro modo. Los restantes textos de advertencia también contienen plurales de primera persona: "Mantengamos firme la profesión de nuestra esperanza" (Heb. 10:23); "si continuamos pecando deliberadamente" (Heb. 10:26 [cf. 12:1]); "salgamos a Su encuentro fuera del campamento" (Heb. 13:13). Las exhortaciones también parecen dirigirse a la iglesia en su conjunto en segunda persona del plural (Heb. 10:35; 12:7, 12-13, 25; 13:9). Las advertencias de Hebreos 6 se dirigen a toda la iglesia, incluido el propio autor, y funciona del mismo modo que los demás pasajes de advertencia de Hebreos.

Los pasajes de advertencia son controvertidos en otro aspecto de la historia de la iglesia. ¿Enseñan que los creyentes genuinos pueden perderse irremediablemente de modo que sean condenados en el juicio final? En la historia de la iglesia primitiva, algunos entendían que cualquier pecado postbautismal grave (por ejemplo, el asesinato y el adulterio) impedía la futura entrada en el reino. Esta interpretación no tiene en cuenta que el pecado que conduce al juicio irrevocable, según Hebreos, es la apostasía, por la que se abandona la expiación proporcionada por Cristo. Sin embargo, está claro que los primeros intérpretes creían que la apostasía era posible. La mayoría de los estudiosos de Hebreos están de acuerdo en que el autor amenaza a los lectores con un juicio escatológico si se apartan del evangelio.[130] La amenaza, se argumenta, sería superflua si tal apostasía fuera imposible, y además el autor tenía en mente ejemplos de quienes habían cometido tal apostasía, como la generación del desierto de Israel (Heb. 3:7-4:13) o Esaú (Heb. 12:16-17).

Algunos han sostenido que estos versículos se dirigen a los creyentes, pero que el castigo amenazado se refiere a la pérdida de recompensas y no a la destrucción escatológica. He argumentado anteriormente que las amenazas son de tal naturaleza que el castigo descrito no puede limitarse a la pérdida de recompensas. Otros, como hemos señalado anteriormente, argumentan que aquellos que son advertidos son "casi cristianos". Por lo tanto, los que se apartan no eran creyentes genuinos, sino que solo aparentaban ser cristianos. El problema con este punto de vista, como se señala a menudo, es que no hay evidencia, tal como hemos visto, de que los lectores sean descritos como "casi cristianos". No podemos separar las advertencias de Hebreos 6 del resto de la carta, y en otras partes los lectores son ciertamente descritos como creyentes.

Sugiero una respuesta diferente a la controversia.[131] El autor de Hebreos escribe para advertir a los miembros de la iglesia que no se aparten. Su propósito no es responder a la pregunta: "¿Eran verdaderos cristianos los que se apartaron?". No mira retrospectivamente para evaluar el estado de los que se han apartado de la fe cristiana. La intención de la carta es muy distinta. El autor se dirige a miembros de la iglesia que sintieron la tentación de volver al judaísmo para evitar la discriminación y la persecución. No echa la vista atrás, contemplando el estado de los que han recaído y preguntándose si alguna vez fueron auténticos creyentes. Él camina hacia adelante, instando a sus lectores a adherirse al evangelio y continuar en la fe hasta el regreso de Jesucristo.

Las advertencias son *prospectivas*, diseñadas para evitar que los lectores se alejen del evangelio que abrazaron. Ciertamente, el autor espera que sus

---

[130] Véase, por ejemplo, Attridge 1989: 167; Lane 1991a: 146.

[131] Para una exposición más completa de la solución aquí propuesta, véase Schreiner y Caneday 2001.

advertencias funcionen como uno de los medios por los que se impedirá que los lectores apostaten. El autor no afirma que alguno de sus lectores haya cometido apostasía. Escribe para que no se aparten de la buena nueva en la que creyeron inicialmente. Malinterpretamos Hebreos cuando nos hacemos la pregunta: "¿Pueden apostatar los cristianos verdaderos?". Hacer la pregunta equivocada puede enmarcar la discusión de manera que se dé una perspectiva errónea de lo que dice el autor. El autor no aborda específicamente la cuestión de si los cristianos pueden cometer apostasía; más bien, escribe severas advertencias para que eviten la apostasía. Pero seguramente, se podría objetar, el escritor era consciente de los que se habían apartado de la fe cristiana. En cuanto al antiguo pacto, menciona a Israel en el desierto (Heb. 3:7-4:13) y la desviación de Esaú (Heb. 12:16-17).[132]

No hay duda de que el escritor estaba familiarizado con algunos que se habían apartado de la fe cristiana. Sin embargo, lo importante aquí es que no aborda esa cuestión de forma específica. Hay algunos indicios de que los creyentes tienen cierta esperanza que es irrevocable (p. ej., Heb. 6:13-20; 10:14). El autor actúa como un pastor, advirtiendo a sus lectores que no se aparten de Jesucristo y de la expiación que ha proporcionado.[133] Pero también es optimista en cuanto a que sus advertencias tendrán éxito (Heb. 6:9-12), pues también sabe que las promesas de Dios son seguras, como un ancla, y que proporcionan una esperanza que llega hasta el interior del velo (Heb. 6:13-20). Por tanto, parece creer que las advertencias serán en realidad un medio por el que sus lectores perseverarán y estarán seguros de su salvación.

La importancia de la obediencia y la perseverancia se entreteje a lo largo de toda la carta a los Hebreos, pues los lectores sintieron la tentación de recaer en las prácticas judías para evitar la discriminación y la persecución. Para el autor, volver al judaísmo no es un asunto trivial, pues lo considera un repudio de la cruz y una negación del evangelio. Los que no perseveren en la fe cristiana y vuelvan al judaísmo se enfrentarán a la destrucción eterna. Algunos en la historia de la interpretación han entendido Hebreos más rigurosamente de lo que pretende el autor. No amenaza con juicio por ningún pecado

---

[132] Los casos de apostasía de Israel y Esaú no funcionan como un paralelismo preciso, ya que en ambos casos no está claro que los que apostataron fueran receptores de la gracia transformadora antes de la apostasía.

[133] Peterson (1982: 183) sostiene que algunos que parecían creyentes mostrarían ser falsos si apostatan.

postbautismal significativo. No debemos interpretarlo como si dijera que los que asesinan o cometen adulterio después de la conversión están necesariamente condenados, por graves que sean esos pecados.[134]

La ira de Dios está reservada para los que niegan el evangelio de Cristo, porque ya no dependen de la muerte de Jesús para el perdón de sus pecados. No hay expiación del pecado para quienes se apartan de la única base de la expiación. El llamado a la perseverancia, como lo aclara todo Hebreos, es un llamado a la fe. Los que perseveran hasta el fin ponen su fe en la muerte de Jesucristo para el perdón de sus pecados. Profesan que su única esperanza en el día del juicio es la purificación realizada por Cristo como sacerdote melquisedéquico. Solo aquellos que continúan confiando en Dios en el futuro, permaneciendo dentro de la iglesia cristiana, revelan que han encontrado en Jesucristo el perdón final de los pecados.

Santiago

Santiago subraya claramente que las buenas obras son necesarias para evitar el juicio final. En la introducción de la carta, exhorta a los creyentes a soportar las dificultades (Stg. 1:2-4). Esa resistencia conducirá en última instancia a la perfección moral: "para que sean perfectos y completos, sin que nada les falte" (Stg. 1:4).[135] Esa perfección moral no puede obtenerse en esta vida y, de hecho, Santiago señala que "todos fallamos de muchas maneras" (Stg. 3:2). Aquí "fallar" (*ptaiō*) debería definirse como "pecar", como lo confirma el uso del mismo término en Santiago 2:10.

Por lo tanto, la perfección moral prometida por Santiago debe ser escatológica, y sin embargo los versículos también sugieren que los creyentes crecen progresivamente en piedad durante esta vida. Soportar las pruebas de un modo que agrade a Dios no es opcional para Santiago, pues quienes lo hagan recibirán "la corona de la vida" (Stg. 1:12). La "corona de la vida" se refiere a la vida eterna misma; el genitivo es aposicional, de modo que

---

[134] Para una breve historia de la interpretación junto con paralelos en la literatura contemporánea a Hebreos, véase Attridge 1989: 168-69.

[135] En apoyo de la idea de que teleioi se refiere aquí a la perfección moral, véase Moo 2000: 56. Moo señala que se trata del resultado final del proceso de pruebas, lo que sugiere que la madurez no es otra cosa que la perfección (cf. Mt. 5:48). Véase también L. Johnson 1995: 178-79. La discusión en Laws 1980: 53-54 es menos satisfactoria.

Santiago se refiere a la corona que es la vida.[136] Así pues, Santiago no se refiere a una recompensa que esté por encima o más allá de la vida eterna. Solo los que perseveren en las dificultades de la vida recibirán la vida escatológica en el último día.

Del mismo modo, "practicar la palabra" es necesario para recibir la bendición escatológica (cf. Stg. 1:25), al igual que perseverar es una condición para obtener esta bendición (cf. St 1:12). Los que no practican la palabra del evangelio "se engañan a sí mismos" (Stg. 1:22 NRSV), lo que presumiblemente significa que se engañan a sí mismos en cuanto afirman ser cristianos. Es el que "persevera" (*parameinas* [Stg. 1:25]) el que encontrará bendición en el último día. La palabra del evangelio "implantada" en el corazón debe obedecerse para que uno sea salvo en el último día (Stg. 1:21).[137] Si el discurso de los creyentes vomita maldad, se pone en duda si son un manantial fresco o un árbol que da el fruto adecuado (Stg. 3:11-12).

La ilustración del árbol se hace eco de la enseñanza de Jesús sobre ser un buen árbol (Mt. 12:33; par.), mostrando que la cuestión fundamental no son las buenas obras, sino qué clase de árbol se es. La prueba de la verdadera sabiduría no es la capacidad intelectual, sino que la sabiduría se manifiesta en un comportamiento recto y bueno (Stg. 3:13-18). Los que están llenos de envidia, rivalidad y autopromoción carecen de sabiduría, mientras que los que son amables, pacíficos, bondadosos y misericordiosos son sabios. Santiago sugiere que los que carecen de sabiduría no son auténticos creyentes; son "terrenales, naturales, demoníacos" (*epigeios*, *psychikē*, *daimoniōdēs* [Stg. 3:15]). El buen fruto funciona como la evidencia de la vida espiritual.

Los creyentes deben humillarse ante Dios (Stg. 4:6, 10), someterse a su gobierno y huir del diablo (Stg. 4:7). Deben acercarse a Dios y purificarse del pecado (Stg. 4:8). Deben desistir de juzgarse unos a otros (Stg. 4:11-12) y esperar pacientemente el regreso del Señor (Stg. 5:7-10). La parcialidad hacia

---

[136] Justamente Laws 1980: 68; Davids 1982: 80. Moo (2000: 70-71) toma el genitivo como aposicional, pero en su discusión parece sugerir erróneamente que la recompensa es algo más allá de la vida eterna misma.

NRSV New Revised Standard Version

[137] Correctamente Davids 1982: 95; Moo 2000: 88. Laato (1997: 53) niega esto porque piensa que sugiere una justicia por obras, pero disuelve la tensión entre el indicativo y el imperativo y no ve que, aunque el primero asegura el segundo, los escritores bíblicos siguen insistiendo en la necesidad de realizar el imperativo. Laato concluye, con razón, que el fracaso en la realización de las buenas obras demuestra que, después de todo, no ha tenido lugar la nueva creación.

los ricos no concuerda con el amor que debe caracterizar a los creyentes en Jesucristo (Stg. 2:1-13). A Santiago le preocupa bastante que los creyentes adulen a los ricos para garantizar su propia seguridad y comodidad. Para Santiago, el término "rico" (*plousios*) equivale básicamente a "incrédulo".[138] Los ricos maltratan a los creyentes, los llevan a los tribunales y ultrajan el nombre de Jesús (Stg. 2:6-7), mientras que Dios ha "escogió Dios a los pobres de este mundo para ser ricos en fe" (Stg. 2:5).

Santiago no enseña que los pobres pertenezcan automáticamente al pueblo de Dios. Deben ser "ricos en fe" (Stg. 2:5), y es de suponer que los que tienen una buena posición económica también podrían pertenecer al pueblo de Dios si su dinero se gastara por el bien del reino. Es el "hermano" pobre (*adelphos*) el que será exaltado con la vida en el siglo venidero (Stg. 1:9). Santiago no utiliza la palabra "hermano" cuando se dirige a los ricos. En lugar de ello, utiliza la ironía, declarando que deben vanagloriarse de su humillación escatológica. Santiago no se limita a hablar de la pérdida de sus riquezas, como si su humillación se limitara al despojo de las riquezas de este tiempo. Concluye diciendo que los propios ricos "se marchitarán" (Stg. 1:11). Los que son ricos y no confían en Dios se enfrentarán al juicio escatológico y a la destrucción, igual que el sol quema las hermosas flores que florecen en los campos. Los ricos serán juzgados en el último día por oprimir a sus trabajadores (Stg. 5:1-6), y los placeres y tesoros de esta vida no servirán de nada en el juicio. Tampoco hay lugar para una falsa confianza en el propio futuro financiero, que conduce a afirmaciones confiadas sobre las ganancias futuras (Stg. 4:13-17). Todo éxito financiero depende de la voluntad del Señor, y la vida humana es una brizna que se desvanece con el soplo del viento.

No debería tratarse con parcialidad a los ricos, porque los que muestran parcialidad se enfrentarán al juicio si no muestran misericordia hacia los pobres y complacen a los ricos (Stg. 2:13). Cuando Santiago dice que "la misericordia triunfa sobre el juicio" (Stg. 2:13), no quiere decir en el contexto que la misericordia de Dios hacia los seres humanos, a pesar de su pecaminosidad, triunfa sobre el juicio, de modo que escaparán al juicio aunque lo merezcan. Más bien, su argumento es que, si los creyentes muestran

---

138 Para este punto de vista, véase R. Martin 1988: 25-26; Davids 1982: 76-77; Laws 1980: 62-64. Moo (2000: 66-67) parece inclinarse ligeramente por ver a los ricos como creyentes, mientras que L. Johnson (1995: 190-91) se inclina por verlos como incrédulos.

misericordia a los demás, especialmente a los pobres y oprimidos, entonces escaparán al juicio de Dios en el último día.[139] Esta es la versión de Santiago de la afirmación de Jesús según la cual hay que ser misericordioso para obtener misericordia (Mt. 5:7) y perdonar para recibir el perdón (Mt. 6:14-15 par.; 18:21-35). Una vez más vemos que Santiago insiste en que hay que obedecer a Dios para recibir la recompensa escatológica.

La necesidad de obediencia nos lleva a la famosa discusión de Santiago sobre la fe y las obras en Santiago 2:14-26.[140] Muchos eruditos afirman que Santiago contradice el punto de vista paulino de la justificación por la fe aparte de las obras.[141] Los argumentos que apoyan una contradicción son bastante impresionantes:[142] (1) Santiago niega específicamente que la justificación sea solo por la fe (Stg. 2:24), mientras que Pablo da a entender claramente que los creyentes son justificados solo por la fe (Ro. 3:28);[143] (2) Pablo afirma que Abraham fue justificado por la fe, pero Santiago afirma que fue justificado por las obras al sacrificar a Isaac (Ro. 4:1-8; Gl. 3:6-9; Stg. 2:21); (3) Pablo apela a Génesis 15:6 para apoyar el hecho de que Abraham fue justificado por la fe aparte de las obras (Ro. 4:3; Gl. 3:6), pero Santiago cita el mismo versículo del Génesis para fundamentar la justificación por las obras (Stg. 2:23). Los argumentos a favor de una contradicción entre Pablo y Santiago son ciertamente llamativos, pero más adelante defenderé que es más probable que Santiago esté respondiendo a una distorsión de la enseñanza paulina en la que se defendía un estilo de vida antinomiano tergiversando lo que Pablo enseñaba sobre la justificación.[144]

Se han sugerido varias soluciones para reconciliar la discrepancia entre Pablo y Santiago. Una de ellas es que Santiago y Pablo se refieren a cosas

---

[139] Acertadamente Moo 2000: 118; Davids 1982: 119; Laws 1980: 117-18 (aunque, contra Laws, aquí no hay noción de mérito).

[140] Para una breve historia de la interpretación, véase R. Martin 1988: 82-84.

[141] Hengel 1987 representa este punto de vista.

[142] Chester (1994: 20-28, 46-53) no afirma que exista una contradicción, pero se muestra reacio a proponer una solución y dice que debemos contentarnos con la tensión.

[143] Lutero argumentó acertadamente que Romanos 3:28 enseña que la justificación es solo por la fe. Fitzmyer (1993d: 360-62), uno de los biblistas católicos romanos preeminentes de nuestro tiempo, coincide en que Romanos 3:28 implica que la justificación es solo por la fe.

[144] Acertadamente Laws 1980: 15-18, 131-32; L. Johnson 1995: 64. Contra Davids 1982: 20-21. O Bauckham (1999b: 119, 131-35) puede estar en lo cierto al sugerir que no tenemos respuesta alguna a Pablo porque no se mencionan asuntos como las leyes de pureza y la circuncisión.

diferentes cuando usan la palabra "obras" (*erga*). Históricamente, los intérpretes católicos romanos han sugerido que Pablo excluye que las obras ceremoniales desempeñen un papel en la justificación, mientras que Santiago se refiere aquí a las obras morales.[145] Los reformadores, por supuesto, discreparon enérgicamente de la interpretación católica romana, manteniendo que en Pablo las obras no podían limitarse a ceremonias como la circuncisión o la observancia de los días.

Curiosamente, la nueva perspectiva de Pablo suele identificar las obras que Pablo descarta para la justificación como aquellas que erigen barreras entre judíos y gentiles, de modo que el foco de atención se centra en la circuncisión, las leyes alimentarias y el sábado. Obviamente, los que apoyan la nueva perspectiva parten de un lugar diferente al de la erudición católica romana del siglo XVI y, sin embargo, las interpretaciones comparten una fascinante convergencia en este punto concreto. Como ya he dicho, la solución de la nueva perspectiva falla porque no es evidente que Pablo restrinja las "obras de la ley" u "obras" a las obras ceremoniales o a las leyes que dividen a los judíos de los gentiles. Por tanto, no parece evidente que Pablo y Santiago utilicen el término "obras" en un sentido diferente.[146] Rainbow sugiere que Pablo descarta las obras realizadas antes de la conversión, mientras que Santiago se centra en las obras posteriores a la conversión.[147] Esto no implica, sin embargo, que las obras posteriores a la conversión sean perfectas o que por sí mismas garanticen la justificación ante Dios, ya que Santiago reconoce libremente que, incluso como creyentes, todos pecamos de muchas maneras (Stg. 3:2).

En todo caso, lo que sí es probable es que Pablo y Santiago utilicen el término "justificar" (*dikaioō*) con matices diferentes.[148] Ya he argumentado

---

[145] Jeremias (1954-1955: 370) adopta una variante de este punto de vista, aunque es evidente que no suscribe los puntos de vista católicos romanos. L. Johnson (1995: 62) promueve este punto de vista, argumentando que en Pablo las obras de la ley se refieren a la circuncisión y a la ley ritual. También Davids 1982: 50-51. Davids (1982: 50) dice (erróneamente, en mi opinión) que las obras en Pablo "nunca son prescripciones morales, sino ritos ceremoniales añadidos a la obra de Cristo".

[146] Para la idea de que Santiago piensa en las obras en un sentido amplio, véase Moo 2000: 122-23.

[147] Rainbow 2005: 216-17.

[148] Jeremias (1954-1955: 370-71) sostiene que en Pablo *dikaioō* es normalmente sintético, en el sentido de que Dios añade a los impíos algo de lo que no gozan: la justicia. En Santiago, en cambio, *dikaioō* es analítico, de modo que en el juicio final Dios reconoce la justicia existente ahora.

antes, siguiendo a Westerholm, que Pablo utiliza la palabra *dikaioō* para referirse a una justicia extraordinaria, una justicia otorgada a los impíos. Pablo insiste escandalosamente en que son los impíos los que son declarados justos en virtud de la justicia de Cristo. Santiago, por otro lado, usa el verbo *dikaioō* para referirse a la justicia ordinaria; es decir, Dios declara justos ante él a los que hacen buenas obras. De ahí que Davids y otros no convenzan cuando sostienen que en Santiago *dikaioō* significa "probado justo" o "demostrado como justo".[149] En Santiago el término significa "declarar justo", pero en contraste con Pablo, la palabra se usa en su sentido ordinario, en el sentido de que Dios declara justos a los que obedecen.

A menudo, el punto de vista de los reformadores se entiende como que los seres humanos demuestran ser justos (cf. Mt. 11:19b; Lc. 7:35) ante otras personas por sus obras, pero no son declarados justos ante Dios por sus obras.[150] Esta solución es bastante atractiva, y resuelve satisfactoriamente la supuesta contradicción entre Pablo y Santiago. Sin embargo, es dudoso que tal punto de vista se ocupe satisfactoriamente de la evidencia. Como argumenté anteriormente, es correcto decir que Pablo usa el término *dikaioō* para decir "declarado justo". Lo que es menos convincente es afirmar que Santiago usa el término para significar "probado como justo" o "mostrado como justo". El término *dikaioō* puede tener este significado en Lucas 7:35, pero tal definición sería bastante inusual. Además, en un contexto que discute la fe, las obras y la justificación necesitamos una buena evidencia contextual para asignar un significado diferente a la palabra "justificar". Asignar a la palabra "justificar" el significado de "declarar justo" encaja con su significado típico, y tiene mucho sentido en el contexto de Santiago.

Parece que tanto Santiago como Pablo usan la palabra "justificar" soteriológicamente, pero Pablo usa la palabra en un sentido inusual en el que piensa en Dios declarando justos a los que son injustos. Santiago, por su parte, subraya que Dios declara justos a los que son justos, aunque, como argumentaré en breve, de ello no se sigue que Santiago y Pablo se contradigan en última instancia. El contexto soteriológico en Santiago es evidente, pues se pregunta si una fe sin obras puede "salvar" (*sōzō* [Stg. 2:14]). La palabra

---

[149] Davids 1982: 51, 127. En contra de este punto de vista, véase Moo 2000: 134-35.
[150] Sproul 1995: 166. Véase también la cita de Calvino en este sentido en Sproul 1995: 167. Yo sostendría que, aunque Calvino está equivocado en este punto concreto, su lectura de Santiago coincide sustancialmente con lo que se argumenta aquí.

"salvar" se refiere casi con seguridad a la liberación de la ira de Dios en el día en que el Señor regrese (cf. Stg. 5:7-9), que es el mismo significado que tiene a menudo en los escritos de Pablo.[151] Tanto "salvar" como "justificar", por tanto, se refieren a la posición de uno ante Dios, no a la opinión de los seres humanos. Santiago apela a Génesis para apoyar la necesidad de las obras (Stg. 2:21), y no hay ninguna sugerencia en ese capítulo de que el sacrificio de Isaac se ordenara para que otras personas elogiaran a Abraham. En Génesis, Dios afirma que ahora sabe que Abraham le teme por la disposición de Abraham a sacrificar a su hijo (Gn. 22:12), y confirma la bendición dada a Abraham por la obediencia que este le rindió (Gn. 22:18). Ver aquí una referencia a la justicia ante los ojos de los seres humanos no explica bien ni Santiago ni Génesis 22.[152]

Si Santiago usa *dikaioō* para referirse a una declaración de justicia en virtud de las obras, mientras que Pablo usa el término *dikaioō* de una forma inusual para referirse al don de la justicia concedido a los impíos, entonces, ¿se contradicen Santiago y Pablo? Otra solución propuesta es que Santiago difiere de Pablo porque usa el término para referirse a la justificación escatológica, el pronunciamiento que se hará en el último día.[153] Tal lectura nos acerca a la resolución de las diferencias entre Pablo y Santiago, pero todavía no lo consigue del todo. El término "justificar" es escatológico en Pablo, en el sentido de que se refiere al juicio final que ha sido anunciado de antemano. Pablo, por supuesto, hace hincapié en que los creyentes *ya* están justificados por la fe (Ro. 5:1). El veredicto final ya pertenece a los creyentes que están en Cristo Jesús (Ro. 8:1). Es importante añadir en este punto que Santiago probablemente utiliza la palabra "salvar" para referirse a la liberación escatológica (Stg. 1:21; 2:14; 4:12; 5:20).[154]

---

[151] La naturaleza escatológica de la salvación se observa en Laato 1997: 65.

[152] Radmacher (1990) propone una solución aún más improbable. Sostiene que Santiago no se refiere a una fe que salva de la ira escatológica de Dios, ni la justificación se refiere a la posición correcta ante Dios. En cambio, Santiago se refiere a una fe que da a uno una vida feliz y fructífera en la tierra, y por lo tanto la fe que tiene como fruto las obras es totalmente innecesaria para la salvación en el último día. El problema con el punto de vista de Radmacher es que tiene que plantear definiciones para *sōzō* y *dikaioō* que no encajan con el resto del NT, ni cuadran con el resto de Santiago.

[153] Véase Rainbow 2005: 217. Moo (2000: 138-39) sostiene que el momento de la justificación no es resuelto por Santiago en Santiago 2:23, donde se usa el sustantivo *dikaiosynē*, pero Moo (2000: 134-35, 141-42) también afirma que el verbo *dikaioō* (Stg. 2:21, 24, 25) se refiere solo al juicio final.

[154] Quizá Santiago 5:15 también debería incluirse en esta categoría.

Sin embargo, no hay pruebas de que Santiago y Pablo utilicen el verbo "justificar" (*dikaioō*) de forma diferente en este sentido. Podemos estar de acuerdo en que "justificar" es escatológico en el sentido de que representa el veredicto de Dios pronunciado en el día del juicio. Sin embargo, Santiago subraya que este veredicto ya ha sido pronunciado en la historia, al igual que Pablo. La forma más natural de leer Santiago 2:21 es concluir que Abraham fue "justificado por las obras *cuando* ofreció a su hijo Isaac sobre el altar" (cursiva añadida).[155] Se podría argumentar que el participio debería traducirse como causal, pero, aun así, el aoristo pasivo "fue justificado" (*edikaiōthē*) parece apuntar a una justificación que perteneció a Abraham *en la historia*. Del mismo modo, Rahab fue declarada justa por las obras "cuando recibió a los mensajeros y los envió por otro camino" (Stg. 2:25). Además, el hecho de que Abraham fuera considerado justo parece estar relacionado con la ofrenda de Isaac (Stg. 2:21-23) y no está reservado únicamente para el día del juicio. Santiago parece utilizar la palabra "justificar" dentro del mismo marco temporal que Pablo, refiriéndose al veredicto final de Dios que ya ha sido anunciado de antemano.

He argumentado que Santiago y Pablo utilizan el término *dikaioō* con un matiz diferente: Santiago para referirse a la declaración ordinaria de justicia pronunciada en virtud de las obras realizadas, y Pablo al veredicto extraordinario de Dios de que los impíos que confían en Cristo son justos. Sin embargo, de ello no se deduce que Santiago y Pablo se contradigan en última instancia. Debemos reconocer que abordan situaciones y circunstancias diferentes, y esas situaciones deben tenerse en cuenta a la hora de comprender las posturas de Pablo y Santiago en relación con la justificación. De hecho, nos encaminamos a resolver la tensión entre Santiago y Pablo al ver cómo ambos utilizan el término "fe" (*pistis*).[156] Cuando Santiago dice que la fe por sí sola no justifica, la fe se refiere aquí al mero asentimiento intelectual. Por ejemplo, los demonios afirman el monoteísmo, pero esa "fe" no es un asentimiento sincero y alegre que lleve a los demonios a abrazar a Jesucristo como Señor y Salvador.

---

[155] Véase la crítica de Moo en Gathercole 2003: 117.

[156] La mayoría de los comentaristas coinciden en este punto. Véase, por ejemplo, Jeremias 1954-1955: 370. Véase también Moo 2000: 130-31.

Por el contrario, la fe de los demonios es teológicamente ortodoxa, pero los lleva a estremecerse porque temen el juicio (Stg. 2:19).[157] La fe que salva, según Pablo, abraza a Jesucristo como Salvador y Señor, poniendo la propia vida enteramente en sus manos. Santiago critica aquella "fe" que concuerda teóricamente con el evangelio, pero no se aferra a toda la persona.[158] En otras palabras, Santiago no está en desacuerdo con la afirmación de Pablo de que solo la fe justifica, pero define cuidadosamente el tipo de fe que justifica. La fe que realmente justifica nunca puede separarse de las obras. Las obras fluirán inevitablemente como fruto de esa fe.

La fe que se limita a aceptar intelectualmente las doctrinas, pero no conduce a una vida transformada, está "muerta" (Stg. 2:17, 26) y es "estéril" (Stg. 2:20). Tal fe no "aprovecha" (*ophelos* [Stg. 2:14, 16 RSV]) en el sentido de que no le libra a uno del juicio en el último día. Los que tienen una fe muerta y estéril no escaparán al juicio. La verdadera fe se demuestra con las obras (Stg. 2:18). Santiago no niega que la fe por sí sola salva, pero es la fe la que produce (*synergeō*) obras y se completa (*teleioō*) por las obras (Stg. 2:22). La fe que salva es viva, activa y dinámica. Debe producir obras, del mismo modo que la compasión por los pobres implica inevitablemente que uno se ocupe prácticamente de sus necesidades físicas (Stg. 2:15-16).[159]

En realidad, Santiago y Pablo no se contradicen en cuanto al papel de la fe y las obras en la justificación. Santiago también afirma que la fe es la raíz y las

---

[157] Rainbow (2005: 221) argumenta en contra de lo que se dice aquí, pero no observa que los demonios, aunque creen, no hacen las buenas obras necesarias, de modo que el problema que Santiago encuentra con aquellos a los que critica es el mismo problema que tienen los demonios: creencia nocional sin acciones consecuentes. Sorprendentemente, Rainbow (2005: 218-23) no ve el vínculo vital entre la fe y las obras en Santiago, y por eso rechaza lo que se argumenta aquí, aunque la solución que propongo parece encajar con lo que argumenta en otras partes de su libro. De hecho, algunos de los comentarios de Rainbow, incluso en las páginas señaladas, indican que las obras que se contemplan en Santiago son el resultado de la fe. Véanse las útiles formulaciones en Rainbow 2005: 226-27. Nótese especialmente: "Las obras son ciertamente la evidencia de la fe (Stg 2:18b), no en el sentido de que sean signos externos prescindibles de una realidad interna que podría existir sin ellas, sino en el sentido de que lo interno y lo externo juntos constituyen la realidad. Sin ser puesta en práctica, la fe por sí sola se muestra incompleta o irreal" (Rainbow 2005: 226).

[158] Correctamente: Davids 1982: 50.

RSV Revised Standard Version

[159] Gathercole (2003: 117-18) sostiene que Santiago 2:24 indica que las obras son también un medio de justificación.

obras son el fruto.[160] La situación que aborda Santiago es distinta de la de Pablo, ya que este último niega que las obras puedan funcionar como base de una relación correcta con Dios. La relación correcta con Dios se obtiene solo por la fe. Pablo responde a los que intentaban entablar una relación correcta con Dios sobre la base de las obras, argumentando que, sorprendentemente, Dios declara justos a los que carecen de toda justicia si ponen su fe en Cristo para la salvación. Santiago rebate a los que piensan que una relación correcta con Dios es genuina si hay una fe carente de obras subsiguientes. Santiago contempla el pronunciamiento de Dios sobre la justicia desde otro ángulo: no como la base fundamental de la relación con Dios, sino como el resultado de la fe. A lo que Santiago responde es al antinomianismo, mientras que Pablo reacciona contra el legalismo.[161]

Por supuesto, hay que matizar los comentarios anteriores. Como he argumentado antes, en algunos contextos Pablo también hace hincapié en que las buenas obras son fruto de la fe[162] y son necesarias para la justificación (p. ej., Ro. 2:13; 4:17-22).[163] El propósito de Santiago en su conjunto, como se desprende de toda esta discusión, es hacer hincapié en que las buenas obras son necesarias para la salvación. Al parecer, su carta responde a una situación en la que se toleraba la laxitud moral. Sin embargo, no debe pensarse que Santiago enseña que los creyentes pueden obtener la salvación a base de buenas obras. Las obras justas son fruto de la fe.[164] Santiago reconoce que todos los creyentes pecan de muchas maneras (Stg. 3:2), y que incluso un solo pecado convierte en infractor de la ley a quien lo comete (Stg. 2:10-11).

Por ser pecadores, los seres humanos carecen de la capacidad de realizar las obras necesarias para merecer la justificación. Son salvados por la gracia de Dios, que en su bondad y generosidad concedió a los creyentes una vida

---

[160] Para esta observación, véase también Laato (1997: 87), quien argumenta que Santiago difiere del judaísmo al rechazar la capacidad nativa de la voluntad humana y enfatiza en cambio la obra de Dios. Laato (1997: 69) observa: "Las buenas obras ponen en práctica posteriormente la naturaleza viva de la fe". Laato (1997: 70) también señala que la fe "solo posteriormente (pero sin embargo inevitablemente) dará fruto". Véanse también las útiles reflexiones en Bauckham 1999b: 120-27. Contra Mussner (1964: 151), que sostiene que las obras dan vida a la fe.

[161] Jeremias (1954-1955: 370) observa con razón que Santiago lucha en un "campo de batalla" diferente.

[162] Véase también Laato 1997: 72.

[163] Sobre el papel de Romanos 4:17-22, véase Laato 1997: 76.

[164] Laato (1997: 71) habla con razón de "la prioridad de la fe".

nueva (Stg. 1:18). Incluso la fe es un don de Dios, que eligió a algunos "ricos en fe y herederos del reino" (Stg. 2:5). Lo que Santiago recalca es que esa fe debe manifestarse siempre en buenas obras si es una fe auténtica, pero esas buenas obras distan mucho de ser perfectas, como aclara Santiago 3:2. Kierkegaard capta de forma memorable la intención de Santiago: "Es como si un niño hiciera un regalo a sus padres, comprado, no obstante, con el dinero que el niño ha recibido de sus padres. Toda la pretenciosidad que de otro modo se asocia con dar un regalo desaparece, ya que el niño ha recibido de sus padres el regalo que él mismo les da".[165]

Parece, pues, que Pablo y Santiago no se contradicen, aunque se refieran a circunstancias diferentes. Ambos afirman la prioridad de la fe en la justificación, y ambos afirman también que las buenas obras son fruto de la fe, pero no son la base de la justificación. Por tanto, lo que Santiago enseña encaja con la enseñanza de Pablo y con lo que hemos visto en otras partes del Nuevo Testamento.

1 Pedro

Pedro escribe a iglesias que afrontan sufrimientos, animándolas a estar "firmes" en la gracia de Dios (1 P. 5:12).[166] Muchos académicos opinan que esta admonición resume el mensaje de toda la carta.[167] Por un lado, se exhorta a los creyentes a mantenerse firmes y fieles al evangelio; por otro, solo la gracia de Dios les concede la capacidad de resistir y perseverar hasta el final. La carta está impregnada de amonestaciones éticas. Los creyentes deben poner su esperanza en la gracia que recibirán cuando Cristo regrese (1 P. 1:13), vivir santamente (1 P. 1:15-16), amarse unos a otros (1 P. 1:22; 4:8) y apartarse de todo lo que contradiga ese amor (1 P. 2:1-3), y abstenerse de los deseos carnales (1 P. 2:11). Los creyentes deben someterse a las autoridades (1 P.

---

[165] Citado en Bauckham 1999b: 164.

[166] El sufrimiento en 1 Pedro refleja una persecución esporádica, no una política de todo el imperio contra los cristianos. Tampoco parece que se esté condenando a muerte a los creyentes (véase Schreiner 2003: 28-31). Bechtler (1998: 93-94) dice con razón: "Que la carta suponga que los cristianos ya han sido condenados a muerte, sin embargo, ya sea bajo la acusación de asesinato o bajo la acusación de ser cristiano, parece altamente improbable. Es sencillamente inconcebible que una situación tan grave no se hubiera reflejado más claramente en la carta".

[167] Véase, por ejemplo, Wendland 2000: 25-26; Horrell 2002.

2:13-17), los esclavos a sus amos (1 P. 2:18-25) y las esposas a sus maridos (1 P. 3:1-6). Los maridos deben mostrar ternura por sus esposas (1 P. 3:7), y todos los creyentes deben prepararse para sufrir si es la voluntad de Dios (1 P. 4:1-6, 12-19). Los ancianos deben guiar al rebaño de forma que agrade a Dios (1 P. 5:1-4), y toda la comunidad debe vivir en humildad (1 P. 5:6-7).

La conversión es descrita en términos de "obedecer a Jesucristo" (1 P. 1:2) o como la purificación de sus almas "en obediencia a la verdad" (1 P. 1:22).[168] En estos contextos Pedro no piensa en la obediencia continua en la vida cristiana como en 1 Pedro 1:15-16. El contexto inicial (1 P. 1:1-2) indica que se trata de la conversión: ser elegido por Dios para salvación, apartado por el Espíritu para la salvación y rociado por la sangre de Jesús para el perdón de los pecados. La exhortación a amarse los unos a los otros (1 P. 1:22) está delimitada por dos referencias a la conversión: la purificación del alma cuando se obedece a la verdad (1 P. 1:22), y el nacer de nuevo por medio de la Palabra de Dios (1 P. 1:23).

La conversión ocurre cuando los seres humanos someten sus vidas a Dios al escuchar el evangelio de Jesucristo. El énfasis en la obediencia no anula la centralidad de la fe. Los que creen en Jesús escaparán a la humillación escatológica en el último día (1 P. 2:6-7). La fe también se describe como el acercamiento a Jesús, la piedra viva (1 P. 2:4). Pedro también utiliza la metáfora del gusto (1 P. 2:3), inspirándose en el Salmo 34:8. Los creyentes gustan de la bondad y la amabilidad del Señor. La imagen de gustar la bondad del Señor capta la riqueza de la fe, porque la fe abraza a Jesús como Señor, encontrándolo satisfactorio y pleno. Se "acerca" a él y se somete a él como Señor.

Si el mensaje de Pedro puede resumirse en "estén firmes" en la gracia (1 P. 5:12), parece que el mismo tema aparece en la exhortación a resistir al diablo "firmes en la fe" (1 P. 5:9). La perseverancia y la resistencia tienen sus raíces en la fe, en la confianza en lo que Dios ha hecho en Cristo en la cruz. El papel permanente de la fe está claro porque Dios protege a su pueblo, asegurándole que disfrutará de la salvación al final de los tiempos "mediante la fe" (1 P. 1:5). Pedro también enseña que los creyentes disfrutarán de una recompensa final si obedecen (1 P. 2:19-20). Los que anhelan heredar la bendición

---

168 En defensa del punto de vista adoptado aquí, véase Schreiner 2003: 92-93.

escatológica y disfrutar de días buenos deben vivir piadosamente (1 P. 3:10-12).

Aunque la cita del Salmo 34 en 1 Pedro 3:10-12 se refiere a la vida en este mundo, Pedro, como es típico en los escritores del Nuevo Testamento, considera la entrada en la tierra tipológicamente, de modo que pronostica la posesión de la herencia celestial.[169] Tal herencia solo se concederá a quienes se abstengan del mal y busquen la paz. Los que practican el mal experimentarán el juicio de Dios. Lo que tenemos en 1 Pedro es característico del Nuevo Testamento. La fe salvadora siempre lleva a un cambio de vida, con lo cual se produce una nueva obediencia. Dicha obediencia es necesaria para la herencia escatológica, pero se sigue concibiendo como un fruto de la fe. El énfasis de Pedro en la cruz indica que la obra de Cristo sigue siendo fundamental para el perdón de los pecados (1 P. 1:18-19; 2:21, 24-25; 3:18). Las buenas obras no son la base para recibir la salvación, pero son el fruto necesario de la fe para la vida eterna.

2 Pedro y Judas

Tanto 2 Pedro como Judas se dirigen a iglesias en las que falsos maestros con estilos de vida y agendas antinomianas amenazan a la iglesia. Por lo tanto, es natural que ambos escritores enfaticen la necesidad de perseverancia y obediencia. Judas recuerda a sus lectores que Dios siempre ha juzgado a los que se vuelven hacia el mal, ya sea Israel en el desierto, los ángeles que pecaron o Sodoma y Gomorra (Jud. 5-7). Del mismo modo, Caín, Balaam y Coré funcionan como tres modelos de los que pecaron y fueron juzgados por Dios. La seguridad de que Dios juzgará a los impíos (Jud. 14-16) debería motivar a la iglesia a mantenerse "en el amor de Dios" (Jud. 21). Toda la carta está escrita para asegurar esa perseverancia, aunque Judas hace hincapié, como ya hemos dicho, al principio y al final del libro, en que Dios guarda a los creyentes por su gracia (Jud. 1, 24-25). Aunque Judas no dice nada sobre la fe, el énfasis en la gracia de Dios indica que la permanencia hasta el final no puede atribuirse en última instancia al obrar de los creyentes.

---

[169] Así lo afirman la mayoría de los comentaristas (por ejemplo, Schelke 1980: 95; Achtemeier 1996: 226; Michaels 1988: 180; Piper 1980: 226-27). Contra Grudem (1988b: 148-49), que piensa que los versículos se refieren a bendiciones en esta vida.

Pedro también hace hincapié en el juicio de los falsos maestros, repitiendo muchos de los temas de Judas (2 P. 2). El papel de la fe en la recepción de la justicia salvadora de Dios se afirma en la introducción de la carta.[170] Con todo, la necesidad de perseverancia es el tema principal abordado en la carta, aunque, como he argumentado antes, al comienzo de esta se subraya la gracia de Dios en la consecución de la salvación para su pueblo (2 P. 1:1-4). De ahí que Pedro, en contra de la opinión de algunos, no caiga presa de la justicia por las obras ni del moralismo.[171] En 2 Pedro 1:5-7, él exhorta a sus lectores a perseguir las virtudes piadosas, pues Dios les ha dado todo lo que necesitan para llevar una vida de piedad (2 P. 1:3-4). También hay que señalar que la fe se menciona en primer lugar, lo que sugiere que la piedad fluye de la fe.[172] Pedro no solo está interesado en el progreso moral en sí mismo. Más bien se opone a los oponentes que probablemente malinterpretaron los escritos paulinos como una base para el libertinaje (2 P. 3:15-16). Una vida de bondad es fruto de la fe, y nunca puede separarse de la verdadera fe.

Pedro argumenta, pues, que quienes viven de forma impía son "ineficaces o infructuosos en el conocimiento de nuestro Señor Jesucristo" (2 P. 1:8).[173] Ser olvidadizo del perdón de los pecados no es un asunto trivial para Pedro (2 P. 1:9), pues las cualidades piadosas exigidas en 2 Pedro 1:5-7 son necesarias "para confirmar" el propio "llamamiento y elección" (2 P. 1:10 NRSV). Por tanto, quienes carezcan de tales cualidades no disfrutarán de la salvación escatológica. Por otra parte, los que practican tales cualidades "nunca caerán" (2 P. 1:10), lo que significa que nunca cometerán apostasía.[174] Algunos intérpretes entienden que 2 Pedro 1:11 se refiere a una recompensa escatológica distinta a la entrada en el reino, de modo que se refiere a una bonificación o recompensa extra que se da a los que ya tienen garantizada la

---

[170] La mayoría de los eruditos no ven aquí una referencia a la justicia salvífica de Dios, sino que entienden que el autor se refiere a la justicia de Dios al distribuir la salvación a todos. En defensa del punto de vista sugerido aquí, véase Schreiner 2003: 286.

[171] Acertadamente Charles 1997: 161.

[172] Sobre la prioridad de la fe, véanse Fuchs y Reymond 1980: 56; Charles 1997: 162.

[173] Es probable que en 2 Pedro la palabra *epignōsis* (2 P. 1:2, 3, 8; 2:20) se refiera a la conversión (Picirilli 1975; Bauckham 1983: 169-70; Fornberg 1977).

NRSV New Revised Standard Version

[174] La mayoría de comentaristas coincide en que se la referencia es a la apostasía. Véase Bauckham 1983: 191; Fuchs y Reymond 1980: 60.

salvación.[175] Pero tal interpretación no encaja con 2 Pedro 1:10, donde las personas han de confirmar su llamamiento y elección a la salvación, no a una recompensa adicional a la salvación. Tampoco concuerda con el resto de la carta, pues los opositores seguían afirmando ser cristianos, pero Pedro afirma que su falta de perseverancia demostraba que no eran verdaderos creyentes.

Al igual que Judas, Pedro amenaza con el juicio que les espera a los desobedientes (2 P. 2:4-10a), pero añade el tema de que Dios es capaz de preservar a los que le pertenecen, aduciendo los ejemplos de Noé y Lot. La autenticidad de la fe de Noé y Lot quedó demostrada por su perseverancia en medio de sociedades totalmente corrompidas. Si Dios pudo preservarlos en medio de culturas tan perversas, entonces seguramente guardará a los creyentes de las comunidades petrinas. Los ejemplos de Noé y Lot también ilustran la necesidad de perseverancia para obtener la recompensa escatológica.

El ejemplo de Lot es interesante por otra razón. Claramente, Pedro no está exigiendo ningún tipo de perfección. Algunos intérpretes incluso se preguntan cómo es posible que Pedro llame justo a Lot, dadas algunas de sus acciones en Génesis. Sin embargo, Pedro no malinterpreta el Génesis, ya que el narrador de la historia considera que la liberación de Lot de Sodoma es una respuesta a la oración de Abraham para que el justo no perezca junto con el impío (Gn. 18:24; 19:29). Además, la hospitalidad de Lot hacia los visitantes angélicos (aunque ignoraba que fueran ángeles) contrastaba vivamente con la "bienvenida" ofrecida por los habitantes de Sodoma (Gn. 19:1-11). Pedro no cita a Noé y Lot porque fueran perfectos; ellos fallaron en muchos aspectos. Pero sirven de ejemplo porque perseveraron en su confianza en Dios y vivieron de un modo distinto al de la sociedad que los rodeaba, a pesar de sus debilidades.

En este sentido, Noé y Lot deben contrastarse con los falsos maestros. Estos últimos habían formado parte de la Iglesia. Pedro dice que negaron "al Señor que los compró" (2 P. 2:1). Habían escapado del mundo por su conocimiento de Cristo, pero después lo negaron, presumiblemente por su forma de vivir (2 P. 2:20-21). Pedro escribió a la iglesia para que no siguiera

---

[175] Fornberg (1977: 96) señala acertadamente: "El autor consideraba que las buenas obras eran esenciales para la salvación", pero argumenta que tal perspectiva no contradice necesariamente el punto de vista paulino de que las buenas obras son fruto de la salvación.

el mismo patrón que los falsos maestros, que profesaban creer en Cristo pero luego se apartaban del santo mandamiento (2 P. 2:21), lo que probablemente se refiere al evangelio. La marca de los cristianos auténticos, según Pedro, es la perseverancia. Los que desertan de la fe demuestran ser perros y cerdos, es decir, animales inmundos que no pertenecen de verdad a la comunidad santa (2 P. 2:22).[176]

El mensaje fundamental de Pedro, por tanto, consiste en advertir a los creyentes que no se dejen arrastrar por el libertinaje de los falsos maestros para apartarse del evangelio (2 P. 3:17). Por el contrario, deben seguir creciendo en la gracia y en el conocimiento de Jesucristo (2 P. 3:18). Deben procurar "ser hallados por Él en paz, sin mancha e irreprensibles" (2 P. 3:14). La palabra "hallados" (*heuriskō* [cf. 2 P. 3:10]) se refiere a la decisión judicial tomada por Dios en el día final.[177] Los creyentes deben ser diligentes para ser irreprensibles ante él, de modo que accedan a su recompensa escatológica. Tal irreprochabilidad implica repudiar a los falsos maestros y permanecer fieles al evangelio hasta el final. No obstante, 2 Pedro 1:5 nos recuerda que la vida piadosa es el resultado de la fe y, por tanto, el llamado a la perseverancia debe interpretarse como un llamado a una vida de fe.

Apocalipsis

El libro del Apocalipsis es, en algunos aspectos, muy similar a Hebreos. Juan escribe a las iglesias de Asia Menor que se enfrentaban a la discriminación y la persecución en su nueva fe. Los lectores eran seducidos por la cultura de su tiempo. Si participaban en el culto al emperador *y* mostraban devoción a Jesús, la vida sería mucho más fácil (Ap. 13:1-18).[178] Así sofocarían las interrogantes sobre su lealtad a la estructura política en la que vivían, y encajarían en el ethos cultural de la época, en el que la gente adoraba a muchos dioses y los consideraba útiles para diversos fines. Pero Juan no tolera ninguna transigencia

---

[176] La mayoría de los comentaristas sostienen que Pedro enseña aquí que los auténticos creyentes pueden apostatar. Para una mayor discusión y defensa del punto de vista aquí propuesto, véase Schreiner 2003: 362-65.

[177] El versículo es notoriamente difícil. D. Wenham 1987 es especialmente útil. Para una discusión de las diversas opciones, véase Schreiner 2003: 385-87.

[178] Sobre el papel del culto al emperador en Apocalipsis, véase Beale 1999b: 5-12; Osborne 2002: 6-7.

con Roma, ni tampoco avala el culto al emperador. Los que adoran a la bestia, que casi con toda seguridad es una designación del emperador romano, no tienen sus nombres inscritos en el libro de la vida (Ap. 13:8). Amenaza a los que adoran a la bestia con el tormento eterno y la feroz ira de Dios (Ap. 14:9-11).[179]

La mayoría de los comentaristas coinciden en que Babilonia representa la ciudad de Roma (Ap. 17:18), el centro comercial del Imperio Romano. A los creyentes les parecería atractiva porque era una joya gloriosa que prometía prosperidad económica. Sin embargo, Juan la identifica como una "ramera" (Ap. 17:1), y afirma que aquellos que se comprometen con Roma han fornicado (Ap. 17:2; 18:3, 9).[180] Se han acostado con Roma y han consentido su poder para asegurar su propio futuro. Se han unido a una ciudad que ha derramado la sangre de los santos de Dios (Ap. 17:6; 18:24; 19:2). Para Juan, la fornicación en este caso no es literal, sino que denota la adoración de este mundo y la seguridad financiera que aporta frente a la adoración del único y verdadero Dios.

La tentación de transigir con el actual orden mundial es evidente en la carta a las iglesias. Pérgamo, un centro de culto al emperador, es identificado como el lugar donde se erigió el trono de Satanás (Ap. 2:13), y Antipas fue asesinado allí, presumiblemente porque se negó a someterse al culto al emperador.[181] Otros participaban en fiestas en los templos, comían alimentos ofrecidos a los ídolos y practicaban el pecado sexual (Ap. 2:14, 20-23). La participación en tales actos garantizaba que los creyentes formarían parte integrante de la sociedad y desempeñarían un papel continuado en los gremios comerciales.

---

[179] Apocalipsis, por tanto, no puede caracterizarse como un libro únicamente de alivio y consuelo para los creyentes que sufren. El texto también advierte a los creyentes de las graves consecuencias de transigir con Roma y someterse a ella (Bauckham 1993a: 15-16).

[180] Bauckham (1993a: 17-18) capta sorprendentemente la visión de Juan: "A primera vista, ella [Babilonia] podría parecer la diosa Roma, en toda su gloria, una impresionante personificación de la civilización romana, como se la adoraba en muchos templos de las ciudades de Asia. Pero como Juan ve aquí, es una prostituta romana, una ramera seductora y una bruja intrigante, y su riqueza y esplendor representan los beneficios de su comercio de dudosa reputación".

[181] Caird (1966: 38) opina que Antipas pudo ser asesinado por la violencia de una turba. Aune (1997: 182-84) sostiene que faltan pruebas de que el culto imperial esté aquí en el punto de mira, o de que fuera un gran problema según el libro de Apocalipsis. Véase su exhaustivo análisis de las opciones. Para una referencia al culto imperial, véase Osborne 2002: 141.

Juan hace hincapié en que los creyentes deben salir de Babilonia (Ap. 18:4). De lo contrario, se enfrentarán al mismo juicio que caerá sobre Roma. Juan no exhorta a los creyentes a abandonar la ciudad de Roma literalmente. Ellos deben dar gloria a Dios adorándole solo a Él (Ap. 14:7; 15:4), y su relación con Roma y el Imperio Romano demuestra el objeto de la adoración, de modo que, para Juan, la adoración no está abstractamente separada de la vida cotidiana. Solo quienes estén dispuestos a ser fieles hasta la muerte recibirán "la corona de la vida" (Ap. 2:10).

La situación de la carta explica por qué Juan hace hincapié en la perseverancia y la persistencia. Los creyentes deben triunfar y vencer (*nikaō*) hasta el final para recibir la vida eterna.[182] En cada una de las cartas a las siete iglesias exhorta a los lectores a vencer (Ap. 2:7, 11, 17, 26; 3:5, 12, 21), con lo que quiere decir que deben prestar atención a las amonestaciones de las cartas para obtener la recompensa final en el último día. Esta victoria no es opcional. "Al vencedor le daré a comer del árbol de la vida, que está en el paraíso de Dios" (Ap. 2:7). El "árbol de la vida" alude al árbol de la vida del Génesis (Gn. 2:9; 3:22) y se refiere a la vida eterna. Que la victoria es necesaria para obtener una herencia escatológica queda aún más claro en Apocalipsis 2:11: "El vencedor no sufrirá daño de la muerte segunda".

Más adelante en Apocalipsis se nos dice que la muerte segunda es el lago de fuego, y que aquellos cuyos nombres no están inscritos en el libro de la vida son arrojados allí (Ap. 20:14-15; cf. 21:8). Solo los que caminen con Jesús de blanco recibirán recompensa (Ap. 3:4). Los que venzan serán adornados con vestiduras blancas, y sus nombres no serán borrados del libro de la vida (Ap. 3:5). Jesús confesará sus nombres ante el Padre y los ángeles. La amenaza está claramente expresada: los que fracasen en la conquista no permanecerán en el libro de la vida. La afirmación de que Jesús confesará los nombres de los vencedores ante el Padre y los ángeles alude al dicho sinóptico sobre confesar y negar a Jesús (Mt. 10:32-33; par.). La afirmación sinóptica recoge lo que aquí se da a entender: quienes nieguen a Jesús serán negados por él en el último día.

---

182 Para Juan, "está claro que solo hay dos opciones: vencer y heredar las promesas escatológicas, o sufrir la muerte segunda en el lago de fuego (21:8)" (Bauckham 1993a: 92).

Los demás pasajes de "vencedores" deben interpretarse en función de los que son más claros. El que venza recibirá "maná escondido" y una "piedrecita blanca" (Ap. 2:17). El maná escondido y la piedra blanca son imágenes de la vida eterna.[183] La piedrecita blanca puede designar lo que se necesita para entrar en el "banquete celestial", ya que las piedras se utilizaban para "la admisión a ocasiones públicas".[184] Los que venzan también gobernarán con Jesús sobre las naciones (Ap. 2:26-28; 3:21), y tal gobierno no se limita a los cristianos especialmente fieles, sino que es la porción de todos los creyentes. Los que venzan serán hechos columnas en el templo de Dios, y el nombre de Dios y de la nueva Jerusalén estará escrito en ellos (Ap. 3:12). En otras palabras, pertenecerán a la nueva Jerusalén y formarán parte del pueblo de Dios. Bauckham dice con razón: "En cierto sentido, todo el libro trata de la forma en que los cristianos de las siete iglesias pueden, al salir victoriosos de las situaciones específicas de sus propias iglesias, entrar en la nueva Jerusalén".[185] En todo caso, en la nueva Jerusalén no existe realmente ningún templo, pues Dios y el Cordero son el templo (Ap. 21:22). De ahí que decir que los creyentes son columnas en el templo indique que pertenecen al pueblo de Dios, que vivirán en la presencia de Dios para siempre.

El tema de la "victoria" aparece en otros dos lugares del Apocalipsis. Los creyentes vencen al diablo "por medio de la sangre del Cordero y por la palabra del testimonio de ellos, y no amaron sus vidas, llegando hasta sufrir la muerte" (Ap. 12:11). La conquista de los creyentes se fundamenta en la obra de Cristo, que dio su sangre para redimirlos del pecado. Y, sin embargo, los creyentes no vencerán en última instancia a menos que estén dispuestos a dar su vida por el evangelio. Que la victoria implica la vida eterna se desprende claramente de la última referencia en Apocalipsis 21:7. En esta sección han llegado los cielos y la tierra nuevos prometidos (Ap. 21:1-8). La nueva Jerusalén se ha hecho realidad, y Dios habita ahora con su pueblo, enjugando toda lágrima de sus ojos. El agua de la vida es gratuita para todos los sedientos (Ap. 21:6). La gratuidad del don ofrecido no contradice la necesidad de vencer. Solo los que

---

[183] Véase Beale 1999b: 252.

[184] Caird 1966: 42. Para un estudio útil de los antecedentes, véase Aune 1997: 189-91. Aune también sostiene que la vida eterna es lo que se promete con estas ilustraciones. Véase también Osborne 2002: 147-49, aunque su opinión de que se refiere tanto al presente como al futuro es dudosa porque en todas las cartas la promesa para los vencedores se refiere al futuro escatológico.

[185] Bauckham 1993a: 14.

venzan heredarán la vida y servirán como hijos de Dios (Ap. 21:7). Los que no vencen son los cobardes, los infieles, los asesinos, los que cometen pecado sexual, se dedican a la idolatría y practican la mentira. Se enfrentarán a la muerte segunda, que es el lago de fuego (Ap. 21:8). Está claro, entonces, que vencer es necesario para evitar la segunda muerte: el lago de fuego.

La necesidad de vencer de los creyentes también puede describirse como arrepentimiento (Ap. 2:5, 16, 21-22; 3:3, 19). Si los creyentes no se arrepienten, Jesús les quitará el candelabro (Ap. 2:5). La afilada espada del juicio se blandirá contra los que se nieguen a arrepentirse (Ap. 2:16). Los que persistan obstinadamente en el pecado sexual y no se arrepientan experimentarán angustia e incluso la muerte (Ap. 2:21-23). Jesús vendrá como un ladrón y juzgará a los que se niegan a arrepentirse (Ap. 3:3). Se exige un arrepentimiento sincero, porque Jesús escupirá de su boca a los tibios (Ap. 3:16, 19). La vida cristiana no puede limitarse a un momento inicial de arrepentimiento; solo quienes continúen arrepintiéndose recibirán la recompensa final. Los creyentes deben ser fieles hasta la muerte para obtener la corona de la vida (Ap. 2:10). Si quieren evitar el juicio, deben "mantener firme" su fe hasta que venga Jesús (Ap. 2:25). Solo los que no manchen sus vestiduras caminarán con Jesús vestidos de blanco (Ap. 3:4). Los creyentes genuinos no niegan el nombre de Jesús (Ap. 3:8), soportan y retienen lo que se les ha enseñado (Ap. 3:10-11).

Si los creyentes deben arrepentirse, no es de extrañar que los incrédulos también deban arrepentirse y volverse a Dios. De hecho, los juicios que Dios derramó sobre el mundo tienen por objeto llevar a los seres humanos al arrepentimiento, para que se vuelvan a Dios cuando vean las consecuencias del mal. Sin embargo, muchos no se humillan cuando caen los juicios de Dios. Siguen adorando a sus ídolos y no se apartan del mal (Ap. 9:20-21). En lugar de arrepentirse y volverse a Dios con fe, se enfurecen contra él a causa de su propio dolor y lo maldicen (Ap. 16:9-11). Los juicios tienen por objeto llevarlos al arrepentimiento para que glorifiquen a Dios (Ap. 16:9). Podemos concluir de esto que Dios es glorificado cuando los seres humanos se arrepienten y se vuelven a él. Y hay indicios de que los juicios de Dios tienen un resultado positivo, sacudiendo a algunos de su letargo, de modo que glorifican a Dios poniendo su fe en él (Ap. 11:13; cf. 14:7; 15:4).

En Apocalipsis, Juan hace hincapié en la expresión concreta de la fe en la vida cotidiana. Aborda una situación en la que los creyentes se enfrentaban a la persecución de Roma y se veían tentados a transigir. Juan no se centra en la fe que produce obediencia, sino en la obediencia que se requiere para recibir la recompensa final. Si Apocalipsis fue escrito por el mismo Juan que escribió el Cuarto Evangelio, está claro que en otros lugares Juan hace hincapié en creer como la suma y la sustancia de lo que Dios exige de los seres humanos. La única obra que Dios exige es creer en aquel a quien ha enviado (Jn. 6:29). En Apocalipsis, en cambio, vemos el mismo caleidoscopio desde una perspectiva diferente.

La fe genuina no puede aislarse de la totalidad de la vida, como si fuera simplemente una experiencia privada y subjetiva. Todo el Nuevo Testamento aclara que la fe actúa, que tiene un efecto transformador. De ahí que Juan escriba para llamar a los creyentes a resistir aunque les aguarde la cárcel o la muerte (Ap. 13:9-10). Los que perseveren deben cumplir los mandamientos de Dios y permanecer en "su fe en Jesús" (Ap. 14:12). La última frase, *pistin Iēsou*, debería traducirse "fe en Jesús" (como la ESV), lo que indica que la fe en Jesús es inseparable de la obediencia.[186] Los que pertenecen al Cordero son "fieles" (Ap. 17:14). Están dispuestos a dar su vida por su devoción a Jesús (Ap. 20:4).

Los 144.000 representan simbólicamente a todo el pueblo de Dios, tanto judíos como gentiles.[187] Juan se basa en el Antiguo Testamento al decir que son "vírgenes" y que no han sido contaminados por mujeres (Ap. 14:4). No quiere decir que sean literalmente vírgenes, ni tampoco enseña Juan aquí que las relaciones sexuales contaminen de manera automática. El Antiguo Testamento compara a menudo la idolatría con la prostitución, y las palabras de Juan deben situarse en este contexto.[188] Decir que los 144.000 son vírgenes y sin mancilla significa que adoran fielmente al Cordero. No han transigido con Roma ni han capitulado ante la presión adorando a la bestia.

---

[186] Osborne (2002: 541-42) muestra que la fe en Jesús está inseparablemente unida a la fidelidad a él. Una referencia a la fe en términos de contenido doctrinal (Beale 1999b: 766-67) no encaja aquí tan naturalmente con el énfasis en la perseverancia, aunque Beale no descarta otras posibilidades. Aune (1997: 837-38) identifica la frase como un genitivo objetivo: fidelidad a Jesús.
ESV English Standard Version
[187] Véase Beale 1999b: 412-13, 416-23.
[188] Véase el trabajo programático de Ortlund 2002.

Son "sin mancha" (Ap. 14:5) no porque estén libres de pecado, sino porque han permanecido devotos al Dios verdadero. Bauckham también sugiere que la virginidad alude a la exigencia de pureza impuesta a los que hacen la guerra (cf. Dt. 23:9-14; 1 S. 21:5; 2 S. 11:9-13), y de ahí que el pueblo de Dios esté dedicado al Señor en la batalla contra la bestia,[189] pero ganan la batalla resistiendo en la fe y la obediencia hasta el final, no atacando físicamente a sus enemigos. Visten lino "resplandeciente y limpio", y este lino representa sus acciones justas (Ap. 19:8, 14). Por el contrario, los impuros son excluidos de la ciudad celestial (Ap. 21:27), en particular los que se dedican a la mentira y hacen lo abominable. En la ciudad celestial solo pueden entrar los que tienen vestiduras lavadas (Ap. 22:14). "Afuera están los perros, los hechiceros, los inmorales, los asesinos, los idólatras, y todo el que ama y practica la mentira" (Ap. 22:15).

Así pues, el juicio final es según las obras. El contexto de las siete cartas, como argumenté anteriormente, exhorta a los creyentes a perseverar hasta el final para recibir la salvación. De ahí que el juicio y la recompensa según las obras se refieran a la vida eterna (Ap. 2:23). La bendición está reservada para los que guardan las palabras de la profecía de Juan (Ap. 1:3; 22:7). Cuando Jesús venga y juzgue desde el trono blanco, pagará a cada uno según sus obras (Ap. 20:11-15; 22:12).190 El juicio según las obras no debe contraponerse a aquellos cuyos nombres están inscritos en el libro de la vida, pues aquellos cuyos nombres están en el libro de la vida han practicado lo que es bueno y verdadero.

Algunos podrían leer Apocalipsis como si excluyera la necesidad de la fe. Sin embargo, debemos recordar el propósito específico del libro. Juan escribe para exhortar a los creyentes a perseverar y obedecer para recibir una recompensa final. La amenaza a la que se enfrentaban los creyentes impulsa a Juan a hacer hincapié en la necesidad de la fidelidad, por lo que se centra en el resultado de la fe más que en la fe que produce dicha obediencia. Juan subraya que solo los que hacen la voluntad de Dios y cumplen sus mandamientos recibirán la recompensa final en el último día. Los que no adoren a Dios y al Cordero y entreguen su devoción a la bestia enfrentarán el juicio para siempre.

---

[189] Bauckham 1993a: 78.

Conclusión

La variedad de situaciones abordadas en la literatura del Nuevo Testamento y los diversos propósitos de los escritos hacen que se enfaticen diversos temas. En algunos casos se proclama la fe como el único medio por el que se recibe la bendición de la vida eterna, mientras que en otros casos la necesidad de obediencia y discipulado ocupa un lugar central. En este capítulo he argumentado que existe una unidad fundamental de enfoque en todo el Nuevo Testamento. La fe es fundamental y primaria para una relación correcta con Dios o para recibir la vida eterna. Los seres humanos no pueden obtener una recompensa eterna sobre la base de sus obras, pues el pecado humano interviene y descarta las obras como camino para la bendición. La fe recibe de Dios la salvación obtenida por medio de Jesucristo. La fe se aparta de sí misma y glorifica a Dios, que libera al hombre del pecado y de la muerte. De hecho, la fe deposita específicamente su esperanza en Jesucristo como Señor crucificado y resucitado. La fe que salva encuentra sus raíces en la cruz de Jesucristo, y por eso la fe mira hacia fuera, a lo que Dios ha hecho en Cristo, en lugar de mirar hacia dentro, a la capacidad del sujeto humano.

La fe que salva, sin embargo, no es una abstracción, y no puede separarse del arrepentimiento y de la transformación de la propia vida. Los escritores del Nuevo Testamento nunca imaginaron una fe pasiva que pudiera separarse de una vida de discipulado. El propio Pablo, campeón de la fe, insiste en que la verdadera fe se manifiesta en el amor, que solo la fe perseverante es la fe que salva. Los que no hacen buenas obras no heredarán el reino de Dios. Prácticamente todos los escritores del Nuevo Testamento insisten en que hay que perseverar hasta el final para conseguir la salvación en el día escatológico. Solo los que venzan recibirán la recompensa final.

Los que se aparten del Dios vivo se enfrentarán a él como fuego consumidor. Los creyentes confirman su vocación y elección por sus buenas obras o, como dice Santiago, la fe que salva debe ir acompañada de buenas obras. La prioridad de la fe en el Nuevo Testamento descarta el legalismo, pero también erradica el antinomianismo. Los que realmente han llegado a conocer a Jesucristo guardan sus mandamientos y demuestran con su amor a los demás creyentes que han nacido de nuevo. Solo se salvarán aquellos que entren por la puerta estrecha de la obediencia. Los supuestos creyentes pueden hacer señales, prodigios y exorcismos, pero si no dan buen fruto, demostrarán que Jesús nunca los conoció como suyos.

El notable énfasis en la necesidad de una vida transformada no anula la prioridad de la fe. Al contrario, ayuda a los lectores a discernir la autenticidad de la fe, de modo que pueda distinguirse la fe genuina de la mera fe ficticia, aquella que reside en el intelecto pero no ha penetrado en el corazón y en la vida. Todas las buenas obras brotan de la fe y, por tanto, no son ocasión de jactancia humana. La vida cambiada de los creyentes simplemente revela el objeto de su confianza. Demuestra si son un árbol podrido o uno sano. Los escritores del Nuevo Testamento no piden que los árboles muertos produzcan frutos; piden un árbol nuevo y una nueva creación. Esa nueva creación es obra, como hemos visto, del Padre, del Hijo y del Espíritu. Ya ha irrumpido en escena con la muerte y resurrección de Cristo y, sin embargo, los creyentes esperan el acto final del drama: la venida de Jesucristo para completar la obra salvífica que ya ha sido inaugurada.

§16. LA LEY Y LA HISTORIA DE LA SALVACIÓN

Introducción

En el capítulo anterior vimos que la vida de los creyentes puede describirse en términos de fe y obediencia. En el Nuevo Testamento (NT), la obediencia nunca ha de separarse de la fe, porque toda obediencia agradable a Dios fluye de la fe. Por lo tanto, cuando hablamos de la vida moral de los creyentes no podemos abstraerla de la fe, como si la fe estuviera en un compartimento herméticamente cerrado y la obediencia en otro. Al considerar la vida de los creyentes, debemos examinar el papel de la ley, ya que la visión que el Nuevo Testamento tiene de la ley veterotestamentaria muestra tanto continuidad como discontinuidad con el Antiguo Testamento (AT).

El cumplimiento de las promesas de Dios en Cristo no llevó a los creyentes del Nuevo Testamento simplemente a ratificar y mantener todo lo contenido en la ley del Antiguo Testamento. Vemos en el Nuevo Testamento tanto continuidad como discontinuidad con la ley del Antiguo Testamento. Hay continuidad en el sentido de que la venida de Cristo hace realidad las promesas veterotestamentarias de salvación y la justicia exigida por Dios; hay discontinuidad en el sentido de que el pacto bajo el que vivían los creyentes judíos ya no está en vigor, y los creyentes no son miembros del Israel étnico. El papel de la ley del Antiguo Testamento en el Nuevo Testamento es una de las cuestiones más complicadas y controvertidas de la teología del Nuevo Testamento. Nuestro objetivo aquí es esbozar la teología de los escritores del Nuevo Testamento sobre esta cuestión. Dado que el papel de la ley es objeto de especial debate en Mateo y Lucas-Hechos, examinaremos primero Marcos y después Mateo y Lucas-Hechos. Luego abordaremos la literatura joánica, el punto de vista paulino y el resto del Nuevo Testamento.

Marcos

Aislar a Marcos de Mateo y Lucas dará lugar a algunas repeticiones, pero es necesario en este caso porque las visiones mateana y lucana de la ley requieren un examen más detallado. La visión marcana de la ley debe situarse sobre el telón de fondo de la llegada del reino y de su cumplimiento ya-no todavía en Cristo. Podríamos caer en la trampa de considerar los textos de forma aislada y no ver que el papel de la ley debe encajar en la historia del cumplimiento de las promesas de Dios en Jesucristo. En otras palabras, la ley debe entenderse a la luz del evangelio: la historia del ministerio, muerte y resurrección de Cristo que encontramos en el Evangelio de Marcos.

La trama del Evangelio de Marcos informa a los lectores de que la ley siempre apuntaba hacia Jesucristo. Las promesas del reino se cumplen en él, y por eso el relato de Marcos sobre la Cena del Señor sugiere que la cena pascual apunta a la muerte de Jesús (Mc. 14:12-25).[190] Su muerte cumplió las promesas pactuales de Dios de liberar a su pueblo. Por tanto, todos los textos que examinamos encajan en la trama general del Evangelio y no pueden separarse del cumplimiento de las promesas del reino de Dios y de la venida de Cristo, que ya he tratado anteriormente en este libro.

Algunos textos subrayan la libertad soberana y la autoridad de Jesús sobre la ley veterotestamentaria. Por ejemplo, la ley del Antiguo Testamento enseña que quien toca a un leproso queda impuro (cf. Lv. 13:45-46; 22:4-6; Nm. 5:2). Sin embargo, cuando Jesús tocó al leproso no contrajo la impureza (Mc. 1:40-45). El toque de Jesús tuvo un poder transformador y purificador, de modo que, en lugar de quedar impuro, limpió al leproso y lo liberó de la lepra.[191] En el Antiguo Testamento, lo impuro contamina lo limpio, pero en este caso Jesús, que es el limpio, purifica lo impuro con su toque transformador. La acción de Jesús no invalida la ley veterotestamentaria, ni enseña aquí que la ley relativa

---

[190] Sobre la cena pascual como indicador de la muerte de Jesús, véase Bolt 2004: 103-6; France 2002: 567-71.

[191] Véase France 2002: 118. Westerholm (1978: 67-71) argumenta acertadamente que Jesús no se preocupaba por la impureza ritual.

a la lepra haya pasado de moda. No obstante, la transformación del leproso por el tacto de Jesús sugiere una nueva postura ante la ley veterotestamentaria. La ley de la lepra debe interpretarse a la luz de la venida de Jesús, en lugar de entender a Jesús en términos de los requisitos establecidos para la lepra.

En las controversias de Jesús con los fariseos (Mc. 2:1-3:6) se encuentran varias disputas sobre la ley. El hecho de que Jesús comiera con recaudadores de impuestos y pecadores también es sugerente en cuanto a su postura en relación con la ley (Mc. 2:15-17).[192] No tenemos aquí ningún indicio de que Jesús hiciera caso omiso de las normas veterotestamentarias con respecto a la comida. Los líderes religiosos no se quejaban de la comida que comía Jesús, sino de la compañía en la que comía. Al parecer, lo que les preocupaba era que su impureza mancillara a Jesús. Una vez más, la opinión de Jesús contradice el consenso cultural. Se veía a sí mismo como un médico que podía curar y purificar a los impuros. Los pecadores no lo contaminan. Al contrario, él limpia y transforma a los pecadores.

Asimismo, estalló otra controversia en torno al ayuno (Mc. 2:18-22). Los discípulos de Jesús no ayunaban, pero tanto los discípulos de Juan como los de los fariseos ayunaban regularmente. La ley veterotestamentaria no obligaba a ayunar, excepto el Día de la Expiación (Lv. 16:29, 31; 23:27, 32; Nm. 29:27), aunque se fueron añadiendo otros ayunos con el paso del tiempo (Est. 9:31; Zac. 8:19). No obstante, la respuesta de Jesús a la exigencia de ayuno vuelve a revelar su visión de la ley del Antiguo Testamento.[193] Jesús no se enzarzó en un debate halájico[194] sobre si el ayuno era obligatorio. Evitó una discusión técnico-jurídica. En su lugar, se identificó como el novio y afirmó que el ayuno está fuera de lugar durante una boda. Su llegada provocó una reevaluación radical de las prácticas religiosas anteriores. Exigir el ayuno ahora que había llegado como el novio era como remendar una tela nueva en un vestido viejo. La nueva tela no debe remendarse sobre las viejas normas y reglamentos, sino que lo viejo debe dar paso a lo nuevo.

El vino nuevo no puede guardarse en odres viejos, porque el vino recién fermentado reventaría los odres viejos. La referencia al vino nuevo significa que el escatón ha llegado en Jesús y su ministerio, los días en que las montañas

---

[192] Véase Lane 1974: 103-4.

[193] No obstante, aquí no se aborda directamente la cuestión del AT.

[194] Relativo a la *Halajá*, el cuerpo de reglas y tradiciones judías (Nota del traductor).

gotearían vino (Am. 9:13-14). El vino nuevo que se consume en el ministerio de Jesús anuncia el amanecer de la nueva creación.[195] Por tanto, la novedad de la venida de Jesús implica una reevaluación radical de las costumbres y prácticas religiosas. Es preciso interpretarlas a la luz de su venida.

Las dos controversias sobre el día de reposo (Mc. 2:23-3:6) también son instructivas para discernir el punto de vista de Jesús sobre la ley veterotestamentaria.[196] La primera se refiere a los discípulos que arrancaban espigas mientras caminaban por los sembrados (Mc. 2:23-28). Lucas añade que se frotaban los granos en las manos antes de comerlos (Lc. 6:1). Los fariseos protestaron porque estas acciones ocurrían en sábado. Una vez más, Jesús se negó a entrar en un debate halájico. Es de suponer que podría haber argumentado, basándose en Deuteronomio 23:25, que lo que hacían los discípulos no era un trabajo y que, por tanto, las acusaciones podían desestimarse por falaces. En su lugar, apeló a la historia de David comiendo el pan de la proposición y dándoselo a sus compañeros (1 S. 21:1-6). Lo que hizo David no era lícito, pero estaba justificado por ser el ungido de Dios. Jesús apeló a la necesidad humana, diciendo que la ley se creó por el bien de los seres humanos, y no al revés.

No obstante, el punto principal es que Jesús, como Hijo del Hombre, "es Señor aun del día de reposo" (Mc. 2:28). La atención no debería centrarse en lo que exigía el día de reposo, sino en Jesús como Hijo del Hombre, lo que sugiere que la ley apunta hacia Jesús como Señor y debe interpretarse a la luz de su venida. La curación del hombre que tenía una mano seca discurre por caminos parecidos (Mc. 3:1-6), aunque la cristología no sea tan directa como la que encontramos en Marcos 2:23-28. Jesús expresó el principio de que siempre conviene hacer el bien en el día de reposo. Jesús podría haber elegido otro día para llevar a cabo sus sanaciones y evitar así la controversia. Sin embargo, al curar en día de reposo, indicó que el sábado debe interpretarse como una señal que apunta hacia él y su obra. El día de reposo debe interpretarse también escatológica y cristológicamente, pues también señala hacia el descanso final que el Señor concederá a su pueblo.[197]

---

[195] Acertadamente Bolt 2004: 25-26.

[196] Sobre la opinión de Jesús acerca del día de reposo, véase Westerholm 1978: 92-103.

[197] Véase Bolt 2004: 26.

El texto de Marcos sobre el divorcio también sugiere una nueva perspectiva de la ley veterotestamentaria (Mc. 10:2-12). Jesús reconoció el permiso mosaico para divorciarse (Dt. 24:1-4), pero lo relativizó. La intención de Dios sobre el matrimonio se remonta a la creación, donde un hombre y una mujer llegan a ser una sola carne en el matrimonio (Gn. 1:27; 2:24). El divorcio y las segundas nupcias, por tanto, constituyen adulterio. En este texto, Jesús no sostiene que los fariseos malinterpretaran el texto del Deuteronomio, aunque es posible que creyera que sí lo hicieron (véase el análisis sobre Mateo más adelante). En este caso, apeló a una norma creacional en lugar de basar su juicio en la ley mosaica. Parece, por tanto, que se flexibiliza el carácter vinculante de la legislación mosaica.[198]

El texto más fascinante y complejo sobre el papel de la ley veterotestamentaria es Marcos 7:1-23. Los fariseos y algunos de sus escribas se quejaban de que los discípulos de Jesús no se lavaban las manos antes de comer, por lo que, en contra de la tradición farisaica ("la tradición de los ancianos" [Mc. 7:5]), comían con manos manchadas. El lector moderno debe ser consciente de que el debate no se refería a la higiene, sino a los requisitos de pureza. Jesús rechazó sus críticas y dio la vuelta a la tuerca contra los fariseos, argumentando que sus prácticas eran tradiciones humanas y no requisitos divinos. Sus tradiciones no les acercaban a Dios, pues, aunque le alababan con los labios, sus corazones eran fríos y estaban alejados de Dios.

Además, sus tradiciones desplazaban el mandato divino de honrar a los padres, que implicaba claramente el apoyo económico. En su lugar, la tradición farisaica animaba a los hijos a declarar "corbán" (dedicado a Dios) los dones financieros con los que deberían haber socorrido a los padres necesitados de ayuda material. Su tradición, en otras palabras, se imponía sobre la Palabra de Dios y sus mandamientos. Jesús distinguió claramente entre la ley del Antiguo Testamento (la Palabra de Dios) y las tradiciones humanas. La primera tiene autoridad, las segundas no.

Pero la historia no termina aquí. Jesús procedió a decir a la gente que no podían ser contaminados por lo que entraba en ellos, sino solo por lo que salía de ellos. Explicó, además, hablando en privado con sus discípulos, que la comida no contamina, porque entra en el estómago, pasa por el organismo y acaba en la cloaca. Marcos añade su propio comentario parentético al relato:

---

[198] Véase France 2002: 388.

"Jesús declaró así limpios todos los alimentos" (Mc. 7:19). Los seres humanos se vuelven impuros no por los alimentos, sino por los malos pensamientos y acciones, como el pecado sexual, el orgullo, el robo y el asesinato. Marcos entendió claramente que Jesús afirmaba que las leyes alimentarias del Antiguo Testamento (Lv. 11:1-44; Dt. 14:3-21) ya no eran normativas[199] Aquí tenemos la indicación más clara en Marcos de que la ley del Antiguo Testamento no funciona de la misma manera con la llegada del reino y de Jesús el Mesías.[200] Las prescripciones de la ley veterotestamentaria no son necesariamente vinculantes ahora que ha llegado Jesús. Deben interpretarse a la luz de su venida.[201]

Este relato es bastante interesante porque, por un lado, Jesús aceptó el Antiguo Testamento como la Palabra de Dios que juzga las tradiciones humanas, mientras que, por otro lado, argumentó que las leyes alimentarias del Antiguo Testamento no son vinculantes para los creyentes. ¿Es esto una contradicción? Es poco probable que exista una contradicción tan flagrante en el mismo texto. La solución quizá esté en considerar la narración de Marcos en su conjunto y el tema de que el Antiguo Testamento apunta hacia Jesucristo. Él es el Señor soberano y el intérprete del Antiguo Testamento. Marcos no desarrolla en detalle las implicaciones de lo que encontramos en Marcos 7:1-23, pero parece que estamos encaminados hacia la noción de la ley de Cristo. La enseñanza de Jesús, que Marcos menciona con bastante frecuencia (Mc. 1:21-22, 27; 2:13; 4:1-2; 6:2, 30, 34; 8:31; 9:31; 10:1; 11:17-18; 12:35, 38; 14:49), y su interpretación del Antiguo Testamento funcionan ahora como una autoridad para los creyentes. Si este es el caso, entonces aprendemos de Marcos 7:1-23 que la ley de Cristo incluye la admonición de honrar a los padres, mientras que al mismo tiempo las leyes de pureza ya no están en vigor.

El desafío de Jesús al hombre rico encaja con lo que he sugerido aquí. Cuando el hombre preguntó qué era necesario para la vida eterna, Jesús le recordó los mandamientos de la ley veterotestamentaria, centrándose en las

---

[199] Acertadamente Moo 1984: 14-15; France 2002: 277-79. Cf. Marcus 2000: 457-58, aunque él piensa que Marcos trasciende aquí al Jesús histórico. Banks (1975: 144-45) limita erróneamente el dicho de Jesús de modo que solo concede libertad para comer alimentos profanados por ídolos.

[200] Sin embargo, Westerholm (1978: 82) señala con razón que la iglesia tardó en comprender todas las implicaciones de lo que Jesús dijo aquí.

[201] Para un fascinante intento de resolver las cuestiones de pureza relativas al Jesús histórico, véase Bryan 2002: 130-88.

directrices del Decálogo (Mc. 10:17-19). Tales mandamientos, aparte del día de reposo, seguían considerándose autoritativos para el pueblo de Dios, incluso después de la venida de Cristo. Sin embargo, la ley veterotestamentaria debe interpretarse ahora a la luz de la venida de Jesucristo. El hombre rico no podía salvarse a menos que renunciara a todo y siguiera a Jesús como discípulo (Mc. 10:21).

La ley veterotestamentaria no se sostiene por sí sola y debe leerse a la luz de la historia de la Escritura, que encuentra su clímax en Jesucristo. El mensaje de la ley veterotestamentaria se resumía en textos veterotestamentarios bien conocidos por todos los judíos (Mc. 12:28-34). Las personas deben amar al Señor con todo su ser y amar a su prójimo como a sí mismas. Estos mandamientos son más importantes que los sacrificios y las ofrendas.[202] Sin embargo, este texto del Evangelio de Marcos no puede abstraerse del conjunto de la narración. Si los seres humanos aman de verdad a Dios, seguirán a Jesús como discípulos, le entregarán su vida entera. Incluso el mandamiento de amar a Dios y al prójimo debe interpretarse en términos de la venida de Jesucristo, pues él es quien cumple la promesa del Antiguo Testamento.

Si consideramos a Marcos desde un ángulo más amplio, vemos que los lectores son llamados a seguir a Jesús como discípulos. Su muerte y sufrimiento constituyen el paradigma de la vida de los creyentes. De ahí que cada una de las predicciones de la pasión vaya seguida de instrucciones sobre la vida del discipulado (Mc. 8:31-9:1; 9:30-37; 10:32-45). Los que se nieguen a entregar su vida por Jesús y el evangelio no se salvarán (Mc. 8:35). Los que desean ser grandes en el reino deben convertirse en servidores de todos (Mc. 9:32-37). Los que aspiran a la grandeza deben abandonar el afán secular de grandeza (Mc. 10:35-45). Todo lo que suponga un obstáculo para entrar en el reino debe ser eliminado de la vida de los discípulos (Mc. 9:42-49).

Marcos no desarrolla en detalle ningún punto de vista sobre la ley veterotestamentaria, pero tenemos algunos indicios de que las prescripciones de la ley veterotestamentaria no son necesariamente vinculantes para los discípulos de Jesús.[203] La ley debe interpretarse a la luz de la venida de

---

[202] France (2002: 478) observa que lo que se dice aquí "no podía hacer otra cosa que acelerar el abandono cristiano de los elementos rituales de la Torá".

[203] Schlatter (1997: 140) advierte con razón que Jesús no ofreció un sistema ético global y abstracto, y su enseñanza ética no debe separarse de la llamada al arrepentimiento (cf. Schlatter 1999: 69).

Jesucristo. La ley veterotestamentaria apunta a Cristo y se cumple en él, por lo que debe interpretarse a la luz de Cristo, y no al revés.

Mateo

El material de Mateo sobre la ley es más extenso que el que encontramos en Marcos.[204] El hecho de que Mateo aborde el tema con mayor amplitud podría explicarse porque su Evangelio es más largo que el de Marcos. Sin embargo, también es probable que encontremos más material sobre la ley porque Mateo se dirigía a cristianos judíos, que habrían tenido un gran interés en lo que Jesús había enseñado sobre la ley veterotestamentaria. El punto de vista de Mateo sobre la ley veterotestamentaria debe integrarse en el marco narrativo y la teología del Evangelio. El reino se ha inaugurado en Jesucristo, y él es el Mesías prometido, el Señor, el Hijo del Hombre y el Hijo de Dios. Lo que el Antiguo Testamento prometía, por tanto, se cumple en él. Cualquier teología de la ley no debe separarse de la línea argumental del Evangelio, que culmina en la muerte y resurrección de Jesús. Anteriormente señalamos la importancia de las fórmulas de cumplimiento en Mateo.[205] Tienen un significado especial a la hora de evaluar la concepción mateana de la ley, ya que enseñan claramente que Jesús cumplió las promesas hechas en el Antiguo Testamento. Es de esperar, pues, que Mateo enseñe que Jesús cumple lo que se encuentra en el Antiguo Testamento. De hecho, la autoridad soberana de Jesús como intérprete de la ley revela que la ley está subordinada a él, y que la ley, correctamente interpretada, apoya una cristología elevada.[206]

En muchos aspectos, por supuesto, la perspectiva de Mateo sobre la ley es compartida con Marcos. Muchos de los mismos relatos están contenidos en Mateo, y a menudo las diferencias entre ellos son mínimas. La crítica de la redacción ha servido para aislar las diferencias entre los Evangelios Sinópticos, pero en algunos casos los académicos han llegado al extremo de extraer significados de prácticamente todas las diferencias entre los relatos.[207]

---

[204] Para el estudio de la visión de Mateo sobre la ley, véase McConnell 1969; Snodgrass 1988: 536-54; Meier 1976; Banks 1975; Hübner 1973; Barth 1963; Suggs 1970: 99-127; Broer 1986.

[205] Véase la discusión en el capítulo 1.

[206] Véase Meier 1994: 1046.

[207] Por ejemplo, Gundry 1994.

La purificación del leproso sugiere una nueva postura hacia la ley veterotestamentaria, porque Jesús no se contamina con el leproso, sino que su contacto purifica al impuro (Mt. 8:1-4).

Como en Marcos, Jesús defiende el hecho de comer con recaudadores de impuestos y pecadores (Mt. 9:9-13). La controversia se desarrolla en un contexto en el que Mateo sigue a Jesús en el discipulado. Jesús, más que la ley, ocupa el centro del escenario. El relato mateano añade a la historia una cita de Oseas 6:6: "Pero vayan, y aprendan lo que significa: Misericordia quiero y no sacrificio" (Mt. 9:13). La separación de los recaudadores de impuestos y los pecadores practicada por los fariseos realmente contraviene el Antiguo Testamento, que llama a la misericordia y la compasión. No debemos subestimar, por otra parte, la novedad del evangelio de Jesús. Jesús es el novio, y las prácticas religiosas judías no pueden imponerse al nuevo orden que él trae (Mt. 9:14-17). El vino nuevo del evangelio debe ponerse en odres nuevos, porque ha amanecido la era en la que fluye el vino nuevo del escatón (Am. 9:11-15; Jl. 3:18).

Al comparar los textos mateanos sobre la ley con los de Marcos, observamos que Mateo hace más hincapié que Marcos en la continuidad entre el AT y la enseñanza y práctica de Jesús. Tal énfasis nada tiene de sorprendente, pues Mateo se dirigía a cristianos judíos. La enseñanza farisaica no liberaba a la gente, sino que la agobiaba, mientras que Jesús da descanso (Mt. 11:28-30): "Mi yugo es fácil y Mi carga ligera" (Mt. 11:30). El pronunciamiento de Jesús aquí parece contrastar con las exigencias que los fariseos imponían sobre el sábado, pues a la declaración de que el yugo de Jesús es fácil le siguen dos relatos sobre el día de reposo (Mt. 12:1-14). Hay que señalar además la centralidad de la cristología que envuelve los relatos sobre el día de reposo.[208]

El Padre ha entregado todas las cosas al Hijo, y el Hijo y el Padre tienen un conocimiento mutuo y exclusivo el uno del otro (Mt. 11:27). Los que anhelan el descanso deben acudir a Jesús (Mt. 11:28). Jesús es el siervo elegido de Dios, e incluirá a los gentiles en su plan de salvación. A diferencia de los fariseos, no aplastará la caña cascada ni "apagará la mecha que humea" (Mt. 12:20). Por tanto, como vimos en Marcos, las controversias sobre el día de reposo en Mateo (Mt. 12:1-14) deben interpretarse a la luz de la cristología del

---

[208] Acertadamente Thielman 1999: 63-66.

Evangelio. Jesús es el nuevo David y el Hijo del Hombre, el Señor del día de reposo (Mt. 12:1-8). Él es más grande que el templo y, por tanto, tiene la prerrogativa de hacer lo que quiera en el día de reposo (Mt. 12:5-6).[209] Mateo añade de nuevo el *logion* de Oseas 6:6 en el que se acusa a los dirigentes de carecer de misericordia y compasión. Debemos observar de nuevo que Jesús no se aventuró en un detallado debate halájico con los fariseos, sino que apeló a su autoridad soberana. El relato del hombre de la mano seca (Mt. 12:9-14) es, en general, similar al de Marcos. Sin embargo, Mateo incluye la defensa que Jesús hace de la licitud de su sanidad. Si los fariseos sacaban a una oveja de un pozo en día de reposo, entonces era lícito curar a un hombre en el día de reposo (Mt. 12:11-12). Tanto Marcos como Mateo subrayan que la ley debe interpretarse en función de Jesús, pero Mateo explica a su audiencia judía cómo las sanidades de Jesús concuerdan con la ley veterotestamentaria.

El relato del hombre rico en Mateo es bastante similar al de Marcos (Mt. 19:16-30). Jesús le ordena cumplir los mandamientos del Decálogo, pero es necesario que siga a Jesús y renuncie a todo para recibir la vida eterna. Toda la ley se resume, como en Marcos, con los mandamientos de amar a Dios y al prójimo (Mt. 22:34-40).[210] La ley también se resume en la regla de oro (Mt. 7:12): haz a los demás lo que quieras que te hagan a ti.

Algunos académicos consideran que Mateo respalda una visión muy conservadora de la ley veterotestamentaria. A menudo, Mateo expone la continuidad entre las enseñanzas de Jesús y la ley del Antiguo Testamento.[211] Ya hemos visto que, en ocasiones, Mateo ofrece una justificación veterotestamentaria de las acciones controvertidas de Jesús, explicaciones que no aparecen en Marcos.[212] Solo Mateo incluye que los que se hallaran en apuros por el asedio de Jerusalén deberían orar para que su huida no se produjera en un día de reposo (Mt. 24:20) y menciona el ofrecimiento de sacrificios en el templo (Mt. 5:24). Incluso se ordena a los creyentes que hagan

---

[209] Beale (2004: 179) sostiene que incluso la destrucción del templo puede señalar a Jesús como el nuevo templo.

[210] Davies y Allison (1988: 508-9) demuestran que el amor va más allá de los mandamientos escritos. Véase también Mohrlang 1984: 21.

[211] Para la opinión de que el Jesús histórico mantuvo la ley veterotestamentaria, véase Vermes 1993: 11-45.

[212] E. Sanders (1985: 245-69) sostiene que el Jesús histórico era esencialmente conservador con respecto a la ley, aunque no consideraba la Torá como la última palabra ni como vinculante a perpetuidad.

todo lo que enseñan los fariseos (Mt. 23:2-3), lo que resulta bastante sorprendente a la luz de las agudas críticas a los fariseos que impregnan este Evangelio.[213] La justicia, la misericordia y la fe se exaltan por encima del diezmo, pero este último sigue siendo encomiado y no parece abolirse (Mt. 23:23-24).[214]

Podría parecer, por los textos citados, que Mateo solo defiende la continuidad en su visión de la ley veterotestamentaria.[215] Ciertamente, Mateo se centra en el cumplimiento de la ley en Cristo (Mt. 5:17-20), pero este cumplimiento también implica cierta discontinuidad. El vino nuevo debe colocarse en odres nuevos (Mt. 9:14-17). Está claro que Jesús no abolió el día de reposo y, sin embargo, es el Señor soberano y el intérprete del sábado (Mt. 12:1-14). El escriba sabio en el reino es como el padre de familia que reúne correctamente lo nuevo y lo viejo y relaciona lo viejo con lo nuevo (Mt. 13:52) en la medida en que se relaciona con el reino de Dios.[216] El escriba sabio, en otras palabras, no se limita a repetir lo viejo, sino que explica cómo lo viejo se relaciona con lo nuevo y se cumple en lo nuevo, de modo que lo viejo no conserva precisamente el mismo estatus ahora que ha llegado lo nuevo. La era del cumplimiento profetizado en el Antiguo Testamento ha comenzado con la venida de Juan el Bautista (Mt. 11:13).

Es posible exagerar el elemento de continuidad en la enseñanza de Jesús en Mateo. La advertencia sobre los peligros de huir durante el día de reposo (Mt. 24:20) no debe entenderse necesariamente como una ratificación de la validez permanente del día de reposo para todos. En cualquier caso, a los judíos que vivían en Israel les resultaría difícil viajar en sábado.[217] Del mismo modo, las palabras de Jesús sobre las ofrendas (Mt. 5:24) y el diezmo (Mt. 23:23-24), si se toman en serio como palabras del Jesús histórico, se dirigían a judíos que vivían bajo la ley veterotestamentaria. Por tanto, no respaldan necesariamente

---

[213] Es probable que Luz (1995: 122) tenga razón al decir que el lenguaje es hiperbólico. También Davies y Allison 1997: 269-70 (con un útil estudio de diversas interpretaciones).

[214] Pero, contra Mohrlang (1984: 12-14), la tradición de los escribas no es válida para Mateo.

[215] Véase Mohrlang 1984: 42-43; Luz 1995: 14-15.

[216] Véase Hagner 1993b: 402.

[217] Contra Davies y Allison 1997: 349-50. Cf. Carson 1984: 501. Hagner (1995: 702) argumenta, por otra parte, que la cuestión que se considera aquí es la dificultad de observar el día de reposo durante tales días.

los sacrificios y el diezmo a perpetuidad.[218] Jesús habló a los judíos sobre las prácticas religiosas de su época. Jesús mismo, por supuesto, observaba las mismas normas, pero iríamos demasiado lejos al concluir que sus palabras constituyen una ratificación de tales mandamientos para el futuro.

Debemos equilibrar cuidadosamente los elementos de continuidad y discontinuidad en la visión mateana de la ley. Hengel argumentó que el mandato de Jesús de dejar "que los muertos entierren a sus muertos" (Mt. 8:22) contraviene la ley, lo que demuestra una abrogación radical de la ley.[219] Bockmuehl ha examinado cuidadosamente las pruebas y ha demostrado que la opinión de Hengel no es convincente.[220] Hengel se basa en pruebas del siglo III d.C. y posteriores para apoyar su conclusión. Además, incluso las pruebas tanaíticas presentadas por Hengel no apuntan claramente a una abrogación de la ley. Así pues, Mateo 8:22 (cf. Lc. 9:62) no apoya claramente la anulación de la ley. La propia solución de Bockmuehl, según la cual el dicho podría reflejar motivos nazareos, es intrigante, pero no puede demostrarse a partir de las pruebas existentes.[221]

Por otra parte, ya hemos visto que algunos textos apuntan hacia la discontinuidad. Toda la ley encuentra su cumplimiento en Cristo, pero el momento del cumplimiento significa que los creyentes no están bajo las prescripciones de la ley del mismo modo que antes.[222] Mateo, al igual que Marcos, incluye el relato sobre la tradición de los ancianos y la frase de Jesús de que solo lo que sale de una persona contamina. Mateo, a diferencia de Marcos, no añade el comentario de que Jesús, con ello, habría limpiado todos los alimentos (cf. Mc. 7:19).[223] Algunos han concluido de ello que Mateo

---

[218] Véanse los agudos comentarios de Carson 1984: 481.

[219] Hengel (1996: 3-15) propuso este punto de vista en un célebre ensayo.

[220] Bockmuehl 2000: 23-48.

[221] Fletcher-Louis 2003 apoya la opinión de Bockmuehl sobre Hengel. Fletcher-Louis argumenta con razón, empero, que la propia propuesta de Bockmuehl respecto a un trasfondo nazareo no es convincente, y que el sentido del dicho es que quienes no siguen a Jesús están espiritualmente muertos y, por tanto, sus seguidores no tienen la responsabilidad de enterrarlos.

[222] Véase France 1989: 191-97. Stettler (2004: 166-69) señala que Jesús hace más hincapié en la pureza ética que en la ritual.

[223] Bryan (2002: 165) sostiene que la cuestión aquí es la impureza de segundo grado (es decir, alimentos que estaban contaminados por el contacto con otras cosas que eran impuras y no alimentos impuros *per se*). Pero Stettler (2004: 169) argumenta acertadamente que es mucho más probable que Jesús se refiera aquí a los alimentos impuros en sí, pues "es mucho más difícil imaginar que la iglesia hubiera tomado un dicho de Jesús que se refería meramente a reglas humanas (a saber, el lavado de manos) y lo

sostiene una visión más conservadora de la ley.[224] Tal conclusión es difícil de sostener, pues la declaración de que los alimentos que entran en la boca no contaminan deja claramente de lado las prescripciones del Antiguo Testamento (Mt. 15:11, 17-18), incluso si Mateo no añade el mismo comentario que se encuentra en Marcos.[225]

Un claro indicio de discontinuidad en Mateo tiene que ver con el impuesto del templo exigido a todo israelita (Ex. 30:11-16).[226] Jesús declaró soberanamente a Pedro que los hijos están libres de pagar el impuesto (Mt. 17:24-27).[227] Pedro pagó, no porque se le exigiera, sino solo para evitar ofender. Mateo no indica por qué esta normativa ya no estaba en vigor, pero si tenemos en cuenta el esquema narrativo de su Evangelio, obtenemos una pista. El impuesto del templo se exigía para la redención de cada israelita. En Mateo, sin embargo, la muerte de Jesús proporciona redención a cada uno (Mt. 20:28). Además, Jesús predice la destrucción del templo, lo que supone el juicio de Dios sobre el antiguo orden. En Jesús ha llegado lo nuevo, y su venida significa que lo antiguo debe interpretarse a la luz de la llegada del reino y la salvación en Jesús.[228]

El debate más extenso sobre la ley en Mateo figura en Mateo 5:17-20.[229] Jesús subraya que ha venido a cumplir la ley en lugar de abolirla, de modo que

---

hubiera convertido en una refutación de mandamientos importantes de la Torá". Véase todo el debate en Stettler 2004: 168-71. Véase también Wright 1996: 397.

[224] Véase Snodgrass 1988: 552-53; Barth 1963: 89-91; Mohrlang 1984: 11-12; Davies y Allison 1991: 535.

[225] Acertadamente Carson 1984: 351-52; Thielman 1999: 66-68; France 2002: 279; contra Mohrlang 1984: 11-12.

[226] En defensa de una referencia al impuesto del templo más que a un impuesto de Roma, véase Davies y Allison 1991: 738-41.

[227] Véase Schlatter 1997: 211; Stettler 2004: 174. Banks (1975: 92), por su parte, sostiene que este pasaje no deja claramente de lado la ley. Pero Bryan (2002: 225-29) muestra que la ley es abrogada aquí.

[228] Stettler (2004: 177) comenta: "Tenemos que entender que Jesús, como el Santo de Dios, cumple la Torá en su sentido más profundo. Su venida, sus acciones y su muerte santifican en última instancia a su pueblo. Por tanto, ya no hay necesidad de guardar literalmente la Torá de pureza".

[229] Meier (1976: 80) sostiene que la atención se centra en la función predictiva de la ley. Banks (1975: 210) dice que la ley se cumple y trasciende en Jesús. Carson (1984: 142-44) sostiene que la ley encuentra su cumplimiento escatológico en Jesús. Davies y Allison (1988: 485-87) sugieren que la ley es escatológica, que apunta a Jesús y que se establece una nueva ley. Snodgrass (1988: 547) señala acertadamente que la noción de cumplir o hacer la ley debe incluirse aquí. Para un estudio de la cuestión, véase McConnell 1969: 14-29.

incluso el más pequeño de los mandamientos no debe relajarse, sino hacerse cumplir. Esta declaración podría entenderse como una afirmación de que los cristianos deben cumplir todas y cada una de las leyes del Antiguo Testamento. Debemos recordar, sin embargo, que la palabra "cumplir" (*plēroō*) se utiliza regularmente en fórmulas de cumplimiento en Mateo, y que las profecías del Antiguo Testamento encuentran su fin en Jesucristo.

Además, ya hemos observado que no toda la ley veterotestamentaria es vinculante para Mateo. De lo contrario, el impuesto del templo seguiría siendo una obligación. Por tanto, es probable que Jesús quiera decir que la ley veterotestamentaria sigue teniendo autoridad para los creyentes, pero solo en la medida en que se cumple en Jesucristo. Tal cumplimiento significa que hay elementos de continuidad y discontinuidad.[230] Además, los versículos siguientes (Mt. 5:21-48) revelan que Jesús es el intérprete soberano de la ley. El contraste entre "Oísteis que fue dicho" (Mt. 5:21, 27, 33, 38, 43)[231] y "Pero yo os digo" (Mt. 5:22, 28, 32, 34, 39, 44) indica que la ley apunta a, es cumplida por e interpretada por Jesús.

Parece que, en esta sección, Jesús contrarresta con frecuencia una interpretación errónea de la ley por parte de sus contemporáneos.[232] La prohibición del asesinato no puede limitarse simplemente a evitarlo; también incluye la ira injusta (Mt. 5:21-26). Los que dejan que la ira reine libremente en sus vidas están expuestos a ser juzgados en el infierno, a menos que, confesando sus pecados, se reconcilien con aquellos a quienes han injuriado. Los fariseos y escribas limitaban la prohibición del adulterio al acto físico (Mt. 5:27-32), pero Jesús situaba el adulterio en el corazón, sosteniendo que quienes desean mujeres en su corazón son culpables de adulterio. Los que quieren vencer los deseos sexuales ilícitos deben tratar con severidad los pensamientos sexuales errantes y deben, por así decirlo, sacarse el ojo y cortarse la mano.

Del mismo modo, los que se divorcian de sus esposas y se casan con otras son culpables de adulterio, a menos que sus cónyuges sean culpables de pecado

---

[230] Davies y Allison (1988: 490) observan que la circuncisión se excluye porque se entendía que era innecesaria.

[231] En Mateo 5:31 se lee: "También se dijo".

[232] Contra L. Cheung 2003: 112. Thielman (1999: 49-58) defiende bien la opinión de que Jesús realmente suprime aquí elementos de la ley veterotestamentaria, pero yo argumentaré que el texto apunta en otra dirección. Mohrlang (1984: 12-14, 47) sostiene erróneamente que incluso la tradición de los escribas es autoritativa para Mateo, concluyendo que la visión paulina de la ley es "más completa y coherente que la de Mateo".

sexual (*porneia* [Mt. 5:31-32; 19:3-12]).[233] No está claro que Jesús aboliera realmente aquí la ley veterotestamentaria sobre el divorcio de Deuteronomio 24:1-4. En cualquier caso, el texto de Deuteronomio 24 no recomienda el divorcio, sino que simplemente lo permite.[234] Parece que algunos de los intérpretes de la época de Jesús malinterpretaron el Deuteronomio, de modo que algunos llegaron a la conclusión de que el divorcio estaba permitido prácticamente por cualquier motivo. Algunos han sugerido que el permiso para divorciarse por razón de *porneia* es un añadido de la redacción mateana para modificar la estricta enseñanza de Jesús.[235]

Este punto de vista parece tener cierta verosimilitud porque la excepción no aparece en los otros Sinópticos. Sin embargo, esta hipótesis debe rechazarse. No tenemos pruebas en ninguna otra parte de que Mateo modifique o atenúe la naturaleza radical de la enseñanza de Jesús. Los requisitos de justicia en Mateo no son menos estrictos en comparación con los de los otros Evangelios.[236] Es Mateo quien insiste en que la justicia de los del reino debe superar a la de los escribas y fariseos (Mt. 5:20; cf. 5:48). En este caso, pues, Jesús no anuló la ley del Antiguo Testamento *per se*, sino que argumentó que debe interpretarse a la luz de la intención creacional de Dios.

Pareciera que nos encontramos ante una clara abrogación de la ley veterotestamentaria en la prohibición de Jesús a sus discípulos de prestar juramento (Mt. 5:33-37). No obstante, una mirada más atenta sugiere que Jesús estaba respondiendo a un abuso del juramento que se practicaba en su época. Al consultar Mateo 23:16-22, nos enteramos de que algunos judíos recurrían a la casuística en la prestación de juramentos.[237] Jurar por el oro del santuario o la ofrenda del altar obligaba a cumplir el juramento, mientras que jurar por el templo o el propio altar no era vinculante. El texto también sugiere que jurar por el cielo convertía el juramento en opcional (Mt. 5:34; 23:22).

Por lo tanto, Jesús no prohibió literalmente los juramentos, sino que enfatizó hiperbólicamente que los seres humanos deben decir la verdad, por lo

---

[233] Reservaré para el capítulo 18 una discusión más completa del tema del divorcio en el NT.

[234] Acertadamente Mohrlang 1984: 12; Snodgrass 1988: 552; Moo 1984: 19-21. Contra McConnell 1969: 51, 62; Westerholm 1978: 114-25.

[235] Stein, *DJG* 197.

[236] Davies y Allison (1988: 531) sugieren que la excepción en Mateo puede haber estado implícita en Marcos 10:9-10 y Lucas 16:18.

[237] Véase Westerholm 1978: 105-6.

que un simple sí o no debería bastar.[238] Westerholm argumenta acertadamente que Jesús no pretendía formular aquí una nueva norma que prohibiera jurar; más bien, Jesús estaba preocupado por un corazón que agradara a Dios, por lo que su instrucción moral no debería considerarse como una nueva ley integral.[239] Cuando Jesús fue juzgado, respondió al sumo sacerdote que le exigió que hablara bajo juramento (Mt. 26:63-64). Si consideramos el asunto canónicamente, vemos que Pablo recurrió a fórmulas de juramento (Ro. 1:9; 9:1; 2 Co. 1:23; Gl. 1:20), y parece estar familiarizado con la tradición recogida en el Sermón del Monte. Por último, según Hebreos 6:14-20, vemos que Dios mismo hace un juramento para consolar a los suyos con la seguridad de su promesa.

Por otra parte, Jesús pareció anular la ley veterotestamentaria al revocar la prescripción de "ojo por ojo y diente por diente" (Mt. 5:38).[240] En su lugar, instó a sus discípulos a la no resistencia y a hacer el bien positivamente a quienes les maltrataran (Mt. 5:38-42). Parece ser, sin embargo, que Jesús contrarrestó una interpretación errónea de la ley veterotestamentaria en lugar de abolirla.[241] El principio de "ojo por ojo y diente por diente" se remonta a los marcos judiciales del Antiguo Testamento (Ex. 21:22-27; Lv. 24:17-22; Dt. 19:15-21). El castigo debe ser proporcional al delito, de modo que se ajuste a él. Por tanto, debe evitarse la crueldad que inflige penas excesivas al que comete la infracción.

Del mismo modo, también están prohibidas las sentencias laxas dictadas en función de la parcialidad hacia el acusado. De lo que Jesús hablaba aquí es de la práctica de aplicar al ámbito *personal* el principio judicial de que el castigo debe adecuarse al delito. Individualmente, los discípulos deben perdonar y hacer el bien a quienes les oprimen. Los discípulos no deben asumir

---

[238] Otros reconocen que Jesús hablaba hiperbólicamente (Davies y Allison 1988: 535-36; Stein 1988: 11-12). De ahí que Jesús recordara a sus oyentes la intención original de la ley (Snodgrass 1988: 551; contra Banks 1975: 194; McConnell 1969: 63-65; Moo 1984: 21). Westerholm (1978: 108) va más allá de la evidencia al detectar una oposición a los estatutos *per se* en este episodio.

[239] Westerholm 1978: 104-13.

[240] Véase Meier 1976: 157; Barth 1963: 94.

[241] Davies y Allison (1988: 542) comentan acertadamente: "Mientras que en el Pentateuco la *lex talionis* pertenece al proceso judicial, este no es el ámbito de aplicación en Mateo. Jesús, repito, no derriba el principio de compensación equivalente a nivel institucional —esa cuestión simplemente no se aborda—, sino que declara ilegítimo que sus seguidores lo apliquen a sus disputas privadas". Véase también Hagner 1993b: 131.

la tarea de corregir los males del mundo, como si tuvieran que impartir justicia personalmente. Tal postura abre la puerta al deseo de venganza personal. Las autoridades gubernamentales, por otra parte, siguen asignando penas sobre la base de una justa compensación. Si el castigo no es proporcional al delito, entonces desaparece la base de toda justicia. Por tanto, Jesús no abole la ley veterotestamentaria, sino que corrige una interpretación errónea.

Jesús tampoco abolió la ley veterotestamentaria cuando dijo que los discípulos debían amar a sus enemigos (Mt. 5:43-48). De nuevo reaccionó ante una interpretación errónea del Antiguo Testamento que justificaba el odio a los enemigos. El amor al prójimo se extiende a todos sin discriminación (Lv. 19:17-18). Si los israelitas veían vagar el buey o el asno de un enemigo, debían devolverlo (Ex. 23:4). Si veían que el asno de alguien que les odiaba necesitaba ayuda para librarse de una carga, debían prestarle ayuda (Ex. 23:5). Por tanto, parece ser que Jesús corrigió una interpretación errónea de la ley veterotestamentaria.

En resumen, la visión mateana de la ley es compleja. La ley apunta a Jesús y se cumple en él. La ley encuentra su clímax en la llegada del reino y la venida de Jesús como el Mesías, el Señor, el Hijo del Hombre y el Hijo de Dios. Él es el soberano intérprete y Señor de la ley mosaica. En algunos casos, Jesús corrige una interpretación errónea de la ley veterotestamentaria. Ahora que Cristo ha venido, hay discontinuidad y continuidad con respecto a la ley. Algunas de las normas de la ley siguen vigentes con la llegada del reino y la venida de Jesús. Otras prescripciones de la ley ya no están en vigor. En definitiva, toda la ley debe interpretarse a la luz de la venida de Jesús el Cristo.

Lucas-Hechos

Desde cierto punto de vista, Lucas parece respaldar la validez permanente de la ley. Zacarías e Isabel son elogiados por vivir irreprochablemente de acuerdo con los mandamientos de la ley (Lc. 1:6). José y María circuncidaron a Jesús al octavo día, como especifica la ley, y ofrecieron los sacrificios de purificación designados en la ley mosaica (Lc. 2:21-24). Los padres de Jesús, como manda el Antiguo Testamento, viajaban cada año a Jerusalén para la Pascua, y Jesús viajó con ellos cuando cumplió doce años (Lc. 2:41-52). Se podría argumentar que Jesús no hizo nada en el día de reposo que violara sus prescripciones (Lc. 6:1-11; 13:10-17; 14:1-6). Los que aman a Dios y al prójimo obtendrán la vida eterna (Lc. 10:25-28). Cuando el joven rico preguntó cómo obtener la vida eterna, Jesús lo remitió a los mandamientos del Decálogo (Lc. 18:18-20). Jesús dijo que la ley y los profetas estaban en vigor hasta la venida del Bautista y el reino (Lc. 16:16). Tal afirmación podría implicar que la ley ya no estaba en vigor con la venida de Jesús, pero Lucas sigue inmediatamente con la insistencia de Jesús en que no pasará ni una tilde de la ley (Lc. 16:17).[242] Tras la muerte de Jesús, las mujeres no ungieron su cuerpo hasta que descansaron el sábado, y Lucas añade que lo hicieron de acuerdo con lo que manda la ley (Lc. 23:56).

El énfasis en el cumplimiento de las prescripciones de la ley se observa también en el libro de Hechos. Pedro y Juan seguían adorando en el templo, y acudían a él a la hora en que se sacrificaba el holocausto (Hch. 3:1).[243] Las acusaciones de que Esteban violaba la ley son desestimadas como falsas (Hch. 6:13-14). Esteban dio vuelta a la tuerca contra sus oponentes, alegando que eran ellos los que no cumplían la ley (Hch. 7:53). Los reglamentos que Jacobo esperaba que observaran tanto judíos como gentiles proceden de reglamentos del Antiguo Testamento (Hch. 15:19-20, 29; 21:25). Después de leer Gálatas, cabría esperar que Pablo se negara a circuncidar a Timoteo, pero lo hizo (Hch. 16:3). Al parecer, Pablo hizo un voto de nazareato y viajaba a Jerusalén para ofrecer los sacrificios especificados por el voto (Hch. 18:18).

Cuando Pablo llegó a Jerusalén, pagó la purificación de cuatro hombres que habían hecho voto (Hch. 21:20-26; cf. Nm. 6:14-15).[244] Lo hizo para evitar cualquier sugerencia de que enseñaba a los judíos a abandonar la ley, o que él mismo violaba lo que esta ordena. Un rito purificador de este tipo implicaría también el ofrecimiento de sacrificios, que al parecer Pablo no veía con malos ojos. Cuando Pablo describió su conversión a una audiencia judía, elogió a Ananías por ser "piadoso según las normas de la ley" (Hch. 22:12).

Los textos mencionados podrían sugerir que Lucas defiende una postura notablemente conservadora respecto a la ley veterotestamentaria.[245] Sin

---

[242] Sin embargo, la ley sigue vigente en la medida en que señala y proclama el reino (Thielman 1999: 151-52). Según Fitzmyer (1985: 1116), Lucas no piensa aquí en la ley de forma casuística, sino que enseña que el reino cumple las Escrituras veterotestamentarias.

[243] Para más detalles, véase Fitzmyer 1998: 277.

[244] Para un análisis de la ambigüedad del texto, véase Fitzmyer 1998: 694.

[245] Jervell (1972: 133-51) sostiene que la perspectiva acerca de la ley en Lucas-Hechos es la más conservadora de todo el NT. Véase también Juel 1983: 103-9.

embargo, si tenemos en cuenta todos los datos de Lucas-Hechos, surge una imagen claramente distinta.[246] Lucas subraya que las Escrituras proféticas encuentran su cumplimiento en Jesús de Nazaret, sobre todo en su muerte y resurrección (Lc. 24:25-27, 44-47; Hch. 24:14; 26:22-23; 28:23).[247] Por tanto, el Antiguo Testamento solo puede interpretarse correctamente si se considera su clímax en el ministerio, la muerte y la resurrección de Jesús de Nazaret. La ley y los profetas apuntan hacia el reino de Dios (Lc. 16:16). Por lo tanto, cada letra de la ley encuentra su cumplimiento en el ministerio de Jesucristo (Lc. 16:17).[248] La prohibición de divorciarse y volverse a casar que sigue inmediatamente a este dicho es instructiva (Lc. 16:18), porque la ley ahora es interpretada por Jesucristo.[249] Jesús no se centró en la ley; la ley se centra en Jesús.

También son significativas las evidencias que Lucas comparte con los demás Sinópticos. La purificación del leproso sugiere que Jesús trasciende las leyes de la lepra (Lc. 5:12-15). Jesús, como Hijo del Hombre, es Señor del día de reposo (Lc. 6:1-5). Hacer el bien en el día de reposo se ajusta a la finalidad para la que fue instituido (Lc. 6:6-11; 14:1-6), pues Jesús no estaba obligado a curar en sábado (Lc. 13:10-17). Uno de los dirigentes de la sinagoga, que probablemente representaba un típico punto de vista farisaico, reprochó a Jesús que las curaciones podían realizarse en otros días. Jesús, por el contrario, creía que el día de reposo era el día en que *debían* realizarse las sanidades. El día de reposo tenía por objeto destacar su ministerio mesiánico, y Jesús intencionadamente sanó en sábado porque el sábado apunta hacia el descanso escatológico que Dios prometió a su pueblo.

La inauguración del reino por medio de Jesús significa que lo que la ley proclama se cumple en él. Tal cumplimiento no significa que cada aspecto de la ley sea sustituido por un nuevo contenido. El mandamiento de amar a Dios

---

[246] Wilson (1983) sostiene, por otra parte, que la visión lucana de la ley es ambigua y no está claramente definida porque Lucas se muestra indiferente sobre el papel de la ley.

[247] Blomberg (1984), en un importante artículo, sostiene que la ley debe interpretarse cristológicamente y en términos de historia de la salvación en Lucas (véase también Blomberg 1998). Cuando se considera el flujo del libro, queda claro que la ley veterotestamentaria ya no es normativa para los creyentes, y que la ley encuentra su cumplimiento en Cristo.

[248] Seifrid (1989) apoya el argumento aquí expuesto, sosteniendo que la visión lucana de la ley puede calificarse como mesiánica.

[249] Thielman (1999: 152) dice que Lucas 16:18 funciona "como un ejemplo de ética del reino".

y al prójimo sigue vigente (Lc. 10:25-28), pero ni siquiera este mandamiento puede abstraerse del conjunto del Evangelio de Lucas. Jesús recordó al joven rico los mandamientos del Decálogo cuando éste preguntó por la obtención de la vida eterna (Lc. 18:18-22). Sin embargo, el hombre rico no disfrutaría de la vida eterna a menos que siguiera a Jesús como discípulo.[250] El mandato de dejar "que los muertos entierren a sus muertos" (Lc. 9:60) no deroga directamente la ley. Sin embargo, confirma que seguir a Jesús es la exigencia suprema de Dios.

Lucas no cree que todos los requisitos de la ley sean vinculantes ahora que Cristo ha sido exaltado y el Espíritu ha sido derramado. Por ejemplo, Esteban fue acusado de hablar contra la ley y el templo (Hch. 6:11-14). Lucas nos informa de que los cargos son falsos. Algunos académicos han exagerado las palabras de Esteban en Hechos 7:1-53, viendo en ellas un rechazo radical del templo.[251] La adoración pura y simple del santuario móvil (el tabernáculo), según este punto de vista, fue desplazada por el templo, y Dios no respaldó la construcción del templo. Este punto de vista malinterpreta el contenido del discurso de Esteban.

En realidad, Esteban no criticó la adoración en el templo, ni la rechazó como si fuera contraria a la voluntad de Dios. Lo que Esteban hizo fue *relativizar* la adoración en el templo. Recordó a sus oyentes que Abraham nunca disfrutó ni siquiera de un palmo de espacio en la tierra prometida (Hch. 7:5). Dios no se limita a los espacios sagrados para llevar a cabo sus propósitos. Del mismo modo, José fue rechazado por sus hermanos y desterrado a Egipto, y sin embargo Dios lo preservó allí tanto a él como a Israel (Hch. 7:9-16). El rechazo tanto de José como de Moisés por parte de sus contemporáneos pronosticó el repudio de Jesús en tiempos de Esteban. Esteban no exaltó la adoración del tabernáculo por encima de la construcción del templo. Lo que hizo fue recordar a sus oyentes que Dios no está sujeto a un templo, y que actuó en la historia israelita antes de que se erigiera un templo. Dios trasciende el templo, pues como Señor soberano del universo, no puede ser contenido por

---

[250] En el capítulo 18 examinaremos la enseñanza lucana sobre las riquezas.

[251] Por ejemplo, Kilgallen 1976: 89-94; Maddox 1982: 53; Kee 1990: 45. Para una crítica de esta interpretación tan común, véase C. Hill 1992: 41-101; véase también Peterson 1998: 378; Schnabel 2004a: 667. Con todo, no comparto el escepticismo de Hill sobre la fiabilidad histórica de los hechos narrados, y también parece que exagera su tesis. Aun así, su trabajo demuestra que muchos eruditos en el pasado apelaron a Esteban para una crítica radical de la ley y leyeron en el texto más de lo que estaba presente.

un edificio.[252] Esteban no rechazó la adoración en el templo per se, sino que dio a entender que la adoración en el templo no puede interpretarse como la piedra angular de la obra de Dios con su pueblo. La crítica de Esteban a la ley era, pues, bastante sutil. Sugirió un cambio en el estatus del templo a la luz del cumplimiento de la historia de la salvación con la venida de Jesús, pero no argumentó explícitamente que la ley y el templo ya no estuvieran en vigor.[253]

La experiencia de Pedro con Cornelio y sus amigos confirma que los mandamientos de la ley no son necesarios. La visión de Pedro en el tejado es especialmente importante (Hch. 10:9-16). Vio una variedad de animales en una sábana que bajaba del cielo. Algunos de los animales de la sábana estaban prohibidos según las leyes alimentarias del Antiguo Testamento (Lv. 11:1-44; Dt. 14:3-21). Sabemos que los alimentos prohibidos estaban incluidos porque Dios ordenó a Pedro que matara y comiera los animales de la sábana, y Pedro protestó, alegando que no comería ningún alimento impuro. Esto indicaba que al menos algunos de los animales de la visión eran impuros. Dios le contestó: "Lo que Dios ha limpiado, no lo llames tú impuro" (Hch. 10:15). Pedro vio la visión tres veces, lo que le aclaró que no se trataba de una ilusión.

El significado de la visión debe explicarse cuidadosamente. Lucas no niega que el Antiguo Testamento prohibiera los alimentos impuros, ni está sugiriendo que tales mandamientos fueran erróneos antes de la venida de Cristo. Su punto es que estos mandamientos ya no están en vigor en esta etapa de la historia de la salvación. La flexibilización de las leyes alimentarias está vinculada en la narración con la extensión del evangelio a los gentiles (Hch. 10:1-11:18).[254] Naturalmente, a Pedro le desconcertó que Dios anulara lo que antes era un mandamiento (Hch. 10:17). Pero empezó a ver que la purificación

---

[252] Muchos piensan que la crítica es más aguda (véase Haenchen 1971: 290; Barrett 1994: 374-75).

[253] Barrett (1994: 338) exagera al decir que el discurso critica el templo pero reivindica la ley, pues la crítica del primero implica inevitablemente una crítica a la segunda.

[254] El texto no afirma directamente que las leyes alimentarias ya no son obligatorias, pero el vínculo entre alimentos impuros y gentiles impuros está claramente implicado en el texto (Wilson 1983: 174). Además, como señala Seifrid (1987: 43), "se pensaba que el contacto con los gentiles traía la contaminación porque no guardaban las leyes de pureza". Además, Seifrid (1987: 43) también concluye acertadamente que, en cualquier caso, "la visión de Pedro anula inequívocamente las exigencias mosaicas". Véase también Turner 1982: 116; Maddox 1982: 36-37. Contra Barrett (1994: 509) y Fitzmyer (1998: 455), es bastante improbable que Lucas sugiera que los alimentos en cuestión hayan sido siempre limpios. Pasan por alto el carácter de salvación histórica de Lucas en este caso.

de los alimentos impuros estaba relacionada con la misión a los gentiles (Hch. 10:28).[255]

Los gentiles recibieron el Espíritu sin estar circuncidados ni ajustarse a los requisitos de pureza judíos (Hch. 10:44-48; 15:7-11). La difusión del evangelio a todos los pueblos está ligada a la disolución de los requisitos de pureza de la ley mosaica. Los gentiles no tenían que ajustarse a la ley del Antiguo Testamento para formar parte del pueblo de Dios. Para el momento en que se celebró el concilio apostólico de Hechos 15, Pedro veía claramente las implicaciones del evento de Cornelio (Hch. 15:7-11). El yugo de la ley no debía imponerse a los gentiles. El único requisito de entrada es la fe en Jesucristo, y el don del Espíritu confirma que forman parte del pueblo de Dios. Las palabras de Pablo en Hechos 13:38-39 son bastante similares.[256] La justificación no viene a través de la ley de Moisés, sino más bien creyendo en Jesucristo.[257] En la nueva era de la historia de la salvación, el perdón de los pecados pertenece a los que confían en Jesucristo, no a los que observan la ley.[258]

Tras la primera empresa misionera de Pablo y Bernabé (Hch 13:1-14:28), los gentiles empezaron a llegar a la Iglesia. Pablo y Bernabé no habían exigido la circuncisión a los que se convertían. Surgió una controversia sobre si debía exigirse la circuncisión, especialmente por parte de la facción farisaica de los creyentes (Hch. 15:1, 5). Algunos sostenían que la circuncisión era necesaria para la salvación porque el Antiguo Testamento exigía claramente que los que entraban en pacto con el Señor fueran circuncidados (Gn. 17:9-14). Cuestiones históricas, textuales y teológicas se unen para hacer de Hechos 15:1-35 un texto complejo y controvertido.

---

[255] Algunos han argumentado que Lucas resta importancia a la visión de Pedro, pero Thielman (1999: 155-56) responde con éxito a esta objeción.

[256] No sigo a Barrett (1994: 650-51) y otros que piensan que aquí Lucas no representó con exactitud la teología paulina.

[257] Kilgallen (1988) destaca de forma convincente el enfoque cristológico del discurso.

[258] La debilidad de la posición de Jervell (1972: 146) se manifiesta en este punto, pues asigna Hechos 13:38-39; 15:10-11 a la tradición y no a la redacción. Tal conclusión, aunque sea correcta, no responde a una pregunta crucial: ¿por qué Lucas lo incluiría como material tradicional si difería de su visión general? Jervell (1996: 60) argumenta en una obra posterior que la circuncisión no era un requisito de la ley veterotestamentaria para los gentiles, pero esto va en contra de la clara exigencia veterotestamentaria de que uno debía circuncidarse para pertenecer a Israel (cf. Gn. 17:9-14). Es asombroso que Jervell pase esto por alto, pues insiste bastante en que los gentiles pertenecen al Israel restaurado.

Sin embargo, a los efectos que nos ocupan, el texto es bastante claro. La decisión del concilio fue que la circuncisión no se requeriría para la salvación. Los gentiles serían considerados miembros de la iglesia por su fe en el Señor Jesucristo y la recepción del Espíritu Santo. De nuevo, Lucas no argumenta que la circuncisión fuera un error desde el principio, ni denigra el requisito del Antiguo Testamento. Su propósito es transmitir que el rito de iniciación ya no es necesario en esta etapa de la historia de la salvación.[259] Ha despuntado una nueva era con el ministerio, la muerte y la resurrección de Jesucristo. Dado que él ha sido exaltado a la diestra de Dios, el Espíritu es derramado sobre todos los que creen. Los requisitos de la Torá ya no están en vigor ahora que las promesas de Dios se están cumpliendo y la buena nueva está llegando a los gentiles.

Está claro, pues, que Lucas no propone una visión extremadamente conservadora de la ley. Enseña que la justificación y el perdón de los pecados no vienen por la ley, sino por la gracia del Señor Jesucristo. Las leyes alimentarias y la circuncisión, normativas de la ley mosaica, ya no son necesarias para el pueblo de Dios. El cumplimiento de las promesas de Dios señala un cambio en la historia redentora. Los llamados textos conservadores relativos a la ley en Lucas deben explicarse en el marco de la historia de la salvación. Los padres de Jesús lo circuncidaron y siguieron los ritos de purificación requeridos después de su nacimiento (Lc. 2:21-24) porque vivían en el período anterior a la muerte y resurrección de Jesús y al descenso del Espíritu.

Lucas tampoco tiene ningún problema con que los judíos observaran esas costumbres de acuerdo con la cultura y la historia judías. Sin embargo, no debemos leer estos textos como si sugirieran que tales prácticas son normativas para todos los creyentes. Está claro que Lucas no cree que todos los creyentes deben circuncidarse. La observancia de la Pascua por parte de Jesús y sus padres (Lc. 2:41-52) debe interpretarse dentro de este mismo marco. Vivían bajo la ley y, por tanto, observaban las fiestas judías. Lo mismo podría decirse de las mujeres que descansaron el sábado (Lc. 23:56), aunque en Lucas vemos algunos indicios de que Jesús trascendió las normas del día de reposo.

La libertad de la ley veterotestamentaria no significa que los judíos estuvieran *obligados* a ignorarla. Pedro y Juan participaron en el culto del

---

[259] En defensa de esta lectura del decreto, véase Seifrid 1987: 44-47.

templo (Hch. 3:1), presumiblemente por su origen judío y quizá también como un medio de alcanzar a sus contemporáneos judíos con el evangelio. La circuncisión de Timoteo por parte de Pablo (Hch. 16:1-5) ha sido objeto de especial controversia, sobre todo porque, según Gálatas 2:3-5, se negó a circuncidar a Tito.[260] Si seguimos la línea argumental de Hechos, vemos que los apóstoles y la iglesia acababan de determinar que la circuncisión era innecesaria para la salvación (Hch. 15:1-35).

La circuncisión de Timoteo, después de este acontecimiento, resulta bastante sorprendente. Lucas explica, sin embargo, que el padre de Timoteo era gentil, mientras que su madre era judía. Como la madre de Timoteo era judía, los judíos lo habrían identificado como judío. Pablo no circuncidó a Timoteo para que se salvara, sino para poder llevarlo consigo cuando predicara el evangelio en las sinagogas judías. Al circuncidar a Timoteo evitó controversias innecesarias. Bajo ninguna circunstancia Pablo toleraría la circuncisión de Tito (Gl. 2:3-5), porque Tito era gentil, y tal procedimiento sugeriría que los gentiles tenían que circuncidarse para ser salvos. El caso de Timoteo fue muy diferente. Pablo lo circuncidó por razones culturales y para avanzar en su misión entre los judíos.

El hecho de que Pablo hiciera un voto y pagara los sacrificios de otros que lo hicieron debe entenderse de forma similar (Hch. 18:18; 21:21-26). Jacobo y los demás creyentes judíos animaron a Pablo a ajustarse a la ley para demostrar a los judíos que no les ordenaba abandonar la ley o las costumbres judías. Pablo no tenía ningún problema con que los judíos observaran la ley, y él mismo se conformaba con cumplir las prescripciones de la ley cuando disfrutaba de la comunión con los judíos. A lo que Pablo se oponía era a la imposición de los reglamentos de la ley sobre los gentiles. Por lo tanto, el hecho de que Pablo hiciera un voto, pagara sacrificios y circuncidara a Timoteo encaja dentro de la misma perspectiva. Con la venida de Jesucristo, la ley dejó de ser obligatoria. Sin embargo, Pablo no era un extremista. Incluso si la circuncisión no era obligatoria para la salvación, Pablo no tenía ningún problema con que los judíos la practicaran y practicaran otras ordenanzas de la ley de acuerdo con las costumbres judías.

---

[260] Sobre la circuncisión de Timoteo en Hechos 16, véase Schreiner, *DPL* 137-39.

¿Contradice el llamado decreto apostólico lo que estoy diciendo aquí?[261] El concilio determinó que la circuncisión no era necesaria para la salvación, pero luego procedió a decir que los gentiles debían "abstenerse solo de las cosas contaminadas por los ídolos y de la fornicación y de todo lo estrangulado y de la sangre" (Hch. 15:20 NRSV; cf. 15:29; 21:25). El significado y el sentido del decreto han sido objeto de debate durante mucho tiempo. El texto occidental omite las cosas estranguladas y parece convertir el decreto en requisitos morales, de modo que se prohíben la idolatría, el pecado sexual y el asesinato, y se añade una forma negativa de la regla de oro. Tal solución es atractiva, pero la evidencia textual favorece la inclusión de la prohibición de las cosas estranguladas.[262] Muchos eruditos han sostenido que las prohibiciones se remontan a Levítico 17-18.

Los gentiles debían abstenerse de comer alimentos indebidamente inmolados, de consumir alimentos con sangre, de casarse dentro de los límites prohibidos por Levítico 18:6-18 y de comer alimentos ofrecidos a los ídolos.[263] Bauckham argumenta que la clave se encuentra en las palabras "en medio de ustedes/sus" en Levítico 17:8, 10, 12, 13; 18:26.[264] Los cuatro mandamientos son lo que Levítico 17-18 exigía a los gentiles que vivían como gentiles pero habitaban en medio de Israel.[265] Rechaza la idea de que aquí tengamos una solución pragmática transigente; más bien, estas son las leyes exigidas a los gentiles que vivían entre Israel. Esta visión del decreto, como demuestra Bauckham, parece reflejarse en otras partes del Nuevo Testamento y en la historia posterior de la iglesia. El problema surge con Pablo. Según Bauckham,

---

261 Para un estudio de las diversas opiniones, véase Schnabel 2004a: 1015-20.
NRSV New Revised Standard Version
262 Acertadamente Bruce 1954: 311-12, 315-16; Marshall 1980b: 246-47, 253; Barrett 1998: 735-36.
263 Haenchen 1971: 449, 468-72; Turner 1982: 117-18; Conzelmann 1987: 118-19; Polhill 1992: 330-31; Fitzmyer 1998: 556-58. Véase el análisis del decreto en Seifrid 1987: 47-51. Seifrid (1987: 50) señala que el decreto contenía requisitos tanto éticos como rituales, aunque se centra en estos últimos. En contra de Seifrid, la referencia a Moisés (Hch. 15:21) no pretende contraponer la predicación de Moisés a la predicación de Cristo. Más bien, Lucas simplemente explica por qué es culturalmente apropiado que los gentiles se adapten a las preocupaciones rituales judías, sin implicar que funcionen como una ley para los gentiles conversos (contra Catchpole 1977: 429).
264 Véase Bauckham 1995: 459-80.
265 En este sentido, es muy similar la opinión de Jervell (1996: 59).

Pablo aceptó inicialmente el decreto, pero más tarde no estuvo de acuerdo con algunos de sus aspectos.[266]

A pesar de la franqueza de la opinión de Bauckham, no está claro que el decreto forme parte de la ley veterotestamentaria. Barrett sugiere que lo que se prohíbe es la idolatría, la fornicación y el asesinato, junto con la no participación en comidas kosher.[267] Yo también creo que el decreto mezcla requisitos morales y rituales. Pero, a diferencia de Barrett, creo que la única prohibición moral se refiere al pecado sexual. En otras palabras, es difícil ver que la inmoralidad en cuestión se remonte a las regulaciones relativas al pecado sexual en Levítico 18; más bien, la referencia es al pecado sexual en general, pues había que enseñar a los gentiles que el pecado sexual no encajaba con su recién descubierta fe en Cristo. Los otros requisitos se referían a la prohibición de alimentos no kosher, incluidos los alimentos de los que no se drenaba la sangre adecuadamente. Estos últimos requisitos se incluyeron para facilitar la comunión entre judíos cristianos y gentiles.

¿Introdujo Jacobo requisitos adicionales para la salvación después de acordar que la circuncisión no sería obligatoria? Muchos eruditos sostienen que Pablo no estaba presente cuando se aprobó el decreto y que nunca habría estado de acuerdo con sus disposiciones. Tal reconstrucción, por supuesto, se desvía del texto de Hechos tal y como se ha conservado y ha llegado hasta nosotros. Las reconstrucciones de este tipo suelen ser testimonio de la creatividad de los eruditos que las proponen o de una lectura unilateral de las pruebas. El decreto encaja con la narración de Hechos en su conjunto y con la decisión del concilio de no imponer la circuncisión como requisito para la salvación. El decreto no era requisito para la salvación, pues tal decisión anularía lo decidido con respecto a la circuncisión. Jacobo abordó un pecado común entre los gentiles, la inmoralidad sexual, para recordarles lo que Dios exigía.

---

[266] Por otro lado, si se acepta el punto de vista de A. Cheung (1999) sobre la comida ofrecida a los ídolos, entonces Pablo nunca se desvió del decreto, pues Pablo, según Cheung, creía que siempre era malo comer comida ofrecida a los ídolos. Pero la explicación de Cheung es en sí misma poco convincente.

[267] Véase toda la discusión en Barrett 1998: 730-36.

Además, abordó la cuestión de las sensibilidades judías y pidió a los gentiles que toleraran las costumbres judías por el bien de la comunión.[268] Los gentiles serían muy conscientes de las preocupaciones judías porque la ley de Moisés se leía públicamente en las sinagogas de todas las ciudades del mundo grecorromano (Hch. 15:21). El consejo que Jacobo dio a Pablo debe interpretarse de forma similar (Hch. 21:21-26). Él le pidió a Pablo que observara la ley cuando estuviera con otros cristianos judíos, pero la referencia al decreto se añadió para aclarar que Jacobo no esperaba que los gentiles observaran la ley. En cambio, los gentiles aceptaron observar lo que especificaba el decreto para adaptarse a los judíos, a fin de evitar ofender a los creyentes de ese origen. El decreto, por tanto, no era obligatorio para la salvación, sino que se proponía como una *via media* para regular la comunión entre judíos y gentiles en áreas especialmente sensibles para los judíos. Además, la inclusión de la inmoralidad sexual tampoco pone en entredicho el evangelio. Vemos, pues, que la salvación por gracia no elimina los requisitos morales básicos, y que las leyes kosher serían observadas para facilitar la comunión entre judíos y gentiles.

La visión lucana de la ley es bastante compleja. La clave para desenredarla, sugiero, es interpretarla a la luz de la historia de la salvación. La ley apuntaba a Jesucristo y se cumple en él. Él es el cumplimiento de lo profetizado en el Antiguo Testamento. La visión lucana de la ley, por tanto, tiene elementos tanto de continuidad como de discontinuidad. Hay continuidad en el hecho de que la ley apunta hacia Jesucristo y se cumple en él. Algunas de las normas morales de la ley parecen mantenerse sin cambios. Por otro lado, también existe discontinuidad. La circuncisión y las leyes alimentarias ya no se exigían al pueblo de Dios. A los gentiles no se les exigía ajustarse a la Torá judía para pertenecer al pueblo de Dios.

---

[268] El decreto, por tanto, no impone la observancia de la ley mosaica, sino que representa más bien un compromiso para promover la comunión entre judíos y gentiles (véase Thielman 1999: 156-58).

La literatura joánica

El Evangelio de Juan

En el Evangelio de Juan, la perspectiva acerca de la ley debe entenderse en el marco de la teología joánica y, en particular, de la elevada cristología que impregna todo el libro. Todo el Antiguo Testamento anticipa la venida de Jesucristo y encuentra su cumplimiento en él. Quienes estudian las Escrituras descubren que tratan de Jesucristo porque dan testimonio de él (Jn. 5:39). La gente no comprende verdaderamente lo que escribió Moisés si no pone su fe en Jesús, porque Moisés escribió sobre Jesús (Jn. 5:45-47). Abraham se llenó de alegría porque vio hace mucho tiempo el día en que Jesús vendría (Jn. 8:56). Cuando Isaías vio la gloria del Señor en la visión del templo (Is. 6:1-8), lo que en realidad estaba viendo era la gloria de Jesucristo (Jn. 12:41).

Puesto que la totalidad del Antiguo Testamento trata de Jesucristo, no nos asombra descubrir que Jesús sustituye al templo de Jerusalén (Jn. 2:19-22).[269] Él es el verdadero templo y, por tanto, solo quienes le adoran a él lo hacen en Espíritu y verdad (Jn. 4:21-24).[270] El maná que sustentó a Israel en el desierto no es el verdadero pan de Dios (Jn. 6:32-33, 41, 49-50). El maná no concedía la vida eterna, pues quienes lo consumían también sufrían la muerte. Jesús, en cambio, es el verdadero maná, porque no se limita a sostener la vida física, sino que confiere una vida que nunca termina. Quien lee el relato del maná en el desierto debe percibir que apunta hacia alguien que viene del cielo y que otorgará la vida. Jesús también cumple la Fiesta de los Tabernáculos (Jn. 7-9).[271]

Ya hemos señalado que cumple los rituales del derramamiento de agua y de la luz durante la fiesta (véase *m. Sucá* 4:9-10; 5:2-4). La sed de la gente solo puede ser saciada por Jesús, pues él da "ríos de agua viva" (Jn. 7:37-38). El ritual de la luz durante la fiesta anticipa la venida de Jesús, pues él es "la Luz del mundo" (Jn. 8:12), y concede la vista a los que viven en tinieblas y están espiritualmente ciegos (Jn. 9). La promesa de que Yahve pastoreará a su

---

[269] Contra M. M. Thompson 2001: 212.
[270] Véase Thielman 1999: 94-96; Hamilton 2006b: 147-54.
[271] Así lo afirman la mayoría de los comentaristas y Thielman 1999: 100-102.
m. Sucá – Mishná Sucá

pueblo (Sal. 23:1; Ez. 34:11-16, 23-24) se cumple en Jesús como el buen pastor (Jn. 10:11, 14). En el Antiguo Testamento se describe al pueblo de Dios como una viña (Is. 5:1-7), pero el verdadero Israel, la verdadera vid del Señor, es Jesús mismo (Jn. 15:1). Así también el sacrificio pascual encuentra su cumplimiento en el levantamiento y glorificación de Jesús en la cruz (Jn. 18:28, 39; 19:14).

Las vasijas de agua de purificación utilizadas por los judíos dan paso ahora al vino nuevo del ministerio de Jesús (Jn. 2:1-11).[272] Su gloria eclipsa la gloria presente en el antiguo pacto (Jn. 1:14; cf. Ex. 33:18-19, 22; 34:6-7). Como observamos en los Sinópticos, Jesús curó deliberadamente en el día de reposo (Jn. 5:1-9), pues el Sabbat anticipa el descanso escatológico para el pueblo de Dios. Las acciones de Jesús en el día de reposo provocaron inevitablemente un conflicto con los dirigentes judíos. Él ordenó al hombre sanado junto al estanque que recogiera su estera, y los dirigentes judíos respondieron con irritación, pues para ellos llevar la estera equivalía a trabajar (Jn. 5:10-11). Jesús podría haber evitado el conflicto recordándole al hombre que no cargara su estera porque ese día era Sabbat. De hecho, podría haber esperado hasta el día siguiente para realizar la curación. Del mismo modo, cuando Jesús concedió la vista al ciego, lo hizo en día de reposo (Jn. 9:1-17). Tampoco lo curó solo con una palabra; realizó acciones que podrían interpretarse como trabajo porque escupió en el suelo, dio forma al barro y lo colocó sobre los ojos del hombre. Seguramente Jesús podría haber curado al hombre solo con una palabra, pues resucitó a Lázaro de entre los muertos sin utilizar ningún recurso físico y lo sacó de la tumba solo con su palabra (Jn. 11:38-44).

A los dirigentes judíos les molestó que Jesús hubiera realizado tales acciones en el día de reposo, y Juan informa a sus lectores que persiguieron a Jesús (Jn. 5:12-16). Como observamos en los Sinópticos, Jesús no se enfrentó a los líderes judíos a nivel halájico. Presumiblemente, podría haber replicado que el simple hecho de llevar una estera en el día de reposo no constituía trabajo, y podría haber dicho lo mismo sobre aplicar barro a los ojos del ciego. En lugar de eso, Jesús replicó con palabras chocantes en Juan 5:17. Afirmó que era legítimo que trabajara en Sabbat porque el Padre también lo hacía.

---

[272] El hecho de que Jesús convirtiera el agua en vino (Jn. 2:1-11) también demuestra que las normas de pureza del AT apuntan a él y encuentran su cumplimiento en él. Véase Dodd 1953: 297; Carson 1991b: 173, 175; Thielman 1999: 92-94.

Jesús, entonces, implícitamente concedió el punto de los líderes judíos. En efecto, estaba trabajando en el día de reposo, pero esas acciones eran legítimas, ya que, como Hijo, solo hacía lo que hacía el Padre (Jn. 5:19-23).[273] Esta es la forma que tiene Juan de decir que Jesús es el Señor del día de reposo. La ley del Sabbat ya no tiene el mismo estatus ahora que ha llegado el Hijo del Padre. Él obra con soberana libertad en el día de reposo para sanar y curar, porque el Sabbat es el día en que deben producirse las curaciones. Al liberar a los seres humanos de sus cargas y enfermedades, Jesús concede el descanso señalado por el día de reposo.

Mientras continuaba la controversia sobre la observancia (o más exactamente, la no observancia) del Sabbat por parte de Jesús, este defendió sus acciones apelando a la propia ley mosaica (Jn. 7:19-24). Señaló que quienes le criticaban no observaban la ley que decían atesorar. Además, sanar en día de reposo no podía acusarse desde la propia ley, pues la circuncisión se practicaba en el día de reposo. Si la orden de circuncidarse tiene prioridad sobre el Sabbat, argumentaba Jesús, también la tiene la sanidad. En este caso, pues, Jesús pareció unirse al debate a nivel halájico, aunque en otras partes del Evangelio de Juan se subraya su autoridad sobre el sábado y la ley mosaica.

Está claro que la ley mosaica ya no ocupa el lugar central ahora que ha llegado el Hijo. Las leyes judías de purificación, el Sabbat y la Pascua están subordinadas a Jesús y deben interpretarse a la luz de él, y no viceversa.[274] La declaración programática de Juan sobre la ley se encuentra en Juan 1:17: "Porque la ley fue dada por medio de Moisés; la gracia y la verdad fueron hechas realidad por medio de Jesucristo". El significado de este versículo debe leerse a la luz de lo que hemos visto en otras partes de este Evangelio sobre la relación entre la ley y el evangelio de Jesucristo.[275] El prólogo es programático,

---

[273] Thielman (1999: 83) señala: "Jesús no está sujeto al mandamiento de evitar el trabajo en el Sabbat porque es igual a Dios. Puesto que Dios está exento del descanso sabático... Jesús también lo está". Véase también Carson 1991b: 247-48; Köstenberger 2004: 183-84.

[274] Hays (1996: 138) dice: "La ley de Moisés no desempeña ningún papel explícito en la visión moral de Juan; se lee como prefiguración de Jesús, y su significado es aparentemente absorbido por su persona". A M. M. Thompson (2001: 219-20) le preocupa que el lenguaje de la sustitución anule la continuidad entre lo antiguo y lo nuevo, por lo que prefiere hablar de "anticipación" o de que lo antiguo es "asumido" en lo nuevo. Aun así, el lenguaje de la sustitución parece adecuado siempre y cuando no borremos la particularidad y el significado de lo que es trascendido.

[275] Dumbrell (1986) interpreta el versículo a la luz de Éxodo 34.

pero su significado se desvela en el resto del libro. Juan no denigra la ley. En efecto, la plenitud que han recibido los creyentes es "gracia en lugar de gracia" (Jn. 1:16 mi traducción). Contrariamente a lo que encontramos en la mayoría de las traducciones y comentarios en inglés, la preposición *anti* en este versículo no debería traducirse "sobre".

Lo que Juan comunica es que Dios derramó su gracia al dar la ley del Antiguo Testamento, pero la gracia de la ley ahora es superada por la gracia del evangelio.[276] La gracia de la ley es semejante al brillo de la luna, pero ahora ha sido eclipsada por la gracia dada por el sol: el evangelio de Jesucristo. Se nos recuerda de nuevo el tema de la sustitución que destaca en el Evangelio de Juan: el templo físico señala a Cristo como el verdadero templo; el maná literal anticipa a Jesús como el verdadero pan del cielo; los ritos del agua y la luz de la Fiesta de los Tabernáculos evocan a Cristo como el que da el agua viva y es la luz del mundo; y el sacrificio de la Pascua simboliza el sacrificio venidero de Cristo. La gracia y la verdad profetizadas en la ley se cumplen en Jesucristo.[277] Lo que la ley exige, Jesús lo cumple, y así su gracia se derrama en los corazones de su pueblo.

Juan subraya la importancia de observar los mandamientos, pero estos no se identifican con la ley veterotestamentaria. Jesús da a sus discípulos un mandamiento nuevo: deben amar a los demás como él los ha amado (Jn. 13:34). La novedad del mandamiento no puede buscarse en el mandamiento de mostrar amor a los demás, pues el mandamiento de amar a los demás tiene sus raíces en el Antiguo Testamento. Lo que hace que el mandamiento sea nuevo es que el amor de Jesús por sus discípulos, manifestado en la entrega de su vida por sus ovejas, se convierte en el paradigma del amor (Jn. 10:11, 15; 15:13).[278] El amor auténtico es sacrificial, consiste en dar la vida por los demás.

Los que aman a Jesús demuestran ese amor cumpliendo sus mandamientos y su Palabra (Jn. 14:15, 23-24). Juan no especifica qué mandatos tiene en

---

276 Para un apoyo convincente de esta interpretación, véase Edwards 1988.

277 Juan subraya el tema de que las Escrituras del AT se cumplen en la vida y muerte de Jesucristo (véase Pancaro 1975: 492-546; Carson 1988: 245-64).

278 "El mandamiento es nuevo, sin embargo, en el sentido de que corresponde al mandamiento que regula la regulación entre Jesús y el Padre...; el amor de los discípulos entre sí no es meramente edificante, sino que revela al Padre y al Hijo" (Barrett 1978: 452). Barrett (1978: 452) rechaza a continuación la crítica de que Juan excluye el amor por el mundo, pues en el Evangelio de Juan el amor del Padre por el mundo se manifiesta en la entrega del Hijo.

mente, pero el énfasis recae en la observancia de los mandatos y las palabras dadas por Jesús.[279] El contenido de los mandatos incluye presumiblemente lo que encontramos en otras partes del Evangelio de Juan. En Juan 15, cumplir los mandamientos de Jesús significa que los discípulos se amen unos a otros dentro de la comunidad cristiana (Jn. 15:10, 12-17). Este amor se define en términos de entregar la vida propia por un amigo.[280] La dimensión sacrificial del amor que se entrega ocupa el primer plano para Juan. No remite a sus lectores a los mandamientos de la ley veterotestamentaria, sino a los mandamientos y la palabra del propio Jesús.

1-2 Juan

En 1-2 Juan también encontramos un énfasis en obedecer los mandamientos. De nuevo, la atención se centra en guardar los mandamientos dados por Jesús en lugar de en la Torá del Antiguo Testamento (1 Jn. 2:3-6). Los mandamientos de Jesús también pueden designarse como su Palabra (*logos* [1 Jn. 2:5]), lo que puede ser una referencia al evangelio en su conjunto.[281] Juan nos da una pista sobre el contenido de los mandamientos de Jesús cuando señala que los creyentes deben "andar como Él anduvo" (1 Jn. 2:6). Jesús mismo se convierte en el paradigma de la vida de los creyentes. La justicia de Jesús funciona como norma para los creyentes (1 Jn. 2:29). La pureza de Jesús es la esperanza de todo creyente (1 Jn. 3:3). Como el único sin pecado, Jesús vino para destruir las obras del diablo y liberar a los creyentes del dominio del pecado (1 Jn. 3:4-10). El amor de Jesús al dar su vida por la salvación de los creyentes funciona como modelo y medida del amor genuino (1 Jn. 3:16). Dio su vida para satisfacer la mayor necesidad de los creyentes, que es la vida misma (1 Jn. 4:9).

---

[279] "Juan nunca permite que el amor se convierta en un sentimiento o una emoción. Su expresión es siempre moral y se revela en la obediencia" (Barrett 1978: 461). Bultmann (1971: 614) se desvía aquí del punto principal al decir que la obediencia exigida es la fe. Aunque Juan concibió la obediencia como fruto de la fe, aquí se concentra en el resultado de la fe.

[280] "No afirma que el amor a los amigos sea mejor que el amor a los enemigos; solo que no hay nada más grande que puedas hacer por tus amigos que morir por ellos" (Barrett 1978: 476-77).

[281] R. Brown (1982: 252, 254, 265) sugiere que la oscilación entre *entolē* y *logos* en Juan sugiere que mandamiento y palabra están estrechamente relacionados.

Cuando Juan recuerda a los creyentes el antiguo mandamiento que tenían desde el principio, no se refiere a la ley del Antiguo Testamento (1 Jn. 2:7-11). El mandamiento antiguo es el mandato de Jesús de amarse los unos a los otros, un mandamiento que dio, como vimos en el Evangelio de Juan, durante su ministerio terrenal.[282] El mandamiento también es nuevo en el sentido de que se ha hecho realidad en Jesús con el paso de la era antigua y la llegada de la nueva. El mandamiento del amor, que encuentra su ejemplo en la entrega de Jesús hasta la muerte, debe ser observado por el pueblo de Dios. Quien no ama vive en las tinieblas, demostrando que no pertenece a Dios. Los que se niegan a amar son como Caín, que asesinó a su hermano (1 Jn. 3:11-18). Los que se apartan de una vida de amor revelan que no han pasado de la muerte a la vida (1 Jn. 3:14). Los asesinos no disfrutan de la vida eterna, pues en lugar de vivir como Cristo para dar vida a los demás, viven solo para beneficiarse a sí mismos y de ese modo pisotean la vida de los demás para promover sus propios intereses. Para Juan, la vida de amor no es abstracta; se manifiesta en el cuidado de los necesitados, en palabras y acciones concretas (1 Jn. 3:17-18).

Una vida de amor es una vida inspirada por Dios, porque Dios mismo es amor (1 Jn. 4:7-21). Una vez más, el envío de Jesús para dar vida al mundo es el emblema del amor (1 Jn. 4:9). El amor de Dios es tan notable porque toma la iniciativa, mostrando amor a los que le odian. El amor humano nunca tiene prioridad. El amor a Dios siempre se hace eco del amor que Dios nos tiene; siempre responde al amor de Dios en Jesucristo. Experimentar el amor de Dios significa que el miedo al juicio -un juicio bien merecido sin Cristo- desaparece. Para Juan, por tanto, una experiencia genuina de este amor significa que los creyentes muestran el mismo tipo de amor hacia los demás. Nadie puede amar a Dios y mostrar odio hacia los hermanos y hermanas de la familia de Dios.

La señal de que los creyentes han experimentado el amor de Dios es que muestran este amor a otros cristianos. Los que han bebido profundamente en el pozo del amor de Dios en Cristo anhelan transmitir ese mismo amor a los demás. Tal amor en sus vidas es una indicación de que Dios realmente habita en ellos, porque la marca de la presencia de Dios es el impulso a amar. Por lo tanto, cualquiera que afirme amar a Dios, pero no ame a sus semejantes, vive en una irrealidad. Su profesión de amor a Dios se contradice con su vida cotidiana y su falta de amor a los demás cristianos.

---

[282] Véase R. Brown 1982: 265.

Los creyentes deben cumplir los mandamientos de Dios y hacer lo que le agrada (1 Jn. 3:22). Pero resulta evidente que Juan no se remite a la ley del Antiguo Testamento para especificar cuáles son esos mandamientos. De hecho, en los versículos inmediatamente posteriores los mandamientos se reducen a creer que Jesús es el Cristo, amarse los unos a los otros y obedecer sus mandamientos (1 Jn. 3:23-24). Es de suponer que el mandamiento de amar tiene características específicas que se pueden añadir, como cuidar de los pobres (1 Jn. 3:17). Sin embargo, Juan no se detiene en cuáles podrían ser esas características. Las personas pueden saber que son hijos de Dios si aman a Dios y obedecen sus mandamientos (1 Jn. 5:2). Luego, en 1 Juan 5:3, el amor a Dios parece equipararse a guardar sus mandamientos. Esta última palabra nos recuerda el Evangelio de Juan, donde el amor genuino a Jesús es inseparable de la obediencia a sus mandamientos (Jn. 14:15, 23-24).

El mensaje de 2 Juan parece bastante similar. El mandato de Dios es que los creyentes caminen en la verdad del Evangelio (2 Jn. 4). Como vimos en 1 Juan, el mandamiento de amarse los unos a los otros no es nuevo, sino que representa la palabra que Jesús enseñó a sus discípulos desde el principio (2 Jn. 5). El amor se define entonces como caminar según sus mandamientos (2 Jn. 6). Resulta algo difícil discernir a partir de este versículo si el amor y los mandamientos son concomitantes. Ciertamente parece ser el caso que el amor es el mandamiento supremo dado por Jesús, aunque también parece ser el caso que tal amor necesariamente debía manifestarse de ciertas formas concretas.

Vemos en el Evangelio de Juan y en 1-2 Juan que la ley apunta a Jesús y se cumple en él. El enfoque cristológico de la ley encaja con la centralidad de la cristología en el pensamiento de Juan. Juan no se centra en mandamientos específicos del Antiguo Testamento; Jesús mismo se convierte en el ejemplo y el paradigma del amor, especialmente porque mostró ese amor en su entrega en la cruz.

Apocalipsis

Es posible incluir aquí Apocalipsis como parte de la tradición joánica, sobre todo porque se habla muy poco de la ley mosaica. Los creyentes son los que obedecen los mandamientos de Dios y el testimonio de Jesús o la fe de Jesús (Ap. 12:17; 14:12). Juan no se centra aquí en ningún mandamiento concreto de la ley veterotestamentaria, sino más bien en la necesidad de perseverar en medio de la persecución. Los creyentes deben adherirse al mensaje del Evangelio de Jesucristo y no apartarse de él, incluso cuando Roma amenace con acabar con sus vidas. Tal vez Juan tenga en mente la propia fidelidad de Jesús hasta la muerte, de tal modo que Jesús funcione como modelo de perseverancia piadosa para los creyentes.

En cuanto a mandamientos específicos, algunas de las iglesias son acusadas de pecado sexual y de comer alimentos ofrecidos a los ídolos (Ap. 2:14, 20-22). La fornicación de Roma consiste en el falso culto y en transigir para disfrutar de los frutos económicos del poder opresor (Ap. 18). Juan dice que en el lago de fuego habitarán "los cobardes, incrédulos, abominables, asesinos, inmorales, hechiceros, idólatras, y todos los mentirosos" (Ap. 21:8; cf. 21:27). Vemos algo muy parecido en Apocalipsis 22:15, donde "los perros, los hechiceros, los inmorales, los asesinos, los idólatras" y los mentirosos están fuera de la ciudad santa. Apocalipsis no aborda en detalle la vida moral de los creyentes, ya que fue escrito para animar a los creyentes a permanecer fieles a Jesús y no comprometer su fe sucumbiendo a la presión romana. Sin embargo, se mencionan algunas normas morales porque la lealtad a Jesús no puede separarse de una vida de belleza moral.

La literatura paulina

Pablo enseña con toda claridad que el pacto mosaico ha llegado a su fin,[283] y los creyentes ya no están bajo él como estructura pactual.[284] En Gálatas 3:15-25 Pablo distingue el pacto del Sinaí del pacto promulgado con Abraham.[285]

---

[283] Algunos han argumentado que el punto de vista de Pablo sobre la ley evolucionó (Drane 1975; Hübner 1984a; Wilckens 1982). Este punto de vista debe rechazarse. Dado que Pablo se formó como fariseo, es casi seguro que empezó a reflexionar sobre su visión de la ley desde el momento de su conversión (Hengel 1991: 40-53, 70-71, esp. 79-86; Hengel y Schwemer 1997: 98-101; Stuhlmacher 1986: 69-71, 124, 134-154; Kim 2002: 1-84). Räisänen (1983: 9) observa que uno de los puntos débiles fundamentales del punto de vista evolutivo es que las tensiones (contradicciones, en opinión de Räisänen) se producen dentro de las mismas cartas.

[284] Para una explicación del punto de vista de Pablo sobre la ley que es bastante similar a lo que se argumenta aquí, véase Thielman 1995.

[285] Pablo no se limita a hablar contra el mal uso de la ley, como algunos han sugerido (Cranfield 1979: 853, 857-61; D. Fuller 1980: 65-120, 199-204). Correctamente Hofius 1989: 55.

El pacto con Abraham es fundacional, pues fue dado primero antes de que se añadiera ninguna disposición del pacto del Sinaí. Un pacto que se promulgó 430 años después del primero no puede anular las disposiciones del pacto hecho con Abraham. Significativamente, el pacto con Abraham es designado como "promesa" en contraste con el pacto promulgado en el Sinaí. En Gálatas 3:18, Pablo contrasta la naturaleza promisoria del pacto con Abraham con la recepción de la herencia sobre la base de la ley. El pacto con Abraham se establece sobre la base de la promesa de Dios. Por tanto, la herencia está garantizada porque no depende de la actuación humana, sino de la Palabra de Dios.

La ley solo debía estar en vigor hasta que llegara la simiente, Jesucristo (Gl. 3:19). El problema no es el contenido de la ley, sino que los seres humanos eran incapaces de obedecer lo que la ley exigía y se encontraban aprisionados bajo el poder del pecado (Gl. 3:21-22). La ley, por tanto, estaba destinada a permanecer vigente solo durante un cierto período de tiempo. Funcionó como pedagoga (*paidagōgos* [Gl. 3:24-25]) hasta que la historia de la salvación alcanzó su clímax con la venida de Jesucristo.[286] Ahora que Jesucristo ha venido, los creyentes ya no viven bajo la tutela del pacto mosaico.[287] La ley era un "niñero" o un custodio diseñado para el período de infancia que ha terminado con la venida de Jesucristo.

Fácilmente podríamos malinterpretar el argumento de Pablo en este punto. No está sugiriendo que los creyentes estén libres de todas las normas morales, como si la vida en Cristo estuviera libre de cualquier exigencia moral. Su propósito es argumentar que la antigua era de la historia de la redención bajo el pacto mosaico ha llegado a su fin. La tutela de Israel bajo la ley demostró que la ley no podía transformar los corazones del pueblo de Dios. Solo el poder del Espíritu, dado por la muerte, resurrección y exaltación de Jesucristo, otorga a las personas la capacidad de guardar los mandamientos de Dios. Israel, por otro lado, vivió bajo esclavitud porque la era del pacto del Sinaí no fue un

---

[286] Para estudios útiles sobre el significado de paidagōgos, véase Longenecker 1982; Belleville 1986: 59-63; N. Young 1987; Gordon 1989. Schneider (*EDNT* 3:2) observa: "Pablo no solo caracteriza el aspecto negativo de la ley, su función esclavizadora; también es capaz de dejar claro el carácter temporal de su función".

[287] No está claro si el judaísmo enseñaba que la ley sería sustituida con la llegada de la era mesiánica (contra Schweitzer 1968: 187-92; Schoeps 1961: 171-75). Para un análisis cuidadoso de la evidencia, véase W. Davies 1952. Para la opinión de que tal argumento no puede demostrarse, véase Schäfer 1974.

período de libertad sino de esclavitud. Tal esclavitud, como Pablo se esfuerza por aclarar en Romanos 7:7-25, no puede atribuirse a la ley y al pacto mosaico per se. Es el resultado del poder del pecado.

La diferencia entre los pactos se aclara en Gálatas 4:1-7. Los que vivían bajo el pacto del Sinaí eran como menores de edad que aún no habían recibido la herencia prometida. La herencia fue prometida en el pacto con Abraham, pero Israel vivió en el período anterior a la materialización de la promesa. Esperaban el cumplimiento, pero en el intervalo antes de que se cumpliera la promesa, Israel vivía en esclavitud bajo "los elementos del mundo" (Gl. 4:3 mi traducción). Por tanto, la ley no refrenó el pecado en Israel, sino que contribuyó a su esclavitud.[288] Pero una nueva era de la historia de la redención ha despuntado con la venida de Jesucristo. Él vivió bajo la ley para liberar a los que vivían bajo la ley (Gl. 4:4-5). Los redimidos por Cristo ya no son menores de edad. Han alcanzado la plena edad adulta. Ya no viven bajo las normas provisionales de la ley mosaica que funcionaban como "guardianes y custodios hasta la fecha fijada por el padre" (Gl. 4:2 NRSV). Ahora disfrutan del cumplimiento de lo que Dios ha prometido, pues han recibido el Espíritu Santo. Ahora que ha amanecido la nueva era y el pacto del Sinaí ha sido dejado atrás, los creyentes ya no son esclavos, sino adultos espirituales.[289]

Ahora que Jesucristo ha venido, los creyentes ya no están "bajo la ley" (Gl. 3:23; 4:21). Una vez más, no debemos interpretar esto en el sentido de que los creyentes están exentos de toda norma moral, como si Pablo estuviera respaldando una ética situacional o una moral que fluctúa libre de cualquier absoluto. La frase "bajo la ley" se refiere a la antigua era de la historia de la salvación: el tiempo en que estaba en vigor el pacto del Sinaí. Por eso, para Pablo, estar "bajo la ley" equivale a estar "bajo el guía" (Gl. 3:25). Los que están bajo la ley están presos bajo el poder del pecado (Ro. 6:14-15), pues la gracia y la ley se contraponen en la historia de la salvación. No es cierto que en el pacto del Sinaí no hubo gracia, pues Dios liberó a Israel de la esclavitud egipcia, y la salvación obtenida en el éxodo se convirtió en un tipo de la

---

[288] Contrariamente a la opinión de Lull (1986), quien sostiene que, según Gálatas 3-4, la ley refrenaba el pecado.

NRSV New Revised Standard Version

[289] Algunos estudiosos han sostenido que los pronombres en primera persona del plural se refieren a los cristianos judíos, y los pronombres en segunda persona del plural a los cristianos gentiles. Das (2003: 120-28) demuestra, sin embargo, que tal teoría es inviable y que, de hecho, haría que la carta fuera notablemente confusa.

salvación lograda por Jesucristo. Sin embargo, Israel en su conjunto, con la excepción del remanente, no recibió la capacidad de guardar la ley de Dios, y por lo tanto vivió bajo el dominio del pecado. Esto explica por qué Pablo contrasta el vivir bajo la ley con el vivir bajo la gracia.

Los que viven bajo la gracia han muerto con Cristo en el bautismo y, por tanto, han muerto al pecado (Ro. 6:1-11). La esclavitud al pecado que existía antes del bautismo se ha roto en sus vidas. Ya no están bajo la tiranía y la esclavitud del pecado. Estar bajo la gracia significa que un nuevo amo se ha establecido en los corazones de los seres humanos. El dominio del pecado ha sido destronado por la muerte y resurrección de Cristo, de modo que los creyentes ahora "caminan en novedad de vida" (Ro. 6:4). Dios ha llevado a cabo una cirugía radical del corazón, de modo que los que antes vivían esclavizados por el pecado ahora desean obedecer a Dios de corazón (Ro. 6:17).

La promesa del nuevo pacto se ha hecho realidad (Jer. 31:31-34). Dios ha escrito la ley en el corazón, para que los creyentes guarden sus mandamientos. Han sido "enseñados por Dios a amarse unos a otros" (1 Ts. 4:9).[290] El pacto del Sinaí fracasó precisamente en este punto, pues enseñaba a la gente lo que Dios exigía, pero no les daba el deseo de hacer lo que se les mandaba. Por lo tanto, los que están "bajo la ley" también están "bajo maldición" (Gl. 3:10) y presos "bajo pecado" (Gl. 3:22). Pablo insiste, pues, en que él no está bajo la ley (1 Co. 9:20), aunque está dispuesto a vivir bajo las prescripciones de la ley para facilitar su misión a los judíos, a fin de que depositen su fe en Jesucristo. Cuando ministra a los gentiles, vive al margen de la ley para que comprendan que el pacto del Sinaí y sus reglamentos no son normativos para los cristianos (1 Co. 9:21; Gl. 4:12). Todos los que han recibido el don prometido del Espíritu ya no viven bajo la ley (Gl. 5:18). Están liberados del pacto mosaico porque forma parte de una época anterior.

Romanos 6 declara que los creyentes han sido liberados del poder del pecado, y Romanos 7:1-6 examina la misma verdad desde otro ángulo. Los creyentes han sido liberados de la ley mediante la muerte de Cristo. Pablo contrasta la vida bajo la ley, donde la carne utiliza la ley para producir el

---

[290] Es probable que Pablo se refiera aquí a la obra del Espíritu Santo. Véase Schnabel (1995: 278), que también señala una alusión a Isaías 54:13. Sobre Isaías 54:13, véase Witmer 2006. Véase también Bruce 1982b: 90; Marshall 1983: 115; Wanamaker 1990: 161.

pecado, con la vida bajo el Espíritu, donde los creyentes son liberados de la esclavitud. El Espíritu obra en sus corazones para darles el deseo de hacer la voluntad de Dios. La vida bajo la ley lleva a la muerte porque el pecado tiene rienda suelta. Los que han muerto a la ley por la muerte de Cristo han sido liberados por el Espíritu para que hagan la voluntad de Dios porque están unidos a Cristo. Volver a la ley, por tanto, es reconstruir lo que ha sido derribado con la venida de Cristo (Gl. 2:18). Por lo tanto, el regreso a la ley solo puede significar el retorno del pecado y la transgresión. Los creyentes murieron a la ley al morir con Cristo (Gl. 2:19-20). Viven vidas nuevas al confiar en Jesús como Hijo de Dios, y volver a la ley sería negar la gracia de Dios en Jesucristo (Gl. 2:21). Aceptar el pacto del Sinaí negaría el cumplimiento de la promesa, de modo que el efecto neto sería que Jesús habría muerto en vano.

Otros textos paulinos confirman que el pacto mosaico era un pacto provisional que desapareció con la venida de Jesucristo. En 2 Corintios 3 se contrasta el nuevo pacto con el antiguo (2 Co. 3:6, 14).[291] El uso de los términos "nuevo pacto" y "antiguo pacto" implica que este último ya no estaba en vigor.[292] Pablo contrasta el antiguo pacto con el nuevo: el primero conducía a la muerte y la condenación, el segundo a la vida en el Espíritu y la justicia. Lo más significativo para nuestro propósito aquí es que se dice que el antiguo pacto "se desvanece", mientras que el nuevo es "permanente" (2 Co. 3:11).[293] La gloria que "había de desvanecerse" en el rostro de Moisés (2 Co. 3:13) simbolizaba la naturaleza temporal del pacto mosaico. Cristo es a la vez el

---

[291] El uso que hace Pablo del AT, en particular de Éxodo 34, ha sido objeto de debate durante mucho tiempo. Para los antecedentes del AT y las tradiciones judías que pueden informar la discusión de Pablo, véase Stockhausen 1989: 42-86, 97-109, 135-50; Belleville 1991: 24-79; Hafemann 1995: 221-54. Hafemann sostiene que Pablo interpreta Éxodo 34 de acuerdo con su significado original, y que Moisés llevaba el velo para mostrar tanto la misericordia como el juicio de Dios. El velo representaba el juicio porque el Señor no podía manifestar plenamente su gloria al pueblo sin destruirlo. Pero también representaba la misericordia de Dios, pues la gloria en el rostro de Moisés demostraba que el Señor no había abandonado a su pueblo y que no lo destruiría por completo.

[292] Acertadamente Hofius 1989: 81. Harris (2005: 302-3) dice que Pablo también da a entender aquí la superioridad del nuevo pacto. Pero el significado no es que la ley quede abolida en un sentido legalista (contra Barrett 1973: 121); más bien, Pablo se refiere a la abolición del antiguo pacto en términos de la historia de la salvación.

[293] En apoyo de la opinión de que el verbo *katargeō* tiene aquí la noción de algo "pasajero", véase Watson 2004: 293-95.

objetivo y el fin de la ley para todos los que creen (Ro. 10:4).[294] Las prescripciones de la ley han llegado a su fin mediante la obra de Cristo en la cruz (Ef. 2:15), de modo que la larga hostilidad entre judíos y gentiles ha sido cancelada mediante la cruz. La creación de una nueva humanidad en Cristo sustituye a la ley mosaica.[295]

Debido a que Pablo creía que el pacto del Sinaí había llegado a su fin, no nos sorprende saber que enseñaba que ciertos mandamientos de la ley ya no eran necesarios para los creyentes. Los falsos maestros en Galacia insistían en que los gentiles gálatas que creían en Cristo tenían que recibir la circuncisión para ser salvos. Pablo se opuso dogmática y enérgicamente a estos maestros. Es concebible que Pablo hubiera podido estar en desacuerdo al tiempo que toleraba un punto de vista diferente sobre un asunto controvertido, pero, respecto a este punto, rechazó cualquier concesión. Es probable que los oponentes promulgaran la circuncisión basándose en Génesis 17:9-14, argumentando que era un signo eterno del pacto que debía aplicarse a todos los miembros del pacto.

Sin embargo, según Pablo, someterse a la circuncisión para salvarse era negar la verdad del Evangelio (Gl. 2:3-5). Los que se sometieran a la circuncisión perderían cualquier beneficio obtenido al conocer a Cristo (Gl. 5:2-6). Se separarían de Cristo y caerían completamente de la gracia del evangelio. En lugar de confiar en la cruz de Cristo y en la obra del Espíritu para la salvación, depositarían su confianza en la circuncisión y en el pacto del Sinaí. Tal postura niega la plenitud que ha llegado en Cristo. Elimina la ofensa de la cruz y la sustituye por un corte humano en lugar de confiar en la cruz (Gl. 5:11-12). Y así, Pablo compara el requisito veterotestamentario de la circuncisión con la castración pagana. El deseo de imponer la circuncisión

---

[294] Véase Harris 2005: 299-300. Este versículo es, por supuesto, muy discutido. Para una ardiente defensa que apoya solo "fin", véase Hofius 1989: 64-65. Para una monografía completa que apoya solo "meta", véase Badenas 1985. Es probable que Harris (2005: 299) esté en lo cierto al afirmar que *eis to telos* en 2 Corintios 3:13 significa "hasta el fin". Véase también Barrett 1973: 119; Furnish 1984: 207. R. Martin (1986: 57, 67-68) opta por "significado". En apoyo de "resultado" o "meta" en 2 Co. 3:13, véase Hafemann 1995: 357; Garland 1999: 183-90 (quien sigue la detallada exégesis de Hafemann).

[295] Los eruditos han propuesto diversas explicaciones de Efesios 2:15, como la abolición de la ley ceremonial, el uso legalista de la ley o incluso la función divisoria de la ley. En contra de todas estas explicaciones, Pablo defiende aquí la abolición de la ley y sus reglamentos. En defensa de este punto de vista, véase Dahl 1986: 36; Lincoln 1987: 611-12; 1990: 141-43; O'Brien 1999: 196-99; Hoehner 2002: 374-77.

procede de la carne, que ama la alabanza y la aprobación de los demás (Gl. 6:12-17). Los creyentes solo deben jactarse de la cruz de Jesucristo y de la nueva creación que se ha hecho realidad gracias a su obra. Las marcas de la circuncisión, según Pablo, son afines al paganismo si uno confía en ellas para salvarse. Las únicas marcas que importan son las que llevan los creyentes por confiar en la cruz.[296]

Pablo no se opone a la circuncisión per se. Si la circuncisión no es necesaria para la salvación, es insignificante (1 Co. 7:19; Gl. 5:6; 6:15). Las personas pueden recibir la circuncisión por razones de salud o culturales. Tampoco deben sentirse honrados de no estar circuncidados. Lo que importa no es si las personas tienen tales marcas físicas en sus cuerpos. Lo que importa es si la gente confía en Dios, para que el amor se manifieste como fruto de la fe (Gl. 5:6). Lo que importa es si el poder de la nueva creación está actuando en la vida de uno (Gl. 6:15). Lo que importa es si uno guarda los mandamientos de Dios (1 Co. 7:19).

Este último versículo es significativo, y volveremos a tratarlo más adelante. Aquí queremos señalar que guardar los mandamientos de Dios se exalta y se contrapone a la circuncisión. Encontramos el mismo fenómeno en Romanos 2:26, donde Pablo se refiere a los incircuncisos que guardan los requisitos de la ley. Lo que llama la atención en ambos textos es que Pablo contempla la observancia de los mandamientos de Dios y al mismo tiempo excluye la circuncisión. Los judíos que se nutrieron de la ley del Antiguo Testamento pensarían que tal afirmación es contradictoria. La circuncisión, después de todo, era uno de los mandamientos. De estas afirmaciones paulinas se pueden extraer dos conclusiones. En primer lugar, Pablo asume que la circuncisión ya no es necesaria para los cristianos, pues habla de ella como algo irrelevante. Tenemos una prueba más de que la ley mosaica ya no es normativa para los creyentes. Segundo, Pablo aparentemente piensa que algunos mandamientos todavía son normativos para los creyentes. Volveremos a este segundo tema a su debido tiempo.

La libertad del requisito de la circuncisión es un tema habitual en Pablo. Parece ser que los oponentes de Filipenses 3:2-11 querían imponer la

---

[296] Borgen (1980; 1982) argumenta acertadamente que la cruz (no el bautismo) sustituye a la circuncisión en Gálatas. Véase también el similar argumento paulino en Colosenses 2:11-12.

circuncisión a los creyentes. Pablo rechaza su insistencia en la circuncisión y la describe en términos paganos como una "mutilación" (Fil. 3:2, traducción mía).[297] La verdadera circuncisión es obra del Espíritu, de tal forma que las personas se glorían en Cristo Jesús en lugar de centrarse en su propia adhesión a la ley (Fil. 3:3). No se puede apelar a la vida de Abraham para defender la necesidad de la circuncisión (Ro. 4:9-12), ya que Abraham era justo por la fe (Gn. 15) antes de recibir la circuncisión (Gn. 17). Abraham recibió la circuncisión posteriormente como señal y sello de la justicia de la que gozaba por la fe. La fe, no la circuncisión, es esencial para ser miembro de la iglesia de Jesucristo. La circuncisión fue instituida para que Abraham pudiera funcionar como el padre del pueblo judío, y nunca fue la intención de Dios que todos la recibieran, sino que tanto judíos como gentiles se convirtieran en hijos de Abraham por medio de la fe.

El carácter temporal del pacto mosaico también se hace evidente en la visión que Pablo tiene de las leyes alimentarias. Como parte de la ley del Antiguo Testamento, se consideraban normativas para el pueblo de Dios (Lv. 11:1-44; Dt. 14:3-21). Sin embargo, es claro que Pablo piensa que no son necesarias para los cristianos. Implícitamente respalda a los fuertes de Roma porque tienen fe para comer de todo (Ro. 14:2).[298] A los que se limitan a comer verduras, en cambio, los califica como "débiles". Pablo concede libertad a quienes se abstienen de ciertos alimentos, siempre que den gracias a Dios (Ro. 14:6). Aun así, sus convicciones teológicas se alinean con los fuertes. "Yo sé, y estoy convencido en el Señor Jesús, de que nada es inmundo en sí mismo" (Ro. 14:14). El mismo sentimiento se expresa en Romanos 14:20: "En realidad, todas las cosas son limpias". Pablo pide a los fuertes que se abstengan de comer o beber si eso hace que los débiles tropiecen en su fe (Ro. 14:13-23). No obstante, socava la teología de los débiles porque creía que todos los alimentos son limpios. La afirmación de la ley mosaica de que algunos alimentos son impuros se echa por tierra.

La misma convicción surge en 1 Corintios 8-10 en la discusión sobre los alimentos ofrecidos a los ídolos. La conciencia de los débiles queda devastada si consumen tales alimentos, ya que no pueden separar el consumo de tales

---

[297] Véase Lightfoot 1953: 144; O'Brien 1991: 356-57; Fee 1995: 296.

[298] Barclay (1996) demuestra que la discusión de Pablo aquí relativiza y, en última instancia, socava la validez continua de las leyes alimentarias del AT.

alimentos de su asociación pasada con los ídolos. A pesar de los extremos de los "conocedores" y del trasfondo teológico judío de Pablo, teológicamente está más cerca de ellos que de los débiles. Está de acuerdo en que los ídolos no existen realmente y que solo hay un Dios, el Padre, y un Señor, Jesucristo (1 Co. 8:4-6).

Por tanto, la comida no ofrece los creyentes a Dios (1 Co. 8:8). No se produce ningún daño si los creyentes comen alimentos ofrecidos a los ídolos, aunque los "conocedores" también deben darse cuenta de que su libertad para comer no indica que sean superiores espiritualmente. Pablo advierte a los "conocedores" de que no deben abusar de sus derechos e infligir daño a los débiles, pero está de acuerdo en que comer ese tipo de comida es "lícito" (1 Co. 10:23). No hay nada intrínsecamente malo en comer alimentos ofrecidos a los ídolos, aunque parece que el consumo en el templo está prohibido porque allí los creyentes se relacionan con demonios (1 Co. 10:19-22).[299] Los creyentes pueden sentirse libres de comer cualquier alimento debido a la doctrina de la creación (1 Co. 10:25-26). Todo lo que Dios creó procede de su mano misericordiosa y es apropiado para el consumo humano.

También en Colosenses 2:16-23 se hace notar este punto de vista acerca de los alimentos. Quienes legislan lo que los creyentes deben comer o beber se centran en las sombras y no en la sustancia, que es Cristo mismo. Retroceden en la historia de la salvación en lugar de vivir en la era de la plenitud. Tales reglas pueden haber surgido de las llamadas visiones de aquellos que se consideraban a sí mismos la élite espiritual, pero su sabiduría es solo nominal. Los que pertenecen a Cristo han muerto a las regulaciones sobre la comida y la bebida. El ascetismo parece promover la salud espiritual, pero en realidad complace al orgullo humano y separa a las personas de Cristo. La opinión de Pablo de que las leyes de pureza ya no son vinculantes probablemente alude a la enseñanza de Jesús sobre este asunto (Mc. 7:18-19).

Pablo tampoco cree que la observancia de días o fiestas especiales sea obligatoria para los creyentes. En Colosenses 2:16-19, además de los alimentos, Pablo incluye las fiestas, las lunas nuevas y los Sabbat (Gl. 4:10).

---

[299] Es difícil discernir cómo encajan los consejos de Pablo en 1 Corintios 8-10. A mi juicio, la mejor solución es la propuesta por Fee (1980), cuyo punto de vista se sigue aquí. Para otras lecturas, véanse Fisk 1989; Horrell 1997; Hays 1997: 134-81. Para otros estudios esclarecedores sobre la comida ofrecida a los ídolos, véase Gooch 1993; A. Cheung 1999.

Estos también son sombras que apuntan a Cristo. La inclusión del Sabbat es especialmente digna de mención porque era una característica habitual de la vida judía y a menudo comentada por los escritores gentiles del mundo grecorromano. La observancia del sábado distinguía a los judíos de sus vecinos y era uno de los hitos del judaísmo.

Para Pablo, empero, el Sabbat es una sombra que señala a Cristo. Su observancia no está prohibida. Si algunos lo consideran un día de especial significación, deben sentirse libres de observarlo (Ro. 14:5), pero no deben imponer su juicio privado a los demás. Es evidente que Pablo está de parte de los que consideran que todos los días son iguales (Ro. 14:5), pero incluso los que tienen esa convicción no deben despreciar a los que valoran un día por encima de otro. Del mismo modo, la observancia de la Pascua ya no es obligatoria para los cristianos, pero tal conclusión no anula el significado de la Pascua, pues Cristo cumple el sacrificio pascual con su muerte en la cruz (1 Co. 5:7). De forma similar, el mandamiento de quitar la levadura de las casas no es obligatorio para los creyentes (1 Co. 5:6-8). De esto no se deduce que el mandamiento sobre la levadura sea irrelevante para los creyentes, pues simboliza la necesidad de expulsar el mal de entre ellos y de vivir con sinceridad y verdad.

Lo que he dicho sobre la Pascua y la levadura sugiere la complejidad de la visión de Pablo sobre la ley mosaica. Por un lado, el pacto del Sinaí y la ley han desaparecido; por otro, la ley se ha cumplido en Cristo. Dado que la ley ha desaparecido, los creyentes no están obligados a guardar el Sabbat, observar las leyes alimentarias y circuncidarse. Sin embargo, todas estas leyes son sombras que apuntan a Cristo y se cumplen en él. Así, la circuncisión apunta a la circuncisión del corazón realizada por la cruz de Cristo (Col. 2:11-12) y por la obra del Espíritu (Ro. 2:28-29; Fil. 3:3; cf. Dt. 10:16; 30:6; Jer. 4:4). Del mismo modo que la Pascua apunta a la muerte de Cristo, los sacrificios del AT en general anticipan y alcanzan su plenitud en la muerte de Cristo en la cruz (Ro. 3:24-26; Gl. 3:13).

La muerte de Jesús cumple la ofrenda por el pecado del Antiguo Testamento. Las palabras *peri hamartias* en griego (Ro. 8:3; cf. Lv. 5:6-7; 9:2 LXX) se refieren a la ofrenda por el pecado (véase también 2 Co. 5:21).[300] La

---

[300] Véase Wright 1980. Harris (2005: 452-54), sin embargo, probablemente esté en lo cierto al argumentar que el lenguaje de 2 Corintios 5:21 no denota meramente una

sangre de Cristo evoca la sangre derramada en los sacrificios del Antiguo Testamento (Ro. 3:25; 5:9; 1 Co. 11:25; Ef. 1:7; 2:13; Col. 1:20). El templo se consideraba uno de los tres pilares del judaísmo, pero Pablo no muestra ningún interés por el templo físico. Los creyentes son ahora el templo del Espíritu Santo (1 Co. 3:16; 6:19; 2 Co. 6:16). El lenguaje de la inmundicia se aplica ahora a la esfera ética. Los creyentes deben apartarse del mal y vivir en santidad (2 Co. 6:17; 7:1). En el AT, los que cometían ciertos pecados flagrantes eran condenados a muerte (Dt. 13:5; 17:7, 12; 21:21; 22:21). Sin embargo, Pablo no exige que el hombre que comete incesto sea condenado a muerte (1 Co. 5:13). Aun así, el requisito del Antiguo Testamento encuentra un nuevo cumplimiento en Cristo. El miembro de la iglesia que no se arrepiente debe ser excomulgado por su pecado y su falta de arrepentimiento (1 Co. 5:1-13).

A pesar del cambio de dispensación del antiguo pacto al nuevo, Pablo no critica el contenido de la ley. Considera que los mandamientos de Dios son santos, justos y buenos (Ro. 7:12). Además, el cambio de pactos no significa que todas las normas morales del AT hayan desaparecido para los cristianos.[301] Pablo parece conservar algunas de las normas morales de la ley en relación con los cristianos.[302] El mandamiento de honrar a los padres y a las madres todavía se aplica a los creyentes (Ef. 6:2). Los que viven en el amor guardarán las prohibiciones contra el adulterio, el asesinato, el robo y la codicia, y cumplirán cualquier otro mandamiento de este tipo (Ro. 13:8-10; cf. 2:21-22; 7:7-8).[303]

Los que viven según el Espíritu cumplirán la ordenanza de la ley (Ro. 8:4),[304] o, como dice en Romanos 2:26, guardarán los preceptos de la ley. También en este último texto dicha obediencia es el resultado de la obra del

---

ofrenda por el pecado per se. "En un sentido que va más allá de la comprensión humana, Dios trató a Cristo como 'pecado', alineándolo tan totalmente con el pecado y sus terribles consecuencias que, desde el punto de vista de Dios, se hizo indistinguible del pecado mismo" (Harris 2005: 454). Véase también Garland 1999: 300-301.

[301] Gran parte del material sobre Pablo de los párrafos siguientes procede de Schreiner 2007, aunque aquí hay algunos cambios.

[302] Harnack (1995: 27-49) sostiene erróneamente que el AT no desempeña prácticamente ningún papel en la ética paulina. Acertadamente Gaffin 2006: 31-32.

[303] Thielman (1999: 33) argumenta acertadamente que Pablo piensa que los cristianos "están obligados... a vivir según la propia remodelación de Jesús de la ley mosaica".

[304] Sobre el significado de este versículo, véase Thielman 1999: 27-28.

Espíritu (Ro. 2:28-29).[305] La prohibición de la idolatría sigue vigente, aunque Pablo no cita ningún texto veterotestamentario en particular (1 Co. 5:10-11; 6:9; 10:7, 14; 2 Co. 6:16; Gl. 5:20; Ef. 5:5; Col. 3:5).[306] Pablo cree que algunas de las normas de la ley veterotestamentaria son normativas, aunque no especifica necesariamente que se deriven de la ley: honrar y obedecer a los padres (Ro. 1:30; Ef. 6:1-3; Col. 3:20; 1 Ti. 1:9; 2 Ti. 3:2); el asesinato (Ro. 1:29; 13:9; 1 Ti. 1:10); el adulterio (Ro. 2:22; 7:3; 13:9; 1 Co. 6:9; cf. 1 Ti. 1:10); robar (Ro. 1:29-30; 1 Co. 6:9-10; Ef. 4:28); mentir (Col. 3:9; 1 Ti. 1:10; 4:2; Tit. 1:12); codiciar (Ro. 1:29; 7:7-8; Ef. 5:3, 5; Col. 3:5).[307]

¿Cómo se explica que Pablo proclame la obsolescencia de la ley mosaica y, sin embargo, cite mandamientos de la ley como normativos? Quizá podamos decir que los mandamientos no son normativos por el mero hecho de ser mosaicos. Algunas de las leyes del Antiguo Testamento están incluidas en la ley de Cristo (1 Co. 9:21; Gl. 6:2).[308] Pero la ley de Cristo no debe restringirse a las normas morales de la ley; ni tampoco llama la atención principalmente hacia la ley mosaica, sino más bien hacia el cumplimiento de la ley en y por Jesucristo. La vida de entrega de Jesús, manifestada especialmente en su muerte en la cruz, se convierte en el paradigma de la vida de los creyentes.[309] El corazón y el alma de su ética se resumen en el mandamiento de amarse los

---

[305] Se ha argumentado que la afirmación de Romanos 2 de que los gentiles pueden cumplir la ley contradice la aseveración de todo Romanos 1-3 de que nadie puede cumplir la ley (Räisänen 1983: 98-101, 106-8). La afirmación de que el capítulo es contradictorio ha sido contestada de forma persuasiva (véase, por ejemplo, Cranfield 1990; Laato 1991: 98-119; Carras 1992).

[306] Para la opinión de que el AT funcionaba como base de la ética de Pablo incluso en textos que a primera vista no parecen recurrir a la ley del AT, véase Rosner 1994. Véase también el ensayo de Holtz de 1981, traducido en Holtz 1995: 51-71. En 1928, Harnack escribió un ensayo formativo en el que negaba que el AT funcionara como una norma ética importante en las iglesias paulinas (véase Harnack 1995: 27-49).

[307] Cabe señalar que los profetas del AT no suelen apelar explícitamente a las normas morales de la ley al declarar el juicio sobre Israel, y sin embargo está claro que creían que Israel había violado las normas del pacto, y hay muchas alusiones a la ley del Sinaí en los escritos proféticos.

[308] Para una opinión que, en general, es compatible con lo que aquí se argumenta, véase Thielman 1999. Véase también Schnabel 1995: 272-73, 294-95.

[309] Para esta interpretación de la ley de Cristo, véase Schürmann 1974; Hays 1987; Hofius 1989: 70-74; Thielman 1999: 18-19, aunque difiero de Hays en el significado de *pistis Iēsou Christou*. Hofius separa demasiado radicalmente la ley de Cristo del mandamiento del amor. Das (2003: 166-86) sostiene con razón que la ley de Cristo no está totalmente separada de la ley mosaica, sino que esta se reinterpreta a la luz de la venida de Cristo.

unos a los otros (p. ej., Ro. 12:9; 13:8-10; 1 Co. 8:1-3; 13:1-13; 14:1; Gl. 5:13-15; Ef. 5:2; Col. 3:15; 1 Ti. 1:5), y muchos han visto acertadamente el mandato de amar como el centro de la ley de Cristo (cf. Jn. 13:34-35).[310]

Sin embargo, el amor no puede separarse de las normas morales. De 1 Tesalonicenses 4:2 aprendemos que se dieron directivas concretas y específicas a las iglesias de forma oral. Pablo da parénesis específicas y concretas a la gente de sus iglesias, ordenándoles que no se divorcien (1 Co. 7:10-16) y que se abstengan de la inmoralidad sexual (1 Co. 6:12-20; 1 Ts. 4:3-8).[311] Amonesta a los ociosos para que se pongan a trabajar (2 Ts. 3:6-13). Un hombre que comete incesto ha de ser disciplinado (1 Co. 5:1-13). Para Pablo, el amor no está libre de normas éticas, sino que se expresa a través de ellas. En cierto modo, la ética de Pablo es bastante general, ya que no ofrece orientaciones específicas para cada situación. Es consciente de que en muchas situaciones se necesita sabiduría para determinar cuál es el proceder prudente y piadoso (Ef. 5:10; Fil. 1:9-11; Col. 1:9-11).

Pablo no tiene una ética casuística que prescriba el curso de acción para cada situación concebible, pero tampoco apela simplemente al Espíritu y a la libertad sin describir cómo se expresa la vida en el Espíritu. La idea de que Pablo apela al Espíritu para la ética sin ninguna norma ética se contradice con su parénesis. El tema paulino de la obediencia tampoco debe identificarse con el legalismo, pues la nueva obediencia es obra del Espíritu en quienes son obra de la nueva creación de Cristo. Tampoco disminuye la obra de la cruz, pues la cruz es la base y el fundamento de la obra transformadora del Espíritu en los creyentes.

Las exhortaciones de Pablo no caen en legalismo porque están enraizadas en su evangelio y en las promesas de Dios. Otra forma de decir esto es que el

---

[310] Por lo tanto, la ley de Cristo no consiste fundamentalmente en los dichos del Jesús terrenal (contra W. Davies 1948: 136-46), aunque tal observación no excluye los dichos de Jesús de la ley de Cristo. Cuando Pablo se refiere a los dichos del Jesús terrenal (p. ej., 1 Co. 7:10-11), los considera autoritativos. La cuestión es que Pablo no define la ley de Cristo exclusivamente, ni siquiera principalmente, en términos de los dichos del Jesús histórico. No obstante, hay pruebas convincentes de que Pablo empleó la tradición de Jesús. Véase M. Thompson 1991; Stuhlmacher 1983; Allison 1982; Kim 2002: 259-92; contra Neirynck 1986.

[311] Véanse especialmente los detallados estudios de Schrage 1981; Deidun 1981. Véase también Schrage 1995. Schrage y Deidun sirven como un valioso correctivo a los eruditos que enfatizan tanto el amor y el Espíritu que disminuyen el papel de los mandamientos específicos. Entre los que cometen este error se encuentran Bruce 1975; Belleville 1986: 70-71; Westerholm 1988: 198-218.

imperativo (el mandato de Dios) está enraizado en el indicativo (lo que Dios ha hecho por los creyentes en Cristo).[312] Los creyentes son salvados, redimidos, reconciliados y justificados incluso ahora, y sin embargo hemos visto que cada una de estas bendiciones es fundamentalmente escatológica. Los creyentes ya están redimidos, y sin embargo esperan la redención final. La justificación pertenece a los creyentes por la fe, y sin embargo aguardan la esperanza de la justicia en el último día (Gl. 5:5).

Los creyentes no necesitarían ninguna exhortación ética si ya estuvieran perfeccionados. Pero en el intervalo entre el "ya" y el "no todavía", la exhortación ética es necesaria. Si se pierde la prioridad del indicativo, se socava la gracia del evangelio paulino. El imperativo debe fluir siempre del indicativo. Por otra parte, el indicativo no debe engullir al imperativo de modo que este desaparezca. Los imperativos no ponen en peligro el evangelio de Pablo. No deben interpretarse como una ley opuesta al evangelio. Los imperativos son parte integrante del evangelio, siempre que estén entretejidos en la trama del evangelio paulino y fluyan del indicativo de lo que Dios ha logrado por nosotros en Cristo.

La tensión entre el indicativo y el imperativo es evidente en 1 Corintios 5:6-8. El hombre que comete incesto debe ser expulsado de la iglesia. La tolerancia del pecado en el cuerpo corrompe a toda la iglesia. Se exhorta a la iglesia a limpiar "la levadura vieja" (1 Co. 5:7). Aquí salta a la vista el imperativo, ya que se instruye a la iglesia a extirpar al hombre que practica el incesto. Deben eliminar la vieja levadura "para que sean masa nueva" (1 Co. 5:7). El hombre incestuoso debe ser excomulgado para que los corintios vuelvan a ser puros y santos. En este punto, parece como si el imperativo casi anulara al indicativo. Pero Pablo añade a continuación las palabras "así como lo son en realidad sin levadura" (1 Co 5:7). Son sin levadura porque Cristo, como sacrificio pascual, ha eliminado la levadura impura de sus vidas. El indicativo, pues, es la realidad fundamental de sus vidas. Como creyentes en Cristo, están libres de la levadura del mal. Y, sin embargo, hay una tensión en el intervalo entre el ya y el no todavía. Aunque estén sin levadura en Cristo, deben eliminar la vieja levadura de sus vidas y de su iglesia. El indicativo no anula el imperativo, sino que proporciona el fundamento para llevarlo a cabo.

---

[312] Para una explicación de esta tensión, véase Bultmann 1995: 195-216 y especialmente Parsons 1995: 217-47. Véase también Gaffin 2006: 68-75.

Otro ejemplo vívido se encuentra en Filipenses 2:12-13. Pablo exhorta a los creyentes a ocuparse "en su salvación con temor y temblor" (Fil. 2:12). Tal admonición en Pablo es nada menos que asombrosa, ya que el mandato puede parafrasearse como "logren su propia salvación".[313] Esta frase proviene del mismo Pablo que regularmente insiste en que solo Dios salva y que las obras humanas no pueden alcanzar la salvación. Ahora instruye a los creyentes para que logren su propia salvación. No debemos silenciar la llamada a la obediencia que aparece en este versículo. El imperativo revela que la obediencia es necesaria para obtener la salvación en el último día. Sin embargo, si nos detuviéramos aquí, malinterpretaríamos el evangelio de Pablo. El imperativo se basa en el indicativo. "Porque Dios es quien obra en ustedes tanto el querer como el hacer, para Su buena intención" (Fil. 2:13). El bien que hacen los creyentes lo realiza Dios mismo. Su obediencia no es autónoma, sino que está animada por Dios. Él da a su pueblo el deseo y la capacidad de obedecerle. De ahí que este llamado a lograr la salvación no caiga presa de la justicia de las obras, ni recomiende la autonomía humana. Toda obediencia humana atestigua el poder y la gracia de Dios en la vida de su pueblo.

En Romanos 6:1-14 aparece el mismo patrón. A algunos, probablemente opositores judíos, les preocupa que el evangelio paulino de la gracia conduzca a más pecado, sobre todo porque enseña que donde abunda el pecado, sobreabunda la gracia y vence al pecado (Ro. 5:20-21).[314] Pablo esquiva la crítica recordando a sus lectores que quienes han muerto con Cristo en el bautismo han muerto al poder del pecado. La imagen "muerto al pecado" sugiere a primera vista que el pecado es imposible para los cristianos, pues los cadáveres no pecan ni pueden pecar. Cuando miramos Romanos 6 más cuidadosamente, vemos que Pablo enfatiza que la tiranía y el dominio del pecado han sido destronados para aquellos que han muerto con Cristo. Los que antes eran esclavos del pecado han sido liberados de su dominio.

Sin embargo, esta liberación no anula la necesidad de exhortación. Aunque los creyentes han sido liberados del dominio del pecado, Pablo les exhorta a no dejar que el pecado gobierne o reine sobre ellos (Ro. 6:12-13). La promesa de que el pecado no reinará sobre ellos (Ro. 6:14) proporciona el fundamento

---

[313] Véase Fee (1995: 232-37), que hace demasiado hincapié en la dimensión corporativa de la admonición. O'Brien (1991: 276-80) está más seguro en este punto. Véase también Silva 2005: 119-22.

[314] Para esta visión de la situación, véase Schreiner 1998: 303-4.

para el imperativo de que el pecado no gobierne en sus vidas. No se les exhorta a obtener la libertad sobre el pecado por primera vez en sus vidas. Ya que se han hecho obedientes de corazón a la enseñanza que Dios les ha entregado (Ro. 6:17), deben entregarse por completo a la nueva libertad de la que disfrutan.

Los creyentes han muerto con Cristo a los elementos del mundo (Col. 2:20), por lo que deben dar muerte a las acciones y actitudes malas (Col. 3:5). La vieja persona, que representa lo que los seres humanos son en Adán, ha muerto con Cristo (Ro. 6:6). Los creyentes deben eliminar de sus vidas las malas actitudes, la ira y las malas palabras (Col. 3:8-9). Se les conmina a hacerlo sobre la base del indicativo, pues se han despojado de la vieja persona que eran en Adán y se han revestido de la nueva persona que son en Cristo. Los creyentes se revisten de Cristo en el bautismo (Gl. 3:27). Aunque los creyentes ya se han revestido de Cristo, también deben revestirse de Cristo ahora y no hacer ninguna provisión para los deseos carnales (Ro. 13:14). Los creyentes ya se han revestido del nuevo yo y se han despojado del viejo, y sin embargo Pablo les exhorta en Efesios 4:22-24 a despojarse de la vieja persona y revestirse de la nueva. De nuevo aflora la tensión entre el indicativo y el imperativo, pero no cabe duda de que el indicativo fundamenta el imperativo.

Las cartas de Pablo están repletas de exhortaciones y mandamientos que no proceden directamente de la ley del Antiguo Testamento. Parece que todos estos mandamientos se engloban bajo la exhortación al amor mutuo. De ahí que la ética paulina pueda describirse en términos de la ley de Cristo. La centralidad del amor es evidente en diversos textos. Cuando Pablo resume los mandamientos de la ley, el mandato de amar al prójimo como a uno mismo comprende el mensaje de la ley (Ro. 13:8-10; Gl. 5:13-15). Quien asesina a alguien o roba a otro viola la ley del amor. La primacía del amor es evidente también en las introducciones de varias cartas en las que Pablo agradece u ora por las congregaciones bajo su supervisión, pues a menudo da gracias a Dios por la fe, la esperanza y el amor de los creyentes (Ef. 1:15; Col. 1:3-5, 8; 1 Ts. 1:3; 2 Ts. 1:3).[315]

Cuando Pablo ora por los filipenses, ruega que su amor crezca con el conocimiento y el discernimiento (Fil. 1:9-11). La virtud que une todas las demás en una unidad es el amor (Col. 3:14). La entrega de Cristo en la cruz

---

[315] Efesios 1:15 y 2 Tesalonicenses 1:3 omiten toda mención a la esperanza.

funciona como paradigma y modelo del amor, demostrando que el amor consiste en dar más que en recibir (Ef. 5:2, 25, 28-29), y que la vida de Cristo, en particular su muerte, ejemplifica cómo desea Dios que vivan los creyentes. También es digno de mención que el amor es la primera virtud mencionada en el fruto del Espíritu (Gl. 5:22-23) y en las exhortaciones de Romanos 12:9-21. El resto de las virtudes de estas listas encajan ciertamente bajo la rúbrica del amor.

Cuando los corintios se ven acosados por la autopromoción, al estimar unos dones por encima de otros y al exaltarse a sí mismos por los dones que poseían y mostraban, en 1 Corintios 13 se les dirige de vuelta a la primacía del amor. Una vez más, el amor se define o expresa mediante otras virtudes, como la bondad, la cortesía y la paciencia, lo que sugiere que el amor es fundamental y lo incluye todo. El problema de fondo entre los débiles y "los que saben" en Corinto (1 Co. 8:1-11:1) y los débiles y los fuertes en Roma (Ro. 14:1-15:13) es la falta de amor.

Si volvemos la vista atrás y consideramos las exhortaciones dadas a varias iglesias, parece evidente que la corrección es necesaria por la falta de amor. Los pleitos triviales que plagaban la iglesia de Corinto dan testimonio de un espíritu egoísta y codicioso que se niega a renunciar a sus derechos (1 Co. 6:1-8). Pisotear las necesidades de los pobres para que no tengan suficiente alimento en la Cena del Señor evidencia falta de amor (1 Co. 11:17-34). La lujuria sexual insiste en satisfacer los propios deseos corporales sin tener en cuenta el daño que se pueda infligir a los demás (1 Ts. 4:3-8). Los que solicitan el divorcio lo hacen para promover su propia comodidad o posición en la vida, en lugar de soportar a aquellos con los que es difícil convivir (1 Co. 7:10-16).

Pablo tampoco cree que los cristianos hayan llegado a un punto en el que ya no necesiten exhortaciones. En Romanos 12:1-2 exhorta a los creyentes a entregar sus vidas enteramente a Dios como sacrificios vivos. Todavía se enfrentan al peligro de la conformidad con el mundo y necesitan la renovación continua de la mente para discernir la voluntad de Dios. La voluntad de Dios, por tanto, no es reconocible instantáneamente para los creyentes. Se necesita un proceso de examinación (Ef. 5:10) y crecimiento para discernir lo que más agrada a Dios (Fil. 1:9-11; Col. 1:9-11). Incluso las personas espirituales necesitan instrucción y exhortaciones (Gl. 6:1), pues también pueden ser seducidas y arrastradas por el pecado. Nadie alcanza en esta vida un estado en el que esté exento de la atracción del pecado.

Pablo se alegra del crecimiento y avance de los tesalonicenses (1 Ts. 4:1-2), pero no concluye que hayan llegado a la cima. Pueden crecer y abundar aún más en amor (1 Ts. 3:12). Pablo tampoco se exime a sí mismo, como si hubiera alcanzado alturas que nadie más puede escalar. Es consciente de que aún no ha alcanzado la perfección (Fil. 3:12-16). También él debe correr la carrera hasta el final, sabiendo que la perfección solo será su porción en el día de la resurrección. Los que se creen firmes deben estar en guardia para no caer (1 Co. 10:12). Los que han muerto a la tiranía y al dominio del pecado no deben permitir que éste gobierne sus vidas (Ro. 6:1-14). Incluso los que "han sido enseñados por Dios a amarse unos a otros" (1 Ts. 4:9) se benefician de recibir una palabra externa que contenga instrucción moral.[316] Pablo les da amonestaciones específicas para que dirijan el rumbo de sus vidas unos con otros (1 Ts. 5:12-22). No se limita a afirmar que el Espíritu y el amor dirigirán a los creyentes por el buen camino. Da advertencias específicas para que no se engañen sobre la naturaleza del amor (Ro. 12:9-21; Ef. 4:25-5:6; Col. 3:5-17). Envía a Timoteo para que recuerde a los corintios todos sus caminos en Cristo (1 Co. 4:17).

Al leer las cartas paulinas, debemos tener siempre presente que se dirigen a situaciones concretas. Pablo no escribe un tratado teórico sobre ética. Aborda problemas que surgen en las iglesias que él supervisa pastoralmente. Probablemente Pablo no habría incluido en un tratado que la gente no debe emborracharse en la Cena del Señor (1 Co. 11:21). Tampoco habría tratado tan extensamente la cuestión del matrimonio y el celibato al margen de las preguntas de los corintios (1 Co. 7:1-40). Hay que tener en cuenta el carácter circunstancial de los consejos paulinos y, sin embargo, esa perspectiva podría malinterpretarse, como si Pablo solo diera instrucciones situacionales. Las exhortaciones de Pablo fluyen también de una cosmovisión teológica y de ciertas convicciones que tenía sobre la vida ética.

Además, en algunos pasajes encontramos exhortaciones éticas generales que probablemente representan lo que Pablo enseñaba a todas las iglesias y creyentes (cf. Ro. 12:9-21; Ef. 4:25-5:6; Col. 3:5-17). Los escritos paulinos contienen muchas listas de vicios y virtudes que detallan comportamientos

---

[316] Véase Wanamaker 1990: 161.

malos y ejemplares (Ro. 1:29-31; 13:13; 1 Co. 5:10-11; 6:9-10; 2 Co. 6:6; 12:20-21; Gl. 5:19-23; Ef. 4:31-32; 5:3-5; Fil. 4:8; Col. 3:5, 8, 12; 1 Ti. 1:9-10; 4:12; 6:4-5; 2 Ti. 2:22; 3:2-4; Tit. 3:3).[317] Es probable que algunas de estas listas se hayan confeccionado para abordar cuestiones que habían surgido en las iglesias, de modo que están pensadas para las situaciones de las iglesias. No obstante, en conjunto, las listas reflejan lo que Pablo enseñaba habitualmente al proclamar la nueva vida en el Espíritu.

El mapa moral del mundo de Pablo no puede limitarse a la influencia judía y escrituraria. Algunas de las normas morales se comparten con el amplio mundo grecorromano (Ro. 1:32; 2:14-15). Los estudiosos han detectado una influencia estoica en algunas de las amonestaciones de Pablo (p. ej., Fil. 4:8).[318] El énfasis en la humildad, por otra parte, se aleja bruscamente de lo que se aceptaba en el contexto grecorromano. La mayoría de los gentiles despreciaban la humildad como debilidad servil.[319]

Asimismo, Pablo rechazaba la homosexualidad (Ro. 1:26-27; 1 Co. 6:9; 1 Ti. 1:10), aunque algunos escritores griegos la aceptaban. Pablo hace suya la tradición judía unánime en el rechazo de la homosexualidad (p. ej., Gn. 19:1-28; Lv. 18:22; 20:13; Sab. 14:26; *T. Lev.* 17:11; *T. Nef.* 3:3-4; *Or. Sib.* 3:596-600; Josefo, *Con. Ap.* 2.24, 37; Filón, *Ley. Esp.* 3.7). Se acusa a la homosexualidad porque es contraria a la naturaleza, es decir, a la intención de Dios al crear a los seres humanos como varón y mujer. La proscripción de la homosexualidad por parte de Pablo ha suscitado fuertes controversias en la actualidad. Algunos han sugerido que en el contexto cultural paulino se condena la pederastia, pero no toda homosexualidad.[320]

Esta opinión no convence, pues Pablo se refiere específicamente a hombres que cometen actos homosexuales con otros hombres (Ro. 1:27), no a

---

[317] La bibliografía al respecto es inmensa. Los eruditos han intentado discernir el origen de las listas de vicios y virtudes, considerándolas derivadas del helenismo, del judaísmo helenístico o incluso del AT. Véase, por ejemplo, Easton 1932; McEleney 1974; Kruse, DPL 962-63; Schweizer 1979; Borgen 1988; Hartman 1995.

[318] Véase O'Brien 1991: 500-503; Fee 1995: 415-19.

[319] Véase O'Brien 1991: 180; Fee 1995: 187-88.

Sab. – Sabiduría de Salomón

T. Lev. – *Testamento de Leví*

T. Nef. – *Testamento de Neftalí*

Or. Sib. – *Oráculos sibilinos*

Con. Ap. – *Contra Apión*

Ley. Esp. – *Sobre las leyes especiales*

[320] Scroggs 1983: 109-18.

hombres con niños. Además, no hay pruebas de que las mujeres mayores victimizaran a las jóvenes (Ro. 1:26), por lo que esta teoría no explica la acusación de las relaciones homosexuales femeninas. Otros han sugerido que quienes son heterosexuales por naturaleza no deben mantener relaciones homosexuales, mientras que quienes nacen con deseos homosexuales no están condenados. Este punto de vista impone una visión psicológica moderna de la naturaleza al texto bíblico. Pablo utiliza el término "naturaleza" (*physis*) para referirse a la intención de Dios al crear a los seres humanos, no para describir la condición psicológica y los impulsos de los seres humanos.[321]

En resumen, la ley en el pensamiento de Pablo debe interpretarse a la luz de la historia de la redención. El pacto mosaico y sus prescripciones ya no están en vigor para los creyentes ahora que Jesucristo ha venido. La nueva era de la historia de la salvación ha desbancado a la antigua, que establecía fronteras entre judíos y gentiles con leyes que exigían la circuncisión, la observancia del Sabbat y la pureza. La llegada de la nueva era no significa que Pablo no tenga normas morales. La ley de Cristo funciona ahora como norma para los creyentes, y la entrega sacrificial de Cristo funciona como paradigma de esta ley.

Al mismo tiempo, la ley de Cristo puede describirse como la ley del amor. Decir que el amor es el corazón y el alma de la ética de Pablo no implica que no haya normas morales que informen la ley de Cristo. De hecho, algunos de los mandamientos de la ley veterotestamentaria forman parte de la ley de Cristo, ya que el adulterio, el robo, el asesinato y otros actos similares están prohibidos porque contradicen la ley del amor. Pablo enseña que los creyentes están libres de la ley veterotestamentaria en Cristo, pero no quiere decir libres del "deber". Sin embargo, todas las exhortaciones éticas paulinas se basan en la tensión entre el indicativo y el imperativo, y el indicativo siempre sirve de base para el imperativo. Así también, el único medio por el que los creyentes pueden cumplir la ley de Cristo es el poder del Espíritu Santo. Cumplir la ley de Cristo solo es posible porque la nueva era ha sido inaugurada en Cristo y porque el Espíritu ha sido derramado en la vida de los creyentes.

---

[321] Para un debate más completo sobre esta cuestión, véase Hays 1996: 379-406. Para una discusión exhaustiva de prácticamente todos los aspectos de la homosexualidad, véase Gagnon 2001. Véase también Schreiner 2006a.

Santiago

La carta de Santiago[322] nos ofrece una interesante oportunidad para conocer el papel de la ley en el cristianismo primitivo.[323] Es probable que esta carta haya sido escrita por el hermano de Jesús, y representa el ala más conservadora de la iglesia cristiana (véanse Hch. 15:13-21; 21:18-25; 1 Co. 15:7; Gl. 1:19; 2:9, 12; Jud. 1). Santiago es una carta parenética que enseña que la fe genuina debe expresarse en obras. Quienes no practiquen las buenas obras no serán justificados en el último día (Stg. 2:14-26).[324] La verdadera sabiduría se manifiesta en un comportamiento piadoso (Stg. 3:13-18). Santiago identifica la ley como "la ley de la libertad" (Stg. 1:25; 2:12), "la ley perfecta" (St 1:25) y "la ley real" (St 2:8).[325]

La ley es real porque es la ley de Cristo el Rey.[326] Sin lugar a dudas, la ley en Santiago incluye el Antiguo Testamento, ya que en Santiago 2:9-11 transgredir la ley está relacionado con no cumplir los mandamientos que prohíben el asesinato y el adulterio. Para Santiago, la "ley" también está estrechamente relacionada con la "palabra". A los creyentes se les concede nueva vida "por la palabra de verdad" (Stg. 1:18), y por tanto esta palabra debe referirse al evangelio de Cristo.[327] Santiago procede a hablar de ser "hacedores de la palabra" y no solo oírla (Stg. 1:22-23), y esa puesta en práctica de la

---

[322] En este capítulo considero a Santiago inmediatamente después de Pablo porque a menudo se considera que los dos autores son contradictorios, pero en este caso parece que en realidad se parecen bastante en sus puntos de vista sobre la ley de Cristo.

[323] Sobre la ley en Santiago, véase Frankemölle 1986. Véase también la discusión en Dibelius 1975: 116-20, donde se investiga el trasfondo en el judaísmo y el helenismo.

[324] Laato (1997: 66) señala que en Santiago 2:14-26 el autor selecciona a dos individuos, Abraham y Rahab, que hicieron buenas obras pero no vivieron bajo la ley.

[325] Laato (1997: 59-60) sostiene que la ley de la libertad representa el poder del nuevo pacto en los creyentes, mientras que la ley real señala a la ley como el mandato más elevado de Dios. Davids (1982: 100, 114) piensa que la ley perfecta es la ley transformada e interpretada por Jesús, y esto encaja con la opinión de Bauckham (1999b: 143) de que la visión de Santiago de la ley se ajusta a "la ley interpretada por Jesús en su predicación del reino, la ley como expresión de la voluntad de Dios para su pueblo en el amanecer de su gobierno escatológico". Véase también Moo 2000: 94, 112. Laws (1980: 87) opina que Santiago es demasiado breve como para ayudarnos a determinar lo que quiere decir.

[326] La referencia puede ser aquí a Cristo más que a Dios (L. Cheung 2003: 99, 133). Véase también Bauckham (1999b: 142), que ve una referencia a Dios.

[327] Acertadamente Laato 1997: 52-53; L. Cheung 2003: 87.

palabra también puede describirse como ser "hacedor" de la ley de la libertad, la ley perfecta (Stg, 1:25).[328]

Las pruebas anteriores sugieren una estrecha relación entre la "ley" y el "evangelio", si se puede decir así. Sorprendentemente, Santiago exhorta a sus lectores a que "reciban ustedes con humildad la palabra implantada [*emphytos*], que es poderosa para salvar sus almas" (Stg. 1:21). La "palabra implantada" sugiere la obra del nuevo pacto de Dios en la que la ley se escribe en el corazón (véase Jer. 31:31-34; cf. 1 Ts. 4:9).[329] Una alusión al nuevo pacto explicaría la relación entre la "palabra" del evangelio ("la palabra de verdad" [Stg. 1:18]) y la ley veterotestamentaria en Santiago, pues cuando comience el nuevo pacto, la ley se escribirá en el corazón por medio del evangelio.[330] Otra forma de expresarlo es decir que esta es la forma que tiene Santiago de hablar de la ley de Cristo, y al parecer para Santiago la ley de Cristo también contiene las normas morales de la ley veterotestamentaria. Resulta especialmente interesante que Santiago, como cristiano judío conservador, no diga nada sobre los delimitadores, como el Sabbat, la circuncisión o las leyes de pureza.[331] El silencio sobre estas cuestiones podría interpretarse de diversas maneras, pero el cumplimiento de la ley en Santiago parece ser bastante similar a la visión paulina del cumplimiento de la ley.[332]

La mayoría de las exhortaciones de Santiago encajan bien con la piedad veterotestamentaria. La práctica religiosa genuina implica el cuidado de los pobres y las viudas (Stg. 1:27; cf. 2:15-16), y tales mandatos son prominentes,

---

[328] Véase Bauckham 1999b: 146. L. Cheung (2003: 93, 96) piensa que la ley perfecta está vinculada con aquello que es capaz de salvar almas (Stg. 1:21).

[329] Véase Mitton 1966: 72; Laato 1997: 53; Bauckham 1999b: 146; Moo 2000: 94. Pero véase Jackson-McCabe (2001), que detecta aquí la influencia del estoicismo. Véase también L. Cheung 2003: 88-91.

[330] La "palabra" del evangelio y la ley están estrechamente alineadas en Santiago (véase L. Johnson 1995: 214, 235).

[331] Sobre este punto, véase Dibelius 1975: 18, 146; Davids 1982: 47. Hengel (1983: 174n152) sugiere que Santiago distingue las normas morales de la ley ritual y exalta especialmente la ley del amor. Bauckham (1999b: 147-48) sostiene que las leyes rituales no son centrales para Santiago, pero él esperaba que los judíos de su época cumplieran tales leyes, e incluso el propio Pablo esperaba normalmente que los cristianos judíos observaran la ley, excepto en ciertos casos que atentaran contra la libertad de los gentiles. L. Cheung (2003: 123-24) sostiene que no podemos conocer la postura de Santiago respecto a la ley cúltica.

[332] Adamson (1989: 200-203) y Laws (1980: 109-10) entienden que la ley en Santiago se refiere a la ley del amor. Dibelius (1975: 142) cuestiona este punto de vista. Dibelius (1975: 120) señala que Santiago concibe la ley como la "ley moral perfecta".

por supuesto, en el propio Antiguo Testamento. La parcialidad hacia los ricos debe evitarse, como ya se ha señalado, porque viola la ley del amor (Stg. 2:1-13).[333] Los ricos deben utilizar su dinero para ayudar a los demás en lugar de oprimir a los pobres (Stg. 5:1-6) o alardear de sus propias expectativas económicas (Stg. 4:13-16).

Los creyentes deben usar su lengua para beneficiar a los demás, en lugar de envenenarlos y destruirlos con sus palabras (Stg. 1:26; 3:1-12). Cualquiera que esté familiarizado con Proverbios encontrará que las amonestaciones con respecto a la lengua son bastante familiares. Las disputas entre unos y otros y la amistad con el mundo son contrarias a la forma en que Dios ha llamado a su pueblo a vivir (Stg. 4:1-6). La auténtica sabiduría no consiste en el virtuosismo intelectual, sino en cualidades del carácter como la mansedumbre, la cordialidad, la misericordia y la imparcialidad (Stg. 3:13-18). Los que están llenos de ambición egoísta y envidia producen disputas y confusión dondequiera que llegan.

Santiago también parece inspirarse en la tradición de Jesús con bastante frecuencia, lo que quizá respalde la idea de que la ley está mediada por las enseñanzas del propio Jesús.[334] La prohibición de los juramentos en Santiago remite a las instrucciones de Jesús sobre los juramentos (Stg. 5:12; cf. Mt. 5:33-37). Quizá el mandato de amar al prójimo como a uno mismo se haga eco de Mateo 22:39 (par.) y cite Levítico 19:18. El mandato de pedir sabiduría a Dios (Stg. 1:5) recuerda a los lectores que los discípulos deben pedir, buscar y llamar (Mt. 7:7-8; par.). Del mismo modo, el llamamiento a pedir con fe y no dudar también nos recuerda las palabras de Jesús (Mt. 21:21; par.).

Toda buena dádiva viene del Padre que está arriba (Stg. 1:17), tal como Jesús enseñó a sus discípulos (Mt. 7:11; par.). El llamamiento a escuchar y poner en práctica la Palabra es característico de la enseñanza de Jesús (Stg. 1,22-25; cf. Mt. 7,21; par.; Lc. 12:47). Visitar a los huérfanos y a las viudas refleja la piedad del Antiguo Testamento, pero también representa la enseñanza de Jesús (Stg. 1:27; cf. Mt. 25:35-45). El hecho de que Dios elija a los pobres (Stg. 2:5) nos recuerda la bendición que pertenece a los pobres (Lc.

---

[333] El impacto de Levítico 19:11-18 en Santiago es bien conocido (p. ej., Laato 1997: 57-58; L. Johnson 1982b; Bauckham 1999b: 143-44; L. Cheung 2003: 100-104).

[334] Sobre este punto, véase Adamson 1989: 169–94; W. Davies 1964: 402–5; Davids 1982: 47–48, 100; Dibelius 1975: 28–29; R. Martin 1988: 67–68, 71; Bauckham 1999b: 93–108; Edgar 2001: 63–94.

6:20). Decir que el juicio es implacable con los que no muestran misericordia con los demás (Stg. 2:12-13) es, al menos conceptualmente, paralelo a la parábola de Jesús sobre el siervo que no perdona (Mt. 18:21-35). La afirmación de tener fe sin obras (Stg. 2:14-26) nos recuerda a quienes profesan a Jesús como Señor, pero no hacen su voluntad (Mt. 7:21-23; par.).

Puede que haya al menos un eco de la enseñanza de Jesús en el impacto contaminante de la lengua (Stg. 3:6; cf. Mt. 15:18; par.). El fruto de los labios depende del árbol que produce el fruto (Stg. 3:12), lo que nos recuerda la enseñanza de Jesús de que debemos hacer que el árbol sea bueno para tener frutos agradables (Mt. 7:16-19; par.). El luto de los malvados y el llamamiento a la humildad (Stg. 4:6; 5:1) parecen tener claros ecos en la enseñanza de Jesús (Lc. 6:25; 14:11). Del mismo modo, la prohibición de juzgar refleja las propias palabras de Jesús (Stg. 4:11-12; cf. Mt. 7:1-5; par.). La insensata confianza de quienes piensan que en el futuro harán una fortuna económica (Stg. 4:13-16) nos recuerda la ingenuidad del hombre rico de Lucas 12:15-21, que pensaba que viviría para disfrutar de sus amasadas riquezas.

La putrefacción de las riquezas encuentra un paralelismo en las enseñanzas de Jesús (Stg. 5:2; Mt. 6:19). También puede haber un paralelismo en el lenguaje de que el fin está cerca, incluso a las puertas (Stg. 5:9; Mt. 24:33; par.). Los discípulos de Jesús también ungían con aceite a los enfermos (Stg. 5:14; cf. Mc. 6:13). Es difícil saber si Santiago se basó conscientemente en la tradición de Jesús en todos estos paralelismos, pero parece haber suficientes pruebas de que lo hizo como para concluir que la enseñanza ética de Jesús desempeñó un papel importante en la ética de Santiago. Así pues, tenemos una prueba más de que la ley veterotestamentaria está mediada por la ley de Cristo.

En resumen, Santiago no ofrece una explicación exhaustiva del lugar de la ley veterotestamentaria. Sin embargo, llama la atención que la circuncisión, el Sabbat y las leyes de pureza no desempeñen ningún papel en la carta. Además, parece que los mandamientos de la ley que se mencionan deben entenderse a la luz de la palabra del evangelio y de la nueva ley o ley real de Cristo. En efecto, esta ley de Cristo es una ley de libertad, presumiblemente porque la palabra ha sido implantada en el alma. Parece legítimo hablar de la ley de Cristo, dadas las numerosas alusiones a la enseñanza de Jesús también en la carta.

Hebreos

Cuando consideramos el Nuevo Testamento como un todo, vemos claramente que los escritores canónicos creían que el pacto mosaico era temporal y que los creyentes ya no están obligados a cumplir sus estipulaciones.[335] El autor de Hebreos se enzarza en un argumento sostenido en contra del regreso al sacerdocio aarónico y al culto sacrificial levítico.[336] No afirma que el pacto mosaico fuera de algún modo un error desde su inicio, sino que basa su argumento en las realidades de la historia de la salvación.[337] Ahora que Cristo ha llegado como sacerdote melquisedéquico, volver al sacerdocio levítico constituiría una negación del sacrificio de Cristo. Los sacerdotes aarónicos y los sacrificios veterotestamentarios no se rechazan de plano, sino que se consideran tipológicamente. El sacerdocio y los sacrificios del Antiguo Testamento señalaban y anticipaban el sacrificio de Cristo. Ellos son las sombras, pero él es la sustancia. Los sacrificios del Antiguo Testamento no pueden perdonar, ya que se ofrecen bestias brutas, pero el sacrificio de Cristo es expiatorio, ya que es una víctima voluntaria y sin pecado. El hecho de que los sacrificios del Antiguo Testamento se repitan revela que en realidad no perdonan el pecado, mientras que el sacrificio único de Cristo expía definitiva y finalmente el pecado.

El autor de Hebreos sostiene que un cambio de sacerdocio constituye también un cambio de ley (Heb. 7:11-12). De hecho, afirma que la ley no traía la perfección y era débil e inútil (Heb. 7:18-19).[338] En el contexto, está claro que lo que quiere decir es que la ley no proporciona una expiación plena y definitiva por el pecado. De hecho, procede a argumentar que la promesa de un nuevo pacto indica que el pacto del Sinaí ha quedado obsoleto (Heb. 8:7-13). Una vez más, la atención se centra en el fracaso de la ley para proporcionar el perdón definitivo. Una característica habitual de Hebreos es el contraste de

---

[335] Cuando hablo de que el pacto mosaico o la ley son temporales u obsoletos, no se debe concluir de ello que la ley del AT sea irrelevante para los creyentes de hoy, pues los escritores del NT también subrayan que la ley se cumple en Cristo. Además, la ley veterotestamentaria sigue formando parte de las Sagradas Escrituras para los creyentes.

[336] Es probable que la carta a los Hebreos se dirija a los creyentes tentados a regresar al culto levítico.

[337] Para una lúcida exposición de la ley en Hebreos, véase Thielman 1999: 111-34.

[338] Attridge (1989: 204) dice que en Hebreos la ley no produce la perfección, mientras que en los escritos de Pablo no concede la vida.

las estipulaciones y/o castigos del pacto del Sinaí con lo que se exige ahora a los que pertenecen a Cristo (Heb. 2:1-4; 9:6-10, 15-24; 10:26-31; 12:25-29; 13:9-12). De hecho, los primeros versículos de la carta contrastan la revelación definitiva dada en los últimos días en el Hijo con la revelación preliminar parcial dada bajo el antiguo pacto (Heb. 1:1-3). El contraste entre Moisés y Cristo articulado en Hebreos 3:1-6 es similar en este sentido.

Parece bastante evidente que el autor de Hebreos cree que el nuevo pacto ha desplazado o, quizá mejor, "cumplido" lo prometido en el antiguo. Ahora que ha llegado el fin de los tiempos, un retorno al antiguo pacto conduciría a la destrucción final. El autor es llamativamente severo y dogmático. Los que vuelvan a los reglamentos y sacrificios del antiguo pacto se condenarán, porque hacerlo es rechazar la obra de Cristo en la cruz (cf. Heb. 6:4-8; 10:26-31; 12:25-29). De ahí que pueda decir que no queda sacrificio por los pecados para quienes se apartan del sacrificio de Cristo (Heb. 10:26). Esta es otra forma de decir que los que vuelven al culto levítico se han cerrado a sí mismos toda posibilidad de perdón. Los sacrificios animales literales han desaparecido, pero los creyentes ofrecen a Dios sacrificios espirituales cuando alaban el nombre de Dios y cuando comparten económicamente con los necesitados (Heb. 13:15-16).

El autor de Hebreos no acusa al pacto mosaico de legalismo, ni encuentra defectos en las prescripciones específicas de la ley *per se*. Más bien, el pacto mosaico y la ley tenían una función tipológica e histórico-salvífica. El tabernáculo apunta al verdadero tabernáculo del cielo, donde habita Dios (cf. Heb. 8:1-6; 9:1-10). Los sacrificios y los reglamentos del Antiguo Testamento anticipan el sacrificio de Cristo y la era que ha amanecido en el nuevo pacto (Heb. 9:11-14, 23-28; 10:1-18). Los sacrificios del Antiguo Testamento también señalan la necesidad de compartir con los demás y de alabar a Dios (Heb. 13:15-16). Las promesas de tierra y descanso en el Antiguo Testamento anticipan la ciudad celestial y el descanso sabático preparados para el pueblo de Dios en la era venidera (Heb. 3:7-4:13; 11:9-10, 13-16; 12:22; 13:14).

¿Hay alguna continuidad entre la ley del Antiguo Testamento y el cumplimiento de la ley en Cristo en Hebreos? El autor cita la promesa del nuevo pacto de Jeremías 31:31-34, según la cual la ley se escribirá en el corazón de los creyentes (Heb. 8:7-13).[339] Está claro que cree que hay un lugar para los mandatos y los preceptos, como se desprende de la parénesis de Hebreos 13. Lo que el autor subraya, sin embargo, es que la limpieza de los pecados se ha logrado de una vez por todas mediante la muerte de Cristo.

El autor de Hebreos escribe principalmente para prevenir a sus lectores frente a la apostasía, por lo que no se centra en cuestiones éticas específicas. Se elogia a los lectores por mostrar compasión y solidaridad con los creyentes encarcelados (Heb. 10:34) y se les exhorta a seguir mostrando misericordia con los creyentes encarcelados (Heb. 13:3). Se alienta la hospitalidad con los extranjeros apelando a los ejemplos de Abraham y Lot, que dieron alojamiento y comida a ángeles sin saber que lo eran (Heb. 13:2). Varias de las exhortaciones indican que la iglesia está situada al margen, tanto social como económicamente. Esto encaja con Hebreos 11, que describe cómo los héroes de la fe fueron a menudo discriminados e incluso perseguidos.

De ahí que deban visitar a los que están en la cárcel y ofrecer hospitalidad a los creyentes que los visitan. Del mismo modo, no deben dejarse cautivar por el amor al dinero, sino confiar en que Dios proveerá a sus necesidades (Heb. 13:5-6). Una comunidad sometida a presiones sociales y financieras puede resquebrajarse y caer en el desorden y la división. Por eso se les exhorta a vivir en paz unos con otros (Heb. 12:14). No deben dejar que florezca la amargura, pues llevaría a la contaminación de muchos (Heb. 12:15). También debe evitarse el pecado sexual, para que el matrimonio se mantenga puro y sin mancilla (Heb. 13:4). La pureza sexual, la hospitalidad y el cuidado de los necesitados encajan en la moral del Antiguo Testamento.

Para concluir, Hebreos subraya que el nuevo pacto ha llegado con Jesucristo. Un nuevo sacerdocio significa que hay una nueva ley, que cumple lo prometido en la antigua. Ahora que ha llegado lo nuevo, los creyentes no deben volver a las sombras de lo antiguo. Viven en la era del cumplimiento de lo que Dios ha prometido y han recibido el perdón definitivo de los pecados. Volver a lo antiguo sería insensato y fatal. Aun así, los creyentes están llamados a vivir de una manera que agrade a Dios, porque la ley de Dios está ahora escrita en sus corazones.

---

[339] "Por otra parte, 'mejor' es una palabra característica de nuestro escritor y se argumenta la sustitución: el Nuevo Pacto tiene dones e instituciones mejores y más eficaces que los dones e instituciones correspondientes del Antiguo" (Peterson 1982: 109).

1 Pedro

La primera carta de Pedro no aborda específicamente la cuestión del papel de la ley veterotestamentaria en la vida de los creyentes. Como hemos señalado antes, no cabe duda de que Pedro ve cumplidas en Cristo las promesas del Antiguo Testamento (1 P. 1:10-12). La sangre de Jesús cumple los sacrificios del Antiguo Testamento (1 P. 1:2, 18-19), de modo que el verdadero rescate no es el éxodo de Egipto, sino la liberación del pecado que llega a través de la sangre de Jesús. Jesús cumple lo que anticipaba el sacrificio de los corderos en el Antiguo Testamento (1 P. 1:18-19). Él es el verdadero Cordero de Dios y Siervo del Señor (1 P. 2:21-25; cf. Is. 52:13-53:12).

El templo de Jerusalén ya no desempeña un papel central en la vida de los creyentes. Jesús es la piedra angular del nuevo templo, formado por los creyentes en Jesucristo (1 P. 2:4-8). Los sacrificios y el sacerdocio del Antiguo Testamento se cumplen ahora en la iglesia de Jesucristo (1 P. 2:5, 9). Todos los creyentes son sacerdotes (Ex. 19:6). Como sacerdotes, no ofrecen sacrificios de animales, sino que presentan sacrificios espirituales por medio de Jesucristo (1 P. 2:5). La iglesia de Jesucristo, que incluye tanto a judíos como a gentiles, es el verdadero Israel (1 P. 2:9-10; cf. Ex. 19:5-6). Son el "linaje escogido" y la "nación santa" de Dios. Ellos, y no el Israel étnico, son el verdadero pueblo de Dios.

Aunque Pedro no lo dice explícitamente, parece albergar la noción de que los creyentes viven bajo un nuevo pacto en el que los sacrificios y prácticas del Antiguo Testamento ya no son normativos. El llamamiento de Pedro a la santidad en 1 Pedro 1:14-16 confirma este juicio. Pedro cita del Levítico el mandato de ser santos. Es probable que Pedro no cite el versículo a partir de un texto concreto de Levítico, sino que se base en Levítico 11:44-45; 19:2; 20:7, 26. En Levítico, el llamamiento a la santidad está vinculado a la observancia de las leyes alimentarias (Lv. 11:1-44). Pedro ordena a los creyentes que sean santos, pero no da ninguna indicación de que la santidad esté relacionada en absoluto con los alimentos que se consumen. La santidad se relaciona con la esfera ética. Aunque Pedro no lo dice explícitamente, podemos concluir que considera que el antiguo pacto se ha cumplido en

Jesucristo. Por lo tanto, los reglamentos de la antigua dispensación no son normativos per se para los creyentes.

Los académicos debaten sobre el alcance de la tradición de Jesús en las cartas petrinas. Gundry opina que es omnipresente, mientras que Best solo ve referencias limitadas a ella.[340] Cuando Pedro habla de ser engendrado por Dios, es poco probable que aluda a la tradición de Jesús sobre nacer de nuevo (cf. Jn. 3:3, 7). La imagen del renacimiento es bastante común, lo que sugiere que la dependencia es menos probable. Del mismo modo, cuando Pedro dice que los lectores aman a Jesús aunque no lo hayan visto, es poco probable que esté aludiendo a Juan 20:29, donde Jesús elogia a los que creen sin ver, pues Pedro se refiere a *amar* sin ver, mientras que Jesús habla de *creer* sin ver. Tampoco parece evidente que Pedro recuerde la tradición de Jesús en su exhortación a amar (1 P. 1:22; 4:8; cf. Jn. 13:34-35; 15:12). El llamamiento a amarse los unos a los otros es un elemento básico de la parénesis del Nuevo Testamento y, por tanto, no puede atribuirse claramente a la tradición de Jesús, aunque ciertamente Jesús hizo hincapié en ese amor. Por último, el llamamiento a vivir como ciudadanos libres bajo el gobierno (1 P. 2:16), aunque conceptualmente relacionado, está demasiado alejado de Mateo 17:26-27 como para constituir una alusión a las enseñanzas de Jesús.

A pesar de la improbabilidad de ver una referencia a la tradición de Jesús en los textos mencionados, su presencia es bastante clara en otros casos. La exhortación a "ceñir sus mentes" (1 P. 1:13 RSV) probablemente se hace eco de Lucas 12:35. Es posible que la cita del Salmo 118:22 en 1 Pedro 2:7 también proceda de la tradición de Jesús (cf. Mt. 21:33-46; par.). El llamamiento a llevar una vida de buena conducta para que los gentiles glorifiquen a Dios (1 P. 2:12) recuerda casi con toda seguridad la tradición de Mateo 5:16, donde Jesús exhortó a sus discípulos a dejar brillar sus buenas obras para que la gente glorifique al Padre celestial. La promesa de que quienes soportan el sufrimiento mientras practican la bondad recibirán una recompensa (1 P. 2:19) recuerda la promesa de Jesús de que quienes hacen el bien a sus enemigos serán recompensados (Lc. 6:32-35).

Del mismo modo, es probable que el llamamiento de Pedro a no tomar represalias refleje las enseñanzas de Jesús (1 P. 3:9; cf. Mt. 5:38-42). Los ancianos no deben enseñorearse de su cargo por encima del rebaño (1 P. 5:3),

---

[340] Véase Gundry 1967b; 1974; Best 1970b; véase también Maier 1984.

y aquí Pedro probablemente se inspira en la admonición de Jesús a los apóstoles de no enseñorearse de los demás cuando están en una posición de autoridad (Mt. 20:25; par.). Estos ejemplos sugieren que las palabras de Jesús desempeñaron un papel importante en la formación ética de Pedro, sobre todo si tenemos en cuenta la brevedad de la epístola en su conjunto y las circunstancias concretas que dieron lugar a la carta.

Al considerar la exhortación ética en Pedro, debemos observar que los imperativos se fundamentan claramente en el indicativo. Pedro comienza la carta celebrando la obra salvadora de Dios en Cristo por medio del Espíritu (1 P. 1:1-12). El primer imperativo aparece en 1 Pedro 1:13 después de que se haya expuesto la gracia de Dios como fundamento de una vida obediente. También en este caso el imperativo es un llamamiento a seguir viviendo en la esperanza, esperando la consumación de la salvación inaugurada.

A continuación, Pedro exhorta a los lectores a una obediencia santa (1 P. 1:14-16), a una vida de belleza y bondad éticas. Uno de los términos favoritos de Pedro para referirse a la vida de los creyentes es "conducta" (*anastrophē* [1 P. 1:15, 18; 2:12; 3:1, 2, 16]). Los creyentes deben ser santos en su conducta (1 P. 1:15) en contraste con la conducta vana y pagana que se transmitía de generación en generación (1 P. 1:18). El llamado a vivir una vida de buenas obras se resume en términos de conducta agradable a Dios (1 P. 2:12). La conducta pura de las esposas se resume con el mismo término (1 P. 3:1-2), y tal conducta piadosa debe distinguir a los cristianos cuando son calumniados por los incrédulos (1 P. 3:16).

Si tuviéramos que resumir la exigencia ética de Pedro, sería un llamado al amor (1 P. 1:22). Ese amor es incompatible con la malicia, la astucia, la falta de sinceridad, la envidia y la calumnia (1 P. 2:1). La exhortación de Pedro a vivir rectamente como miembros de la sociedad, ya sea como esclavos, esposas y esposos, o ancianos (1 P. 2:13-3:7; 5:1-4), será explorada en breve.[341] Podríamos decir con toda legitimidad, sin embargo, que en cada caso las directrices específicas dadas simplemente resumen el camino y la belleza del amor en las relaciones humanas. Quienes viven una vida de amor se abstienen de facciones y disputas (1 P. 3:8). Muestran preocupación por la vida de los demás y no se centran arrogantemente en sus propios logros y deseos. El poder del amor se manifiesta en el rechazo a devolver mal por mal (1 P. 3:9). La vida

---

[341] Véase el capítulo 18.

de amor se manifiesta en el hablar con gracia, para que los demás no sean pisoteados con palabras viciosas (1 P. 3:10). Del mismo modo, las palabras de amor no engañan ni halagan. Los que agradan a Dios buscan la paz con todos y se apartan de una vida de maldad.

Cuando Pedro contempla el fin de todas las cosas, recuerda a los creyentes que su primera prioridad es amar, y que el amor cubre los pecados de los demás (1 P. 4:8). El amor se manifiesta en la hospitalidad y en el uso de los propios dones para servir y edificar a los demás (1 P. 4:9-11). La nueva vida de los creyentes muestra una diferencia dramática con respecto a los días anteriores a la conversión (1 P. 4:2-4). Ahora se apartan del pecado sexual, la embriaguez, las fiestas salvajes y la idolatría. La vida de amor es incompatible con el asesinato, el robo, la maldad o incluso con ser un entrometido molesto (1 P. 4:15). Observamos que el asesinato y el robo proceden de la ley mosaica, aunque Pedro no subraya la fuente de tales mandamientos. La maldad de tales acciones es obvia para todos los que han hecho del amor el estandarte de sus vidas. En cualquier caso, algunas de las normas morales del Antiguo Testamento encajan bajo la rúbrica del amor.

Pedro no reflexiona específicamente sobre el papel de la ley veterotestamentaria, pero enseña claramente que el Antiguo Testamento apunta hacia Cristo y encuentra su cumplimiento en él, de modo que el Antiguo Testamento debe leerse a la luz de la historia redentora. La ley veterotestamentaria no es el centro de la cosmovisión ética de Pedro; más bien, se centra en una vida de amor e incluye bastantes alusiones a las enseñanzas de Jesús. Podríamos decir que Jesús mismo (1 P. 2:21-25) funciona como modelo y patrón del amor, ya que mostró su amor dando su vida por los demás.[342] Pedro tampoco cae presa del moralismo, ya que sus mandatos éticos (imperativos) están arraigados en el indicativo de la obra salvadora de Dios en Cristo.

---

[342] Véase el excelente debate de Dryden (2006: 177-89), quien sostiene que el sufrimiento de Jesús cumple una función ejemplar en 1 Pedro. Dryden sostiene que, aunque el sufrimiento de Jesús funciona como ejemplo a lo largo de 1 Pedro, también es cierto que el sufrimiento de Jesús, en su singular obra expiatoria, debe distinguirse del sufrimiento de los creyentes.

Judas y 2 Pedro

Judas y 2 Pedro son cartas ocasionales que no abordan específicamente la cuestión de la ley veterotestamentaria y su estatus para los cristianos. Ambas cartas, empero, se ocupan de la vida moral de los creyentes, pues los falsos maestros han promovido un estilo de vida libertino, tal vez tergiversando la enseñanza paulina sobre la gracia (2 P. 3:15-16). Ya hemos visto en ambas cartas que la atención se centra en la obediencia, y que dicha obediencia es la consecuencia necesaria del conocimiento de Dios.

El propósito aquí es identificar las normas morales que se encuentran en ambas cartas. Ambos escritores acusan a los falsos maestros de pecado sexual, y la homosexualidad parece estar incluida en su acusación (2 P. 2:2, 6, 13-14; Jud. 6-8, 16). Las críticas a los oponentes contienen denuncias generales, por lo que es difícil precisar la maldad de los oponentes. Como Coré en el pasado, repudian la autoridad (2 P. 2:10-12; Jud. 8, 12). Se introducen engañosamente en la iglesia para obtener ventajas económicas (2 P. 2:3, 14; Jud. 12). Se quejan incesantemente de su descontento con la vida, pero hablan confiadamente de sus propias capacidades (2 P. 2:18; Jud. 16). Pedro también elogia positivamente las cualidades morales en la vida de sus lectores, considerando que la bondad, el conocimiento, el autocontrol, la resistencia, la piedad, el afecto mutuo y el amor (2 P. 1:5-7) son fruto de la fe.

Algunas de estas cualidades eran muy apreciadas en el mundo grecorromano de la época de Pedro. Ninguna de las dos cartas tiene en cuenta el papel de la vida veterotestamentaria, ya que ambas se escribieron para prevenir la apostasía y se vieron confinadas por su propósito limitado. Sin embargo, parece que en ambas cartas la nueva vida de los creyentes fluye de la obra salvadora y conservadora de Dios, de modo que, una vez más, el imperativo está arraigado en el indicativo.

Conclusión

Al considerar el lugar del Antiguo Testamento o ley mosaica en relación con la historia redentora, vemos la diversidad del testimonio del Nuevo Testamento. Cartas como 2 Pedro y Judas o Apocalipsis apenas reflexionan sobre la cuestión. Muchas obras literarias no incluyen ninguna discusión directa del asunto, o lo que falta es un tratamiento exhaustivo de la cuestión. Pablo, por supuesto, recoge el análisis más exhaustivo del papel de la ley veterotestamentaria. Sin embargo, llama la atención la centralidad de la historia de la salvación en relación con la ley.

Los escritos del Nuevo Testamento enseñan sistemáticamente que el pacto mosaico ya no está en vigor para los creyentes, o al menos no vinculan a sus iglesias con prácticas que distinguían a los judíos de los gentiles, como la circuncisión, el Sabbat o las leyes de pureza. Otra característica habitual es que la ley se ve cumplida en Jesucristo y apunta hacia su muerte y resurrección. Este punto de vista se refleja en Mateo, Lucas-Hechos, Pablo, Hebreos, etcétera. Los escritores del Nuevo Testamento no se limitan a sostener que el pacto mosaico se deja de lado en Jesucristo; también enseñan que la ley encuentra su término y su meta en él, de modo que él cumple lo que se señala en la ley veterotestamentaria. Aunque la expresión "ley de Cristo" solo se encuentra en Pablo, parece que resume muy bien el testimonio del Nuevo Testamento sobre la ley.

La ley veterotestamentaria se reinterpreta a la luz del acontecimiento de Cristo. La norma central de la ley es el amor, y la entrega de Jesucristo en la cruz es paradigmática del amor que se espera de los discípulos. Ese amor, por supuesto, se completa con otros contenidos morales, para que el amor no llegue a ser algo plástico, definido de forma arbitraria. De hecho, algunos de los mandamientos del Antiguo Testamento están incluidos en la definición del amor (como las prohibiciones contra el adulterio, el robo, el asesinato y el pecado sexual). Aun así, todas las normas de la ley están relacionadas con Jesucristo, y así encontramos en las cartas del Nuevo Testamento numerosas alusiones a la enseñanza de Jesús en la parénesis.

Además, la llamada a vivir una vida nueva (el imperativo) está siempre enraizada en el indicativo de la obra salvadora de Dios en Cristo. Y la vida nueva solo es posible por obra del Espíritu Santo. De ahí que, al considerar la ley, confluyan los principales temas de esta obra. La ley veterotestamentaria debe interpretarse en términos de la historia de la salvación, y la ley solo es cumplida a través de la obra salvadora de Cristo y el poder del Espíritu Santo.

PARTE 4: EL PUEBLO DE LA PROMESA Y EL FUTURO DE LA PROMESA

§17. EL PUEBLO DE LA PROMESA

Introducción

Las promesas de Dios no son simples abstracciones. Dios quiso formar un pueblo que le diera honor y gloria. Llamó a Adán y Eva como aquellos que fueron hechos a su imagen para gobernar el mundo por él y cultivarlo y nutrirlo para que su nombre fuera engrandecido (Gn. 1:26-27; 2:15). El pecado perturbó la relación entre Dios y los seres humanos, pero Dios se comprometió a obtener la victoria por medio de la descendencia de la mujer, aunque el conflicto continuaría entre la descendencia de la serpiente y la descendencia de la mujer (Gn. 3:15). Hemos visto anteriormente que la bendición para todo el mundo llegaría a través de la descendencia de Abraham.[1] Abraham ocupa un lugar destacado en el Nuevo Testamento (NT) porque fue el progenitor de un nuevo pueblo. Los hijos de Israel tenían su origen en Abraham, y Dios prometió que haría una gran nación de los descendientes de Abraham. En el Nuevo Testamento vemos cómo, en la iglesia de Jesucristo, Dios cumplió la promesa que le hizo a Abraham.

---

[1] La promesa de una bendición mundial a través de Abraham plantea la cuestión de la misión en el AT. Algunos sostienen que el AT aboga conscientemente por una misión a los gentiles. Sin embargo, una lectura más persuasiva de la evidencia indica que ni en el AT ni en el judaísmo se hizo hincapié en una misión centrífuga a los gentiles. Lo que encontramos en el AT se resume muy bien en la expresión "Vengan y vean", mientras que lo que encontramos en el NT es "Vayan y cuéntenlo". Para una discusión exhaustiva y convincente de toda la cuestión, véase Schnabel 2004a: 55-172.

Mateo y Marcos

Comenzaremos considerando la visión de Mateo del pueblo de Dios, e incluiré una discusión muy abreviada de Marcos porque la mayor parte de lo que dice Marcos está incluido en Mateo. Lucas-Hechos se tratará por separado en virtud del importantísimo papel que desempeña la iglesia en los escritos lucanos.

La noción de que la iglesia cumple la promesa a Abraham plantea una cuestión intrigante en Mateo, ya que a menudo se ha observado que en él encontramos los temas del particularismo y el universalismo.[2] Por "particularismo" entendemos que Mateo hace hincapié en que Jesús ha venido a cumplir sus promesas al Israel étnico, mientras que el "universalismo" se centra en la inclusión de los gentiles en el pueblo de Dios. El hecho de que Mateo se centre en Israel no es sorprendente, dado el carácter judío de este evangelio. Mateo comienza con una genealogía (Mt. 1:1-17), en la que da testimonio de que Jesús es hijo de Abraham e hijo de David.[3] Jesús es israelita, y no solo es israelita, sino que desciende de David, por lo que es el Mesías y rey de Israel. Ha venido para servir como "Rey de los judíos" (Mt. 2:2), cuya misión es pastorear "a Mi pueblo Israel" (Mt. 2:6).

Jesús desarrolló su ministerio casi exclusivamente en Israel, centrándose sobre todo en Galilea, pero también en Judea y Jerusalén. Durante su ministerio no realizó viajes misioneros a la Diáspora ni encargó a sus discípulos que proclamaran el reino a los gentiles. De hecho, prohibió a sus discípulos que predicaran a los gentiles o a los samaritanos cuando los envió al ministerio (Mt. 10:5). Debían restringir su labor "a las ovejas perdidas de la casa de Israel" (Mt. 10:6).[4] El mismo énfasis emerge en el encuentro con la mujer cananea en uno de los pocos viajes de Jesús fuera de su tierra (Mt. 15:21-28). La mujer imploró a Jesús que se apiadara de su hija endemoniada.

---

[2] Bosch (1991: 60) toma nota de la opinión crítica habitual al afirmar que estos dos temas reflejan visiones diferentes de la misión.

[3] Pero la referencia a Abraham también señala el cumplimiento de la promesa de que todas las naciones serían bendecidas a través de Abraham (Köstenberger y O'Brien 2001: 88).

[4] Especialmente útil es la discusión de este texto en Hagner 1993b: 270-71 (véase también Davies y Allison 1991: 167-68). Hagner hace hincapié en el carácter temporal e histórico-salvífico de la admonición, al tiempo que subraya que Mateo incluye este dicho para indicar la fidelidad del Señor a sus promesas hechas a Israel. Contra Luz (2001: 74-75), que sugiere una cancelación de la misión a Israel en Mateo 28:19-20.

Finalmente, Jesús respondió sanando a la hija de la mujer, pero también hizo hincapié en el carácter distintivo de su misión.[5] Él no fue "enviado sino a las ovejas perdidas de la casa de Israel" (Mt. 15:24).[6]

La misión a Israel era urgente porque el Hijo del Hombre vendría pronto, y los discípulos no completarían su misión antes de que él llegara (Mt. 10:23). El significado de Mt 10:23 es, por supuesto, controvertido.[7] La venida del Hijo del Hombre podría referirse aquí a la parusía, y por tanto se prevé una misión a Israel que dure hasta la segunda venida.[8] Otros ven una referencia a la resurrección de Jesús, al descenso del Espíritu, o incluso al éxito de la misión gentil. Hagner cree que el significado más probable en este contexto es el juicio de Jerusalén en el año 70 d.C. Según este punto de vista, la destrucción de Jerusalén funcionó como un tipo del juicio final y simbolizó el paso de los judíos a los gentiles en la historia de la salvación.[9]

Por un lado, se identifica al pueblo de Dios con los judíos, pero, sorprendentemente, Mateo también hace hincapié en la inclusión de los gentiles. La inclusión de los gentiles aparece en la genealogía (Mt. 1:1-17). Se incluye a cuatro mujeres: Tamar, Rahab, Rut y la esposa de Urías (Betsabé). Estas mujeres se mencionan probablemente por más de una razón. Su inclusión indica que Dios ha obrado de maneras sorprendentes en la historia redentora, y por tanto el nacimiento de Jesús a través de María no es una excepción. Sin embargo, el propósito principal parece ser la inclusión de los gentiles. Tamar y Rahab eran mujeres gentiles y, sin embargo, como mujeres gentiles estaban en la línea que condujo al nacimiento del Mesías. La forma canónica de Rut hace hincapié en la genealogía que conduce hasta David, el precursor del Mesías (Rt. 4:13-22). Parecería el énfasis en los gentiles queda confirmado por la referencia a "la mujer de Urías" (Mt. 1:6). Mateo podría haber mencionado fácilmente el nombre de "Betsabé", pero es posible que se nombre a Urías en

---

[5] Para un amplio y destacado estudio de la misión en el cristianismo primitivo, véase Schnabel 2004a; 2004b. Para un estudio de la misión de Jesús, véase Schnabel 2004a: 207-62.

[6] Stettler (2004: 158) sostiene que el ministerio de Jesús en Galilea cumple profecías (Ez. 37:15-28; Jer. 30:1-31:40; Os. 11:8-9) en el sentido de que Galilea representa el reino del norte y Judá el reino del sur, y Jesús en su ministerio reúne a Israel.

[7] Para las opciones, véanse Davies y Allison 1991: 190; Hagner 1993b: 278-80; Schnabel 2004a: 303-5; Luz 2001: 91-94 (quien sostiene que la profecía no se cumplió).

[8] Davies y Allison 1991: 190-92; Nolland 2005: 427-29.

[9] Hagner 1993b: 280.

lugar de Betsabé porque él era gentil.[10] Lo que destaca, por tanto, en el nombramiento de las mujeres es su origen gentil, que prefigura la misión a los gentiles.

En realidad, Mateo señala de diversas maneras que la promesa universal de bendición para todas las naciones está a punto de cumplirse. Por ejemplo, Mateo declara que Jesús vino a salvar "a Su pueblo de sus pecados" (Mt. 1:21), y el pueblo en cuestión, dado el alcance del Evangelio en su conjunto (Mt. 21:43; 28:19), incluye tanto a judíos como a gentiles.[11] La inclusión de los gentiles también se manifiesta en la historia de los magos de oriente (Mt. 2:1-12).[12] Estos hombres vieron la estrella de Belén y llegaron a la conclusión de que había nacido el rey de los judíos. Vinieron a rendir homenaje a este rey recién nacido, mientras que Herodes estaba decidido a destruirlo, y tanto Herodes como la élite de Jerusalén, en lugar de alegrarse por el nacimiento del rey mesiánico, se turbaron al oír la noticia (Mt. 2:3).

El relato pronostica el rechazo judío a la buena nueva del reino y de Jesús como Mesías. Ya hemos visto que la misión a los judíos ocupa un lugar destacado en Mateo, pero también se les llama al arrepentimiento (Mt. 3:2; 4:17). Los saduceos y fariseos no deben confiar en su ascendencia judía, como si una herencia pura garantizara la salvación (Mt. 3:7-10). El Bautista les recuerda que Dios puede convertir piedras en hijos de Abraham. Tal vez la inclusión de los gentiles se sugiere también en "Galilea de los gentiles" (Mt. 4:15), aunque la frase puede referirse a la influencia de los gentiles en Galilea.[13]

La historia del centurión atestigua que la pertenencia al pueblo de Dios no se limita a los judíos (Mt. 8:5-13). Jesús comenta que no había visto en Israel

---

[10] Véase también Luz 1995: 26.

[11] Luz restringe la referencia a Israel, pero la mayoría de los comentaristas ven una referencia tanto a judíos como a gentiles (Davies y Allison 1988: 210; Hagner 1993b: 19-20).

[12] Davies y Allison (1988: 227-32) argumentan acertadamente que los magos representan a los gentiles, que funcionaron, por así decirlo, como "sucesores de Balaam" que han visto el cumplimiento de Números 24:17, y que cumplieron otras profecías del AT (Is. 60:3-6; cf. Sal. 72:10-11). Véase también Luz 1989: 34-35; Hagner 1993b: 26-27; R. Brown 1977: 182.

[13] No se trata de que Jesús ministrara especialmente a los gentiles de Galilea, sino que anticipa la buena nueva del reino extendiéndose también a los gentiles, que también eran habitantes de Galilea (véase Davies y Allison 1988: 383-85; Luz 1989: 195; Hagner 1993b: 73). Nolland (2005: 74), sin embargo, sostiene que la referencia a los gentiles es negativa aquí, recordando a los lectores el exilio del siglo VIII.

una fe como la del centurión. A continuación, Jesús declaró que muchos gentiles de todo el mundo disfrutarían de la fiesta mesiánica en el último día (cf. Is. 25:6-8),[14] mientras que muchos judíos serían expulsados del reino y habitarían en las tinieblas y experimentarían una miseria agonizante. Jesús declaró en otro lugar que los judíos que tuvieron el privilegio de oír la buena nueva del reino y la rechazaron tienen una responsabilidad única (Mt. 11:20-24). Jesús, como Siervo del Señor, "a las naciones proclamará justicia" (Mt. 12:18), y "en Su nombre las naciones pondrán su esperanza" (Mt. 12:21). La buena semilla se siembra en todo el mundo (Mt. 13:37-38) y no puede limitarse a Israel. Lo más probable es que la alimentación de los cuatro mil se produjera en territorio gentil (Mt. 15:32-39).[15] En la parábola de los obreros de la viña, los trabajadores de la undécima hora pueden representar a los gentiles (Mt. 20:1-16).[16] Aunque los gentiles no estén contemplados en algunos de estos textos, está claro en Mateo que la bendición de Dios envolvió a los gentiles, que originalmente no formaban parte del pacto de Dios con Israel.

La purificación del templo simboliza el futuro juicio de Israel y la destrucción del templo en el año 70 d.C. (Mt. 21:9-17). Del mismo modo, la maldición de la higuera representa la maldición de Israel por no arrepentirse ni creer (Mt. 21:18-22; par.).[17] El juicio de Dios a Israel llega a su clímax en la parábola de los labradores malvados, donde Jesús pronuncia que el reino será quitado a Israel y será dado a una nación que produzca buenos frutos (Mt. 21:43). La nación que produce buenos frutos se refiere casi con seguridad a la iglesia.[18]

---

[14] Isaías 25:6 especifica que la fiesta es "para todos los pueblos", por lo que se enfatizan las dimensiones universales de la fiesta. Véase Childs (2001: 184-85), quien también señala que la promesa aquí concuerda con el énfasis de Isaías en los cielos nuevos y la tierra nueva.

[15] Contra Davies y Allison 1991: 569-70. Acertadamente Schnabel (2004a: 339) respecto al texto paralelo en Marcos: "No cabe duda de que el relato de Marcos 8:1-10 se sitúa en territorio pagano". Véanse también los perspicaces comentarios de France (2002: 305-6) sobre las diferencias entre la alimentación de los cinco mil y la de los cuatro mil.

[16] Véase Carson 1984: 428. Hagner (1995: 573) ve esta lectura como una posibilidad. Davies y Allison (1997: 67-68) sostienen que la parábola se limita a una admonición contra la jactancia. Contra el punto de vista gentil, véase también Nolland 2005: 813.

[17] Véase France 2002: 439-41; Hagner 1995: 605-6. Contra Carson (1984: 445), que limita la lección a la hipocresía. Evans (2001: 160) se centra en la destrucción del templo, pero dicha destrucción no puede desvincularse del destino de Israel.

[18] El significado de este versículo es bastante controvertido. Para una defensa de la interpretación adoptada aquí, véase Hagner 1995: 623. Véase también France 1989: 227-32. Nolland (2005: 879) añade acertadamente que esto no implica la exclusión de todos

Algunos han interpretado estas declaraciones como una indicación de que el juicio sobre Israel es irrevocable. Sin embargo, el contexto se centra en los líderes religiosos de la época de Jesús. Ciertamente hay un juicio sobre todo Israel, pues la nación en su conjunto no abrazó a Jesús como Mesías. No obstante, los discípulos debían seguir proclamando el reino en Israel hasta la venida del Hijo del Hombre (Mt. 10:23). La cosecha de Israel fue singularmente decepcionante, pero de ello no se deduce que no vaya a haber cosecha en Israel en el futuro, ni que todo Israel esté excluido de los propósitos salvíficos de Dios. Mateo señala que se debe invitar a otros, además de los judíos, a participar en las bendiciones del reino de Dios (Mt. 22:8-10). El evangelio debe proclamarse en todo el mundo (Mt. 24:14), pero esto incluye tanto a judíos como a gentiles. Jesús encarga a sus discípulos después de su resurrección que "hagan discípulos de todas las naciones" (Mt. 28:19).[19] Hay buenas razones para pensar que los judíos están incluidos entre las naciones que han de ser evangelizadas.[20] El pueblo de Dios, según Mateo, estará compuesto tanto por judíos como por gentiles. El evangelio del reino se proclamará a todos sin excepción.

¿Se contradice Mateo en el hecho de que, en algunos textos, los discípulos debieran limitar su misión a Israel (Mt. 10:5-6), pero en otros se les ordenara hacer discípulos de todas las naciones (Mt. 28:19)? No existe contradicción si tomamos en serio a Mateo como historia y consideramos el carácter histórico-redentor del libro. Durante su ministerio, Jesús se centró en Israel. Los hijos de Israel, después de todo, descendían de Abraham y eran el pueblo de la promesa. El cumplimiento de las promesas de Dios les fue declarado a ellos primero porque tenían un pacto especial con Yahve. Sin embargo, durante el ministerio de Jesús, Israel en su conjunto (pero no sin excepción) rechazó la buena nueva que se le había proclamado al no arrepentirse ni depositar su confianza en Jesús como profeta y Mesías de Dios. Después de la muerte y resurrección de Jesús, el enfoque cambió. Se siguió proclamando la buena

---

los judíos, sino que incluye a todos "los que ahora responden al mensaje del reino". Luz (2005: 42-43) opina que la afirmación no se refiere a la iglesia, sino que es más general.

[19] Para un excelente análisis y comentario, véase Schnabel 2004a: 348-67.

[20] Véase Meier 1977; Carson 1984: 596; France 1989: 235-37; Hagner 1995: 887; Davies y Allison 1997: 684; Nolland 2005: 1265-66; Luz 2005: 628-31. Contra Hare y Harrington 1975.

nueva en Israel, pero se introdujo una nueva arista. El mensaje del reino debía difundirse ahora a todo el mundo.

El énfasis diferente debe explicarse en términos histórico-redentores. Durante el ministerio de Jesús, la atención se centró en Israel como los hijos de la promesa. Después de su muerte y resurrección, tanto Israel como las naciones fueron incluidos como destinatarios del mensaje salvífico. Vemos aquí un notable cambio histórico-salvífico. En el Antiguo Testamento (AT) no se hacía hincapié en ir y proclamar la buena nueva, sino que se invitaba a las naciones a venir y contemplar lo que Dios hacía en Israel. Sin embargo, Jesús, tras su resurrección, encargó a sus discípulos que fueran hasta los confines de la tierra para hacer discípulos.[21] Además, el énfasis particularista recuerda al lector que Dios no ha abandonado a Israel, que él es fiel a sus promesas salvíficas.

Jesús sigue el Antiguo Testamento al enseñar que el pueblo de Dios está formado por el remanente. El remanente se limita a los que creen en Jesús y se arrepienten al escuchar el mensaje del reino. Jesús llama a discípulos que actuarán como pescadores de personas e invitarán a otros a participar en las bendiciones del reino (Mt. 4:18-22). No existen paralelismos convincentes con la expresión "pescadores de personas", lo que sugiere que la acuñó el propio Jesús.[22] El nombramiento de los Doce como apóstoles resonaría en cualquier judío familiarizado con el Antiguo Testamento (Mt. 10:1-4). Al igual que había doce patriarcas y doce tribus de Israel que representaban al pueblo de Dios, Jesús nombró apóstoles a doce hombres que actuaban como líderes del remanente de Israel, el verdadero Israel dentro del Israel étnico. Incluso sin el uso de la palabra "iglesia" (ekklēsia), estamos aquí ante la noción de una nueva comunidad reunida en nombre de Jesús.[23]

Solo se librarán del juicio quienes escuchen y obedezcan el mensaje del reino que proclaman los Doce (Mt. 10:5-15). El mensaje anunciado por los Doce se centra en Jesús, de modo que las familias de Israel revelan si realmente pertenecen a Dios por su respuesta a Jesús y a sus mensajeros (Mt. 10:32-39). De hecho, Jesús enseña que las familias se dividirán por su respuesta a él, demostrando que el remanente está formado por quienes muestran lealtad a

---

21 Véase Bosch 1991: 17, 19.
22 Véase Schnabel 2004a: 275-77.
23 La selección de los Doce significa la restauración de Israel (Meier 2001: 128-63; E. Sanders 1985: 98-106; Meyer 1979: 153-54; Schnabel 2002a: 45).

Jesús. Los que acogen a los apóstoles y su mensaje indican que también acogen a Jesús (Mt. 10:40). Los que hacen la voluntad del Padre pertenecen a la familia de Jesús (Mt. 12:46-50), de modo que el pueblo de Dios se redefine en términos de relación con Jesús. Además, Jesús enseña que cuando comience el nuevo mundo, los apóstoles "se sentarán también sobre doce tronos para juzgar a las doce tribus de Israel" (Mt. 19:28; Lc. 22:29-30).[24] En Daniel, vemos que los santos de Israel recibirán el reino y gozarán de autoridad (Dn. 7:22, 27), pero ahora la autoridad para juzgar a Israel se otorga a los doce apóstoles.[25]

Dado que Jesús definió la nueva comunidad en términos de su relación con él, no es sorprendente que hablara de la "iglesia" (*ekklēsia*). De hecho, habla de ella en términos de "Mi iglesia" (Mt. 16:18), indicando que el verdadero remanente dentro de Israel le pertenece y es gobernado por él.[26] La declaración "edificaré Mi iglesia" se da en respuesta a la confesión de Pedro de que Jesús es el Cristo y el Hijo de Dios (Mt. 16:13-18). Las palabras "Tú eres Pedro, y sobre esta roca edificaré Mi iglesia" (Mt. 16:18) han suscitado un intenso debate. La exégesis protestante ha entendido tradicionalmente que la roca representa la confesión de Jesús como Cristo por parte de Pedro, de modo que la condición mesiánica de Jesús funciona como fundamento de la iglesia.

La exégesis católica romana ha defendido la opinión de que la roca es el propio Pedro, encontrando aquí pruebas que apoyan la supremacía papal en la iglesia de Jesucristo. Ninguno de los dos puntos de vista defendidos tradicionalmente es creíble. Leer una doctrina de supremacía papal en el texto supone un anacronismo. Los protestantes a veces han defendido su punto de vista señalando la diferencia entre las dos palabras griegas usadas para roca: *petros* para el nombre de Pedro, y *petra* para la roca sobre la que se construye la iglesia. Sin embargo, la diferencia entre las dos voces griegas es insignificante. *Petros* es masculino porque designa el nombre de Pedro, y *petra*

---

[24] Los Doce representan al nuevo Israel y se sentarán a juzgar al Israel incrédulo (Hagner 1995: 565; véase también Jervell 1996: 81). Pero Fitzmyer (1985: 1419) sostiene que el dicho lucano se centra en el gobierno más que en el juicio. Parece difícil, sin embargo, separar el gobernar del ejercer el juicio.

[25] Schnabel 2002a: 45.

[26] En defensa de la autenticidad de Mateo 16:17-19, véase Meyer 1979: 185-97; Carson 1984: 366; France 1989: 211. Davies y Allison (1991: 604-15) optan provisionalmente por la autenticidad. Para la perspectiva contraria, véase Luz 2001: 357-60.

("roca") es un sustantivo femenino que muy probablemente traduce el término arameo *kēfa'*. Además, si Jesús pronunció estas palabras en arameo, entonces desaparece la diferencia entre el género de los dos términos que es evidente en griego.[27]

Lo que tenemos aquí, por tanto, es un juego de palabras, de modo que lo más natural es leer el texto diciendo que la iglesia se construiría sobre Pedro como la roca.[28] Davies y Allison sugieren como trasfondo Isaías 51:1-2, donde Abraham es considerado como la roca o fundamento del pueblo de Dios, y aquí Pedro desempeña ese rol fundacional.[29] Como cabeza de los Doce, Pedro representa la nueva comunidad de Jesús. La nueva asamblea de Jesús, pues, se construye sobre los apóstoles. Pedro, como primero entre iguales y representante de los Doce, tiene las llaves del reino.[30] Jesús prometió que la muerte no vencería a la iglesia, sino que esta triunfaría sobre el poder del mal.[31] Jesús les ha dado autoridad para gobernar, de modo que atan y desatan en la tierra lo que está atado o desatado en el cielo (Mt. 16:19).[32] Lo que permiten o

---

[27] Aunque el masculino *petros* para "roca", según Nolland (2005: 669), "con el tiempo cayó en desuso", piensa que hay algún significado en el cambio al femenino *petra* y argumenta que Pedro es la roca "en el acto de confesar a Jesús como el Cristo".

[28] Para opiniones que en general concuerdan con lo que se argumenta aquí, véase Davies y Allison 1991: 623-27; Wilkins 1995: 189-94; Carson 1984: 368; Hagner 1995: 470.

[29] Davies y Allison 1991: 624.

[30] Para un análisis equilibrado del papel de Pedro, véase France 1989: 244-46. Por un lado, Pedro desempeñó un papel único en la historia redentora como el apóstol que era el primero entre iguales. Por otro lado, se le describe como falible y pecador como todos los demás discípulos. Luz (2001: 370-75) resume la historia de la interpretación, mostrando que la interpretación papal no es original, sino que comenzó en el siglo III.

[31] Sobre la historia de la interpretación de "las puertas del Hades", véase Davies y Allison 1991: 630-34. Ellos optan por la opinión de que los poderes demoníacos no conquistarán la iglesia, pero el trasfondo veterotestamentario relaciona las "puertas del Seol" con la muerte (Job 17:16; 38:17; Sal. 9:13; 107:18; Is. 38:10; Jon. 2:2; véase también Sab. 16:13; 3 Mac. 5:51; Sir. 51:9; Ap. 1:18; 6:8; 20:13-14), por lo que probablemente el foco de atención esté en la muerte. Con todo, es posible que exista alguna relación con el punto de vista propuesto por Davies y Allison, ya que la muerte y el dominio demoníaco están entrelazados.

[32] Atar y desatar en Mateo debe interpretarse de forma amplia incluyendo el comportamiento permitido o prohibido, la enseñanza legítima o falsa y, por implicación, el perdón de los pecados o la negativa a concederlo (véase Hagner 1995: 472-74). Otros lo restringen a la entrada o expulsión del reino (Carson 1984: 373-74; Wilkins 1995: 194-97). Davies y Allison (1991: 635-41) examinan varias interpretaciones y sostienen que se trata de la autoridad docente, en particular de Pedro.

prohíben, en otras palabras, es lo que Dios aprueba o condena.[33] Obviamente, esto no debe interpretarse como que los apóstoles eran infalibles en todos los aspectos, como si cualquier cosa arbitraria que pudieran haber hecho contara con la bendición de Dios.

El otro texto que se refiere a la iglesia es Mateo 18:15-20. Este texto aborda el asunto de disciplinar a un hermano o hermana que ha pecado dentro de la iglesia.[34] Los que pecan y no se arrepienten deben ser corregidos primero por la persona contra la que se peca o que descubre el pecado. Si el que cometió la infracción se arrepiente, el asunto debe ser olvidado. Si uno persiste en el pecado, entonces dos o tres hermanos o hermanas de la comunidad deben confrontar a la persona en cuestión. Si se arrepiente, el asunto se olvida.

Sin embargo, si la persona se vuelve recalcitrante y todavía se niega a apartarse del pecado, entonces el asunto debe ser llevado a toda la iglesia. Si la persona hace caso a la amonestación de la iglesia y se arrepiente, entonces es restaurada a la comunión. Si, por el contrario, el consejo de la iglesia es repudiado, entonces el hermano o hermana no arrepentido debe ser expulsado de la iglesia y considerado como un incrédulo. Los dichos sobre atar y desatar y convenir en la tierra están arraigados en un contexto disciplinario. Jesús dio instrucciones para preservar la pureza y vitalidad del nuevo remanente. En la medida en que la iglesia se reúne realmente en el nombre de Jesús para ejercer la disciplina, lleva a cabo la voluntad de Jesús.[35]

Jesús no concedió a la iglesia autoridad ilimitada para llevar a cabo cualquier capricho. Cuando la iglesia se reúne en el nombre de Jesús, entonces sus actos de atar y desatar cumplen su voluntad. La siguiente parábola (Mt.

---

[33] France (1989: 247n11) argumenta que los tiempos verbales del futuro perfecto indican que la iglesia ata y desata lo que ya se ha determinado en el cielo, para excluir cualquier noción de que la iglesia refleja arbitraria o automáticamente la voluntad de Dios. Pero Nolland (2005: 681) afirma que esto lleva los tiempos demasiado lejos, de modo que significa que lo que está atado en la tierra está al mismo tiempo atado en el cielo. Davies y Allison (1991: 638-39) sostienen que la decisión de Dios es posterior a lo que determina la iglesia, pues el paralelo de Mateo 18:18 muestra que Dios está de acuerdo con lo que ya se ha decidido en la tierra (cf. los perfectos perifrásticos de Is. 8:17; Heb. 2:13). Los tiempos por sí solos no resuelven la cuestión, pero Mateo no concede autoridad ilimitada a los Doce. Asume que el atar y desatar tiene autoridad en la medida en que se corresponde con la voluntad divina.

[34] Véase Hagner 1995: 531-33. France (1989: 248-49) subestima la función disciplinaria de la iglesia.

[35] Luz (1995: 105) señala que la iglesia, y no los líderes o algún tribunal eclesiástico, disciplina a los recalcitrantes.

18:21-35) indica que la iglesia debe ser una comunidad que perdona y ama. La represión y la corrección deben llevarse a cabo siempre con espíritu de amor y bondad, y en aras del bien del disciplinado.

Cuando comparamos Marcos con Mateo, vemos que el primero dice poco sobre la nueva comunidad reunida en torno a Jesús. Jesús sí llama a los discípulos a pescar gente, para que participen en la llamada a Israel para que se arrepienta (Mc. 1:16-20). Los que pertenecen a la familia de Jesús son los que hacen la voluntad del Padre (Mc. 3:31-35). Jesús también nombra apóstoles a los Doce (Mc. 3:13-19). Como en Mateo, los Doce representan el nuevo núcleo del pueblo de Dios. Son el verdadero Israel, y quienes escuchan el mensaje proclamado por Jesús y los Doce se convierten en miembros del nuevo Israel.[36]

Mateo subraya, pues, que el mensaje de salvación se envió primero a los judíos como pueblo de la promesa. Tanto el Bautista como Jesús exhortaron a Israel a arrepentirse para recibir las bendiciones prometidas. Tal arrepentimiento era necesario para formar parte de la nueva comunidad que fue formada por el propio Jesús. Los líderes de esta nueva comunidad, este nuevo remanente, eran los doce apóstoles, que representaban al Israel restaurado. Los que se arrepentían y respondían positivamente al ministerio de Jesús eran considerados parte del Israel restaurado. Desafortunadamente, muchos en Israel no respondieron al mensaje del reino de Jesús y por lo tanto fueron destinados al juicio.

Al mismo tiempo, hay indicaciones aquí y allá en el ministerio de Jesús de que el pueblo de Dios no se restringiría a Israel. Los gentiles que se arrepintieran y creyeran también pertenecerían al pueblo de Dios. De hecho, después de su resurrección, Jesús ordena específicamente a sus discípulos que vayan y hagan discípulos a todas las naciones (Mt. 28:18-19), de modo que el pueblo de Dios abarcará a todos los pueblos del mundo que se sometan a las enseñanzas de Jesús y se unan al pueblo de Dios por el bautismo.[37] Al final del

---

36 Meier (2001: 148-54), considerando la cuestión más ampliamente, dice con razón que la elección de los Doce por parte de Jesús simboliza la reunión de las doce tribus de Israel.

37 Es opinión común que el bautismo cristiano deriva de la práctica de Juan el Bautista (Hartman 1997: 9, 31-32). Más controvertido es si la práctica del Bautista estuvo influida por el bautismo de prosélitos, ya que la fecha de este último es incierta. Para el apoyo de tal opinión, véase Beasley-Murray 1962: 18-31; para la postura contraria, véase McKnight 1991: 82-85.

Evangelio de Mateo nos encontramos con una misión consciente a todos los pueblos. Es claro que el participio "yendo" (*poreuthentes*) tiene un sentido imperativo, y así lo verifican los textos paralelos de Mateo (Mt. 2:8; 9:13; 11:4; 17:27; 28:7). La comisión tampoco se completa con la evangelización inicial, pues el mandato de hacer discípulos incluye enseñar todo lo que Jesús ha mandado a los discípulos, lo que sin duda abarca la enseñanza que se encuentra en el Evangelio de Mateo. Por supuesto, el requisito para la entrada inicial en el pueblo de Dios también se transmite en la insistencia sobre el bautismo. La triple fórmula bautismal es exclusiva de Mateo.[38]

Mateo también incluye instrucciones sobre la disciplina en el pueblo de Dios, pues la pureza del Israel restaurado debe mantenerse para que los demás vean las buenas obras realizadas y glorifiquen también a Dios (Mt. 5:16). La iglesia, como comunidad que hace el bien, llama la atención sobre la belleza de Dios. Su luz ha de brillar por el bien de los incrédulos, para que confiesen que Dios es glorioso. Cuando Jesús dijo que los discípulos son la sal del mundo y no deben perder su salinidad (Mt. 5:13), probablemente no se refería a que actuaran como conservantes. Por el contrario, la sal indica el carácter distintivo de la iglesia.[39]

La iglesia debe distinguirse del mundo por su forma de vivir como discípulos de Jesús. Esta visión de la sal parece confirmarse en Lucas 14:34, donde la sal que pierde su capacidad de sazonar carece de valor. No parece que se trate de la naturaleza conservadora de la sal, sino más bien del sabor y el aroma distintivos que proporciona. Este punto de vista encaja con el contexto porque los discípulos de Jesús, como luz del mundo, destacan en un mundo oscuro (Mt. 5:14-16). Este punto de vista también encaja en el contexto más amplio de Mateo 5-7. Los discípulos tienen un perfil distinto frente al mundo. Reconocen que son pobres de espíritu, son pacificadores y misericordiosos, soportan la persecución, no odian a quienes les maltratan, no están marcados por la lujuria y el abuso de las mujeres, aman a sus enemigos, no practican la religión para alabanza de los demás, confían en Dios para sus necesidades

---

[38] La mayoría de los eruditos críticos afirman que la fórmula no es auténtica (véase Hartman 1997: 147), pero véase Hagner 1995: 883.

[39] Esta idea me la sugirió por primera vez uno de mis alumnos, Jonathan Leeman, que en 2004 escribió un artículo titulado "Las bienaventuranzas de Mateo en el contexto teológico bíblico" (Matthew's Beatitudes in Biblical Theological Context). También me remitió a un sermón de Phillip D. Jenson, "El alto precio de la sal" (The High Price of Salt), pronunciado en la Capitol Baptist Church de Washington, DC, el 14 de mayo de 2000.

físicas y no juzgan a los demás. Los creyentes que viven así son sal y luz. Comunican su diferencia del mundo y brillan como testigos en un mundo oscuro.

Lucas-Hechos

Lucas-Hechos desempeñan un papel crucial en nuestra comprensión de la naturaleza y la misión del pueblo de Dios.[40] El libro de los Hechos, en particular, esclarece la misión de la iglesia. También incluiré en esta sección el énfasis particular que Lucas pone en la oración, porque en los escritos lucanos desempeña un papel central en el cumplimiento de las promesas salvíficas de Dios y en la misión de la iglesia.

Misión a judíos y gentiles

Lucas-Hechos arranca con la promesa de que el Señor cumplirá las promesas pactuales que ha hecho a su pueblo (Lc. 1:17).[41] Las promesas hechas a Abraham se harán realidad para Israel (Lc. 1:54-55, 72-75). Redimirá a su pueblo estableciendo un rey davídico que salvará a Israel de sus enemigos (Lc. 1:68-71). A primera vista, parece que el cumplimiento de las promesas de Dios a Israel se producirá de forma directa, de modo que Israel disfrutará por fin de la supremacía política y religiosa. Roma y cualquier otro competidor al trono serán derrotados, e Israel prosperará bajo el favor de Dios. Simeón predice, sin embargo, que el rey davídico venidero contará con la oposición de algunos dentro de Israel, y que María sufrirá dolor (Lc. 2:34-35).[42] Se percibe, por tanto, cierta ambigüedad en cuanto a cómo se cumplirá la promesa.

El Bautista proclamó el arrepentimiento a Israel, sosteniendo que la promesa del regreso del exilio en Isaías no se cumpliría a menos que el pueblo

---

[40] Para un excelente estudio de la misión en Lucas-Hechos, véase Köstenberger y O'Brien 2001: 111-59.

[41] Jervell (1996: 34) sostiene que el término favorito de Lucas para referirse a la iglesia es "pueblo" (laos), y que el término se reserva para Israel. Sin embargo, Jervell (1996: 40) minimiza el lugar de los gentiles como pueblo de Dios en Hechos, aunque dice con razón que los gentiles han venido a compartir lo que pertenece a Israel. Pero la llamada a ir hasta los confines de la tierra en Hechos 1:8 (contra Jervell 1996: 41-42) se refiere también a la inclusión de los gentiles.

[42] Véase Fitzmyer 1981a: 422-23.

se volviera a Dios para recibir el perdón de los pecados (Lc. 3:3-6).[43] El pueblo no podía consolarse con su ascendencia, pensando que el hecho de ser descendientes biológicos de Abraham les libraría de la ira de Dios (Lc. 3:7-9). Dios es capaz de hacer surgir hijos de Abraham de las piedras y, por tanto, solo los que manifiestan los frutos del arrepentimiento pueden considerarse realmente hijos de Abraham. Aquí surge uno de los temas principales de Lucas-Hechos: la promesa de salvación solo pertenece al Israel arrepentido y, por tanto, no está garantizada para todos los judíos étnicos.

Lucas 4:25-30 pronostica un tema prominente en Lucas-Hechos: El rechazo judío[44] al evangelio y la aceptación de los gentiles.[45] El rechazo de Jesús se manifestó en su rechazo por parte de los líderes religiosos de la época. Estos tenían una responsabilidad especial como líderes del bienestar espiritual de la nación. Los líderes judíos identificaron a Jesús con Beelzebú (Lc. 11:15), y Jesús a su vez los denunció por su maldad (Lc. 11:37-52), pero también se lamentó y afligió por Jerusalén a causa de su juicio venidero (Lc. 13:34-35; 19:41-44). El conflicto de Jesús con los dirigentes llegó a su clímax en su juicio y crucifixión, pero Jesús oró para que los que lo condenaron a muerte fueran perdonados (Lc. 23:34).[46] El llamamiento a amar a los enemigos también forma parte del Evangelio lucano (Lc. 6:27-36).[47]

La fe del centurión no fue igualada por nadie en Israel (Lc. 7:9). Aquí tenemos una sorprendente inversión de lo que se esperaba. Los gentiles pusieron su fe en Jesús y se arrepintieron, mientras que muchos de los judíos (Lc. 7:31-35; 10:13-16), y en particular sus líderes, se negaron a responder al mensaje del reino. La parábola de la gran cena atestigua la misma verdad (Lc. 14:15-24), ya que los judíos invitados al banquete se negaron a acudir, por lo

---

[43] Véase también R. Webb 1991: 181-82, 364; Hartman 1997: 13, 15.

[44] Algunos han visto en esto una prueba de antisemitismo (J. Sanders 1987). Para una mejor valoración, véase Juel 1983: 30-31. La opinión de Jervell (1972: 41-74) sobre la función de Israel sirve para contrarrestar a Sanders, aunque su argumento es llevado demasiado lejos (véase también Tiede 1980). La misma acusación se ha formulado contra Mateo. Véase la evaluación equilibrada de las pruebas en France 1989: 238-41.

[45] Véase Tannehill (1986: 71), que subraya que se prevé la misión gentil. Jervell (1972: 42-74) resta importancia erróneamente a este tema, pero también subraya con razón que no se produce un rechazo total de Israel.

[46] Este versículo se discute textualmente. Para un resumen de la discusión y un argumento a favor de la inclusión y la autenticidad, véase Bock 1996: 1868-69.

[47] Para un estudio profundo y útil de este tema, véase Piper 1979.

que se invitó a los gentiles a la cena.[48] La curación de los diez leprosos es emblemática del argumento de Lucas (Lc. 17:11-19). De los diez curados, solo el samaritano volvió para dar gracias, mientras que los judíos que fueron curados no volvieron para alabar a Dios. Lucas no se centra en la culpabilidad judía por odio a los judíos, sino porque ellos eran el pueblo de la promesa, aquellos a quienes iba dirigido especialmente el mensaje de salvación de Jesús. De ahí que fuera aún más desconcertante que se alejaran de las palabras que les traerían la vida.

El patrón del rechazo judío continúa en Hechos. Allí, los saduceos aparecen en primer plano como opositores de la fe cristiana, mientras que en los Evangelios son los fariseos los que destacan como adversarios. Los saduceos se opusieron enérgicamente a la nueva secta porque los creyentes en Jesús pregonaban su resurrección y porque los apóstoles acusaron a los líderes religiosos de dar muerte a Jesús (Hch. 2:22-23; 3:14; 4:10; 5:30). Una lectura atenta de estos textos sugiere que los apóstoles no limitaron la culpa de la muerte de Jesús a los dirigentes judíos. En cierto sentido, toda la nación era responsable de su muerte. De ahí que todos debieran arrepentirse y volverse a Dios para salvarse (Hch. 3:19-20). Si Israel se arrepentía, recibiría las bendiciones que Dios había prometido a lo largo de las Escrituras (Hch. 3:19-26).

Así pues, uno de los temas destacados de Lucas-Hechos es el rechazo judío del evangelio. Lucas llama la atención de sus lectores sobre ello una y otra vez. Sin embargo, de ello no se deduce que Lucas sea antisemita o antijudío. Se nos recuerda que el pueblo de la promesa no recibió el mensaje destinado especialmente a él. La conclusión de los Hechos (Hch. 28:17-31) no debe interpretarse como que los cristianos ya no deben proclamar la buena nueva a los judíos y limitarse solo a los gentiles.[49] Lo que Lucas quiere decir es que la mayoría de Israel no respondió al evangelio. No es que la iglesia esté compuesta solo por gentiles. En el esquema lucano, la iglesia es el *verdadero* Israel y está compuesta tanto por judíos como por gentiles.[50] Jesús llama a sus

---

[48] Véase Fitzmyer (1985: 1053), quien también subraya que el texto enseña que algunos de los judíos respondieron positivamente al mensaje de Jesús.

[49] Witherington (1998: 162) señala, al contrario que J. Sanders, que la respuesta de los judíos, incluso en la conclusión de Hechos, es mixta. No es cierto que todos los judíos rechazaran el mensaje proclamado.

[50] Jervell (1972: 53) tiene razón (aunque discrepa de la expresión "verdadero Israel") al decir que los gentiles participan ahora de las bendiciones de Israel, pero esto no significa

discípulos a convertirse en pescadores de personas (Lc. 5:1-11). Los doce apóstoles funcionan como el núcleo del Israel restaurado, representando a las doce tribus de Israel (Lc. 6:12-16). Por eso, para Lucas es importante que se añada un duodécimo apóstol que sustituya a Judas antes de que se derrame el Espíritu en Pentecostés (Hch. 1:15-26).[51] El núcleo del pueblo de Dios debe establecerse antes de que comience la nueva obra de Dios en Pentecostés. El verdadero Israel es representado por los apóstoles,[52] y los que responden a su mensaje pertenecen al pueblo de Dios.[53]

Lucas, como todos los evangelistas, se centra en el rechazo judío porque la mayoría se negó a creer en el Evangelio. La respuesta negativa de la mayoría no significa que Dios se haya lavado las manos con respecto a Israel o que los creyentes ya no deban proclamar el evangelio a los judíos. Hubo un remanente en Israel que respondió positivamente al evangelio proclamado por Jesús y sus discípulos. Muchos recaudadores de impuestos y pecadores creyeron en el mensaje de salvación de Jesús (Lc. 5:29; 7:29, 36-50; 8:36-49; 10:21-22; 15:1-2; 19:1-10), de modo que el remanente en Israel procedía de una fuente bastante inesperada. María y Marta representaban el remanente dentro de Israel que creyó en Jesús (Lc. 10:38-42). Como veremos más adelante, en Lucas son los pobres los que ponen su confianza en Jesús, en contraste con los ricos. El pueblo de Dios es el que humildemente y con devoción infantil pone su confianza en Jesús (Lc. 18:15-17).

Aunque Hechos se centra en el rechazo judío del evangelio, Lucas también indica respuestas judías positivas al evangelio y la difusión del evangelio hasta los confines de la tierra. La promesa de Dios de que todo el mundo sería bendecido a través de Abraham (Gn. 12:3) comenzó a cumplirse a medida que el evangelio se extendía por todo el mundo. Tres mil personas respondieron con arrepentimiento y fueron bautizadas el día de Pentecostés (Hch. 2:41). Poco después, el número de creyentes aumentó a cinco mil (Hch. 4:4), todos

---

que Israel haya sido sustituido ni que las promesas dadas a Israel se hayan transferido a los gentiles. No respaldo todo el esquema de Jervell sobre la relación entre judíos y gentiles, pues el verdadero Israel se compone de judíos y gentiles.

[51] Véase L. Johnson 1977: 174-83. Para una excelente exposición del papel de los apóstoles en Lucas-Hechos, prestando atención a los paralelismos trazados entre los ministerios de Pedro y Pablo, véase Clark 1998.

[52] Véase Seccombe 1998: 351.

[53] Pero compárese aquí a Jervell (1972: 41-74), quien argumenta que el verdadero Israel consiste solo de judíos que se han arrepentido y han creído.

procedentes de círculos judíos. La iglesia siguió creciendo, y el aumento procedía de hombres y mujeres judíos (Hch. 5:14). Del resto de Lucas podríamos pensar que todos los líderes religiosos rechazaron el evangelio, pero tal juicio sería demasiado simplista. Lucas se concentra naturalmente en el rechazo de los líderes porque desempeñaban un cargo oficial. Aun así, escribe en Hechos 6:7 que el número de discípulos (claramente judíos) en Jerusalén aumentó notablemente. No solo siguió creciendo el número de creyentes judíos, sino que también "muchos de los sacerdotes obedecían a la fe" (Hch. 6:7).[54] La mayoría de los líderes no creían en el evangelio predicado por los apóstoles, y sin embargo un gran grupo de sacerdotes sí creyó. Israel no estaba totalmente privado del evangelio (véase también Hch. 9:31; 13:43-44; 14:1-4; 17:4, 11-12; 21:20; 28:24-25).

Lucas no cree que el pueblo judío esté categórica y completamente excluido de la salvación y, sin embargo, hace especial hincapié en la inclusión y la misión de los gentiles. Aquellos que no eran literalmente hijos e hijas de Abraham se estaban convirtiendo en miembros del pueblo de Dios mediante la fe en Jesucristo. Los ángeles declararon que la buena nueva de un Salvador del linaje de David es "para todo el pueblo" (Lc. 2:10), lo que puede incluir tanto a gentiles como a judíos, dado el argumento de Lucas.[55] Simeón incluyó claramente a los gentiles en el círculo de bendición, pues Jesús no solo sería la gloria de Israel, sino también "luz de revelación a los gentiles" (Lc. 2:32). Cuando se prepare el camino del Señor en el desierto, "toda carne verá la salvación de Dios" (Lc 3:6).[56]

El cumplimiento de las promesas de Dios significa que la promesa de bendición universal dada a Abraham (Gn. 12:3) se estaba haciendo realidad. El sermón programático de Jesús en Nazaret puso de relieve la inclusión de los gentiles. Elías, les recordó, fue enviado a una viuda sidonia en lugar de a las viudas de Israel, y Eliseo curó de lepra a Namaán el sirio en lugar de a los leprosos de Israel (Lc. 4:25-27). Dios lleva a cabo sus propósitos salvíficos de maneras inesperadas e imprevistas. El llamamiento de Pedro y los demás

---

54 Schnabel (2004a: 425) sugiere que es más probable que se esté pensando en los esenios porque pocos saduceos creerían, aunque Lucas deja el asunto sin aclarar.

55 Contra Marshall 1978b: 109; Fitzmyer 1981a: 409.

56 Véase Marshall 1978b: 137.

discípulos se asocia a una gran pesca, que simboliza la misión mundial a la que son convocados.[57]

La parábola del buen samaritano indica que los samaritanos no están fuera del círculo del amor salvador de Dios (Lc. 10:25-37; véase también 17:10-19). La parábola de la gran cena también apunta a la inclusión de los gentiles (Lc. 14:15-24). El hecho de que la viña se dé a otros significa probablemente que se da a los gentiles y no a los dirigentes judíos (Lc. 20:16).[58] Por último, el Evangelio de Lucas termina con el llamado a predicar el perdón de los pecados y el arrepentimiento "a todas las naciones" (Lc. 24:47), lo que significa que la salvación de Dios debe llegar tanto a judíos como a gentiles. Lucas se centra en la misión de la iglesia de difundir el evangelio a todos los grupos de personas en todas partes, y esta misión solo se lleva a cabo tras la muerte y resurrección de Jesús, pues es en su nombre como se extiende la salvación a todos los pueblos (cf. Hch 4:12).

Hechos retoma el relato donde lo deja el Evangelio de Lucas. El Espíritu Santo capacitará a los discípulos para dar testimonio de Jesús no solo dentro de Israel, sino también "hasta los confines de la tierra" (Hch. 1:8),[59] y esto último incluye sin duda a los gentiles. El tema de Hechos es la difusión del evangelio por el poder del Espíritu. Hengel acierta al tomar el pulso a la teología de Lucas-Hechos cuando afirma: "En resumen, la historia y la teología del cristianismo primitivo son 'historia de la misión' y 'teología de la misión'. Una iglesia y una teología que olviden o nieguen el envío misionero de los creyentes como mensajeros de la salvación en un mundo amenazado por el desastre renuncian a su propio fundamento y, al hacerlo, renuncian a sí mismas".[60] Hechos relata el progreso del evangelio desde Jerusalén, Judea, Galilea y Samaria hasta el mundo gentil.

El origen del evangelio en Jerusalén probablemente cumple la promesa de que la Palabra del Señor saldría de Jerusalén a todo el mundo (véase Is. 2:1-4).[61] Pablo plantó iglesias en las principales ciudades, y estos centros

---

[57] Tannehill (1986: 204) señala que la captura de peces en Lucas 5:1-11 pronostica la "misión en expansión con la que Jesús ya está comprometido".

[58] Véase Fitzmyer 1985: 1281. Marshall (1978b: 731) duda en ver una aplicación a los gentiles, pero parece que no lee el versículo a la luz del conjunto de Lucas-Hechos.

[59] Véase Shelton 1991: 125-27. Sobre el carácter misionero de la visión lucana del Espíritu, véase Penney 1997. Para el mismo tema en Hechos, véase Kee 1990: 30-35.

[60] Hengel 1983: 64.

[61] Véase Penney 1997: 73.

funcionaron como una base desde la que el evangelio se difundió a las zonas periféricas.[62] Tampoco debemos pensar que la llegada de Pablo a Roma supuso la llegada del evangelio a los confines de la tierra.[63] El hecho de que el evangelio echara raíces en Roma era un indicio de que la promesa de Jesús se estaba cumpliendo, pero aún quedaba mucho trabajo por hacer, y el Espíritu seguiría capacitando a la iglesia al mismo tiempo que fortalecía a Pablo y a otros para llevar el evangelio a todas las naciones.

En Hechos, la misión se lleva a cabo mediante la Palabra de Dios. En puntos cruciales de la narración en los que Lucas resume la historia, se destaca el poder inherente de la Palabra.[64] La Palabra se describe como una planta que crece (Hch. 6:7; 12:24; 19:20). Su poder intrínseco es tal que se multiplica allá donde va (Hch. 12:24), de modo que ni siquiera un rey como Herodes Agripa I (Hch. 12:1-23) puede impedir su crecimiento, a pesar de su intento de aplastar la Palabra dando muerte a mensajeros como Santiago, el hermano de Juan.

La palabra triunfa sobre toda oposición, de modo que muestra su fuerza (*ischyō* [Hch. 19:20]) y vence a todos los competidores demoníacos (Hch. 19:1-19). No es de extrañar, por tanto, que el evangelio pueda describirse como hablar la Palabra (Hch. 4:31; 8:25; 11:19; 13:46; 14:25; 16:6, 32), la difusión de las buenas nuevas de la Palabra (Hch. 8:4; 15:35), la proclamación de la Palabra (Hch. 13:5; 15:36; 17:13) y la enseñanza de la Palabra (Hch. 18:11). Los apóstoles se dedicaron especialmente a esta poderosa Palabra (Hch. 6:2, 4; cf. 18:5), y esta palabra se centra en Jesucristo (Hch. 10:36), pues la Palabra se enfoca en lo que es central en el evangelio: Jesucristo mismo. Por eso, en Hechos la Palabra no puede separarse del kerigma o de los sermones apostólicos que puntúan la narración. La Palabra tiene tal poder que trae el Espíritu (Hch. 10:44) y avanza como el viento en su fuerza y eficacia (Hch. 13:49). La Palabra es eficaz para edificar a los creyentes y otorgarles una herencia escatológica (Hch. 20:32).

---

[62] Hengel (1983: 49-50) dice que Pablo se concentró en las capitales de provincia del Imperio Romano. Mantenía contacto con colaboradores y ayudantes que llevaban el evangelio a las zonas del interior. Véase también Hofius 2002: 2-4; Bosch 1991: 130.

[63] Hengel (1983: 101) sostiene que llegar a Roma no equivalía a los confines de la tierra, sino que no era más que una meta en el camino, pues en tiempos de Pablo se sabía que había otras zonas geográficas donde el evangelio aún no había sido proclamado. Véase también Rosner 1998: 218; Schnabel 2004a: 373-76.

[64] Véase Pao 2000: 147-80.

La Palabra y el Espíritu, por supuesto, van juntos, pues como acabamos de señalar, la Palabra trae el Espíritu. Una de las promesas de Hechos es que el Espíritu se derramará no solo sobre Israel, sino también sobre "toda carne" (Hch. 2:17), de modo que se salvará toda persona de cualquier origen étnico que invoque al Señor con fe (Hch. 2:21).[65] La promesa de la bendición de Abraham se da primero a los judíos (Hch. 3:25-26), pero en última instancia está destinada a todos los pueblos del mundo (Gn. 12:3). El cumplimiento de las promesas de Dios siempre debía conducir a la salvación no solo de los judíos, sino de todo el mundo. El relato de Hechos explica cómo se difundió la buena nueva desde Jerusalén hasta los confines de la tierra. La expulsión de Felipe de Jerusalén le condujo hasta un eunuco etíope que abrazó el evangelio tal y como se explicaba en Isaías 53 (Hch. 8:26-40).[66] La conversión de Pablo impulsa la misión gentil, pues Dios lo eligió para proclamar su nombre entre los gentiles (Hch. 9:15).

La inclusión y la misión a los gentiles experimentó un gran avance con la conversión de Cornelio y sus amigos (Hch. 10:1-11:18). Cornelio era un gentil incircunciso y se le puede designar como un temeroso de Dios que se sentía atraído por el monoteísmo y la moral judíos.[67] Mientras Pedro explicaba el Evangelio, el Espíritu cayó sobre Cornelio y los suyos, demostrando que formaban parte del pueblo de Dios. La inclusión de los gentiles fue claramente una obra de Dios ("Así que también a los gentiles ha concedido Dios el arrepentimiento que conduce a la vida" [Hch. 11:18]). Además, incluso la persecución condujo a la expansión de la iglesia. La persecución que comenzó con la muerte de Esteban impulsó a algunos judíos a Antioquía, y anunciaron

---

[65] Véase Polhill 1992: 109; Fitzmyer 1998: 252. Pero véase Barrett 1994: 136.

[66] Barrett (1994: 420-21) sostiene que el etíope, al ser eunuco, no podía haber sido prosélito, pero su conversión se distingue de la de Cornelio y sus amigos en que es un individuo solitario. Pero Schnabel (2004a: 684-85) sugiere que el término "eunuco" no es necesariamente literal, y que es más probable que el eunuco fuera un funcionario de la corte que era prosélito. Polhill (1992: 219-20) sostiene que el funcionario era un eunuco real porque el texto dice que era eunuco y funcionario; por lo tanto, Polhill sostiene que el eunuco era un temeroso de Dios y no un prosélito. Fitzmyer (1998: 410, 412), en cambio, sostiene que en el relato lucano Pedro abre la puerta a los gentiles (Hch. 15:7). Por lo tanto, el eunuco era judío o prosélito judío (véase Is. 56:3-4).

[67] Barrett (1994: 499-501) señala en una cuidadosa discusión que el término "temeroso de Dios" no es invariablemente técnico, pero también argumenta que Cornelio encaja esencialmente en tal categoría (véase también Fitzmyer 1998: 449-50; Polhill 1992: 252n71). Schnabel (2004a: 712) sugiere que Cornelio puede haber sido un temeroso de Dios, pero no abiertamente.

las buenas nuevas a los gentiles que abrazaron el evangelio, de modo que muchos gentiles pasaron a formar parte de la iglesia de Jesucristo en Antioquía (Hch. 11:19-26).[68] La expansión de la iglesia continuó impulsada por las empresas misioneras de Pablo y sus diversos colegas en el resto de Hechos.

El liderazgo y la iglesia

Antes hemos señalado que el pueblo de Dios está representado por los doce apóstoles. El verdadero Israel no procede de las doce tribus de Israel, sino de quienes escuchan el mensaje proclamado por los doce apóstoles. Los Doce acompañaron a Jesús durante su ministerio terrenal y fueron testigos de su resurrección (Hch. 1:21-22). Fueron especialmente comisionados para servir como apóstoles por Jesucristo (Lc. 6:12-16; Hch. 1:2, 23-26). La enseñanza de los apóstoles funcionó como tradición autoritativa para la iglesia (Hch. 2:42).[69] Los apóstoles tenían una responsabilidad especial en la enseñanza y la oración, por lo que designaron a otros para que se ocuparan de las necesidades físicas de la iglesia (Hch. 6:1-6).

Los apóstoles realizaban señales y prodigios para validar su enseñanza y también como señal de la presencia del reino (Hch. 2:43; 4:33; 5:12). La autoridad de los apóstoles se puso de manifiesto cuando surgieron problemas en la iglesia. Decidieron cómo resolver el problema en la iglesia con las viudas helenísticas a las que se pasaba por alto en la distribución diaria de alimentos (Hch. 6:1-6). Los samaritanos no recibieron el Espíritu Santo hasta que los apóstoles les impusieron las manos, lo que garantizaba que los samaritanos no establecerían una iglesia separada al margen de la autoridad apostólica (Hch. 8:14-17).[70] La controversia sobre si se exigiría la circuncisión a los gentiles se

---

[68] No es necesariamente la intención de Lucas decir que los acontecimientos aquí registrados fueron posteriores al acontecimiento de Cornelio, ya que no especifica la cronología de los acontecimientos (Barrett 1994: 546). Hengel (1983: 63) sostiene que la primera misión a no judíos fue impulsada por judíos helenistas.

[69] Véase Schnabel 2004a: 409-11.

[70] Véase Carson 1987b: 144-45. Barrett (1994: 410) sostiene que no se puede discernir el motivo del envío de Pedro y Juan. Fitzmyer (1998: 400-401) afirma que el Espíritu se transmite a través de los apóstoles o de los enviados por ellos, y aquí se excluye la escisión de la iglesia samaritana. Polhill (1992: 217) sostiene erróneamente que Pedro y Juan son vistos aquí como participantes que visitaron para ofrecer ánimo y apoyo. Tal punto de vista no explica adecuadamente por qué el Espíritu vino solo a través de la imposición de sus manos.

llevó a Jerusalén para que los apóstoles la resolvieran (Hch. 15:2, 4, 6, 22-23; 16:4). Existe cierta ambigüedad en el retrato lucano de los apóstoles, ya que normalmente restringe el término "apóstol" a los Doce, pero en una instancia incluye a Pablo y Bernabé (Hch.14:4, 14).

El liderazgo de la iglesia tampoco se limita a los apóstoles. Es interesante observar que en Hechos 15 los ancianos de las iglesias de Jerusalén, además de los apóstoles, desempeñaron un papel en la controversia sobre la circuncisión (Hch.15:2, 4, 6, 22-23; 16:4).[71] El término "ancianos" procede del Antiguo Testamento y, al parecer, los judíos lo utilizaban para designar a los líderes de la comunidad (véase Hch. 4:5, 8, 23; 6:12; 23:14; 24:1; 25:15).[72] La palabra "ancianos" también se utiliza para designar a los líderes de la iglesia de Jerusalén en Hechos 11:30. Según parece, el nombramiento de líderes como ancianos no se limitaba a la iglesia de Jerusalén. Pablo y Bernabé escogieron ancianos para cada iglesia plantada en su primer viaje misionero (Hch. 14:23).[73]

Este texto también indica que cada iglesia tenía una pluralidad de ancianos, ya que Lucas dice específicamente que se nombraron ancianos para cada iglesia. Otro uso interesante del término "ancianos" para referirse a los líderes de las iglesias se encuentra en Hechos 20:17, donde se designa así a los líderes de la iglesia (o posiblemente iglesias) de Éfeso. Sin embargo, unos versículos más adelante en el mismo discurso, los mismos hombres son llamados "supervisores" (*episkopoi*), y su posición como supervisores se atribuye al Espíritu Santo (Hch. 20:28). Parece seguro concluir, por lo tanto, que ancianos y supervisores son dos designaciones diferentes para el mismo cargo.[74] Tal vez el término "anciano" enfatiza la talla del cargo, y "supervisor" la función.

---

[71] Sobre los ancianos en Hechos, véase Barrett 1994: 566; sobre los ancianos en general, véase Merkle 2003.

[72] Para algunos textos veterotestamentarios, véanse Éxodo 3:16; Levítico 4:15; Números 11:25; Deuteronomio 5:23; Josue 20:4; Jueces 8:16; Rut 4:2; 1 Samuel 8:4; 1 Reyes 8:1; 1 Crónicas 11:3; Esdras 5:9; Salmos 107:32; Proverbios 31:23; Jeremías 19:1; Lamentaciones 2:10; Ezequiel 8:10; Joel 1:14.

[73] Para una defensa de la fiabilidad del relato, véase Merkle 2003: 126-29. Por el contrario, véase Haenchen 1971: 436; Barrett 1994: 688.

[74] Véase Merkle 2003: 130; Fitzmyer 1998: 678-79. Barrett (1998: 975-76) argumenta que, aunque los términos se refieren a las mismas personas, de ello no se deduce que sean sinónimos.

Algunas de las funciones de los ancianos y los supervisores también se aclaran en este texto (Hch. 20:17-35). Los supervisores deben pastorear la iglesia y estar en guardia porque los falsos maestros surgirán de entre los propios ancianos para apartar a los creyentes de la verdad. Por lo tanto, los ancianos deben enseñar cuidadosamente todo el consejo de Dios. Pablo también funciona como un ejemplo para los ancianos en su enseñanza pública y privada, en soportar las pruebas, y en su integridad financiera.

En Hechos no se mencionan claramente otros oficios. Muchos han visto la institución de los diáconos en el nombramiento de los siete para cuidar de las viudas helenistas (Hch. 6:1-6).[75] Puede ser que estos siete funcionaran como diáconos, aunque Hechos nunca utiliza el término "diáconos" (*diakonoi*) para describirlos. En Hechos 6:1-2 el cuidado que expresan por las viudas se llama "ministerio" (*diakonia*), y su trabajo es "servir las mesas" (*diakonein trapezais*). Si se trata de un ministerio diaconal, la atención se centra en satisfacer las necesidades económicas y físicas de los miembros de la iglesia. Si los siete tenían títulos, Lucas no los transmite.

La iglesia y el Camino

Uno de los rasgos más llamativos de Hechos es la importancia dada a la iglesia. La decisión sobre si la circuncisión debía imponerse a los gentiles no se limitó solo a los apóstoles y los ancianos, sino que también fue acordada por la iglesia de Jerusalén (Hch. 15:22).[76] El término "iglesia" (*ekklēsia*) se remonta al vocablo *qāhāl* del Antiguo Testamento, que alude a Israel como la asamblea de Dios.[77] Hechos 7:38 se refiere a esta asamblea del pueblo de Dios en el desierto con Moisés. El término *ekklēsia* también puede usarse para hacer referencia a asambleas seculares. El motín de Éfeso se designa como una asamblea (Hch. 19:32, 39, 40) en la que la gente se reunía para expresar su opinión.

---

[75] No podemos estar seguros de que estos designados fueran diáconos (véase Fitzmyer 2004: 592). Barrett (1994: 304) insiste en que aquí no se pretendía relatar el origen de los diáconos.

[76] La escasa evidencia del texto hace difícil determinar el papel preciso que desempeñó la iglesia (véase Barrett 1998: 738; Fitzmyer 1998: 564).

[77] Véase Barrett 1998: lxxxviii. Pero esto se discute, y por tanto Roloff (*EDNT* 1:411-12) sitúa el término en el judaísmo apocalíptico más que en la LXX. Véase también Fitzmyer 1998: 325.

En Hechos, el término "iglesia" suele referirse a las iglesias locales. Curiosamente, no se dice que estas asambleas locales formen parte de la iglesia, sino que ellas mismas se designan como la iglesia.[78] Hay referencias a la iglesia de Jerusalén (Hch. 5:11; 8:1, 3; 11:22; 12:1, 5; 15:4), Antioquía (Hch. 11:26; 13:1; 14:27; 15:3), Cesárea (Hch. 18:22), Éfeso (Hch. 20:17, 28),[79] las iglesias plantadas en los viajes misioneros de Pablo (Hch. 14:23) y las iglesias de Siria y Cilicia (Hch. 15:41). Por otra parte, es posible que Hechos 9:31 se refiera a la iglesia universal — "Entretanto la iglesia gozaba de paz por toda Judea, Galilea y Samaria, y era edificada"—, aunque también puede referirse a las iglesias locales de las distintas regiones.[80] Pero ninguna iglesia vivía aislada de las demás.

Estaban bajo supervisión apostólica, y cuando surgió la cuestión de la circuncisión, se convocó una reunión en Jerusalén en la que participaron miembros de la iglesia de Antioquía (Hch. 15:1-35). Cuando la iglesia de Jerusalén se enteró de los gentiles convertidos en Antioquía y del crecimiento de la iglesia allí, enviaron a Bernabé para animarlos en la fe (Hch. 11:19-24). Probablemente, uno de sus objetivos era mantener la unidad de la iglesia de Jesucristo. La importancia de la unidad se desprende también de la visita de Pedro y Juan a Samaria, en la que el Espíritu solo fue dado a través de los apóstoles (Hch. 8:14-17). De este modo se evitó que la iglesia de Samaria se independizara y se estableció sobre una base apostólica. Cuando Pablo regresó a Jerusalén, Santiago le animó a pagar la purificación de unos hombres que habían hecho voto en favor de la unidad de la iglesia de allí (Hch. 21:17-26). Así que, por un lado, la iglesia en varios lugares es la iglesia, no simplemente parte de la iglesia; por otro lado, también existe el sentido en el que la iglesia es una en todo el mundo cuya unidad debe ser preservada.

---

[78] Véase Roloff, *EDNT* 1:413.

[79] Hechos 20:28 podría interpretarse como una referencia a la iglesia universal, pero el contexto en el que Pablo se dirige a los ancianos de Éfeso puede indicar una referencia a la iglesia o iglesias locales de Éfeso.

[80] Véase Roloff, *EDNT* 1:414. Barrett (1994: 473) dice que en Hechos el término se refiere típicamente a las iglesias locales, pero aquí no se pronuncia. Pero quizá la referencia sea a la "iglesia local representada en estas diferentes regiones" (Fitzmyer 1998: 440). También Polhill 1992: 244.

En el libro de Hechos, el nuevo movimiento también es denominado "el Camino" (*hē hodos*).[81] El significado del término puede deducirse de varios textos de Hechos. Aunque la mujer que tenía un espíritu de adivinación fue reprendida por Pablo y el espíritu exorcizado, identificó correctamente el mensaje de Pablo como el "camino de salvación" (Hch. 16:17). Apolos fue "instruido en el camino del Señor" (Hch. 18:25), pero Priscila y Aquila llevaron aparte a Apolos para afinar y aumentar su entendimiento en "el camino de Dios" (Hch. 18:26). El "camino" designa tanto el estilo de vida que honra a Dios exigido al pueblo de Dios como la afirmación de que Jesús es el camino a Dios.

Los opositores llamaban "secta" al Camino (Hch. 24:14), y el término se utiliza en contextos en los que la iglesia era perseguida por su testimonio. Pablo perseguía el Camino y por eso viajó a Damasco para intentar erradicarlo (Hch. 9:2; 22:4). Muchos en Éfeso criticaban el Camino, por lo que Pablo se apartó de la sinagoga y estableció su base de operaciones en la sala de conferencias de Tirano (Hch. 19:9). La controversia sobre el Camino precipitó los disturbios en Éfeso (Hch. 19:23). La comparecencia de Pablo ante Félix funciona como otro ejemplo de persecución al Camino (Hch. 24:14). Pao señala que el término "Camino" se utiliza a menudo en contextos en los que se distingue al verdadero pueblo de Dios, los creyentes en Cristo, de los adversarios. Por tanto, el Camino designa a los creyentes en Cristo como el verdadero Israel.[82]

Bautismo

El rito de iniciación de la iglesia era el bautismo. En Hechos, Lucas subraya que la gente se bautizaba casi inmediatamente después de expresar fe y arrepentimiento.[83] Los tres mil que se arrepintieron y creyeron el día de Pentecostés se bautizaron ese mismo día (Hch. 2:38, 41).[84] Cuando los

---

[81] Los paralelismos más sorprendentes se encuentran en la literatura de Qumrán (véase Barrett 1994: 448), de donde Fitzmyer (1998: 423-24) cree que se tomó prestado el término.

[82] Véase Pao (2000: 51-69), que relaciona este tema con el del nuevo éxodo en Isaías.

[83] Para este tema en Hechos, véase Stein 2007.

[84] Hartman (1997: 130) dice que "el bautismo se convierte, por así decirlo, en el lado externo de su aceptación del mensaje y su impacto".

samaritanos creyeron en Jesucristo, Felipe los bautizó (Hch. 8:12). La historia del eunuco etíope es especialmente digna de mención a este respecto, pues Felipe lo bautizó en el acto mientras viajaban después de que el eunuco pusiera su fe en el evangelio (Hch. 8:36, 38). Del mismo modo, Pablo recibió el bautismo casi inmediatamente después de su conversión (Hch. 9:18; 22:16). Cuando el Espíritu cayó de repente sobre Cornelio y sus amigos, Pedro concluyó que debían bautizarse porque ahora pertenecían al pueblo de Dios (Hch. 10:47-48). Igualmente, Lidia se bautizó después de recibir la palabra pronunciada por Pablo (Hch. 16:14-15). La historia del carcelero de Filipos confirma la importancia del bautismo como rito de iniciación, pues él y su familia fueron bautizados inmediatamente la misma noche en que creyeron en el Evangelio (Hch. 16:33). Por último, cuando los corintios creyeron, también fueron bautizados (Hch. 18:8).

En Hechos, el bautismo se realiza en el nombre de Jesucristo (Hch. 2:38; 8:12; 10:48) o en el nombre del Señor Jesús (Hch. 8:16; 19:5).[85] Es evidente la ausencia de la fórmula bautismal triple de Mateo 28:19.[86] Algunos argumentan que la diferencia es significativa, lo que indica que al principio se observaba otra práctica bautismal y que la fórmula mateana se añadió más tarde. Es igualmente posible, sin embargo, que la expresión utilizada en Hechos refleje el enfoque lucano sobre el papel de Jesucristo en el bautismo.[87] El bautismo en la iglesia cristiana se centra en la obra de Jesucristo, y así encontramos el énfasis en ser bautizado en el nombre de Jesús. El papel de iniciación que desempeña el bautismo está claro porque se recibe "para perdón de sus pecados" (Hch. 2:38).[88]

---

[85] Lucas utiliza aquí varios pronombres, pero Hartman (1997: 37) dice: "Lucas, al escribir Hechos, apenas pensó que hubiera diferencia en el significado de las distintas fórmulas". Los estudiosos también debaten el significado de la fórmula. Algunos han visto una analogía con la terminología bancaria, según la cual el bautizado pasa a ser propiedad del Señor. Otros defienden un trasfondo hebraico o arameo, pero llegan a la misma conclusión: que el bautizado pasa a ser propiedad de Jesús. Hartman sostiene que el trasfondo es judeo-rabínico, y que la fórmula tiene un significado generalizado "con respecto a" o "teniendo en mente". Para un estudio de las diversas opiniones y la propia propuesta de Hartman, véase Hartman 1997: 37-50.

[86] En este caso, la preposición *eis* probablemente denota propiedad, lo que significa que los creyentes son esclavos de Dios, Cristo y el Espíritu (Harris 1999: 109-10).

[87] Hartman (1997: 166-68) sostiene que la escatología y la relación con Cristo son fundamentales en el bautismo cristiano, y puesto que la escatología es central, el Espíritu como don escatológico también se transmite en el bautismo.

[88] Polhill (1992: 117) se aparta del texto al intentar distanciar el bautismo del perdón de los pecados. Para una mejor explicación, véase Stein 2007.

En Hechos 22:16 se asocia el bautismo con el lavamiento de los pecados. Además, en prácticamente todos los textos de Hechos el bautismo sigue al arrepentimiento y la fe, lo que demuestra que es el rito de entrada en la comunidad cristiana. Los primeros cristianos no se planteaban la cuestión de si uno podía salvarse sin el bautismo, ya que los cristianos no bautizados eran algo inaudito y una anomalía. Todos los cristianos recibían el bautismo tras creer en Jesucristo y arrepentirse de sus pecados.[89] Como hemos observado anteriormente, la gente se bautizaba casi inmediatamente después de creer en Jesús como el Cristo. En la historia de Cornelio, el Espíritu es dado antes del bautismo (Hch. 10:44-48), lo que sugiere que el bautismo en sí no salva de una forma casi sacramental.

Hechos 2:42: La vida de la iglesia

Hechos 2:42 esboza la vida de la iglesia de Jerusalén: "Y se dedicaban continuamente a las enseñanzas de los apóstoles, a la comunión, al partimiento del pan y a la oración". Este versículo es un buen esquema de la naturaleza de la iglesia en Hechos, de modo que examinaremos la enseñanza, la comunión, el partimiento del pan y, en mayor profundidad en otra sección, la oración. No necesitamos entrar en detalles sobre la enseñanza porque ya he esbozado el kerigma apostólico en Hechos. Simplemente tenemos que recordar, a partir de los discursos de Hechos, que la enseñanza apostólica se centraba en el ministerio, la muerte y la resurrección de Jesucristo. Él cumplió las profecías veterotestamentarias sobre el Mesías, y el perdón de pecados solo llega a través de él.

Toda la enseñanza de Hechos se mide en función de si concuerda con lo que enseñan los apóstoles. A menudo Lucas se centra en la enseñanza de Pablo y los apóstoles (Hch. 4:2, 18; 5:21, 25, 28, 42; 13:12; 15:35; 17:19; 18:11; 20:20; 21:28; 28:31). Dicha enseñanza se centra en la proclamación del evangelio (*euangelizō* [Hch. 5:42; 8:4, 12, 25, 35, 40; 11:20; 13:32; 14:7, 15, 21; 15:35; 16:10; 17:18] o *katangellō* [véase Hch. 3:24; 4:2; 13:5, 38; 15:36;

---

[89] Hartman (1997: 134) señala acertadamente que el bautismo se asocia en Hechos con el arrepentimiento, la salvación, el perdón de los pecados, la recepción por parte de Dios, el don del Espíritu, la creencia en Jesús y la proclamación del evangelio. Véase también Stein 2007.

16:17; 17:3, 13, 23; 26:23]). La enseñanza de Jesús continúa en el libro de Hechos (Hch. 1:1).

La enseñanza se centra en la transmisión de la tradición, y en Hechos se centra especialmente en la proclamación e instrucción sobre la buena nueva de Jesucristo. La profecía, por otra parte, se refiere a la obra espontánea del Espíritu por la que la gente habla la Palabra del Señor.[90] El hablar en lenguas en Pentecostés (Hch. 2:1-4), en el que los presentes hablaban de "las maravillas de Dios" (Hch. 2:11), cumple la palabra de Joel según la cual, cuando el Espíritu fuese derramado, el pueblo de Dios profetizaría (Hch. 2:17-18). Presumiblemente, entonces, cada instancia en la que el hablar en lenguas es comprensible equivale a profecía. Esto parece ser confirmado por Hechos 19:6, donde los doce efesios hablaron en lenguas y profetizaron, sugiriendo que los dos son inseparables en esta instancia.[91]

El profeta más notable en Hechos es Ágabo. El Espíritu le reveló que se produciría una hambruna en el mundo grecorromano durante el reinado de Claudio, y la iglesia respondió proveyendo para las necesidades de los santos de Jerusalén (Hch. 11:27-30). Ágabo también tomó el cinturón de Pablo, ató sus propios pies y declaró por medio del Espíritu Santo que los judíos de Jerusalén atarían a Pablo y lo entregarían a los gentiles (Hch. 21:10-11). Las acciones de Ágabo se hacen eco de los actos simbólicos de los profetas del Antiguo Testamento. Además, la frase "así dice el Espíritu Santo" representa una fórmula profética.[92] Algunos sostienen que Ágabo se equivocó, pues en Hechos 22 los judíos no ataron literalmente a Pablo para entregarlo a los romanos.[93]

---

[90] Fitzmyer (1998: 481) cree que los profetas, a ojos de Lucas, pueden haber sido "predicadores inspirados o dotados". Haenchen (1971: 373) ve un énfasis en la predicción, pero señala que Hechos 15:32 puede apuntar en una dirección diferente. Véase también la evaluación equilibrada en Polhill 1992: 274n129. Best (1972: 239) sostiene que los profetas no eran lo mismo que los predicadores. Dunn (1975b: 170-76, 186-87, 228, 230, 237, 280-84) dice que la profecía y la enseñanza están estrechamente relacionadas porque ambas incluyen la interpretación, pero la profecía se refiere a la interpretación de nuevas revelaciones, mientras que la enseñanza interpreta la tradición.

[91] Véase Conzelmann 1987: 159-60, pero Barrett (1994: 137) los distingue.

[92] Haenchen 1971: 602; Barrett 1998: 995; Fitzmyer 1998: 689.

[93] Véase la discusión sobre la profecía en Grudem 1982: 58-67. Barrett (1998: 995-96) señala que las palabras de Agabo no eran "estrictamente exactas", y que Lucas no se preocupa por los detalles exactos en el cumplimiento de las profecías, y que la redacción puede reflejar lo que le sucedió a Jesús.

NRSV New Revised Standard Version

En cambio, intentaron matarlo a golpes, y los romanos lo rescataron de los judíos de Jerusalén. Tal punto de vista comete el error de interpretar la profecía de Ágabo de una manera demasiado literal. El propio Pablo se hace eco de las mismas palabras de Ágabo cuando dice a los judíos de Jerusalén: "Fui arrestado en Jerusalén y entregado a los romanos" (Hch. 28:17 NRSV). La profecía no se limita a los hombres, pues las mujeres también profetizan (Hch. 2:18). Además, las cuatro hijas de Felipe ejercían de profetas (Hch. 21:9), aunque no hay constancia de sus profecías. En Hechos 13:1-3 tanto profetas como maestros adoraban al Señor en Antioquía de Siria. El Señor dijo a los reunidos que Bernabé y Pablo debían ser apartados para la misión. Parece bastante probable que la orden procediera de una palabra profética en la que el Espíritu reveló su voluntad a uno de los profetas presentes.[94]

El segundo elemento mencionado en Hechos 2:42 es la comunión que caracterizaba a la iglesia. El compañerismo de la iglesia se retrata maravillosamente en la preocupación por las necesidades materiales de los demás. La unidad de la iglesia no era meramente un sentido abstracto y etéreo de unidad. Los que tenían necesidades económicas eran atendidos por otros que habían prosperado económicamente (Hch. 2:44-47; 4:32-37).[95] La hipocresía de Ananías y Safira, que pecaron fingiendo dar más de lo que daban, demuestra que la iglesia primitiva no era perfecta (Hch. 5:1-11).[96] Los sentimientos de ser ignorados y menospreciados no estaban ausentes de la iglesia primitiva, pues las viudas helenistas (probablemente las de habla griega) no recibían la comida que necesitaban para su sustento (Hch. 6:1-6). Aun así, los apóstoles reaccionaron rápidamente ante el problema práctico, nombrando a siete judíos helenistas para que se encargaran de que los alimentos se distribuyeran adecuadamente, ya que el testimonio de la iglesia se veía gravemente comprometido si no se atendían las necesidades de alguno de sus miembros.

---

[94] Véase Barrett 1994: 605.

[95] Barrett (1994: 168) no entiende del todo bien Hechos 2 cuando dice que "se practicaba la propiedad comunal de la riqueza en lugar de la privada". Parece que los creyentes seguían siendo propietarios privados de sus riquezas, pero las aportaban voluntariamente para ayudar a los demás. Fitzmyer (1998: 272), por su parte, opina que no está claro si la vida comunal era voluntaria u obligatoria. Pero como señala Polhill (1992: 120-21), la venta regular de propiedades apunta a una propiedad privada en la que se compartían las necesidades.

[96] Acertadamente Barrett (1994: 262), aunque piensa erróneamente que esto contradice Hechos 4:34, ya que la entrega que allí se describe también es voluntaria.

En tercer lugar, la iglesia se caracteriza por el partimiento del pan (Hch. 2:42).[97] El partimiento del pan probablemente se refiere a la Cena del Señor, que se celebraba al final de las comidas.[98] Puesto que los miembros de la iglesia se dedicaban al partimiento del pan, parece que la Cena del Señor se celebraba con bastante frecuencia (Hch. 2:46). Es probable que Lucas no se refiera a las comidas familiares, sino más bien a las comidas en los hogares en los que se reunía la iglesia. La frecuencia de la Cena del Señor se indica por la referencia a partir el pan "el primer día de la semana" en Troas (Hch. 20:7).[99] La colocación del partimiento del pan y el momento en que se celebraba (domingo) sugieren que no se trata de una comida ordinaria.

Oración

Aquí profundizaremos en la cuarta característica de la vida eclesiástica descrita en Hechos 2:42. La iglesia primitiva se caracterizaba por la oración.[100] La oración es un tema principal en Lucas-Hechos y es fundamental para la expansión de la misión de la iglesia. De ahí que debamos consultar tanto Lucas como Hechos para discernir su centralidad. Cuando un ángel se apareció a Zacarías en el altar del incienso, le aseguró que su oración había sido escuchada (Lc. 1:13). Es difícil saber si la oración se refería al cumplimiento de las promesas pactuales de Dios con Israel o al deseo de tener un hijo. Tal vez se trate de ambas cosas.[101]

---

[97] Para una discusión de los diversos puntos de vista, véase Barrett 1994: 164-65. La referencia al pan partido y la distinción con las comidas compartidas en común en Hechos 2:46 sugieren que se trata de la Cena del Señor (así Fitzmyer 1998: 270-72; Polhill 1992: 119).

[98] Aunque algunos lo discuten, la Cena del Señor debe entenderse como una comida pascual (Marshall 1980a; Stuhlmacher 1993: 65-69).

[99] Barrett (1998: xcii-xciii) ve una referencia a una comida común, pero es escéptico de que se refiera a una comida eucarística. Para una referencia a la Cena del Señor, véase Polhill 1992: 418; Fitzmyer 1998: 669.

[100] La naturaleza específica de las oraciones es difícil de determinar a partir de este texto (Barrett 1994: 166).

[101] Marshall (1978b: 56) cree que Zacarías oraba por la venida del Mesías, pero no por un hijo. Fitzmyer (1981a: 325) sugiere que oraba tanto por un hijo como por la redención de Israel. Bock (1994: 82-83) sostiene que oró por la redención, pero que esta oración fue respondida en términos de oraciones anteriores por un hijo.

La oración desempeña un papel central en momentos clave del ministerio de Jesús.[102] Solo Lucas nos dice que Jesús estaba orando cuando fue bautizado y ungido para el ministerio (Lc. 3:21), presumiblemente para que se le diera poder para el ministerio.[103] En medio de las prisas y el ajetreo del ministerio, Jesús se retiraba a solas y encontraba tiempo para orar (Lc. 5:16), y es probable que Crump esté en lo cierto al sostener que la oración desempeñó un papel integral en el cumplimiento de la misión de Jesús.[104] Una de las decisiones más importantes en la vida de Jesús fue la elección de los Doce, y por eso es significativo que pasara toda una noche en oración antes de seleccionar el núcleo del Israel restaurado (Lc. 6:12).[105]

Un acontecimiento decisivo en los Evangelios ocurrió en Cesarea de Filipo, cuando Jesús preguntó a los discípulos por su identidad (Lc. 9:18-20). Lucas nos informa de que Jesús formuló la pregunta después de haber orado a solas (Lc. 9:18). Presumiblemente, oró para que Dios concediera a los discípulos la comprensión correcta de su persona.[106] La transfiguración de Jesús reveló a los tres discípulos que estaban con él la gloria y majestad de Jesús, y Lucas indica que Jesús se transfiguró mientras oraba (Lc. 9:28-29).[107] El Padre Nuestro es la única oración registrada que Jesús enseñó a sus discípulos (Lc. 11:2-4), y curiosamente, la petición de tal instrucción vino cuando los discípulos lo vieron orando (Lc. 11:1). Jesús informó a Simón y a todos los discípulos de que había orado por ellos, y de que su fe no fallaría en la prueba inminente (Lc. 22:31-32).[108]

Jesús confiaba en que su oración sería escuchada, pues le dijo a Pedro que fortaleciera a sus hermanos después de su arrepentimiento. Jesús también instruyó a sus discípulos a orar para que no entraran en un tiempo de prueba (Lc. 22:40, 46).[109] Es probable que quiera decir con esto que los discípulos

---

[102] Smalley sostiene que la oración se produce en momentos cruciales de la historia de la salvación. En particular, Smalley (1973) sostiene que Espíritu, reino y oración están íntimamente relacionados en Lucas.

[103] Crump 1992: 109-16.

[104] Crump 1992: 142-44.

[105] Véase también Crump 1992: 145.

[106] Véase Crump 1992: 21-34.

[107] Crump (1992: 42-48) piensa que la oración de Jesús desempeñó un papel revelador en la transfiguración.

[108] Véase Crump 1992: 154-62. Crump (1992: 173) también sugiere que Jesús no oró contra Judas, pero tampoco oró por él (en contraste con su oración por Pedro).

[109] Crump (1992: 171) sugiere intrigantemente que la fe de los discípulos falló temporalmente porque no hicieron caso de la amonestación de Jesús.

debían orar para que no enfrentaran pruebas que los abrumaran y conquistaran. Jesús no dio instrucciones a sus discípulos que no se aplicara a sí mismo. Oró para que el Padre apartara de sí la copa de la ira, sintiendo como ser humano que era demasiado para él (Lc. 22:42). Al final, sin embargo, se resignó a la voluntad de Dios. Jesús enseñó a sus discípulos lo que significa amar a los enemigos. Cuando colgaba de la cruz como víctima de una injusticia monstruosa, oró para que el Padre perdonara a los que le habían quitado la vida (Lc. 23:34).[110] Y a la hora de su muerte, puso su confianza en Dios, encomendando su vida en sus manos (Lc. 23:46). Ciertamente, esta oración fue escuchada en su resurrección.[111]

Jesús también instruyó a sus discípulos en la oración, y ya hemos señalado algunos de estos textos. Exhortó a sus seguidores a orar por quienes los maltratan (Lc. 6:28). El Padre Nuestro funciona como modelo de toda oración (Lc. 11:2-4), y es bien sabido que tenemos una versión abreviada de lo que encontramos en Mateo. Lo que llama la atención es lo centrada que está la oración en Dios.[112] Los creyentes deben comenzar la oración centrándose en el Padre, pidiendo que su nombre sea honrado y estimado. La petición fundamental en la oración es que Dios sea apreciado como Dios en el mundo. La oración se desvía de su curso a menos que esté centrada en Dios, en Cristo y motivada por el Espíritu, pues de lo contrario se convierte en un medio para complacer los deseos humanos.[113]

A continuación, los creyentes deben orar por la venida del reino de Dios, que en Lucas-Hechos encaja perfectamente con la difusión del evangelio por todo el mundo.[114] En la segunda parte de la oración, los creyentes oran por sus propias necesidades. En primer lugar, piden a Dios que supla la necesidad de alimentos cada día, para que se reconozca que toda buena dádiva viene de Dios. En segundo lugar, los creyentes piden perdón a Dios, y los que realmente buscan el perdón tampoco guardan rencor a los demás. Por último, los creyentes ruegan a Dios que los libre de cualquier tentación o prueba que los

---

[110] En defensa de la originalidad de la oración, véase Bock 1996: 1867-68.

[111] Véase Bock 1996: 1862.

[112] Marshall (1978b: 457) dice que "el establecimiento de la gloria de Dios es el primer tema de la oración".

[113] Véase Schlatter 1997: 194.

[114] Véase Cullmann 1995.

conduzca a la apostasía.[115] Dios conoce las fuerzas de cada uno, y por eso los creyentes ruegan a Dios que no los conduzca por caminos más allá de su capacidad de aguante.

Esta última petición se repite esencialmente en Lucas 21:36, que llega casi al final del discurso escatológico de Jesús, donde predice la destrucción de Jerusalén y la llegada del fin. Jesús concluye diciendo: "Pero velen en todo tiempo, orando para que tengan fuerza para escapar de todas estas cosas que están por suceder, y puedan estar en pie delante del Hijo del Hombre". La fuerza por la que oran aquí los creyentes consiste en ser capacitados para evitar la apostasía, de modo que se presenten vindicados y justos ante el Hijo del Hombre en el último día.[116] La oración para que los creyentes "no entren en tentación" (Lc. 22:40, 46) debe interpretarse de manera similar. Los creyentes deben orar para que Dios les guarde de cualquier cosa que pudiera abrumarlos hasta el punto de hacerles olvidar su amor por él.

Lucas contiene fascinantes parábolas en las que Jesús da instrucciones sobre la oración. Consideremos primero la parábola del amigo que llega a medianoche (Lc. 11:5-8). En esta parábola, un visitante llega a casa de un amigo a medianoche, pero el anfitrión no tiene comida que darle al visitante, algo impensable en la cultura de Oriente Medio.[117] Así que el anfitrión va a casa de otro amigo y le pide tres panes para poder satisfacer las necesidades de su invitado. El posible donante del pan protesta porque es tarde, la casa está segura y los niños ya duermen. Debemos pensar aquí en las casas en las que todos duermen en la misma habitación, de modo que con cualquier perturbación toda la casa se despierta.[118]

¡Todos los padres conocen las consecuencias de despertar a los niños pequeños por la noche! No obstante, el anfitrión consigue que su amigo le dé de comer gracias a su "persistencia" (Lc. 11:8 NRSV). La palabra utilizada aquí es *anaideia*, y algunos la traducen como "desvergüenza", relacionándola con la persona que se resiste a proporcionar la comida solicitada.[119] Según esta

---

[115] Para una referencia a la apostasía, véase Fitzmyer 1985: 906-7. Bock (1996: 1055-56) sostiene que la referencia es a todo pecado, incluida la apostasía.

[116] Véase Marshall 1978b: 783.

[117] Véase Jeremias 1972: 157; Fitzmyer 1985: 911; Bailey 1976: 119-23.

[118] Véase Jeremias 1972: 157-58.

[119] Véase Bailey 1976: 125-34; Marshall 1978b: 465. En contra, véase Fitzmyer 1985: 912. Bock (1996: 1059-60) piensa que la atención se centra en la audacia, no en la persistencia, del peticionario. La interpretación de la parábola que sigue se centra en la

interpretación, cede y da la comida necesaria porque no quiere la mala reputación que adquieren quienes se niegan a compartir con alguien necesitado. Esta interpretación es atractiva, pero poco convincente. El contexto sugiere que se trata de la persistencia desvergonzada de la persona que intenta conseguir comida para su invitado.[120] Los versículos que siguen inmediatamente subrayan la necesidad de pedir, buscar y llamar para recibir la bendición de Dios. Los tres términos indican la necesidad de persistencia, perseverancia y audacia en la oración. El que sigue buscando y llamando es el que encuentra.

¿Enseña la parábola, entonces, que Dios es como el hombre al que se le pide pan? ¿Acaso Dios es renuente a dar lo que su pueblo necesita, pero, si es molestado incesantemente por ellos, finalmente cederá y les proveerá? Por supuesto que no. Dios *contrasta* con la persona de la casa, pues se deleita en dar a sus hijos. Así lo confirma Lucas 11:11-13. Si un niño pide un pescado, ¿hay algún padre que le dé a su hijo una serpiente? O si un niño desea un huevo, ¿acaso un padre terrenal le daría un escorpión?[121] Los padres humanos, por malos que sean, anhelan dar lo bueno a sus hijos. ¿Cuánto más, entonces, el Padre celestial, que es perfectamente bueno y bondadoso, concederá lo que sus hijos necesitan? Y su mayor necesidad es el Espíritu Santo. Lo que enseña Lucas 11:5-13, por tanto, es que el pueblo de Dios debe perseverar en la oración no porque Dios sea reacio a concederle, sino precisamente porque Dios anhela darle lo que necesita. La perseverancia en la oración se basa en la bondad de Dios, de modo que los creyentes siguen acudiendo a él porque saben que desea bendecirlos.

La otra parábola dramática de Jesús sobre la oración se centra en el juez injusto y la viuda necesitada (Lc. 18:2-5). Al juez no le importaba lo que pensara la gente, ni temía a Dios. Por eso, siguió ignorando la demanda de

---

audacia y la persistencia. Jeremias (1972: 159) separa erróneamente el tema de la persistencia del sentido original de la parábola, dado el anhelo de Dios de dar buenos dones a sus hijos. Jeremias separa algo que debería mantenerse unido.

NRSV New Revised Standard Version

[120] Crump (2006: 65-72) observa acertadamente que la palabra *anaideia* significa "desvergonzado", pero se niega a vincular este significado con el contexto de la parábola y, por tanto, interpreta erróneamente *anaideia* como referida a la persona que está en la cama con su familia.

[121] Sabemos, por supuesto, que algunos padres son tan malvados como para hacer tales cosas, pero Jesús señala lo que suele ser habitual: los padres aman a sus hijos y desean darles lo que necesitan.

justicia que le presentaba la viuda, que carecía de influencia política. Finalmente, sin embargo, cedió porque la viuda no dejaba de molestarle, hasta el punto de que se cansó de darle largas al asunto.[122] Algunos piensan que el verbo "abatirme" (*hypōpiazō*) se refiere al miedo del juez a perder su reputación en la comunidad.[123] Pero esta interpretación es poco probable, porque en la parábola ya se afirmaba que al juez no le importaba lo que los demás pensaran de él. Tampoco es probable que una viuda, que carecía de poder jurídico y político, pudiera destruir la reputación del juez. Por lo tanto, el punto de la parábola vuelve a ser la persistencia en la oración. La mujer obtuvo lo que pedía porque no se cansó de pedir justicia.

Que la parábola trata de la persistencia en la oración queda confirmado por el comentario de Lucas, hecho incluso antes de la parábola, que informa al lector sobre el significado de la parábola: "Jesús les contó una parábola para enseñarles que ellos debían orar en todo tiempo, y no desfallecer" (Lc. 18:1).[124] La parábola está pensada, por tanto, para animar a los creyentes a perseverar en la oración.

La parábola plantea otra cuestión. ¿Es Dios como el juez injusto y reacio a conceder justicia a sus hijos? Una vez más, es evidente que la parábola funciona por contraste. Si incluso un juez injusto hace justicia a alguien que no le importa, ¿cuánto más hará Dios justicia a sus hijos? La lección que Jesús extrae de la parábola en Lucas 18:7-8 demuestra que Dios hará justicia a sus elegidos. No solo eso, sino que les hará justicia rápidamente (*en tachei*). Aun así, hay una tensión incorporada en la historia, pues si la justicia se concede rápidamente, ¿por qué los creyentes son propensos a desanimarse en sus oraciones (Lc. 18:1)? La viuda tiene que insistir durante mucho tiempo antes de obtener del juez la justicia que merece (Lc. 18:2-5). Los creyentes han de clamar a Dios en oración "día y noche" (Lc. 18:7).

Además, Jesús cierra la parábola preguntando si la fe seguirá existiendo en la tierra cuando venga el Hijo del Hombre (Lc. 18:8). Si la justicia se concediera rápidamente, parecería que no habría duda de que la fe florecería en la tierra. La mejor solución a esta tensión parece ser que el cumplimiento de los designios de Dios es pronto según su calendario, mientras que a los seres

---

[122] Bock (1996: 1449-50) dice con razón que el juez teme quedar emocionalmente agotado.

[123] Marshall 1978b: 673.

[124] Para el énfasis en la persistencia, véase Jeremias 1972: 154-56.

humanos puede parecerles angustiosamente lento.[125] De ahí que sientan la tentación de rendirse y dejar de orar. Jesús animó a sus discípulos a persistir en la oración con la segura confianza de que Dios pronto los vindicaría.

Cuando examinamos la segunda parte de la obra en dos volúmenes de Lucas, vemos que la oración estaba entretejida en la urdimbre de la vida cotidiana de la iglesia. Como dice Hechos 2:42, "se dedicaban a... la oración". Los apóstoles, en particular, estaban obligados a dedicarse "a la oración y al ministerio de la palabra" (Hch. 6:4). Antes de que el Espíritu fuera derramado en Pentecostés, los 120 creyentes se reunieron en un aposento alto y se dedicaron a la oración (Hch. 1:12-14). Cuando llegó el momento de elegir al duodécimo y último apóstol, la iglesia primitiva no confió en su propia sabiduría, sino que pidió a Dios que les dirigiera mediante la oración (Hch. 1:24-25). Del mismo modo, los apóstoles impusieron las manos y oraron por los siete que fueron designados para tratar el problema de las viudas helenísticas (Hch. 6:6).

El Sanedrín amenazó a los apóstoles por predicar a Jesús como el Señor crucificado y resucitado, y los apóstoles volvieron de aquella reunión y oraron para que el Señor Soberano, el Señor de la historia, que determinó todo lo que le sucedió a Jesucristo en Jerusalén, les concediera audacia para seguir proclamando el evangelio (Hch. 4:23-31). Oraron para que Dios confirmara su mensaje mediante señales y prodigios. La oración se ve claramente respondida en el temblor del edificio, la llenura del Espíritu y el testimonio audaz de la Palabra de Dios (Hch. 4:31).

El Espíritu no fue recibido por los samaritanos hasta que Pedro y Juan oraron para que así sucediera (Hch. 8:15). Del mismo modo, Saulo estaba orando cuando Dios ordenó a Ananías que fuera a verle y le impusiera las manos para que recibiera el Espíritu (Hch. 9:10-18). Después de que Pedro orara, Dorcas resucitó de entre los muertos (Hch. 9:40). Hemos visto que uno de los textos programáticos de los Hechos es la conversión de Cornelio y sus amigos. Cornelio fue elogiado como hombre de oración regular (Hch. 10:2), y parece justo concluir que un ángel se le apareció mientras oraba (Hch. 10:3). Además, Dios concedió a Pedro la visión de animales en una sábana bajada a tierra mientras oraba (Hch. 10:9). A través de esta visión, Dios comunicó a

---

[125] La parábola plantea la cuestión del retraso de la parusía. Para una excelente discusión de este asunto en relación con Lucas 18:1-18, véase Bock 1996: 1453-56.

Pedro su voluntad sobre los alimentos impuros y la misión a los gentiles. La liberación de Pedro de la cárcel se debió a la obra soberana de Dios, y sin embargo también se nos dice que la iglesia oraba fervientemente (Hch. 12:5, 12).

La comisión de Bernabé y Pablo para la primera misión intencional a los gentiles se produjo en un contexto de adoración, ayuno y oración (Hch. 13:2-3). Después de que Pablo y Bernabé hubieron plantado nuevas iglesias en el primer viaje misionero, nombraron ancianos en las iglesias, y con oración los encomendaron al Señor (Hch. 14:23). Pablo y Silas fueron azotados injustamente en Filipos, y aun así oraron y alabaron a Dios en la cárcel (Hch. 16:25), y Dios utilizó los acontecimientos posteriores para llevar al carcelero filipense a la fe. Después de dirigirse a los ancianos de Éfeso, Pablo oró con ellos (Hch. 20:36). En la región de Tiro, Pablo oró con otros mientras estaba arrodillado en la playa (Hch. 21:5). Pablo recibió la visión que le ordenaba ir a los gentiles mientras oraba en el templo (Hch. 22:17). Por último, las curaciones de Pablo en la isla de Malta iban acompañadas de oración (Hch. 28:8).

Conclusión

Hechos subraya que los acontecimientos importantes de la historia de la salvación estuvieron acompañados de oración, ya fuera la elección del duodécimo apóstol, el descenso del Espíritu, la visita a Cornelio o la primera misión intencionada a los gentiles. La oración en Hechos, en particular, se centra en la misión de la iglesia de llevar la buena nueva hasta los confines de la tierra. Además, la mención regular de la oración y el énfasis en la dedicación a la oración ilustran el lugar destacado que ocupaba la oración en la vida de la iglesia primitiva. De este modo, la iglesia indicaba su confianza en Dios para la consecución de todo bien.

La iglesia desempeña un papel fundamental en la teología de Lucas-Hechos. Las promesas pactuales de Dios se cumplieron en Jesús de Nazaret, de modo que el mensaje salvífico se proclamó primero en Israel. Sin embargo, muchos judíos rechazaron la buena nueva proclamada por Jesucristo, y Jesús mismo designó a doce apóstoles como el verdadero Israel restaurado. En Hechos se relata el continuo rechazo del mensaje de salvación por parte de la mayoría de Israel, mientras que al mismo tiempo el mensaje de salvación se expande para incluir a los gentiles en la línea argumental de Hechos. Jesús, que en la obra de Lucas es el portador del Espíritu, es quien en Hechos lo derrama para que sus discípulos tengan el poder de llevar el mensaje de salvación a todos los pueblos del mundo. La iglesia se establece sobre la base de la enseñanza de los apóstoles, el compañerismo y la generosidad de la nueva comunidad, el bautismo de los nuevos conversos, el partimiento del pan en la Cena del Señor y la oración. Al destacar estos elementos, Lucas esboza la naturaleza de la vida en la iglesia primitiva.

El Evangelio y las epístolas de Juan

Tanto el Evangelio como las Epístolas de Juan se centran en la relación del individuo con Dios más que en la iglesia como comunidad corporativa. No debemos concluir de ello que Juan no tuviera interés en la vida corporativa de la iglesia. Los propósitos limitados de su redacción deberían impedirnos hacer afirmaciones rotundas sobre su falta de interés por la iglesia. En cierto sentido, Juan muestra una intensa preocupación por la vida corporativa de los creyentes. Insiste constantemente en el amor que debe caracterizar a la comunidad cristiana. Los creyentes deben amarse unos a otros como Jesús los amó dando su vida por ellos (Jn. 13:34-35; 1 Jn. 3:11-18). Al amarse corporativamente en comunidad, los cristianos demuestran al mundo que Dios es amor (1 Jn. 4:7-21).

El amor es el mandato distintivo que Jesús dio a sus discípulos (1 Jn. 2:7-11; cf. 2 Jn. 5-6), y llama a sus discípulos a amarse los unos a los otros y distinguirse así del mundo, que los odia (Jn. 15:12-16:4). El amor sirve y ayuda al que lo necesita, y así Jesús modela el amor sacrificial y humilde al lavar los pies de los discípulos (Jn. 13:12-17). La nueva comunidad se caracteriza por el compañerismo mutuo (1 Jn. 1:7), y este compañerismo se expresa sobre todo en el amor mutuo. Llama la atención que Juan haga hincapié en el amor mutuo y no en el amor al mundo.[126] Esto no debe interpretarse como un rechazo del amor al mundo, como si Juan careciera de toda preocupación por la difícil situación del mundo; más bien, lo que demuestra al mundo la autenticidad del

---

[126] El mundo no está excluido, pero se verá atraído por la calidad del amor entre discípulos (Bultmann 1971: 528). Véase también Barrett 1978: 452.

evangelio es el amor que los creyentes se expresan unos a otros (Jn. 13:34-35). Ese amor certifica que es verdad lo que Jesús proclamó y lo saca de la abstracción. La vitalidad y la energía del amor, su belleza y su atractivo, son irresistibles y atrayentes.

Tampoco debemos llegar a la conclusión de que Juan carece de una teología de la misión. De hecho, el punto central de la misión en el Evangelio de Juan es el propio Jesús, ya que, como hemos visto antes, Jesús es enviado por el Padre para la salvación del mundo.[127] Además, al igual que Jesús fue enviado por el Padre, también envía a sus discípulos por el bien del mundo (cf. Jn 15:27; 17:18; 20:21). Como señalan Köstenberger y O'Brien:

> Juan describe la misión de los discípulos en términos de 'cosecha' (4:38), 'fructificación' (15:8, 16) y 'testimonio' (15:27). Todos estos términos sitúan a los discípulos en la humilde posición de prolongar la misión de otro: Jesús.[128]

Los discípulos son enviados a continuar la misión de Jesús por obra del Espíritu, de modo que den testimonio de Jesús. Con ello continúan la cosecha que Jesús comenzó. Dan fruto llevando a otros el mensaje de Jesús. Después de todo, el propósito del Evangelio de Juan se centra en la misión (Jn. 20:30-31), y esa misión no termina con la glorificación de Jesús, sino que continúa en el ministerio de los discípulos y de todos los que ponen su fe en Jesús como Hijo de Dios.

De ahí que Jesús ore por la unidad y la unicidad de la iglesia (Jn. 17:20-26) por el bien del mundo.[129] La unidad de la iglesia se expresa en la unidad y la belleza del amor. Y no puede limitarse a la esfera horizontal. Los creyentes están unidos porque el Padre y el Hijo habitan en ellos, y Jesús les ha dado la gloria que el Padre le dio a él. Los que ven la gloria y la magnificencia del Hijo estarán unidos en la verdad de que el Padre envió al Hijo. La unidad por la que Jesús ora aquí es la unidad en el esplendor de la verdad, la verdad de que el Padre ha enviado a Jesús como su Hijo. Los creyentes están unidos en la experiencia y la realización de conocer el nombre de Dios.

---

[127] Köstenberger 1998: 45-52; Köstenberger y O'Brien 2001: 204-9.

[128] Köstenberger y O'Brien 2001: 210. Véase además Köstenberger 1998; Köstenberger y O'Brien 2001: 203-26.

[129] Véase Carson 1991b: 568.

El mismo amor que el Padre tiene por el Hijo ha sido concedido a los creyentes. De hecho, el mismo Hijo habita en los creyentes, de modo que su unidad se fundamenta en la experiencia del amor de Dios en sus corazones, por lo que la confesión de que el Padre envió al Hijo no es un mero reconocimiento intelectual. La unidad de los creyentes se basa tanto en la verdad como en el amor, y una comunidad basada en la verdad y el amor da testimonio al mundo de la veracidad del evangelio.

El hecho de que el pueblo de Dios funciona como una comunidad también se hace notar en Juan 10, donde los discípulos de Jesús son sus ovejas y su rebaño. Jesús es el pastor de las ovejas, y las ovejas escuchan su voz y le siguen (Jn. 10:3-4). Pero el rebaño de Jesús no se limita a los judíos; él también afirma tener ovejas de otros rebaños, y que escucharán la voz del pastor y se convertirán en un solo rebaño (Jn. 10:16). Aquí se hace referencia, sin duda, a la inclusión de los gentiles en el pueblo de Dios.[130] Los judíos y los gentiles tampoco se dividen en dos rebaños diferentes. Habrá un solo rebaño unido que encuentra su concordia en someterse a la voz de Jesús como buen pastor. Jesús no murió solo por el pueblo judío; murió también para reunir a los hijos de Dios dispersos (es decir, tanto judíos como gentiles) en un único pueblo unido de Dios (Jn. 11:51-52).

Juan no excluye a los judíos de los propósitos salvíficos de Dios, pero al mismo tiempo anuncia la participación de los gentiles. Los griegos llegan a la última Pascua de Jesús y anhelan verle y conocerle (Jn. 12:20-21). Al parecer, Jesús no se presentó a ellos en ese momento, sino que se centró en su muerte inminente, pues este era el medio por el que atraería a todos hacia sí (Jn. 12:32), es decir, tanto a judíos como a gentiles. El pueblo de Dios entra en una relación salvífica con Dios y en un profundo amor mutuo en virtud de la obra salvadora de Jesús en su favor. Jesús, como la vid verdadera, es el verdadero Israel (Jn. 15:1), el líder del nuevo pueblo de Dios. Por lo tanto, todo aquel que desee formar parte del pueblo de Dios debe estar unido a la vid.

En 2 Juan se describe a la Iglesia como una "señora elegida" (2 Jn. 1, 5).[131] La imagen de la iglesia como mujer se remonta al Antiguo Testamento, donde se describe a Israel como la esposa de Yahvé, y a este como su esposo (p. ej., Is. 50:1; 54:6; Jer. 3:1, 8-9, 20; 5:7; Ez. 16:32; Os. 3:1). Pablo también describe

---

[130] Véase Barrett 1978: 376; Ridderbos 1997: 363.
[131] Véase Stott 1964: 200-202; R. Brown 1982: 651-55; Smalley 1984: 318.

a la iglesia como la esposa de Cristo (Ef. 5:22-33). En Apocalipsis, el pueblo de Dios es la esposa del Cordero y espera la cena de las bodas mesiánicas (Ap. 19:7-9). En 2 Juan, la dama elegida representa la iglesia concreta a la que Juan dirige su carta. A su vez, la iglesia desde la que escribe envía sus saludos: "Te saludan los hijos de tu hermana escogida" (2 Jn. 13). La unidad de la iglesia se transmite por los calurosos saludos y el afecto que existe entre las dos iglesias. La señora elegida no alude a una mujer en particular, aunque Juan habla de sus hijos (2 Jn. 1, 4, 13). Los hijos y la señora elegida son las mismas entidades vistas desde una perspectiva diferente. La señora elegida designa a la iglesia en su conjunto, mientras que los hijos se refieren a los miembros de la iglesia, de los que Juan se alegra en la medida en que caminan en la verdad.[132]

Líderes

Juan habla poco de los dirigentes de la iglesia. Probablemente asume que los lectores conocen la vocación de los apóstoles, y se ofrecen breves relatos acerca del llamado de algunos de los que sirvieron como apóstoles (véase Jn. 1:35-51), aunque Juan mismo nunca utiliza el término "apóstol". No obstante, es evidente que conoce y reconoce el apostolado, pues escribe con naturalidad y sin explicaciones sobre "los doce" (Jn. 6:67). Jesús eligió a los Doce (Jn. 6:70), y Judas, el traidor, era uno de ellos (Jn. 6:71), al igual que Tomás, que inicialmente dudó de la resurrección (Jn. 20:24). La primacía de los testigos oculares queda demostrada en 1 Juan 1:1-4. El "nosotros" de estos versículos se refiere probablemente a Juan como apóstol, ya que la fecha y el destinatario de 1 Juan son tales que solo un apóstol reúne los requisitos para ser alguien que oyó, vio y tocó a Jesús.[133]

Jesús entró en la historia en un momento determinado y "se manifestó a nosotros" (1 Jn. 1:2), es decir, a los apóstoles.[134] Por tanto, Juan, como testigo ocular, anunció el mensaje salvador a quienes le oyeron. Declaró el mensaje

---

[132] Marshall 1978a: 60-61; Smalley 1984: 318-19; R. Brown 1982: 655.

[133] El escritor pertenece al círculo de los testigos oculares (acertadamente Stott 1964: 61-63; Marshall 1978a: 106-7; Bauckham 2006: 373-75 [aunque piensa que el autor es Juan el Anciano]). Smalley (1984: 8) entiende que la primera persona del plural se refiere en general a los guardianes de la ortodoxia. R. Brown (1982: 158-61) defiende una versión de la interpretación de la "escuela joánica".

[134] Aunque Juan no utiliza aquí la palabra "apóstol", la noción de autoridad apostólica está presente conceptualmente.

para que la gente tuviera "comunión con nosotros" (1 Jn. 1:3), es decir, con los testigos oculares apostólicos originales. Podríamos esperar que Juan dijera inmediatamente que proclamó la buena nueva para que la gente tuviera comunión con el Padre y el Hijo, pero la comunión con Juan como apóstol precede a la comunión con el Padre y el Hijo.

El Hijo se manifestó en la historia a los apóstoles y, por tanto, los lectores solo tienen comunión con el Hijo y el Padre si atienden y aceptan el mensaje transmitido por los testigos oculares originales. La comunión con los testigos oculares apostólicos es una condición previa para la comunión con Dios. De ahí que Juan pueda decir más tarde que quienes repudian el mensaje transmitido por él como testigo presencial no escuchan a Dios (1 Jn. 4:6).[135] Jesús eligió a los Doce (Jn. 6:70), pues, para ejercer autoridad sobre la iglesia de Jesucristo. Las tres cartas de Juan representan esa autoridad en acción, pues se pronuncia con decisión sobre cuestiones de vida y enseñanza que afectan a las iglesias a las que se dirige.

Juan, por supuesto, no concede a los Doce un privilegio ilimitado para gobernar de forma arbitraria. Ellos mismos deben servir al evangelio de Jesucristo y transmitir fielmente "la enseñanza de Cristo" (2 Jn. 9).[136] Cualquiera, incluido un supuesto apóstol, que se desvíe de dicha enseñanza no pertenece a Dios (2 Jn. 9). La tiranía y el despotismo en los líderes deben evitarse a toda costa. Se critica a Diótrefes porque amaba la preeminencia y se negaba a aceptar la autoridad apostólica (3 Jn. 9-10). Prohibió que se aceptaran misioneros itinerantes (3 Jn. 10; cf. 5-8) en su propia iglesia y excomulgó a quienes deseaban recibirlos. Tales abusos de autoridad son condenados, pues los cargos de autoridad no son plataformas para el egoísmo, sino que representan un llamamiento al servicio fiel al evangelio.

La autoridad solo puede ejercerse por el bien del evangelio, nunca para la promoción privada y personal. La autoridad apostólica, en otras palabras, está siempre subordinada a la Palabra. Jesús restauró a Pedro después de su triple negación con un triple llamamiento: "Apacienta Mis corderos", "pastorea Mis

---

[135] Véase Stott 1964: 157-58. Quizá Juan tenga aquí en vista a toda la Iglesia con sus maestros (véase Marshall 1978a: 209; Smalley 1984: 229). Para una excelente discusión de las alternativas con preferencia por un uso no distintivo de la primera persona del plural, véase R. Brown 1982: 499.

[136] Bauckham (2006: 372-73) argumenta acertadamente que los plurales de primera persona en 3 Juan 9-12 designan al escritor como testigo ocular.

ovejas" y "apacienta Mis ovejas" (Jn. 21:15-17). Pedro no recibió el privilegio del liderazgo, sino su responsabilidad, y fue llamado a fortalecer el rebaño alimentándolo y cuidándolo. Este trasfondo nos ayuda a explicar la afirmación de Jesús de que los pecados se perdonan y se retienen según la prerrogativa de los apóstoles (Jn. 20:23).[137] Difícilmente concede aquí Jesús a los Doce una autoridad caprichosa y arbitraria para pronunciar lo que quieran sobre la gente.

El perdón o la falta del mismo se declara sobre la base del evangelio que proclaman los apóstoles. El perdón está ligado a la muerte expiatoria de Jesucristo. Los apóstoles pronunciaron el perdón sobre aquellos que ponían su fe en el Hijo como el que concede la vida eterna. Esta afirmación sobre el perdón de los pecados no puede separarse del resto del Evangelio de Juan, como si fuera un elemento extraño. Por el contrario, debe interpretarse a la luz del tema del Evangelio en su conjunto. La vida eterna se concede a los que creen en el nombre de Jesús (Jn. 20:30-31), y los apóstoles anunciaron el perdón de Dios a los que ponen su confianza en Jesús.

Bautismo y comunión

Los académicos han debatido durante mucho tiempo si el Evangelio de Juan hace referencia al bautismo o a la comunión.[138] Muchos eruditos han visto una referencia al bautismo en la necesidad de nacer del agua y del Espíritu (Jn. 3:5).[139] Anteriormente argumenté que esto no es una referencia al bautismo cristiano, sino que alude a Ezequiel 11:18-19; 36:26-27.[140] De hecho, no parece haber una referencia directa al bautismo cristiano en ninguna parte del Evangelio de Juan, aunque algunos han visto una referencia al bautismo en casi todas las menciones del agua en este Evangelio. Del mismo modo, parece que Juan omite intencionadamente cualquier referencia a la Cena del Señor.

La institución que es tan prominente en las narraciones de la pasión en los Evangelios Sinópticos no se encuentra en el Evangelio de Juan. Algunos

---

137 Para una discusión exhaustiva de las posibilidades, véase R. Brown 1970: 1039-45. Para la defensa del punto de vista sugerido aquí, véase Carson 1991b: 655-56.

138 Para un estudio de la cuestión, véase Burge 1987: 150-97.

139 Por ejemplo, Lindars 1972: 152; Barrett 1978: 209. Para un análisis de las distintas opciones, véase R. Brown 1966: 141-44. Bultmann (1971: 138-39n3) sostiene que la referencia al agua fue añadida por un redactor eclesiástico.

140 Véase Belleville 1980.

estudiosos, claro está, detectan una referencia a la Cena del Señor en el discurso del "pan de vida".[141] Sin embargo, parece improbable que se haga una referencia directa a la Cena del Señor.[142] No encaja en la teología juanina decir que hay que participar en la Cena del Señor para tener vida eterna, pero Jesús en el discurso dice claramente que hay que comer su carne y beber su sangre para disfrutar de la vida eterna (Jn. 6:53).

Si tomamos en serio el contexto histórico, es difícil ver cómo esto podría interpretarse literalmente, ya que Jesús estaba presente con sus discípulos. De hecho, el malentendido de la gente encaja con otros malentendidos en Juan. Los que escuchaban a Jesús lo interpretaron literalmente y se quedaron perplejos y escandalizados (Jn. 6:52, 60). Del mismo modo, Nicodemo tomó las palabras de Jesús al pie de la letra cuando dijo que había que nacer de nuevo (Jn. 3:4). La samaritana creyó que Jesús hablaba literalmente del agua al prometerle agua viva (Jn. 4:11-12). Los paralelismos sugieren, pues, que Jesús no hablaba literalmente de comer su carne y beber su sangre. La referencia es a su muerte en nombre de su pueblo y a la necesidad de poner la fe en la expiación proporcionada. El lenguaje de comer la carne de Jesús y beber su sangre comunica vívidamente la vitalidad de la fe. La obra que Dios exige es creer en aquel a quien ha enviado (Jn. 6:29). El hambre de cualquiera que venga a Jesús será saciada; la sed de cualquiera que crea en Jesús será saciada (Jn. 6:35). Agustín captó el significado de lo que Juan escribió: "Cree, y habrás comido".[143]

Es posible ir demasiado lejos en la otra dirección. No debemos leer a Juan como si fuera antisacramental. Puede que la limpieza con agua no se refiera directamente al bautismo cristiano (p. ej., Jn. 3:5; 13:1-10),[144] pero la limpieza con agua apunta al perdón recibido en el lavado de los pecados en el bautismo. Del mismo modo, el discurso sobre el "pan de vida" no se refiere directamente a la Eucaristía y, sin embargo, es probable que Juan pretendiera hacer una

---

[141] Por ejemplo, Stuhlmacher 1993: 88-99. Para la historia de la interpretación, véase R. Brown 1966: 272. Bultmann (1971: 234-37) cree que la referencia a la Cena del Señor (Jn. 6:51b-58) fue añadida por el redactor. La opinión de R. Brown (1966: 272-74, 284-93) parece ser una adaptación de la de Bultmann.

[142] Lindars (1972: 251) piensa que la interpretación eucarística está latente. Véase también Barrett 1978: 284, 297. Carson (1991b: 277-80) sostiene que la Cena apunta al propio Jesús y no es el centro del texto.

[143] Koester (2003: 103), reflejando las palabras de Agustín, dice: "'Comer' es 'creer'".

[144] Sobre el bautismo en Juan, véase Hartman 1997: 155-59.

referencia secundaria a la Cena del Señor. Cuando los creyentes parten el pan y beben el vino, se alimentan de la obra que llevó a cabo Jesús al dar su carne y derramar su sangre por ellos. El discurso sobre el "pan de vida" apunta de forma secundaria a la Cena del Señor.[145] Quizá Juan no se centra en los sacramentos porque quiere que la creencia en Jesucristo para salvación ocupe un lugar central. El bautismo y la Cena del Señor no proporcionan algún tipo de comunicación mágica o automática con Dios. La fe descansa únicamente en la obra de Jesucristo. Se alimenta de él en su muerte y resurrección.

Conclusión

En Juan no tenemos una teología completa de la iglesia. No se dice nada sobre la estructura o los dirigentes de la iglesia, aunque está claro que los apóstoles eran testigos autorizados. Juan tampoco ofrece una enseñanza directa sobre el bautismo o la Cena del Señor, aunque su enseñanza sobre la salvación que Jesús llevó a cabo apunta a ambos de forma secundaria. Juan hace hincapié en el amor que debe caracterizar a los verdaderos discípulos, señalando la abnegación de Jesús como paradigma del amor.

La literatura paulina

El término que Pablo suele utilizar para designar a las comunidades que estableció es *ekklēsia* ("iglesia").[146] La palabra *ekklēsia* proviene del Antiguo Testamento, donde el pueblo de Israel era el *qĕhal yhwh* (vg, Nm. 16:3; 20:4; Dt. 23:1, 8; 1 Cr. 28:8) o *qĕhal yiœrāʾēl* (p. ej., Ex. 12:6; Lv. 16:17; Nm. 14:5). El primero solía traducirse en la LXX como *ekklēsia kyriou*. Pablo utiliza a menudo la expresión "iglesia de Dios" (1 Co. 1:2; 10:32; 11:22; 15:9; 2 Co. 1:1; Gl. 1:13; 1 Ti. 3:5; cf. 1 Co. 11:16; 1 Ts. 2:14; 2 Ts. 1:4; 1 Ti. 3:15). El uso de esta expresión con referencia a los conversos de Pablo demuestra que él concebía la iglesia como el verdadero Israel, el nuevo pueblo de Dios y el cumplimiento de lo que Dios pretendía con Israel. Esto no significa

---

[145] Contra la opinión de que el discurso se refiere a la Eucaristía, véase Dunn 1971. Koester habla de "ecos" (2003: 103).

[146] Este apartado se basa en Schreiner 2001: 331-410. A menudo utilizo la redacción exacta, pero el material aquí está abreviado, revisado y, en algunos casos, ampliado.

necesariamente que no exista un papel o un futuro para el Israel étnico (como argumentaré en el capítulo 19).

Pablo se refiere a menudo a las asambleas y reuniones locales como iglesias (Ro. 16:5, 23; 1 Co. 1:2; 16:19; 2 Co. 1:1; Col. 4:15, 16; 1 Ts. 1:1; 2 Ts. 1:1; Flm. 2). La mayoría de los eruditos creen que en Roma existían al menos cuatro o cinco iglesias domésticas (Ro. 16:5, 10-11, 14-15).[147] A veces Pablo utiliza el plural "iglesias", pero se indica una localidad, lo que sugiere un número de iglesias locales en un determinado entorno geográfico: "las iglesias de Galacia" (1 Co. 16:1; Gl. 1:2); "las iglesias de Asia" (1 Co. 16:19); "las iglesias de Macedonia" (2 Co. 8:1); "las iglesias de Judea" (Gl. 1:22).

Pablo también utiliza el plural "iglesias" para referirse a las diversas asambleas locales (Ro. 16:4, 16; 1 Co. 11:16; 14:33, 34; 16:1, 19; 2 Co. 8:1, 18-19; 11:8, 28; 12:13; Gl. 1:2, 22; 1 Ts. 2:14; 2 Ts. 1:4). Esto no resta autenticidad a las asambleas locales, pero el plural subraya la interrelación y la unidad entre varias iglesias. Pablo también apela a la pluralidad de iglesias cuando considera que una iglesia en particular está equivocada. Recuerda a los corintios que las demás iglesias siguen la costumbre relativa al velo de las mujeres (1 Co. 11:16), y que en todas las demás asambleas las mujeres guardan silencio (1 Co. 14:33-34). Sus instrucciones sobre permanecer en la vocación propia no son exclusivas de Corinto, sino que representan lo que dice "en todas las iglesias" (1 Co. 7:17). La responsabilidad del cuidado mutuo mueve a Pablo a recordar a los corintios la pluralidad de las iglesias cuando les pide y exhorta a contribuir a la colecta (1 Co. 16:1; 2 Co. 8:1, 18, 19, 23; 11:8; 12:13).

Los académicos que cuestionan la autoría paulina de Colosenses y Efesios suelen dudar de que Pablo se refiriera alguna vez a la iglesia universal. Pero es probable que O'Brien tenga razón al afirmar que la iglesia debe considerarse como una asamblea celestial.[148] Los que creen en Cristo ya pertenecen a la asamblea de Dios situada en los cielos. Incluso en las cartas comúnmente reconocidas como paulinas, Pablo se refiere ocasionalmente a la iglesia como un todo sin restringirla a una sola localidad (p. ej., 1 Co. 12:28).[149] El énfasis

---

[147] Véase Schreiner 1998: 797-98.

[148] O'Brien 1987a: 88-119, esp. 93-98.

[149] Contra la lectura de este texto en Dunn 1998: 578-79. Quizá exista una referencia más amplia en 1 Corintios 15:9; Gálatas 1:13; Filipenses 3:6.

en la iglesia universal (o la asamblea celestial) es más evidente en Colosenses y Efesios.[150]

Como señalamos anteriormente, las iglesias locales se mencionan en Colosenses (Col. 4:15-16). Pero también se encuentran referencias a la iglesia universal. Se dice que Cristo es "la cabeza del cuerpo que es la iglesia" (Col. 1:18; cf. 1:24). Podríamos restringir estos dichos a la iglesia local, pero la frase "el cuerpo, la iglesia" apunta a la asamblea celestial. Con todo, hay que admitir que el uso sigue siendo fluido, pues no se pretende disociar la iglesia universal de la local, aunque se haga hincapié en la asamblea celestial.

El énfasis en la iglesia universal es más evidente en Efesios. Quizá esto se deba a que la carta es una encíclica. Jesús es la cabeza de la iglesia (Ef. 1:22). A través de la iglesia, la sabiduría de Dios se revela a las potencias angélicas (Ef. 3:10). La gloria corresponde a Dios en la iglesia (Ef. 3:21). El paralelismo entre esposos y esposas y Cristo y la iglesia recibe amplia atención en Efesios 5:22-33 (véase especialmente Ef. 5:32). Cristo es la cabeza de la iglesia (Ef. 5:23), y la iglesia está sujeta a Cristo (Ef. 5:24). Cristo demostró su amor por la iglesia con su muerte (Ef. 5:25). Aunque la atención se centra en la iglesia universal, los límites entre la iglesia universal y la local siguen siendo algo difusos. De todos modos, Pablo centra su discurso en la iglesia en su conjunto.

El cuerpo y la unidad de la iglesia

La metáfora más conocida referente a la iglesia en los escritos paulinos es el cuerpo de Cristo. Los estudiosos se han quedado fascinados con el origen de la metáfora.[151] No se puede demostrar ninguna teoría y, al final, de dónde sacó Pablo la idea es menos importante que cómo la utilizó. Lo primero no puede ser más que una hipótesis, pero lo segundo puede explorarse a partir de las cartas de Pablo.

En las primeras cartas de Pablo, la metáfora del cuerpo se utiliza para enfatizar la unidad de la iglesia. En 1 Corintios 10:16-17 se forja una analogía entre el único pan compartido en la Cena del Señor y el cuerpo de Cristo. Compartir la copa implica compartir los beneficios de la sangre de Cristo, y compartir el pan implica compartir los beneficios de la muerte de Cristo (1 Co.

---

[150] Véase Roloff, *EDNT* 1:414-15.
[151] Para un resumen del debate, véase Dunn 1998: 549-551.

10:16).[152] Pablo detecta un significado en el hecho de que haya "un solo pan" (1 Co. 10:17). La unidad del pan demuestra que los creyentes son un solo cuerpo, es decir, que están unidos en Cristo.[153] La unidad procede de la fuente de su vida porque todos los creyentes participan del mismo pan. La vida de los creyentes deriva de su alimentación en el Señor crucificado y resucitado.

En 1 Corintios 12 se produce una extensa discusión sobre la iglesia como cuerpo. Las divisiones en torno a los dones espirituales causaron estragos en Corinto (1 Co. 12-14). Pablo intenta aportar perspectiva sin apagar el uso de tales dones en la comunidad. Su tema principal es la unidad en la diversidad (véase también Ro. 12:4-5). Pablo recuerda a los corintios que la diversidad no anula la unidad, sino que es expresión de ella. La metáfora del cuerpo domina 1 Corintios 12:12-27. El cuerpo es uno y, sin embargo, tiene muchos miembros diferentes; la variedad de miembros no anula el hecho de que haya un solo cuerpo. La unidad del cuerpo se hace realidad en el bautismo, donde los creyentes son bautizados en un solo cuerpo (1 Co. 12:13).[154] Por definición, el cuerpo único también se caracteriza por la diversidad (1 Co. 12:14), ya que los cuerpos se componen de muchos miembros. Ningún miembro del cuerpo debe sentirse inferior o superior (1 Co. 12:15-24), pues todos los miembros son necesarios. La unidad del cuerpo se manifiesta en el cuidado mutuo, de modo que todos participan de la alegría o la tristeza de los demás (1 Co. 12:25-26).

Algunos académicos dudan de que Pablo escribiera Efesios y Colosenses, y citan en apoyo de esta opinión, entre otras razones, que la metáfora del cuerpo cambia. Aquí Pablo habla de Cristo como *cabeza* del cuerpo (Ef. 1:22-23; 4:16; 5:23; Col. 1:18; 2:19) en lugar de utilizar el término "cabeza" como hizo en Corintios para designar a un miembro del cuerpo.[155] Entender la iglesia como el cuerpo de Cristo es una metáfora, y es habitual cambiar una metáfora para expresar un punto de vista diferente. Quienes se oponen a tal cambio interpretan las metáforas de forma demasiado rígida. En este caso, Pablo hace hincapié en el señorío de Cristo sobre la iglesia.

---

[152] Véase Fee 1987: 467–69; Barrett 1968: 232.

[153] Véase Stuhlmacher 1993: 83-84.

[154] El bautismo lo realiza Jesús en el Espíritu y no el Espíritu (contra Dunn 1970a: 127-28; O'Donnell 1999: 311-36).

[155] Entre los representantes modernos de quienes dudan de la autoría paulina figuran Best 1998: 6-40; Lincoln 1990: lix-lxxiii. Para defensas convincentes de la autoría paulina, véase Hoehner 2002: 2-61; O'Brien 1999: 4-47.

La unidad es también un tema presente Efesios y Colosenses. Los creyentes deben dejar que la paz de Cristo domine su vida corporativa, pues fueron llamados a esa armonía como cuerpo de Cristo (Col. 3:15). En Efesios 2:11-3:13, Pablo subraya la unidad de judíos y gentiles en Cristo. En virtud de la obra de Cristo en la cruz, judíos y gentiles ya no están separados unos de otros, ni están separados de Dios. Ambos han sido reconciliados "con Dios... en un cuerpo por medio de la cruz" (Ef. 2:16). Se destaca la inclusión de los gentiles porque antes estaban separados del pueblo del pacto y de las promesas de Israel.

Cristo ha venido y ha derribado la barrera que separaba a judíos y gentiles. La paz establecida entre judíos y gentiles, expresada en el "único cuerpo" que ahora comparten, tiene sus raíces en el evangelio, el mensaje del Señor crucificado y resucitado (Ef. 2:17-18). Es este evangelio el que proclama la paz a los que están cerca y a los que están lejos. Es sobre la base de este evangelio que tanto judíos como gentiles tienen acceso a Dios por medio del Espíritu. Pablo se alegra de que los gentiles ya no sean extranjeros ni forasteros, sino conciudadanos de Israel y miembros de la casa de Dios. De nuevo surge el tema de que la iglesia es el verdadero Israel.[156] El misterio revelado a Pablo es que los gentiles son "coherederos, miembros del mismo cuerpo [*syssōma*], participando igualmente de la promesa en Cristo Jesús mediante el evangelio" (Ef. 3:6).[157]

Puesto que la iglesia es tan extraordinaria, no nos sorprende saber más adelante que "la infinita sabiduría de Dios puede ser dada a conocer ahora por medio de la iglesia" (Ef. 3:10). La iglesia encarnó el plan de Dios para la historia, revelando a toda la creación la sabiduría y la profundidad del plan salvífico de Dios. La iglesia es el lugar de la gloria de Dios, el teatro en el que despliega su gracia y su amor. La iglesia muestra la sabiduría de Dios, declarando a todo el universo que el desarrollo de la historia no es arbitrario,

---

[156] Lincoln (1987: 608-17) sostiene que la incorporación de los gentiles al pueblo de Dios no debe interpretarse como si los gentiles pasaran a formar parte de Israel. En su lugar, la iglesia se concibe como una nueva entidad, una nueva creación, de modo que la iglesia es una "tercera raza", por así decirlo. Otros hablan de la iglesia como un "Israel recreado" (Grindheim 2003: 537).

[157] Grindheim (2003: 533) argumenta que el misterio "es el cumplimiento de algo planeado por Dios, algo que antes era desconocido, pero ahora proclamado". Grindheim (2003: 531-53) sostiene con razón que la salvación futura de los gentiles fue prometida en el AT, de modo que la novedad no consiste en la promesa de salvación, sino en la inclusión de los gentiles en el pueblo de Dios al margen de la ley mosaica.

sino que cumple el plan de Dios. Puesto que la iglesia es el centro de los designios de Dios, Pablo la exhorta a estar a la altura de su vocación (Ef. 4:1-3). Cuando la iglesia sigue a su Señor, honra a Dios y al Señor Jesucristo. La iglesia cumple su vocación especialmente cuando mantiene "la unidad del Espíritu en el vínculo de la paz" (Ef. 4:3). Ya hemos visto en Efesios 2:11-3:13 que la unidad de la iglesia se estableció mediante la sangre de Cristo. La iglesia no está llamada a crear la unidad, sino a preservar la que ya existe. La base de esta unidad se proclama de nuevo en Efesios 4:4-6.

La unidad del cuerpo sigue siendo un tema recurrente en el debate sobre los dones espirituales (Ef. 4:7-16). Se conceden diversos dones a la iglesia para que el cuerpo sea edificado (Ef. 4:12). Esta edificación se define además como "unidad de la fe" (Ef. 4:13). Dicha unidad se realiza cuando los creyentes llegan al conocimiento del Hijo de Dios, cuando crecen hasta la madurez y alcanzan la plena estatura de Cristo (Ef. 4:13). Esta visión de la iglesia no se cumplirá perfectamente hasta el día de la redención, pero Pablo espera que se alcance en cierta medida en esta época. La iglesia se estabilizará para que no se vea sacudida por toda enseñanza nueva y tortuosa (Ef. 4:14).

La unidad que Pablo prevé, por tanto, no puede describirse meramente como sentimientos de armonía y amor, por muy importante que sea la expresión del amor. La unidad exigida está arraigada en la verdad y se ve amenazada por la enseñanza desviada. La unidad solo se hará realidad si la iglesia es fiel a la verdad del evangelio y evita las enseñanzas contrarias a este. Por lo tanto, según Efesios 4:15, la iglesia crecerá en su cabeza solo a través de la proclamación de la verdad del evangelio. Este versículo no dice simplemente que los creyentes deben decir la verdad en amor, sino que la verdad del evangelio debe anunciarse con amor, pues el contexto se centra en los dones que Cristo ha dado a la iglesia para hablar la Palabra y advierte contra el peligro de la falsa enseñanza.[158]

El tema de la unidad de la iglesia es tan omnipresente que es necesario repasar brevemente algunos textos. En Romanos, por ejemplo, Pablo escribe para unir a las iglesias romanas en torno a su evangelio para que apoyen su travesía a España. La sección sobre los débiles y los fuertes (Ro. 14:1-15:13)

---

[158] Véase Lincoln 1990: 259-60; Best 1998: 406-8; O'Brien 1999: 310-11. Hoehner (2002: 564-65), por el contrario, interpreta la frase en el sentido de que debemos vivir sinceramente en el amor.

indica que la iglesia estaba polarizada en torno a los alimentos impuros y la observancia de los días. Pablo difícilmente podría convencer a la iglesia de que apoyara la difusión del evangelio si se peleaban por diversos asuntos. El objetivo de Pablo era trabajar por la armonía entre judíos y gentiles, "para que unánimes, a una voz, glorifiquen al Dios y Padre de nuestro Señor Jesucristo" (Ro. 15:6). La iglesia de Corinto también experimentó divisiones a causa de la comida (1 Co. 8:1-11:1). El texto difiere en varios aspectos de Romanos 14:1-15:13, pero el deseo de unidad es paralelo al de Romanos 14-15.

Los corintios también estaban divididos sobre su estimación de los líderes de la iglesia (1 Co. 1:10-4:21), de modo que unos seguían a Pablo, otros a Apolos, otros a Cefas, y aparentemente otros decían que seguían a Cristo. Pablo estaba intensamente preocupado por sus facciones porque los cultos a la personalidad anulan la cruz de Cristo. Él quería que la iglesia se uniera sobre la base de la cruz, que socava el orgullo humano. Las facciones existían no porque Pablo y Apolos tuvieran teologías diferentes (de lo contrario, Pablo no habría animado a Apolos a visitar Corinto [1 Co. 16:12]), sino más bien porque el apego a un líder frente a otro complacía el ego de los corintios. Existe evidencia significativa que sugiere que la iglesia filipense estaba plagada de desunión.[159] Pablo exhorta específicamente a Evodia y Síntique a que lleguen a la paz (Fil. 4:2-3), pidiendo a otros creyentes que les ayuden a hacerlo. La continua exhortación a la unidad (Fil. 1:27-2:4) sugiere que era necesario remediar un grave problema en la iglesia.

La iglesia como templo y como pueblo

Pablo no suele llamar a la iglesia templo (*naos*) de Dios. Sin embargo, el hecho de que lo haga (1 Co. 3:16-17; 2 Co. 6:16; Ef. 2:21) es significativo porque el templo era fundamental para los judíos, uno de los pilares sobre los que descansaba el judaísmo.[160] Tampoco se hace referencia a sacerdotes como funcionarios del culto, ni se recomiendan sacrificios, ya que el único sacrificio definitivo es el de Cristo. Tener una "religión" sin templo, sacerdotes ni sacrificios habría parecido bastante extraño en el mundo grecorromano. La novedad del evangelio surge precisamente en este punto. El nuevo edificio de

---

[159] Véase Peterlin 1995, aunque hace demasiado hincapié en su percepción.
[160] Para el tema de la iglesia como nuevo templo en Pablo, véase Beale 2004: 245-68.

Dios no puede limitarse a una estructura física, sino que es la iglesia (1 Co. 3:9); es decir, el pueblo de Dios es su morada. El fundamento de este edificio es Jesucristo, y el Espíritu mora en los creyentes, no en el templo de Jerusalén (1 Co. 3:16).

En 2 Corintios 6:16, Pablo aclara que la imaginería del templo del Antiguo Testamento se cumple en la morada de Dios en su pueblo corporativamente. La impureza no se contrae a través de la comida impura o la violación de otras normas levíticas, sino a través del pecado (2 Co. 7:1). La imaginería del templo se encuentra también en la palabra "acceso" (*prosagōgē*). El acceso a Dios está disponible no a través de algún proceso cúltico, sino más bien a través de la fe en Cristo (Ro. 5:2). Los creyentes ahora tienen acceso a Dios no a través del sistema de sacrificios y el templo de Jerusalén, sino más bien en el Espíritu sobre la base de la cruz de Cristo (Ef. 2:18). Como los gentiles son ahora parte del templo de Dios, son miembros de su casa (*oikeioi* [Ef. 2:19]). En el templo, el patio de los gentiles estaba separado del patio de los israelitas, y una famosa señal colocada allí proclamaba que cualquier gentil que entrara en los recintos prohibidos del templo sería asesinado.[161] En el nuevo templo de Dios, judíos y gentiles ya no están separados unos de otros, sino que son miembros iguales de la misma casa.

En Efesios se afirma que la iglesia está edificada sobre el fundamento de los apóstoles y profetas, en lugar de sobre Cristo (Ef. 2:20). A primera vista, esto parece contradecir 1 Corintios 3:10-11, donde el fundamento de la casa se limita a Jesucristo. Pero debemos evitar hacer una lectura demasiado rígida de las metáforas, esperando que Pablo utilice siempre la misma metáfora con el mismo propósito. En realidad, el texto de Efesios se refiere a lo mismo que 1 Corintios 3:10-11. Jesucristo es la piedra angular del edificio (Ef. 2:20); es decir, es el elemento crucial de todo el edificio.[162] Todo el edificio toma de él su forma y estructura.[163] Tal afirmación comunica la misma verdad articulada en 1 Corintios 3:10-11, donde se anuncia a Jesucristo como el único

---

[161] "Ningún hombre de otra raza debe entrar dentro de la valla y el recinto que rodea el Templo. Quien sea sorprendido tendrá que atribuirse a sí mismo la muerte que le sobrevenga" (citado en Lincoln 1990: 141).

[162] Sobre Cristo como piedra angular, véase Hoehner 2002: 404-7. Contra Lincoln (1990: 154-56), que ve aquí a Cristo como la piedra de tope.

[163] Schlatter (1999: 188) capta la verdad de que Pablo no se veía a sí mismo como un héroe, ni enseñaba que los creyentes debieran fijarse en él o en su grandeza. Por el contrario, exaltaba a Dios y a Cristo.

fundamento de la iglesia. Decir que los apóstoles y profetas son el fundamento de la iglesia no es una auténtica contradicción, ya que la enseñanza de los apóstoles y profetas debe adherirse al evangelio de Jesucristo para tener autoridad.

Los creyentes son el templo de Dios en Cristo y son "juntamente edificados para morada de Dios en el Espíritu" (Ef. 2:22). La teología aquí es similar a la que hemos visto en 1 Corintios 3:16 y 2 Corintios 6:16: la iglesia es el templo de Dios. En este sentido, Efesios no representa un avance con respecto a las cartas corintias. Las epístolas pastorales tampoco se apartan de la genuina enseñanza paulina al decir que la iglesia es "la casa de Dios" (1 Ti. 3:15).[164] Es probable que la imagen del templo esté presente aquí, pero también existe la idea de que la iglesia está estructurada como una casa (1 Ti. 3:4-5, 12; 5:4).

El Antiguo Testamento se refiere a menudo a Israel como el "pueblo" (*laos*) de Dios. Resulta algo sorprendente lo poco que Pablo emplea este término para referirse a la iglesia de Jesucristo (Ro. 9:25-26; 2 Co. 6:16; Tit. 2:14).[165] El uso del término indica, sin embargo, que las bendiciones de Israel se cumplen ahora en la iglesia de Cristo, ya que en Romanos 9 Pablo recoge el lenguaje de Oseas 1:9; 2:23 y lo aplica a la iglesia.

Dones espirituales

Al leer 1 Corintios 12-14, notamos que las contiendas en torno a los dones espirituales dividían a la iglesia corintia. La siguiente tabla enlista los dones espirituales mencionados por Pablo.

---

164 Algunos (p. ej., Marshall 1999: 507-8) piensan que aquí no nos encontramos con la imaginería del templo, sino con una ilustración del hogar secular (cf. 1 Ti. 3:4-5). Pero no hay necesidad de un "o lo uno o lo otro" aquí, ya que el lenguaje de columna y apoyo también sugiere una referencia a un edificio (Knight 1992: 179-80; W. Mounce 2000: 220-21).

165 Marshall (1999: 285-86) sostiene que el uso del término *laos* en Tito 2:14 muestra que el lenguaje veterotestamentario para referirse al pueblo de Dios se aplica ahora a la iglesia de Jesucristo. Los textos veterotestamentarios aludidos (Ex. 19:5; Dt. 7:6; 14:2; 26:18) apuntan a esta conclusión (véase Knight 1992: 328; W. Mounce 2000: 431-32).

1 Co. 12:8–10	1 Co. 12:28–30	Ro. 12:6–8	Ef. 4:11
Palabra de sabiduría	Apóstoles	Profecía	Apóstoles
Palabra de conocimiento	Profetas	Servicio	Profetas
Fe	Maestros	Enseñanza	Evangelistas
Sanidad	Milagros	Exhortación	Pastores-Maestros
Milagros	Sanidad	Dar	
Profecía	Ayudas	Dirigir	
Discernimiento de espíritus	Administraciones	Misericordia	
Lenguas	Lenguas		
Interpretación de lenguas	Interpretación de lenguas		

El énfasis en el *carisma* y el Espíritu en relación con los dones pone de relieve un importante tema paulino.[166] Los dones no son una indicación de mayor espiritualidad. Al parecer, los corintios se inclinaban a creer que un don como el de lenguas demostraba la presencia del Espíritu de una manera más notable.[167] Pablo rechaza de plano tal idea. Cualquier capacidad que uno tenga deriva de Dios y es el resultado de su gracia. No se permite ninguna jactancia humana. "Pero todas estas cosas las hace uno y el mismo Espíritu, distribuyendo individualmente a cada uno según Su voluntad" (1 Co. 12:11).

---

[166] Sobre los dones espirituales en Pablo, véase el cuidadoso estudio de Dunn 1975b: 199-258.

[167] Véase Fee 1987: 571-73; Garland 2003: 558-59.

El don que uno tiene se atribuye a la soberanía del Espíritu y no puede atribuirse a la propia espiritualidad.

Puesto que los dones son el resultado de la gracia y la soberanía de Dios, se deduce que todos los dones se ejercen bajo el señorío de Cristo. Pablo comienza su análisis de los dones espirituales en 1 Corintios 12:1-3 afirmando que nadie reconoce que "Jesús es el Señor" si no es por obra del Espíritu Santo (1 Co. 12:3). El estandarte sobre todos los dones es la aclamación del señorío de Cristo, y la inspiración para todos los dones proviene del Espíritu Santo. Por tanto, la intención de Dios es que exista una diversidad (*diairesis*) de dones (1 Co. 12:4-6). Se rechaza toda idea que sugiera que todos los creyentes ejercerán el mismo don (1 Co. 12:27-30). Tampoco *deberían* todos los creyentes ejercer el mismo don. Sería un cuerpo extraño si todos fueran un ojo o una oreja (1 Co. 12:17). Un cuerpo, por definición, se compone de diversos miembros (1 Co. 12:12, 14; Ro. 12:4-5).

Los dones no se conceden con fines narcisistas, sino "para el bien común" (1 Co. 12:7). Por lo tanto, ningún cisma debe perjudicar al cuerpo, sino que los miembros deben cuidarse los unos a los otros (1 Co. 12:25-26). Pablo se esfuerza en 1 Corintios 14 por comunicar que los dones están destinados a edificar a los demás. No considera útiles las lenguas sin interpretación en la asamblea, porque no edifican a los demás (1 Co. 14:1-5). La profecía es preferible a las lenguas porque los demás son edificados, animados y consolados (1 Co. 14:3). La edificación y el entendimiento están indisolublemente conectados para Pablo (1 Co. 14:26).

En Efesios 4, el propósito de conceder personas dotadas a la iglesia es "equipar a los santos para la obra del ministerio, para la edificación del cuerpo de Cristo" (Ef. 4:12). La unidad en la fe —la verdad doctrinal del evangelio— indica que la edificación es una realidad (Ef. 4:13). El énfasis en la comprensión es notable. Dejarse llevar por enseñanzas nuevas y peligrosas es prueba de inmadurez (Ef. 4:14). Los creyentes maduros, en cambio, reciben la verdad sobre Cristo y así crecen. La edificación se hace realidad mediante la enseñanza y la comprensión adecuadas (Ef. 4:15-16). El énfasis en el aprendizaje no es sorprendente cuando las personas dotadas que se enumeran son apóstoles, profetas, evangelistas y pastores y maestros (Ef. 4:11). Esto no quiere decir que solo algunos cristianos desempeñen un papel en la edificación del cuerpo de Cristo. El cuerpo crece gracias a la contribución de todas y cada una de sus partes (Ef. 4:16: *en metrō henos hekastou merous*).

Quizás la perspectiva más importante sobre los dones espirituales es la que aparece en 1 Corintios 13. Este capítulo se inserta intencionadamente en medio de la discusión sobre los dones espirituales. No debe explicarse como una digresión o algo ajeno al propósito principal de 1 Corintios 12-14, como si no tuviera relación con el contenido de los dos capítulos que lo rodean por ambos lados. El amor mutuo es mucho más importante que el ejercicio de cualquier don. Exaltar los dones por encima del amor da primacía a lo temporal frente a lo eterno, a lo superficial y parcial frente a lo duradero y completo (1 Co. 13:8-13).

Hemos estado examinando los dones en general, pero no se han definido los dones específicos identificados por Pablo. La mayoría de los eruditos están de acuerdo en que las listas no son exhaustivas, sino más bien representativas, aunque cualquier don adicional probablemente podría incluirse en una de las categorías que se encuentran en Romanos 12:6-8. El espacio impide definir aquí todos los dones, por lo que nos centraremos en aquellos que son controvertidos o especialmente importantes. Al igual que en 1 Pedro 4:10-11, los dones enumerados pueden clasificarse bajo los epígrafes de servicio y enseñanza, y todos tienen como fin el crecimiento de la iglesia.

La enseñanza se menciona específicamente en Romanos 12:7; 1 Corintios 12:28. También es probable que Pablo se refiera al mismo don cuando habla de "pastores y maestros" en Efesios 4:11. La enseñanza difiere de la profecía en que está arraigada en la tradición previamente transmitida y depende de ella.[168] No conlleva una palabra espontánea, sino más bien una explicación de una palabra ya dada. Pablo subraya en más de una ocasión que las iglesias deben ajustarse a las tradiciones transmitidas (Ro. 6:17; 16:17; 2 Ts. 2:15; 1 Ti. 4:11; 6:2; 2 Ti. 2:2; Tit. 1:11). Tales tradiciones necesitarían ser enseñadas y explicadas.

Los dones más difíciles de definir probablemente son la profecía, las lenguas y el apostolado. La profecía se puede definir como la comunicación

---

[168] Véase Greeven 1952-1953: 19-23; Ridderbos 1975: 453; Rengstorf, *TDNT* 2:147; Aune 1983: 217.

de revelaciones de Dios en una expresión espontánea.[169] En 1 Corintios 14:6, por ejemplo, es probable que las palabras "revelación" y "profecía" sean términos que se superponen (cf. 1 Co. 14:26). La estrecha relación entre profecía y revelación queda cimentada en 1 Corintios 14:29-33a. Especialmente instructivo es 1 Corintios 14:30, que describe la profecía en términos de una revelación concedida repentinamente a alguien que está sentado.

El don más controvertido tratado por Pablo es el de las lenguas. Aparentemente, los corintios creían que hablar en lenguas era una marca de mayor espiritualidad, y quizás apoyaban su escatología sobrerrealizada refiriéndose a su habilidad de hablar en lenguas. Por tanto, Pablo tuvo que poner este don en la perspectiva apropiada. Las lenguas son un don de Dios y no deben ser despreciadas o prohibidas (1 Co. 14:39), y sin embargo no deben ser confundidas con la entrada a una existencia celestial. Las lenguas, la profecía y el conocimiento pertenecen a lo que es parcial, y cesarán cuando llegue lo perfecto en la segunda venida de Cristo (1 Co. 13:8-12).

Las lenguas sin su correspondiente interpretación no edifican (1 Co. 14:1-19) porque nadie entiende lo que se dice, y la preocupación primordial de Pablo en su discusión sobre las lenguas y la profecía es la edificación de la iglesia. En la iglesia de Corinto reinaba la confusión, por lo que limitó el hablar en lenguas a dos o tres personas (1 Co. 14:27-28). Si falta un intérprete, el que habla en lenguas debe guardar silencio. Pablo rechaza la idea de que el don se apodere de los creyentes de manera que pierdan el control. Los "dones espirituales de los profetas están sujetos a los profetas" (1 Co. 14:32 mi traducción). Los creyentes pueden y deben controlar lo que hacen.

Para Pablo, ¿el hablar en lenguas implica lenguas extranjeras, o se trata de algún tipo de pronunciación extática?[170] En Hechos 2 el don parece consistir en lenguas humanas, porque personas de todo el mundo oyen a los apóstoles "hablar en la lengua materna de cada uno" (Hch. 2:6 NRSV), "cada uno de

---

[169] Para interpretaciones similares de la profecía, véase Aune 1983: Grudem 1982; Turner 1996: 185-220; Hays 1997: 234, 242; Forbes 1995: 218-21, pero Forbes distingue en algunos aspectos las concepciones lucana y paulina.

[170] Sobre la naturaleza del hablar en lenguas, véanse los convincentes argumentos de Forbes 1995: 44-74, 92-102; véase también Gundry 1966. El punto de vista dominante se defiende en Garland 2003: 583-86; Fee 1987: 598. Y véase especialmente la discusión increíblemente detallada y muy esclarecedora en Thiselton 2000: 970-88.

NRSV – New Revised Standard Version

nosotros en nuestra propia lengua en la que hemos nacido" (Hch. 2:8 mi traducción), "en nuestras propias lenguas" (Hch. 2:11 NRSV). No existe evidencia en ninguna otra parte de Hechos que sugiera que el hablar en lenguas tiene un carácter diferente (Hch. 10:44-48; 19:6). Parece inverosímil que una clase diferente de lenguas esté en mente en los capítulos subsecuentes en Hechos, puesto que Lucas no da ninguna indicación de una variación con respecto a la primera instancia.

La mayoría de los académicos, empero, creen que Pablo difiere de Lucas, y desde luego esto es posible. Es improbable, sin embargo, que las lenguas sean simplemente una expresión extática sin ningún código subyacente, porque Pablo también incluye el don de interpretación.[171] La interpretación de las lenguas no puede ocurrir a menos que las lenguas tengan algún tipo de código descifrable. La palabra "lengua" (*glōssa*) sugiere algún tipo de lenguaje, algún tipo de código. Algunos eruditos sostienen que las lenguas en vista son las lenguas de los ángeles (véase 1 Co. 13:1). En este caso, la lengua podría calificarse como idioma y, sin embargo, el código del lenguaje sería indiscernible para los seres humanos.[172] Sin embargo, la referencia a las lenguas de los ángeles también podría ser una floritura retórica por parte de Pablo. Ciertamente, incurre en hipérbole en 1 Corintios 13:2 cuando habla de un don de profecía que capta "todos los misterios" y "todo conocimiento". Del mismo modo, añadir "lenguas de ángeles" a "lenguas humanas" (1 Co. 13:1 NRSV) puede ser hiperbólico.

El argumento más fuerte a favor de que las lenguas son algún tipo de lenguaje de oración extática se encuentra en 1 Corintios 14:2. Los que hablan en lenguas "no hablan a la gente, sino a Dios; porque nadie entiende, sino que habla misterios por [o 'en'] el Espíritu" (mi traducción). En Hechos 2, por otro lado, los que hablan en lenguas proclaman a la gente "las maravillas de Dios" (Hch. 2:11) y los presentes sí entienden lo que se dice. Así, 1 Corintios 14 describe una lengua incomprensible y dirigida solo a Dios, mientras que Hechos 2 se refiere a una lengua que la gente entiende y que habla de Dios.

A pesar de que la mayoría de los intérpretes parecen estar a favor de las expresiones extáticas, yo sigo sin estar convencido, pues ambos pasajes deben

---

[171] Para una visión alternativa, véase Thiselton 1979. Para una refutación convincente de Thiselton, véase Forbes 1995: 65-72.

[172] Para este punto de vista, véase Fee 1987: 597-98, 630-31; Carson 1987b: 77-88.

leerse en su contexto, no como textos de prueba aislados. En 1 Corintios 14:1-5 Pablo argumenta que la profecía es superior a las lenguas porque es comprensible. Las lenguas interpretadas, por otro lado, son equivalentes a la profecía porque la gente puede entender lo que se dice.

El comentario de Pablo acerca de las lenguas en 1 Corintios 14:2 debe ser entendido cuidadosamente. Aquí la referencia son las lenguas no interpretadas. Si no hay un intérprete presente, entonces nadie puede entender lo que el que habla la lengua dice. El hablante pronuncia misterios que son incomprensibles para todos los que están presentes y habla "a Dios" en el sentido de que solo Dios entiende lo que se dice. Tal declaración sobre las lenguas no contradice Hechos 2. Las lenguas son comprensibles en Hechos 2 solamente porque los que entendían las lenguas habladas estaban presentes.

Los que hablaban en lenguas estaban hablando misterios, porque presumiblemente no tenían idea del significado de sus expresiones. Incluso en 1 Corintios 14:1-5 Pablo está de acuerdo en que hablar en lenguas deja de ser un misterio si un intérprete puede traducir lo que se dice. No hay evidencia convincente, por lo tanto, para decir que Hechos y 1 Corintios se refieren a dos diferentes dones de lenguas. En ambos casos se trata de lenguas con un código discernible. Esta idea no es refutada por 1 Corintios 14:2, porque aquí Pablo simplemente describe la naturaleza de las lenguas sin un intérprete. En tal caso, nadie más que Dios entiende lo que se dice. Sin embargo, si un intérprete está presente, entonces la lengua ya no es un misterio.

Pablo se refiere a los dotados como apóstoles en 1 Corintios 12:28-29 y Efesios 4:11.[173] Por lo general, Pablo utiliza la palabra *apostolos* para referirse a su propio ministerio autorizado, pero no debemos concluir de ello que el término sea invariablemente técnico. Por ejemplo, en 2 Corintios 8:23 y Filipenses 2:25 se define mejor como "mensajero", sin sugerencia de autoridad especial (véase también Ro. 16:7). Es probable que el término "apóstoles", tanto en 1 Corintios 12:28-29 como en Efesios 2:20; 3:5; 4:11, se utilice en un sentido técnico. Parece que Pablo no esperaba que apareciera ningún apóstol después de él, pues afirma que él es el último de los apóstoles (1 Co. 15:7-8).

---

173 Garland (2003: 599) sostiene que los apóstoles de 1 Corintios 12:28 "parecen ser un círculo cerrado". Así también Thiselton (2000: 1015), quien argumenta que en 1 Corintios 12:28 se piensa en "apóstoles escatológicos" que "no tuvieron sucesores".

El carácter distintivo de los apóstoles emerge en la afirmación de que la iglesia está edificada sobre el fundamento de los apóstoles y profetas (Ef. 2:20). Una vez que se han puesto los cimientos, tales apóstoles y profetas autoritativos resultan superfluos.[174] De hecho, la revelación de Dios en cuanto a la naturaleza de la iglesia (Ef. 3:5) ha sido dada a conocer únicamente a los apóstoles y profetas. Así, cuando Pablo dice en 1 Corintios 12:28 que primero están los apóstoles y luego los profetas, el pensamiento es similar al de Efesios 2:20, donde se enseña la función fundacional distintiva de los apóstoles y profetas.

Misión

Muchas teologías de Pablo y del Nuevo Testamento no dicen nada sobre la misión, pero Pablo era un teólogo misionero y un pastor misionero para sus iglesias. Vemos en Hechos y en sus cartas que viajaba constantemente para plantar iglesias con el fin de hacer avanzar su misión. La teología de Pablo impulsaba su misión. Bosch dice con razón que Pablo creía que los seres humanos fuera de Cristo estaban "completamente perdidos, en camino a la perdición".[175] Cuando Pablo piensa en los gentiles que no creían en Cristo y estaban fuera de Israel, los identifica como seres sin Cristo y sin Dios (Ef. 2:11-12). Los que no escuchen el evangelio serán juzgados, por lo que es imperativo que la Palabra se proclame hasta los confines de la tierra (Ro. 10:14-17).

Pablo no concibe la salvación como algo que ocurra a través de la revelación de la naturaleza (Ro. 1:18-32) o de la conciencia (Rom. 2:14-15), pues argumenta que quienes conocen a Dios a través del orden creado no tienen excusa, que suprimen la revelación que reciben. Así también, quienes conocen las normas morales de Dios, ya sea a través de la ley mosaica o de una especie de ley natural incorporada, perecerán a causa de su desobediencia (Ro. 2:12). Debemos recordar que lo que Pablo dice sobre la respuesta humana a la revelación a través de la naturaleza o la conciencia se encuentra en una sección que concluye con la universalidad del pecado, donde todos son condenados por su pecado (Ro. 3:9-20). Por tanto, la salvación solo llega mediante la fe en

---

174 Véase Hoehner 2002: 398-99.
175 Bosch 1991: 134.

Jesucristo. La teología de Pablo, por tanto, le impulsó a proclamar el evangelio tanto a judíos como a gentiles.

Pablo deseaba proclamar el evangelio en zonas vírgenes, para que Cristo fuera alabado donde antes era desconocido (Ro. 15:20-24; 2 Co. 10:13-16). Sus sufrimientos apostólicos fueron uno de los principales medios por los que se proclamó la Palabra del evangelio en nuevas zonas (Col. 1:24-29). Sus sufrimientos fueron un corolario de los sufrimientos de Cristo, en el sentido de que su sufrimiento fue el medio por el que la buena nueva se extendió a los gentiles.

Scott sostiene que Pablo estaba convencido por el Antiguo Testamento (Ez. 5:5; 38:12) de que Jerusalén era el centro u "ombligo" del mundo.[176] Su misión a los gentiles comenzó en Jerusalén y desde allí se extendió a las naciones del mundo. Lo que Scott subraya es que Pablo estaba influido por la tabla de naciones de Génesis 10, de modo que su misión particular era llegar a los jafetitas. De hecho, Scott piensa que Pablo anhelaba viajar a España porque la gente de allí era la última porción de los jafetitas que tenían que creer para que se completara la plenitud de los gentiles (Ro. 11:25). Schnabel plantea con razón una serie de problemas con este punto de vista, aunque aquí enumeraré solo unos pocos.[177]

En primer lugar, faltan pruebas claras de que Pablo se basara en la tabla de naciones, ya que nunca la menciona en sus escritos. En segundo lugar, la confianza de Pablo en la dirección divina pone en duda que siguiera la tabla de naciones. ¿Habría necesidad de guía si Pablo simplemente siguiera la tabla de naciones? En tercer lugar, Scott tiene que argumentar que el plan de Pablo para llegar a los jafetitas comenzó en el año 48 d.C., de modo que los primeros quince años, más o menos, de su labor misionera quedan fuera del plan. Si Scott está en lo cierto, ¿qué hizo que Pablo adoptara un nuevo esquema en el 48 d.C.? En cuarto lugar, Pablo no llegó a ciertas zonas que pertenecían a los jafetitas (Bitinia, Media y partes de Europa donde residían jafetitas). Es difícil ver por qué Pablo no se concentró en alcanzar a estos pueblos si se basó en la tabla de naciones. Quinto, si Pablo predicó en Asia fuera de Éfeso, y si proclamó el evangelio en Creta (Tito), entonces trabajó entre pueblos que no

---

[176] Scott 1995.
[177] Schnabel 2004a: 498-99; 2004b: 1298-99.

eran jafetitas. Parece, pues, que la intrigante sugerencia de Scott carece de pruebas suficientes para ser aceptada.

¿Alentó Pablo a las iglesias que plantó a que se dedicaran a la evangelización?[178] Sorprendentemente, la evidencia de que así lo hiciera es más bien escasa[179] No obstante, hay suficientes pruebas para concluir que Pablo deseaba que sus iglesias evangelizaran a otros.[180] Por ejemplo, en Filipenses 1:12-18 leemos que la mayoría de los creyentes hablaban la Palabra con más denuedo debido al encarcelamiento de Pablo. Además, es probable que en Filipenses 2:16 Pablo exhorta a la iglesia a proclamar la Palabra de vida,[181] demostrando que debían proclamar el evangelio a los de fuera. De hecho, Pablo alude a Daniel 12:3 en Filipenses 2:15, y los creyentes de Daniel brillan intensamente y convierten "a muchos a la justicia".

De la misma manera, cuando los filipenses brillen intensamente, extenderán la Palabra de vida a otros. Lo más probable es que Efesios 6:15 se refiera a la disposición para proclamar el evangelio, con una alusión a Isaías 52:7 como telón de fondo. Además, "la espada del Espíritu", que es "la Palabra de Dios" (Ef. 6:17), se refiere a la Palabra del evangelio. Puesto que la espada es un arma ofensiva, probablemente aluda al avance del evangelio en el mundo mediante la proclamación misionera. El llamamiento de Pablo a imitarle (1 Co. 4:16; 11:1) sugiere que se animaba a los corintios a difundir el evangelio, sobre todo porque 1 Corintios 11:1 se produce en un contexto en el que Pablo explica su deseo de vivir de tal manera que tanto judíos como gentiles, fuertes y débiles, sean ganados para el evangelio (1 Co. 9:19-23).[182]

Plummer sostiene que el carácter misionero de la iglesia está implícito en la propia naturaleza del evangelio.[183] Es una palabra poderosa que trae la salvación (Ro. 1:16). La palabra de la cruz, aunque necia a los ojos de los seres humanos, tiene poder salvador (1 Co. 1:17-25). La palabra del evangelio vino

---

[178] Para un estudio útil de los estudios sobre este tema, véase Plummer 2006: 1-42.

[179] Véase, por ejemplo, Bowers 1991.

[180] Véase Plummer 2006: 71-105; Schnabel 2004b: 1459-67; Köstenberger y O'Brien 2001: 191-98.

[181] La ESV traduce la palabra *epechontes* como "mantenerse firme", pero "sostener firmemente" es preferible según Plummer 2006: 74-77. Tal vez Pablo quiso dar aquí un doble sentido.

[182] Otros textos que apuntan a la actividad evangelizadora de las iglesias son 1 Corintios 7:12-16; 14:23-25 (véase Plummer 2006: 93-96). Véase también Tito 2:1-10 y el excelente análisis en Plummer 2006: 98-105.

[183] Véase la discusión completa en Plummer 2006: 50-64.

con el poder del Espíritu (1 Ts. 1:5). De hecho, la Palabra no puede ser atada, pues tiene un poder inherente (2 Ti. 2:9). Dondequiera que la Palabra viaja, da fruto y crece (Col. 1:5-6), lo que sugiere una fuerza incontenible. Esta palabra salvadora actúa eficazmente en todos los creyentes (1 Ts. 2:13). La Palabra resuena desde los tesalonicenses (1 Ts. 1:8), por lo que los creyentes deben orar por su difusión (2 Ts. 3:1).

Bautismo

En los escritos de Pablo no encontramos ninguna discusión o defensa extensa del bautismo. Es de suponer que recibió la tradición del bautismo de los creyentes que le precedieron, y que lo practicó en consecuencia. Algunos eruditos han atribuido el bautismo paulino a las religiones mistéricas.[184] Pocos académicos defenderían tal teoría hoy en día.[185] Nuestro conocimiento de los ritos de los cultos mistéricos es frustrantemente vago, y no hay pruebas decisivas de que algún tipo de lavado fuera un requisito para la iniciación. No debería sorprendernos, en realidad, que muchos cultos religiosos diferentes emplearan algún tipo de ritual de lavado para la entrada, ya que la limpieza con agua es una forma obvia de representar el comienzo de una nueva vida. Estos paralelismos, sin embargo, no establecen la dependencia de un movimiento respecto a otro. Sea cual sea el caso, no existen paralelismos claros entre Pablo y las religiones mistéricas.

Para Pablo, el bautismo está ligado a todo un complejo de acontecimientos de iniciación: recibir el Espíritu, confesar a Cristo como Señor, creer en Cristo, ser justificado, etc.[186] Sin embargo, nos equivocaríamos si quisiéramos leer el bautismo en todos estos textos, aunque Pablo nunca concibió que un creyente tuviera el Espíritu sin ser bautizado. Aunque quienes fueron ungidos y sellados con el Espíritu (2 Co. 1:21-22; Ef. 1:13) recibieron tal sello o unción en el bautismo (es decir, en la conversión), trascenderíamos la evidencia para identificar estas metáforas con el bautismo.

Quizá el mejor punto de partida sea la afirmación de Pablo de que hay "un solo bautismo" (Ef. 4:5). Algunos se preguntan si se refiere al bautismo en

---

184 Véase Reitzenstein 1978: 78-79; Bousset 1970: 188-94.
185 Cf. G. Wagner 1967; Wedderburn 1987; Agersnap 1999: 52-98.
186 Véase Stein 1988: 116-26.

agua o en Espíritu. Ciertamente, Pablo asoció la recepción del Espíritu con el bautismo (1 Co. 12:13; Tit. 3:5), de modo que nunca pensó en bautizar a personas que no hubieran recibido el Espíritu. Sin embargo, es probable que el bautismo en agua estuviera aquí en primer plano, ya que el bautismo en agua, como vemos en los Hechos, era invariablemente el rito de entrada en la nueva comunidad.[187] El bautismo en agua señalaba que uno se había unido a la iglesia cristiana. Pablo apela al bautismo como marca de unidad en Efesios 4:5 porque era un hecho que todos sus conversos eran bautizados en el momento de la conversión. No existía debate alguno sobre la necesidad del bautismo, ya que era inaudito que un creyente rechazara el bautismo. Es bastante probable que el bautismo fuera por inmersión en la época del Nuevo Testamento,[188] y por lo tanto la imagen es la de una sumersión bajo el agua en la que, si la persona no emerge, moriría.

La experiencia común del bautismo se comunica en 1 Corintios 12:13: "Pues por un mismo Espíritu todos fuimos bautizados en un solo cuerpo, ya judíos o griegos, ya esclavos o libres. A todos se nos dio a beber del mismo Espíritu". El antecedente de la afirmación de Pablo aquí, como sostiene Dunn, es la tradición que procede de Juan el Bautista: "Yo los bauticé a ustedes con agua, pero Él los bautizará con el Espíritu Santo" (Mc. 1:8; cf. Mt. 3:11; Lc. 3:16; Jn. 1:33; Hch. 1:5; 11:16). La palabra *en* en 1 Corintios 12:13 no debería traducirse como "por", sino "en", ya que en otras partes del NT el agente del bautismo se designa regularmente por *hypo* (p. ej., Mt. 3:6, 13, 14; Mc. 1:5; Lc. 3:7; 7:30), y el elemento con el que son bautizados por *en* (Mt. 3:6, 11; Mc. 1:8; Lc. 3:16; Jn. 1:26, 31, 33; Hch. 1:5; 11:16).

El bautismo en 1 Corintios 12:13 está vinculado especialmente con la incorporación al cuerpo de Cristo, de modo que el bautismo implica la

---

[187] Véase especialmente Cross 2002; también Cross 1999: 185-87. Contra Knight 1992: 341-42; W. Mounce 2000: 448. Marshall (1999: 318) se inclina en la misma dirección que Mounce.

[188] Marshall (2002) sostiene que el modo puede haber sido el derramamiento en lugar de la inmersión. Köstenberger (2007: 18n21) sostiene que se trata de inmersión, ya que "Marshall no tiene en cuenta que *baptizō*, como forma intensiva de *baptō*, que significa claramente 'sumergir', muy probablemente también se refiere a la inmersión. Tampoco tiene en cuenta los pasajes de la LXX en los que *baptizō* transmite indiscutiblemente la noción de inmersión (p. ej., el 'sumergirse' de Naamán siete veces en el Jordán, 2 R. 5:14: *ebaptisanto*) y no considera las referencias a la 'salida del agua' de Jesús en Mateo 3:16; par. Marcos 1:10, que también sugieren fuertemente la inmersión (véase también Ber. 11:11; cf. Did. 7)".

inducción al pueblo de Dios. Aquí vemos la estrecha asociación entre el bautismo y el Espíritu, lo que demuestra que la recepción del bautismo en agua y la recepción del Espíritu se producen al mismo tiempo.[189]

El carácter iniciático del bautismo se confirma en 1 Corintios 6:11 y Efesios 5:26. En el primero Pablo dice: "Fueron lavados... en el nombre del Señor Jesucristo y en el Espíritu de nuestro Dios", y en el segundo que Cristo murió para santificar a la iglesia, "habiéndola purificado por el lavamiento del agua con la palabra". Tito 3:5 es comparable: "Nos salvó... por medio del lavamiento de la regeneración y la renovación por el Espíritu Santo". Ninguno de estos versículos menciona específicamente el bautismo, pero los términos "lavar" y "limpiar" son referencias obvias a esta práctica.[190] Algunos académicos restan importancia a cualquier referencia al bautismo en agua y sostienen que estos textos se centran únicamente en el Espíritu.[191] Tal interpretación es un caso de exégesis de "o lo uno o lo otro", mientras que una solución que contemple "ambas cosas" encaja mejor. La atención al Espíritu es evidente en Tito 3:5 y 1 Corintios 6:11. Es probable que el trasfondo de estos versículos sea Ezequiel 36:25-27. Aquí, la aspersión de agua limpia coincide con la recepción de un nuevo corazón y un nuevo E/espíritu.[192]

En Tito 3:5, las palabras "regeneración" (*palingenesia*) y "renovación" (*anakainōsis*) modifican a "lavado" (*loutron*) y funcionan como términos paralelos.[193] De ello no se sigue que el lavado se entienda mecánicamente, como si el agua transformara mágicamente a las personas. Tanto la "regeneración" como la "renovación" proceden del Espíritu Santo. El Espíritu es fundamental en la teología de Pablo, pues la recepción del Espíritu precede al bautismo en agua. Aun así, Pablo vinculó el lavado con agua y el lavado con el Espíritu. Ambos se producían en el momento de la conversión. Las dos ideas

---

[189] Para este énfasis, véase Beasley-Murray 1962: 168-69.

[190] Algunos también ven una referencia al bautismo en el sellado (2 Co. 1:22; Ef. 1:13), pero el lenguaje es demasiado vago para establecer una conexión clara (Hartman 1997: 53; véase también Garland 1999: 107n126). Harris (2005: 210) argumenta cuidadosamente que no hay una referencia directa al bautismo, pero lo que se dice aquí "evoca el bautismo".

[191] Por ejemplo, Dunn 1970a: 121.

[192] Algunos eruditos ven una alusión al baño nupcial de Ezequiel 16:8-14 más que al bautismo en Efesios 5:26 (por ejemplo, O'Brien 1999: 422-23; Hoehner 2002: 753-54; Dunn 1970a: 162-65). Pero no hay necesidad de plantear aquí una dicotomía de "o lo uno o lo otro" (acertadamente Hartman 1997: 106; Lincoln 1990: 375-76; Beasley-Murray 1962: 201; Bruce 1984: 386-88).

[193] Véase el capítulo 13, nota 126.

pueden distinguirse conceptualmente, pero Pablo a menudo las fusiona en sus escritos, y lidiamos mal con Pablo si las segregamos de tal manera que cualquier referencia al bautismo en agua queda eliminada de los textos mencionados.

El bautismo designa la conversión de otra manera, en el sentido de que se asocia con ser sumergido en Cristo. En Gálatas 3:26 Pablo afirma que los creyentes son hijos de Dios en Cristo Jesús mediante la fe. El fundamento de esta afirmación (*gar*) es que todos los creyentes fueron revestidos de Cristo cuando fueron bautizados en Cristo: "Porque todos los que fueron bautizados en Cristo, de Cristo se han revestido" (Gl. 3:27). La realidad fundamental para los creyentes no es su etnia (judío o griego), género (hombre o mujer), o clase (esclavo o libre). Lo fundamental es si están en Cristo, porque todos los que están en Cristo son descendencia de Abraham (Gl. 3:28-29). No se entra a formar parte de la familia de Abraham por la circuncisión, sino por la fe. En el bautismo han sido transferidos del primer Adán al segundo, de la antigua era de la historia de la redención a la nueva.

Romanos 6 también enfatiza que en el bautismo los creyentes son incorporados a Cristo. El bautismo en Romanos 6:3 se explica como ser hundido en Cristo Jesús, ser sumergido en él como el segundo Adán. Los que son bautizados en Cristo han participado en su muerte (Ro. 6:3-4). Se discute si Romanos 6:3-5 también comunica la participación en la resurrección de Cristo. Si es así, el bautismo representa la inmersión en el agua con Cristo (muerto y sepultado) y la posterior resurrección de las aguas.[194] Pablo no representa explícitamente la resurrección con la salida de las aguas bautismales, aunque esa idea parece estar implícita en Romanos 6:4-5. La muerte se vence al estar unidos a Cristo en su muerte y resurrección. Es en el bautismo donde el viejo Adán murió con Cristo: "nuestro viejo hombre fue crucificado con [Cristo]" (Ro. 6:6).

Colosenses 2:12 sugiere que los creyentes han muerto y resucitado con Cristo en el bautismo. Pablo dice a los colosenses que fueron "sepultados con [Cristo] en el bautismo, en el cual también han resucitado con Él por la fe en la acción del poder de Dios, que lo resucitó de entre los muertos". Pablo afirma que los creyentes han sido sepultados junto con Cristo en el bautismo. Si "en el cual" (*en hō*) se refiere al bautismo —y el bautismo es el antecedente

---

[194] Véase Schreiner 1998: 308-9.

inmediato—, entonces también afirma que los creyentes también resucitaron con Cristo mediante el bautismo.[195] Debemos notar de nuevo que el bautismo no se entiende mecánicamente. Está inevitablemente vinculado a la fe (Col. 2:12). Pablo utiliza el bautismo en agua como abreviatura de la conversión, ya que al bautismo se asocia todo un conjunto de acontecimientos: confianza en Cristo, recepción del Espíritu, confesión de Cristo como Señor, justificación, adopción, y demás.

La importancia del bautismo para los primeros cristianos se manifiesta en 1 Corintios 15:29, que indica que al menos algunos corintios se bautizaban en nombre de los muertos. Los detalles de esta práctica son oscuros. Los académicos son incapaces de identificar con certeza por qué los corintios realizaban bautismos por los muertos.[196] Tal vez, en ocasiones, un creyente moría en el intervalo entre la llegada a la fe y la recepción del bautismo. Los corintios consideraban tan importante el bautismo que se adelantaban y realizaban un bautismo en nombre de la persona que había fallecido.[197] De 1 Corintios 10 se deduce que algunos entendían el bautismo y la Cena del Señor en un sentido mágico, pensando que estaban preservados de cualquier daño, por lo que podían pecar impunemente. Se detecta una prefiguración del bautismo en la huida de Israel de Egipto, por lo que el bautismo no protege automáticamente de la ira de Dios (1 Co. 10:1-12). Pablo nunca separa el bautismo del resto de la vida cristiana, de modo que solo él sostenga a los creyentes.

1 Corintios 1:10-17 también sirve para discernir el punto de vista de Pablo sobre el bautismo. Los corintios se habían dividido en distintas facciones: unos se adherían a Pablo, otros a Apolos, otros a Pedro y otros a Cristo. Pablo no estaba llamado "a bautizar, sino a predicar el evangelio" (1 Co. 1:17). Este texto se malinterpreta si se entiende como una negación del bautismo. Ciertamente, todos los conversos paulinos eran bautizados, pero a Pablo le resultaba indiferente bautizarlos personalmente. No debemos concluir de esto que él veía el bautismo en sí mismo como algo irrelevante. Sin embargo, el bautismo está claramente subordinado aquí a la predicación del evangelio. Recibimos un indicio de que el bautismo podría ser exaltado indebidamente y

---

[195] Para el punto de vista defendido aquí, véase Beasley-Murray 1962: 153-54.

[196] Para un estudio de las opciones, véase Schnackenburg 1964: 95-102; Thiselton 2000: 1240-49.

[197] Véase Wright 2003: 338.

funcionar en oposición al evangelio que Pablo predicaba. El bautismo era importante para Pablo. Sin embargo, debe entenderse a la luz del evangelio, para que el evangelio, y no el bautismo, reciba la prioridad.[198]

La Cena del Señor

Una de las características notables de la Cena del Señor en los escritos de Pablo es que, de no ser por 1 Corintios, ni siquiera sabríamos que se practicaba en las comunidades paulinas. Esto nos recuerda que las cartas paulinas son correspondencias ocasionales dirigidas a situaciones concretas. La Cena del Señor formaba parte de la tradición que se transmitía y aceptaba en las iglesias (Mt. 26:28; Mc. 14:22-25; Lc. 22:19-20; Hch. 2:42, 46; 20:7). Es posible que Pablo comunicara la tradición sobre la Cena del Señor cuando estableció las diversas iglesias. Probablemente la Cena del Señor se observaba con regularidad en sus iglesias, y en la mayoría de los casos no surgieron problemas concretos, por lo que no se dice nada al respecto excepto en 1 Corintios.

Como en el caso del bautismo, algunos estudiosos han argumentado que la Cena del Señor depende de las religiones mistéricas. Pero las mismas objeciones formuladas contra el supuesto hecho de que el bautismo se derivara de las religiones mistéricas son válidas en este caso. Tenemos poco conocimiento de los ritos de las religiones mistéricas, y aunque las comidas son una característica común en los cultos religiosos, la analogía no prueba la dependencia. Es mucho más probable que el entendimiento de Pablo provenga del Jesús histórico, según su propia explicación en 1 Corintios 11:23-26. Cuando comparamos la redacción de Pablo con los relatos de los Evangelios Sinópticos, resulta evidente de inmediato que el relato paulino es el más parecido a lo que encontramos en Lucas 22:19-20.

En 1 Corintios 10:14-22, Pablo establece una analogía entre la participación en la Cena del Señor y las comidas idolátricas para convencer a los lectores de que eviten estas últimas. Los que beben de la copa participan de los beneficios de la muerte de Cristo en su favor. Del mismo modo, los que consumen el pan partido participan de los beneficios del cuerpo de Cristo. El pan partido simboliza el cuerpo de Cristo entregado por su pueblo en su

---

[198] Véase Schnabel 2004b: 1442.

muerte. La copa simboliza la sangre de Cristo derramada por su pueblo. Todos los creyentes comparten el mismo pan, de lo que se deduce que hay un solo cuerpo, es decir, una sola iglesia.

El segundo texto en el que se aborda la Cena del Señor es 1 Corintios 11:17-34. Resulta difícil identificar el problema concreto de la iglesia, pero la naturaleza general de la situación está bastante clara. Pablo está consternado porque las divisiones entre los miembros afloraban cuando se reunían para la Cena del Señor. En este caso, las divisiones no son teológicas, sino sociales. En la época de Pablo, la Cena del Señor se celebraba como parte de una comida regular. Aparentemente, los miembros ricos de la comunidad comían y bebían suntuosamente durante estas comidas, mientras que los pobres ni siquiera recibían lo suficiente para comer.

Lo más probable parece ser que entre el rito de la copa y el rito del pan tuviera lugar una comida completa.[199] Una opinión postula que los ricos llegaban a la cena antes que los pobres y comían y bebían la comida antes (*prolambanō*) de que llegaran los pobres.[200] Para cuando llegaban los pobres, tenían poco o nada que comer. Al tratar así a los pobres, los ricos preservaban las distinciones de clase características de la sociedad secular. Según este punto de vista, Pablo aconseja a la comunidad, por tanto, que se esperen unos a otros (*ekdechesthe*) al comer (1 Co. 11:33). Pero este punto de vista tropieza en 1 Corintios 11:21, ya que las palabras "cada uno" (*hekastos*) y la frase "cuando llegue el momento de comer" (*en tō phagein*) se refieren más plausiblemente a la comida comunitaria de toda la congregación.[201] Además, las palabras "uno pasa hambre y otro se embriaga" (1 Co. 11:21) se refieren a la comida descrita en el mismo versículo y, por tanto, se refieren a toda la congregación.

Hay otra hipótesis que parece más probable.[202] Los ricos llevaban su propia comida a la comida y la consumían, mientras que los pobres no tenían suficiente.[203] Tanto ricos como pobres estaban reunidos al mismo tiempo y en

---

[199] En apoyo de esta opinión, véase Hofius 1993: 77-88.

[200] Stuhlmacher 1993: 86-87.

[201] Para el argumento aquí expuesto, véase Hofius 1993: 90.

[202] Véase el importante análisis en Hofius 1993: 88-96.

[203] El verbo *prolambanō*, como muestra Hofius (1993: 90-92), también puede traducirse como "tomar" y no significa necesariamente "tomar antes". Véase también la convincente y clara discusión en Garland 2003: 540-41. Véase también Hays 1997: 196-

el mismo lugar, y los ricos celebraban suntuosos banquetes, mientras que los pobres consumían meras sobras. El imperativo *ekdechesthe* de 1 Corintios 11:33 no significa "espérense los unos a los otros", como aparece en casi todas las versiones. Más bien, el término significa "recibir, aceptar, acoger" a unos y otros, es decir, demostrar hospitalidad unos a otros compartiendo la mesa (véase la TNIV: "deben comer todos juntos").[204]

A Pablo le indignaba que en la Cena del Señor se produjera una indiferencia tan insensible hacia los hermanos y hermanas más pobres en Cristo. De hecho, el comportamiento exhibido indica que lo que se estaba celebrando no era verdaderamente la Cena del Señor (1 Co. 11:20). Decir que se reunían en honor del Señor mientras al mismo tiempo se despreciaba a los pobres y algunos ricos se emborrachaban es una contradicción. Tal comportamiento equivale a despreciar a la Iglesia de Dios y humillar a los pobres (1 Co. 11:21). Los que tratan mal a sus hermanos no entienden que la Cena del Señor significa que Cristo da su vida por los demás. No disciernen el significado de la muerte de Cristo, porque con su muerte creó un solo pueblo, y por eso los que maltratan a sus hermanos en la Cena del Señor revelan que entienden poco o nada por qué murió Cristo.[205]

Pablo subraya en 1 Corintios 11:23-26 que en la Cena del Señor se conmemora la entrega de Cristo en favor de su pueblo. Los ricos corintios apenas recordaban su muerte si oprimían a los pobres en el mismo momento en que se celebraba la Cena. El verdadero recuerdo de la muerte del Señor marca la diferencia en la vida cotidiana.[206] Pablo no da cabida a la "devoción sacramental" que coexiste con la opresión social. La proclamación de la muerte del Señor (1 Co. 11:26) en la Cena debe ir acompañada de la entrega de uno mismo que caracterizó al Señor Jesús. La Cena del Señor se celebra

---

97, 202-3; Thiselton 2000: 863. Fee (1987: 542) es bastante ambivalente sobre el significado y se inclina por la posición de que no se trata de un significado temporal.

TNIV – Today's New International Version

[204] Véase Hofius 1993: 93-94.

[205] Es probable que el dicho sobre discernir el cuerpo en 1 Corintios 11:29 se refiera al cuerpo de Cristo (Hofius 1993: 114n223; Garland 2003: 552-53; Thiselton 2000: 891-94) y no a la iglesia como cuerpo de Cristo (por ejemplo, Fee 1987: 563-64).

[206] El llamado a recordar se remonta a la Pascua, en la que se pide a Israel que recuerde los actos salvíficos de Dios en favor de su pueblo. Por supuesto, el recuerdo se centra en la muerte de Jesús por su pueblo y el cumplimiento de las promesas de Dios (Stuhlmacher 1993: 85-86). Véase también Garland 2003: 547-48 y la discusión completa del recuerdo en Thiselton 2000: 878-82.

genuinamente en honor del Señor solo cuando los miembros comparten la comida juntos y no se ignora a los pobres. Si algunos protestan en defensa de su comportamiento, entonces deberían quedarse en casa (1 Co. 11:33-34). Pablo no aconseja a los creyentes que satisfagan sus deseos egoístas en casa, como si pudieran vivir para sí mismos en casa, pero no cuando la comunidad está reunida; más bien, los reprende por no vivir de acuerdo con la cruz, insistiendo en que no deben reunirse con el pueblo de Dios si insisten en vivir egoístamente.[207]

Este texto nos recuerda que Pablo no separa lo teológico de lo social. Los que comen la Cena del Señor de forma indigna -en este contexto, maltratando a los pobres- son culpables de pecar contra "el cuerpo y la sangre del Señor" (1 Co. 11:27). Contradicen la esencia misma de la Cena del Señor al utilizarla como ocasión para complacer sus intereses egoístas. Pablo pide a los creyentes que se "examinen" (*dokimazō* [1 Co. 11:28]) a sí mismos antes de participar del pan y de la copa, porque los que oprimen a los pobres y no se examinan a sí mismos acarrean el juicio sobre sí mismos. De hecho, Pablo sugiere que algunos en la comunidad no son "auténticos" (*dokimos* [1 Co. 11:19]), lo que significa que no son verdaderos creyentes.

Sin embargo, el juicio que aflige a los de la comunidad en 1 Corintios 11:29 no es lo mismo que el juicio infligido a los que no son auténticos creyentes. En 1 Corintios 11:30 los juicios no alcanzan el castigo eterno. El Señor disciplinó a algunos a través de enfermedades y dolencias, y otros incluso murieron. Pablo ve tales juicios como misericordiosos, pues evitan que los creyentes que han pecado reciban la condenación que el mundo va a experimentar en el juicio final (1 Co. 11:31-32).

Las palabras "recibí" (*paralambanō*) y "entregué" (*paradidōmi*) sugieren que Pablo recibió la tradición de la Cena del Señor de creyentes que le precedieron (1 Co. 11:23).[208] Ya hemos señalado que la tradición paulina es la más parecida a la forma lucana. Para Pablo, la Cena del Señor es una conmemoración del corazón del evangelio. El pan representa el cuerpo de Cristo, partido en la muerte por los pecadores. Su recuerdo no es un mero acto mental, sino que implica la transformación de la propia vida, ya que Pablo lo

---

[207] Acertadamente Garland 2003: 555.
[208] Véase Barrett 1968: 264-65; Conzelmann 1975: 195-96. Aún más claro es Fee 1987: 548.

vincula con una auténtica preocupación por los miembros más pobres de la comunidad. Además, el recuerdo se produce con la proclamación de Jesús como el Señor crucificado y resucitado.[209]

Aquellos que realmente han experimentado la gracia de Dios mediada en la muerte de Cristo anhelan bendecir a los demás, del mismo modo que ellos mismos han recibido la bendición del perdón a través de la entrega de Cristo en su nombre. Recordar no es simplemente un acto mental; es algo determinante para la propia existencia.[210] La copa representa la inauguración del nuevo pacto prometido en Jeremías (Jer. 31:31-34). El derramamiento de la sangre de Cristo inaugura una nueva era en la que el nuevo pacto se hace realidad. Este nuevo pacto proporciona tanto el perdón de los pecados como la morada del Espíritu (Ez. 11:18-19; 36:26-27). Pablo añade también una palabra prospectiva sobre la Cena del Señor. Los que participan en ella proclaman la muerte del Señor hasta que vuelva (1 Co. 11:26). Tal vez Pablo reflexione aquí sobre la afirmación de Jesús de que volverá a comer la cena pascual en el reino de Dios (Lc. 22:16). La Cena del Señor también comunica el carácter ya-no todavía de la teología de Pablo. El nuevo pacto ha llegado, pero aún no se ha cumplido del todo.[211] Alcanzará su consumación cuando vuelva el Señor, cuando se consume el reino.

Quienes estudian la historia de la iglesia saben que la interpretación de la Cena del Señor ha sido objeto de mucha controversia. La mayor parte del debate se ha centrado en lo que quiere decir el texto cuando Jesús dice del pan: "Esto es Mi cuerpo" (1 Co. 11:24). Lutero y Zwinglio discutieron ardientemente sobre el significado de la palabra "es" (*estin*) aquí, sin llegar, por desgracia, a un acuerdo. ¿Hasta qué punto debemos interpretarlo literalmente? Tenemos otra pista que a menudo se pasa por alto. En 1 Corintios 11:25 Pablo informa de que Jesús dijo: "Esta copa es el nuevo pacto en Mi sangre".

Obviamente, la palabra "es" no puede tomarse literalmente aquí, porque claramente la copa en sí no es realmente el nuevo pacto. Pablo quiere decir,

---

[209] Véase Hofius 1993: 106-8. Pero, en contra de Hofius, no me queda claro que el recuerdo se produjera en las oraciones pronunciadas sobre el pan y la copa, aunque es posible. Es igualmente probable que el recuerdo se produjera en la proclamación del evangelio y en las oraciones.

[210] Hofius 1993: 109.

[211] Los eruditos suelen dar demasiada importancia al comentario de Pablo. Acertadamente Garland 2003: 549-50.

más bien, que la copa representa el nuevo pacto inaugurado por la sangre de Cristo.[212] Del mismo modo, cuando Jesús dice que el pan "es Mi cuerpo", probablemente quiere decir que representa lo que Cristo ha hecho en favor de la iglesia mediante su sacrificio.

Líderes de la iglesia

Por lo que respecta a los cargos eclesiásticos y a los líderes de la iglesia, debemos señalar de entrada que los académicos a menudo han contrapuesto al Pablo "auténtico" y "carismático" con el Pablo "inauténtico" y "estructurado".[213] Por ejemplo, Käsemann dice: "Podemos afirmar sin vacilar que la comunidad paulina no tuvo presbiterio durante la vida del apóstol".[214] Según este punto de vista, las auténticas iglesias paulinas eran espontáneas, abiertas, libres y dirigidas por el Espíritu, mientras que las iglesias postpaulinas se volvieron institucionales, rígidas y orientadas al liderazgo, de modo que la libertad del Espíritu dejó de ser la norma. Este retrato en el que el Pablo "carismático" se contrapone al Pablo "estructurado" es profundamente erróneo.[215] Las iglesias paulinas eran carismáticas, pero también estaban estructuradas. Carisma y estructura no se excluyen mutuamente.[216] La dependencia del Espíritu no excluye el orden.

Cuando leemos atentamente las cartas paulinas, vemos que los líderes y maestros estaban presentes en la comunidad desde el principio. La terminología empleada para designar a esos líderes varía, lo que demuestra que no existían títulos normativos desde el principio. Sin embargo, no podemos afirmar, basándonos en la diversidad de nomenclaturas, que no existiera un liderazgo estructurado. Las primeras cartas, por supuesto, no contienen ningún debate sostenido sobre el liderazgo eclesiástico. Pero de ello no se deduce que tal liderazgo careciera de importancia o no existiera. Dado que las cartas paulinas son ocasionales, no debemos esperar que en ellas se traten todos los

---

[212] Véase Garland 2003: 546; Fee 1987: 550. Contra Conzelmann (1975: 197-98), que interpreta el texto sacramentalmente.

[213] Por ejemplo, Käsemann 1964a; Dunn 1977: 109-16.

[214] Käsemann 1964a: 86.

[215] Acertadamente Campbell 1994.

[216] Contra Käsemann (1964a) y Dunn (1977: 109-16), que exaltan al Pablo carismático frente a las expresiones más estructuradas de las Epístolas Pastorales, véase Campbell 1994.

temas, por lo que no es sorprendente que el liderazgo fuera un tema más importante en algunas cartas —las Epístolas Pastorales— que en otras. Puede que Pablo se expresara más a fondo sobre este tema en las Epístolas Pastorales porque era consciente de que se acercaba el final de su vida.

La presencia de líderes eclesiásticos es evidente en las primeras cartas paulinas. En 1 Tesalonicenses 5:12 se pide a los creyentes que respeten a los que trabajan entre ellos, los dirigen y los amonestan.[217] La combinación de estas tres funciones y la exhortación a considerar a estas personas con amor "por causa de su trabajo" (1 Ts. 5:13) indica que se está hablando de líderes de la comunidad.

También vemos una indicación de la existencia de líderes en 1 Corintios 16:15-16. Se insta a los corintios a someterse a la casa de Estéfanas y a todo colaborador y trabajador en el evangelio.[218] Este texto es similar a 1 Tesalonicenses en el sentido de que las tareas específicas llevadas a cabo por los líderes son vagas. Que se nos diga que trabajan, laboran y ministran (*diakonia* [1 Co. 16:15]) nos ofrece una idea escasa de lo que hacían los líderes. Un poco más específico es 1 Tesalonicenses 5:12-13, pues además de la palabra "trabajar", se dice que algunos "tenían a su cargo" y "amonestaban" (NRSV). Es imposible obtener de estos textos una imagen detallada de la función de los líderes. La congregación corintia es llamada a "someterse" (*hypotassō*) a tales líderes. La llamada a la sumisión no es un ejemplo de autoridad impuesta desde arriba. Pablo no dice que los líderes deben obligar a la congregación a someterse. Insta a la congregación a someterse voluntaria y gustosamente al liderazgo.

Gálatas 6:6 indica que había maestros en las primeras iglesias.[219] Los que son instruidos en la palabra deben proveer apoyo financiero para los que enseñan. El apoyo económico a los maestros sugiere un ministerio regular de

---

[217] Véanse Wanamaker 1990: 191-94; Best 1972: 234-35, aunque difiero de ellos al interpretar que *proistamenous* se refiere a los que gobiernan más que a los que son patronos (acertadamente Morris 1959: 165-66; Beale 2003: 160). Otros piensan que se contemplan ambos significados (Bruce 1982b: 119; Marshall 1983: 148).

[218] Los mencionados en 1 Corintios 16:15-16 probablemente ejercían de líderes, pero Garland (2003: 168-70) subraya acertadamente que su liderazgo no debía ser egoísta, sino más bien destinado a fortalecer a los demás. Véase también Thiselton 2000: 1338-39.

NRSV – New Revised Standard Version

[219] Para un debate útil sobre lo que se puede deducir de estos profesores, véase Longenecker 1990: 278-79.

enseñanza que es apoyado por la comunidad (cf. 1 Co. 9:14). Es de suponer que los que enseñaban también ejercían un papel de liderazgo en la congregación. Uno de los textos más interesantes en referencia al liderazgo es Filipenses 1:1, donde Pablo se dirige a "los obispos y diáconos" (*episkopois kai diakonois*).[220]

En ningún otro lugar de la introducción de sus cartas Pablo identifica a los líderes por su título, e incluso en Filipenses los que llevan tales títulos no aparecen de forma explícita en ningún otro lugar. Tal vez se dirija a los líderes porque se les convoca a vivir vidas de humildad y servicio, siguiendo el ejemplo de Pablo (Fil. 1:12-26), Cristo (Fil. 2:5-11), Timoteo (Fil. 2:19-24) y Epafrodito (Fil. 2:25-30). Los eruditos han calificado a menudo estos "oficios" como primitivamente católicos, dando a entender que la iglesia empezaba a adoptar una forma institucional que culminó y halló su plena expresión en el catolicismo romano. No es convincente sostener que Filipenses es una carta católica primitiva, ya que la carta no contiene ninguna otra prueba de tal tendencia, y la mera enumeración de cargos no certifica la presencia de tal catolicismo primitivo. La referencia a los líderes es casi casual, y no se comunica ninguna instrucción definitiva sobre sus funciones. Lo que llama la atención es que existían líderes con cargos específicos, y que presumiblemente ejercían funciones definidas de guía para la comunidad.

Las Epístolas Pastorales dicen más sobre los líderes que todas las demás cartas paulinas. Tito recibe instrucciones de nombrar "ancianos" en cada ciudad (Tit. 1:5),[221] pero dos versículos después aparece el término "obispo" (Tit. 1:7). A veces se considera que el singular "obispo" es distinto del plural "ancianos", pero es más probable que "obispo" sea aquí un término genérico.[222] El término "anciano" (*presbyteros*) deriva especialmente del trasfondo judío, designando a los que eran líderes respetados en la comunidad.

---

[220] O'Brien (1991: 46-50) argumenta con razón que aquí se contemplan dos oficios distintos. Véase también la útil discusión en Fee 1995: 66-69, aunque se equivoca al pensar que el término "ancianos" abarca tanto a los supervisores como a los diáconos.

[221] Como señala Fitzmyer (2004: 584), ni Timoteo ni Tito son llamados "obispo" o "supervisor" (así también W. Mounce 2000: 387). Además, aunque Timoteo es llamado "ministro" (*diakonos* [1 Ti. 4:6]), la designación es claramente genérica aquí y no se aplica a ningún cargo en particular (Fitzmyer 2004: 587).

[222] Acertadamente W. Mounce 2000: 387, 390; Knight 1992: 290-91, 175-77; Fitzmyer 2004: 587; cf. Marshall 1999: 149, 160. Contra Campbell 1994: 182-205; F. Young 1994, aunque Fitzmyer (2004: 591) opina que las funciones de los ancianos y los supervisores eran distintas en Éfeso. Para un tratamiento convincente, véase Merkle 2003.

Es difícil discernir su función exacta tanto en el Antiguo Testamento como en la literatura judía posterior. El trasfondo del término "supervisor" (*episkopos*) es aún más difícil. Algunos han destacado su origen grecorromano, y otros han considerado que hay paralelismos o influencias en los Rollos del Mar Muerto.[223] Sea como fuere, el término parece hacer hincapié en la función, la tarea de supervisar y velar por la salud de las primeras congregaciones cristianas.

El paralelismo entre Filipenses y 1 Timoteo es especialmente interesante porque ambos se refieren a supervisores y diáconos (*diakonoi* [Fil. 1:1; 1 Ti. 3:1-13]). A menudo, el término *diakonos* se utiliza de forma general para referirse al ministerio en el que Pablo y otros están comprometidos (1 Co. 3:5; 2 Co. 3:6; 6:4; 11:23; Ef. 3:7; 6:21; Col. 1:7, 23, 25; 4:7; 1 Ti. 4:6). En estos textos, el término no designa ningún oficio específico. Sin embargo, en ciertos textos (Ro. 16:1; Fil. 1:1; 1 Ti. 3:8, 12) parece designar un oficio. Es probable, por ejemplo, que Febe fuera diácono de la iglesia de Cencrea (Ro. 16:1).[224] No es fácil distinguir entre supervisores/ancianos y diáconos, pero hay dos requisitos para los supervisores que no se repiten para los diáconos.[225] Los supervisores y ancianos deben tener la capacidad de enseñar, y también deben poseer habilidades de liderazgo (1 Ti. 3:2, 4-5; 5:17; Tito 1:9).[226] Estos requisitos nunca se establecen para los diáconos, lo que sugiere que los diáconos se dedicaban a un ministerio de asistencia y servicio en lugar de a la enseñanza y el gobierno.[227]

Muchos eruditos están convencidos de que las Epístolas Pastorales son documentos posteriores, incluso del siglo II, ya que la atención se centra en la estructura de la iglesia y los líderes. Sin embargo, existen pruebas que distinguen las Pastorales de las estructuras del siglo II. Por ejemplo, en las

---

[223] Para un estudio de los antecedentes, véase Beyer, *TDNT* 2:608-20.

[224] En apoyo de que Febe fuese diácono, véase Schreiner 1998: 786-88.

[225] En un importante estudio, J. N. Collins (1990) sugiere que el grupo de palabras *diakonia* designa al emisario y mediador con autoridad y al intermediario más que al servicio humilde. Clarke (2000: 233-45) muestra, sin embargo, que la interpretación de Collins es cuestionable, y que la noción de servicio es la más probable.

[226] Acertadamente W. Mounce 2000: 174; Fitzmyer (2004: 589) probablemente se equivoca al decir que la cualificación "más importante" es la capacidad de enseñar, ya que Pablo hace hincapié en las cualidades de carácter, pero es cierto que la enseñanza distingue a los supervisores de los diáconos.

[227] Hay mucho que no se dice, lo que sugiere cierta libertad para que cada congregación resuelva los asuntos de acuerdo con lo que sea necesario (Schlatter 1999: 314).

cartas de Ignacio el episcopado monárquico ocupa un lugar central, y las exhortaciones a someterse al obispo permean todas sus cartas. En las Pastorales no aparece ningún episcopado monárquico. Los líderes funcionan de forma colegiada como grupo, y nadie tiene un cargo por encima de otro. Sin duda, los líderes desempeñan un papel importante en las Pastorales, pero no se apela constantemente a su autoridad en virtud de su cargo. Pablo hace hincapié en la autoridad de la enseñanza, no en la autoridad de la persona.

Hemos observado que se prescriben dos funciones distintas para los supervisores/ancianos. Deben enseñar y dirigir. Estas dos funciones son, por supuesto, bastante generales. Sin embargo, proporcionan la superestructura bajo la cual los supervisores/ancianos realizan su trabajo. Su vocación principal es transmitir la tradición y la verdad del Evangelio. En otras palabras, su liderazgo, a diferencia de muchas denominaciones actuales, no es principalmente burocrático.

Los supervisores/ancianos ejercen su liderazgo a través de su ministerio de enseñanza, por su adhesión al evangelio (1 Ti. 5:17). La importancia de la tradición y la enseñanza en las Epístolas Pastorales es innegable. Pablo contrasta a menudo la enseñanza insana con la sana (1 Ti. 1:10; 6:3; 2 Ti. 1:13; 4:3; Tit. 1:9, 13; 2:1-2). La verdad que hay que salvaguardar es el evangelio (1 Ti. 3:16). Los falsos maestros se desvían de la verdad (1 Ti. 1:3-11; 4:1-5), por lo que la enseñanza centrada en la palabra fiel es crucial (1 Ti. 1:15; 3:9; 4:9; 2 Ti. 2:11; Tit. 3:8). Parece que en todos los casos la palabra fiel tiene que ver con la "salvación", indicando una vez más que el enfoque es el mensaje salvífico, no los líderes mismos.

Disciplina eclesiástica

La disciplina y la corrección impregnan las cartas paulinas, y en algunos casos fueron necesarias medidas severas. El caso en 1 Corintios 5 del hombre que comete incesto resulta instructivo. Probablemente, el hombre mantenía relaciones sexuales con su madrastra, ya que Pablo dice que "tiene la mujer de su padre", y no "tiene a su madre" (1 Co. 5:1).[228] Pablo ordena la expulsión de este hombre de la iglesia, y una vez separado de la iglesia, entra en la esfera de Satanás (1 Co. 5:3-5).

---

[228] Véase Conzelmann 1975: 96; Garland 2003: 158.

El motivo detrás de tal disciplina es el amor, "a fin de que su espíritu sea salvo en el día del Señor" (1 Co. 5:5). Tal salvación no ocurrirá sin "la destrucción de su carne" (1 Co. 5:5). Lo que indigna a Pablo de tal laxitud en la iglesia es que "un poco de levadura fermenta toda la masa" (1 Co. 5:6). En otras palabras, tolerar tal pecado significa inevitablemente que el pecado se extenderá más en la iglesia. La pureza de la iglesia está en juego, porque una vez que se tolera un pecado de tal magnitud, otros pecados se filtrarán y serán aceptados por la iglesia.

El consejo de Pablo en 2 Tesalonicenses coincide con el texto de 1 Corintios 5. Los que ignoran las instrucciones de la carta deben ser aislados para que se avergüencen y se arrepientan (2 Ts. 3:14-15). Rechazar la comunión con los recalcitrantes debe ser un acto de amor. Hay un tipo de amonestación que es fraternal y familiar, que no está arraigada en la enemistad y el odio, y aun así se administra disciplina.

Una vez que comprendemos este paradigma, quedan claras las instrucciones de Pablo respecto a los que han dejado de trabajar (2 Ts. 3:6-13).[229] Pablo explicó en la primera carta que hay que evitar la pereza, sobre todo porque no es buena manera de recomendar la fe cristiana a los incrédulos (1 Ts. 4:11-12; 5:14). El propio trabajo de Pablo para mantenerse económicamente (2 Ts. 3:7-9) funciona como ejemplo de la clase de diligencia que el Señor exige, aunque el propio Pablo, en sentido estricto, merezca apoyo económico. Para despertar a los perezosos, se les debe retener la comida hasta que estén dispuestos a trabajar (2 Ts. 3:10).

La disciplina se dirige especialmente a los recalcitrantes que se niegan a arrepentirse. Aparentemente, este es el caso del hombre que comete incesto (1 Co. 5). La persona pendenciera que entra ferozmente en debates y rechaza la corrección entra en la misma categoría (Tit. 3:9-11). Incluso en este caso hay que dar una primera y una segunda advertencia, pero si la resistencia continúa, hay que abandonar a los obstinados a su suerte. Pablo advierte a los corintios de que se verá obligado a ejercer la disciplina si no responden adecuadamente (2 Co. 12:19-13:3; cf. 1 Co. 4:18-21). La expulsión de la iglesia se limita a

---

[229] Wanamaker (1990: 279-88) argumenta acertadamente que la cuestión en este texto es la indolencia (cf. Marshall 1983: 220; Best 1972: 331-35). Donfried (2002: 221-31) sostiene que el término *ataktōs* en este texto significa "desordenados", en el sentido de que violan los mandamientos paulinos de forma más general, pero tal punto de vista no explica tan bien el contexto en el que se encuentra el término.

casos de comportamiento pecaminoso no arrepentido o a enseñanzas desviadas que transgreden la norma del evangelio. El evangelio mismo es la norma para la disciplina, y los que están siendo transformados por el evangelio anhelan amar, animar y fortalecer a los demás. Parte de este fortalecimiento se produce en la amonestación y corrección mutuas, que en ocasiones llega incluso al punto de tener que expulsar a un miembro no arrepentido.

Las Epístolas Generales y Apocalipsis

Las Epístolas Generales y Apocalipsis no contienen una discusión detallada sobre la iglesia. Todos estos textos se dirigen, por supuesto, a las iglesias, hablando de la vida corporativa de las diversas comunidades. Dado que cada obra literaria responde a circunstancias específicas de las iglesias, el espacio dedicado al tema de la iglesia varía. Debemos recordar una vez más el carácter ocasional de los escritos. El hecho de que no se hable más de la iglesia no implica que los autores tuvieran poco interés en ella. Por ejemplo, ninguno de los autores menciona la Cena del Señor, pero sería precipitado concluir de ello que la Cena del Señor no se practicaba o que era rechazada. Los autores solo incluyeron lo que era más apremiante en respuesta a las situaciones que surgían en las iglesias.

Hebreos

En Hebreos, los miembros del pueblo de Dios se consideran hijos de un solo Padre (Heb. 2:10-11).[230] Jesús es entronizado como Señor (Heb. 1:3), pero también es hermano de todos los creyentes, de modo que forman una sola asamblea o congregación (Heb. 2:11-12). Todos los creyentes se reúnen para alabar a Dios por su bondad salvífica (Heb. 2:12). El sacrificio que agrada a Dios es el de la alabanza (Heb. 13:15). También se concibe a la iglesia como una casa (Heb. 3:6), y a Jesús como el Hijo fiel (Heb. 3:1-6). El término "casa" (*oikos*) indica que la iglesia es el nuevo pueblo de Dios, la verdadera morada de Dios.[231]

---

[230] Sobre la iglesia en Hebreos, véase Rissi 1987: 117-24.
[231] En Números 12:7 la casa también significaba el pueblo de Dios sobre el que Moisés ejercía de líder (Lane 1991a: 78).

La iglesia de Jesucristo se concibe como "la asamblea general… de los primogénitos que están inscritos en los cielos" (Heb. 12:23).[232] El pueblo de Dios es, por así decirlo, un pueblo celestial, del mismo modo que la verdadera ciudad de Dios está en el cielo y no en la tierra; es "la Jerusalén celestial" y no la Jerusalén terrenal (Heb. 12:22).[233] La iglesia como comunidad se enfrentaba a la persecución en Hebreos (Heb. 10:32-34), por lo que era tentador descuidar la reunión regular con otros creyentes (Heb. 10:25). Por eso, el autor exhorta a los creyentes a que se reúnan con regularidad, pues esas reuniones son el contexto en el que se animan unos a otros, de modo que los creyentes reciban fuerzas para estimularse "unos a otros al amor y a las buenas obras" (Heb. 10:24).

En Hebreos 13:1-6, el autor esboza brevemente algunos rasgos de la vida comunitaria. La apostasía se previene con el aliento y la exhortación diarios de los demás creyentes (Heb. 3:13), y tal exhortación no puede obtenerse al margen de la comunidad. Hebreos no da cabida a una fe cristiana que opere solo en la esfera individual y privada. La fe y la obediencia solo pueden cultivarse y crecer en concierto con otros creyentes. Al autor le preocupa que no brote en la comunidad un espíritu venenoso y amargo que contamine a muchos (Heb. 12:14-17). La paz y la santidad deben buscarse con diligencia, no sea que la iglesia pierda su cohesión y el propósito de su existencia.

Hebreos se refiere a los líderes de la iglesia a la luz de su propósito central: los creyentes deben perseverar en la fe. De ahí que se les exhorte a recordar a sus antiguos líderes porque sus vidas daban testimonio de la vitalidad de su fe (Heb. 13:7). Claramente, el autor quiere que recuerden su amor y admiración por quienes les guiaron, para que modelen sus vidas a semejanza de tales líderes. El autor está convencido de que el amor que fluía de los líderes a la congregación dejaría su impronta en los lectores. La influencia de los líderes no se limita a su ejemplo, pues moldeaban a la comunidad mediante su proclamación de "la Palabra de Dios" (Heb. 13:7). Los líderes no llamaban la atención sobre sí mismos, sino sobre la obra de Dios en Cristo. Convocaban a la iglesia en torno al evangelio, la obra de Cristo en la cruz como fundamento de la salvación.

---

[232] Algunos entienden que esta asamblea celestial se refiere a los ángeles, pero probablemente se refiere a la asamblea celestial del pueblo de Dios (Attridge 1989: 375; Bruce 1964: 376-77; Lane 1991b: 468-69).

[233] Véase Peterson 1982: 161-62.

Cuando comparamos la referencia a los líderes en Hebreos 13:7 con la segunda referencia en Hebreos 13:17, parece que los líderes a los que se refiere Hebreos 13:7 podrían haber muerto ya.[234] Por otro lado, los lectores deben "obedecer" y "someterse" a los líderes que tienen ahora (Heb. 13:17). Una vez más, tal obediencia debe interpretarse a la luz de la carta en su conjunto. La obediencia es provechosa y no perjudicial para la iglesia, pues tal obediencia a los líderes significa que los lectores continúan en la fe y evitan la apostasía.

El autor escribe, en otras palabras, sobre la obediencia a los líderes que a su vez son obedientes al evangelio que proclaman. No recomienda una sumisión ciega a la autoridad, sino una aceptación humilde de quienes han sido designados para velar por la vida de los creyentes. El autor recuerda a sus lectores que los propios líderes darán cuenta de su trabajo, por lo que no deben utilizar sus cargos con fines egoístas.

Al autor de Hebreos no le interesan los títulos que ostentaban los líderes, pues se limita a llamarlos "líderes" (*hēgoumenoi*). Esto no significa, por supuesto, que carecieran de títulos, sino solo que no formaba parte del propósito del autor comunicar si los tenían. Parece que su trabajo se centraba en la proclamación de la Palabra y la formación de los creyentes. Apenas podríamos obtener un perfil claro de los dones espirituales a partir de Hebreos, pero el autor los menciona de pasada en Hebreos 2:4. Aquí los dones del Espíritu se asocian con los signos, prodigios y milagros que atestiguan la validez del evangelio.[235]

Los dones concedidos por Dios se distribuyeron de acuerdo con su voluntad. Hebreos no aborda la responsabilidad de la iglesia de evangelizar, presumiblemente porque el peligro de apostasía ocupaba un lugar central. Una iglesia que mantiene la fe en medio del sufrimiento proclama al mundo la preciosidad del sacrificio de Cristo y la belleza del Evangelio, pero Hebreos no se centra en este tema.

---

[234] Los líderes que hablaron la Palabra habían fallecido para cuando se escribió la carta (Lane 1991b: 527; Attridge 1989: 392 [probablemente]).

[235] Véase Attridge 1989: 67; Lane 1991a: 39-40.

Santiago

El carácter parenético y práctico de Santiago excluye cualquier debate detallado sobre la iglesia. No obstante, algunas pistas fascinantes sobre la naturaleza de la iglesia se comunican aquí y allá en la carta. El primer versículo se refiere a los lectores como "las doce tribus que están en la dispersión" (Stg. 1:1). Los eruditos debaten si se refiere a creyentes judíos o gentiles,[236] pero la cuestión no es vital para el debate que nos ocupa. En cualquier caso, la iglesia de Jesucristo es considerada ahora como el verdadero pueblo de Dios, al igual que las doce tribus eran consideradas como el pueblo de Dios en el Antiguo Testamento. Que la iglesia es una asamblea de creyentes lo indica Santiago 5:14, que habla de "los ancianos de la iglesia".

El carácter judío de la asamblea es sugerido por la palabra "sinagoga" encontrada en Santiago 2:2. La carta en su conjunto hace hincapié en el amor y la crianza que deben marcar la vida de la comunidad. Las viudas y los huérfanos deben recibir atención en sus dificultades económicas (Stg. 1:27). Los creyentes deben ser tratados con igual dignidad y honor, y no debe tolerarse la discriminación de ningún grupo social (Stg. 2:1-13). Las palabras malintencionadas y amargas desgarran a los demás y desprenden un espíritu ponzoñoso, por lo que los creyentes han de mostrar ternura y amabilidad los unos con los otros y con todos (Stg. 3:1-12; 4:11-12). La vida comunitaria de los creyentes se refleja en Stg. 5:13-20.

Los creyentes deben alabar a Dios cantando para expresar su alegría. En su vida comunitaria, los creyentes deben confesarse mutuamente sus pecados y orar unos por otros. Los creyentes deben cuidarse los unos a los otros, de modo que, si es posible, hay que buscar a los que andan errantes y traerlos de vuelta a la comunidad. Una fe individualista que existe al margen de los demás contradice la naturaleza de la vida en común como pueblo de Dios. La forma

---

vids (1982: 64) opina que el libro se dirige a los cristianos judíos que viven
tina, en Siria y Asia Menor (cf. Moo 2000: 49-50). Laws (1980: 47-49)
nificado de la designación radica principalmente en su afirmación de
es ahora el verdadero Israel, de modo que la composición étnica de
determinarse por lo que aquí se dice (así también Dibelius 1975:

incidental en que Santiago se refiere a los ancianos de la iglesia indica que no pretende dar una enseñanza sobre los líderes eclesiásticos (Stg. 5:14).[237]

El trasfondo judío de Santiago probablemente proporciona el contexto para los ancianos, porque los ancianos ocupaban puestos de autoridad en las comunidades judías. Al parecer, varios ancianos juntos ejercían de líderes en la iglesia, pues Santiago habla de "los ancianos de la iglesia" (Stg. 5:14). En este caso, se centra en su función de orar por los enfermos de la congregación. Vemos aquí que la supervisión pastoral implica no solo la proclamación de la Palabra, sino también la oración por los que sufren. La referencia a los ancianos, que ya hemos señalado en otras ocasiones en el Nuevo Testamento, sugiere que "ancianos" era una designación común para los líderes de la iglesia primitiva.

Santiago no exhorta a sus lectores a evangelizar a los demás, sino que se centra en su vida conjunta como creyentes. Aun así, si los creyentes vivieran como Santiago les instruye, la rectitud y el amor presentes en sus vidas seguramente destacarían en sus comunidades. En nuestro mundo moderno somos capaces de aislarnos de los de fuera, pero en el mundo al que se dirigía Santiago la gente vivía más en comunidad. Por eso, si los creyentes no discriminaban a los demás (Stg. 2:1-13), si su forma de hablar se caracterizaba por el amor alegre en lugar de las riñas (3:1-12; 4:1-6), si perseveraban ante las dificultades (1:2-18), si mostraban preocupación por los marginados sociales (1:27) y si exhibían su sabiduría en una vida recta, los incrédulos reconocerían y se sentirían provocados a preguntar qué había originado tal transformación.

1 Pedro

En 1 Pedro la iglesia de Jesucristo es considerada como el verdadero Israel, el genuino remanente del pueblo de Dios. Así como Israel era el pueblo elegido de Dios en el Antiguo Testamento, ahora la iglesia constituye los elegidos de Dios (1 P. 1:2). Es casi seguro que esta carta se dirige a los gentiles (1 P. 1:18; 4:3), pero ahora ellos han pasado a formar parte del verdadero Israel. Son los

---

[237] Véase L. Johnson 1995: 330. En contra de la sugerencia de Laws (1980: 226), la referencia aquí es a los líderes, no simplemente a los miembros más antiguos de la congregación. Davids (1982: 192-93) señala aquí que los ancianos son funcionarios y líderes plurales de una asamblea local. Véase también Dibelius 1975: 252-53.

exiliados de Dios dispersos por el mundo (1 P. 1:1; 2:11). Como pueblo de Dios, la iglesia es discriminada y perseguida por su fe. Por lo tanto, son los dispersos de Dios que viven como forasteros en este mundo mientras esperan su herencia final. El tema de que la iglesia es el verdadero Israel continúa en 1 Pedro 2:9-10.

La iglesia es el "linaje escogido" (*eklekton genos*) de Dios. El paralelismo más cercano a la expresión utilizada aquí se deriva de Isaías 43:20, donde el Señor promete liberar a Israel en un segundo éxodo. El segundo éxodo se cumple finalmente en la salvación realizada en Jesucristo y en el nuevo pueblo de Dios, compuesto tanto por judíos como por gentiles. Pedro también se basa en una de las declaraciones de la constitución de Israel, Éxodo 19:6, al designar a la iglesia como "real sacerdocio" (*basileion hierteuma*)[238] y "nación santa" (*ethnos hagion*). Israel debía servir como sacerdote de Dios, comunicando su gloria a las naciones circundantes.[239]

Ahora la iglesia de Jesucristo, el verdadero Israel, debe mediar las bendiciones de Dios al mundo (cf. 1 P. 2:5). La iglesia de Jesucristo es apartada como el pueblo especial y santo de Dios. Que la iglesia funciona como el verdadero Israel también se comunica en 1 Pedro 2:10. Pedro alude a Oseas 2:23, y curiosamente Pablo alude al mismo texto y lo emplea de manera notablemente similar en Romanos 9:25-26. En Oseas, Dios rechaza a Israel como pueblo suyo a causa de su pecado, pero promete tener misericordia de él y restaurarlo de nuevo como pueblo suyo. Pedro ve cumplida esta promesa en la iglesia de Jesucristo, formada por judíos y gentiles. Ellos son el verdadero Israel de Dios; son aquellos que no eran un pueblo pero que ahora están incluidos dentro del círculo de la bendición de Dios.

La iglesia no solo es el verdadero Israel, sino que también constituye el verdadero templo. Jesús es tanto la piedra viva como la piedra angular del templo de Dios (1 P. 2:4-8). Todos los que pertenecen a Jesús son también piedras vivas y están siendo edificados como la casa espiritual de Dios. El templo de Jerusalén ya no es el centro de los designios de Dios, sino que la

---

a esta lectura, véase Achtemeier 1996: 164; Goppelt 1993: 149n65. J. Elliott
tiende el texto de una manera notablemente diferente, con el resultado de
casa de Dios como rey (véase también Dryden 2006: 121-22). Para más
hreiner 2003: 114-15.

tanto, está en que la iglesia sirva como sacerdote de Dios
individualmente. Para este punto, véase Best 1969: 287.

iglesia de Jesucristo, compuesta por creyentes de todas las etnias y clases sociales, constituye el templo de Dios.[240] Como casa espiritual de Dios (1 P. 4:17), se enfrenta a la obra purificadora y discriminadora de la persecución, para que su confianza en Dios en medio del sufrimiento le dé gloria en el último día (1 P. 4:19).

En el pasado, 1 Pedro solía considerarse un documento bautismal, pero hoy en día no se suele sostener tal opinión.[241] De hecho, el bautismo solo se menciona en un versículo de 1 Pedro, aunque el significado de ese versículo es muy discutido.[242] El agua que inundó el mundo en tiempos de Noé, y a través de la cual Noé se salvó, funciona como modelo o patrón para los creyentes cristianos. Pero, ¿con qué se relaciona el agua en el nuevo pacto? La respuesta es el bautismo. De hecho, tenemos la sorprendente afirmación de que "el bautismo... ahora los salva" (1 P. 3:21).

Antes de examinar esa afirmación, debemos considerar de qué manera las aguas del diluvio prefiguraban o correspondían al bautismo. Las aguas del diluvio inundaron el mundo antiguo y eran el agente de la muerte. Del mismo modo, el bautismo, que se realizaba por inmersión en la época del Nuevo Testamento, se produce cuando uno se sumerge bajo el agua. Quien se sumerge bajo el agua muere. Al igual que las aguas caóticas del diluvio eran el agente de la destrucción, también las aguas del bautismo son aguas de destrucción. Sin embargo, en la teología del Nuevo Testamento (Mt. 3:16; Mc. 10:38-39; Ro. 6:3-5), los creyentes sobreviven a las aguas de muerte del bautismo porque son bautizados con Cristo.

Son rescatados de la muerte mediante su muerte y resurrección (Ro. 6:3-5; Col. 2:12). De ahí que no nos sorprenda leer en 1 Pedro 3:21 que el bautismo salva "mediante la resurrección de Jesucristo". Las aguas del bautismo, como las aguas del diluvio, demuestran que la destrucción está cerca, pero los creyentes son rescatados de esas aguas en cuanto que son bautizados con Cristo, que también ha emergido de las aguas de la muerte mediante su resurrección. Así como Noé fue liberado a través de las tormentosas aguas del diluvio, también los creyentes han sido salvados a través de las tormentosas aguas del bautismo en virtud del triunfo de Cristo sobre la muerte. La palabra

---

[240] En apoyo de este punto de vista, véase Beale 2004: 331-33.

[241] Véase Schreiner 2003: 42-43.

[242] El análisis que sigue se ha extraído en gran parte de Schreiner 2003: 193-96, per' con algunas modificaciones.

"ahora" se refiere a la presente era escatológica de cumplimiento. Con la venida de Jesucristo, ha llegado la era de la salvación.[243]

Está claro, pues, que Pedro no se inclina por una visión mecánica del bautismo, como si el rito en sí contuviera un poder salvífico inherente. Tal visión sacramental está lejos de su pensamiento. El poder salvífico del bautismo tiene sus raíces en la resurrección de Jesucristo.[244] Pedro señala que el bautismo "no es la eliminación de la suciedad de la carne" (1 P. 3:21 NASB). Cualquier noción de que el bautismo es inherentemente salvador queda descartada, ya que el punto no es que el agua en sí limpie de alguna manera.[245] El agua quita la suciedad de la piel, pero el bautismo no salva simplemente porque alguien se haya sumergido en el agua.

El significado del bautismo se explica en la cláusula de contraste. No es quitar la suciedad de la carne, sino "el compromiso de tener una buena conciencia" (1 P. 3:21 NVI). La traducción de la NVI representa una interpretación de la frase. La palabra traducida como "compromiso" (*eperōtēma*) aparece únicamente aquí en el NT. Por otro lado, el significado del sustantivo puede derivarse del verbo (*eperōtaō*), que a menudo tiene el significado de "pedir" o "solicitar" en el Nuevo Testamento, y ocurre cincuenta y seis veces allí (p. ej., Mt. 12:10; 16:1; 27:11; Mc. 7:5; 9:21; Lc. 2:46; Jn. 18:7; 1 Co. 14:35).[246] Si el significado se deriva del verbo (*eperōtaō*), entonces encaja la traducción "pedir, solicitar, apelar".

Vemos esta interpretación en la ESV: "una apelación a Dios por una buena conciencia". La interpretación reflejada en la NVI puede ser apoyada por el uso de la palabra en los papiros. En estos casos, el término puede utilizarse para referirse a las estipulaciones de los contratos. Uno se compromete o promete cumplir los términos del contrato y las estipulaciones que figuran en él. Del mismo modo, se puede entender que el texto se refiere a la promesa o

---

243 Véase también J. Elliott 2000: 674; Brox 1986: 177.
244 chtemeier 1996: 267-68.
245 New American Standard Bible
    lwyn 1981: 204; J. Elliott 2000: 679.
246 ersión Internacional
    1988b: 163-64; Beare 1947: 149; Michaels 1988: 217; Greeven,
    dard Version

compromiso hecho en el bautismo.[247] Sin duda, esta interpretación es posible desde el punto de vista léxico y no contradice la teología petrina.

Sin embargo, parece más probable que el significado del sustantivo se derive del verbo. Ambas interpretaciones de la palabra *eperōtēma* son posibles léxicamente. En el contexto, sin embargo, parece más probable que el bautismo esté asociado a una súplica o petición a Dios de una buena conciencia. Es probable que el genitivo de la frase sea objetivo. Los creyentes en el bautismo piden a Dios, sobre la base de la muerte y resurrección de Cristo, que limpie sus conciencias y perdone sus pecados.[248] La idea, por tanto, es bastante similar a Hebreos 10:22, donde los creyentes pueden acercarse a Dios con confianza porque su "corazón" ha sido "purificado de mala conciencia" (cf. Heb. 10:2).[249]

En Hebreos no hay duda de que una conciencia limpia se debe a la cruz de Cristo. Así también Pedro subraya en 1 Pedro 3:18-22 la muerte de Cristo como el medio por el cual los creyentes son llevados a la presencia de Dios. Él murió por los creyentes, el justo por los injustos, y así los creyentes entran en la presencia de Dios sobre la base de la sola gracia de Dios. Pedro no se centra en las promesas que hacen los creyentes al bautizarse, sino en la obra salvífica de Cristo y su resurrección. En el bautismo, los creyentes pueden confiar, sobre la base de la obra del Señor crucificado y resucitado, en que su súplica de buena conciencia será atendida.

Pedro subraya especialmente el amor y el gozo que unen a la iglesia. La iglesia de Babilonia, casi con toda seguridad Roma, envía saludos a los creyentes de una Iglesia hermana (1 P. 5:13). Los creyentes deben saludarse unos a otros con un beso santo de amor y afecto (1 P. 5:14). Pedro insiste una y otra vez en la necesidad de amarnos los unos a los otros (1 P. 1:22; 3:8; 4:8). Ese amor implica evitar la mala voluntad, el engaño, los celos y los chismes (1 P. 2:1; 3:10). La humildad, la ternura y el perdón deben distinguir al pueblo de Dios (1 P. 3:8-9). La paz y la bondad deben buscarse con diligencia (1 P. 3:11). Los incrédulos no deben tener motivos objetivos para criticar a los

---

[247] Véase Angel, *TDNT* 2:880-81; J. Elliott 2000: 679-80; Brox 1986: 178; Hartman 1997: 119.

[248] En apoyo de esta interpretación, véase Achtemeier 1996: 271-72; Goppelt 1993: 268-69; Schelke 1980: 109.

[249] Muchos académicos ven una referencia al bautismo en Hebreos 10:22. Véa- Hartman 1997: 124; Attridge 1989: 289; Lane 1991a: 287; Bruce 1964: 250-51.

creyentes, por lo que la iglesia debe conservar un carácter piadoso (1 P. 3:13-17; 4:15). La buena "conducta" (*anastrophē*) de los creyentes los distingue del mundo en el que viven.[250]

Pedro también se dirige a los líderes de la comunidad, y los llama "ancianos" (1 P. 5:1-4).[251] Aparentemente, los ancianos lideraban todas las iglesias a las que Pedro se dirigió: Ponto, Galacia, Capadocia, Asia y Bitinia (1 P. 1:1). Si había ancianos en todas las iglesias de esas regiones, es de suponer que eran bastante comunes en el cristianismo primitivo. Ya hemos visto que a los líderes también se les llamaba ancianos en las iglesias a las que se dirigió Santiago, en Hechos y en las cartas paulinas. En el primer viaje misionero de Pablo se nombraron ancianos en Antioquía de Pisidia, Iconio, Listra y Derbe (Hch. 14:23). Las iglesias de Jerusalén también tenían ancianos (Hch. 15:2). Vemos ancianos también en las iglesias de Éfeso (Hch. 20:17; 1 Ti. 5:17). Aparentemente, también se nombraron ancianos en la isla de Creta (Tit. 1:5). Si "anciano" y "supervisor" se refieren al mismo cargo, entonces también había ancianos en Filipos (Fil. 1:1). La Epístola de Santiago puede haber sido escrita a iglesias palestinas, y si es así, entonces vemos ancianos en el área general de Palestina (Stg. 5:14).

Pedro enfatiza el ministerio de los ancianos. Deben pastorear y apacentar el rebaño que Dios les ha dado, y tal pastoreo implica "supervisión" (*episkopountes*) y liderazgo sobre la iglesia (1 P. 5:2).[252] Presumiblemente, su liderazgo consistía particularmente en su enseñanza de la Palabra de Dios. No obstante, Pedro hace hincapié en el tipo de liderazgo que ejercen los ancianos con tres contrastes (1 P. 5:2-4). No deben servir por obligación, sino por el afán de cumplir la voluntad de Dios. Su motivación tampoco debe ser el beneficio económico, sino el afán de ayudar al pueblo de Dios. Finalmente, los líderes enfrentan el peligro de usar su liderazgo para manipular y coaccionar a otros. Pero no deben usar su personalidad o sus dones para obligar a otros a

---

[250] *Anastrophē* es una de las palabras favoritas de Pedro (1 P. 1:15, 18; 2:12; 3:1, 2,

.ní es probable un uso oficial del término "anciano", como afirman la mayoría
.istas (p. ej., Selwyn 1981: 228; Goppelt 1993: 340; Achtemeier 1996: 321-

.piskopountes está ausente en algunos textos, pero lo más probable
.e está presente en la mayoría de los testimonios y en el corrector
.i algunos escribas lo omitieron porque la tradición eclesiástica
oficios de anciano y supervisor (obispo).

obedecer. Gobiernan en virtud del evangelio, no de la fuerza de sus propias personalidades. Por lo tanto, deben servir como ejemplos para el rebaño en lugar de tratar de obligar a la iglesia a hacer lo que ellos desean. Pedro asegura a los ancianos que serán recompensados por su servicio en el último día.

La identidad de los jóvenes que deben someterse a los ancianos es difícil de discernir (1 P. 5:5).[253] Los comentarios barajan varias posibilidades. Tal vez Pedro piense especialmente en los jóvenes porque son más propensos a ser testarudos y resistentes al liderazgo. En cualquier caso, toda la comunidad debe vivir con humildad y amabilidad los unos con los otros, pues ese es el aceite que lubrica una comunidad verdaderamente cristiana.

Pedro menciona brevemente los dones espirituales, dividiéndolos en dones de palabra y de servicio, y subrayando que brotan de la gracia de Dios (1 P. 4:10-11). Los dones reflejan la bondad de Dios para con su iglesia. Puesto que los dones son recibidos por Dios, los usuarios deben administrarlos como mayordomos, no publicitarlos como artistas. Se dan para fortalecer a otros, y quienes los usan no deben llamar la atención sobre sí mismos. Los que hablan, pues, deben esforzarse por ser fieles y hablar las Palabras de Dios. Los que sirven deben confiar en la fuerza de Dios, no en la suya propia. De este modo, la iglesia será ayudada y Dios glorificado.

La mayoría de las cartas del Nuevo Testamento no dan exhortaciones específicas para dedicarse a la evangelización. Tal omisión podría interpretarse de varias maneras. Tal vez, cuando las iglesias viven el evangelio de acuerdo con las exhortaciones de las distintas cartas, el evangelio resulta naturalmente atractivo para los de fuera. A Pedro le preocupa bastante que los creyentes se comporten de tal manera que los incrédulos se vean obligados a admitir (ya sea ahora o escatológicamente) que Dios está en medio de la iglesia (1 P. 2:11-12, 15, 20; 3:14, 16; 4:14-16). Los insultos que llueven sobre sus cabezas deben ser inmerecidos, de modo que la oposición a los cristianos no se base en que no vivan de un modo conforme a la bondad.

Parece también que tal comportamiento piadoso pretende tener también un impacto evangelizador. Pedro señala específicamente que las esposas deben vivir piadosamente con la esperanza de que los maridos se conviertan (1 P. 3:1-6). Por extensión, parece que lo mismo podría decirse de la relación entre esclavos y amos, aunque no se dice nada explícito al respecto (1 P. 2:18-25).

---

[253] Para más información, véase Schreiner 2003: 236-38.

De hecho, la exhortación a hacer "buenas obras" para que los incrédulos "glorifiquen a Dios en el día de la visitación" (1 P. 2:12) se refiere con toda probabilidad al efecto salvífico de la vida de los creyentes, aunque los comentaristas no se ponen de acuerdo sobre si Pedro piensa aquí en el juicio final o en la salvación.[254] Si se trata de la salvación, entonces las exhortaciones éticas dadas a los creyentes, que a menudo tienen en cuenta el impacto del comportamiento cristiano en los incrédulos, están implícitamente impregnadas de un significado evangelístico.

2 Pedro y Judas

En 2 Pedro y Judas no se dice nada específico sobre la iglesia. Las cartas se dirigen a iglesias amenazadas por falsos maestros. De estas cartas se desprende claramente que la pureza de las iglesias es una preocupación de ambos autores. Los creyentes no deben ser corrompidos por falsas enseñanzas. Ambas cartas reflejan que las iglesias están en peligro por el libertinaje, que se deshace de todas las restricciones morales. El libertinaje surgió probablemente de una distorsión de la enseñanza paulina (2 P. 3:15-16). La comunidad que Dios ha llamado para sí debe mostrar una bondad moral que sea bella y hermosa, para dar testimonio de su amor salvador. El llamamiento a la santidad de las iglesias es, pues, la principal aportación eclesiológica de estas dos cartas.

Apocalipsis

Apocalipsis se dirige a las iglesias del Asia Menor del siglo I que se enfrentaban a la persecución y el sufrimiento. Se exhorta al pueblo de Dios a mantenerse firme y a resistir la tentación de transigir con Roma honrando al emperador como Señor. La iglesia está marcada por el sufrimiento (Ap. 6:9-11; 11:8), pero en medio de él debe reconocer el gobierno y el reinado de Dios ʾn historia y adorarle como único Señor y soberano (Ap. 4:1-5:13; 7:12, 15; Una de las características más llamativas de Apocalipsis es que el ʾgido a las iglesias (Ap. 1:4, 11; 2:1-3:22). En la introducción a ʿ se nombra a cada iglesia en particular (Ap. 2:1, 8, 12, 18;

ʾ 2003: 123-24.

3:1, 7, 14) y, sin embargo, también se dice específicamente que las cartas destinadas a una iglesia concreta son para todas las iglesias (Ap. 2:7, 11, 17, 29; 3:6, 13, 22). El libro de Apocalipsis no es un apocalipsis atemporal que traza el curso de la historia del mundo de forma abstracta, sino que se dirige a las iglesias que se enfrentaban a la amenaza del imperialismo romano en el siglo I.

Las iglesias se describen como "candelabros" (Ap. 1:12, 20; 2:1, 5).[255] Los dos testigos, que probablemente se refieren a la iglesia, también son designados como dos candelabros (Ap. 11:4).[256] Como candelabros, las iglesias deben manifestar al mundo la luz de la bondad y supremacía de Dios. Brillan con todo su resplandor cuando se niegan a transigir con Roma y soportan la discriminación y la persecución por causa de Cristo. Como testigos, proclaman el señorío de Dios sobre la idolatría de Roma, que exige una lealtad total. La iglesia llama a todos los pueblos del mundo a salvarse del juicio venidero.[257] Su fidelidad a Cristo en medio de la oposición comunica al mundo que Cristo debe ser estimado por encima del emperador.

---

[255] Véase Beale 1999b: 206-8, donde también subraya que los candelabros denotan la presencia de Dios con su pueblo.

[256] Los dos testigos representan el testimonio profético de toda la comunidad, judía y gentil (Schnabel 2002b: 247). Los candelabros representan su función testimonial, pues llaman al arrepentimiento, y el número "dos" deriva de la exigencia veterotestamentaria de dos testigos (Dt. 17:6; 19:5) (Schnabel 2002b: 248).

[257] Rissi (1966: 80-83) sostiene que Apocalipsis promete la salvación universal. La opinión de Bauckham (1993a: 84-108; 1993b: 238-337) es bastante compleja. Sugiere que la apertura del rollo en Apocalipsis 5 y 10 está vinculada al testimonio misionero de la iglesia, de modo que el sufrimiento de la iglesia y la muerte de los creyentes fieles conducen al arrepentimiento de las naciones (Ap. 11:13). Bauckham (1993b: 12-13, 310-13) interpreta Apocalipsis 11:3-13; 14:14-16; 15:2-4 como el pronóstico de una especie de esperanza universalista, pues en Apocalipsis 21:3-4; 22:2-3 vemos a todas las naciones, no solo al pueblo del pacto, incluidas en las promesas salvíficas de Dios. Las puertas abiertas de la nueva Jerusalén apuntan a la salvación de las naciones. Pero al contrario que Rissi, Bauckham (1993b: 313n100) rechaza la presencia de universalismo en Apocalipsis 21:8, 27; 22:15. Schnabel (2002b: 251-53), por su parte, cuestiona la plausibilidad de la interpretación de Bauckham. Schnabel argumenta con razón que las visiones de Apocalipsis 10-11 se centran en el juicio más que en la salvación. El temor que se vislumbra en Apocalipsis 11:13 apunta al juicio, y "los demás" (*hoi loipoi*) son incrédulos, como en 9:20; 19:21; 20:5. Aunque dar gloria a Dios podría sugerir salvación, sabemos que Dios también es glorificado en el juicio (cf. Sal. 97:7-9; Is. 42:12-13). El juicio en lugar de la salvación también se apoya en el contexto de Apocalipsis, donde predomina el tema del juicio. No todo acto de dar gloria a Dios es salvífico, como revela el ejemplo de Nabucodonosor dando gloria a Dios (Dn. 4:34). Además, los siete mil que dan gloria a Dios en Apocalipsis 11:13 pueden referirse al juicio completo de los incrédulos o a la salvación del remanente fiel sin implicar la conversión de las naciones, ya que el tema central de

Uno de los temas fundamentales de Apocalipsis es que la iglesia es el verdadero Israel. Esta verdad se comunica de diversas maneras. En el Antiguo Testamento, Israel era un reino sacerdotal (Ex. 19:6), destinado a mediar en la bendición de Dios al mundo. Ahora, sin embargo, el reino sacerdotal de Dios es la iglesia de Jesucristo (Ap. 1:6). El reino de Dios no puede identificarse con Roma, ni los sacerdotes romanos son los mediadores de su bendición. Los creyentes en Jesucristo, las pequeñas comunidades diseminadas por el mundo grecorromano, representan el puesto avanzado de Dios en el mundo. Dos veces en Apocalipsis se califica a las sinagogas judías como "sinagoga de Satanás" (Ap. 2:9; 3:9).[258] En nuestro contexto social palidecemos al leer una denuncia tan contundente, sobre todo por el antisemitismo que ha manchado la historia cristiana.

Sin embargo, debemos situar las palabras de Juan en su propio contexto histórico. La iglesia era pequeña y políticamente impotente, carente de cualquier derecho legal en contraste con el judaísmo, que era reconocido como una religión legal en el mundo grecorromano. Además, las tornas se invirtieron en la historia cristiana primitiva, de modo que los judíos persiguieron ocasionalmente a la nueva secta cristiana. Juan nunca pretendió que sus palabras sirvieran de plataforma para discriminar o condenar a muerte a los judíos. No identifica las sinagogas como satánicas para fomentar el odio contra los judíos. La chocante designación pretende evitar que los cristianos cometan apostasía y se unan al bando equivocado. Sorprendentemente, dice Juan, los judíos no son el pueblo de Dios. La pequeña comunidad leal a Jesucristo representa el verdadero pueblo de Dios. La asombrosa inversión se comunica en las palabras de Apocalipsis 3:9.

Los judíos incrédulos vendrán y se postrarán ante los creyentes en Cristo Jesús. Según el Salmo 86:9, son las naciones gentiles las que se inclinarán en el futuro ante Yahve, el Dios de Israel. En el Antiguo Testamento, los

---

Apocalipsis 11:13 es el destino de los dos testigos, no la salvación de las naciones (véase Schnabel 2002b: 253-55). Bauckham (1993b: 283-96) también argumenta con referencia a las dos cosechas en Apocalipsis (Ap. 14:14-20) que la cosecha de grano es salvífica y la vendimia representa el juicio. Pero de nuevo parece que ambas se refieren al juicio (Schnabel 2002b: 257-62). Para más información, véase Bauckham 1993b: 306-18; Schnabel 2002b: 262-70.

[258] Véase Aune (1997: 164-65), quien señala que expresiones similares se utilizaron en disputas intrajudías en Qumrán y en la literatura testamentaria. Y a la inversa, la expresión indica que la iglesia de Jesucristo es ahora el verdadero Israel (Beale 1999b: 241).

enemigos de Israel se inclinarían a los pies de Israel cuando el Señor vindicara a su pueblo (Is. 60:14). Incluso lamerán el polvo a los pies de Israel (Is. 49:23). Juan, aludiendo al mismo texto, sostiene que los judíos que se oponen a la iglesia cristiana se inclinarán realmente ante los creyentes en el escatón y reconocerán que Dios está con ellos.[259]

El hecho de que la iglesia es el nuevo Israel también se comunica en Apocalipsis 7:1-8; 14:1-5.[260] Algunos intérpretes, por supuesto, entienden que los 144.000 se refieren literalmente a Israel. Los argumentos presentados anteriormente sugieren que Juan utiliza "Israel" simbólicamente para referirse al nuevo pueblo de Dios. Las doce tribus de Israel apuntan ahora a un cumplimiento mayor: la iglesia de Jesucristo. Los 144.000 son simbólicos en el sentido de que son doce al cuadrado y multiplicados por mil. Representan, pues, la totalidad del pueblo de Dios y el cumplimiento de las promesas de Dios a Abraham.[261] También representan el ejército de Dios en el sentido de que son comparables al censo de Israel como ejército de Dios en el Antiguo Testamento.

Los guerreros de Dios son los que sufren por causa del Cordero. La iglesia de Jesucristo es, pues, la verdadera sinagoga de Dios, el lugar donde se reúne su pueblo.[262] La iglesia no anula al Israel étnico, pues los nombres de las doce tribus están en las puertas de la ciudad celestial (Ap. 21:12). Pero el verdadero Israel, compuesto tanto por judíos como por gentiles, encuentra su plenitud en la iglesia de Jesucristo. Los nombres de los apóstoles están inscritos en los cimientos de la muralla de la ciudad (Ap. 21:14). Nadie que no esté edificado sobre el fundamento apostólico del evangelio de Jesucristo será incluido en la ciudad. Así como el pueblo de Dios puede ser descrito como el verdadero Israel, también puede ser descrito como una multitud incontable (Ap. 7:9-17). Situar a los 144.000 (Ap. 7:1-8) junto a una multitud innumerable (Ap. 7:9-17) no supone ninguna contradicción.

---

[259] Acertadamente Osborne 2002: 190-91; contra Beale (1999b: 287-88), que ve aquí una referencia a la salvación escatológica de los judíos.

[260] Bauckham 1993a: 77; 1993b: 180; Beale 1999b: 416-23.

[261] Bauckham 1993a: 77. Para la interpretación de Beale de esta promesa en Apocalipsis 7:9, véase Beale 1999b: 429-30.

[262] Smith (1990; 1995) sostiene que la enumeración de las doce tribus es una interpretación cristiana, mientras que Bauckham (1991) la considera una imagen judía tradicional.

NRSV – New Revised Standard Version

Juan retrata a la iglesia con dos imágenes diferentes para enseñar que la Iglesia es el verdadero Israel, cumpliendo el propósito de Israel, y también que es una hueste innumerable de toda tribu, lengua, pueblo y nación, cumpliendo la promesa a Abraham de que todo el mundo sería bendecido a través de él (cf. Gn. 12:3). Apocalipsis subraya la universalidad del pueblo de Dios. Cristo rescató a personas de todas las culturas (Ap. 5:9). Juan enfatiza que en la ciudad celestial Dios reside con los seres humanos, de modo que "ellos serán sus pueblos" (Ap. 21:3 NRSV).[263] El plural "pueblos" (*laoi*) celebra la diversidad de la obra salvífica de Dios, que incluye a seres humanos de todos los orígenes culturales y lingüísticos.[264]

También se describe al pueblo de Dios como el verdadero templo, la morada de Dios. Cuando se ordena a Juan que mida el templo, no se trata de un templo literal en Jerusalén (Ap. 11:1-2).[265] Esto queda confirmado por la admonición de medir a "los que en él adoran" (Ap. 11:1). No es necesario medir literalmente a los que adoran en el templo. Los medidos representan a los que están protegidos de la ira de Dios cuando comience a aplicar el juicio desde su templo, es decir, el cielo (Ap. 11:19; 14:15, 17; 16:1, 17). A la inversa, el atrio exterior del templo, que no tiene medida, representa la persecución infligida por los incrédulos antes de que se complete el reinado de Dios (Ap. 11:2).[266]

Durante el tiempo de imperfección y maldad —los cuarenta y dos meses— el pueblo de Dios será objeto de persecución. Aun así, Dios promete hacer de los suyos una columna en su templo (Ap. 3:12). En la nueva Jerusalén no existe un templo literal (Ap. 21:22), por lo que la imagen de ser columna en el templo promete que los creyentes estarán en presencia de Dios para siempre. Le adorarán en su templo (¡que no existe literalmente!) con exultante gozo todos sus días (Ap. 7:15). La bestia injuria el nombre de Dios y su "morada" (Ap. 13:6), pero la morada de Dios no se define en términos de un edificio, sino como su pueblo, como "los que habitan en el cielo".

---

[263] En español, algunas versiones que traducen λαοὶ αὐτοῦ conservando el plural son la DHH y la BTX (Nota del traductor).

[264] Véase Osborne 2002: 734; Beale 1999b: 1047.

[265] Véase R. Mounce 1977: 219-20; Beale 1999b: 557-65; Osborne 2002: 409-11; Aune (1998: 598, 604) erróneamente nota que también se hace referencia a la protección física.

[266] R. Mounce 1977: 220-21; Caird 1966: 132; Osborne 2002: 412-13; Beale 1999b: 565-71.

El pueblo de Dios en Apocalipsis también es representado como una mujer. Los antecedentes veterotestamentarios son claros, pues a menudo en el Antiguo Testamento se describe a Israel como la esposa de Yahve (p. ej., Os. 1:1-3:5; Jer. 2:2, 20, 24, 32-34; 3:1-2, 6-11, 20). El Mesías procede del pueblo de Dios (Ap. 12:1-5). Al pueblo de Dios se le promete el dominio sobre el mundo, simbolizado en que lleva una corona de doce estrellas, está adornada con el sol y tiene la luna puesta bajo sus pies (Ap. 12:1).[267] El pueblo de Dios vive actualmente en el desierto de las dificultades, donde Satanás la tienta durante los 1.260 días del dominio de Satanás (Ap. 12:6).

Esto representa el período desde la muerte y resurrección de Cristo hasta su regreso. Pero, así como Dios liberó a Israel de Egipto sobre alas de águila (Ex. 19:4), así también preservará a su pueblo en el desierto de los ataques de Satanás, para que Satanás (bajo la fachada del Imperio Romano) no triunfe sobre él (Ap. 12:14). Aquí el período de tiempo se describe como cuarenta y dos meses, pero eso es simplemente otra forma de decir 1.260 días. También se dice que la mujer tiene hijos, y algunos han intentado distinguir la identidad de la mujer y la de sus hijos (Ap. 12:17). Pero, como ya hemos visto en 2 Juan, esa interpretación es errónea. La mujer representa a la iglesia en su conjunto, y los hijos a los miembros individuales de la iglesia.[268] Apocalipsis 12 hace hincapié en que Dios fortificará y sostendrá a la iglesia para que sea capaz de resistir los ataques del dragón.

La conclusión de Apocalipsis confirma que la iglesia es una mujer. La iglesia es la esposa de Cristo (Ap. 19:7; 22:17), y disfrutará de la cena de bodas del Cordero (Ap. 19:7, 9). Se acerca el día de la consumación, y la novia, la iglesia de Cristo, estará radiante en ese día porque se ha negado a contaminarse, de modo que sus vestiduras son deslumbrantes y puras para la boda venidera (Ap. 19:8).

Vemos en Apocalipsis que la iglesia representa al verdadero Israel. La iglesia se enfrenta a un gran conflicto y tentación, pues transigir con el imperialismo romano comportaría entrar en la corriente dominante de la sociedad y obtener seguridad económica. Juan llama a la iglesia a adoptar una postura contracultural y a resistir en medio de una sociedad que persigue e

---

[267] Para un estudio de las posibilidades, véase Aune 1998: 680-81. Cf. R. Mounce 1977: 236; Caird 1966: 149; Beale 1999b: 626-27; Osborne 2002: 456.

[268] Véase R. Mounce 1977: 247; Osborne 2002: 484-85; Beale 1999b: 676-78.

incluso mata a quienes se niegan a doblar la rodilla ante Roma. El dolor temporal dará paso a la alegría eterna cuando la iglesia anticipe la cena de las bodas del Cordero. La iglesia da testimonio al mundo de su negativa a capitular ante Roma y de su lealtad a Jesucristo. El testimonio de la iglesia invita a los infieles a huir de la seguridad económica y política que les ofrece Roma. Deben encontrar refugio en Jesucristo, sabiendo que a los fieles les espera la promesa de un cielo nuevo y una tierra nueva.

Conclusión

Lo más sorprendente de la iglesia en el Nuevo Testamento es que el pueblo de Dios se define por su relación con Jesús. El verdadero Israel no está formado por judíos étnicos, sino por aquellos que confiesan a Jesucristo como Salvador y Señor. Por lo tanto, el enfoque en la iglesia como el verdadero Israel encaja con la tesis centrada en Cristo y en Dios de este libro. En la mayoría de los casos, se pide a la iglesia que viva de acuerdo con su vocación, para que Cristo sea glorificado en la forma en que se aman unos a otros y por la belleza moral de sus vidas. El distintivo de la iglesia está marcado por el bautismo, que simboliza el abandono de la vieja vida y la nueva devoción a Jesucristo. Así también, la iglesia observaba regularmente la Cena del Señor, recordándose a sí misma que su nueva vida, que comenzó en el bautismo, se basaba en la muerte de Jesucristo. Vemos, pues, que la iglesia en el Nuevo Testamento representa a los que pertenecen a Jesucristo. A veces se la llama el pueblo de Dios, o el cuerpo de Cristo, o el verdadero Israel, o el templo de Dios, o la "asamblea" (iglesia) o sinagoga de Dios. En todos los casos, la iglesia representa a aquellos que han experimentado las promesas salvíficas de Dios, que se han arrepentido de sus pecados y han puesto su fe en Jesucristo.

Como cualquier organización, la iglesia tenía líderes, y típicamente son descritos como ancianos o supervisores, lo cual hace referencia al mismo oficio. Existen algunas evidencias de un segundo oficio de diáconos, que funcionaban como asistentes o ayudantes de los ancianos. Estos líderes eran siervos de la iglesia que debían guiarla de acuerdo con las enseñanzas del evangelio y en ningún caso debían ejercer su autoridad tiránicamente. De hecho, toda la congregación ha sido bendecida con dones espirituales, de modo que todos ministran los unos a los otros cuando la iglesia está reunida.

Cada miembro del cuerpo ha recibido el Espíritu. Aquellos dentro de la comunidad que enseñan o viven de una manera que es contraria al evangelio y se niegan a apartarse del mal deben ser disciplinados, pero tal disciplina debe llevarse a cabo en un espíritu de amor y con el deseo de que el que ha sucumbido al mal se arrepienta y sea restaurado a la comunidad. Al fin y al cabo, la comunidad está llamada a vivir de tal manera que Dios sea glorificado por medio de Jesucristo. Tal estilo de vida solo es posible mediante el poder del Espíritu. La iglesia de Jesucristo representa al pueblo de Dios en la tierra, y refleja su gloria viviendo de una manera que le agrada en un mundo que se ha alejado del Dios vivo.

También tenemos indicaciones de que la iglesia debe proclamar el evangelio hasta los confines de la tierra. El mensaje de Jesús como Señor crucificado y resucitado no debe restringirse a un pueblo o región geográfica determinados. Todas las personas en todas partes están llamadas a arrepentirse y poner su fe en Jesucristo como Señor y Salvador. El mandato de proclamar el evangelio es más claro en los Evangelios y en Hechos y, curiosamente, no se enfatiza en la misma medida en las Epístolas. Aun así, en las Epístolas vimos algunos indicios de que las iglesias también debían anunciar la buena nueva. Ciertamente, las Epístolas subrayan que la fragancia del evangelio se difunde cuando las iglesias viven en amor y glorifican así a Dios.

§18. EL MUNDO SOCIAL DEL PUEBLO DE DIOS

¿Qué dice el Nuevo Testamento sobre la interacción de los creyentes con el mundo en el que viven? ¿Cuál es su relación con el mundo social y el entorno en el que viven su fe día a día? Debemos señalar de entrada que, para los creyentes en Jesucristo, la escatología es un factor determinante. El cumplimiento de la salvación prometida por Dios indica que la nueva era ha amanecido, aunque los creyentes esperan la consumación de todo lo que Dios ha prometido. La relación de los creyentes con el mundo se sitúa en la tensión entre el ya y el todavía no.

Por un lado, las promesas de Dios se han cumplido, de modo que los creyentes son ya hijos de Dios; por otro, esperan la consumación de la obra de Dios en sus vidas. Tanto ellos como el mundo no son todo lo que deberían ser ni todo lo que serán. Por eso, los creyentes pueden enfrentarse al mundo con un realismo claro y, a la vez, con un optimismo imperturbable. Estiman el mundo con un realismo claro al identificar y proclamar el mal que aún habita en el orden creado. No pasan por alto la maldad del mundo, ni siquiera el mal que aún habita en sus vidas, como si no estuvieran en contacto con el mundo tal y como es en realidad.

Sin embargo, los creyentes también son animados por un optimismo imperturbable. Saben que Dios cumplirá su propósito y traerá una nueva creación: un cielo nuevo y una tierra nueva, donde habite la justicia. El mal que mancha el mundo ahora no puede durar y no triunfará. La esperanza del evangelio promete que la justicia vencerá y el mal será derrotado. Por lo tanto, todo lo que los creyentes enfrentan en el mundo debe ser evaluado a la luz del futuro, porque el mundo futuro de la justicia representa la realidad última. El reinado del mal será efímero. En consecuencia, los creyentes pueden enfrentarse al mundo sin caer presa del cinismo, la desesperación o la tergiversación. Se enfrentan al mundo conociendo su destino y con la certeza de que amanecerá una nueva creación.

Será útil comenzar este capítulo con una breve introducción en la que se considere la cosmovisión escatológica de los escritores del Nuevo Testamento. Comienzo con el punto de vista escatológico de Pablo, que se resume en 1 Corintios 7:29-31:

> Pero esto digo, hermanos: el tiempo ha sido acortado; de modo que de ahora en adelante los que tienen mujer sean como si no la tuvieran; los que lloran, como si no lloraran; los que se regocijan, como si no se regocijaran; los que compran, como si no tuvieran nada; los que aprovechan el mundo, como si no lo aprovecharan plenamente; porque la apariencia de este mundo es pasajera.

No debemos interpretar estas palabras como si Pablo negara el mundo o como una forma de estoicismo.[1] No propugna un ascetismo que se aleje del matrimonio y de las posesiones. Pablo no rechaza las alegrías y las penas de este mundo ni aboga por una vida monástica. El matrimonio y las posesiones no son repudiados, sino matizados por el punto de vista escatológico de Pablo. Deben considerarse a la luz de la transitoriedad de este presente siglo malo. El matrimonio o las riquezas no deben considerarse como el bien supremo, pues también están destinados a desaparecer. Los que se apegan sin reservas a sus cónyuges o a sus posesiones han olvidado, tal vez inconscientemente, que el mundo es efímero.

Pablo no llama a vivir una vida artificial, de modo que las alegrías y las penas se contemplen de forma mecánica e impersonal. Se podría interpretar que Pablo es partidario de una visión casi estoica de la vida, según la cual ni las alegrías ni las penas llegan a conmover profundamente a los creyentes. Semejante lectura malinterpreta a Pablo. Su propósito es evitar la idea de que el cielo puede materializarse en la tierra. Dado el futuro escatológico, los creyentes deben comprender que todas las alegrías y las penas son efímeras. No se debe abrazar ninguna relación humana o emoción humana como si

---

[1] Véase la convincente exégesis en Fee 1987: 337–42; Hays 1997: 127–28.

representara la realidad última o final. La vida en este mundo debe afrontarse con realismo, lo que significa que hay que afrontarla provisionalmente.

La postura escatológica de Pablo se manifiesta en su valoración de la circuncisión. Si se exige la circuncisión para la salvación, Pablo la rechaza de plano (Ro. 4:9-12; Gl. 2:3-5; 5:2-4; Fil. 3:2-11). Pero en sí misma, la circuncisión es completamente irrelevante e insignificante para Pablo (Gl. 5:6; 6:15; 1 Co. 7:19). Lo que importa para Pablo es la nueva creación: la obra de Dios en los últimos tiempos inaugurada en Cristo Jesús (Gl. 6:15). Aceptar la circuncisión por razones culturales es admisible y legítimo, siempre y cuando uno no estime tal práctica como agradable a Dios. Del mismo modo, la comida y la bebida no ensalzan a nadie ante Dios (1 Co. 8:8).

Los creyentes son libres de comer lo que deseen, siempre que no se dejen dominar por sus apetitos corporales (1 Co. 6:12-13).[2] Si la gente empieza a dictar a los demás lo que deben comer para agradar a Dios (Col. 2:16-23), tales imposiciones deben rechazarse por ser contrarias al evangelio. Los alimentos se eliminan a través del cuerpo en procesos naturales y no poseen ningún valor inherente. Si los alimentos consumidos escandalizan a hermanos o hermanas, los creyentes deben abstenerse por amor a los demás creyentes (Ro. 14:1-15:7; 1 Co. 8:1-11:1). Esta abstinencia, sin embargo, no puede explicarse en términos de los alimentos en sí.

La comida no es intrínsecamente impura; representa uno de los dones de Dios (1 Co. 10:25-26). Además, quienes prohíben el matrimonio y el consumo de ciertos alimentos niegan categóricamente la buena creación de Dios (1 Ti. 4:1-5). Pablo no recomienda el ascetismo, ni prohíbe ningún alimento ni el matrimonio. Sin embargo, todos estos dones deben evaluarse a la luz de la obra de la nueva creación de Dios y de la futura realización de sus promesas. Dada su naturaleza temporal, no deben aceptarse como el bien supremo, pero tampoco deben rechazarse. Los creyentes disfrutan de los dones que Dios les ha concedido (1 Ti. 6:17), pero no se aferran a ellos egoístamente. Siempre están dispuestos a dar generosamente a los necesitados (1 Ti. 6:17-19).

La postura de los creyentes ante el mundo puede entenderse observando brevemente otros temas del Nuevo Testamento. El apóstol Juan exhorta a los

---

[2] Es posible que algunos miembros de la Iglesia de Corinto frecuentaran prostitutas para satisfacer sus deseos corporales (Rosner 1994: 127-28). Hays (1997: 101-2) sostiene que la postura corintia refleja aquí una visión helenística común respecto al sexo con prostitutas en una sociedad patriarcal.

creyentes a no amar al mundo, porque el mundo y todas sus alegrías son temporales, mientras que la alegría que viene de Dios no se acaba nunca. Tanto 1 Pedro como Hebreos recuerdan a los creyentes que son exiliados y forasteros en este mundo (1 P. 1:1; 2:11; Heb. 11:13; cf. 1 P. 1:17). A pesar de la opinión contraria de algunos, Pedro no se refiere en su carta a un exilio literal, sino que utiliza el término "exilio" de forma metafórica.[3]

Los lectores esperan el día en que cesen los sufrimientos y puedan disfrutar de la salvación escatológica. Del mismo modo, el autor de Hebreos recuerda a sus lectores que ellos, como Abraham, Isaac y Jacob, son exiliados en este mundo. Aguardan la ciudad celestial y la ciudad venidera (Heb. 11:10-16; 13:14). Pensamos también en Apocalipsis, donde la bestia gobierna actualmente el mundo, pero se prometen unos cielos nuevos y una tierra nueva donde Dios será todo en todos (Ap. 21:1). La reserva y la anticipación escatológicas caracterizan el testimonio del Nuevo Testamento y son fundamentales para comprender su postura ante la vida en este mundo.

El mundo social del Nuevo Testamento será abordado en este capítulo de manera temática. Consideramos aquí cinco cuestiones del mundo social del Nuevo Testamento:

(1) riqueza y pobreza;
(2) el papel de la mujer;
(3) matrimonio, divorcio e hijos;
(4) la relación con las autoridades gobernantes; y
(5) la esclavitud.

Dado que en este capítulo adopto un enfoque temático, consideraremos a cada uno de los escritores del Nuevo Testamento en relación con el tema que nos ocupa.

---

[3] J. Elliott (1981: 37-49, 129-32; 2000: 100-102) entiende el término literal y metafóricamente, pero es más probable una lectura metafórica (Chin 1991; Feldmeier 1992: 203-10; Bechtler 1998: 78-81). Véase la útil discusión de Dryden (2006: 126-32), que ve un componente social en vivir como exiliados pero no entiende el término literalmente, como hace Elliott.

Riqueza y pobreza

Lucas-Hechos

La reevaluación radical de la vida en el mundo es evidente en la enseñanza lucana sobre la riqueza y la pobreza. En lugar de consultar los tres Evangelios Sinópticos sobre el tema de la riqueza y la pobreza, limitaré este análisis a Lucas-Hechos porque Lucas se centra especialmente en este tema y establece un paralelismo con la mayoría de los textos pertinentes de Mateo y Marcos.

Jesús pronuncia una bendición para los pobres, los hambrientos, los afligidos y los perseguidos, al tiempo que anuncia un juicio sobre los que son ricos, están llenos, ríen y son estimados por sus semejantes (Lc. 6:20-26).[4] Los dichos aquí no pueden interpretarse como afirmaciones literales, como si todas y cada una de las personas del mundo que sufren pobreza recibieran la bendición de Dios.[5] Los que sufren privaciones físicas representan a los que confían en el Dios de Israel para todas sus necesidades.[6] La referencia a la persecución revela que es su lealtad al "Hijo del Hombre" (Lc. 6:22) lo que atrae la ira de los demás.

La bendición no pertenece a todas las personas de cualquier lugar que sufren discriminación por multitud de razones; la bendición está reservada a los maltratados por su compromiso con Jesús. De ahí que el "pobre en espíritu" mateano (Mt. 5:3) no esté alejado del significado lucano.[7] Sin embargo, no podemos eliminar de los dichos lucanos ninguna referencia a la pobreza literal.

---

[4] Para este tema en Lucas-Hechos, véase L. Johnson 1977; Seccombe 1982.

[5] Véase Seccombe 1982: 23-96; Meier 1994: 384-86n157.

[6] Heard (1988: 47-58) sostiene que los pobres son el remanente fiel en Israel, y que Isaías 56-66 funciona como trasfondo para identificar a los pobres. Pero, en contra de Heard (1988: 57), los pobres no deberían identificarse necesariamente con los fieles a la Torá, sino con los discípulos de Jesús. De ahí que los pobres representen a los discípulos perseguidos de Jesús (Esser, *NIDNTT* 2:824-25; cf. Seccombe 1982: 88-91). Se equivocan, pues, quienes hacen hincapié en la pobreza literal (acertadamente Fitzmyer 1981a: 532; Merklein, EDNT 3:194; Tannehill 1986: 127-32). R. Brown (1977: 363-64) argumenta que el énfasis está en la pobreza espiritual, aunque la privación física no está ausente. Véase también L. Johnson 1977: 140. Green (1995: 79-84) sostiene que "pobre" denota la idea de un estatus social inferior y no simplemente de carencia.

[7] Esser (*NIDNTT* 2:824) sostiene que Mateo 5:3 "pone de manifiesto el trasfondo veterotestamentario y judío de quienes en la aflicción solo tienen confianza en Dios". Para una visión de la riqueza y la pobreza compatible con lo que aquí se argumenta, véase Marshall 1970: 141-44.

Jesús habla de quienes han puesto su vida en manos de Dios y sufren pobreza, hambre, dolor y persecución.

Las bendiciones y ayes de Jesús son chocantes porque ponen patas arriba los valores del mundo. Tales palabras solo pueden pronunciarse porque la situación de cada uno en este mundo debe evaluarse a la luz del escatón. Los que son pobres y maltratados por causa de Jesús disfrutan ahora del poder del reino y de la promesa de la satisfacción y la alegría escatológicas. En cambio, los que ahora son ricos y respetados llorarán y pasarán hambre en el último día. Los placeres de la vida terrenal se relativizan a la luz del reino futuro. El canto de María celebra el mismo mensaje, pues espera un día, ahora que Jesús ha sido concebido, en que Dios desplegará su fuerza (Lc. 1:51-53).

> **Lucas 1:51–53** »Ha hecho proezas con Su brazo; Ha esparcido a los soberbios en el pensamiento de sus corazones. »Ha quitado a los poderosos de *sus* tronos; Y ha exaltado a los humildes; A los hambrientos ha colmado de bienes Y ha despedido a los ricos con las manos vacías.

Los arrogantes serán dispersados, los que tienen poder político depuestos y los ricos sufrirán pérdidas. Por el contrario, los humildes serán resucitados y los hambrientos recibirán alimento.[8] Los pobres no deben equipararse a todos los que carecen de posesiones materiales, pues se limitan al pueblo de Dios maltratado por las naciones incrédulas.[9] Si el escatón fuera un mero sueño piadoso, sería sensato perseguir el poder y la riqueza. La misión distintiva de Jesús es predicar la buena nueva, es decir, el cumplimiento de las promesas salvíficas de Dios a los pobres (Lc. 4:18).

---

[8] El tiempo aoristo podría referirse al pasado, pero dado el cariz escatológico del Evangelio de Lucas y el hecho de que lo que María promete aquí no había sucedido en la historia de Israel, parece que las promesas se refieren al futuro. R. Brown (1977: 363) las considera cumplidas en la muerte y resurrección de Cristo, argumentando que estos versículos son perspectivas posteriores a la resurrección sobre lo que se ha realizado salvíficamente a través de Jesús. Fitzmyer (1981a: 360-61) rechaza la idea de que sean perfectos proféticos o se relacionen con las victorias de los macabeos. Piensa que se relacionan figurativamente con la vida y el ministerio de Jesús. Marshall (1978b: 83-84) sugiere que podrían ser perfectos proféticos que se cumplen en parte incluso ahora. La opinión de Marshall es la más satisfactoria (véase también Seccombe 1982: 76-77). En Bock 1994: 153-56 se encuentra un útil estudio y explicación del texto.

[9] Véase Seccombe 1982: 82.

El significado del anuncio de Jesús es evidente, pues promete tal cumplimiento en su discurso programático en Nazaret, que representa la inauguración del ministerio de Jesús en Lucas. La buena nueva para los pobres no puede equipararse a una aceptación romántica de la pobreza. La llegada del reino señala que los oprimidos y los pobres no estarán en esa situación para siempre. Las promesas salvíficas de Dios están a punto de hacerse realidad, de modo que los pobres experimentarán el favor de Dios. Una vez más, la palabra "pobre" no debe ser despojada de su significado literal. Por otra parte, es casi seguro que el término tiene una dimensión espiritual. La libertad prometida a los cautivos no se refiere a aquellos liberados de las prisiones de Palestina, sino más bien a aquellos que son liberados del cautiverio del pecado por Jesús. La vista prometida a los ciegos es tanto literal como espiritual.[10] Jesús abrió los ojos de los ciegos, pero tales curaciones apuntaban a la apertura espiritual de los ojos que se produjo en su ministerio. Del mismo modo, las buenas nuevas prometidas a los pobres incluyen las riquezas espirituales otorgadas a quienes ponen su confianza en Jesús (cf. Lc. 7:22-23).

Lucas 7:22–23 Entonces Él les respondió: «Vayan y cuenten a Juan lo que han visto y oído: los ciegos reciben la vista, los cojos andan, los leprosos quedan limpios y los sordos oyen, los muertos son resucitados *y a* los pobres se les anuncia el evangelio. »Y bienaventurado es el que no se escandaliza de Mí».

Los que escuchan el mensaje de Jesús sobre la llegada del reino no pueden ver el dinero y la propiedad de la misma manera. El mensaje del Bautista, a este respecto, era el mismo que el enseñado por Jesús (Lc. 3:11-14). El arrepentimiento genuino se manifiesta en la voluntad de compartir comida y ropa con los necesitados. Dado el estilo de vida ascético de Juan, cabría esperar que abogara por un cambio social radical.[11] Sin embargo, no encontramos nada de eso. A los recaudadores de impuestos no se les anima a renunciar a su puesto para seguir otro modo de vida, sino que se les ordena ser justos y honrados como recaudadores de impuestos, sin tomar más de lo que es lícito. Del mismo modo, Juan no exige que los soldados abandonen el ejército por una vocación

---

[10] Véase la cuidadosa discusión en Bock 1994: 408-9.

[11] Como señala Fitzmyer (1981a: 465), Juan no aboga por un vuelco de las estructuras sociales de su época.

civil. Les exhorta a estar satisfechos con su salario y a no utilizar su posición como medio para extorsionar a los que están bajo su autoridad.

Jesús advierte constantemente sobre el peligro de las riquezas, porque pueden apartar a la gente del reino. En la parábola de los suelos, la palabra de Dios puede ser ahogada por las riquezas y el deseo de placer (Lc. 8:14). Un hombre suplica a Jesús que intervenga en una disputa económica familiar y actúe como árbitro en el caso (Lc. 12:13-15). Jesús se niega a enredarse en un debate familiar sobre cómo debe repartirse una herencia, pero advierte al hombre sobre el peligro de la codicia, recordándole que la vida no puede definirse por las riquezas. La advertencia de Jesús a este hombre conduce a la parábola del rico insensato (Lc. 12:16-21).

El hombre rico es un necio porque no piensa escatológicamente. Ha olvidado que la muerte es inminente y puede ocurrir en cualquier momento, por lo que se pasa la vida pensando en sus inversiones. El rico está convencido de que su jubilación durará muchos años, y que podrá pasarlos comiendo, bebiendo y regocijándose. Jesús no condena al hombre porque sus cosechas fueran abundantes, pues estas representan la bendición de Dios. No deberíamos interpretar esta parábola como si dijera que cualquier inversión de capital está mal.[12] El hombre rico es insensato porque no tiene en cuenta a Dios.[13] Revela lo que casi podría calificarse como una visión deísta de la vida, que se olvida de la intervención de Dios en el mundo, de modo que se enfrenta al repentino impacto de la muerte al comienzo de su jubilación. Fundamentalmente, ha vivido como un ateo práctico. Ha llenado su cuenta de jubilación, pero no ha hecho de Dios su tesoro y placer.[14]

Las advertencias de Jesús sobre las riquezas no están reservadas a los incrédulos. Sus propios discípulos tienen que estar en guardia constantemente, porque también ellos son propensos a dejarse subvertir por las riquezas (Lc. 12:22-34).[15] Preocuparse por las riquezas revela una falta de confianza en el

---

[12] Contra Seccombe (1982: 144), su pecado no fue "almacenar" *per se*. Para una lectura más convincente, véase Hultgren 2000: 109.

[13] Véase Marshall 1978b: 524; Fitzmyer 1985: 972.

[14] Heard (1988: 61) señala: "El pecado del rico fue acaparar; intentaba quedarse con todas las bendiciones de Dios".

[15] Lucas 12:33 no significa literalmente que todos los discípulos de Jesús deban entregar todos sus bienes; sin embargo, deben estar dispuestos a utilizar su dinero por el bien del reino (así Bock 1996: 1167; véase también Seccombe 1982: 153-55). Heard (1988: 62) interpreta el texto como una orden contra el acaparamiento de bienes.

cuidado paternal de Dios y, lo que es más importante, un deseo de vivir para uno mismo en lugar de para el reino de Dios.[16] Jesús no era un asceta que exigía renunciar al mundo. Advirtió sobre el peligro de las riquezas porque fácilmente separan a las personas de Dios.[17] Los que dan generosamente y se niegan a ceder a las preocupaciones demuestran que su tesoro se encuentra en Dios y no en las posesiones.

Los fariseos ridiculizan las enseñanzas de Jesús porque no pueden tolerar que alguien critique su amorío con el dinero (Lc. 16:14-15). Una de las razones por las que Jesús limpia el templo es que se ha convertido en un lugar de beneficio económico en lugar de un lugar de oración y adoración (Lc. 19:45-46). Invitar a comer a los pobres y a los discapacitados físicos es una señal de que se vive para el reino de Dios, y quienes lo hagan recibirán la recompensa del reino en el día final (Lc. 14:12-14).

Lucas 14:12–14 Jesús dijo también al que lo había convidado: «Cuando ofrezcas una comida o una cena, no llames a tus amigos, ni a tus hermanos, ni a tus parientes, ni a tus vecinos ricos, no sea que ellos a su vez también te conviden y tengas ya tu recompensa. »Antes bien, cuando ofrezcas un banquete, llama a pobres, mancos, cojos, ciegos, y serás bienaventurado, ya que ellos no tienen para recompensarte; pues tú serás recompensado en la resurrección de los justos».

Jesús subraya a menudo en Lucas que solo entrarán en el reino quienes rechacen tener a las riquezas como dios. El joven rico deseaba obtener la vida eterna en el último día (Lc. 18:18). En otras palabras, deseaba salvarse (Lc. 18:26) y entrar en el reino de Dios (Lc. 18:24). Jesús le exigió que renunciara a todas sus posesiones y le siguiera en el discipulado para recibir la salvación y disfrutar de un tesoro en el cielo (Lc. 18:22).[18] El gobernante rico no podía desprenderse de sus riquezas, y por eso se alejó de Jesús. La libertad de la tiranía del dinero solo pertenece a quienes han experimentado el milagro del

---

[16] Seccombe (1982: 150-52) sostiene que aquí se prohíbe la ansiedad que acompaña al discipulado, no simplemente la ansiedad en general.

[17] Véase Schlatter 1997: 166-74.

[18] Bock señala el ejemplo de Zaqueo (Lucas 19:8), que regaló la mitad de sus posesiones. Señala acertadamente que la cuestión es la supremacía de Dios, y que las particularidades de lo que Jesús exige no se imponen a todos (Bock 1996: 1482-83). Véase también Seccombe 1982: 118-32.

poder salvador de Dios (Lc. 18:27). Pedro y los discípulos disfrutaron del poder de la gracia, pues abandonaron todo lo que poseían para seguir a Jesús (Lc. 18:28-30). Lucas no insinúa que todo creyente deba renunciar literalmente a todas sus riquezas para recibir la vida eterna.[19] Tal cosa le fue exigida al joven rico.

Sin embargo, la salvación llegó a la casa de Zaqueo cuando este dio la mitad de sus posesiones a los pobres y devolvió el cuádruple a los que había estafado (Lc. 19:1-10).[20] De la enseñanza de Lucas no debe extraerse ninguna fórmula, como si pudiéramos calcular con precisión a cuánto debemos renunciar para obtener la vida eterna.[21] Jesús no especificó cuánto se debía dar, pues no se preocupaba por la cantidad, sino por el arrepentimiento que se manifestaba en la devoción a Dios.[22] Es de suponer que María, la madre de Juan Marcos, disfrutaba de una riqueza considerable, pues podía alojar a la iglesia que se reunía en su casa (Hch. 12:12).[23] Aparentemente, no se le exigió que vendiera su casa y diera toda su riqueza a los pobres.

Aun así, debemos evitar irnos al otro extremo. La salvación de Zaqueo no debe desvincularse de su riqueza, pues el poder salvador del reino se reveló en su recién descubierta generosidad y en su voluntad de corregir los errores del pasado. La madre de Juan Marcos no acumuló riquezas, sino que puso su casa al servicio de la iglesia. La cuestión para Lucas es qué posee al ser humano, pues quienes están cautivados por el dinero lo sirven como a su dios. La exigencia radical del reino se manifiesta en el relato de la viuda pobre que dio muy poco y, sin embargo, dio todo lo que tenía (Lc. 21:1-4).

La parábola del mayordomo infiel es uno de los relatos más controvertidos del Evangelio de Lucas (Lc. 16:1-9).[24] El mayordomo no trabajaba honradamente, por lo que su amo lo despidió. Para asegurar su comodidad futura, el gerente redujo drásticamente las deudas de los que debían dinero al

---

[19] Heard (1988: 68) sostiene que los discípulos deben estar dispuestos a "abandonarlo todo si se les pide que lo hagan".

[20] Vemos aquí la generosidad de Zaqueo (Bock 1996: 1520). Heard (1988: 73) señala que Zaqueo "seguía siendo un hombre de considerable fortuna".

[21] Acertadamente Juel 1983: 91; Heard 1988: 73.

[22] Véase Schlatter 1997: 172.

[23] Heard 1988: 68. Polhill (1992: 281n153) señala que la casa de María es una prueba de que en la iglesia primitiva se conservaba la propiedad privada y las posesiones se compartían libremente.

[24] Falta espacio aquí para examinar la parábola en detalle. Para una exposición útil, véase Bailey 1976: 86-110. Véase también Seccombe 1982: 160-69.

amo, reduciendo la deuda en un 50% para algunos y en un 20% para otros. Tal comportamiento no era un ejemplo de justicia social.[25] El gerente actuó de forma egoísta para asegurar su propio futuro, ya que era incapaz de realizar un trabajo manual y se avergonzaba de mendigar. ¿Qué le dice esta parábola a un seguidor de Jesús, sobre todo porque se elogia al gerente como alguien deshonesto? La parábola funciona a modo de contraste y comparación.[26]

En contraste con el administrador deshonesto, los creyentes no deben comportarse de forma poco ética en el uso de sus posesiones, sino que, como él, deben utilizar su dinero para asegurar su futuro. De hecho, deben utilizar sus riquezas de tal manera que sean bienvenidos a las "moradas eternas" (Lc. 16:9).[27] El uso de las posesiones desempeñará un papel en el juicio final.[28] El comentario de Jesús posterior a la parábola apoya la interpretación que se ofrece aquí (Lc. 16:10-13). Las verdaderas riquezas se concederán escatológicamente solo a aquellos que utilicen sus bienes por el bien del reino. El modo en que las personas utilicen su dinero revelará si están dedicadas a Dios o a la riqueza, si sirven a Dios o al dinero.

La parábola del hombre rico y Lázaro demuestra una inversión de papeles en el futuro (Lc. 16:19-31). El rico vive en el lujo pero ignora gustosamente las necesidades de los pobres, por lo que se enfrentará al juicio y al tormento (cf. Is. 58:7).[29] Johnson argumenta que, en el contexto, el rico representa a los fariseos (cf. Lc. 16:14-15) que ignoran el mensaje de la ley y los profetas, el cual exige generosidad para con los pobres.[30] El opulento estilo de vida del rico revela lo que adora. Debemos señalar que la parábola incluye el mensaje de que el arrepentimiento es posible, pero el arrepentimiento no puede limitarse a un cambio interno de la mente que carezca de un cambio concreto que lo acompañe en la vida cotidiana.

El arrepentimiento genuino implica el tipo de cambio que vemos en la vida de Zaqueo, donde el amor por los necesitados se manifiesta en la práctica.[31]

---

[25] Contra Fitzmyer (1985: 1101), no está claro que la reducción de la cuenta esté relacionada con la comisión del gerente (cf. Bock 1996: 1329-30).

[26] Véase Jeremias 1972: 182.

[27] Fitzmyer (1985: 1098) sostiene que se elogia al mayordomo por su prudencia, no por su deshonestidad.

[28] Véase Bock 1996: 1334-35; L. Johnson 1977: 157.

[29] Contra Jeremias (1972: 186), que separa el mensaje de Jesús del contexto lucano.

[30] L. Johnson 1977: 140-44; cf. Seccombe 1982: 176-79.

[31] Marshall 1970: 242; Heard 1988: 65.

Del mismo modo, la vida comunitaria de la iglesia primitiva, en la que se satisfacían las necesidades de los creyentes pobres, funciona como paradigma de generosidad para Lucas (Hch. 2:44-45; 4:32-37).[32] Lucas no ordena la entrega de la propiedad privada, ni aboga por ningún acuerdo social concreto.[33] La muerte de Ananías y Safira no puede atribuirse a que no entregaran todas sus riquezas a la iglesia (Hch. 5:1-11). Pedro señaló expresamente que sus posesiones les pertenecían y que eran libres de hacer lo que quisieran con el producto de las tierras que vendían (Hch. 5:4). El pecado de Ananías y Safira consistió en mentir, ya que se confabularon para promover la idea de que habían sido extremadamente generosos al entregar a la iglesia todo el dinero de las tierras que habían vendido.[34] Lucas elogia la generosidad y la ayuda a los necesitados, pero esto no debe interpretarse como una exigencia de entregar las posesiones propias a una bolsa común.

La preocupación por los necesitados anima a Lucas. Cornelio es elogiado porque da limosna a los pobres (Hch. 10:2). La falta de atención a las necesidades físicas de las viudas helenísticas no es un asunto baladí (Hch. 6:1-6), pues el testimonio de la iglesia se ve gravemente comprometido si algunos carecen de alimentos y cuidados. De ahí que los apóstoles se esforzaran por remediar la situación de forma inmediata y justa. La iglesia de Antioquía no podía desentenderse de la hambruna que se preveía en Jerusalén, considerándola un problema lejano (Hch. 11:27-30). La iglesia actuó de inmediato y envió donativos a los hermanos necesitados de Jerusalén. Pablo elogió su ministerio recordando a los ancianos de Éfeso que trabajaba para mantenerse y no utilizaba su ministerio como pretexto para obtener ventajas económicas (Hch. 20:33-34). Quizá el mensaje lucano sobre el dinero pueda resumirse en las palabras de Jesús recitadas por Pablo: "Más bienaventurado es dar que recibir" (Hch. 20:35). Lucas no concibe el dar como algo oneroso y doloroso. Suplir las necesidades de los demás no empaña el gozo, sino que lo

---

[32] Para una discusión más detallada de estos textos, donde se sitúan en su contexto literario, véase L. Johnson 1977: 183-204. Para paralelismos y una discusión del contexto lucano, véase Seccombe 1982: 200-209. L. Johnson (1977: 161) también señala que Lucas 15:31 funciona como un interesante paralelo, demostrando que cuando las personas están alejadas unas de otras, no comparten todas las cosas en común. Además, poner las propias posesiones a los pies de los apóstoles significa someterse a la autoridad de los doce (L. Johnson 1977: 201-4).

[33] Acertadamente Seccombe 1982: 207-9; Capper 1998: 512.

[34] El pecado en este caso fue mentir, no el no dar todo lo que poseían (Barrett 1994: 262; Heard 1988: 68; L. Johnson 1977: 208; Seccombe 1982: 212).

acrecienta. El gozo se amplifica y se expande cuando los creyentes demuestran al dar a los demás que Dios es su porción.

La literatura paulina

Pablo, al igual que Lucas, habla a menudo de la responsabilidad financiera de los creyentes. Los falsos maestros pueden ser discernidos en parte por su deseo de aprovecharse financieramente de los creyentes. Son los que "comercian la palabra de Dios" (2 Co. 2:17). Su deseo de difundir el evangelio está teñido de motivos impuros y de un anhelo de sacar provecho económico (1 Ti. 6:5). Pablo, en cambio, se negó a aceptar un pago para servir de ejemplo a sus oyentes (1 Co. 9:1-23; 1 Ts. 2:5). En 2 Corintios se contrapone a los falsos maestros, destacando la pureza de sus motivos y su integridad financiera (2 Co. 2:17; 4:2). En 2 Corintios no acepta bajo ninguna circunstancia el apoyo de la iglesia, demostrando así que se distingue de los falsos apóstoles (2 Co. 11:7-15). Los incrédulos demuestran su estado espiritual por su amor al dinero y no a Dios (2 Ti. 3:2).

La nueva vida de los creyentes está marcada por el dar y la generosidad en lugar de la avaricia y la codicia. La nueva vida en Cristo no encaja con el robo (Ro. 13:9; Ef. 4:28). Los creyentes deben trabajar laboriosamente para poder compartir con los necesitados. En 1-2 Tesalonicenses, Pablo advierte a los creyentes sobre la pereza, presumiblemente porque algunos habían dejado de trabajar ante la proximidad de la venida del Señor (1 Ts. 4:11-12; 5:14; 2 Ts. 3:6-12). La falta de trabajo desprestigiaría el evangelio entre los incrédulos, y cuando los creyentes se vuelven ociosos y se aburren, se exponen al mal. Deben imitar el ejemplo de Pablo de trabajar duro y así dejar de ser una carga económica para nadie (2 Ts. 3:7-9). Los creyentes deben estar dispuestos a ayudar económicamente a quienes lo necesiten, pero es una falta de amor proporcionar dinero a quienes pueden trabajar y se niegan a hacerlo, pues con eso los creyentes estarían fomentando una vida de pereza (2 Ts. 3:10).

No se critica a los creyentes por ser ricos (1 Ti. 6:17-19), ni se desprecia el placer que produce la riqueza. Dios es el creador del mundo y de los dones que hay en él (1 Ti. 4:3-5; cf. 1 Co. 10:23-25). Aun así, quienes adquieren riquezas tienden a la arrogancia y al orgullo, de modo que su vida se centra en el dinero y no en Dios. Los que tienen riquezas corren el peligro de situar a

Dios en la periferia y no en el centro de sus vidas. La avaricia, según Pablo, equivale a la idolatría (Ef. 5:3; Col. 3:5). Además, Dios concede la riqueza para que los ricos compartan con los necesitados y vivan con generosidad. Solo los que se apartan de la riqueza como su dios disfrutarán verdaderamente de la vida en el último día (1 Ti. 6:19). La generosidad y la voluntad de ayudar a los necesitados deben ser la firma de quienes pertenecen a Dios (Ro. 12:8). Dicha generosidad se manifiesta en la disposición a brindar hospitalidad (Ro. 12:13; 1 Ti. 5:10). La iglesia debe apoyar a los maestros y líderes de su entorno para que puedan dedicarse al evangelio (1 Co. 9:1-14; Gl. 6:6-8; 1 Ti. 5:17-18).

La generosidad y el deseo de ayudar a los necesitados deben ser el sello distintivo del pueblo de Dios. Las viudas que han vivido piadosamente y que ya han cumplido los sesenta años deben recibir el apoyo de la iglesia si carecen de familiares que puedan ayudarlas (1 Ti. 5:3-16).[35] Pablo elogia a la iglesia de Filipos por su apoyo en la proclamación del evangelio (Fil. 1:3-6; 4:10-19). Agradece su generosidad, pero evita cualquier sensación de desesperación o pánico. Ha aprendido la lección de la satisfacción incluso cuando tiene muy poco.

La generosidad de los filipenses representa la obra de Dios en sus corazones, pero hay que rechazar cualquier idea de que ellos son los últimos proveedores. Dios es quien suple todas sus necesidades en Cristo Jesús. Los que dan para ayudar a los demás podrían llenarse de orgullo en lugar de dar gloria a Dios, y dar poniendo el centro de atención en la generosidad del dador y no en Dios es, en realidad, contrario al amor (1 Co. 13:3).

Una de las preocupaciones de Pablo que aflora en varias ocasiones en sus cartas es la colecta para los santos pobres de Jerusalén (Ro. 15:22-29; 1 Co. 16:1-4; 2 Co. 8:1-9:15; Gl. 2:10).[36] La colecta no debe verse como un impuesto o gravamen que deben los gentiles. Pablo anima a los gentiles a dar a los pobres de Jerusalén porque el mensaje de salvación del que disfrutaban los gentiles procedía originalmente de los judíos y, por tanto, los gentiles estaban en deuda espiritual con ellos. Al dar, los gentiles demostraban su solidaridad con los creyentes de Jerusalén y daban testimonio de la unidad del pueblo de Dios. Además, quienes dan indican que han sido alcanzados por la gracia, pues

---

[35] En contra de ver una orden de viudas, véase L. Johnson 1996: 179-83. A favor de ello, véase Kidd 1990: 104-6.

[36] Para un estudio útil de la colección paulina, véase Nickle 1966.

imitan a Cristo, que renunció a sus riquezas y se hizo pobre en beneficio de los demás (2 Co. 8:9; 9:15). Pablo también subraya en 2 Corintios 8-9 que dar es el camino hacia la bendición y el gozo.[37]

Otros testimonios del Nuevo Testamento

El resto del Nuevo Testamento aborda aquí y allá la riqueza y la pobreza, confirmando lo que hemos visto en otros lugares. La hospitalidad desempeñaba un papel crucial en el mundo grecorromano, sobre todo entre los creyentes que necesitaban alojarse en casa ajena para poder costearse el viaje. De ahí que no nos sorprendan las exhortaciones a la hospitalidad (Heb. 13:2; 1 P. 4:9). Por otra parte, mostrar hospitalidad a quienes enseñaban una cristología deficiente equivaldría a apoyar un falso evangelio y con ello participar en él (2 Jn. 7-11). Por el contrario, aquellos que viajaban por causa del nombre de Cristo para llevar la buena nueva a los demás deberían ser apoyados económicamente por otros creyentes (3 Jn. 5-8).

Los falsos maestros están motivados por la codicia (2 P. 2:3, 14) y, como Balaam, propagan su mensaje para obtener ventajas económicas (2 P. 2:15-16; Jud. 11). Los que aman las cosas de este mundo no disfrutarán de las bendiciones del siglo venidero (1 Jn. 2:15-17). El verdadero amor responde a las necesidades prácticas de quienes carecen de alimentos y ropa (1 Jn. 3:17; cf. Heb. 13:16; Stg. 2:15-16).

Los creyentes se enfrentan a la tentación de comprometer su fe en aras de la comodidad y las alegrías de este mundo. Uno de los atractivos de la ramera de Babilonia es la reluciente riqueza y belleza que la adorna (Ap. 17:4). Los lujos y las delicias del mundo están a disposición de los que echan su suerte con Babilonia (Roma) y adoran a la bestia (Ap. 13:16-17; 18:7). Los bienes importados a Roma deslumbraban y deleitaban (Ap. 18:11-16), pero los que se alineaban con Roma estaban destinados a sufrir el juicio junto con ella. No contaban con Dios ni con el juicio escatológico venidero. Los creyentes no deben capitular ante Babilonia, pues las alegrías de pertenecer a esa ciudad son efímeras, y Babilonia será destruida por completo. Los creyentes triunfan

---

[37] Algunos sostienen que 2 Corintios 8-9 son dos cartas diferentes (p. ej., H. Betz 1985), pero hay buenas razones para pensar que se escribieron al mismo tiempo (véase Carson, Moo y Morris 1992: 275-77; Harris 2005: 27-29).

sobre el amor al dinero confiando en que Dios suplirá todas sus necesidades, que nunca los abandonará (Heb. 13:5-6). La confianza en que Dios suplirá todas las necesidades financieras da fuerza a los creyentes para no transigir con Babilonia.

La carta de Santiago aborda con frecuencia la riqueza y la pobreza. La atención a este tema se debe en parte a las circunstancias de los lectores, que sufrían las presiones de la vida (Stg. 1:2-4, 12-15).[38] Estas dificultades probablemente incluían problemas financieros (Stg. 1:9). El interés de Santiago por el tema refleja también su dependencia de la tradición de Jesús, donde asimismo suele abordarse el peligro de la riqueza.[39] Al parecer, Santiago nunca utiliza el término "rico" (*plousios*) para referirse a los creyentes. Según Santiago 1:9, los pobres experimentarán la vindicación escatológica en el último día. Santiago describe al pobre como "hermano" (*adelphos*), indicando que es miembro del pueblo de Dios.

Por el contrario, Santiago no utiliza la palabra "hermano" cuando se refiere a los ricos, que se enfrentarán a la humillación escatológica y desaparecerán (Stg. 1:10).[40] En Santiago 1:11 no se limita a decir que la riqueza de los ricos desaparecerá, sino que los propios ricos "se marchitará(n)" (Stg. 1:11). La polémica contra los ricos continúa en Santiago 2:6-7. Se describe a los ricos como aquellos que oprimen a los creyentes, los llevan a los tribunales y ultrajan el nombre de Cristo. Está claro que los que hablan contra Cristo no pertenecen al pueblo de Dios. En Santiago 5 se describe el futuro juicio de los ricos (Stg. 5:1-6). Santiago profetiza que se acerca el juicio escatológico, y que las riquezas acumuladas por los ricos no servirán para defenderse del juicio en ese día. Los ricos habían vivido suntuosa y lujosamente en sus fincas mientras privaban a los jornaleros de sus salarios.

Santiago no identifica directamente a los que tienen riquezas en Santiago 4:13-16 como incrédulos.[41] Amonesta severamente a los ricos para que no caigan presa de la arrogancia, como si su propio ingenio pudiera dar cuenta de

---

[38] Bauckham (1999b: 188-91) sostiene que los ricos y los pobres son extremos sociales, y la mayoría de los lectores no son ni lo uno ni lo otro.

[39] Véase Davids 1982: 44-47.

[40] Véase Davids 1982: 76-77; Laws 1980: 62-64; L. Johnson 1995: 190-91; Edgar 2001: 148-49; L. Cheung 2003: 256, 261. Contra Moo 2000: 66-67.

[41] Penner (1996: 172-77) sostiene que Santiago 4:13-5:6 contiene una denuncia de los ricos que recuerda a Jeremías 12:1-4, por lo que el objeto de las palabras de Santiago son los arrogantes incrédulos.

las ganancias futuras. Tal orgullo no se da cuenta de que la vida es una brizna de aire que puede esfumarse en cualquier momento. Cualquier éxito comercial se debe a la voluntad de Dios y no puede atribuirse en última instancia a la habilidad del empresario.

Es importante recordar que Santiago no se dirige a los incrédulos en su carta. Se dirige a los creyentes que sienten la tentación de adular a los ricos. Es posible que los creyentes muestren parcialidad hacia los ricos e ignoren a los pobres cuando los primeros se reúnen con ellos en el culto (Stg. 2:1-13). Si los creyentes caen en gracia de los ricos, mejorarán sus propias vidas. En efecto, los creyentes han llegado a ser "adúlteras" en el sentido de que han cambiado su devoción a Dios por el amor al mundo y su aprobación y comodidad (Stg. 4:1-4). Utilizan la oración como medio para tratar de adquirir lo que desean. También se arrastran ante los ricos por las ventajas que estos pueden concederles. Santiago les recuerda que Dios ha elegido a los pobres para que sean miembros de su reino (Stg. 2:5). Además, solo aquellos que muestren misericordia hacia los necesitados experimentarán la misericordia de Dios en el último día (Stg. 2:13).

Los que confían en que Dios cubrirá sus necesidades se sienten liberados para servir y ayudar a los demás. A Santiago no le sirve la religión que se limita a oír hablar de las necesidades de los demás y no llega al corazón y se extiende a las propias manos. Por eso, a las viudas y a los huérfanos se les apoya y se les cuida, no se les olvida (Stg. 1:27). El pobre que entra en la comunidad es tratado con la misma dignidad y respeto que el rico (Stg. 2:1-13). La fe actúa atendiendo las necesidades del que carece de comida y ropa (Stg. 2:14-16); no se limita a pronunciar palabras piadosas invocando la bendición de Dios sobre los hambrientos y mal vestidos. Según Santiago, la fe genuina debe conducir a obras prácticas y observables, o no es fe genuina en absoluto.

Conclusión

La enseñanza del Nuevo Testamento sobre las riquezas encaja con los temas centrales de este libro. La riqueza y la pobreza deben considerarse a la luz de la escatología del Nuevo Testamento. Consumirse con las riquezas es una locura porque el mundo actual está pasando, y la nueva creación se ha inaugurado y con toda seguridad se consumará. Además, los que están embelesados con las riquezas demuestran que su tesoro es el dinero y no Dios. La visión centrada en Dios del Nuevo Testamento invita a los lectores a encontrar su alegría en el Padre, el Hijo y el Espíritu.

Mujeres

Lucas-Hechos

Las mujeres eran denigradas con frecuencia en el mundo antiguo y, evidentemente, no tenían la misma condición que los hombres.[42] El relato lucano de las mujeres debe interpretarse a la luz del cumplimiento de los propósitos salvíficos de Dios en Cristo.[43] El nuevo pueblo de Dios se caracteriza por la inclusión y la igualdad. Los gentiles no están obligados a observar la ley para entrar en el pueblo de Dios, y las mujeres tienen el mismo acceso a la promesa de salvación que los hombres. En los relatos lucanos del nacimiento, las mujeres desempeñan un papel destacado (Lc. 1-2). Isabel y María aparecen como mujeres piadosas que confiaron en Yahve y guardaron sus mandamientos.

Isabel, junto con su marido Zacarías, era intachable en su devoción a los mandamientos de Dios (Lc. 1:6). María funciona como la discípula modelo en su disposición a ser la sierva del Señor y a hacer su voluntad (Lc. 1:38). El Espíritu Santo descendió sobre Isabel para que hablara la Palabra de Dios, profetizando a María sobre el nacimiento del Cristo (Lc. 1:41-45). Del mismo modo, María también pronunció la Palabra del Señor, y no se detuvo en las bendiciones que le habían sido concedidas, sino en el cumplimiento de las promesas pactuales de Dios (Lc. 1:46-55). Ana es designada como profetisa y declara la palabra del Señor (Lc. 2:36-38).

> **Lucas 2:36–38** Y había una profetisa, Ana, hija de Fanuel, de la tribu de Aser. Ella era de edad muy avanzada, y había vivido con *su* marido siete años después de su matrimonio, y después de viuda, hasta los ochenta y cuatro años.

---

[42] Para un estudio útil de la situación de las mujeres y esposas en el mundo grecorromano, véase J. Elliott 2000: 553-58, 585-99.

[43] Para un estudio de la opinión de Lucas sobre las mujeres, véase Tannehill 1986: 132-39; véase también Green 1995: 91-94.

Nunca se alejaba del templo, sirviendo noche y día con ayunos y oraciones. Llegando ella en ese preciso momento, daba gracias a Dios y hablaba del Niño a todos los que esperaban la redención de Jerusalén.

Cada una de las mujeres habla del cumplimiento del pacto de Dios en la historia, e Isabel y María desempeñan papeles vitales en la consecución del propósito salvífico de Dios.

Lucas se centra a menudo en la compasión de Jesús por las mujeres, mostrando que el propósito salvífico de Dios incluye tanto a las mujeres como a los hombres. Jesús curó a la suegra de Simón de sus fiebres (Lc. 4:38-39), resucitó al hijo de la viuda de Naín (Lc. 7:11-17), mostró misericordia perdonadora a la mujer pecadora que le demostró su amor mientras comía en casa de un fariseo (Lc. 7:36-50), curó a la mujer con hemorragia y resucitó a la hija de Jairo (Lc. 8:40-56). Los milagros que realizó Jesús apuntan a su poder salvador, a la verdad de que "Dios ha visitado a Su pueblo" (Lc. 7:16). También atestiguan que la salvación se obtiene confiando en Dios. De ahí que Jesús dijera a la mujer pecadora: "Tu fe te ha salvado, vete en paz" (Lc. 7:50). Estas mismas palabras se las dijo a la mujer salvada de su hemorragia (Lc. 8:48), lo que indica que la curación física funciona como un indicador de la salvación escatológica.[44]

La misma preocupación práctica por las mujeres aparece en Hechos. El testimonio de la iglesia se vio comprometido por la falta de atención a las viudas helenísticas (Hch. 6:1-6), ya que, si la iglesia no atendía las necesidades cotidianas de los miembros de la comunidad, la veracidad de su mensaje de salvación para el mundo sería puesta en entredicho. Pedro resucitó a Dorcas, una mujer cuyo amor por los creyentes se manifestaba de diversas formas prácticas (Hch. 9:36-41). La expulsión de un demonio de una muchacha que practicaba la adivinación la rescató de unos hombres que la explotaban para su propio beneficio económico, de modo que ahora experimentaba la obra salvadora de Dios en Cristo (Hch. 16:16-18).

La preocupación de Lucas por las mujeres se manifiesta de diversas maneras. En las parábolas sobre la búsqueda de Dios de los perdidos, incluye

---

[44] La ESV oscurece el paralelismo al dar diferentes traducciones inglesas a frases griegas idénticas en Lucas 7:50; 8:48.

El mismo fenómeno ocurre en algunas versiones bíblicas en español, como la NBLA y la NVI (Nota del traductor)

parábolas sobre la oveja perdida (Lc. 15:3-7) y la moneda perdida (Lc. 15:8-10). La primera se centra en el mundo de los hombres, pero la segunda se identifica con el mundo de las mujeres (cf. Lc. 17:35). Hay que señalar que ambos relatos se sitúan en el eje del Evangelio lucano, que presenta el deseo de Dios de salvar a todos. La parábola de la viuda y el juez injusto (Lc. 18:1-8) reconoce y se identifica con la difícil situación de las mujeres en el antiguo Medio Oriente. De ahí que sea notable el sacrificio de la viuda al dar todo su dinero (Lc. 21:1-4).

Las mujeres seguidoras de Jesús expresan su amor por él asistiéndole en su muerte (Lc. 23:49, 55-56). Lucas también señala la conversión de mujeres concretas, como Lidia (Hch. 16:14-15) y Damaris (Hch. 17:34), y en otros textos comenta que hubo mujeres salvas (Hch. 5:14; 8:12; 17:4, 12), o que tanto hombres como mujeres fueron arrestados (Hch. 8:3; 9:2; 22:4), mostrando la inclusión de las mujeres en el pueblo de Dios. Lucas nunca cae en el sentimentalismo, y por eso vemos a Jesús corrigiendo a una mujer que pronunció una bendición sobre María, que lo dio a luz y lo amamantó, recordándole que la obediencia a Dios es el único camino hacia la verdadera bendición (Lc. 11:27-28).

Lucas destaca también el papel de la mujer en el ministerio. No solo los hombres seguían a Jesús; las mujeres también eran sus discípulas y apoyaban económicamente su ministerio (Lc. 8:1-3).[45] A menudo, en el judaísmo y en el mundo grecorromano se desalentaba a las mujeres a recibir una educación. Jesús, por el contrario, elogió a María, que eligió escuchar la Palabra del Señor, en lugar de seguir la costumbre de Marta, que se preocupaba por los preparativos de la comida de Jesús (Lc. 10:38-42).[46] Cuando Jesús resucitó de entre los muertos, se apareció primero a las mujeres, a pesar de que no eran aceptadas como testigos válidos en Israel, y les proclamó su victoria sobre la muerte (Lc. 24:1-12). Ellas, a su vez, compartieron la buena nueva con los discípulos varones. Los discípulos de Jesús perseveraron en la oración durante

---

[45] También Tannehill 1986: 138. Jervell (1984: 153) dice con razón que las mujeres descritas aquí no eran misioneras, sino que se dedicaban a "tareas diaconales", aunque Jervell (1984: 146-57) pone erróneamente el énfasis en que las mujeres eran judías e hijas de Abraham y sugiere que esta es la razón por la que son más prominentes en Lucas que en Hechos.

[46] Tannehill (1986: 137) señala que María actuaba aquí como discípula. También Witherington 1984: 101.

muchos días antes del día de Pentecostés, y Lucas señala que entre ellos había mujeres (Hch. 1:14).

El don de la profecía no pertenecía solo a los hombres, pues el cumplimiento de la profecía de Joel sobre la venida del Espíritu y el cumplimiento de las promesas salvíficas de Dios se produjo cuando el Espíritu se derramó sobre hombres y mujeres (Hch. 2:18). Que las mujeres actuaron como profetas lo confirman las cuatro hijas de Felipe, conocidas por su actividad profética (Hch. 21:9). Tampoco se da el caso de que los hombres estén exentos de aprender de las mujeres, pues tanto Priscila como Aquila llevaron aparte a Apolos y le dieron una instrucción más precisa en la verdad del evangelio (Hch. 18:26). Vemos, pues, que las mujeres también desempeñan un papel en la difusión e inculcación de la buena nueva de la salvación.

Mateo y Marcos

De la misma manera que Lucas se centra en las mujeres, tanto en Mateo como en Marcos encontramos la misma preocupación por ellas.[47] No es habitual que en una genealogía se nombre a mujeres, pero Mateo llama la atención sobre cuatro mujeres en su genealogía (Mt. 1:3, 5-6), quizá en parte porque anticipan el papel que desempeñó María en el nacimiento de Jesús (Mt. 1:18-25). Tanto Mateo como Marcos incluyen el relato de la curación de la mujer con hemorragia y la resurrección de la hija de Jairo (Mt. 9:18-25; Mc. 5:22-43). La parábola de la levadura en la masa procede del mundo de las mujeres (Mt. 13:33), al igual que sus ilustraciones tomadas de una ocupación común para las mujeres (Mt. 24:41) y la parábola de las diez vírgenes (Mt. 25:1-13). Jesús mostró compasión al curar a la hija de la mujer cananea (Mt. 15:22-28; Mc. 7:25-30). Las enseñanzas de Jesús sobre el divorcio también protegen a las mujeres de ser maltratadas por sus maridos (Mt. 5:31-32; 19:1-12; Mc. 10:2-12). Tanto Mateo como Marcos registran que María preparó a Jesús para su entierro con ungüento (Mt. 26:6-13; Mc. 14:3-9). Las mujeres estuvieron presentes en la muerte de Jesús, quisieron atenderle en su entierro y fueron las

---

[47] La discusión se abrevia aquí para evitar una repetición indebida de lo dicho en relación con Lucas.

primeras en dar testimonio de la resurrección (Mt. 27:55-56, 61; 28:1-10; Mc. 15:40-41, 47; 16:1-8).

El Evangelio de Juan

Las mujeres también desempeñan un papel sorprendentemente destacado en el Evangelio de Juan. En Juan 2:1-11 tiene lugar una fascinante interacción entre Jesús y su madre. Cuando ella trató de persuadir a Jesús para que interviniera y proporcionara vino para un banquete de bodas, él dejó claro que seguía el mandato de su Padre y no el de su madre. Aun así, ella confiaba en que Jesús haría algo para ayudar y dio instrucciones a los sirvientes para que hicieran todo lo que él les pidiera. El encuentro con la samaritana demostró la compasión y el amor de Jesús por una mujer marginada (Jn. 4:4-42). Jesús revela que las mujeres y los samaritanos no están fuera de sus propósitos salvíficos, aunque los discípulos se escandalizaran de que Jesús conversara con una mujer. Ella se convirtió en el medio por el que el resto de los samaritanos de la aldea se enteraron de la buena nueva sobre Jesús.

Casi al final de su ministerio, Jesús resucitó a Lázaro. El encuentro de Jesús con las hermanas de Lázaro, Marta y María, es esbozado por Juan con cierto detalle (Jn. 11:1-44). Ambas mujeres sirven de discípulas modelo; Marta reconoció a Jesús como el Mesías y el Hijo de Dios. Juan también incluye el relato de María ungiendo a Jesús antes de su muerte (Jn. 12:1-8). Las mujeres que fueron fieles a Jesús, de pie junto a la cruz, son mencionadas por nombre (Jn. 19:25). Juan también incluye el relato en el que Juan tomó a María como madre (Jn. 19:26-27). Asimismo, Juan se centra en el papel de María Magdalena en su relato de la resurrección (Jn. 20:1-2), y señala que Jesús se apareció primero a María (Jn. 20:11-18), quien relató la buena nueva a los demás.

La literatura paulina

Según las cartas paulinas, las mujeres participaban en el ministerio de la iglesia de forma notable. Varias mujeres son identificadas como las que "trabajan" (*kōpiaō*) para el Señor, entre ellas María, Trifena, Trifosa y Persis (Ro. 16:6, 12). En otros lugares, Pablo utiliza el término "labor" para referirse a su propio ministerio (1 Co. 4:12; 15:10; Gl. 4:11; Fil. 2:16; Col. 1:29; 1 Ti. 4:10) y el de otros líderes (1 Co. 16:16; 1 Ts. 5:12; 1 Ti. 5:17). Otras mujeres son señaladas como colaboradoras (*synergos*) en el evangelio, como Priscila (Ro. 16:3) y Evodia y Síntique (Fil. 4:2-3), y este término se utiliza también para referirse a Timoteo (Ro. 16:21; 1 Ts. 3:2), Tito (2 Co. 8:23) y otros colaboradores (2 Co. 8:23; Fil. 2:25; Col. 4:11; Flm. 1, 24), y para Pablo y Apolos como colaboradores de Dios (1 Co. 3:9).

En el caso de Evodia y Síntique, parece que actuaron como misioneras, pues Pablo se refiere a sus esfuerzos por difundir el evangelio (Fil. 4:3). Priscila y Aquila también fundaron iglesias domésticas mientras viajaban (Ro. 16:3-5; 1 Co. 16:19; 2 Ti. 4:19). En la actualidad, los académicos han determinado que la Junia de Romanos 16:7 es una mujer.[48] Es posible que el texto la describa a ella y a Andrónico (muy posiblemente su marido) como "bien conocidos por los apóstoles" (ESV), pero es más probable que la frase deba traducirse como "prominente entre los apóstoles" (NRSV). En este último caso, el término "apóstol" se refiere a alguien que es misionero.[49] Presumiblemente, Junia trabajó de manera especial con otras mujeres en la propagación del evangelio.

También es muy probable que las mujeres sirvieran como diáconos en la iglesia primitiva. La NRSV refleja este punto de vista al identificar a Febe como "diácono de la iglesia de Cencrea" (Ro. 16:1 NRSV).[50] La referencia a una iglesia concreta tras el término "diácono" sugiere que se trata de un cargo. Algunos incluso han sostenido que la palabra *prostatis* en Romanos 16:2 demuestra que Febe ocupaba un cargo prominente, pero este término no designa liderazgo y la NRSV lo traduce acertadamente como "benefactora". Febe era un mecenas de la iglesia y, evidentemente, también ayudaba económicamente a Pablo.

---

[48] En la actualidad, esta lectura cuenta con un apoyo casi universal. Véase Schreiner 1998: 795-96.

ESV – English Standard Version

NRSV – New Revised Standard Version

[49] Véase Schnackenburg 1970: 294; Käsemann 1980: 413-14; Stuhlmacher 1994: 249. Contra Dunn 1988b: 895; Byrne 1996: 453.

[50] En apoyo de la idea de que Febe era diácono, véase Wilckens 1982: 131; Moo 1996: 914; Byrne 1996: 447.

NRSV – New Revised Standard Version

No está claro si se identifica a las mujeres como diáconos en 1 Timoteo 3:11, pero hay varias razones para responder afirmativamente. En primer lugar, la palabra "asimismo" sugiere que Pablo sigue hablando de diáconos. En segundo lugar, los requisitos enumerados son muy similares a los que se exigen a los diáconos varones (1 Ti. 3:8). Tercero, es improbable que se haga referencia a las esposas, porque en ese caso Pablo se estaría dirigiendo a las esposas de los diáconos y no diría nada de las esposas de los ancianos, lo cual es bastante inverosímil porque los ancianos tenían mayor responsabilidad que los diáconos. En cuarto lugar, es evidente desde un período temprano de la historia de la iglesia que había mujeres que ejercían el diaconado.[51]

Algunos argumentos que apoyan a las mujeres en el liderazgo son bastante poco convincentes.[52] Aunque la iglesia se reunía en casa de Cloe (1 Co. 1:11), no se deduce que ella fuera la líder, ya que cuando la iglesia se reunía en casa de la madre de Juan Marcos, ella no era líder en la iglesia de Jerusalén (Hch. 12:12). Hoy en día es motivo de controversia la cuestión de si Pablo impuso alguna restricción a las mujeres en el ministerio. Parece que las mujeres ejercían como diáconos, pero no como pastoras, supervisoras o ancianas. Estas tres últimas funciones probablemente representen el mismo cargo (cf. Hch. 20:17, 28; Tit. 1:5, 7; 1 P. 5:1-2). En 1 Timoteo 2:12 Pablo prohíbe a las mujeres enseñar o ejercer autoridad sobre los hombres.[53]

Algunos han sostenido que la amonestación aquí debe entenderse como una restricción temporal en la medida en que las mujeres estaban propagando falsas enseñanzas o carecían de la educación necesaria para servir como maestras. Tal punto de vista debe rechazarse, ya que Pablo fundamenta su directiva en el orden creado: Adán fue formado antes que Eva (1 Ti. 2:13).

1 Timoteo 2:12–14 Yo no permito que la mujer enseñe ni que ejerza autoridad sobre el hombre, sino que permanezca callada. Porque Adán fue creado primero, después Eva. Y Adán no *fue el* engañado, sino que la mujer, siendo engañada completamente, cayó en transgresión.

---

[51] Véase Plinio, *Cartas* 10.96.

[52] Para una expresión representativa de este punto de vista, véase Payne 1981: 173-75, 183-85, 190-97.

[53] Para una discusión intensiva de este texto, incluida una amplia interacción con las interpretaciones alternativas, véase Schreiner 2005.

Pablo podría haber afirmado fácilmente que el mandamiento se debía a que las mujeres propagaban o eran engañadas por falsas enseñanzas, pero en lugar de ello fundamenta su mandamiento en la buena creación de Dios. El difícil versículo que sigue (1 Ti. 2:14) probablemente se refiere a que Eva fue engañada primero, de modo que en el proceso Satanás subvirtió la intención creada por Dios al acercarse a Eva en lugar de a Adán. Según Pablo, las mujeres pueden servir como diáconos porque un ministerio diaconal es de ayuda y no implica enseñar o ejercer autoridad sobre los hombres. El cargo de anciano o supervisor está restringido a los hombres, ya que las cualificaciones para el ministerio pastoral incluyen la capacidad de enseñar y dirigir (1 Ti. 3:2; 5:17; Tit. 1:9), precisamente las dos actividades prohibidas para las mujeres, según 1 Timoteo 2:12.

Las instrucciones de Pablo en 1 Corintios 11:2-16 sobre el ornato de las mujeres son bastante controvertidas y difíciles de entender. Los eruditos difieren sobre si el atavío en cuestión se refiere al peinado o al uso de un velo o un chal.[54] Mientras que 1 Corintios 11:15 parece apoyar una referencia al peinado, los versículos restantes apoyan ligeramente una referencia a un chal o velo sobre la cabeza. Pablo desea que las mujeres lleven ese tipo de manto debido a la jefatura del hombre (1 Co. 11:3). Algunos eruditos sostienen que Pablo se refiere a las esposas en este texto, pero el contexto no aporta ninguna prueba clara que apoye una referencia a las esposas como la que encontramos en otros textos donde se amonesta a las esposas.[55]

También existe debate sobre si la palabra "cabeza" (*kephalē*) significa aquí "autoridad sobre" o "fuente". Estudios cuidadosos del término indican que la palabra designa regularmente autoridad cuando se usa metafóricamente.[56] Incluso si el término debiera traducirse aquí "fuente", el significado del texto no cambia significativamente, pues entonces las mujeres estarían obligadas a llevar un chal en la cabeza porque los hombres son su fuente. Una vez más,

---

[54] En apoyo de un chal o velo, véase Fee 1987: 506-12; Keener 1992: 22-31; C. Thompson 1988; en apoyo del peinado, véase Hurley 1981: 254-71; Blattenberger 1997; Hays 1997: 185-86.

[55] Acertadamente Hays 1997: 185.

[56] Para el significado "autoridad" en el término "cabeza", véase Fitzmyer 1993a; Grudem 1985; 1991; 2001; Arnold 1994; en apoyo de "fuente", véase Mickelsen y Mickelsen 1986; Kroeger 1987. Cervin (1989) sostiene que el término significa "preeminente", pero incluso si esto fuera correcto, la preeminencia no puede separarse de la autoridad en el mundo antiguo. Hays (1997: 184) apoya el egalitarismo, pero está de acuerdo en que "cabeza" denota autoridad en este texto.

Pablo se basa en el orden creado para justificar una diferencia entre hombres y mujeres (1 Co. 11:8-9).[57]

Las instrucciones paulinas no se limitan a la situación de Corinto, sino que representan la práctica en todas las iglesias (1 Co. 11:2, 16). A las mujeres se les permite e incluso se les anima a profetizar y orar en la iglesia (1 Co. 11:5), pero deben hacerlo de una manera y con un comportamiento que apoyen el orden creado. La diferencia de funciones entre hombres y mujeres no anula la igualdad fundamental de hombres y mujeres en Cristo (1 Co. 11:11-12).[58] Recordemos Gálatas 3:28, donde se afirma que hombres y mujeres son uno en Cristo y tienen igual acceso a la promesa de la salvación. Ciertamente, la igualdad que disfrutan hombres y mujeres en Cristo tiene ramificaciones sociales. Sin embargo, según los propios escritos de Pablo, la igualdad entre hombres y mujeres no anula una diferencia de función o de rol. Del mismo modo, Dios es la cabeza de Cristo (1 Co. 11:3), y Cristo se somete al Padre (1 Co. 15:28), sin comprometer la verdad de que Cristo es Dios (Ro. 9:5; Tit. 2:13; cf. Fil. 2:6; Col. 1:15) y también es igual al Padre. La expresión cultural en el siglo I de la diferencia de funciones entre hombres y mujeres se manifestaba en el uso del velo.

Otro texto muy debatido en relación con las mujeres es 1 Corintios 14:33b-36.[59] Pablo insiste en que las mujeres deben guardar silencio en la iglesia. En este caso probablemente se dirige a las esposas, pues se les instruye para que hagan preguntas a sus maridos en casa y no en la reunión privada. Algunos han argumentado que 1 Corintios 14:34-35 representa una interpolación posterior porque estos versículos aparecen después de 1 Corintios 14:40 en unos pocos manuscritos occidentales.[60] La teoría de la interpolación no es convincente,

---

[57] Fee (1987: 491-530) está de acuerdo en que se imponen distinciones entre los sexos, pero parece limitar las diferencias a la homosexualidad. Hays (1997: 186-87, 190-92) se distancia aquí de la enseñanza de Pablo, pero advierte que no se debe descartar lo que se dice.

[58] Se debate acaloradamente sobre 1 Corintios 11:10. Puede significar que las mujeres deben llevar un símbolo de autoridad en la cabeza, o que deben llevar el pelo adecuadamente y tomar el control de su propia cabeza (Hays 1997: 187-88), o que tienen autoridad para profetizar y orar. La última opción no encaja bien en el contexto, y la primera es la más probable.

[59] Para un análisis de las opciones interpretativas, véase Fee 1987: 699-705; Carson 1991a: 141-45; Keener 1992: 70-100; Hays 1997: 245-49; Thiselton 2000: 1150-61.

[60] Payne (1995) sostiene que las pruebas del *Codex Fuldensis* y un *siglum* "bar-umlaut" en el Vaticanus indican que 1 Corintios 14:34-35 es una interpolación posterior. Niccum (1997) demuestra, sin embargo, que las pruebas aducidas por Payne no apoyan

porque podemos ver por qué los escribas podrían trasladar la discusión sobre las mujeres al final del capítulo para que las palabras de Pablo sobre la profecía no se vieran interrumpidas.

Además, no hay pruebas manuscritas de la omisión de estos versículos. La orden de guardar silencio no es absoluta, pues Pablo ya ha dicho que las mujeres pueden orar y profetizar si se visten adecuadamente (1 Co. 11:5). Pablo difícilmente entraría en tantos detalles sobre el adorno apropiado para la oración y la profecía si hablar en la asamblea estuviera absolutamente prohibido. Tampoco es convincente afirmar que las reuniones contempladas en 1 Corintios 11:2-16 son reuniones privadas o domésticas en lugar de reuniones formales de la iglesia, ya que tal punto de vista es anacrónico al no existir pruebas de que algunas reuniones de la iglesia primitiva no fueran oficiales.

Otros sostienen que Pablo prohíbe a las mujeres hablar en lenguas. Sin embargo, falta evidencia contextual para limitar el discurso prohibido a hablar en lenguas. Un punto de vista más creíble es que a las mujeres se les prohíbe juzgar sobre la profecía porque tal actividad constituiría liderazgo sobre los hombres, lo cual Pablo descarta en 1 Timoteo 2:12.[61] Aunque este punto de vista podría ser correcto y encaja con el punto de vista más amplio de Pablo sobre la relación entre hombres y mujeres, la prohibición es de nuevo bastante general, y una vez más falta evidencia para esta lectura específica.

Parece que la lectura más natural de este texto sugiere que las mujeres interrumpían el culto de la iglesia haciendo preguntas. No es necesario decir que las mujeres se sentaban separadas de sus maridos y creaban un bullicio gritando preguntas por toda la sala. Al parecer, las preguntas se formulaban de forma desafiante y abrasiva. Por lo tanto, Pablo recuerda a la congregación el principio bíblico de que las esposas deben someterse a sus maridos. La referencia a la ley, por tanto, probablemente sea a Génesis 1-2, donde se esboza la relación de roles entre hombres y mujeres. Pablo no exige que las mujeres guarden silencio en la asamblea en todas las situaciones imaginables. Él ordena su silencio en este caso porque su discurso proviene de espíritus recalcitrantes que se niegan a mantener el orden en la iglesia.

---

realmente una interpolación. Fee (1987: 699-702) también apoya la interpolación, pero Thiselton (2000: 1148-49) la refuta con éxito.

[61] Véase Carson 1991a.

Otros testimonios

En el resto del Nuevo Testamento tenemos algunas referencias a mujeres. Hebreos menciona a Sara, Rahab y otras mujeres como ejemplos de fe (Heb. 11:11, 31, 35). Pedro elogia a Sara como modelo de esposa piadosa y obediente (1 P. 3:6). Una falsa profeta, llamada Jezabel, es condenada por sus nocivas enseñanzas (Ap. 2:20-23). Juan no se escandaliza de que esta mujer actúe como profeta, sino del contenido de sus profecías. Es probable que la "señora elegida" (2 Jn. 1) y la "hermana elegida" (2 Jn. 13) no se refieran a mujeres individuales, ni siquiera a líderes de iglesias. La mayoría de los estudiosos coinciden en que se trata de referencias a la iglesia como tal.[62]

Conclusión

La nueva era inaugurada por Jesucristo aclara que hombres y mujeres son iguales en Cristo, que las mujeres se convierten en hijas de Abraham de la misma manera que los hombres: mediante la fe en Cristo Jesús (Gl. 3:26-29). Jesús trató a las mujeres con notable dignidad y las animó a aprender su palabra y a convertirse en sus discípulas. Las mujeres fueron dotadas como profetisas, diáconos y misioneras. Trabajaron en el ministerio junto con los hombres. Sin embargo, la nueva era en Cristo no supuso la abolición de todas las distinciones de funciones entre hombres y mujeres. Las mujeres no ejercían de pastoras, ancianas ni supervisoras. Las mujeres y los hombres eran considerados iguales, pero los hombres retuvieron la responsabilidad particular de gobernar en la iglesia.

Matrimonio, divorcio e hijos

Los Evangelios Sinópticos sobre el matrimonio y el divorcio

Los Evangelios Sinópticos abordan el matrimonio y el divorcio, pero el tema se omite en el Evangelio de Juan. Tenemos un texto más extenso (Mt. 19:3-12; Mc. 10:2-12) y dos breves (Mt. 5:31-32; Lc. 16:18). En el texto más largo,

---

[62] Véase el capítulo 17, nota 132.

los fariseos interrogan a Jesús sobre el divorcio, y su opinión debe situarse en el contexto de los debates judíos. La escuela de Hilel defendía una política más bien laxa, interpretando Deuteronomio 24:1-4 de tal modo que permitía el divorcio por casi cualquier motivo. En la vida de Josefo vemos cómo se aplicaba esa política. La escuela de Shamai prescribía una interpretación más estricta, argumentando que el divorcio solo era aceptable en caso de pecado sexual grave, como el adulterio. Es interesante señalar que la comunidad de Qumrán parece haber prohibido el divorcio del todo.[63]

Jesús se negó a centrarse en cuándo está permitido el divorcio y, en su lugar, hizo hincapié en la permanencia del matrimonio. Apeló a Génesis 1:27; 2:24 para inculcar a sus oyentes que el matrimonio está arraigado en la creación como parte de la buena intención de Dios para los seres humanos. La presencia de un solo varón y una sola mujer es significativa, pues indica que el matrimonio está constituido por la unión de un hombre y una mujer. Dios no pretendía que el matrimonio fuera polígamo, pues al principio solo había un hombre y una mujer.

La esencia del matrimonio se explica en los tres elementos que se encuentran en Génesis 2:24: el matrimonio implica el dejar, el unirse y ser una sola carne. En primer lugar, el matrimonio exige abandonar la familia actual, de modo que la familia de origen deja de ser la principal. En segundo lugar, el matrimonio es pactual, ya que la palabra "unirse" está asociada a los pactos. Uno se une a su esposo o esposa, al igual que Israel debía unirse al Señor y solo al Señor. Uno abandona su familia de origen y se une a un nuevo vínculo pactual. En tercer lugar, el matrimonio se consuma en una unión de una sola carne. Un esposo y una esposa se convierten en una sola carne en la consumación sexual, aunque la unión de una sola carne es más profunda que la unión sexual. Los tres elementos deben existir para el matrimonio. Un hombre y una mujer no se casan por el mero hecho de mantener relaciones sexuales; también debe existir un compromiso de pacto.

Jesús subraya que el compromiso pactual del matrimonio es fundamental, y que tales uniones no deben romperse con el divorcio. Dios ha unido a los que se comprometen en matrimonio. Romper ese vínculo es cortar lo que Dios ha unido, y por tanto está prohibido. Los dichos sobre el divorcio en la enseñanza

---

[63] Para tratamientos detallados sobre el divorcio y las segundas nupcias, véase Hugenberger 1998; Instone-Brewer 2002.

de Jesús enfatizan, por lo tanto, que el divorcio y el volverse a casar son actos adúlteros. Jesús no se enzarza en un detallado debate rabínico en el que se plantee si el divorcio está justificado en un caso concreto. Él imprime en la conciencia el principio general de que el matrimonio es inviolable y que el divorcio y las segundas nupcias constituyen adulterio.

Con todo, en ambos textos mateanos se encuentra una cláusula de excepción que, naturalmente, ha suscitado muchas discusiones.[64] Algunos han sostenido que, dado que la cláusula de excepción solo se encuentra en Mateo, es mateana y no es auténtica.[65] Esta opinión es improbable, pues si examinamos Mateo en su conjunto, vemos que la composición mateana está marcada por la severidad, no por la laxitud. Otros han argumentado que la excepción se refiere al pecado sexual en el período de los esponsales, y esto explicaría por qué la excepción se limita al Evangelio de Mateo, ya que en la cultura judía romper un compromiso se consideraba casi tan grave como disolver un matrimonio.[66]

Además, la reacción de José ante el supuesto pecado de María en Mateo 1:18-20 podría funcionar como ilustración de la ruptura de un compromiso debido al pecado sexual durante el período de los esponsales. A pesar de la fundamentación del punto de vista de los esponsales en el contexto mateano, la solución propuesta no resulta satisfactoria, pues no está nada claro que la palabra *porneia* pueda restringirse al pecado durante el período de los esponsales. *Porneia* es un término amplio que se refiere al pecado sexual en general, por lo que se necesitarían pistas contextuales claras en Mateo 5:31-32 o 19:3-12 si la palabra fuese a restringirse a la infidelidad sexual durante el compromiso.

La palabra *porneia* en las cláusulas de excepción podría definirse como "incesto". En ese caso, los matrimonios deberían disolverse si se descubre que la relación consumada es incestuosa. En 1 Corintios 5:1, el término *porneia* alude claramente al incesto, y se puede argumentar a favor de dicho entendimiento en Hechos 15:20, 29. Tal definición, sin embargo, no convence

---

[64] Para un estudio de las opciones y una opinión similar a la defendida aquí, véase Hays 1996: 352-56.

[65] Por ejemplo, Stein, *DJG* 197.

[66] Para un estudio de las diversas posturas respecto al divorcio y las segundas nupcias junto con una evaluación profunda, véase Köstenberger 2004: 227-58. Para más información, véase Blomberg 1990b.

en absoluto en las cláusulas de excepción mateanas. Ya hemos señalado que la palabra *porneia* es un término amplio que se refiere a la inmoralidad sexual en general. Por lo tanto, se necesita una evidencia contextual convincente para restringir el término al significado de "incesto".

El contexto en 1 Corintios 5:1 proporciona tal información, de modo que está bastante claro que se trata de incesto. Hechos 15:20 y 29 son más discutibles, precisamente porque el contexto no resuelve la cuestión de forma decisiva. Sin embargo, en Mateo no tenemos ninguna prueba contextual de que la palabra *porneia* deba restringirse de tal manera. Quizá sea aún más importante el hecho de que los matrimonios incestuosos eran declarados ilegítimos. La pareja no se divorciaba. Simplemente se anulaba el matrimonio. Por último, las pruebas que tenemos sugieren que los matrimonios incestuosos eran bastante raros en Israel, por lo que parece poco probable que Jesús se refiriera a una situación que no era común.

Heth y Wenham proponen otra solución. Argumentan que la palabra *porneia* es un término amplio, pero la excepción se aplica sintácticamente al divorcio pero no a las segundas nupcias.[67] Esto significa que una persona puede divorciarse legítimamente por inmoralidad sexual, pero incluso si el divorcio es permisible, las segundas nupcias siempre quedan excluidas. La excepción permite el divorcio, pero nunca volver a casarse. Heth y Wenham apelan a la práctica de los primeros padres de la iglesia en los primeros siglos para apoyar su punto de vista. Recientemente, Heth ha abandonado este punto de vista, pero Wenham mantiene sus conclusiones iniciales.[68] Una vez más, esta postura no logra convencer, ya que no está claro sintácticamente que la cláusula de excepción se refiera al divorcio y excluya las segundas nupcias. La cláusula de excepción se lee con más naturalidad si se incluyen tanto el divorcio como las segundas nupcias.

Parece, pues, que Mateo argumenta que el matrimonio es indisoluble a menos que haya pecado sexual.[69] Si hay pecado sexual, entonces el divorcio es permisible. Algunos objetan que tal solución es inverosímil, pues entonces la opinión de Jesús se vuelve indistinguible de la de la escuela de Shamai, y ¿cómo explicar entonces el asombro de los discípulos (Mt. 19:10-12) si la

---

67 Heth y G. Wenham 1984; véase también Luz 2001: 492–94.
68 Heth 2002; G. Wenham 2002.
69 Véase Davies y Allison 1997: 16–17.

opinión de Jesús es similar a la de Shamai? No obstante, el punto de vista de Jesús sigue contrastando con la escuela de Shamai, pues esta exigía el divorcio por pecado sexual. Jesús no *exige* el divorcio, sino que lo *permite*, y hace hincapié en la indisolubilidad del matrimonio.[70]

Otros objetan que tal punto de vista contradice a Marcos (Mc. 10:2-12) y Lucas (Lc. 16:18), donde cualquier nuevo matrimonio después del divorcio se identifica como adulterio. Esta objeción no tiene en cuenta que tanto Marcos como Lucas resumen la enseñanza general de Jesús sobre el matrimonio. En lo que se centra Jesús es en la permanencia del matrimonio. No es de extrañar que no incluyan una excepción, ya que comunican el punto principal de la enseñanza de Jesús: el matrimonio es indisoluble. Tenemos un ejemplo útil que aclara la diferencia entre Mateo y Marcos cuando los fariseos y saduceos se acercan a Jesús y le piden una señal.

En Mateo, Jesús dice: "Una generación perversa y adúltera busca una señal, y no se le dará señal, sino la señal de Jonás" (Mt. 16:4). En Marcos responde: "En verdad les digo que no se le dará señal a esta generación" (Mc. 8:12). Obsérvese que la excepción se omite en Marcos, pero se especifica en Mateo. Marcos transmite el principio general —no se dará ninguna señal—, pero Mateo añade una excepción. Vemos precisamente el mismo patrón en el dicho sobre el divorcio. Marcos comunica la enseñanza general de Jesús: matrimonio y divorcio constituirían adulterio. Mateo coincide con este punto de vista, pero añade la excepción relativa a la infidelidad sexual.

Pablo sobre el matrimonio y el divorcio

El punto de vista de Pablo sobre el matrimonio hunde sus raíces en el Antiguo Testamento. Los que rechazan el matrimonio se adhieren a una enseñanza demoníaca, pues el matrimonio forma parte del orden creado y representa uno de los buenos dones de Dios a los seres humanos (1 Ti. 4:1-5). Casi con toda seguridad, Pablo reflexiona aquí sobre el relato de la creación, en el que Dios formó a Adán y Eva el uno para el otro e instituyó el matrimonio. En 1 Timoteo se anima a las mujeres jóvenes cuyos maridos han muerto a que vuelvan a casarse y tengan hijos (1 Ti. 5:11-15). Al parecer, algunas de estas mujeres se habían comprometido a una vida de soltería tras la muerte de sus maridos, pero

---

[70] Véase Bockmuehl 1989.

ahora ansiaban casarse y con demasiada frecuencia dedicaban su tiempo a chismorreos y actividades infructuosas.

Uno de los beneficios del matrimonio es que asegurará a estas mujeres un uso productivo de su tiempo, de modo que puedan concentrarse en criar a sus hijos y administrar sus hogares. En Tito 2:3-5 encontramos una perspectiva similar. Las mujeres mayores deben instruir a las más jóvenes para que éstas vivan vidas que agraden a Dios. Las mujeres jóvenes deben amar a sus maridos y someterse a ellos, amar a sus hijos y administrar sus hogares de forma adecuada. Deben vivir vidas moralmente rectas, y en todo lo que hagan deben comportarse de tal manera que el evangelio no sea vilipendiado.

Lo que Pablo dice en 1 Corintios 7 parece contradecir su consejo en 1 Timoteo 5, pues en 1 Corintios 7 recomienda la soltería, mientras que en 1 Timoteo 5 aconseja a las viudas jóvenes que se casen. La contradicción es solo aparente. Pablo recomienda una vida de soltería si uno puede dedicarse por completo al Señor y servirle de todo corazón (1 Co. 7:32-35). Pablo reconoce que no todos poseen el don de la soltería (1 Co. 7:7, 36-40), y las viudas de 1 Timoteo 5 se comportaban de una manera que dejaba en claro para Pablo su necesidad de volver a casarse. Lo que Pablo dice sobre la soltería en 1 Corintios 7 es notable porque la opinión judía estándar era que todos *debían* casarse. La salvedad escatológica de Pablo lleva a reevaluar la importancia del matrimonio.

Aunque el matrimonio es bueno porque forma parte del orden creado, no debe identificarse con el bien supremo. Es uno de los bienes de la época actual que está destinado a pasar. De ahí que se elogie y anime a quienes tienen la fuerza de permanecer solteros por el bien del reino. Sin embargo, la soltería no es un mandato, y cada persona debe buscar el don que Dios le ha dado. Un fuerte deseo sexual puede indicar que uno debe casarse (1 Co. 7:9, 36). En este sentido, 1 Corintios 7:1-5 se ha malinterpretado a menudo. Pablo no admite a regañadientes que las relaciones sexuales deban darse de vez en cuando en el matrimonio; más bien, responde a algunos corintios ascetas que creían que la abstinencia de relaciones sexuales en el matrimonio representaba un nivel superior de espiritualidad.[71]

Pablo rechaza enfáticamente ese punto de vista, sosteniendo que tanto los esposos como las esposas se pertenecen mutuamente, y que sus cuerpos ya no

---

71 Véase Fee 1987: 273-84; Hays 1997: 113-14.

son de su propiedad. Tienen la obligación de estar disponibles para las relaciones sexuales y no pueden justificar la abstinencia vitalicia pregonando su devoción espiritual. La concesión paulina no es, por tanto, que los maridos y las esposas pueden tener relaciones sexuales; más bien, admite que una pareja puede optar por abstenerse de las relaciones sexuales durante un período limitado de tiempo para dedicarse a la oración.[72] También debemos observar la reciprocidad de la relación marido-esposa en 1 Corintios 7:3-5. En breve veremos que Pablo también aconseja a la esposa que se someta a su marido. Sin embargo, debemos tener cuidado de no restringir la comprensión de Pablo de la relación entre marido y mujer de modo que se convierta en algo unidimensional. Es evidente que él también entendía que los maridos y las esposas deben relacionarse entre sí como iguales y coherederos en el evangelio (cf. Gl. 3:28).

La enseñanza paulina sobre la igualdad y la reciprocidad entre maridos y mujeres no anula las responsabilidades particulares a las que están llamados maridos y mujeres. A los maridos se les ordena amar a sus esposas, y a las esposas se les pide que se sometan a sus maridos (Ef. 5:22-33; Col. 3:18-19). La enseñanza de Pablo sobre maridos y esposas, padres e hijos, y amos y esclavos forma parte de lo que se ha identificado como el código del hogar. Los eruditos han investigado cuidadosamente el origen del código, y se han propuesto varias teorías. Probablemente, la opinión más extendida en la actualidad es que los códigos siguen el modelo de la enseñanza aristotélica, aunque incluso en este caso son transformados por el evangelio de Cristo.[73] Los paralelismos más cercanos, por tanto, proceden del judaísmo helenístico (Filón, *Decálogo* 165-167; *Hipotética* 7.14; *Ley. Esp.* 2.226-227; Josefo, *Con. Ap.* 2.190-219; Ps.-Foc. 175-227).

El amor que los maridos deben tener por sus esposas es sacrificial, y debe seguir el modelo del amor de Cristo por la Iglesia (Ef. 5:25). La severidad y la dureza deben quedar excluidas (Col. 3:19). El amor genuino significa que las esposas son alimentadas y cuidadas, así como uno cuida y alimenta su propio

---

[72] Véase Fee 1987: 283-84; Thiselton 2000: 510-11. Contra Conzelmann 1975: 118.

[73] Para un estudio útil de la investigación, véase O'Brien 1982: 214-19; Goppelt 1993: 162-79; Dunn 1996b: 242-46; Lincoln 1999. Para un trasfondo aristotélico, véase Balch 1981; J. Elliott 2000: 504-7. Crouch (1972) argumenta que el código doméstico de Colosenses pretendía contener a las mujeres y a los esclavos, cuya interpretación de Gálatas 3:28 provocó malestar social.

cuerpo (Ef. 5:28-30, 33). Los maridos deben amar a sus esposas como su "cabeza" (*kephalē* [Ef. 5:23]). La palabra "cabeza" ha suscitado muchas discusiones, y muchos sostienen que significa "fuente" más que "autoridad sobre". Es posible que la palabra signifique "fuente" en algunos textos (Ef. 4:15; Col. 2:19).[74] En otros textos, sin embargo, está bastante claro que el término se refiere a la autoridad que uno tiene sobre otros (cf. Ef. 1:22; Col. 1:18; 2:10).[75]

La noción de autoridad también está clara en Efesios 5:23, ya que se pide a las esposas que se sometan "porque" (*hoti*) los maridos son la cabeza. La combinación de sumisión y jefatura indica que se está hablando de autoridad. Además, es difícil entender en qué sentido los maridos podrían ser concebidos como la fuente de sus esposas, porque ellos no son la fuente de sus esposas ni física ni espiritualmente. Por supuesto, esta jefatura no debe ejercerse tiránica o abusivamente, ya que los esposos deben sustentar y cuidar a sus esposas. Las diferentes funciones de los esposos y las esposas tampoco indican que las esposas sean inferiores, ya que Cristo se someterá al Padre al final de la historia, pero sigue siendo igual a él en esencia y dignidad (1 Co. 15:28). Tampoco puede relegarse la relación entre maridos y esposas a la cultura del siglo I. Pablo cita el mismo versículo sobre el matrimonio de Génesis 2:24 que citó Jesús en su controversia con los fariseos (Ef. 5:31). A partir de este texto, Pablo argumenta que la relación entre marido y mujer es un misterio, ya que refleja la relación entre Cristo y la iglesia. Puesto que el matrimonio refleja la relación de Cristo con la iglesia, el llamamiento al marido para que ame a su mujer y a la mujer para que se someta al marido no puede descartarse como un agregado cultural.[76]

El punto de vista paulino sobre el divorcio se explica en Romanos 7:2-3; 1 Corintios 7:10-16. El texto de Romanos no aborda directamente la cuestión del divorcio. Pablo utiliza una ilustración del matrimonio y el divorcio para explicar su visión de la ley. Aunque el divorcio no es el tema principal, el uso que Pablo hace de la ilustración es instructivo. El matrimonio es obligatorio mientras la persona viva (véase 1 Co. 7:39). Volver a casarse en vida del cónyuge constituye adulterio. Solo después de la muerte del cónyuge es

---

[74] Véase Arnold 1994.
[75] Véase la nota 56.
[76] Véase O'Brien 1999: 430-35; véase también Köstenberger 1991.

permisible volver a casarse. Los comentarios de Pablo en 1 Corintios 7:10-11 encajan con el escenario descrito en Romanos. El divorcio y las segundas nupcias no son opciones para los cristianos. Quien se separa de su cónyuge debe permanecer soltero o buscar la reconciliación. Las reflexiones paulinas sobre el divorcio podrían interpretarse en el sentido de que descartan el divorcio en cualquier circunstancia.

Por otra parte, es posible que sus afirmaciones se interpreten como generalizaciones que permiten excepciones. El consejo de Pablo respecto a los que están casados con no creyentes sugiere que esto último es correcto (1 Co. 7:12-16). Si un creyente está casado con un incrédulo, no debe ser él quien inicie el divorcio. El creyente tampoco debe preocuparse de que el matrimonio con un incrédulo cause contaminación, ya que la pareja incrédula es santificada a través del matrimonio con un creyente. Sin embargo, si el incrédulo abandona el matrimonio, entonces el creyente no debe preocuparse ni sentirse obligado a hacer esfuerzos extraordinarios para continuar el matrimonio. El creyente no está llamado a la esclavitud, sino a la paz. Pablo concede claramente a los creyentes la libertad de divorciarse cuando el no creyente lo desea. ¿Implica también esta libertad del matrimonio anterior el permiso para volver a casarse? El lenguaje que utiliza Pablo no es claro, por lo que persiste la controversia en torno a esta cuestión.

Sin embargo, lo más probable es que la disolución del matrimonio anterior también concediera la libertad de volver a casarse.[77] La opinión típica judía era que el divorcio abría la puerta a un nuevo matrimonio. Si Pablo se apartó de la opinión estándar, entonces habría sido necesaria una aclaración adicional para asegurarse de que los lectores entendían que estaba prohibido volver a casarse. Decir en 1 Corintios 7:15 que los lectores no están atados a un matrimonio (*douloō*) cae en el mismo rango semántico con el verbo "atados" (*deō*) en 1 Corintios 7:39, lo que sugiere que la libertad de la atadura también implica la libertad para volver a casarse.

Pablo también exige que un supervisor sea "hombre de una sola mujer" (1 Ti. 3:2 mi traducción). La misma construcción en referencia a las mujeres se utiliza en 1 Timoteo 5:9: "mujer de un solo hombre". Solo las mujeres que cumplen este requisito pueden recibir una compensación económica como

---

[77] Véase también Hays 1996: 361. Contra Fee (1987: 302-5), que piensa que las segundas nupcias no entran en el marco del pensamiento de Pablo aquí.

viudas. La construcción es difícil de interpretar porque aparece en un listado de cualificaciones y sin más elaboración. Varias opciones son posibles.[78]

(1) Cualquier nuevo matrimonio descalifica para servir como supervisor o para recibir compensación económica como viuda. La NRSV parece respaldar este punto de vista, traduciendo la frase de 1 Timoteo 3:2; 5:9 como "casado(a) una sola vez". Este punto de vista es improbable, ya que en otros lugares Pablo permite un nuevo matrimonio tras la muerte del cónyuge (Ro. 7:3; 1 Co. 7:39). Parece improbable que Pablo prohíba a las viudas recibir asistencia si se ajustan a sus instrucciones sobre las segundas nupcias en otros lugares.

(2) Lo que Pablo prohíbe en 1 Timoteo 3:2 es la poligamia. Este punto de vista fracasa porque no explica la expresión paralela de 1 Timoteo 5:9, donde Pablo no puede estar prohibiendo la poliandria, ya que el matrimonio con más de un marido era inaudito en el mundo grecorromano. En cualquier caso, además, la poligamia era bastante rara, por lo que es improbable que sea eso lo que Pablo prohíbe.

(3) A los que se divorcian y se vuelven a casar se les prohíbe servir como obispos o recibir fondos como viudas. Esta opinión es más plausible que las dos primeras y es muy posible que sea correcta. Sin embargo, la exclusión de los borrachos en 1 Timoteo 3:3 sugiere que un cuarto punto de vista es el correcto.

(4) El supervisor debe tener un historial significativo de ser un cónyuge fiel y cariñoso, de modo que su matrimonio sea respetado en la comunidad y no se haga ningún reproche a la iglesia por nombrar a la persona en cuestión como supervisor. El requisito de que un supervisor no sea un borracho apoya el punto de vista mantenido aquí. Cuando Pablo dice que un supervisor no puede ser un borracho, no está sugiriendo que el supervisor nunca podría haber sido un borracho en cualquier momento de su vida. Lo que quiere decir es que el supervisor debe tener ahora una larga y sólida reputación en la comunidad como persona sensata y sobria. Así también, aquellos que han demostrado durante un número significativo de años que son esposos fieles pueden servir como supervisores.

---

[78] Para un estudio de las opciones y una defensa del punto de vista sugerido aquí, véase Page 1993; Köstenberger con Jones 2004: 259-66.

NRSV – New Revised Standard Version.

La visión petrina del matrimonio

El punto de vista petrino sobre el matrimonio parece notablemente similar al de Pablo (1 P. 3:1-7), por lo que algunos han creído que existe una tradición compartida. Pedro se centra en la responsabilidad de las esposas de someterse a los maridos, tal vez porque su atención se enfoca particularmente en quienes están en posiciones subordinadas, al dirigirse a iglesias que enfrentan persecución.[79] Por lo tanto, la actitud de las esposas es paradigmática para todos los creyentes.[80]

También debemos tener en cuenta que Pedro se centra en las esposas cuyos maridos son incrédulos. Tales maridos no serán ganados a la fe por esposas que los importunan para que crean. Las esposas deben influir en los maridos con su espíritu apacible y su comportamiento piadoso. En el mundo greco-romano, como hoy, había una tendencia a enfocarse en el adorno exterior más que en el carácter moral. Los moralistas grecorromanos exhortaban a las mujeres a este respecto, entre los cuales se encontraban Séneca, Dio Crisóstomo, Juvenal, Plutarco, Epicteto, Plinio, Tácito y Ovidio.[81] Pedro, por tanto, exhorta a sus lectoras a centrarse en la belleza interior más que en el pelo trenzado, las joyas llamativas y la ropa deslumbrante.[82]

Como las santas mujeres de antaño, deben poner su esperanza y confianza en Dios y someterse a sus maridos. Esta sumisión debe fluir de la esperanza en Dios más que del temor. Debemos tener en cuenta que para una esposa adorar a cualquier dios que no fuera el de su marido era contracultural en el mundo greco-romano. Plutarco comentó: "Los dioses son los primeros y más importantes amigos.

Por esta razón, es propio de una esposa reconocer solo a aquellos dioses a los que adora su marido y cerrar la puerta a cultos supersticiosos y

---

[79] Pedro, como Pablo, tiene en mente la sumisión voluntaria de las esposas, no una sumisión forzada por parte de los maridos (A. Spencer 2000: 109).

[80] Goppelt (1993: 218-19) sostiene que la llamada a la sumisión contradice la igualdad fundamental de la mujer. Pero el propio Pedro no lo veía así, pues identificaba a las esposas como coherederas. J. Kelly (1981: 127) sostiene con razón que el mandamiento deriva del orden de la creación (véase también Schelke 1980: 88).

[81] Séneca, *Helv.* 16.3-4; *Ben.* 1.10.2; 7.9.4-5; Dio Crisóstomo, *Ven.* 7.117; Juvenal, *Sat.* 6.457-463; 490-511; Plutarco, *Conj. praec.* 141E; Epicteto, *Enq.* 40; Tácito, *Ann.* 3.53; Ovidio, *Am.* 3.130-149.

[82] Acertadamente Balch 1981: 101-2; Achtemeier 1996: 212; Michaels 1988: 160.

supersticiones extrañas".[83] De ello se deduce, por tanto, que la sumisión de la esposa no puede ser absoluta y sin excepciones. Evidentemente, estas esposas, al consagrarse al Dios cristiano, no seguían a sus maridos en el ámbito más importante de la vida. La sumisión exigida tampoco implica desigualdad, pues las esposas también son herederas junto con sus maridos. Comparten el mismo destino escatológico. Los maridos deben tratar a sus esposas con generosidad y ternura, sobre todo porque ellas son más débiles físicamente, y los maridos podrían usar su fuerza física para abusar, intimidar o coaccionar a sus esposas. Los maridos que no honran a sus esposas encontrarán que sus oraciones se ven obstaculizadas.[84]

Padres e hijos

El Nuevo Testamento no ahonda en la relación entre padres e hijos.[85] Una vez más, la comprensión de la naturaleza de esta relación está arraigada en las Escrituras del Antiguo Testamento. A los padres se les exige que amen y mantengan a sus hijos (1 Ts. 2:11; Tit. 2:4; cf. 2 Co. 12:14). Un buen padre anhela bendecir a sus hijos con buenos regalos (Mt. 7:9-11). En el mundo antiguo, a menudo se menospreciaba y despreciaba a los hijos (cf. Mt. 18:4; 19:13-14), pero en lugar de ello se les debe valorar como aquellos a quienes Dios ama. Los hijos están bajo la autoridad de sus padres y, por tanto, se les exige obediencia (Ef. 6:1; Col. 3:20). Pablo presenta el quinto mandamiento para decir que los hijos deben honrar a sus padres (Ef. 6:2).

Los niños no han desarrollado su pensamiento, por lo que necesitan madurar (1 Co. 13:11; 14:20; Ef. 4:14; cf. Lc. 7:32). Por lo tanto, deben ser manejados y disciplinados para que crezcan en carácter piadoso (1 Ti. 3:12). Los padres que aman a sus hijos los disciplinarán lo mejor que puedan para

---

83 Plutarco, *Conj. praec.* 140D (trad. J. Elliott 2000: 557-58).

84 Hay que añadir que Hebreos contiene una admonición muy breve sobre el matrimonio, en la que se insta a los lectores a honrar el matrimonio y evitar la fornicación y el adulterio (Heb. 13:4).

85 Para un estudio exhaustivo de este tema que explora la enseñanza del NT sobre los hijos y considera dicha enseñanza a la luz del mundo grecorromano, véase Balla 2003. Balla muestra que tanto en el mundo judío como en el grecorromano se esperaba que los hijos honraran a sus padres. Los llamados dichos radicales de Jesús tampoco anulan este deber, aunque reflejan la opinión de que las demandas de Dios tienen prioridad sobre lo que exigen los padres.

que crezcan en talla moral (Heb. 12:7-11). El autor de Hebreos señala que el hecho de no disciplinar a un hijo sugiere que este es ilegítimo, por lo que todos los padres que cuidan de sus hijos atenderán a su carácter. A la inversa, los hijos deben respetar y honrar a sus padres, que son quienes administran la disciplina. Los padres deben guardarse de exasperar y provocar a sus hijos con una corrección implacable (Ef. 6:4; Col. 3:21). De lo contrario, los hijos podrían desesperar ante la idea de mejorar y renunciar a todo intento de cambio. Así pues, el Nuevo Testamento no recomienda la disciplina a secas, sino la disciplina administrada en un contexto de crianza, amor e instrucción.

Conclusión

El matrimonio, la paternidad y los hijos forman parte del orden creado y, por tanto, no persistirán en la nueva creación. Los creyentes no deben dar su principal apego a tales relaciones de tal manera que tengan prioridad sobre Dios mismo. Aun así, todas estas relaciones son buenos dones de Dios y no deben rechazarse. Los escritores del Nuevo Testamento especifican cómo se puede agradar a Dios en estas diversas relaciones.

Gobierno

Lucas-Hechos

El pueblo de Dios está llamado a vivir en sociedad en el intervalo entre la venida de Jesús, con su cumplimiento de las promesas pactuales de Dios en él, y la consumación del reino, con su destrucción de los enemigos de Dios. En este tiempo intermedio, los gobiernos humanos imponen su estructura y forma de gobierno sobre los seres humanos. La obra en dos volúmenes de Lucas revela las posturas y convicciones de los primeros cristianos frente al gobierno.[86] Es evidente que las estructuras gubernamentales actuales no

---

[86] Brent (1999: 73-139) sostiene que Lucas-Hechos interactúa significativamente con el culto imperial, pero su tesis depende de una fecha más tardía para Lucas-Hechos (ca. 85 d.C.) de lo que yo creo probable, y también me parece que inserta la lectura de su tesis en Lucas-Hechos sin éxito. Para la opinión de que el culto imperial desempeñó un papel importante incluso bajo Augusto, véase Brent 1999: 17-72.

reflejan el futuro reino de Dios. Los creyentes esperan el día en que los gobernantes malvados sean depuestos y Dios cumpla su pacto con su pueblo (Lc. 1:50-55, 68-75). Incluso con el cumplimiento del pacto de Dios en la persona de Cristo, la deposición de los gobernantes malvados no se ha hecho realidad.

La cruz y la resurrección preceden al día en que Jesús regresará y subyugará a todos sus enemigos. Mientras tanto, el gobierno, al estar distorsionado por la ambición egoísta, sigue infligiendo miseria a los seres humanos.[87] Pilato masacró a unos galileos que habían venido a ofrecer sacrificios a Jerusalén (Lc. 13:1), tal vez por las ambiciones nacionalistas de estos. Herodes Antipas encarceló y finalmente decapitó al Bautista por haber denunciado públicamente el pecado que Herodes había cometido al casarse con la mujer de su hermano Felipe (Lc. 3:19-20). Los fariseos advirtieron a Jesús que huyera porque Herodes Antipas quería darle muerte (Lc. 13:31-33). Jesús no pasó por alto la venalidad de Antipas, sino que lo identificó como un astuto y calculador agente político.

Jesús no temía a Herodes, porque Herodes no podía frustrar el plan de Dios según el cual Jesús habría de morir en Jerusalén. Lucas da a entender aquí que Dios reina y gobierna sobre los reinos del mundo, incluso cuando sus intenciones son maliciosas. Una nota similar suena en Hechos 4:24-28, donde se cita el Salmo 2. Los dirigentes gubernamentales y religiosos, en cumplimiento de la profecía, han conspirado contra el Señor y su Cristo. Los que están en el poder piensan que sus malvadas maquinaciones tendrán éxito, pero sin darse cuenta cumplen el plan predestinado de Dios, pues los propósitos salvíficos de Dios se cumplieron en la cruz de Cristo, en contra de las expectativas de aquellos que ejercían influencia. Herodes Antipas condenó a muerte a Santiago, hermano de Juan, y encarceló a Pedro (Hch. 12:1-24). El mismo odio que animó la ejecución de Jesús había vuelto a estallar.

Sin embargo, Lucas estructura el capítulo para que los creyentes se consuelen con la soberanía y la victoria final de Dios. Cuando Dios quiere, puede liberar a Pedro de su prisión, por muy bien custodiado que esté. Y lo que es más importante, al final del día los gobernantes como Herodes serán

---

[87] A menudo se ha argumentado que Lucas escribió tanto su Evangelio como Hechos como apología política del movimiento cristiano, pero esto es poco probable (véase Maddox 1982: 91-99).

juzgados y destituidos. Herodes se arrogó prerrogativas divinas, y por eso Dios le dio muerte, demostrando que los que matan a los creyentes se enfrentarán a su propio día de juicio.

Ya vimos antes cómo la maldad de Pilato se reveló en su falta de voluntad para vindicar a Jesús en este juicio, a pesar de que declaró repetidamente que Jesús era inocente (Lc. 23:4, 14, 20, 22; Hch. 3:13). También se acusa a los dirigentes judíos de conspirar para arrestar a Jesús con el fin de que lo mataran. El mismo patrón se repite en Hechos. Pedro y Juan fueron inexplicablemente arrestados e interrogados después de que curaran a un hombre cojo (Hch. 4:8-12). El Sanedrín quería castigar a los apóstoles, pero ellos mismos admitieron que no tenían motivos racionales para infligirles un castigo (Hch. 4:13-22). Del mismo modo, la flagelación de los apóstoles, que fue una reacción a la predicación apostólica sobre Jesús resucitado, no podía apoyarse en ninguna base legal (Hch. 5:17-42). Los cargos contra Esteban fueron tergiversados y falsos, y fue asesinado cuando el Sanedrín se dejó llevar por una furia irracional (Hch. 6:8-7:60).

En Hechos, con frecuencia los judíos incitaron (o intentaron incitar) a la población o a las autoridades judiciales contra Pablo (Hch. 13:45; 14:2, 19; 17:1-9, 13; 18:12-17). En Filipos, las autoridades romanas mandaron azotar a Pablo y Silas (Hch. 16:19-40). Al descubrir que se había hecho justicia por azotar a ciudadanos romanos, los magistrados rogaron a Pablo y Silas que abandonaran la ciudad. Pablo insistió, sin embargo, en que los magistrados se disculparan y admitieran que habían actuado ilegalmente. Pablo no estaba motivado por la venganza; exigió que los magistrados se disculparan para que no se estableciera un precedente por el cual las autoridades se sentirían justificadas para azotar a los predicadores del evangelio.[88]

De este modo, Pablo seguiría teniendo la oportunidad de proclamar la buena nueva hasta los confines de la tierra. Cuando se abalanzaron sobre Pablo y lo azotaron en el templo, la supuesta razón del ataque carecía de fundamento, pues Pablo no había introducido a ningún gentil en el templo (Hch. 21:29). El tribuno reconoció que los cargos contra Pablo no justificaban ni el encarcelamiento ni la muerte (Hch. 23:29).[89] Pablo procedió a defender su

---

[88] Barrett (1998: 802) observa que la historia sirve "como advertencia a los magistrados".

[89] Acertadamente Fitzmyer 1998: 728; Barrett 1998: 1084.

buena conducta ante el procurador Félix, quien obviamente creía que los cargos contra Pablo carecían de fundamento (Hch. 24:10-27).

Del mismo modo, cuando Festo explicó la situación de Pablo al rey Agripa, este reconoció que Pablo no había hecho nada que mereciera la muerte e incluso admitió que no se le ocurría ningún cargo que enviar al César (Hch. 25:22-27). Si las autoridades civiles no podían proporcionar una razón para su juicio, la injusticia del encarcelamiento de Pablo era flagrante. Después de que Pablo expusiera su caso ante Agripa, Festo y otros, el consenso fue que no había hecho nada que justificara la muerte o el encarcelamiento (Hch. 26:31). De hecho, las autoridades políticas admitieron que, si Pablo no hubiera apelado al César, habría sido liberado (Hch. 26:32; cf. 28:17-20).

Lo que vemos en Lucas y Hechos es que las autoridades civiles actuaron a menudo en contra de la justicia en el trato que dieron a Jesús y a sus discípulos. Ciertamente, las autoridades gobernantes no son retratadas como parangones de virtud. También vemos, al mismo tiempo, que los cristianos no constituyen una amenaza política para el imperio.[90] Los creyentes no se dedicaban a actividades ilegales, y los cargos en su contra eran inventados o carecían de un fundamento creíble.

Pero no todos los textos pintan mal a las autoridades gobernantes. Lucas reconoce la bondad del centurión cuyo esclavo fue curado por Jesús (Lc. 7:1-10). El centurión Cornelio era un hombre justo y bueno, y recibió el don de la salvación (Hch. 10:1-11:18). El procónsul Sergio Paulo respondió positivamente al evangelio (Hch. 13:5-12). Del mismo modo, hay casos en los que el gobierno reconoce lo que es justo y actúa en consecuencia. Cuando los judíos presentaron cargos contra Pablo, incitando al procónsul Galión para que tomara medidas contra Pablo, Galión desestimó los cargos y reprendió a los judíos por llevar sus disputas religiosas internas al ámbito político (Hch. 18:12-17). Demetrio, un platero que fabricaba templecillos para Artemisa, provocó un motín contra Pablo y sus colaboradores en Éfeso (Hch. 19:23-41).

Algunos funcionarios de la provincia se mostraron amistosos con Pablo y le rogaron que no se presentara ante la multitud descontrolada (Hch. 19:31). Lucas informa con cierto humor al lector de que la mayoría de los miembros de esta multitud no tenían ni idea de a qué se debían todos los gritos y alaridos

---

[90] Pero como señala Barrett (1998: l), esto difícilmente puede ser el propósito del libro.

(Hch. 19:32). El secretario de la ciudad defendió a Pablo y a sus compañeros, señalando que no se había presentado ninguna prueba de delito y que existían medios legales ordinarios para resolver cualquier disputa (Hch. 19:37-39). El motín podría atraer la ira de Roma sobre Éfeso porque no existía fundamento alguno para tal actividad (Hch. 19:40). El discurso racional del funcionario de la ciudad restableció el orden, demostrando que las autoridades gobernantes existen para impedir la anarquía.

A pesar de la injusticia de las autoridades gobernantes, Lucas no da ninguna indicación de que los cristianos deban inducir a una revuelta violenta. José y María obedecieron el censo y regresaron al pueblo natal de José para empadronarse de acuerdo con el decreto promulgado (Lc. 2:1-7). También vemos en este texto el cumplimiento de los propósitos de Dios, pues el censo sirvió para que se cumpliera la profecía de que Jesús nacería en Belén (cf. Miq. 5:2). Y lo que es más significativo, Jesús aconsejó a sus seguidores que pagaran impuestos al César (Lc. 20:20-26).[91] Por lo tanto, Jesús no se puso del lado de quienes argumentaban que pagar impuestos al César comprometía el señorío de Dios y equivalía a idolatría.[92] Jesús tampoco deificó al César, pues enseñó que la gente debe dar a Dios lo que le corresponde a él. Sin duda, esto significa que Dios exige lealtad y devoción supremas, de modo que, si hay que decidir entre obedecer a Dios o a las autoridades humanas, hay que obedecer a Dios (Hch. 5:29).[93]

No repasaremos los textos de los otros evangelios que en esencia se hacen eco de lo que Lucas-Hechos nos presenta. Lucas-Hechos ofrece el retrato más completo, pero los otros evangelios no están en tensión con lo que encontramos aquí. La maldad de los gobernantes es evidente en Mateo. Herodes intentó averiguar a través de los magos dónde y cuándo había nacido Jesús para poder dar muerte al heredero prometido (Mt. 2:1-19). Cuando los magos no regresaron, Herodes masacró a todos los niños de dos años o menos en los alrededores de Belén.

---

[91] Para un estudio claro de las opciones interpretativas, véase Fitzmyer 1985: 1292-94. Jesús superó a sus adversarios en la discusión, pues demostró que ellos llevaban y usaban la moneda con la imagen del César, mientras que él mismo no la tenía (Fitzmyer 1985: 1291).

[92] Véase Josefo, *G. J.* 2:118.

[93] Véase Marshall (1978b: 736), quien sostiene que Jesús fundamenta "la obediencia al gobernante terrenal en la obediencia a Dios: la ley de Dios exige que los hombres obedezcan a su autoridad delegada en la tierra".

Aunque este suceso no está documentado en ningún otro lugar, encaja perfectamente con el carácter de Herodes, pues era bien conocido por haber ejecutado a algunos de sus hijos y a su esposa, Mariamna. La soberanía de Dios también brilla en esta situación, pues, aunque Herodes el Grande tramó destruir al Mesías, su complot fracasó y se cumplieron los propósitos de Dios. Los hijos de Herodes no fueron una mejora notable. Cuando José se enteró de que Arquelao gobernaba Judea, se trasladó a Galilea (Mt. 2:22). El otro hijo, Herodes Antipas, dio muestras de su carácter al encarcelar y matar a Juan el Bautista (Mt. 14:1-12; Mc. 6:14-29).

La literatura paulina

En la visión paulina del gobierno, Romanos 13:1-7 ocupa un lugar de honor. Incluso si se considerara que Tito 3:1 es posterior a Pablo, el sentimiento que allí se expresa encaja con Romanos 13:1-7.[94] A los creyentes se les ordena someterse a las autoridades gobernantes.[95] A pesar de las protestas de algunos académicos, las autoridades aquí contempladas no incluyen los poderes angélicos.[96] La sumisión a los poderes demoníacos es impensable para Pablo (cf. Col. 2:8-15), y obviamente los impuestos se pagan a las autoridades civiles, no a los ángeles. Pablo subraya que los gobernantes han sido designados e instituidos por Dios. Ver a Dios como el que ordena a los gobernantes no es ninguna novedad. Pablo se remite aquí al Antiguo Testamento, donde se enseña con regularidad la soberanía de Dios sobre los gobernantes (2 S. 12:8; Pr. 8:15-16; Is. 45:1; Jer. 27:5-6; Dn. 2:21, 37; 4:17, 25, 32; 5:21; cf. Sab. 6:1-3; Sir. 17:17; *Car. Aris.* 219, 224; Josefo, *G.J.* 2.140).

La soberanía de Dios es ilustrada en el levantamiento de Faraón (Ro. 9:17).[97] Vemos la misma verdad en 2 Tesalonicenses. El hombre de pecado

---

94 Ocasionalmente, algunos eruditos han argumentado que Romanos 13:1-7 corresponde a una interpolación posterior (p. ej., Kallas 1965; Schmithals 1975: 175-87), pero este punto de vista no se ha impuesto entre los académicos del NT.

95 La palabra "someterse" no puede diluirse para que signifique "mostrar deferencia", "respeto" o "cooperar respetuosamente con los demás" (contra Achtemeier 1996: 182; Michaels 1988: 124; A. Spencer 2000: 110). Nótese cómo el verbo "obedecer" está en el mismo rango semántico que "someterse" en 1 Pedro 3:5-6. Con razón Grudem 1988b: 135-37; Goppelt 1993: 224n44. Véase también Kamlah 1970: 240-41.

96 Contra Cullmann 1956: 95-114; Wink 1984: 46-47.

97 Este párrafo sigue a Schreiner 2001: 449.

llegará, deificándose a sí mismo y oponiéndose al único Dios verdadero (2 Ts. 2:3-8). Sin embargo, no aparecerá hasta que el freno sea quitado (2 Ts. 2:6-7).[98] El freno sobre el mal es impuesto por Dios mismo, y, así, en este texto se nos informa que el gobernante malvado llegará en un tiempo dispuesto por Dios. Aunque Pablo sitúa el levantamiento del Faraón y la llegada del hombre de pecado dentro de la voluntad de Dios, no concluye de ello que Dios sea responsable del mal, ni exime al Faraón o al hombre de pecado de la responsabilidad de sus malas acciones. Dios ordena soberanamente lo que ocurre y, sin embargo, no se mancha por ningún mal. Además, el hombre de pecado y el Faraón son responsables de su mal comportamiento.

Los creyentes están llamados a someterse a las autoridades (cf. Tit. 3:1) porque mantienen el orden en la sociedad castigando el mal y elogiando el bien. Los gobernantes tienen el derecho y el deber de usar la espada para imponer la justicia contra los que practican el mal (Ro. 13:4). Es probable que la referencia a la espada se refiera a la pena capital, que se aplica a quienes matan con alevosía.[99] La referencia a los impuestos en Romanos 13 puede explicarse por los elevados impuestos que provocaron controversia durante el reinado de Nerón,[100] pero, en cualquier caso, Pablo aborda la cuestión en términos generales en lugar de centrarse en las circunstancias de Roma.

En ocasiones, Romanos 13:1-7 se ha tomado casi como un tratado, como si Pablo hablara exhaustivamente de la relación que los creyentes deben tener con las autoridades gobernantes. Sin embargo, debemos recordar que la amonestación es bastante breve y que fue escrita originalmente para las iglesias romanas. Pablo no pretendía examinar detalladamente el papel del gobierno. Por lo tanto, las exhortaciones de este texto no pueden apoyar la afirmación de que en todas las situaciones posibles hay que obedecer al gobierno.

El llamamiento a someterse refleja el modo normal en que los creyentes deben responder a los gobernantes civiles. Los creyentes no deben sentirse inclinados a ofenderse y resistirse a quienes ejercen la autoridad; más bien,

---

[98] Wanamaker (1990: 254-57) sostiene que el verbo *katechō* debería traducirse como "prevalecer", y que el que prevalece hasta que se retira de la escena es el emperador romano. Para un estudio de las opciones, véase Morris 1959: 224-27; Marshall 1983: 193-200; Beale 1999b: 213-18.

[99] En apoyo de una referencia a la pena capital, véase Schreiner 1998: 684-85.

[100] Véase Schreiner 1998: 686.

deben responder con deferencia y sumisión a lo que se les ordena. Pablo era muy consciente, por su propia experiencia como misionero, de que quienes detentan el poder pueden actuar injustamente y promover así el mal en lugar del bien. La propia historia del juicio y ejecución de Jesús supuso un error judicial. Además, el texto es forzado a decir más de lo que pretende si se asigna una autoridad ilimitada a los gobiernos. Sencillamente, el propósito de Pablo no era especificar los casos en los que la fidelidad a Dios exigiría contravenir lo ordenado por el gobierno.

1 Pedro

La perspectiva sobre el gobierno en 1 Pedro 2:13-17 es bastante similar a la que encontramos en Romanos, lo que explica que algunos estudiosos piensen que el autor se inspira en tradiciones paulinas o que Romanos y 1 Pedro comparten una tradición común.

> **1 Pedro 2:13–17** Sométanse, por causa del Señor, a toda institución humana, ya sea al rey como autoridad, o a los gobernadores como enviados por él para castigo de los malhechores y alabanza de los que hacen el bien. Por que esta es la voluntad de Dios: que haciendo bien, ustedes hagan enmudecer la ignorancia de los hombres insensatos. *Anden* como libres, pero no usen la libertad como pretexto para la maldad, sino *empléenla* como siervos de Dios. Honren a todos, amen a los hermanos, teman a Dios, honren al rey.

Pedro no dice que los gobernantes hayan sido ordenados por Dios; en cambio, enfatiza la sumisión de los creyentes a las autoridades gobernantes. Como en Romanos 13, vemos que el gobierno existe para castigar a los malhechores y alabar a los que practican el bien. Por tanto, el gobierno existe para evitar que la anarquía y el desafuero invadan la sociedad. Incluso los peores gobiernos ponen freno a los malhechores. En su primera carta, Pedro se dirige a una iglesia que se enfrenta a la crítica y la persecución, y no quiere que los creyentes agraven la situación rebelándose contra el gobierno de turno.

Los creyentes deben ser conocidos por su buen comportamiento y su ciudadanía ejemplar. Su obediencia no es servilismo, pues los creyentes son libres en Cristo. Esta libertad, sin embargo, no debe convertirse en una plataforma para el mal y el libertinaje, sino que debe utilizarse para el bien.

Los creyentes deben honrar al emperador y a todas las personas. Una vez más, Pedro no plantea la cuestión de las excepciones, sino que transmite la respuesta ordinaria de los creyentes ante el poder político.

Apocalipsis

En el libro de Apocalipsis, Juan contempla el gobierno desde otra perspectiva.[101] La ciudad de Roma representa a Babilonia con toda su codicia, amor al lujo e inmoralidad (Ap. 17:1-19:10). Lo más significativo es que Babilonia derrama la sangre de los santos (Ap. 17:6; 18:24; 19:2). Los creyentes vivían en un contexto en el que la autoridad gobernante los oprimía e incluso los condenaba a muerte (Ap. 2:13; 6:9-11; 20:4; cf. 3:10). Es probable que Satanás encontrase un hogar en Pérgamo porque allí se practicaba el culto al emperador (Ap. 2:13).[102]

El Imperio Romano no se presenta como un modelo de justicia y rectitud, sino más bien como una bestia rapaz e inhumana que pisotea y maltrata al pueblo de Dios (Ap. 13:1-18). La imagen de la bestia procede de Daniel 7, donde se describe a los reinos del mundo como bestias inhumanas que causan estragos entre sus súbditos. La bestia de Apocalipsis combina las características malignas de todas las bestias de Daniel 7, de modo que el Imperio Romano es visto como la culminación y el clímax del dominio maligno de los seres humanos.[103] Lo que destaca especialmente es que la bestia del Apocalipsis exige supremacía y adoración, de modo que se erige como un rival aparente del Dios Todopoderoso y del Cordero. La bestia tiene su propio profeta que habla en su nombre (Ap. 13:11-18), y se arroga su propia resurrección (Ap. 13:3).[104]

---

[101] Véase Cullmann 1956: 71-85.

[102] Se discute la influencia del culto al emperador en el NT. Para una introducción útil, véase Cuss 1974. Sobre el papel del culto en Asia Menor, véase Price 1984. Para la opinión de que el culto desempeñó un papel importante en Apocalipsis, véase Brent 1999: 164-209.

[103] La mayoría de los eruditos sostienen que el número 666 de Apocalipsis 13:18 se refiere a Nerón. Bauckham (1993b: 384-452) sostiene que Juan historiza las tradiciones apocalípticas relativas al regreso de Nerón.

[104] La segunda bestia, o el profeta, puede referirse aquí al sacerdocio del culto al emperador (Price 1984: 197). Así también Caird 1966: 17; Bauckham 1993b: 446. R. Mounce (1977: 259) piensa que la referencia es o bien al sacerdocio del culto al emperador o "al consejo provincial responsable de imponer el culto al emperador en toda Asia"

Como observa Bauckham, tenemos la impía trinidad del dragón, la primera bestia y la segunda bestia, con el dragón dando su autoridad a la primera bestia (como el Padre concede su autoridad a Cristo), y la segunda bestia convocando a todos a adorar a la primera (como el Espíritu glorifica a Cristo).[105] La bestia ejerce su poder sobre los creyentes, persiguiendo y matando a los que se le oponen (Ap. 13:7). Mientras que Pablo se centra en el gobierno como entidad que refrena el mal, Juan enfatiza el carácter satánico y demoníaco del gobierno. El problema de Roma y de todos los gobiernos es el deseo de un gobierno totalitario. Detrás de la exigencia gubernamental de compromiso y sumisión absolutos se esconde el propio Satanás, que utiliza el gobierno para promover sus propios fines con la intención de procurarse adoración para sí mismo.

Podría parecer que Apocalipsis representa un gobierno desbocado que ejerce su insaciable apetito sobre las vidas de los demás. De hecho, el poder de Roma procede del propio Satanás (Ap. 13:4). Sin embargo, Dios reina soberanamente sobre todo lo que hace la bestia, de modo que esta no logra nada al margen de la voluntad de Dios. Apocalipsis se refiere a menudo al trono de Dios, resaltando la verdad de que él gobierna sobre todo (p. ej., Ap. 1:4; 3:21). Todo Apocalipsis 4 se centra en Dios como creador y, por tanto, como soberano. También Jesús es el soberano de los reyes de la tierra (Ap. 1:5). Incluso en Apocalipsis 13, que presenta el gobierno de la bestia sobre la tierra, Juan señala repetidamente que la autoridad que corresponde a la bestia "le fue dada" (*edothē*) a él.

Lo más probable es que esta forma verbal sea una pasiva divina, que enfatiza que cualquier autoridad limitada que tenga la bestia le fue concedida por Dios mismo.[106] De ahí que Dios le permitiera blasfemar (Ap. 13:5), gobernar durante cuarenta y dos meses sobre el mundo entero (Ap. 13:5, 7) y conquistar a los santos y darles muerte (Ap. 13:7). Incluso las habilidades y milagros del falso profeta le fueron otorgados (Ap. 13:14-15). Pero, aunque Dios gobierna sobre todo, no se le puede atribuir el mal. Las intenciones y los motivos de Satanás y la bestia son maliciosos, pero las intenciones y los

---

(también Beale 1999b: 717). Osborne (2002: 510) sostiene que la referencia trasciende al sacerdocio promotor del culto imperial.

[105] Bauckham 1993b: 434. Toda la discusión de Bauckham (1993b: 431-41) sobre la parodia cristológica aquí es notablemente perspicaz.

[106] Véase R. Mounce 1977: 254; Beale 1999b: 695; Osborne 2002: 499; Caird 1966: 167.

motivos de Dios son perfectos, aunque en última instancia reina y gobierna sobre todo lo que sucede. Juan no trata de hacer una defensa filosófica de cómo Dios puede gobernar sobre todas las cosas permaneciendo impoluto ante el mal. Simplemente asume que Dios gobierna sobre todo y al mismo tiempo afirma que el mal infligido por Satanás y la bestia es horrible y merece el juicio de Dios.

Conclusión

Los creyentes esperan el día en que se consumará el reinado de Dios sobre el mundo. Mientras tanto, Dios ha ordenado autoridades gobernantes para evitar la anarquía y regular el desenfreno, de modo que exista cierta medida de paz y orden en el mundo. Los creyentes están llamados a someterse a estas autoridades a menos que las autoridades ordenen algo que Dios prohíbe. Los escritores del Nuevo Testamento no son ingenuos respecto a la venalidad y maldad de los poderes gobernantes. Tanto en Lucas-Hechos como en Apocalipsis se desenmascara el carácter profundamente malvado e incluso demoníaco del Estado. Sin duda, ¡la *pax romana* no era todo lo que había detrás del régimen romano! Y aún así, los creyentes no son alentados a adoptar una mentalidad revolucionaria, como si pudieran introducir el reino de Dios mediante el cambio político. Deben pagar impuestos y subordinarse a la autoridad. Sin embargo, su devoción última es para con Dios mismo y Jesús como Señor, y por lo tanto cualquier demanda gubernamental de lealtad incondicional debe ser resistida.

Esclavitud

La esclavitud era bastante común en el mundo grecorromano.[107] Se ha calculado que la proporción entre esclavos y libres en el Imperio Romano era de 1:5.[108] Si la población en tiempos de Augusto era de cincuenta a sesenta millones de habitantes, entre diez y doce millones eran esclavos. Las personas

---

[107] Sobre la esclavitud en el mundo antiguo, véase Bartchy 1973: 37-120; DLNT 1098-1102; D. Martin 1990: 1-49; Harrill 1995: 11-67. El siguiente material sobre la esclavitud contiene pequeñas revisiones de Schreiner 2003: 135-36; 2001: 435.

[108] Las estadísticas que siguen proceden de Harris 1999: 34. Para su estudio de la esclavitud en el Imperio Romano, véase Harris 1999: 25-45.

no llegaban a la esclavitud solo por haber sido capturadas en la guerra, aunque perder una guerra era una de las principales vías de acceso a la esclavitud. La esclavitud también se imponía a través del secuestro, y muchos nacían en un hogar de esclavos. En algunos casos, los que sufrían dificultades económicas se vendían a sí mismos como esclavos.[109] Otros eran comprados como esclavos o eran esclavizados a causa de sus crímenes. Muchos esclavos vivían miserablemente, sobre todo los que trabajaban en las minas. Otros esclavos, sin embargo, trabajaban como médicos, maestros, administradores, músicos, artesanos, barberos, cocineros, tenderos e incluso podían ser propietarios de otros esclavos.[110]

En algunos casos, los esclavos tenían mejor educación que sus amos. Quienes estén familiarizados con la esclavitud desde la perspectiva de la historia de Estados Unidos deben tener cuidado de no imponer esa experiencia histórica a los tiempos del Nuevo Testamento, ya que la esclavitud en el mundo grecorromano no se basaba en la raza, y los esclavistas estadounidenses desalentaban la educación de los esclavos. Aun así, los esclavos del mundo grecorromano estaban bajo el control de sus amos y, por tanto, carecían de existencia independiente.[111] Podían sufrir brutales maltratos a manos de sus dueños, y los niños nacidos en la esclavitud pertenecían a los amos y no a los padres que los habían engendrado. Los esclavos no tenían derechos legales y los amos podían golpearlos, marcarlos y abusar de ellos física y sexualmente. Harrill señala: "A pesar de las afirmaciones de algunos eruditos del Nuevo Testamento, la esclavitud antigua no era más humana que la moderna".[112]

La observación de Séneca expone la maldad de la esclavitud: "Puedes tomar [a un esclavo] encadenado y exponerlo a tu antojo a todas las pruebas de resistencia; pero una violencia demasiado grande en el golpe ha dislocado a menudo una articulación, o ha dejado un tendón sujeto en los mismos dientes que ha roto. La ira ha dejado a muchos hombres lisiados, a muchos inválidos, incluso cuando ha encontrado a su víctima sumisa" (*Ira* 3.27.3).[113] La esclavitud antigua era sin duda cruel y a menudo opresiva, pero no quiere decir

---

[109] Véase Harrill 1995: 30-42.
[110] Véase Harrill 1995: 47.
[111] Véase Bartchy, *ABD* 6:66.
[112] Harrill (1995: 95-99) critica aquí en particular el trabajo de Bartchy.
Ira – De ira
[113] Debo esta referencia a J. Elliott 2000: 521.

que todos los amos fueran crueles.[114] Los esclavos podían comprar su libertad en el mundo grecorromano con la ayuda de sus amos, un procedimiento llamado manumisión. La manumisión, según Harrill, estaba disponible sobre todo para los esclavos urbanos, pero la mayoría de los esclavos no tenían posibilidades de obtenerla. Harris, en cambio, aporta pruebas convincentes de que la manumisión era bastante común, aunque no supusiera la completa liberación con respecto al amo.[115]

Los dos escritores del Nuevo Testamento que dan exhortaciones relativas a la esclavitud son Pedro (1 P. 2:18-25) y Pablo. Pedro exhorta a los esclavos a someterse a sus amos, aunque estos sean crueles e injustos. Los que sufren el mal como esclavos, aunque lleven una vida moralmente encomiable, serán recompensados por Dios. Los esclavos que viven así imitan a Cristo, que también sufrió injustamente y encomendó su vida al Dios que pronunciará el juicio final. Aunque Pedro se dirige a los esclavos, es probable que la exhortación dada a los esclavos se aplique análogamente a todos los miembros de las iglesias, pues el tema de la carta es la respuesta adecuada al sufrimiento.[116]

Las palabras dirigidas a los esclavos funcionan, pues, como modelo de cómo responder a una situación en la que uno es maltratado. Pedro no se plantea la cuestión de si la institución de la esclavitud es aceptable en la sociedad, pero tampoco escribe como un miembro poderoso de la sociedad que aborda la responsabilidad de los inferiores sociales. Escribe como un creyente que también sufre por el evangelio (1 P. 5:1). Escribe como alguien que no tiene influencia política ni social. Las iglesias a las que se dirige representan minúsculos puestos de avanzada de creyentes eclipsados por la sociedad en general. La situación social en la que vivían Pedro y la iglesia en el siglo I impedía cualquier crítica política de la institución. Resulta interesante, sin embargo, que la acusación de Apocalipsis a Roma por su materialismo y

---

[114] Véase el equilibrado estudio en Harris 1999: 41-44.

[115] Harris 1999: 40-41; cf. Harrill 1995: 53-56. Harrill (1995: 75) señala: "La manumisión urbana bajo el dominio romano era un hecho regular y frecuente". Harrill (1995: 94, 100) critica a Bartchy por decir que los esclavos no podían rechazar la manumisión. Pero Harris (1999: 60-61) argumenta que Bartchy afirma con razón que los amos decidían si los esclavos serían libres.

[116] Véase Achtemeier 1996: 196-97; Michaels 1988: 135.

libertinaje incluya la práctica de comprar y vender seres humanos (Ap. 18:13), lo que sugiere lo deshumanizante que es dicha práctica.[117]

Las reservas escatológicas de Pablo son fundamentales para discernir su opinión sobre la esclavitud. De ahí que la posición social o la clase de una persona fueran más bien insignificantes. La época actual es temporal y pronto pasará, por lo que el hecho de ser esclavo o libre tiene poca importancia (1 Co. 7:29-31). De hecho, Pablo cree que Dios ha "asignado" (*emerisen* [1 Co. 7:17]) la vocación (1 Co. 7:17, 20, 24) a cada persona. Por lo tanto, los esclavos no deben preocuparse por su condición (1 Co. 7:21). Lo que realmente importa es que los esclavos son libres en Cristo;[118] a la inversa, los ciudadanos libres necesitan recordar que son esclavos de Cristo (1 Co. 7:22). No hay que atesorar el estatus social; lo crucial es que los creyentes vivan su redención en Cristo (1 Co. 7:23).[119] Los creyentes no deben convertirse en esclavos de la gente de este mundo. Como subraya Romanos 6:15-23, deben ser esclavos de la justicia en lugar de esclavos de la maldad.

Cuando Pablo afirma en Gálatas 3:28 que no hay esclavo ni libre, no está negando las realidades sociales del mundo grecorromano. Sus instrucciones a los esclavos en Efesios (Ef. 6:5-9), Colosenses (Col. 3:22-4:1) y Filemón revelan que no era un revolucionario; el patrón social de la sociedad grecorromana se mantiene. Al mismo tiempo, el evangelio paulino transforma el mundo social en el sentido de que la esclavitud se contempla de una nueva forma. Pablo trata a los esclavos como seres humanos y les exhorta, como creyentes, a vivir de forma agradable a Dios. No se dirige a ellos como a bienes o propiedades, sino como a individuos que deben responder al evangelio de Jesucristo.

En Cristo Jesús es irrelevante ser esclavo o libre. La pertenencia a Cristo es la realidad fundamental y decisiva. No debemos concluir que la visión paulina de la esclavitud carecía de consecuencias sociales concretas.

---

[117] Véase Osborne 2002: 650; Beale 1999b: 910.

[118] Los temas que se abordan a continuación se tratan de manera excelente en Harris 1999.

[119] Contra D. Martin (1990: 51-68), quien sostiene que la esclavitud a Cristo se utiliza para designar el liderazgo y la mejora de estatus. Harris (1999: 128-31) elogia con razón a Martin por su investigación y por ver que el término *doulos* podría utilizarse con un matiz positivo. Pero la idea de que en opinión de Pablo la esclavitud implica una mejora de estatus no es convincente, y Martin resta importancia al servilismo asociado a la esclavitud, un servilismo que la mayoría de los lectores oirían en la palabra *doulos*.

Reconocer que un esclavo es un hermano o una hermana en Cristo sin duda transformaría la forma en que se trata a esa persona. La estratificación social de este mundo es solo temporal. Por lo tanto, los creyentes no deben vivir como si fuera definitiva, como si indicara algo de gran importancia acerca de un hermano creyente. Si los creyentes despreciaran y menospreciaran a los esclavos por su posición social, revelarían con ello que han capitulado ante la presente era malvada en lugar de poner sus esperanzas en la era venidera. Cristo ha sumergido en el Espíritu tanto a los esclavos como a los libres (1 Co. 12:13).

En el nuevo Adán es irrelevante si uno es gentil o judío, circuncidado o incircunciso, miembro de las clases sociales inferiores como los bárbaros, o parte de los despreciados escitas, o incluso esclavo o libre (Col. 3:11). El nuevo Adán, Cristo, lo abarca todo. Tanto los amos como los esclavos son hermanos y hermanas en el Señor. En la comunidad creyente hay dos formas defectuosas de pensar, y ambas proceden de la misma mentalidad errónea. Algunos pueden tener un alto concepto de sí mismos por su distinguida clase social, mientras que otros pueden lamentar su suerte por haber sido esclavos. Pablo rechaza ambas conclusiones. Lo que importa es el don del Espíritu y la pertenencia a Cristo como segundo Adán. Los que pertenecen a Cristo son miembros de la nueva humanidad, del nuevo hombre que es Cristo. La vieja humanidad forma parte de la era del mal que está pasando.

De esto no se deduce que la vida en este mundo sea irrelevante o que se trate de un mero espejismo. Pablo anima a los esclavos a disponer de su libertad si les es posible (1 Co. 7:21).[120] Según parece, tenemos pruebas concretas de que Pablo no elogia la esclavitud. Si los creyentes pueden liberarse de la servidumbre, deberían hacerlo.[121] Sin embargo, lo que Pablo

---

[120] Para un examen detallado de la historia de la interpretación, junto con una nueva investigación de la sintaxis y el contexto de 1 Corintios 7:21, véase Harrill 1995: 68-128. Sus resultados demuestran que Pablo insta a los esclavos a hacer uso de la libertad si se presenta la oportunidad (véanse también Fee 1987: 315-18; Harris 1999: 60-61). Harrill (1995: 194) traduce el versículo: "Fuiste llamado como esclavo. No te preocupes por ello. Pero si puedes llegar a ser libre, aprovecha en cambio la libertad". Bartchy (1973: 155-59) sostiene, por otra parte (pero de forma poco convincente), que el versículo enseña que los esclavos manumitidos deben vivir como libertos en armonía con la llamada de Dios. Véase también el extenso debate de Thiselton (2000: 553-59), quien afirma que la cuestión es que uno debe servirse de su situación actual.

[121] Esto es contrario a la opinión de algunos comentaristas que sostienen que en 1 Corintios 7:21 Pablo exhorta a los esclavos a permanecer en su esclavitud (Barrett 1968: 170-71; Conzelmann 1975: 127).

subraya es la insignificancia de la posición social de cada uno ante Dios. Pablo recuerda a los corintios que Dios suele pasar por alto a los intelectuales, los poderosos y la élite (1 Co. 1:26-28). Dios ha elegido a los que son intelectualmente inferiores a los ojos del mundo, a los que carecen de poder social y a los que pertenecen a las clases más bajas.

En la carta de Pablo a Filemón vemos cómo resuelve la relación entre un amo y su esclavo. La exhortación a recibir de nuevo a Onésimo "ya no como esclavo, sino como más que un esclavo, como un hermano amado" (Flm. 16) sugiere que Onésimo era esclavo de Filemón. Que Filemón ejercía autoridad sobre Onésimo se desprende de otras pistas: este era antes "inútil" para Filemón, pero ahora se vislumbra un cambio (Flm. 11); Pablo necesita el consentimiento de Filemón respecto al futuro de Onésimo (Flm. 14), y promete pagar cualquier deuda contraída a causa de Onésimo (Flm. 18-19). Lo que es más difícil, probablemente imposible, de resolver son las circunstancias que llevaron a Onésimo hasta Pablo.[122]

¿Era un fugitivo que huía de Filemón y se encontró accidentalmente con Pablo? ¿O estaba huyendo de Filemón y acudió intencionadamente a Pablo en busca de ayuda? Algunos creen que fue Filemón quien lo envió a Pablo, pero, de ser así, parece que se resistía a volver a casa. Como ocurre a menudo con las cartas paulinas, debemos admitir que no sabemos, y en última instancia no podemos saber, las respuestas a estas preguntas. Pablo y Filemón conocían perfectamente la situación, por lo que en la propia carta no se dan más detalles. Sí sabemos que Onésimo era esclavo de Filemón, que se encontró con Pablo, que se convirtió bajo el ministerio de Pablo (lo que sugiere, como mínimo, que buscó a Pablo [Flm. 10]), que atendió a Pablo en la cárcel y que Pablo se sintió obligado a enviarlo de vuelta a Filemón.

Lo que salta a la vista de un lector actual es que Pablo no pide explícitamente en ninguna parte a Filemón que libere a Onésimo, aunque algunos ven esto implícito en la carta. Del mismo modo, la interpretación más plausible de 1 Timoteo 6:2 es que se trata de un mandato a los esclavos para que obedezcan a los amos creyentes, precisamente porque esos amos forman parte de la familia de Dios.[123] Pablo no aconseja a los amos cristianos que

---

[122] Para la opinión de que Onésimo no era un fugitivo, véase Dunn 1996b: 301-7.

[123] Véase Dibelius y Conzelmann 1972: 82; Knight 1992: 246-47; Marshall 1999: 630-33; W. Mounce 2000: 328-29.

liberen a sus esclavos cristianos, sino que exhorta a amos y esclavos a comportarse bien como cristianos en sus respectivos ámbitos de vida. Debemos tener en cuenta que Pablo no se nutrió de las tradiciones políticas del mundo occidental moderno. Acabar con una institución como la esclavitud, incluso en la comunidad cristiana, probablemente nunca pasó por la mente de Pablo, pues faltan pruebas de que la gente de la época de Pablo se planteara acabar con la esclavitud.

En cualquier caso, una campaña pública del incipiente movimiento cristiano para erradicar la esclavitud habría sido inútil. Se carecía totalmente de los medios políticos para lograr tal objetivo. Por otra parte, también debemos subrayar que el movimiento cristiano no instituyó ni creó la esclavitud.[124] La esclavitud era una institución social aceptada en el mundo grecorromano, y los creyentes tenían que interactuar con el mundo tal como era y no podían construir una utopía soñadora de un nuevo sistema social en medio de las duras realidades de la vida en el mundo antiguo. De hecho, es de suponer que muchos esclavos habrían perdido el único medio de que disponían para sobrevivir económicamente si hubieran repudiado la esclavitud como sistema.[125]

Ya hemos señalado que 1 Corintios 7:21 indica que Pablo prefiere la libertad para los creyentes, lo que implica que no respaldaba la esclavitud como sistema social. El punto de vista paulino puede remontarse al AT, donde esclavizar a un compatriota hebreo estaba mal visto (Ex. 21:2-11; Neh. 5:5). Resulta instructivo contrastar la perspectiva paulina sobre la esclavitud con su visión del matrimonio y la familia. Pablo sitúa las diferencias de funciones entre hombres y mujeres en el orden creado, en el mundo bueno que Dios inició antes de la caída en el pecado. Las diferentes funciones de hombres y mujeres no se atribuyen al pecado. Él remonta sus diferentes funciones a la intención de Dios en la creación, del mismo modo que rechaza la homosexualidad porque viola el orden creado.

Asimismo, la relación entre padres e hijos tiene su origen en la creación. Dios quiso que Adán y Eva fuesen fecundos y se multiplicasen (Gn. 1:28), por

---

[124] Acertadamente Harris 1999: 61-62. Harris continúa diciendo que incluso los esclavos del mundo grecorromano nunca imaginaron un mundo en el que la esclavitud dejara de existir.

[125] Harris (1999: 67) habla de "una vasta masa de personas súbitamente desempleadas y sin medios de subsistencia".

lo que desde la creación del mundo se impone la responsabilidad de los padres de criar a los hijos. La entrada del pecado, por supuesto, afecta a la relación entre hombres y mujeres y entre padres e hijos. Ahora se introducen abusos y distorsiones que no existían en el mundo antes de la caída en el pecado. Cuando Pablo se dirige a los esposos y a las esposas y a los padres y a los hijos, advierte especialmente a los que tienen "más poder" que se cuiden de abusar de sus responsabilidades de liderazgo, pues es muy consciente de la facilidad con que los que tienen poder pueden maltratar a los que están bajo su responsabilidad. Sin embargo, Pablo no sugiere en ningún momento que el matrimonio o la familia como instituciones sean intrínsecamente defectuosos. Las fundamenta en el orden creado, considerándolas una parte adecuada y buena de la vida en este mundo.

Por el contrario, Pablo no sitúa en ninguna parte la institución de la esclavitud en el orden creado. Nada en Génesis 1-2 sugiere que la esclavitud sea la intención de Dios para algunos seres humanos. De hecho, si hubiera que argumentar a partir de Génesis 1-2, habría que llegar a la conclusión contraria. Pablo nunca critica directamente la esclavitud, pero tampoco la fundamenta en la creación como hace con la relación entre hombres y mujeres y las instituciones del matrimonio y la familia. El secuestro y la venta de esclavos se considera un crimen atroz y contrario al evangelio (1 Ti. 1:9-11; cf. Dt. 24:7).[126] No recomienda específicamente la eliminación de la esclavitud, pero tampoco la respalda. En palabras de Harris: "Tolerancia no es lo mismo que aprobación. Las directrices apostólicas sobre las condiciones de la esclavitud no deben interpretarse como una aprobación de la esclavitud como institución".[127]

No tenemos ninguna referencia directa en Filemón a las instrucciones orales de Pablo a Onésimo, pero podemos deducir de la carta que le exhortó a volver a Filemón, a someterse a la autoridad de éste y a ser un esclavo útil y

---

[126] Véase Harris 1999: 53-54.

[127] Harris 1999: 62. Harris (1999: 62) procede a decir que la "distinción entre aceptación y respaldo, entre tolerancia y aprobación, no es un caso de casuística escolástica o gimnasia semántica". Harris (1999: 62-65) apoya su argumento en tres razones. En primer lugar, tenemos otros casos en los que una práctica se tolera, pero no se elogia. Por ejemplo, el divorcio se permite en algunos casos, pero nunca se recomienda ni se concibe como el ideal. En segundo lugar, los escritos del NT no aprueban la esclavitud, sino que se dirigen a los esclavos como seres humanos responsables ante el Señor y advierten a los amos de que no abusen de su poder. En tercer lugar, la unidad de todos los creyentes en Cristo socava la institución de la esclavitud en su esencia.

colaborador. Estas instrucciones encajan con las exhortaciones dadas a los esclavos en otros lugares. Las exhortaciones a los esclavos en Efesios y Colosenses son muy similares (Ef. 6:5-8; Col. 3:22-25). Se exhorta a los esclavos a obedecer a sus amos. Los esclavos no solo deben someterse a sus amos (cf. Tit. 2:9), sino que también deben realizar su trabajo de todo corazón, haciendo lo mejor que puedan. Tito explica lo que implica hacer un buen trabajo (Tit. 2:9-10). No deben contradecir a sus amos ni apropiarse indebidamente de sus fondos; deben ser esclavos en los que sus amos puedan confiar. Así mostrarían a los amos incrédulos la belleza del evangelio. Del mismo modo, en 1 Timoteo 6:1 se exhorta a los esclavos a honrar a sus amos incrédulos para que el nombre de Dios y el evangelio no sean mancillados a los ojos del mundo.

En Efesios y Colosenses se ordena a los esclavos que obedezcan a sus amos por temor al Señor, pues los primeros deben tener el deseo incondicional de agradarle y honrarle en todo lo que hagan (Ef. 6:5-8; Col. 3:22-25). Vemos que un tema central de la teología de Pablo emerge en su amonestación a los esclavos. Deben glorificar y honrar a Dios en todo lo que hacen. A los esclavos que obedecen a sus amos se les promete una herencia eterna (Col. 3:24; cf. Ef. 6:8).

Las amonestaciones a los amos destacan por su brevedad (Ef. 6:9; Col. 4:1), presumiblemente porque en la primitiva comunidad cristiana había menos amos que esclavos. Pablo advierte a los amos que no abusen de su autoridad. Sabe muy bien que los que poseen autoridad son propensos a utilizar su posición social para oprimir a los que están por debajo de ellos. Los amos deben desistir de amenazar de forma dominante e imperiosa, como si fueran la máxima autoridad en la vida de los esclavos. Porque los amos también tienen al mismo Señor en el cielo, y él es imparcial y los juzgará si maltratan a sus esclavos. Así pues, los amos deben hacer lo que es correcto y conceder lo que es justo a sus esclavos, y, al igual que los esclavos, deben llevar a cabo su labor como amos desde la reverencia a Cristo.

En resumen, la esclavitud nunca es una institución digna de elogio, pues no está arraigada en el orden creado ni en la intención de Dios para los seres humanos. Sin embargo, los primeros cristianos no criticaban la institución en sí, ni abogaban por su abolición. La esclavitud existe en el malvado mundo actual antes de la consumación del fin, pero se avecina una nueva creación en la que la esclavitud y todos los demás males desaparecerán. Mientras tanto, los esclavos creyentes deben someterse a sus amos y, de ese modo, promover el evangelio en la situación social en la que residen. Si son capaces de obtener su libertad, deben hacerlo, pero no se debe valorar ni despreciar el estatus social de cada uno, porque el esquema actual del mundo es pasajero.

Conclusión

Lo que llama la atención al considerar el mundo social de los cristianos del siglo I es la perspectiva escatológica de la realidad de la vida cotidiana. Ningún don o placer de este mundo, ya se refiera a las riquezas o al matrimonio, debe ser elevado a la categoría de supremo, pues el presente siglo malo no durará para siempre. Los creyentes esperan con ilusión el siglo venidero, la nueva creación y la ciudad celestial donde habita la justicia. Se dan cuenta de que son exiliados y forasteros en esta tierra.

Por lo tanto, ningún gobierno humano, ni siquiera uno tan poderoso como Roma, durará para siempre. Cuando consideramos la situación de las mujeres y los esclavos, observamos que los escritores del Nuevo Testamento no abogaban por derribar el sistema social de la época. Aun así, tanto las mujeres como los esclavos eran valorados como seres humanos hechos a imagen de Dios. La jerarquía social que existe en la época actual no perdurará. Viene un mundo nuevo en el que las cosas viejas habrán pasado. Así pues, la perspectiva escatológica de las cuestiones sociales encaja con la visión del Nuevo Testamento centrada en Dios. Lo que importa durante la estancia temporal en la tierra no es la posición social, sino la relación con Dios. La supremacía de Dios y la centralidad de Cristo deberían manifestarse en el modo de vida de los cristianos en la urdimbre de su vida cotidiana. Así, los demás verán que hay algo más grande que el placer sexual, el poder político o la comodidad terrenal. Los reinos del mundo se desvanecerán, y el reino del Señor y de su Cristo permanecerá.

§19. LA CONSUMACIÓN DE LAS PROMESAS DE DIOS

Introducción

Hemos visto en este libro que el ya-no todavía impregna el Nuevo Testamento (NT) y es crucial para entender la teología del Nuevo Testamento. Las promesas de Dios se han cumplido con la venida de Jesucristo, en su ministerio, muerte y resurrección. La resurrección de Jesucristo y la efusión del Espíritu señalan la llegada de la era venidera. Aunque la nueva creación, el nuevo éxodo y la era venidera han llegado, no se han consumado. La muerte aún no se ha extinguido como último enemigo. Satanás sigue afligiendo al pueblo de Dios, y el sufrimiento sigue caracterizando la existencia del pueblo de Dios. No solo eso, sino que los cristianos siguen luchando contra el pecado y aún no se han liberado del todo de él. De hecho, la vieja creación persiste, de modo que también ella gime mientras espera ser liberada de los tentáculos del pecado y de la muerte (Ro. 8:18-25). De ahí que el cumplimiento final de las promesas de Dios sea esencial para que el universo alcance la meta prevista. Los tiempos intermedios terminarán y la gloria de Dios como Padre, Hijo y Espíritu brillará para siempre.

En el Nuevo Testamento, la venida de Jesús, la futura salvación y recompensa de su pueblo y el juicio final están estrechamente relacionados. En aras de la claridad, los separaré en temas distintos. No obstante, debemos tener en cuenta que, en última instancia, los tres están interrelacionados, por lo que inevitablemente habrá cierta superposición en la discusión. Cuando Jesús regrese, se realizará la consumación y el cumplimiento de todas las promesas salvíficas de Dios. Se dará la recompensa prometida a los creyentes, y se ejecutará el juicio amenazado para los que se nieguen a creer y obedecer. Tanto Dios como el Cordero serán adorados para siempre por los santos, y los sufrimientos y gemidos de la vieja creación pasarán.

La venida de Jesús

Los Evangelios Sinópticos y Hechos

Al considerar la venida de Jesús, consideraremos los Evangelios Sinópticos juntos porque sus enseñanzas se superponen considerablemente, e insertaré lo que dice Hechos con los Sinópticos porque Lucas y Hechos fueron escritos por el mismo autor. Luego se examinarán el Evangelio de Juan y las Epístolas joánicas junto con el Apocalipsis, después la literatura paulina y las Epístolas generales.

Los Sinópticos advierten a los lectores del peligro de ser engañados respecto a la venida de Cristo. Surgirán falsos pretendientes mesiánicos, y aquellos que se identifican a sí mismos como el Mesías no son más que charlatanes (Mt. 24:4-5; par.).[1] El estallido de guerras y la aparición de hambrunas o terremotos no indican que haya llegado el fin, pues estas cosas no son más que el comienzo de los dolores de parto (Mt. 24:6-8; par.).[2] Hay que rechazar la afirmación de que el Mesías ha aparecido en tal o cual lugar, pues cuando Jesús vuelva, su llegada será tan clara como un relámpago que ilumina todo el cielo (Lc. 17:23-24).

En el discurso escatológico de los sinópticos (Mt. 24; Mc. 13; Lc. 21), la venida de Jesús está estrechamente ligada a la destrucción de Jerusalén.[3] La

---

[1] Como señala Hagner (1995: 690-91), Teudas (Hch. 5:36), Judas el Galileo (Hch. 5:37) y el Egipcio (Hch. 21:38) pueden considerarse pretendientes mesiánicos, al igual que Simón bar Kojba en 135 d. C.

[2] La metáfora de los dolores de parto podría utilizarse de diversas maneras (véase France 2002: 512-13). Como dice Hagner (1995: 684): "El momento se deja deliberadamente indeterminado, centrándose así en la necesidad de estar preparados todo el tiempo".

[3] La bibliografía sobre estos capítulos es inmensa. Para un estudio breve y claro de la interpretación, véase Carson 1984: 488-95; Davies y Allison 1997: 328-31; Luz 2005: 184-89.

destrucción de Jerusalén y su templo, por supuesto, constituye un juicio contra Israel por no haberse arrepentido tras escuchar el mensaje del reino de Jesús ni haberlo reconocido como Mesías. La derrota de Israel a manos de los romanos en el año 70 d.C. verificó la veracidad del mensaje de Jesús y de sus afirmaciones acerca de sí mismo. Jesús no se limitó a predecir que Jerusalén sería tomada (cf. Lc. 21,20-24; par.); también hizo hincapié en que sus seguidores se enfrentarían a una intensa oposición (cf. esp. Lc. 21:12-19), que en algunos casos provocaría la oposición de amigos e incluso familiares, y en otros el arresto e incluso la muerte. El juicio venidero y la promesa de vindicación son inseparables del llamamiento a perseverar hasta el fin para recibir la recompensa final (Lc. 21:19; par.).

Cuanto más se enfatiza el juicio prometido sobre Jerusalén en el discurso escatológico, más enigmática se vuelve la prometida venida de Jesús en el discurso. Mateo y Marcos predicen que, después de la angustia infligida a Jerusalén, el sol se oscurecerá, la luna dejará de alumbrar, las estrellas caerán del cielo y las potencias celestes temblarán (Mt. 24:29; Mc. 13:24-25). El lenguaje de Lucas es similar, aunque hace hincapié no solo en las señales en los cielos, sino también en la agitación de los mares y el miedo que se apodera de los seres humanos (Lc. 21:25-26).

Después de estos acontecimientos, el Hijo del Hombre regresará sobre las nubes del cielo (Mc. 13:26; Lc. 21:27), y Mateo añade que verán "la señal del Hijo del Hombre" (Mt. 24:30). Muchos estudiosos han argumentado que Jesús se equivocó.[4] Prometió que vendría después de la destrucción de Jerusalén, pero no lo hizo. Para muchos, la idea de que Jesús se equivocó también se ve confirmada por Mateo 10:23.[5] Jesús prometió que vendría antes de que los discípulos terminaran de proclamar el evangelio en Israel, pero ya han pasado dos mil años, y está claro que Jesús no vino durante los días en que sus discípulos predicaron el mensaje del reino en Israel.[6] Jesús también aseguró a

---

[4] Por ejemplo, Schweitzer 1968: 223-69, 330-97; Kümmel 1974: 149. Hagner (1995: 711-13) sostiene que el evangelista entendió el mensaje de Jesús en términos de una venida inmediata, aunque Jesús mismo no tenía en mente tal interpretación.

[5] Schweitzer (1968: 358-60, 370-77, 386, 389) sostuvo que Jesús predijo el fin antes de que los discípulos terminaran su labor misionera en Israel. Cuando los discípulos regresaron, demostrando así que Jesús se había equivocado, determinó ir a Jerusalén para forzar la llegada del reino.

[6] Para un resumen del debate sobre este versículo, véase Beasley-Murray 1987: 283-91. En contra de la opinión mantenida aquí, Meier (1994: 339-48) sostiene que Mateo 10:23; Marcos 9:1 (y par.); Marcos 13:30 (y par.) no son auténticos.

algunos de sus discípulos que no morirían antes de ver "al Hijo del Hombre venir en Su reino" (Mt. 16:28). Pero todos los discípulos murieron sin que Jesús viniera, por lo que algunos sostienen que Jesús se equivocó. Jesús prometió que vendría pronto (cf. Lc. 18:8), pero el paso de dos mil años hace que la legitimidad de su palabra se cuestione.

Otros han sostenido que, en realidad, Jesús no se equivocó, pues no prometió que vendría personalmente sobre las nubes del cielo. Wright afirma que muchos han malinterpretado los dichos sobre la venida del Hijo del Hombre como si se refirieran a un regreso literal de Jesús a la tierra volando sobre las nubes.[7] Wright sostiene que la gente no ha advertido que lo que tenemos en estos textos son imágenes apocalípticas que no deben interpretarse literalmente. La venida de Jesús predicha en el discurso escatológico se cumple, pues, en la destrucción de Jerusalén.[8] "La señal del Hijo del Hombre" (Mt. 24:30) no se cumplió porque Jesús descendiera literalmente a la tierra volando sobre las nubes.

El Hijo del Hombre vino con poder y gloria cuando se cumplió su profecía sobre la destrucción de Jerusalén. Los que piensan que Jesús se equivocó han caído en un error, pues leen los Evangelios literalmente y no interpretan correctamente el lenguaje apocalíptico. El dicho sobre no terminar la evangelización de las ciudades de Israel antes de que venga el Hijo del Hombre debe entenderse de forma similar (Mt. 10:23), pues Jesús regresa en la destrucción de Jerusalén en el año 70 d.C. y así juzga a Israel y reivindica a sus discípulos.[9] El dicho acerca de que algunos de los discípulos de Jesús no morirán antes de que él venga en su reino podría entenderse del mismo modo (Mt. 16:28; par.), aunque esta palabra de Jesús también se ha aplicado a la transfiguración, la resurrección de Jesús y Pentecostés, por lo que no tiene por qué referirse a una venida literal de Jesús.

Desentrañar el significado de las palabras de Jesús cuando se refiere a la venida del Hijo del Hombre no es fácil, sobre todo porque están inmersas en un discurso sobre la destrucción de Jerusalén y su templo, un juicio que se cumplió en el año 70 d.C. Aunque en una simple lectura podemos entender por

---

[7] Wright 1996: 339-68.

[8] France (2002: 500-503, 530-40) argumenta que Marcos 13 y Mateo 24 se refieren a la destrucción del templo hasta Marcos 13:32 y Mateo 24:36, donde la referencia cambia a la parusía.

[9] Véase Wright 1996: 365.

qué algunos piensan que Jesús se equivocó, esta opinión adolece de algunas debilidades graves.

En primer lugar, es difícil creer que los Sinópticos se hubieran seguido utilizando como documentos autorizados después del año 70 d.C. si se hubiera entendido que contenían un error tan atroz. Jesús aseguró, al hablar de este mismo asunto, que sus palabras nunca pasarían (Mt. 24:35; par.), pero si se equivocó en cuanto a su regreso, entonces cometió un error en un asunto que era fundamental para su mensaje.[10] Seguramente la iglesia primitiva habría reconocido la misma falla que es evidente para los eruditos y habría cuestionado el uso de los Sinópticos como Escritura. El uso continuado de los Sinópticos y la persistente esperanza de un regreso de Jesús en la vida de la iglesia primitiva sugieren que desde el principio se interpretó que las palabras de Jesús no estaban equivocadas.

En segundo lugar, si los Evangelios se escribieron realmente después del año 70 d.C., entonces los Sinópticos incluyeron palabras de Jesús que claramente no se hicieron realidad. Prometió que volvería cuando el templo fuera destruido, pero no lo hizo. Pero es mucho más plausible pensar que los escritores de los Evangelios no creían que el hecho de que Jesús no viniera en el 70 d.C. suponía un incumplimiento de sus palabras.

En Hechos 3:19-21 encontramos una fascinante referencia a la proximidad de la venida de Jesús. Pedro hace un llamamiento a sus oyentes judíos para que se arrepientan y experimenten el perdón de los pecados por medio de Jesús. Si lo hacen, vendrán "tiempos de refrigerio" y Dios les enviará "al Cristo", que es Jesús.[11] Algunos sostienen que Pedro enseña aquí que, si todos los judíos se arrepentían, Jesús volvería inmediatamente.[12] Otros escritos judíos reflejan un punto de vista similar. Por ejemplo, Satanás se dio cuenta de que "en el día en que Israel confíe, el reino del enemigo llegará a su fin" (*T. Dan.* 6:4). También leemos que Dios consumará la historia (*T. Sim.* 6:2-7) "si ustedes se despojan

---

10 Los primeros cristianos que conservaron los Evangelios como autoridad entendían que los escritores de los Evangelios habían preservado las palabras de Jesús de forma fidedigna. De ahí que no resulte satisfactorio separar la opinión de Jesús de los supuestos errores de los autores de los Evangelios.

11 Barrett (1994: 205) sostiene que el plural *kairoi* muestra que la parusía no está contemplada en Hechos 3:20, sino que más bien se alude a realizaciones periódicas de refrigerio a lo largo de la historia.

12 Véase Haenchen 1971: 208. En contra de esta opinión, véase Fitzmyer 1998: 288.

de la envidia y de toda dureza de corazón" (*T. Sim.* 6:2 [véase también *4 Esd.* 4:39; *2 Bar.* 78:6-7]).

No obstante, es probable que Polhill esté en lo cierto al afirmar que estos versículos enseñan que Jesús ya ha venido como el Mesías, y que el hecho de que Israel sea refrescado a su regreso depende del arrepentimiento de Israel.[13] Si esto es correcto, entonces los tiempos del refrigerio, en dependencia de Isaías 32:15, pueden referirse al don del Espíritu.[14] Hechos 3:21 aclara que Jesús regresará del cielo solo cuando todo lo que los profetas prometieron se haya cumplido, de modo que todo el universo sea restaurado a lo que Dios quiso desde el principio. La venida de Jesús, pues, representa el cumplimiento de la historia de la salvación: la culminación y el cumplimiento de todas las promesas salvíficas de Dios. Estamos, pues, ante el típico ya-no todavía de la escatología del Nuevo Testamento. El Espíritu representa la inauguración del cumplimiento de las promesas de Dios, que se consumará cuando Jesús regrese y todas las cosas sean restauradas.

También es posible que algunas de las afirmaciones que se refieren a la venida de Jesús no aludan a su venida personal en el futuro. La promesa de que algunos de los discípulos no morirían antes de ver a Jesús como Hijo del Hombre viniendo en su reino (Mt. 16:28; par.) se ha interpretado de diversas maneras, como ya se ha señalado. Algunos han sostenido que Jesús se equivocó, pero también es posible que Jesús se refiriera a su transfiguración, a su resurrección-exaltación o a Pentecostés.[15] Muchos estudiosos descartan una

---

[13] Polhill 1992: 134-35.

[14] Véase Pao 2000: 132-33.

[15] Para un estudio de las interpretaciones, véase Carson 1984: 380-81; Hagner 1995: 486-87; Bock 1996: 858-59; Luz 2001: 386-87. Podemos añadir a la lista anterior la opinión de que el dicho se cumplió en la destrucción de Jerusalén. En apoyo de una referencia a la transfiguración, véase Cranfield 1963: 285-88; Blomberg 1992: 261; Fitzmyer 1985: 786 (parcialmente); en apoyo de la resurrección-exaltación del Hijo del Hombre, véase France 2002: 342-43. Marshall (1978b: 378-79) piensa que los tres pueden estar a la vista (cf. el punto de vista anticipatorio de Nolland 2005: 695-96). Bock (1996: 859-60) ve una referencia tanto a la transfiguración como a la resurrección. Davies y Allison (1991: 677-79) afirman que la resurrección es una prefiguración de la segunda venida. Kümmel (1957: 25-29) piensa que aquí tenemos un ejemplo de un error en la enseñanza de Jesús (cf. Luz 2001: 387). Hagner (1995: 485-87) sostiene que el evangelista aplicó mal lo que Jesús dijo, pensando que pretendía referirse a su parusía, cuando probablemente se refería a la destrucción de Jerusalén y del templo. En contra de esta opinión, como señala Bock (1994: 858), está la afirmación aquí de que solo "algunos" verían la llegada del reino.

referencia a la transfiguración porque no representa una venida real de Jesús en su reino.

Sin embargo, parece posible argumentar a favor de una referencia a la transfiguración. En cada uno de los Sinópticos, las palabras sobre la venida de Jesús van seguidas inmediatamente por el relato de la transfiguración (Mt. 17:1-13; Mc. 9:2-13; Lc. 9:28-36), lo que sugiere que la transfiguración representa el cumplimiento de las palabras de Jesús sobre su venida. También debemos observar que Jesús dijo que solo algunos de los discípulos no morirían antes de verlo venir con poder (Mt. 16:28; par.), y esto encaja con el hecho de que Jesús llevara consigo a la montaña únicamente a Pedro, Santiago y Juan. También es instructivo presentar una perspectiva canónica en esta coyuntura. Al parecer, 2 Pedro 1:16-18 interpreta la transfiguración como un preludio de la segunda venida de Jesús, que funciona como anticipo de su venida en el último día.[16] Por consiguiente, parece que no toda referencia a la venida de Jesús debe entenderse necesariamente como una alusión a su venida en el futuro.

En el discurso escatológico (Mt. 24; par.), como ya se ha dicho, la venida de Jesús está estrechamente relacionada con la destrucción de Jerusalén. De ahí que algunos hayan sostenido que Jesús no se refiere aquí a una venida personal, sino que utiliza un lenguaje apocalíptico para hablar de su venida como el juicio sobre Jerusalén y la vindicación de su pueblo. Aunque esta propuesta libra a Jesús del error, no es la forma más natural de entender el lenguaje del texto. El texto habla del "Hijo del Hombre que viene sobre las nubes del cielo con poder y gran gloria" (Mt. 24:30; cf. Mc. 13:26; Lc. 21:27). La referencia a las nubes sugiere su presencia personal cuando venga, pues los tres pasajes paralelos dicen que se le *verá* cuando venga. Decir que Jesús es *visto* en la destrucción del templo y de Jerusalén fuerza el lenguaje, incluso en un contexto apocalíptico, más allá de lo creíble.[17]

Hechos 1:9-11 confirma que Lucas entendió la venida como una aparición física y personal de Jesús. Los discípulos vieron partir a Jesús de la tierra sobre una nube, y se les dice que, al igual que fue "tomado... al cielo", así "vendrá

---

[16] Véase la discusión más detallada en Schreiner 2003: 312-18.

[17] Véase Stein 2001: 213; Bock 1996: 1686; Fitzmyer 1985: 1349-50; Carson 1984: 505-6; Marshall 1978b: 776-77.

de la misma manera, tal como lo han visto ir al cielo" (Hch. 1:11).[18] Puesto que su partida fue vista cuando fue elevado sobre una nube, se deduce que su venida también será vista cuando llegue sobre una nube.

Hechos de los Apóstoles 1:9–11 Después de haber dicho estas cosas, fue elevado mientras ellos miraban, y una nube lo recibió *y lo ocultó* de sus ojos. Mientras Jesús ascendía, estando ellos mirando fijamente al cielo, se les presentaron dos hombres en vestiduras blancas, que *les* dijeron: «Varones galileos, ¿por qué están mirando al cielo? Este *mismo* Jesús, que ha sido tomado de ustedes al cielo, vendrá de la misma manera, tal como lo han visto ir al cielo».

La venida de Jesús con gloria también sugiere una venida visible y evidente para todos, y la destrucción de Jerusalén, aunque representó una confirmación significativa de las palabras de Jesús, no funcionó como prueba indiscutible de que Jesús fuera el Mesías de Israel. De hecho, Mateo dice que "todas las tribus de la tierra harán duelo" (Mt. 24:30) cuando Jesús venga. France lo interpreta en el sentido de que todas las tribus judías de la tierra se lamentarán cuando caiga Jerusalén.[19] Esa lectura es posible, pero la alusión a Zacarías 12:10-12, que en otras partes del Nuevo Testamento se refiere a la parusía (cf. Ap. 1:7), sugiere que la frase abarca a todos los pueblos y no debe limitarse al pueblo judío.[20]

Además, lo más probable es que la reunión de los ángeles tenga lugar al final de la historia y no pueda explicarse como el éxito del Evangelio después del año 70 d.C. (Mt. 24:31; par.).[21] En otras partes de Mateo vemos que los ángeles reúnen a la gente para el juicio final (Mt. 13:39, 41, 49). Otro argumento que apoya una referencia a la venida personal y visible de Jesús se encuentra en Lucas 21:28, donde la venida del Hijo del Hombre se vincula a

---

[18] Wright (1996: 635) sostiene que Hechos 1:11 no procede del Jesús histórico y, por tanto, es "una innovación postpascual". No hay razón para dudar de la autenticidad aquí, pues Wright parece estar movido a adoptar esta interpretación para sostener su visión del regreso de Cristo. Además, aunque el dicho no fuera auténtico, constituiría una prueba temprana de una visión del regreso de Cristo contraria a la de Wright. Para una explicación clara de lo que ocurrirá, véase Barrett 1994: 84.

[19] France 1971: 236-38.

[20] Para una defensa de la lectura adoptada aquí, véase Carson 1984: 493-94, 505; cf. Nolland 2005: 984; Luz 2005: 201.

[21] Véase especialmente Carson 1984: 506-7; Hagner 1995: 714-15; Luz 2005: 202-3.

la proximidad de la redención para el pueblo de Dios. Obviamente, la redención aquí no puede referirse a la conversión o iniciación en el pueblo de Dios, pues la redención es futura y pertenece a los que ya son miembros del pueblo de Dios. Tampoco la destrucción de Jerusalén podría calificarse de redención futura de los discípulos, pues el arrasamiento de aquella ciudad, aunque reivindicó las palabras de Jesús, no redimió a nadie. Por lo tanto, Lucas debe referirse a la redención escatológica que se produce cuando Jesús regresa visible y físicamente e introduce el día del juicio.

El carácter personal y visible de la venida de Jesús también queda sugerido por la analogía trazada entre su venida y un relámpago que ilumina todo el cielo (Mt. 24:26-27; par.).[22] La ilustración pretende disipar cualquier idea de que el Mesías estuviera escondido en el desierto u oculto en alguna ciudad. La venida del Mesías, por el contrario, sería tan clara e inconfundible como un relámpago que ilumina todo el cielo.[23] Es dudoso que esta imagen encaje con la destrucción de Jerusalén en el año 70 d.C., pues lo que está en juego es la localización personal del Mesías. El asolamiento de Jerusalén no responde a esa pregunta en particular, pues algunos declararán que el Mesías está en el desierto o en alguna otra localidad. La refutación a tales afirmaciones es que el regreso del Mesías será un acontecimiento público accesible a todos.

La declaración de Jesús ante el Sanedrín de que era el Hijo del Hombre y que volvería sentado a la diestra de Dios con las nubes del cielo se refiere a una venida personal y visible en el futuro (Mt. 26:64; par.).[24] Los paralelos Sinópticos dejan aún más claro que Mateo que lo que se prevé es una futura venida física (Mc. 14:62; Lc. 21:27). El dicho de Jesús no puede limitarse a la destrucción de Jerusalén, pues cuando Jerusalén fue destruida, las autoridades judías no tenían claro que Jesús hubiera sido reivindicado. No hay pruebas de que percibieran la vindicación de Jesús en los acontecimientos que se produjeron. El texto se interpreta más naturalmente como que el Sanedrín vería realmente a Jesús a la diestra de Dios, y que lo verían regresar a la tierra.

---

22 Véase Carson 1984: 503; Hagner 1995: 707.

23 Véase Nolland 2005: 980; Davies y Allison 1997: 354; Luz 2005: 199.

24 Lucas (Lucas 22:69) hace hincapié en la vindicación de Jesús en su resurrección-ascensión (Bock 1996: 1797). Algunos sostienen que el elemento "venida" del dicho en Mateo y Marcos no se refiere a la parusía, sino más bien a una venida en la historia (resurrección-ascensión) para recibir la autoridad divina (p. ej., France 2002: 611-13; Hooker 1967: 167-71). En contra de este punto de vista, véase Bock 1987: 141-42.

Cuando Jesús dice que sus discípulos no terminarán de evangelizar las ciudades de Israel antes de que venga el Hijo del Hombre (Mt. 10:23), es posible que se refiera a la destrucción de Jerusalén.[25] En este versículo no se dice nada de ver al Hijo del Hombre ni de su venida con poder y gloria. En cualquier caso, la evangelización judía debe continuar hasta el regreso de Jesús (Mt. 28:18-20). La tarea de proclamar la buena nueva a los judíos de Israel no se completará *antes* de la venida de Jesús en juicio.

La cuestión de la exactitud de lo que dijo Jesús también se plantea, como hemos visto, en el discurso escatológico. La venida de Jesús se vincula con la destrucción de Jerusalén, pero es obvio que Jesús no regresó cuando Jerusalén fue destruida. Lo que debemos reconocer aquí es la naturaleza de la profecía bíblica. A menudo, un acto de juicio o salvación funciona como tipo o correspondencia de un juicio o salvación futuros.[26] El juicio de Jerusalén, pues, funciona como preludio y anticipación del juicio final. Jesús volverá en el momento del juicio final. Podría objetarse que se trata de un alegato especial para salvar la exactitud de las palabras de Jesús. Debemos recordar de nuevo que Jesús mismo dijo en este mismo discurso que sus palabras no pasarían (Mt. 24:35; par.).

Aun así, esta objeción debe contemplarse seriamente. Tenemos pruebas del propio Antiguo Testamento (AT) de que la profecía bíblica funciona del modo que se propone aquí. Si consideramos la promesa del nuevo éxodo en Isaías (Is. 40:3-11; 42:16; 43:2, 5-7, 16-19; 48:20-21; 49:8-11; 51:10-11), se aclarará lo que se quiere decir. Isaías promete en estos textos que Israel regresará de Babilonia a la tierra prometida, y esta profecía se hizo realidad en 536 a.C. Aunque Israel regresó a Sión, todo lo profetizado en Isaías 40-66 no se hizo realidad. Isaías promete una nueva creación (Is. 43:18-21), incluso unos cielos y una tierra nuevos (Is. 65:17-22; 66:22) que inaugurarían una era de paz, alegría y larga vida.

Isaías predice que Israel nunca volverá a ser confundido ni derrotado (Is. 45:17), y que todas las naciones se inclinarán y reconocerán que Yahve es el Señor (Is. 45:23-24; 49:22-23). La salvación del Señor llegará hasta los confines de la tierra (Is. 49:6; 55:5), y las fronteras de Israel se expandirán

---

[25] Véase Hagner 1993b: 278-80.

[26] En apoyo de un punto de vista tipológico, véase la interpretación del capítulo en Carson 1984: 488-511.

hasta que las naciones queden bajo su dominio (Is. 54:2-3; 61:5; 66:23). Las naciones vendrán a Sión y traerán sus riquezas a Jerusalén (Is. 60). Es evidente que las promesas de Isaías 40-66 no se cumplieron en su totalidad cuando Israel regresó de Babilonia. Sin embargo, ni los judíos ni el movimiento cristiano primitivo argumentaron que Isaías se había equivocado.

Los primeros cristianos creían que la totalidad de lo profetizado por Isaías se cumpliría en el futuro. De hecho, creían que muchas de las profecías pronunciadas por Isaías estaban empezando a cumplirse en el ministerio de Jesús de Nazaret.[27] El punto principal que se señala aquí es que lo que vemos en el discurso escatológico de Jesús replica la naturaleza de Isaías 40-66. Al igual que la profecía de Isaías se cumplió en parte (Israel regresó de Babilonia, pero no se transformó toda la creación), también la profecía de Jesús se cumplió en parte (Jerusalén fue destruida, pero Jesús no regresó). El hecho de que la profecía de Isaías, aunque solo se cumpliera parcialmente, no se considerara errónea funciona como paradigma del discurso escatológico. El pueblo de Dios había visto a menudo en el Antiguo Testamento que las profecías se cumplían parcialmente, y de ahí que anticiparan su cumplimiento pleno en el futuro. Tal perspectiva ayuda a explicar por qué la Iglesia primitiva no se escandalizó ni se sumió en una crisis de confianza cuando Jesús no vino en el año 70 d.C., al ser destruida Jerusalén. El juicio de Jerusalén también funciona como un modelo del futuro juicio que aún está por venir.

Aunque a menudo se ha insistido en que Jesús volvería inmediatamente, y con toda seguridad él anima a sus discípulos a estar preparados para su venida, hay algunos indicios de demora antes de su regreso. Jesús anunció que el evangelio sería proclamado a todas las naciones antes de que regresara (Mt. 24:14).[28] Debemos tener cuidado de no imponer una definición rígida de "todas las naciones" en los Evangelios, como si pudiéramos hacer un cálculo escatológico a partir de las palabras de Jesús aquí. La palabra "todos" no se utiliza invariablemente en un sentido global. Decir que "toda Judea" (Mt. 3:5)

---

[27] Este punto de vista se desarrolla en el Evangelio de Marcos en Watts 2000.

[28] Véanse las advertencias de Hagner 1995: 696. France (2002: 516) argumenta que el evangelio será proclamado a todas las naciones antes de que el templo sea destruido. France (2002: 517) comenta sabiamente que si la referencia aquí es a la parusía (que creo que lo es), debemos tener cuidado de sobreliteralizar el versículo y decir que la parusía se retrasará hasta que se haya alcanzado al último grupo étnico de la tierra, porque falta claridad sobre los parámetros exactos de lo que constituye un *ethnos*, sobre el significado del término "todos" y sobre lo que significa decir que el evangelio ha sido proclamado.

o "toda Jerusalén" (Mc. 1:5) salieron a oír al Bautista no significa que todas las personas de Jerusalén y Judea escucharan la predicación de Juan. La frase "todas las naciones" (Mt. 24:14) indica el amplio alcance del evangelio sin por ello darnos una fórmula matemática para determinar cuándo llegará el fin. No obstante, la declaración de que el evangelio debe predicarse a todas las naciones supone un intervalo de tiempo transcurrido antes del regreso de Jesús.

Algunas de las parábolas de Jesús también sugieren un período de cierto retraso. Los esclavos malvados caerán presa del pecado cuando empiecen a pensar que el regreso del amo se retrasa (Mt. 24:48; Lc. 12:45).[29] En la parábola de las vírgenes, el novio se retrasa antes de venir (Mt. 25:5). El tiempo que precede al regreso de Jesús se describe como el viaje de un señor (Mt. 25:14).[30]

Por un lado, la venida de Jesús es relativamente próxima, pues a primera vista parece que vendrá en el momento de la destrucción de Jerusalén, como ya se ha señalado (véase también Mt. 23:37-39; par.);[31] por otro lado, también se subraya que nadie puede predecir ni calcular el día del regreso del Hijo del Hombre. Ni siquiera los ángeles y, sorprendentemente, ni el propio Jesús conocen el momento de su regreso (Mt. 24:36; par.).[32] El conocimiento del momento exacto está reservado únicamente al Padre; solo él sabe cuándo regresará Jesús. La venida del Hijo se compara con los días de Noé (Mt. 24:37-44; par.). La vida transcurría con normalidad cuando el diluvio llegó de repente. Nadie fue capaz de advertir que el juicio se acercaba. Como el día de la venida de Jesús es incalculable, todos son advertidos para que estén preparados.

---

[29] Marshall (1978b: 533-34) argumenta en el contexto lucano que hay buenas razones para pensar que la enseñanza sobre el retraso se remonta al Jesús histórico (véase también Bock 1996: 1171-72).

[30] Para indicaciones sobre el retraso en la enseñanza de Jesús, véase Carson 1984: 490.

[31] Desde la obra de Conzelmann (1960), ha sido habitual en la erudición lucana argumentar que Lucas hizo hincapié en el retraso de la parusía. Pero Conzelmann exageró este tema, y en realidad hay indicios tanto de inminencia como de demora (véase Maddox 1982: 100-157).

[32] El significado de la afirmación de ignorancia en el contexto es explicado eficazmente por Lane (1974: 482), quien argumenta que el énfasis aquí es pastoral. Si ni siquiera el Hijo y los ángeles conocen ni pueden conocer el momento de la parusía, entonces la iglesia debe estar vigilante y seguir viviendo por la fe hasta el final. No saber el día no significa que se pueda calcular el mes o el año (acertadamente Carson 1984: 508; Hagner 1995: 716). Para la historia de la interpretación, véase Luz 2005: 213-14.

Si algún tema se destaca en relación con la venida de Jesús, es que sus discípulos deben estar preparados para su regreso. Por una parte, como ya se ha dicho, se desconoce el momento de la venida de Jesús; por otra, otros pasajes sugieren que su venida será precedida de ciertos signos que anuncian su próxima aparición. Del mismo modo que las hojas de la higuera brotan cuando el fruto está a punto de aparecer, también ciertos signos precederán a la venida de Jesús (Mt. 24:32-33; par.). Debemos reconocer de nuevo, sin embargo, que muchas de las señales (Mt. 24:4-28) enumeradas se refieren específicamente a la destrucción de Jerusalén, y determinar si tienen alguna correspondencia con el futuro regreso de Jesús es bastante difícil.

Los discípulos deben responder estando preparados. Deben ser como esclavos que trabajan fielmente para su amo hasta que regrese (Mt. 24:45-51; par.). Deben ser como vírgenes prudentes que anticipan el regreso del esposo y tienen aceite en sus lámparas (Mt. 25:1-13). Deben usar fielmente sus talentos para recibir la recompensa de la vida eterna cuando él venga (Mt. 25:14-30; par.). La prontitud exigida, por tanto, no tiene que ver con el cálculo escatológico, como si los discípulos fieles pudieran predecir el momento en que Jesús regresará.[33] Los discípulos demuestran que están preparados para su regreso al cumplir la voluntad de Dios. De ahí que, cuando el Hijo del Hombre regrese en gloria, las ovejas serán recompensadas por su comportamiento piadoso y fiel con un premio eterno, mientras que los malvados serán castigados para siempre por no haber practicado la bondad (Mt. 25:31-46). La parábola del juez injusto concluye con una nota sombría, preguntando si los seres humanos persistirán en la fe hasta la venida del Hijo del Hombre (Lc. 18:8).

Los discípulos deben prepararse para los tiempos difíciles que se avecinan. Tendrán la tentación de apostatar debido a la intensidad de la persecución y al odio que corrompe a la comunidad (Mt. 24:9-13; par.).

Mateo 24:9–13 »Entonces los entregarán a tribulación, y los matarán, y serán odiados de todas las naciones por causa de mi nombre. »Muchos se apartarán de la fe entonces, y se traicionarán unos a otros, y unos a otros se odiarán. »Se levantarán muchos falsos profetas, y a muchos engañarán. »Y debido al

---

33 Estar preparado no implica calcular el tiempo del fin; más bien, implica vivir de una manera piadosa que demuestre que se está listo (Hagner 1995: 730, 737, 746; Carson 1984: 518; Lane 1974: 483-84).

aumento de la iniquidad, el amor de muchos se enfriará. »Pero el que persevere hasta el fin, ese será salvo.

Los falsos profetas se levantarán y ganarán a algunos discípulos para su perspicacia. Por tanto, los seguidores de Jesús deben resistir hasta el final para recibir la salvación, pues la recompensa final solo corresponde a los que siguen depositando su fe en Jesús como Mesías. En resumen, los Sinópticos y Hechos enseñan claramente una futura venida de Jesús, aunque advierten contra una especie de especulación escatológica que pretenda averiguar el momento preciso de su llegada. Lo más importante es que la futura venida de Jesús sirva de estímulo y advertencia para que sus discípulos estén preparados.

La literatura joánica

Desde hace tiempo, los académicos reconocen que el Evangelio de Juan se centra en la escatología realizada, por lo que se dan pocos dichos sobre el regreso de Jesús. A pesar del énfasis en la escatología realizada, Juan no abandona la escatología futura. En su discurso de despedida, Jesús consuela a sus discípulos, afligidos porque pronto se alejará de ellos. Promete a los discípulos que la casa de su Padre consta de "muchas moradas" (Jn. 14;2), y que parte para prepararles un lugar.

Luego promete que volverá y se llevará a sus discípulos consigo para que en el futuro estén con él para siempre. Algunos han entendido que Jesús habla aquí de la venida del Espíritu y no de su segunda venida, pero el contexto indica claramente que se refiere al regreso de Jesús.[34]

(1) Jesús se refiere a la casa del Padre que tiene moradas, y esta casa no está en la tierra.

(2) Jesús va a preparar una morada para sus discípulos en la casa de su Padre, que es inaccesible para los discípulos en la tierra.

---

[34] El significado del texto es controvertido. Algunos consideran que se refiere a la parusía o a la muerte de los discípulos (p. ej., Barrett 1978: 457). Otros sostienen que la referencia es a la parusía de Jesús o a la resurrección (Lindars 1972: 471). Gundry (1967a) sostiene que se refiere a la venida del Espíritu y a la parusía. Bultmann (1971: 602) piensa que se trata de la venida que tiene lugar en el momento de la muerte. Pero la opinión más probable es que aquí tenemos una referencia exclusivamente a la futura venida de Jesús (Beasley-Murray 1987: 250-51; Carson 1991b: 488-89; Ridderbos 1997: 489-92; Köstenberger 2004: 426-27).

(3) Jesús no viene, en este contexto, a residir en los discípulos, sino que viene a tomar a los discípulos para que estén con él. Jesús dijo: "Yo... los tomaré adonde Yo voy; para que donde Yo esté, allí estén ustedes también" (Jn. 14:3). Es evidente que los discípulos serán transportados a una nueva localidad cuando Jesús venga. La venida de Jesús es la esperanza de los creyentes porque representa la plena realización de la comunión que los discípulos disfrutaron con Jesús mientras estuvo en la tierra. Cuando regrese, su comunión será más profunda, rica e ininterrumpida, y morarán con el Padre y el Hijo para siempre.

La única otra referencia a la venida de Jesús en el Evangelio de Juan es incidental (Jn. 21:18-23), pero el hecho de que sea incidental revela que formaba parte de la cosmovisión del escritor.[35] Una vez más se nos recuerda que ninguno de los escritos del Nuevo Testamento pretendía ser una exposición exhaustiva de la fe cristiana. Esta observación de sentido común se ha hecho a menudo en este libro, pero vale la pena repetirla porque cualquiera que haya leído extensamente en el área de los estudios del Nuevo Testamento sabe que la naturaleza parcial de los documentos del Nuevo Testamento ha sido repetidamente ignorada u olvidada.

El texto en cuestión se encuentra en el último capítulo del Evangelio de Juan. Jesús llamó a Pedro para que le siguiera e indicó simbólicamente la forma en que Pedro moriría (Jn. 21:18-23). Pedro pregunta entonces por la suerte del discípulo amado, y Jesús responde que si es su voluntad que el discípulo amado viva "hasta que Yo venga" (Jn. 21:22-23), es prerrogativa de Jesús como Maestro y Señor. Aparentemente, la muerte y el dolor continuarán en este mundo, incluso después de la venida del Espíritu, pero un mundo nuevo amanecerá cuando Jesús venga. Los que estén vivos cuando él venga no experimentarán la muerte. El último capítulo del Evangelio de Juan corrige cualquier noción de que Jesús haya prometido venir antes de que muriera el discípulo amado. Parece que incluso en este texto se conservan los temas de la inminencia y la incertidumbre de la venida de Jesús. Su venida es inminente en el sentido de que podría ocurrir durante la vida de Juan, pero también es incierta, pues no hay garantía de que venga antes de la muerte de Juan.

---

[35] Muchos eruditos, empero, consideran que Juan 21 es un apéndice añadido al Evangelio. Para los argumentos que apoyan la originalidad del capítulo, véase Carson 1991b: 665-68.

Anteriormente hemos examinado el carácter escatológico de 1 Juan. Juan declara que este mundo y la era de las tinieblas están pasando (1 Jn. 2:8, 17). La presencia de los anticristos revela que ha llegado la última hora (1 Jn. 2:18). La última hora llegará a su fin cuando Jesús se manifieste (1 Jn. 2:28), y Juan define inmediatamente esta manifestación de Jesús como su "venida". Su venida es el día del juicio en el que los que no permanecieron en él experimentarán la vergüenza del juicio. El día de su revelación será también el día en que los creyentes "le vean tal como es" (1 Jn. 3:2).[36] Entonces serán transformados a semejanza de Jesús y experimentarán la plenitud de la salvación. El día de la venida de Jesús promete una transformación de los creyentes que les hará semejantes a Jesús, o un día de juicio para los que no pertenezcan a Jesús.

Si consideramos que Apocalipsis forma parte del corpus joánico, y hay buenas razones para hacerlo, vemos que la escatología futura desempeña un papel importante en el pensamiento de Juan, lo que nos recuerda una vez más el carácter limitado de los diversos documentos canónicos. Juan se refiere a menudo en Apocalipsis al juicio final y a la recompensa asociada con el fin, que se examinarán a su debido tiempo. El juicio final y la recompensa son inseparables de la venida de Jesús y tienen lugar cuando Jesús vuelve (cf. Ap. 2:25). Aquí nos ocupamos de los textos que se refieren a la venida de Jesús en el Apocalipsis.

El libro comienza afirmando que se refiere a las cosas que "deben suceder pronto" (Ap. 1:1) e indica que "el tiempo está cerca" (Ap. 1:3).[37] Termina asegurando que el fin debe "suceder enseguida" (Ap. 22:6) y que "el tiempo está cerca" (Ap. 22:10). Con estas palabras, Juan se refiere al conjunto de su profecía y no exclusivamente a la venida de Jesús. No obstante, la venida de Jesús es uno de los acontecimientos que tendrán lugar pronto. Así lo confirman las palabras finales del Apocalipsis. Inmediatamente después de decir que los

---

[36] La consecuencia de ver a Jesús es que los creyentes son hechos semejantes a él (Marshall 1978a: 172-73). Para una mayor defensa de este punto de vista, véase Smalley 1984: 146-47. R. Brown (1982: 395-96) opina que el texto es demasiado vago como para llegar a una conclusión clara.

[37] Caird (1966: 12) piensa que la cercanía no se refiere a la venida de Cristo y la consumación de la historia, sino más bien a la inminente persecución de la iglesia. Pero la mayoría ve una referencia a la parusía y al fin de la historia (véase Aune 1997: 21; Osborne 2002: 59). Beale (1999b: 185) afirma que hay cumplimientos provisionales antes del cumplimiento definitivo al final.

acontecimientos profetizados se cumplirán pronto, Jesús declara dos veces: "Por tanto, Yo vengo pronto" (Ap. 22:7, 12).

El libro se cierra con una tercera promesa: "Por tanto, Yo vengo pronto", y Juan añade inmediatamente: "Amén. Ven, Señor Jesús" (Ap. 22:20). La promesa de que Jesús vendrá pronto aparece en otras partes del libro (Ap. 3:11) y puede decirse con razón que impregna el mensaje del Apocalipsis en su conjunto (Ap. 1:7). A veces se dice que el que viene es el Padre (Ap. 1:4, 8; 4:8). En algunos contextos, la venida de Jesús puede referirse no a la venida que inaugura los nuevos cielos y la nueva tierra, sino más bien a una que se refiere a un juicio en la historia, pero es más probable que todos estos textos aludan también a la parusía (Ap. 2:5, 16; 3:3; 16:15).[38]

La descripción más extensa de la venida de Jesús se encuentra en Apocalipsis 19:11-21. Jesús cabalgará sobre un caballo blanco cuando venga a juzgar y hacer la guerra a quienes se le opongan. El hecho de que su manto esté bañado en sangre evoca Isaías 63:1-6, donde las vestiduras de Yahve son salpicadas y manchadas de sangre en su juicio contra Edom. El trasfondo veterotestamentario indica que la sangre en el manto de Jesús no simboliza su obra redentora, sino más bien la imposición de su ira sobre sus enemigos. Una referencia al juicio también encaja en el contexto de Apocalipsis 19:11-21. Jesús viene con los ejércitos del cielo y una espada afilada para derrotar a sus enemigos y gobernarlos con una vara de hierro.

La vara de hierro alude al Salmo 2, donde Yahve promete que su ungido triunfará sobre las naciones que se resistan a su gobierno y al de su Mesías. Además, en Apocalipsis 19 Jesús viene a pisar el lagar de la ira de Dios para que los enemigos de Dios reciban su merecido. La escena del juicio encaja con los últimos versículos del capítulo (Ap. 19:17-21). Aquí Juan se hace eco de Ezequiel 39 y anticipa que las aves se atiborrarán de la carne de los enemigos de Jesús. La bestia y el falso profeta son capturados y arrojados al lago de fuego, y los restantes enemigos de Jesús son muertos por su palabra (es decir, por la espada que sale de su boca). De ahí que Apocalipsis 19:11-21 subraye que la venida de Jesús representa el día del juicio para quienes se le oponen y no se someten a su gobierno.

---

[38] Para la primera opinión, véase Caird 1966: 32; R. Mounce 1977: 89; Beale 1999b: 232-33; para la segunda, véase Osborne 2002: 118.

En resumen, en la literatura joánica solo Apocalipsis hace hincapié en el día de la venida de Jesús, en el que juzgará a sus enemigos y recompensará a los justos. Ese día Dios cumplirá sus promesas de salvación y comenzarán los nuevos cielos y la nueva tierra, la nueva creación. Aunque no se haga hincapié en ella, la venida de Jesús no está totalmente ausente del Evangelio de Juan ni de 1 Juan. Jesús volverá y llevará a los discípulos al lugar donde él mora, por lo que no tienen nada que temer y deben persistir en la fe. De hecho, ante la venida de Jesús, los creyentes pueden estar llenos de confianza, pues serán transformados a su semejanza al verlo.

La literatura paulina

Como ocurre típicamente en el resto del Nuevo Testamento, en los escritos de Pablo la futura venida de Cristo se vincula con el día del juicio y la recompensa.[39] Indica una salvedad o reserva escatológica en la teología de Pablo, pues, aunque las promesas salvíficas de Dios han recibido su "sí" en Cristo (2 Co. 1:20), todavía no se ha obtenido la plena realización de esas promesas. Pablo rechaza categóricamente la escatología sobre-realizada, que plantea la consecución de una existencia celestial en el aquí y ahora. Contrariamente a la opinión de ciertos falsos maestros, la resurrección física de los creyentes aún no se ha producido (2 Ti. 2:18). La resurrección de Cristo está separada por un intervalo de la resurrección física de los creyentes, de modo que la resurrección de los creyentes solo tendrá lugar cuando Jesús venga de nuevo (1 Co. 15:23).

Pablo utiliza tres términos diferentes para describir la venida de Jesús: su venida (*parousia*), aparición (*epifaneia*) y revelación (*apokalypsis*). La palabra "venida" denota la llegada de Estéfanas para reunirse con Pablo (1 Co. 16:17) y el encuentro de Tito con los corintios (2 Co. 7:6-7).

> **2 Corintios 7:6–7** Pero Dios, que consuela a los deprimidos, nos consoló con la llegada de Tito; y no solo con su llegada, sino también con el consuelo con que él fue consolado en ustedes, haciéndonos saber el gran afecto de ustedes, su llanto y su celo por mí; de manera que me regocijé aún más.

---

[39] Para un estudio exhaustivo de la futura venida de Jesús en la teología paulina, véase Plevnik 1997.

En el Nuevo Testamento, esta palabra siempre transmite la noción de que una persona está físicamente presente con alguien (cf. 2 Co. 10:10; Fil. 1:26; 2:12). Por tanto, cuando Pablo habla de la "venida" (*parousia*) de Jesús, se refiere a un acontecimiento futuro en el que regresará personal y corporalmente (cf. 1 Co. 15:23; 1 Ts. 2:19; 3:13; 4:15; 5:23; 2 Ts. 2:1, 8). La palabra "aparición" (*epiphaneia* [2 Ts. 2:8; 1 Ti. 6:14; 2 Ti. 1:10; 4:1, 8; Tit. 2:13]) es especialmente utilizada en las Epístolas Pastorales.

En el pensamiento helenístico, el término se utilizaba para referirse a la manifestación de una deidad oculta en la que ésta interviene para ayudar al pueblo.[40] En un caso, Pablo lo utiliza para referirse a la primera venida de Cristo (2 Ti. 1:10), pero los textos antes mencionados indican que la mayoría de las veces el término denota la segunda venida de Cristo. Una forma verbal de la palabra aparece en Colosenses 3:4, que habla de la futura manifestación de Cristo. Ya ahora Jesús está presente con su pueblo. Y aunque la plenitud de su gloria y divinidad está oculta, será manifestada. Por último, la palabra "revelación" (*apokalypsis*) se utiliza dos veces para referirse a la venida de Jesús (1 Co. 1:7; 2 Ts. 1:7). Este término implica que Jesús está ahora oculto a su pueblo, pero que será revelado a todos en el último día.

Si podemos hablar de la esperanza de la venida de Jesús como la esperanza primitiva de la iglesia, es evidente que esta esperanza impregna la teología paulina. Lo vemos claramente en el uso de la frase aramea *marana tha*, que se traduce como "¡Señor nuestro, ven!" (1 Co. 16:22). Casi con toda certeza, Pablo tomó esta expresión de la iglesia primitiva en Palestina, que la usaba para manifestar su anhelo por el retorno de Jesús.[41] En los escritos paulinos, la venida de Jesucristo se asocia con "el día", ya sea "el día del Señor", o solo "el día", "el día del Señor Jesucristo" o incluso "aquel día" (Ro. 2:5, 16; 1 Co. 1:8; 3:13; 5:5; 2 Co. 1:14; 1 Ts. 5:2; 2 Ts. 1:10; 2:2; 2 Ti. 1:18; 4:8).

En este aspecto, el lenguaje paulino se remonta claramente y encuentra su antecedente en el día del Señor del que tan a menudo se habla en el Antiguo

---

40 En un minucioso estudio de *epiphaneia*, Lau (1996: 179-225) demuestra que la palabra normalmente tiene la idea tanto de manifestación de lo que está oculto como de intervención para ayudar a los necesitados. Véase también Stettler 1998: 139-49. Para un resumen de la investigación, junto con su propia evaluación, véase Marshall 1999: 287-96.

41 Para el sentido imperativo de este versículo, compárese Apocalipsis 22:20; *Didajé* 10:6. 41 Hofius 1993: 11n213; Hays 1997: 292-93.

Testamento (p. ej., Is. 13:6, 9; Jl. 1:15; 2:1; Am. 5:18; Abd. 15; Sof. 1:7, 14).[42] En el Antiguo Testamento hay días del Señor que preceden al último y gran día del Señor. El día del Señor es el día en que el Señor juzgará a sus adversarios y salvará a su pueblo, pero el Señor solo salvará a su pueblo si confía verdaderamente en él y obedece su Palabra (Am. 5:18). Del mismo modo, Pablo imagina el día del Señor como el día en que el Señor Jesús regresará.[43] En este día, los que pertenecen al pueblo de Dios serán recompensados y experimentarán la consumación de su salvación, mientras que los que desobedecen a Dios y se niegan a atender al evangelio serán juzgados.

La venida de Jesús representa la esperanza de los creyentes y, por tanto, se espera con ansias. A menudo se dice que en Colosenses se aprecia la escatología realizada; sin embargo, en la carta también se observa la reserva escatológica. Solo cuando Jesús se manifieste se manifestará también la gloria de los santos (Col. 3:4).[44] Presumiblemente, los santos serán glorificados porque se revelará lo que ahora está oculto: la impresionante gloria de Jesús (Tit. 2:13). La gloria y el gozo serán tan grandes que la venida de Jesús se designa como la "esperanza bienaventurada" de los creyentes (Tit. 2:13). Los santos se maravillarán y se llenarán de gozo cuando Jesús regrese (2 Ts. 1:10). No solo se regocijarán en Dios, sino que también encontrarán placer en lo que Dios ha hecho en y a través de otros creyentes (2 Co. 1:14; 1 Ts. 2:19).

Cuando Jesús venga, se consumará la salvación, pues ese día rescatará a los creyentes de la ira escatológica de Dios (1 Ts. 1:10). El cuerpo que ahora está estropeado por el pecado será transformado y cambiado para que sea semejante al cuerpo glorioso y poderoso de Cristo resucitado (Fil. 3:20-21).[45] Los creyentes son plenamente conscientes de que la plenitud de la obra salvadora de Dios no se ha completado en ellos, y por eso esperan la venida del Señor (1 Co. 1:7). Aun así, viven confiados porque tienen la seguridad de que Dios terminará la obra santificadora que ha comenzado (1 Co. 1:8; Fil. 1:6; 1 Ts. 5:23-24).

---

[42] Para un breve estudio sobre el día del Señor, véase Hiers, ABD 2:82-83. Más recientemente, véase House 2007: 179-224.

[43] El día del Señor se interpreta como el día de Cristo en la teología paulina (véase Kreitzer 1987: 112-29).

[44] Véase O'Brien 1982: 167-68.

[45] Véase O'Brien 1991: 463-65; Fee 1995: 380-84.

La promesa de la santidad futura no excluye las exhortaciones y oraciones para que los creyentes vivan santamente hasta la venida de Jesucristo (1 Ts. 3:13). Los creyentes deben aferrarse al Evangelio hasta la venida de Jesús (1 Ti. 6:14; 2 Ti. 1:18). Puesto que el día está cerca, deben rechazar las armas de la maldad y revestirse de Jesucristo (Ro. 13:14). Los que han anhelado la venida de Jesús pueden confiar en que recibirán "la corona de justicia" (2 Ti. 4:8). Al parecer, Pablo también promete que Israel se salvará en la venida del Señor Jesús (Ro. 11:26-27), porque en su venida o cerca de ella quitará la impiedad de Israel y perdonará sus pecados.[46]

La venida de Jesucristo es también un día de juicio. En ese día se revelarán la ira y el justo juicio de Dios (Ro. 2:5). Él juzgará las cosas secretas que la gente ha ocultado y las sacará a la luz para que todos las vean (Ro. 2:16). El día del Señor revelará si los ministros han edificado fielmente sobre el fundamento de Cristo (1 Co. 3:13).[47] Solo los que se aparten del mal se salvarán del castigo en ese día (1 Co. 5:5). Los creyentes deben proclamar la palabra con seriedad, porque Jesús viene para establecer su reino y pronunciar juicio sobre todos (2 Ti. 4:1-2).

La venida de Jesús se aborda especialmente en las cartas a los tesalonicenses, pues es evidente que estos estaban confundidos con respecto a la venida de Jesús y sus implicaciones.[48] En 1 Tesalonicenses 4:13-18 los tesalonicenses se ven confundidos acerca del destino de los muertos creyentes.

1 Tesalonicenses 4:13–18 Pero no queremos, hermanos, que ignoren acerca de los que duermen, para que no se entristezcan como lo hacen los demás que no tienen esperanza. Porque si creemos que Jesús murió y resucitó, así también Dios traerá con Él a los que durmieron en Jesús. Por lo cual les decimos esto por la palabra del Señor: que nosotros los que estemos vivos *y* que permanezcamos hasta la venida del Señor, no precederemos a los que durmieron. Pues el Señor mismo descenderá del cielo con voz de mando, con

---

[46] Munck (1959: 297-308) sostiene que Pablo creía que la colecta de dinero que estaba recogiendo para los santos de Jerusalén desempeñaría un papel vital en la conversión de Israel. Tal opinión no parece apoyarse en la argumentación de Pablo en Romanos 9-11, pues en estos capítulos no hace mención alguna a la colecta.

[47] Hays (1997: 55-56) argumenta con razón que aquí Pablo no habla de los ministerios de los creyentes individuales, sino más bien de los líderes eclesiásticos. También Schnabel 2004a: 952.

[48] Longenecker (1985), sin embargo, observa acertadamente que en 1-2 Tesalonicenses la cristología es más fundamental que la escatología.

voz de arcángel y con la trompeta de Dios, y los muertos en Cristo se levantarán primero. Entonces nosotros, los que estemos vivos *y* que permanezcamos, seremos arrebatados juntamente con ellos en las nubes al encuentro del Señor en el aire, y así estaremos con el Señor siempre. Por tanto, confórtense unos a otros con estas palabras.

Al parecer, estaban convencidos de que los muertos creyentes sufrirían alguna desventaja cuando Jesús regresara.[49] Dada nuestra separación de la situación histórica abordada, es difícil reconstruir con precisión lo que estaban pensando. Pablo asegura a los tesalonicenses que los muertos creyentes no serán dejados atrás cuando Jesús regrese.[50] De hecho, serán resucitados primero, y luego serán arrebatados los que estén vivos.

El propósito principal de Pablo en este texto, entonces, es proporcionar consuelo a los que estaban afligidos por los creyentes que habían fallecido (cf. 1 Ts. 4:13, 18). Algunos detalles sobre la venida del Señor se dan en 1 Tesalonicenses 4:16: "Pues el Señor mismo descenderá del cielo con voz de mando, con voz de arcángel y con la trompeta de Dios". De este texto se desprende claramente que Jesús regresará de una forma claramente perceptible, lo que hace improbable la noción popular de que "un rapto secreto" precede en siete años a la venida de Jesús.

En 1 Tesalonicenses 5:1-11 Pablo se hace eco de la tradición de Jesús, afirmando que el día del Señor llegará como un ladrón. Ningún cálculo escatológico definitivo puede determinar cuándo vendrá. De hecho, vendrá precisamente cuando el mundo piense que la paz y la seguridad están cerca. Para los creyentes, pues, la venida del Señor es un llamado a la vigilancia espiritual y al estado de alerta. El juicio asociado a la venida de Jesús se

---

[49] Wanamaker (1990: 172) examina las opciones y sostiene que los tesalonicenses "temían que sus muertos perdieran la oportunidad de ser ascendidos al cielo en el momento de la parusía" (véase también Wanamaker 1990: 164-66). Beale (2003: 131-33) sugiere que los tesalonicenses empezaban a dudar de la resurrección física de los creyentes muertos.

[50] Mearns (1981) sostiene que Pablo cambió su escatología en 1-2 Tesalonicenses, y que el primer cambio fue precipitado por la muerte de varios creyentes en Tesalónica. Antes de sus muertes, Pablo mantenía en gran medida una escatología realizada. Responder a Mearns requeriría más espacio del disponible. Aun así, la idea de que la muerte de cristianos, en cualquier número, sorprendiera a Pablo es bastante improbable, dada la muerte de Esteban (Hch. 8:1), y seguramente la de muchos otros creyentes durante los quince o veinte años que Pablo sirvió como misionero antes de escribir 1 Tesalonicenses.

enfatiza en 2 Tesalonicenses 1:5-10. Jesús regresará con una multitud de ángeles y "en llama de fuego" (2 Ts. 1:8). Derramará su venganza sobre los desobedientes y los que no conocen a Dios. Pablo escribe estas palabras a los tesalonicenses para animarlos a perseverar, asegurándoles que quienes se oponen a ellos y les persiguen recibirán su merecido por su conducta y su maltrato a los creyentes.

Cuando Pablo escribe 2 Tesalonicenses, los tesalonicenses todavía están confundidos sobre la venida de Jesús. Parece que piensan que la segunda venida y la resurrección final ya han ocurrido en el reino espiritual o que la venida de Cristo ocurrirá en cualquier momento, presumiblemente debido a la intensidad de la aflicción que han soportado (2 Ts. 1:4-7; 2:1-3).[51] A Pablo le preocupa que los tesalonicenses puedan engañarse y les instruye para que no pierdan la cabeza en el entusiasmo escatológico (2 Ts. 2:2-7). El Señor no vendrá antes de que aparezca el hombre de pecado y se produzca una gran apostasía.[52]

Pablo está convencido de que ninguno de estos acontecimientos se ha producido todavía, por lo que la venida del Señor no puede haber ocurrido ya ni puede tener lugar en cualquier momento. El inicuo está siendo restringido por algo o alguien, y no aparecerá en escena hasta que tal restricción sea eliminada. Los eruditos se han preguntado durante mucho tiempo sobre la

---

[51] Beale (2003: 199-201) argumenta que se trataba de una situación en la que algunos defendían una resurrección espiritual ya consumada y una venida de Cristo ya realizada. En un fascinante artículo, Stephenson (1968: 442-51) sostiene que la noción de que el día del Señor ya está presente, aunque tiene amplio apoyo léxico, no puede ser el significado literal de 2 Tesalonicenses 2:2. Tal punto de vista no tiene sentido, afirma, pues si los tesalonicenses creían que el rapto había llegado, no podían creer que Pablo había quedado fuera. No podían estar argumentando a favor de una resurrección ya realizada en la línea de 2 Timoteo 2:18, porque si estuvieran defendiendo tal punto de vista, Pablo les habría respondido con un debate como el que se encuentra en 1 Corintios 15. Tampoco vale decir que el día del Señor es un período de tiempo prolongado, pues el día del Señor coincide con la parusía en 1-2 Tesalonicenses. De ahí que Stephenson (1968: 451) concluya que Pablo habla hiperbólicamente y rechace la idea de que el día del Señor esté "inmediatamente a la vuelta de la esquina". La dificultad con el punto de vista de Stephenson es que no concuerda con la comprensión típica del verbo *enistēmi*. Para una discusión más general, véase Wanamaker 1990: 237-41.

[52] La apostasía aquí no se refiere específicamente a la apostasía en Israel (Best 1972: 282-83) o entre los incrédulos; más bien, apunta a la apostasía en la iglesia de Jesucristo en general (Beale 2004: 274-75). La apostasía en cuestión significa que un gran número en la iglesia, tal vez la mayoría, se apartará (Beale 2004: 280-81). Como señala Beale, tal alejamiento no impide que los incrédulos intensifiquen su incredulidad, así como su persecución de los creyentes genuinos.

identidad del que lo retiene, y esa discusión no tiene por qué ocuparnos aquí. Decir que el inicuo tomará asiento en el templo de Dios y se proclamará a sí mismo Dios puede ser una referencia al templo de Jerusalén. Pero en otras partes de Pablo el templo de Dios o del Señor se refiere a la iglesia (cf. 1 Co. 3:16-17; 2 Co. 6:16; Ef. 2:21), y por lo tanto es más probable que el inicuo engendre apostasía en la iglesia y se identifique como Dios.[53] El tiempo de triunfo para el inicuo será de corta duración, porque el Señor Jesús lo destruirá por su Palabra (2 Ts. 2:8).

En 1 Tesalonicenses 5 Pablo enseña que el Señor vendrá repentina y sorpresivamente como un ladrón, pero en 2 Tesalonicenses 2 vemos que deben producirse ciertas señales antes de que venga el Señor. ¿Sacrifica 2 Tesalonicenses la inminencia de la venida de Jesús y conduce a un cálculo escatológico? Algunos han argumentado que las diferencias escatológicas aquí indican que 2 Tesalonicenses no es auténtica, y que contradice fundamentalmente a 1 Tesalonicenses.[54] Las dos cartas tienen, en efecto, énfasis diferentes, pero no está claro que se contradigan entre sí. Ya hemos visto en la enseñanza de Jesús que existía una tensión entre los dichos que enfatizan la inminencia y los dichos que enfatizan la demora. La misma tensión parece existir en Pablo.

Las dos señales que precederán a la venida del Señor en 2 Tesalonicenses 2 no son lo suficientemente definitivas como para permitir a la gente calcular con precisión el momento de la venida del Señor. Tampoco descartan necesariamente la inminencia de la venida de Cristo, pues es de suponer que las señales podrían producirse con bastante rapidez. Wanamaker dice con razón que "los cristianos del siglo I no tenían ningún problema en mantener unidas las ideas de la inminencia de la venida de Cristo con una serie de

---

[53] Beale (2004: 269-92) argumenta acertadamente que el templo de Dios en 2 Tesalonicenses 2:4 se refiere a la iglesia de Jesucristo y no a un templo literal en Jerusalén. Contra Wanamaker 1990: 246; Bruce 1982b: 168-69, aunque Bruce sigue tomando la afirmación metafóricamente como una referencia a quien usurpa el lugar de Dios. Para una opinión similar a la de Bruce, véase Marshall 1983: 190-92. Beale (2004: 275) observa que la frase aparece en diez ocasiones en el NT, y en todos los casos excepto en Mateo 26:61 se refiere a la iglesia. Además, Beale (2004: 279) considera improbable que los creyentes se vieran tentados a apostatar por el hombre de pecado utilizando el templo literal como base de operaciones, pues los cristianos ya no creían en la centralidad de ese templo.

[54] Sobre esta cuestión, véase Marshall 1983: 36-38.

acontecimientos que presagiaban su llegada, como muestra Marcos 13".[55] En cualquier caso, 1 Tesalonicenses 5 subraya que la venida del Señor será sorprendente e inesperada para los incrédulos. Además, quienes desobedezcan el evangelio carecerán de discernimiento para identificar la llegada del inicuo y la apostasía.

En resumen, Pablo reitera lo que hemos visto en otras partes del Nuevo Testamento. La futura venida de Jesús traerá consuelo y alivio a los santos y presagiará el juicio de los impíos. De ahí que se anime a los creyentes a soportar las dificultades y la persecución, sabiendo que la oposición a la que se enfrenten será efímera.

Hebreos

Hebreos apenas se refiere a la venida de Jesús en el futuro, pero la escasez de referencias a la segunda venida podría confundirnos, ya que el autor sí habla a menudo de la esperanza futura y del juicio venidero. La venida de Jesús no debe divorciarse del juicio y la recompensa, pero el autor se centra en el castigo o la alegría que aguardan a los seres humanos para motivar a sus lectores a perseverar y evitar la apostasía. El significado de Hebreos 1:6 es discutido, pero puede referirse al regreso de Jesús, cuando los ángeles reconocerían su señorío sobre el mundo y le adorarían.[56]

La palabra "de nuevo" (*palin*) puede modificar el verbo "trae" (*eisagagē*), y si es así, entonces tenemos una referencia al regreso de Jesús. Esta interpretación puede apoyarse en Hebreos 2:5, que dice que el "mundo" (*oikoumenē*) sobre el que gobernará Jesús es el futuro, y que los ángeles no gobernarán en el futuro. La misma palabra "mundo" (*oikoumenē*) aparece en Hebreos 1:6, por lo que puede establecerse un vínculo entre ambos textos. No podemos estar seguros del significado de Hebreos 1:6, y es posible que el autor tenga en mente la primera venida de Jesús, aunque en términos generales es ligeramente preferible ver una referencia a la segunda venida.

Hay dos referencias claras a la segunda venida en Hebreos. En 9:11-28, el autor subraya el carácter definitivo y eficaz del sacrificio de Jesús en la cruz. Su único sacrificio es efectivo para siempre y no necesita ser complementado

---

[55] Wanamaker 1990: 178.
[56] Véase, por ejemplo, Käsemann 1984: 101.

por otros sacrificios. En Hebreos 9:23-28, vemos que la muerte de Jesús libra a los que le pertenecen del juicio del último día. El día del juicio final y de la salvación se acerca, y llegará, declara Hebreos, cuando Jesús "se manifieste por segunda vez" (Heb. 9:28). En esta ocasión, los que ya han sido purificados por su sacrificio único experimentarán la consumación de su salvación.

En Hebreos 10:35-39, la segunda venida de Jesús se relaciona de nuevo con la recompensa futura y el juicio venidero. Se exhorta a los lectores a perseverar en la fe y a no abandonar su confianza. Los que perseveren en la fe hasta el final recibirán la recompensa prometida, pero los que retrocedan se enfrentarán a la destrucción. El autor de Hebreos cita Habacuc 2:3-4 en medio de su argumentación y entiende que se refiere a la venida de Jesús. Puesto que Jesús vendrá y no pospondrá su llegada, los creyentes deben resistir en la fe para recibir la recompensa prometida. No nos sorprende encontrar en Hebreos que la venida de Jesús está entrelazada con el día del juicio y de la salvación.

1 Pedro

La venida de Jesús en 1 Pedro debe entenderse a la luz de la situación abordada en la carta. Los lectores estaban sufriendo, y Pedro les recuerda a menudo su futura herencia, advirtiéndoles al mismo tiempo del juicio que se infligirá a quienes no perseveren en la fe. El sufrimiento que afrontan los creyentes en el tiempo presente produce alegría porque la autenticidad de su fe les conducirá a una gran recompensa "en la revelación de Jesucristo" (1 P. 1:7). La misma conexión entre sufrimiento y recompensa futura se confirma en 1 Pedro 4:13. Los creyentes deben alegrarse de sus sufrimientos en el presente, porque cuando "se manifieste la gloria" de Cristo, exultarán y se regocijarán de un modo que trasciende y completa el gozo que experimentan ahora.

Pedro está lleno de confianza porque, así como ha participado en los sufrimientos de Cristo, también participará en la gloria que se revelará en la venida de Cristo (1 P. 5:1). Del mismo modo, los ancianos que desempeñen piadosamente sus responsabilidades recibirán una recompensa "cuando aparezca el Príncipe de los pastores" (1 P. 5:4). El carácter prospectivo de la carta se confirma en 1 Pedro 1:13, donde se exhorta a los lectores a poner toda su esperanza "la gracia que se les traerá en la revelación de Jesucristo". La consumación de los bondadosos propósitos de Dios se hará realidad cuando Jesús regrese y reivindique a su pueblo.

Pedro utiliza el sustantivo "revelación" (*apokalypsis*) la mayoría de las veces (1 P. 1:7, 13; 4:13). En otros lugares utiliza el verbo "revelar" (*apokalyptō* [1 P. 5:1]) y el verbo "manifestar" (*phaneroō* [1 P. 5:4 mi traducción]). El sustantivo y los verbos relativos a la revelación sugieren que el telón se descorrerá cuando Jesús regrese, y el pueblo de Dios verá lo que ha estado oculto: el glorioso futuro reservado para ellos. La expresión "manifestar" implica igualmente que Jesús está presente incluso durante la época actual, pero que llegará un día en que su presencia será evidente y clara para todos. Los creyentes deben soportar el sufrimiento, sabiendo que lo que ahora está oculto y oscuro pronto se hará visible.

Santiago

La carta de Santiago es conocida por su carácter práctico y admonitorio, y solo contiene dos referencias explícitas a Jesucristo (Stg. 1:1; 2:1). La necesidad de buenas obras para recibir una recompensa final se enseña a menudo en la carta. Además, el día del juicio es inminente para los que se entregan al mal (Stg. 5:1-6). Santiago añade a estas palabras su única referencia a la venida del Señor (Stg. 5:7-9).

> **Santiago 5:7–9** Por tanto, hermanos, sean pacientes hasta la venida del Señor. Miren *cómo* el labrador espera el fruto precioso de la tierra, siendo paciente en ello hasta que recibe *la lluvia* temprana y *la* tardía. Sean también ustedes pacientes. Fortalezcan sus corazones, porque la venida del Señor está cerca. Hermanos, no se quejen unos contra otros, para que no sean juzgados. Ya el Juez está a las puertas.

Se exhorta a los lectores a tener paciencia hasta la venida del Señor. La necesidad de ser pacientes se compara con la de los agricultores que esperan la lluvia temprana y tardía antes de recoger la cosecha. La proximidad del Señor se refiere casi con seguridad, dado el contexto, a su promesa de venir pronto.

Por consiguiente, los lectores deben fortalecer su corazón y aguantar hasta el final. Asimismo, no deben permitir que la tensión y las presiones de su vida actual los lleven a quejarse de los demás. De lo contrario, ellos mismos serán juzgados. Santiago parece inspirarse aquí en la tradición de Jesús (cf. Mt. 7:1-5; par.). Criticar a los demás está prohibido porque Jesús, como aquel que viene, está a la puerta, listo para pronunciar el juicio final en el último día.

2 Pedro y Judas

En 2 Pedro, la segunda venida de Jesús es claramente uno de los temas más importantes de la carta. Los falsos maestros negaban que Jesús fuese a volver, argumentando tal vez que los textos del Antiguo Testamento que predecían su regreso estaban mal interpretados (2 P. 1:20).[57] Si Jesús no volvía, tampoco habría un juicio futuro, y por tanto la negación de la venida de Jesús abría la puerta al libertinaje y a la anarquía ética. Los falsos maestros insistían en que era ridículo esperar el regreso de Jesús, ya que el mundo estaba marcado por la uniformidad, y la vida en la Tierra ha permanecido igual desde la creación del mundo (2 P. 3:4). Probablemente también señalaban el largo intervalo entre la supuesta promesa de volver y la experiencia presente (2 P. 3:9). El "retraso" demostraba que la supuesta venida de Jesús era una fantasía.

Pedro no considera que la negación de la segunda venida sea un error menor, sino que argumenta en 2 Pedro 2 que la opinión de los "maestros" demuestra que son falsos maestros (2 P. 2:1) y no pertenecen al pueblo de Dios. La transfiguración sirve de anticipo y preludio de la segunda venida de Jesús porque la majestuosidad de Jesús era evidente y recibió honor y gloria del Padre en aquella ocasión (2 P. 1:16-18).[58] La gloria que recibió Jesús no puede descartarse como algo no histórico, ya que Pedro fue testigo ocular de lo que ocurrió. La transfiguración confirma y refuerza la interpretación de la profecía (2 P. 1:19) porque aclara que las profecías del Antiguo Testamento apuntan al regreso de Jesús. Por tanto, la profecía ilumina el futuro, revelando que Jesús vendrá de nuevo.[59] Amanecerá el nuevo día prometido en las Escrituras, y Jesús, como Estrella de la Mañana, se alzará en los corazones de los creyentes. Cualquiera que interprete las profecías como si no hubiera un

---

[57] Sobre esta perspectiva, véase Bigg 1901: 269–70; J. Kelly 1981: 323–24.
[58] Véase Fornberg 1977: 80.
[59] Para corroborar este punto de vista, véase Schreiner 2003: 318-21.

regreso de Jesús distorsiona el significado de tales profecías, pues la profecía y su interpretación provienen del Espíritu Santo (2 P. 1:20-21).

En 2 Pedro 3 Pedro responde a las objeciones de los falsos maestros con las que supuestamente refutaban la segunda venida. Los adversarios señalaban que todo seguía igual desde que "los padres durmieron" (2 P. 3:4). Aquí, la expresión "los padres" no es una referencia a la primera generación apostólica. La palabra "padres" (*pateres*) en el Nuevo Testamento suele aludir a los patriarcas del Antiguo Testamento, pero nunca se refiere a la primera generación apostólica (p. ej. Mt. 23:30, 32; Lc. 1:55, 72; 11:47; Jn. 4:20; Hch. 3:13, 25; 15:10; 28:25; Ro. 11:28; 15:8; 1 Co. 10:1; Heb. 1:1; 3:9; 8:9).[60] Además, el propio versículo proporciona pruebas convincentes de que "los padres" es una referencia a los patriarcas veterotestamentarios, ya que lo que Pedro dice de ellos tiene su paralelo en la frase "desde el principio de la creación". Pedro hace alusión, pues, a la opinión de los falsos maestros de que la vida en la tierra ha continuado sin interrupción desde la creación del mundo.

Pedro utiliza tres argumentos para rebatir la perspectiva uniformista de los falsos maestros. En primer lugar, no han percibido las implicaciones de la creación del mundo por parte de Dios (2 P. 3:5). La creación del mundo demuestra que la vida en la Tierra no es uniforme; tuvo un comienzo que constituyó una ruptura masiva con lo que la precedió. En segundo lugar, la vida en la Tierra no ha transcurrido sin intervención desde la creación, ya que un diluvio arrasó y destruyó el mundo en tiempos de Noé (2 P. 3:6). Cualquier pretensión de uniformidad se contradice con el relato bíblico del juicio de Dios sobre el mundo (cf. 2 P. 2:5). En tercer lugar, en el futuro el mundo será juzgado por el fuego, y ese día los injustos serán juzgados y destruidos (2 P. 3:7). Pedro, basándose en la tradición de Jesús, advierte que el día del Señor llegará como un ladrón, y por tanto nadie puede descifrar el momento de su llegada observando el mundo actual (2 P. 3:10). El mundo actual será consumido por el fuego, y alborearán unos cielos nuevos y una tierra nueva (2 P. 3:12-13).[61]

---

[60] Contrariamente a la opinión de muchos comentaristas (p. ej., Bauckham 1983: 291-92; J. Kelly 1981: 355-56).

[61] Los eruditos debaten el significado de la declaración de Pedro aquí. Algunos piensan que predice la aniquilación del mundo actual y la creación de un mundo completamente nuevo (p. ej., Overstreet 1980: 362-65). Parece más probable, aunque es imposible asegurarlo, que Dios purificará el viejo mundo mediante el fuego y creará con los mismos elementos un mundo nuevo (Wolters 1987).

Pedro da dos explicaciones más sobre el aparente retraso de la venida del Señor.[62] En primer lugar, lo que parece un retraso desde la perspectiva humana no lo es desde el punto de vista de Dios, pues mil años para los seres humanos es, por así decirlo, solo un día para Dios (2 P. 3:8). Dios no experimenta la realidad temporal de la misma manera que los seres humanos, de modo que lo que para los seres humanos es un tiempo insoportablemente largo no lo es para Dios. En segundo lugar, la venida prometida es más larga de lo que cabría esperar desde la perspectiva humana, pero el retraso ofrece a los seres humanos la oportunidad de arrepentirse y salvarse (2 P. 3:9, 15). Por tanto, el aparente retraso responde a un propósito misericordioso y no puede atribuirse a que Dios no haya cumplido su promesa. En Judas no se plantea tanto el tema de la segunda venida como en 2 Pedro, aunque gran parte del contenido de las dos cartas es el mismo, y aunque Judas también se enfrenta a los antinomianos. Judas apela a una profecía de 1 Enoc para corroborar la futura venida del Señor (Jud. 14-15).

Judas 14–15 De estos también profetizó Enoc, *en* la séptima *generación* desde Adán, diciendo: «El Señor vino con muchos millares de Sus santos, para ejecutar juicio sobre todos, y para condenar a todos los impíos de todas sus obras de impiedad, que han hecho impíamente, y de todas las cosas ofensivas que pecadores impíos dijeron contra Él».

El Señor viene a ejecutar juicio sobre todos los impíos para completar su triunfo sobre el mal. De este modo, Judas asegura a sus lectores que la victoria pertenece al Señor, y que el impacto de los que practican la maldad será efímero.

Conclusión

La segunda venida de Jesús es un tema habitual en la teología del Nuevo Testamento y está indisolublemente ligada al juicio futuro y a la recompensa del pueblo de Dios. La venida de Jesús representa la consumación y el

---

[62] Fornberg (1977: 69) sostiene que muchos eruditos han exagerado el problema del retraso de la parusía, señalando que muchos pasajes de los Evangelios indican que habrá un intervalo temporal antes del regreso de Cristo.

cumplimiento de las promesas de Dios y el amanecer de la nueva creación. Ante la certeza de su venida, se exhorta a los creyentes a la perseverancia, la fe y la vida piadosa.

Juicio

Los Evangelios Sinópticos y Hechos

Comenzaremos trazando el tema del juicio en los Evangelios Sinópticos y en Hechos. La amenaza de un juicio futuro para los que desobedecen e incrédulos no puede dejarse de lado como un tema menor, pues es algo muy presente en los Sinópticos y en Hechos. Una vez más se justifica la integración de los Sinópticos en este asunto, porque las diferencias entre ellos son mínimas. Juan el Bautista advertía a su público del peligro de escuchar su proclamación sin arrepentirse de verdad, pues la ira futura de Dios se derramaría sobre los desobedientes (Mt. 3:7-10; par.). Los árboles que no den fruto serán cortados y arrojados al fuego.

En la enseñanza de Jesús, el juicio futuro se expresa de diversas maneras. Los que no se arrepientan perecerán (Lc. 13:1-5). Israel, representado por la higuera, será cortado si no da fruto (Lc. 13:6-9). Los que juzgan a otros censurándolos se encontrarán en el último día, cara a cara, con el juicio de Dios (Mt. 7:1-2; par.). Del mismo modo, quienes se niegan a perdonar a otros que les injurian no recibirán el perdón de Dios (Mt. 6:12, 14-15; 18:34-35). Su implacable ferocidad hacia los demás recaerá sobre sus propias cabezas, porque el hecho de no perdonar revela que nunca han disfrutado verdaderamente del perdón de Dios.

Los que se niegan a buscar el perdón de aquellos a quienes han agraviado serán, por así decirlo, arrojados a una prisión eterna de la que nunca escaparán (Mt. 5:21-26; cf. Lc. 12:57-59). Aunque el camino de la vida está abierto para todos, pocos lo encontrarán, y la mayoría recorrerá más bien el ancho camino de la destrucción (Mt. 7:13-14; par.). De hecho, muchos judíos, de los que cabría esperar una respuesta positiva al mensaje del reino de Jesús como pueblo elegido, se negarán a hacerlo, por lo que quedarán excluidos del banquete del fin de los tiempos (Mt. 8:11-12; par.). Dios los enviará a las tinieblas, y sufrirán en agonía "el llanto y el crujir de dientes" (Mt. 8:12).

La frase "el llanto y el crujir de dientes" aparece con frecuencia en Mateo como una expresión de la angustia del juicio futuro. En la parábola de la cizaña, los que practican el mal serán arrojados "en el fin del mundo" a un horno de fuego, donde será el llanto y el crujir de dientes (Mt. 13:40-42). El horno representa metafóricamente el sufrimiento destinado a aquellos a quienes Dios juzgará. También en la parábola de la red, los ángeles "en el fin del mundo" "sacarán a los malos de entre los justos" (Mt. 13:49). En el día del juicio final, los que practicaron el mal serán arrojados a un horno de fuego y llorarán y les crujirán los dientes (Mt. 13:50).

Los que intenten entrar en la fiesta de bodas, que simboliza el banquete mesiánico de los últimos días, sin la ropa apropiada serán expulsados del banquete y arrojados a las tinieblas, y llorarán y crujirán los dientes (Mt. 22:11-13). Aquellos esclavos que no vivan para complacer al amo, sino que se entreguen al mal mientras él esté ausente, se encontrarán con que volverá de repente (Mt. 24:44-51; par.). El amo no perdonará a tal esclavo y lo "cortará" (Lc. 12:46) y lo excluirá de toda recompensa.[63] La persona que malgastó su talento (Mt. 25:14-30; par.), lo cual se refiere al fracaso en perseguir una vida de bondad, será arrojada "en las tinieblas de afuera; allí será el llanto y el crujir de dientes" (Mt. 25:30). En la versión lucana, los enemigos que no querían que el noble gobernara sobre ellos son ejecutados cuando el noble regresa como rey (Lc. 19:27).

Jesús amenaza a sus contemporáneos con el juicio de formas muy variopintas. Para los que apartan a otros del camino justo, sería preferible que les ataran al cuello una piedra de molino y los ahogaran en el mar (Mt. 18:6; par.). Los que buscan su vida y la encuentran en la época actual, la perderán a los ojos de Dios en el último día (Mt. 10:39; 16:25; par.). Los que niegan a Jesús ante la presión y el ostracismo de los seres humanos, serán negados por Jesús en el último día ante su Padre (Mt. 10:33; par.). Los que blasfeman contra el Espíritu Santo nunca encontrarán perdón (Mt. 12:32; par.). Toda planta que no haya sido plantada por el Padre será arrancada de raíz en el día del juicio (Mt. 15:13).

En el último día algunos serán llevados en juicio, mientras que otros serán perdonados (Mt. 24:40-41). Las personas serán condenadas en el día del juicio

---

[63] La RV1977 se cita aquí por capturar el sentido de la cita original del autor (Nota del traductor).

por las malas palabras que hayan pronunciado (Mt. 12:36). El pueblo de Nínive y la Reina del Sur confirmarán la justicia del juicio que se impondrá a la generación de Jesús (Mt. 12:41-42; par.). El mero hecho de llamar a Jesús "Señor" no eximirá a la gente del juicio (Mt. 7:21-23), como tampoco lo harán la realización de milagros, la pronunciación de profecías y la expulsión de demonios. Solo se librarán del juicio quienes cumplan la voluntad de Dios. Del mismo modo, la construcción de una casa —es decir, la profesión verbal de fe y compromiso— es insuficiente para la salvación escatológica (Mt. 7:24-27; par.). Solo quienes resistan las tormentas de la vida y perseveren en la obediencia recibirán la recompensa final. Los que practican la desobediencia serán juzgados. Los que se resistan obstinadamente al mensaje del reino experimentarán un juicio mayor que el de Sodoma (Mt. 10:15), de modo que las ciudades galileas que escucharon la predicación de Jesús y no se arrepintieron perecerán el día del juicio (Mt. 11:20-24; par.).

A menudo, Jesús utilizó la imagen del fuego o infierno (*geenna*) para referirse al juicio final, aludiendo al valle de Hinom, al sur de Jerusalén (Jos. 15:8; 18:16).[64] En este lugar se sacrificaban niños a los ídolos (2 Cr. 28:3; 33:6; Jer. 7:31; 32:35), y Josías profanó el valle de modo que quedó impuro (2 R. 23:10). Jeremías profetizó que el valle de Hinom sería un lugar de matanza en el futuro (Jer. 7:32; 19:6; véase también *1 En.* 27:1-3; 54:1-6; 90:25-27; *Or. Sib.* 1:103; 2:292; *2 Bar.* 59:10; 85:13; *4 Esd.* 7:36). Es probable que las referencias al juicio ardiente también reflejen el mismo círculo de ideas (cf. Is. 66:24). Posiblemente, Jesús recogió esta tradición en sus referencias al infierno.

Los que permiten que la lujuria se apodere de sus corazones y no se someten a una operación quirúrgica radical, aquí descrita como sacarse un ojo o cortarse parte de las manos o los pies, sufrirán en el infierno (Mt. 5:27-30; véase también 18:8-9; Mc. 9:43-47). La misma amenaza del infierno se dirige contra aquellos cuya ira los lleva a insultar y degradar a los demás (Mt. 5:22). La gente debe temblar y temer a aquel que puede arrojar tanto el cuerpo como el alma al infierno (Mt. 10:28; par.). Los escribas y fariseos, al ganarse a un converso, hacen que la persona sea "hijo del infierno dos veces más que ustedes" (Mt. 23:15). Los que son serpientes y viven como hijos del maligno no escaparán al juicio del infierno (Mt. 23:33; par.). Las referencias a un juicio

---

[64] Véase Böcher, *EDNT* 1:239-40.

de fuego deben colocarse junto a la amenaza del infierno (Mt. 3:10, 12 par.; 7:19; 13:40, 42, 50).

En la parábola de las ovejas y los cabritos, los que no han perseguido el bien y han vivido mal serán enviados al "fuego eterno" (Mt. 25:41), un juicio descrito como "castigo eterno" en contraste con la "vida eterna" (Mt. 25:46). Quizá podamos incluir aquí la parábola del rico y Lázaro, aunque es difícil determinar hasta qué punto debemos aplicar los detalles de la parábola (Lc. 16:19-31). En cualquier caso, la parábola enseña claramente que el hombre rico experimentará un juicio por su falta de preocupación por los pobres. El castigo se describe como tormento, y él sufre en agonía por el fuego, anhelando incluso una gota de agua en su lengua.

En Hechos, el juicio se expresa, como era de esperar, particularmente en los discursos en los que se proclama el Evangelio. Pedro exhorta a sus oyentes a que sean salvos de su perversa generación (Hch. 2:40). La noción de salvarse sugiere que se librarían de un juicio futuro. A Jesús, como resucitado, Dios lo ha "designado como Juez de los vivos y de los muertos" (Hch. 10:42). En el discurso de Pablo a los atenienses, la resurrección de Jesús sirve como confirmación de la afirmación de que juzgará al mundo en el día señalado (Hch. 17:31). Félix se asusta en conversación personal con Pablo cuando éste le enseña sobre el juicio venidero (Hch. 24:25). Más vagamente, Pablo amenaza a quienes se niegan a percibir la obra salvadora que Dios ha realizado en y a través del ministerio de Jesús (Hch. 13:40-41). Se acerca un día en el que todos los enemigos de Dios serán puestos bajo los pies de Cristo (Hch. 2:35), y este día es nada menos que el día del Señor profetizado en el Antiguo Testamento (Hch. 2:20).

En resumen, un juicio futuro se enseña a menudo en los Sinópticos y aparece regularmente en Hechos. Tal juicio indica que las decisiones tomadas en la vida son trascendentales, que los seres humanos son agentes morales responsables que deben elegir el bien sobre el mal, la vida sobre la muerte. Dios es un juez justo que retribuirá a los que pecan y no se arrepienten. Esta enseñanza también anima a los justos a perseverar en la confianza en el Señor hasta el día final.

La literatura joánica

Como hemos señalado antes, el Evangelio de Juan fija su atención en la escatología realizada. No obstante, el juicio que recae incluso ahora sobre quienes se niegan a creer en Jesús como Mesías tiene una dimensión futura. La ira de Dios permanece ahora sobre el que no cree en el Hijo, por lo que "no verá la vida" (Jn. 3:36; cf. 9:39-41). El verbo *opsetai* ("no verá") está en tiempo futuro, lo que sugiere que el juicio no puede limitarse al tiempo presente. Así lo confirma Juan 5:27-29, donde Jesús afirma una futura resurrección de justos e impíos en la que los primeros disfrutarán de la vida y los segundos sufrirán la condenación. Del mismo modo, en medio de uno de sus diálogos con los líderes religiosos, Jesús profetiza que morirán en sus pecados a menos que crean (Jn. 8:24). De nuevo, el verbo correspondiente está en tiempo futuro, *apothaneisthe* ("morirán"), lo que indica que la muerte en cuestión no se ha realizado plenamente.

Por el contrario, Jesús promete que el que obedezca su palabra "no verá jamás la muerte" (Jn. 8:51), lo que implica que el que se niegue a cumplirla experimentará la muerte. El contexto del discurso revela que la muerte en cuestión no es meramente física. La palabra que Jesús ha pronunciado durante su ministerio en la era presente servirá como vehículo de juicio en el último día (Jn. 12:48).

Las Epístolas joánicas, al igual que el Evangelio de Juan, se centran en la escatología del presente. Sin embargo, el mundo actual "pasa" (1 Jn. 2:8, 17), y solo los que hacen la voluntad de Dios permanecen para siempre, lo que implica un juicio futuro. Cuando Jesús se manifieste, el día del juicio habrá llegado (1 Jn. 2:28). Solo los que practican el amor gozarán de confianza ante Dios cuando llegue el juicio (1 Jn. 4:17). Hay pecado que lleva a la muerte (1 Jn. 5:16), y dado el contexto de 1 Juan en su conjunto, la muerte que se contempla no debe identificarse con la muerte física, sino más bien con el juicio final.[65] Esto encaja con la amenaza que plantean los secesionistas (1 Jn. 2:19). Afirman tener comunión con Dios y con Cristo, pero no pertenecen realmente al pueblo de Dios (1 Jn. 1:6-10; cf. 2:3-6; 4:1-6). Esto también concuerda con 2 Juan 8, donde se exhorta a los creyentes a no perder su recompensa por prestar atención a la enseñanza docetista acerca de Jesús (2

---

[65] Acertadamente Marshall 1978a: 247–49; Smalley 1984: 297–98.

Jn. 7), y donde se dice que los que sucumben a tal enseñanza no pertenecen al Padre ni al Hijo (2 Jn. 9).

Si el Evangelio de Juan y las Epístolas joánicas se caracterizan por una escatología realizada, Apocalipsis destaca por su escatología futura y su énfasis en un juicio y una salvación por venir. Esta dramática diferencia confirma para muchos la imposibilidad de que el apóstol Juan sea el autor de Apocalipsis. Hay que reconocer, sin embargo, que hay textos que se refieren al juicio y la salvación futuros en el Evangelio de Juan y en las Epístolas joánicas. De ahí que las diferencias puedan explicarse por las circunstancias que dieron lugar a los distintos escritos. Los eruditos del Nuevo Testamento han aislado con demasiada frecuencia los documentos del Nuevo Testamento de su origen y han olvidado su propia máxima de que los escritos son ocasionales.

Como resultado, han leído los escritos del Nuevo Testamento como si contuvieran la teología global del escritor en cuestión. Si recordamos los propósitos de cada escrito, el mayor énfasis en el futuro que vemos en Apocalipsis puede explicarse por la situación que evocó su redacción y el género que Juan eligió adoptar.

El tema del juicio impregna el libro de Apocalipsis.[66] No todos los juicios profetizados están relacionados con el juicio final, aunque los juicios de la historia sirven de preludio y anticipación del juicio final. En Apocalipsis, el juicio se representa mediante la apertura de siete sellos (Ap. 6:1-17; 8:1), el sonido de siete trompetas (Ap. 8:2-9:21; 11:15-19) y el derramamiento de siete copas (Ap. 15:5-16:21). El número "siete" designa lo completo y definitivo del juicio de Dios. Los sellos, las trompetas y las copas aumentan en severidad, hasta que el juicio de las copas trae devastación sobre toda la tierra. Los primeros cinco sellos caracterizan la historia humana desde el momento de la cruz y resurrección de Cristo hasta el tiempo del fin (Ap. 6:1-11). Durante este período de tiempo hay guerras, hambrunas, muerte y persecución y martirio del pueblo de Dios.

---

[66] Apocalipsis está profundamente influenciado por el AT. Sobre el uso del AT en Apocalipsis, véase Moyise 1995; Beale 1984. Moyise se centra en la intertextualidad, y Beale hace hincapié en la naturaleza formativa de Daniel en el uso que Juan hace del AT. Moyise afirma, con razón, que Beale sobrepasa la evidencia al considerar que todo el libro ha sido modelado a partir de Daniel.

Curiosamente, las mismas características marcan el tiempo del fin según los Evangelios Sinópticos, pues Jesús predice guerras (Mt. 24:6-7), hambrunas (Mt. 24:7) y persecución (Mt. 24:9-13). Los seis primeros juicios de las trompetas sirven de preludio al fin y también pueden designar toda la historia entre la cruz y la resurrección. Dado el lenguaje apocalíptico utilizado, es difícil especificar la naturaleza de los juicios.[67] Las cuatro primeras trompetas traen la devastación a un tercio del mundo: a la vegetación, la vida en y sobre el mar, las aguas dulces, y el sol y la luna (Ap. 8:6-12). Las langostas demoníacas también atormentan tanto a los seres humanos que anhelan morir (Ap. 9:1-11), y un tercio de los seres humanos son asesinados por una caballería demoníaca (Ap. 9:13-19). Los seis primeros juicios de la copa son mucho más severos y parecen representar el juicio o juicios finales que indican que el fin es inminente (Ap. 16:2-16). Los que adoran a la bestia reciben una llaga maligna, el mar se convierte en sangre y todo lo que hay en él perece, toda el agua dulce se convierte en sangre, los malvados son abrasados por el calor, el mundo se sume en las tinieblas y se avecina la batalla final de Armagedón.

Los sellos, las trompetas y las copas aumentan en intensidad, y sin embargo también parece que se solapan, pues en todos los casos los juicios culminan al final. Los sellos y las trompetas parecen caracterizar el tiempo desde la muerte y resurrección de Cristo hasta el momento del fin, mientras que las copas parecen incluir acontecimientos que preceden inmediatamente al fin. Sin embargo, el sexto sello, la séptima trompeta y la séptima copa señalan la llegada del fin. Una característica curiosa es que el fin parece comenzar con el sexto sello en lugar del séptimo. No obstante, parece que el séptimo sello es un recurso literario diseñado para introducir las siete trompetas (Ap. 8:1-5), y la conexión literaria entre los sellos y las trompetas explicaría por qué el fin se anuncia con el sexto sello.[68] No hay duda de que la séptima trompeta introduce el fin, pues Juan indica específicamente que los

---

[67] Bauckham (1993a: 20) sostiene que las imágenes del juicio en Apocalipsis no deben tomarse literalmente: "Juan ha tomado algunas de las peores experiencias y los peores temores de sus contemporáneos ante las guerras y los desastres naturales, los ha inflado hasta proporciones apocalípticas y los ha presentado en términos bíblicamente alusivos".

[68] Véase Beale 1999b: 445-46.

reinos del mundo están ahora bajo el reinado del Señor Mesías, y que reinará para siempre (Ap. 11:15).

Dios ha tomado su poder y ha comenzado a reinar (Ap. 11:17). Del mismo modo, la séptima copa se introduce con las palabras: "Hecho está" (Ap. 16:17). La historia ha llegado a su clímax. Una de las características notables de Apocalipsis es su naturaleza cíclica, de modo que el final de la historia se presenta repetidamente en el libro. Por lo tanto, Apocalipsis no representa una línea argumental continua de principio a fin, sino que la historia se esquematiza de varias maneras diferentes, y Juan lleva al lector al final de todas las cosas y luego comienza la historia de nuevo. La totalidad de la historia y su final se describen, por tanto, de diversas maneras. Al tratar el mismo tema varias veces, Juan ofrece a sus lectores diversas perspectivas sobre la historia y el juicio y la salvación venideros.

Cuando examinamos el sexto sello (Ap. 6:12-17), es evidente, por el resto del libro y por el lenguaje utilizado en el propio sello, que este representa el juicio final.[69] El sexto sello comienza con un terremoto (Ap. 6:12). En otras partes de Apocalipsis, un terremoto simboliza que ha llegado el fin de la historia.[70] Cuando el ángel arroja el incensario a la tierra que inaugurará el toque de las siete trompetas, se produce un terremoto, pues las siete trompetas anuncian la llegada del fin (Ap. 8:5). La caída de la ciudad del hombre y la vindicación del pueblo de Dios coinciden con un terremoto (Ap. 11:13). Cuando la séptima trompeta ha sonado y los reinos del mundo se han convertido en los reinos de Cristo, se produce un terremoto (Ap. 11:19).

Así también, cuando se derrama la séptima copa, un gran terremoto sacude la ciudad de Babilonia (Ap. 16:18). El final también va acompañado de truenos y relámpagos (Ap. 8:5; 11:19; 16:18) y una gran tormenta de granizo (Ap. 11:19; 16:21). Se abre el templo de Dios y aparece el arca del pacto, desaparecida desde los días de Jeremías (Ap. 11:19). Se nos dice que el tabernáculo del testimonio se abre antes de que se derramen las siete copas (Ap. 15:5). El trueno, el relámpago y la tormenta de granizo indican que el día del juicio de Dios ha llegado, un juicio imponente y terrible. La apertura del templo y la manifestación del arca sugieren que Dios está a punto de revelarse a su pueblo de una manera nueva, dramática y culminante.

---

[69] Acertadamente Beale 1999b: 396-401.
[70] Véase Bauckham 1977.

Volvemos al sexto sello y observamos que tiene todas las características del juicio final. El lenguaje del sexto sello recuerda el día del Señor en el Antiguo Testamento (cf. Is. 13:10; 34:4; Jl. 2:10). El sol se vuelve negro y la luna roja como la sangre, las estrellas se precipitan a la tierra y el cielo se enrolla como un pergamino (Ap. 6:12-14). El fin se acerca y el cosmos se tambalea y se desmorona. La disolución del mundo se confirma por el desplazamiento de montañas e islas (Ap. 6:14). Del mismo modo, el juicio final y el fin se indican por la huida de las islas y la ausencia de las montañas en la séptima trompeta (Ap. 16:20).[71] El juicio del "gran trono blanco" de Apocalipsis representa el mismo acontecimiento, pues en el momento del juicio la tierra y el cielo huyen de la presencia de Dios (Ap. 20:11).

El mundo tal como lo conocen los seres humanos ya no existe. La consumación de todas las cosas también se retrata cuando todos los seres humanos se esconden en cuevas y en las montañas, suplicando que las rocas y las montañas caigan sobre ellos para que sean librados de la ira de Dios y del Cordero (Ap. 6:15-16). Una vez más, la imagen del ocultamiento remite al día del Señor en el AT (Is. 2:10, 19), y la súplica a los montes para que caigan sobre ellos alude al juicio proclamado en Oseas (Os. 10:8).

Los juicios de los sellos, las trompetas y las copas representan la ira de Dios y del Cordero (Ap. 6:16-17; 11:18; 15:1, 7; 16:1, 19). Cuando Dios derrame su ira, completará su justo juicio y destruirá a los que han devastado la tierra (Ap. 11:18; 15:1). Las imágenes de Apocalipsis 8:1-5 indican que los juicios derramados son también resultado de las oraciones de los santos.[72] Dios responde a su pueblo vindicándolo y demostrando así que es justo (Ap. 6:9-11). Los juicios de Dios que conducen al juicio final y lo anticipan están diseñados para provocar que los seres humanos se arrepientan y se aparten de sus pecados (Ap. 9:20-21; 16:9, 11).

Por desgracia, la mayoría no se apartará de su pecado e idolatría cuando sean juzgados; en lugar de arrepentirse, se encolerizarán contra Dios y le maldecirán por el dolor que se les inflige. Juan hace especial hincapié en que los juicios de Dios son justos (Ap. 15:3-4; 16:5-7; 19:2). A diferencia de los actos de una deidad enloquecida y ebria de furia, los juicios de Dios no son arbitrarios ni caprichosos. Sus juicios demuestran que es santo, veraz y justo.

---

[71] Véase R. Mounce 1977: 304; Beale 1999b: 844.
[72] Véase Caird 1966: 107; R. Mounce 1977: 182-83; Beale 1999b: 454-57.

No cuestionan su bondad, sino que la verifican. Los malvados merecen los juicios de Dios porque han derramado la sangre del pueblo de Dios de forma gratuita y maliciosa (Ap. 16:6; 19:2). Los juicios de Dios representan su justa compensación por el mal que los impíos han infligido a otros.

Los sellos, las trompetas y las copas no agotan el tema del juicio en Apocalipsis. La frase "los que habitan sobre la tierra" llega a ser un término técnico para referirse a los incrédulos (Ap. 3:10; 6:10; 8:13; 11:10; 13:8, 12; 17:2, 8; cf. 13:14). Sus nombres no están inscritos en el libro de la vida y adoran a la bestia en vez de al Dios vivo y verdadero (Ap. 13:8, 12; 17:8). Quedan deslumbrados por los signos y prodigios que hace el falso profeta para realzar la estatura de la bestia (Ap. 13:14), y beben profundamente del vino de la prostitución de Babilonia (Ap. 17:2). Se regocijan con la muerte del pueblo de Dios (Ap. 11:10). Por lo tanto, se enfrentarán a la inminente hora de la prueba y el ay (Ap. 3:10; 8:13).

El juicio final también se representa en la inminente caída de Babilonia (Ap. 14:8; 16:19; 17:1-19:5). Babilonia es descrita como una ramera (Ap. 17:1, 15-16; 19:2) que ha corrompido el mundo. El uso del término "Babilonia" para describir al enemigo de Dios se inspira en el AT, donde Babilonia es la gran ciudad que se opone a las cosas de Dios (p. ej., Is. 13:1-14:23; 21:9; 47; Jer. 50:1-51:64). Según Juan, es evidente que Babilonia es la ciudad de Roma (Ap. 17:1, 18). Roma será juzgada por su prostitución (Ap. 17:2). La ciudad disfrutaba de un lujo deslumbrante (Ap. 17:4), y una increíble cantidad de mercancías afluían a ella, por lo que reyes y mercaderes se lamentarán de su caída (18:3, 9-19).

Roma caerá a causa de su blasfemia y persecución del pueblo de Dios (Ap. 17:3, 6; 18:24; 19:2). Juan subraya que el juicio de Roma implica que la ciudad recibe lo que se merece (Ap. 18:4-8), y revela el poder, la fuerza y la soberanía de Dios sobre todas las cosas.[73] Dios ha vindicado a su pueblo juzgando a Roma, y por eso los santos se regocijarán (Ap. 18:20). Todo el cielo resonará

---

[73] Bauckham (1993a: 20-21) observa acertadamente que las imágenes del juicio de Babilonia no deben ser forzadas para que representen el juicio literal de Roma. Por un lado, Babilonia perece en un terremoto (Ap. 16:17-21); por otro, la ciudad es tratada como una ramera que "es despojada, devorada y quemada por la bestia y los diez reyes" (Bauckham 1993a: 21). Por último, la ciudad se convierte en morada de las "criaturas del desierto" y, sin embargo, el humo de la ciudad asciende eternamente (Ap. 18:2; 19:3). Juan no espera que los lectores hagan la gimnasia mental de intentar explicar la coherencia literal de cada uno de estos juicios.

con alabanza y honor y adorará a Dios por su salvación, gloria y poder (Ap. 19:1-5). Se llenarán de alabanza por los justos juicios de Dios y la vindicación de su pueblo cuya sangre ha sido derramada por Babilonia.

El juicio sobre la tierra es, en última instancia, obra del Hijo del Hombre, y se representa, como en el Antiguo Testamento, como una siega y cosecha de la tierra (Ap. 14:14-16; cf. Jl. 3:12-13; Jer. 51:33).[74] El juicio también se representa como la recogida de la vendimia y el pisoteo de las uvas en el que la sangre de las uvas fluye por todas partes (Ap. 14:17-20). Ya hemos dicho que cuando Jesús venga, vendrá como juez para destruir a los impíos (Ap. 19:11-21). Una vez más, la imagen del lagar denota el derramamiento de su ira (Ap. 19:15), y el manto bañado en sangre (Ap. 19:13) no designa la redención, sino la sangre que se derrama en el juicio (cf. Is. 63:1-7). Tanto el falso profeta como la bestia son juzgados y arrojados al lago de fuego (Ap. 19:20). La espada que sale de la boca de Jesús mata al resto (cf. Ez. 38:20-23), y las aves que Ezequiel profetizó que consumirían a los seres humanos (Ez. 39:4, 17-20) se atiborrarán de carne humana (Ap. 19:17-21).

El juicio final también se describe en el juicio del "gran trono blanco" (Ap. 20:11-15). Aquellos cuyos nombres estén inscritos en el libro de la vida se librarán del juicio. Todas las personas en todas partes serán evaluadas según sus obras, y los que hayan practicado el mal serán arrojados al lago de fuego. Juan afirma en otra parte que el juicio final será según las obras de las personas (Ap. 22:12). Ningún impuro entrará en la nueva Jerusalén, ni tampoco los que hacen lo abominable o practican la mentira (Ap. 21:27). El mismo mensaje se afirma cuando Jesús habla de los que no forman parte de la nueva Jerusalén: "Afuera están los perros, los hechiceros, los inmorales, los asesinos, los idólatras, y todo el que ama y practica la mentira" (Ap. 22:15). Del mismo modo, quienes añadan o resten a las palabras proféticas de Juan experimentarán las plagas amenazadas y no comerán del árbol de la vida ni entrarán en la ciudad santa (Ap. 22:18-19).

---

[74] Algunos estudiosos sostienen que tanto la cosecha del grano como la de la vendimia simbolizan el juicio (R. Mounce 1977: 279-83; Aune 1998: 801-3; Beale 1999b: 770-84), mientras que otros piensan que la cosecha del grano representa la salvación y la de la vendimia el juicio (Bauckham 1993b: 290-96; Osborne 2002: 549-56). El trasfondo veterotestamentario de Joel 3 sugiere que se trata de un juicio. Véanse también los convincentes argumentos de Beale y Aune.

Hemos observado en varios textos que el juicio final se describe como "el lago de fuego" (Ap. 19:20; 20:10, 14-15).[75] El lago de fuego es la morada final de la bestia y el falso profeta (Ap. 19:20), el diablo (Ap. 20:10), la muerte y el Hades (Ap. 20:14-15), y aquellos cuyos nombres no están escritos en el libro de la vida.[76] El castigo del lago de fuego, como sugiere la imagen ígnea, implica tormento eterno (Ap. 20:10). Además, el lago de fuego se identifica con la muerte segunda (Ap. 20:14), y la expresión "muerte segunda" sugiere una muerte definitiva y final de la que no hay retorno. Los que no logren vencer serán destruidos por la muerte segunda (Ap. 2:11), mientras que los que disfruten de la primera resurrección nunca experimentarán la muerte segunda (Ap. 20:6).

Por el contrario, los que practican el mal no escaparán a la segunda muerte; serán borrados del libro de la vida (Ap. 3:5). Esto queda claro en Apocalipsis 21:8: "Pero los cobardes, incrédulos, abominables, asesinos, inmorales, hechiceros, idólatras, y todos los mentirosos tendrán su herencia en el lago que arde con fuego y azufre, que es la muerte segunda". La muerte física no representa el castigo final, ya que los creyentes que experimentan la muerte física debido a su lealtad a Jesús no serán dañados por la segunda muerte (Ap. 2:10-11; 12:11). Jesús posee las llaves de la muerte y del Hades (Ap. 1:18) y triunfará sobre ellos para siempre (Ap. 20:14; 21:4). Anteriormente señalamos que los que están en el lago de fuego experimentan tormento eterno (Ap. 20:10).[77] El castigo futuro de los que adoran a la bestia se define en términos de tormento agonizante (Ap. 14:9-11). El tormento nunca cesa, y los que experimentan la ira de Dios "no tienen reposo, ni de día ni de noche" (Ap. 14:11).[78] Que el juicio futuro trae tormento se confirma en el caso de Babilonia, que se enfrentará al tormento por su prostitución (Ap. 18:7, 10, 15).

En resumen, el Evangelio de Juan y 1 Juan, con su escatología realizada, se centran en el juicio que se hace presente por la incredulidad y la desobediencia de los seres humanos. Sin embargo, incluso en estos escritos existe también el mensaje de un juicio final que lleva a término lo que ha

---

[75] Para el trasfondo, véase Osborne 2002: 690-91; Beale 1999b: 970.

[76] Contra Rissi 1966: 73-74, las puertas abiertas en Apocalipsis no significan que el lago de fuego no sea un lugar de estancia permanente.

[77] Por tanto, no se contempla la aniquilación (Osborne 2002: 715-16; Beale 1999b: 1028-30).

[78] El tormento dura para siempre, y los malvados no son exterminados (acertadamente Beale 1999b: 762-63; Osborne 2002: 541-43).

comenzado en la era actual. En Apocalipsis, en cambio, Juan se enfoca en el juicio final, y expresa su realidad de diversas maneras y con ardiente intensidad. Juan asegura a los justos que la maldad será castigada y que todos los que han abrazado el mal recibirán su merecido. Además, el mensaje del juicio final también sirve para animar a los justos a perseverar. Deben permanecer fieles hasta el final, pues no quieren enfrentarse al destino de los desobedientes.

La literatura paulina

En los escritos de Pablo, el juicio final se expresa de diversas maneras. A menudo se representa como el derramamiento de la ira (*orgē*) de Dios. Normalmente para Pablo, la ira de Dios es escatológica, denotando su juicio final, aunque vemos en Romanos 1:18-32 que la ira de Dios opera incluso ahora en que Dios remite a la gente a las consecuencias de su pecado aún en la era presente (cf. Ro. 4:15; Ef. 2:3).[79] La culminación y expresión final de la ira de Dios están reservadas para el día del juicio (Ro. 5:9; 1 Ts. 1:10; 5:9).

Los que no se arrepienten están acumulando ira contra sí mismos en el día venidero (Ro. 2:5), y experimentarán la justa furia de Dios (Ro. 2:8). La ira de Dios no es arbitraria; está destinada a los que continúan en la desobediencia (Ef. 5:6; Col. 3:6). Los cristianos deben abstenerse de la venganza y esperar la ira de Dios, que arreglará todas las cosas al final (Ro. 12:19). Algunos estudiosos han despersonalizado la opinión de Pablo sobre la ira de Dios, sosteniendo que debe entenderse como la consecuencia natural del pecado.[80] Esta opinión interpreta a Pablo a través de las lentes de la cultura y las predisposiciones occidentales, ya que Pablo se nutrió del Antiguo Testamento, donde está claro que la ira de Dios es personal. Separar la ira de Dios de su carácter refleja un deísmo que concuerda con las sensibilidades modernas, pero se desvía de una comprensión adecuada de Pablo.

Hemos visto en nuestra discusión que la ira está estrechamente relacionada con el juicio de Dios. Como señalamos en términos de la ira de Dios, su juicio es principalmente escatológico. Todas las personas comparecerán ante Dios en

---

[79] Contra Eckstein (1987), quien ve un derramamiento future de la ira de Dios incluso en Romanos 1:18–32.

[80] Véase Dodd 1932: 21–24; Green y Baker 2000: 51–56.

el juicio final (Ro. 3:5; 14:10). Él evaluará a todos según sus obras (Ro. 2:6; 2 Co. 5:10; 11:15; cf. 2 Ti. 4:14). Puesto que todo lo que una persona ha hecho será revelado exacta y completamente (1 Co. 4:5), el juicio de Dios concordará con la verdad (Ro. 2:2); es decir, concordará con la forma en que las cosas realmente son. Por lo tanto, nadie podrá quejarse de que el juicio es injusto, porque el juicio de Dios es "justo" (Ro. 2:5). Él juzgará imparcialmente a todos de acuerdo con su comportamiento (Ro. 2:6-11). Los que tienen la ley serán juzgados por si han guardado la ley, y los que carecen de la ley por si han vivido según la ley escrita en sus corazones (Ro. 2:12-13). El juicio de Dios sobre el comportamiento no caerá presa de la superficialidad, pues evalúa a todas las personas de acuerdo con sus "secretos" (Ro. 2:16), de modo que su evaluación final será indiscutible.

En 2 Tesalonicenses, Pablo subraya la justicia de Dios al juzgar. Dios no juzga arbitrariamente, sino que inflige castigo a los que odian la verdad y se deleitan en la maldad (2 Ts. 2:10-12). El castigo que reciben los impíos es justo, porque es una compensación equitativa por el maltrato que infligen a los creyentes (2 Ts. 1:6).[81] Pablo refleja aquí la visión de la *lex talionis* que se encuentra en el Antiguo Testamento, según la cual el castigo es proporcional al delito. El juicio de 2 Tesalonicenses 1 se produce en la segunda venida, cuando Jesús llega con sus poderosos ángeles (2 Ts. 1:7-10). Aquí encontramos un lenguaje que recuerda a las palabras de Jesús sobre el infierno que se dan en los sinópticos. Jesús vendrá con fuego y vengará a los que no conocen a Dios y a los que se han negado a obedecer el evangelio. Es probable que la destrucción contemplada dure para siempre (2 Ts. 1:9).[82] Los que son castigados quedan separados para siempre de la presencia misericordiosa del Señor.

La metáfora del fuego se utiliza en otros lugares para designar el proceso de aventamiento del juicio (1 Co. 3:13-15). A menudo la consecuencia final del juicio se designa como "perecer" o "destrucción" (*apollymi, apōleia* u *olethron*). Ya señalamos en 2 Tesalonicenses 1:9 que los que no son salvos se enfrentarán a la "destrucción eterna" cuando Jesús venga. Esta destrucción vendrá repentinamente y sin advertencia (1 Ts. 5:3). Los que hacen de las

---

[81] Véase Wanamaker 1990: 224.

[82] Véase Wanamaker 1990: 228–29; Morris 1959: 205–6; Best 1972: 261–62; Beale 2003: 188–89; cf. Marshall 1983: 178–80.

riquezas su dios acabarán siendo destruidos (1 Ti. 6:9). Del mismo modo, los que se oponen a los creyentes indican por su oposición que se dirigen a la destrucción (Fil. 1:28).

Los enemigos de la cruz que sirven a sus propios vientres y viven para las cosas terrenales serán destruidos (Fil. 3:19). El "hombre de pecado" prosperará por un tiempo, pero en última instancia está destinado a la "destrucción" (2 Ts. 2:3). Dios incluso ha ordenado quién experimentará la destrucción escatológica (Ro. 9:22). Sin embargo, tal afirmación nunca puede abstraerse del resto de lo que Pablo enseña, pues la destrucción viene porque las personas han pecado (Ro. 2:12) y porque han rechazado el mensaje de la cruz (1 Co. 1:18). A los que perecen no les atrae el mensaje de la cruz; les repugna y les huele a muerte (2 Co. 2:16).

Pablo también afirma que los que perecen lo hacen porque están cegados por Satanás (2 Co. 4:4), pero la obra cegadora de Satanás, una vez más, no exime a las personas de su responsabilidad personal. Claramente, Pablo piensa que aquellos que no recibieron el evangelio deberían hacerlo y son justamente culpables por no hacerlo.

La consecuencia del pecado también se describe como la muerte (Ro. 6:16, 21, 23; 8:6). La muerte ha entrado en el mundo y gobierna sobre todas las personas a causa del pecado de Adán (Ro. 5:12-19; 1 Co. 15:21). La muerte que aquí se contempla no puede limitarse a la muerte física o a la separación de Dios, pues conlleva ambas. La ley mosaica, aunque procede de Dios, no venció a la muerte, sino que se convirtió en un instrumento del pecado y, por tanto, también produjo la muerte (Ro. 7:5, 10, 13; 2 Co. 3:7). Pablo también describe el juicio final como una humillación o vergüenza escatológica (Ro. 9:33; 10:11; 1 Co. 1:27; cf. Fil. 1:20). Psicológicamente, el castigo futuro de los malvados implica angustia (Ro. 2:9; 2 Ts. 1:6) y aflicción (Ro. 2:9).

En resumen, en los escritos de Pablo el juicio final es el resultado de la ira de Dios y a menudo se describe en términos de destrucción y muerte. Representa la justa represalia de Dios sobre los que no creen en el evangelio y sobre los que se niegan a hacer su voluntad. Cabe señalar que uno de los propósitos de Pablo al hacer hincapié en el juicio final es animar a sus lectores a perseverar, recordándoles que no querrán correr la misma suerte que los impíos.

Hebreos

El carácter homilético de Hebreos, en el que el autor exhorta a sus lectores a no apostatar, establece los parámetros de la carta en su conjunto. Las exhortaciones y las sentencias amenazadoras se enmarcan en el propósito de animar y advertir a los lectores para que no se aparten del Dios vivo. El autor intenta motivar a sus lectores utilizando la imagen del escape del juicio. Los que abandonan la fe no escaparán de aquel que ha logrado una salvación tan grande y que les ha advertido desde el cielo (Heb. 2:3; 12:25). La recompensa futura es designada como reposo, y quienes endurezcan su corazón y continúen en la incredulidad y la desobediencia no disfrutarán del reposo de Dios (Heb. 3:11, 18-19; 4:3, 5).

En lugar de tener descanso, sufrirán, por así decirlo, de agotamiento y cansancio escatológicos. En Hebreos 6:7-8 el autor proporciona una ilustración del mundo de la agricultura. Los que cometen apostasía son comparados con los que han recibido lluvias refrescantes de Dios y, sin embargo, no han producido fruto, sino solo espinos y cardos. La vegetación que no produce fruto será maldecida y acabará siendo quemada. El autor utiliza la imagen de la quema para representar el juicio final y sugiere que los que se aparten serán maldecidos por Dios.[83]

Del mismo modo, en la severa advertencia contenida en Hebreos 10:26-31, el autor amonesta a los lectores sobre las consecuencias de abandonar deliberadamente el sacrificio de Cristo. El castigo es peor que la sentencia de muerte impuesta bajo el pacto mosaico. Los pecadores experimentarán el juicio de Dios y su fuego consumidor (Heb. 10:27; 12:29). La muerte física es claramente un resultado del pecado, ya que Satanás mantiene a la gente esclavizada por el miedo a la muerte (Heb. 2:14-15). Pero el autor de Hebreos contempla el juicio que sigue a la muerte (Heb. 9:27), lo que sugiere una sentencia aún más terrible que la muerte física que aguarda a quienes no obedecen al Señor. Dios derramará su venganza y su juicio sobre quienes abandonen el sacrificio de Cristo (Heb. 10:30). Se enfrentan a la aterradora idea de caer en las manos del Dios vivo (Heb. 10:31). Los que caigan en las manos justicieras de Dios descubrirán que él no muestra ningún deleite ni ternura hacia los que han sido demasiado timoratos como para perseverar

---

[83] Acertadamente Attridge 1989: 173.

(Heb. 10:38). Los que retroceden experimentarán finalmente la destrucción (*apōleia* [Heb. 10:39]).

Santiago

En Santiago, el juicio futuro es inseparable del carácter parenético de la carta. Por ejemplo, la consecuencia del pecado es la muerte (Stg. 1:15).[84] Asimismo, si una persona en pecado no se aparta del mal, la muerte será el resultado final (Stg. 5:20). Los ricos experimentarán la humillación escatológica en lugar de la exaltación (Stg. 1:10). El juicio de los ricos se compara con una hermosa flor. Cuando una flor florece y resplandece en la riqueza de su belleza, parece que nunca se marchitará (Stg. 1:11). Pero el juicio de Dios es como el sol, porque, así como el golpeteo constante del sol día tras día hace que una flor se marchite y caiga del tallo de modo que su belleza se pierda, así también los ricos desaparecerán en el día del juicio.

Vemos en otra profecía que los ricos serán juzgados (Stg. 5:1-6). Los ricos son aquellos que han explotado a los pobres y les han retenido el salario. En el último día, sin embargo, los ricos gemirán de dolor por su inminente miseria. Las riquezas en las que confían se desvanecerán. Su tesoro en el último día será el castigo, no la riqueza. El párrafo siguiente indica que este juicio se desencadenará el día en que regrese el Señor (Stg. 5:7-9). Jesús es el juez que está a la puerta. Aquellos que no muestren misericordia hacia los demás se verán privados de misericordia en el último día (Stg. 2:13), pues solo Dios es el juez de todos (Stg. 4:12).

1 Pedro

En su primera carta, Pedro hace referencia a la recompensa que recibirán los creyentes mucho más de lo que habla del juicio, quizá porque pretende centrarse en la futura bendición prometida a los creyentes que sufren. Aun así, se hacen algunas afirmaciones sobre el juicio de Dios. Dios es un juez imparcial que evalúa a las personas según sus obras (1 P. 1:17). Jesús no recurrió a las amenazas ni a la venganza, pues estaba persuadido de que Dios

---

84 Sobre la escatología de Santiago, véase Chester 1994: 16–20.

juzgaría con justicia en el último día a quienes lo maltrataron (1 P. 2:23). Dios muestra su favor a los justos, pero el día del juicio aparta su rostro de los que practican el mal (1 P. 3:12).

Los que ridiculizan y persiguen a los creyentes pueden gozar actualmente de la aprobación social, pero tendrán que dar cuenta final a Dios como juez en el último día (1 P. 4:5).[85] Incluso ahora los creyentes se enfrentan a un juicio purificador a través del sufrimiento, por lo que se deduce que la retribución para los incrédulos será mucho peor (1 P. 4:17-18).

2 Pedro y Judas

El tema del juicio impregna las breves cartas de 2 Pedro y Judas. En ambas cartas los falsos maestros han amenazado a la iglesia, y los autores prometen que estos maestros experimentarán consecuencias adversas por sus acciones. Parece que tanto en 2 Pedro como en Judas los falsos maestros propugnaban el libertinaje (2 P. 2:1-3; Jud. 4). Estos maestros rebosaban confianza y ordenaban con autoridad a los demás (2 P. 2:10-12; Jud. 8-10), pero ambos autores responden enfatizando que el juicio sobre los que se entregan al mal será certero. Tanto Pedro como Judas recuerdan a sus lectores los juicios que Dios llevó a cabo en la historia:[86] el diluvio (2 P. 2:5; 3:6); los ángeles que violaron su propio ámbito en la época anterior al diluvio (2 P. 2:4; Jud. 6); el juicio sobre los israelitas que pecaron en el desierto (Jud. 5); la destrucción de Sodoma y Gomorra (2 P. 2:6; Jud. 7). El castigo de los ángeles en la historia anticipa el juicio final que recibirán en el día del juicio (2 P. 2:4; Jud. 6). La

---

[85] En 1 Pedro 4:6, Pedro no indica que el evangelio se proclamará a los físicamente muertos, sino que advierte que los desobedientes serán juzgados por Dios. Por lo tanto, la iglesia debe soportar la persecución, ya que, si se unen a las filas de los malvados, ellos también serán juzgados. La advertencia que Pedro hace aquí a los justos quedaría privada de su fuerza si añadiera inmediatamente que los desobedientes tendrán otra ocasión después de la muerte física para oír el evangelio y librarse del juicio. ¿Por qué sería tan crucial para los justos persistir en la fe si ellos, junto con sus perseguidores, recibirán una segunda oportunidad más tarde? La interpretación más probable del versículo, por tanto, es que Pedro se refiere a los creyentes que oyeron y creyeron en el evangelio cuando estaban vivos, pero que habían muerto desde entonces. Para este punto de vista, véase Achtemeier 1996: 290-91; J. Elliott 2000: 733-34. Para un análisis más detallado del texto, véase Schreiner 2003: 205-10.

[86] Los detalles de ambos textos son objeto de debate. Véase Schreiner 2003: 335-41, 441-54.

destrucción ardiente de Sodoma y Gomorra funciona como un tipo del "fuego eterno" (Jud. 7; cf. 2 P. 2:6).

Los juicios de Dios en la historia, por tanto, sirven como preludio y anticipación del juicio final. Garantizan que Dios condenará a los impíos, porque Dios ha prescrito su juicio desde el principio (Jud. 4). Estos ejemplos también demuestran que, aunque los juicios de Dios no son inmediatos, son seguros (2 P. 2:9). La demora no durará para siempre (2 P. 2:3). Dios ha reservado los cielos y la tierra actuales para un juicio ardiente que supondrá la "destrucción de los impíos" (2 P. 3:7). Pedro utiliza el lenguaje del día del Señor para esbozar el juicio, apelando a un tema común del Antiguo Testamento (2 P. 3:10). También alude a las palabras de Jesús, pues dice que el día del juicio sorprenderá a los impíos y llegará como un ladrón. Los cielos y la tierra actuales pasarán, y los elementos del mundo se disolverán (2 P. 3:10-12).

Los falsos maestros distorsionan tanto los escritos de Pablo como las Escrituras del Antiguo Testamento, por lo que se enfrentarán a la destrucción escatológica (2 P. 3:16; cf. 2:1). Su destrucción se compara con la corrupción y disolución de los animales (2 P. 2:12). Judas pronuncia un oráculo de juicio sobre los que imitan a Caín, Balaam y Coré (Jud. 11). La imagen de "la oscuridad de las tinieblas" se usa para describir el juicio inminente (Jud. 13). Curiosamente, Judas cita una profecía de 1 Enoc 1:9 en apoyo del juicio venidero (Jud. 14-15). Esta profecía se centra en la venida de Cristo y enfatiza que todos los impíos serán juzgados por sus vidas impías.

Conclusión

Con frecuencia, los escritores del Nuevo Testamento enseñan que habrá un juicio futuro y definitivo sobre los impíos. Dios manifestará su juicio castigando a los que se nieguen a creer en el evangelio y a los que hayan desobedecido su voluntad. Tal juicio se describe de diversas maneras, pero es evidente que implicará tormento físico y psicológico y durará para siempre. Tal juicio da testimonio de la justicia de Dios, asegurando a los creyentes que aquellos que practican el mal recibirán una justa recompensa por sus acciones. Además, el juicio sirve de motivación para que los justos perseveren, ya que, si se unen a los malvados, se enfrentarán al mismo destino que espera a los que han rechazado el evangelio.

Recompensa

Los Evangelios Sinópticos y Hechos

Hemos visto en los Evangelios Sinópticos que los que se niegan a arrepentirse cuando se proclama el mensaje del reino se enfrentarán al juicio, y se deduce como corolario que los que crean y obedezcan recibirán una recompensa final. Muchas de las Bienaventuranzas prometen un beneficio escatológico a quienes sean discípulos de Jesús. Los afligidos recibirán consuelo; los mansos heredarán la tierra; los hambrientos de justicia serán saciados; los misericordiosos conocerán la misericordia de Dios; los limpios de corazón verán a Dios; los pacíficos serán hijos de Dios (Mt. 5:4-9; cf. Lc. 6:21). Cada una de las Bienaventuranzas transmite aspectos diferentes de la recompensa del final de los tiempos prometida a los seguidores de Jesús. Quizá la recompensa de los discípulos quede mejor reflejada en la promesa de que verán a Dios (Mt. 5:8). Otra forma de expresarlo es que se darán cuenta plenamente de lo que significa ser hijos de Dios, o que la justicia que anhelan será su posesión. Los malvados ya no oprimirán a los justos ni dominarán el mundo; llegará un día en que reinará la paz y los humildes disfrutarán de una nueva creación. Los que ahora son perseguidos tienen garantizada una recompensa asombrosa en el cielo (Mt. 5:12; par.).

Jesús no enseñó una ética kantiana desinteresada. Prometió a sus discípulos recompensas notables si le seguían.[87] La práctica de la religión para impresionar a la gente debe evitarse porque aquellos cuya piedad está diseñada para ganar elogios de los seres humanos no recibirán una recompensa final de Dios (Mt. 6:1). Tres ejemplos de este principio se despliegan para ilustrar la enseñanza de Jesús en los ámbitos de la limosna, la oración y el ayuno (Mt. 6:2-18).

Jesús utiliza ejemplos pintorescos para transmitir el intenso deseo del corazón humano de obtener la alabanza de los demás. Solo los que practican

---

[87] Sobre este tema, véase Piper 1979.

la piedad con autenticidad y al margen de la mirada de los demás recibirán una recompensa escatológica. Es evidente que Jesús no reniega del deseo de recibir tal recompensa, sino que apela a él, pues enseña sistemáticamente que quienes complacen a los seres humanos perderán su recompensa, mientras que quienes viven para honrar a Dios saldrán beneficiados. Del mismo modo, los discípulos de Jesús no deben acumular riquezas en esta tierra, pues tales tesoros perecerán (Mt. 6:19-29; par.). En cambio, deben usar el dinero de tal manera que acumulen tesoros en el cielo. Los que se liberan de preocupaciones y dan para ayudar a los demás disfrutarán de "un tesoro en los cielos que no se agota" (Lc. 12:33). Al joven rico se le asegura que también tendrá ese tesoro en el futuro si vende sus posesiones y se hace discípulo de Jesús (Mt. 19:21; par.).

Como era de esperar, la recompensa prometida se transmite con diversas imágenes. Los que reconocen a Jesús ante otros humanos serán reconocidos por Jesús en presencia del Padre el día del juicio (Mt. 10:32; par.). Renunciar a la propia vida por causa de Jesús es una perspectiva aterradora, pero en última instancia merece la pena porque quienes entregan su vida acabarán encontrándola (Mt. 10:39; par.; 16:25; par.). Los que acogen y apoyan a profetas, justos y discípulos que confían en Jesús serán recompensados (Mt. 10:41-42; par.).

Así también, quienes amen a sus enemigos recibirán una recompensa impresionante en el cielo (Mt. 5:44-48; par.). Una de las imágenes más sorprendentes del beneficio que recibirán los creyentes aparece en la parábola de Jesús sobre los esclavos vigilantes (Lc. 12:35-40). Aquellos esclavos que hagan la voluntad del amo recibirán una bendición cuando Jesús regrese. El amo se ataviará como un esclavo y les servirá cuando regrese para que disfruten del banquete escatológico (cf. Mt. 26:29; par.). A los discípulos se les promete un papel especial en el juicio de las doce tribus de Israel (Mt. 19:28; par.), y aquellos que lo han arriesgado todo por Jesús recibirán una recompensa mucho mayor de lo que imaginaban, además de recibir la "vida eterna" (Mt. 19:29; par.).

Los Sinópticos no hablan a menudo de la recompensa futura en términos de "vida eterna", pero el término aparece en el relato del joven rico (Mt. 19:16; par.), y es la recompensa que reciben los justos en la parábola de las ovejas y las cabras (Mt. 25:46). La recompensa futura para los discípulos también puede describirse como la recepción del reino, con la promesa de que el Padre se goza en conceder el reino a los suyos (Lc. 12:32). Jesús habla de los que son justificados o vindicados ante Dios por sus palabras (Mt. 12:37). Mateo también recoge el lenguaje de Daniel (Dn. 12:3), asegurando a los que hacen la voluntad de Dios que "resplandecerán como el sol" en el reino del Padre (Mt. 13:43). Los malos y los justos no coexistirán juntos para siempre, pues en la consumación de la era serán separados unos de otros (Mt. 13:49). Los que han entregado su vida por causa de Jesús la encontrarán (Mt. 16:24-27; par.). Los que hayan hecho fielmente lo que Dios mandó serán perdonados en el día del juicio (Mt. 24:40-41; par.). Los esclavos fieles recibirán puestos de responsabilidad en el reino venidero (Mt. 24:47; par.). Los que hayan utilizado fielmente sus talentos serán recompensados (Mt. 25:14-30; par.). Los que hayan prestado sus cuidados a otros cristianos hambrientos, enfermos, resfriados o encarcelados serán recompensados con el reino futuro y la vida eterna (Mt. 25:31-46).

Los Sinópticos rara vez hablan de la recompensa futura en términos de la resurrección de los creyentes; se centran más bien en la resurrección de Jesús de entre los muertos. El debate de Jesús con los saduceos deja claro que la resurrección de los muertos formaba parte de la esperanza escatológica de los creyentes (Mt. 22:23-33; par.). Jesús argumenta a partir de textos como Éxodo 3:6 que la resurrección futura será la porción de Abraham, Isaac y Jacob (Mt. 22:32; par.). La expresión "Yo soy el Dios" de estos patriarcas indica que están vivos ahora en un estado incorpóreo y que recibirán su resurrección en el futuro.[88] La única otra referencia clara a la resurrección de los creyentes se produce en Lucas 14:14: quien muestra bondad en lo material a los necesitados será "recompensado en la resurrección de los justos".

Naturalmente, la predicación misionera de Hechos se concentra en la resurrección de Jesús de entre los muertos, demostrando que su resurrección estaba enraizada en la profecía del Antiguo Testamento y en el testimonio de los testigos oculares (Hch. 1:22; 2:24-32; 3:15, 26; 4:2, 10, 33; 5:30; 10:40-41; 13:30-37; 17:3, 18, 31). Sin embargo, ya hemos señalado que la resurrección de Jesús representa la inauguración del fin y, por tanto, su resurrección garantiza la resurrección del pueblo de Dios (Hch. 4:2). De ahí que la resurrección de Jesús anime el ministerio de Pablo y le conceda la esperanza de una resurrección futura (Hch. 23:6). La esperanza de la

---

[88] Esto se explica convincentemente en Wright 2003: 423–426.

resurrección, sin embargo, no excluye la resurrección de los injustos, como aclara Hechos 24:15. La resurrección futura consumará la espera de los justos e introducirá el día del juicio para los que se han entregado al mal.

En resumen, la recompensa para los justos se comunica de diversas y pintorescas maneras en los Evangelios Sinópticos y se confirma también en Hechos. La recompensa no es otra que la vida eterna, pero se describe en términos de recibir misericordia, heredar la tierra, quedar satisfecho, disfrutar del banquete mesiánico, resucitar de entre los muertos y ver a Dios. Los creyentes se sienten motivados a seguir creyendo y obedeciendo por el maravilloso futuro que se les promete.

La literatura joánica

En el capítulo 2 observamos que Juan hace hincapié en la escatología realizada, prometiendo que los creyentes tienen vida eterna incluso ahora. Sin embargo, la expresión "vida eterna" también se refiere a la recompensa que los creyentes disfrutarán para siempre, pues la palabra "eterna" da a entender que la vida concedida nunca llega a su fin. Así lo sugiere el contraste entre tener vida eterna y perecer (Jn. 3:16; 10:28), pues, así como perecer sugiere un juicio futuro sobre los impíos, la vida eterna apunta a una vida que se extiende para siempre.[89] El que posee vida eterna ahora se librará del juicio venidero (Jn. 5:24). Los que miran por sí mismos y se aferran a sus vidas las perderán, mientras que los que odian sus vidas obtendrán la vida eterna (Jn. 12:25). La propia naturaleza de la vida eterna es que perdura y persiste (Jn. 6:27), por lo que no puede limitarse a la época actual.

El carácter futuro de la vida eterna queda confirmado por su relación con la resurrección futura. Jesús es "la resurrección y la vida" (Jn. 11:25). Esta resurrección tampoco puede definirse únicamente en términos de escatología realizada, ya que en varias ocasiones en el Evangelio de Juan la vida eterna está vinculada a la resurrección futura. Los que tienen vida eterna serán resucitados de entre los muertos por el Hijo en el día final (Jn. 6:40). Todos los entregados por el Padre al Hijo resucitarán en el último día, y ni uno solo de ellos se perderá (Jn. 6:39; cf. 10:28-29). Solo los atraídos por el Padre

---

[89] Obsérvese el tiempo futuro del verbo *apolōntai* en Juan 10:28.

vendrán al Hijo, y a ellos se les promete que disfrutarán de la resurrección salvadora en el último día (Jn. 6:44).

Del mismo modo, los que comen la carne de Jesús y beben su sangre tienen vida eterna ahora y serán resucitados por Jesús en el último día (Jn. 6:54). Es difícil determinar si la resurrección de los muertos realizada por el Padre en Juan 5:21 es espiritual o designa la resurrección física final. Sin embargo, no nos cabe duda de que Juan 5:28-29 se refiere a una futura resurrección física. Juan se refiere específicamente a los que saldrán de sus tumbas. Este texto debe distinguirse de Juan 6 porque la resurrección aquí incluye a justos e injustos. Los injustos resucitarán de entre los muertos, pero acabarán condenados, mientras que los que practicaron el bien disfrutarán de una resurrección de vida. Algunos académicos han suprimido las afirmaciones de Juan sobre la resurrección futura, argumentando que son interpolaciones que entran en conflicto con la escatología realizada por Juan.

Quienes recurren a interpolaciones, sin embargo, caen presa de sus propias concepciones de la teología joánica y la aplanan en lugar de percibir su plenitud y complejidad. Al insistir en que estos versículos son interpolaciones, obligan a Juan a adoptar una perspectiva unidimensional. Tal juicio fuerza a la teología joánica a una cuadrícula predeterminada en lugar de reconocer lo que realmente tenemos en el texto.

Las epístolas joánicas, dadas sus limitaciones, no se refieren con frecuencia a la recompensa de los creyentes al final de los tiempos. Juan sí reconoce la transición escatológica, de modo que la luz verdadera brilla ahora y las tinieblas se desvanecen (1 Jn. 2:8, 17). Por lo tanto, los que hacen la voluntad de Dios permanecerán para siempre (1 Jn. 2:17).[90] Los que permanecen en el Hijo y en el Padre recibirán la vida eterna prometida (1 Jn. 2:25). La vida eterna ocupa un lugar destacado en el Evangelio de Juan, por lo que la promesa de vida eterna en 1 Juan vincula los dos documentos (1 Jn. 1:2; 3:15; 5:11, 13, 20; cf. 5:12).

Aún no se ha desvelado del todo lo que serán los creyentes cuando Jesús regrese, pero se les promete una transformación moral para que sean como Jesús cuando él se manifieste y vean su rostro (1 Jn. 3:2-3). Cesará la lucha contra el mal que caracteriza la época actual y amanecerá una nueva era. Los

---

[90] Marshall (1978a: 146) dice: "Permanecerá de pie en medio de las tormentas del juicio". Cf. Smalley 1984: 88-89.

creyentes tampoco se paralizarán por el miedo cuando se acerque el día del juicio. A medida que el amor se perfecciona en ellos, esperan el día del juicio con confianza y valentía, convencidos por el amor que inunda sus corazones de que no serán castigados el día que llegue el juicio (1 Jn. 4:17-18).[91] Los creyentes están llenos de seguridad, sabiendo que ahora disfrutan de la vida eterna porque el Hijo de Dios reside en ellos (1 Jn. 5:12-13; cf. 2:12-14). La misma seguridad se encuentra en 2 Juan.

Los que tienen la verdad residiendo en ellos nunca la perderán; la verdad es para ellos una posesión permanente (2 Jn. 2). Sin embargo, para "recibir una recompensa completa" (2 Jn. 8 NRSV), los creyentes deben resistirse a la cristología docetista defendida por los engañadores. Esta recompensa no es un extra opcional, sino que es necesaria para la salvación, pues quienes prestan atención a la falsa cristología no pertenecen a Dios (2 Jn. 9).[92]

Así como Apocalipsis profundiza en el juicio futuro, también la recompensa futura de los creyentes ocupa gran parte de la atención de Juan. A los creyentes que sufren se les recuerda la consecuencia de no soportar y la gran bendición que recibirán si permanecen fieles. De hecho, el libro comienza con la promesa de bendición para quienes lean, escuchen y guarden el mensaje que contiene (Ap. 1:3). El libro se cierra con la misma promesa de bendición para quienes obedezcan el mensaje del libro (Ap. 22:7). La bendición es casi con toda seguridad la recompensa escatológica, como indican los restantes textos sobre la bendición en el libro.[93]

Los que "mueren en el Señor" recibirán la bendición y el descanso escatológico porque sus obras demuestran que pertenecen verdaderamente a Dios (Ap. 14:13). Así también, los que velan y permanecen despiertos y están revestidos de bondad serán recompensados con bendición cuando Jesús regrese (Ap. 16:15). La bendición del final de los tiempos está reservada para los invitados a la cena de bodas del Cordero (Ap. 19:17; cf. 3:20). Los que disfrutan de la primera resurrección son bendecidos (Ap. 20:6), porque han sido fieles a Jesús y se han negado a adorar a la bestia (Ap. 20:4). Los que han

---

[91] Véase Smalley 1984: 258-60.

[92] R. Brown 1982: 686-87; Smalley 1984: 330-32. Marshall (1978a: 72-73) es ambivalente en este punto.

NRSV – New Revised Standard Version

[93] Beale (1999b: 1127) considera acertadamente que la bendición es una recompensa escatológica.

lavado sus vestiduras son bienaventurados, en contraste con los que practican el mal y son desterrados de la ciudad santa (Ap. 20:14-15; 21:27). Si Juan describe la resurrección física, lo hace en su descripción de la primera resurrección, pero la cuestión de si la primera resurrección es literal o espiritual es objeto de intenso debate y no es necesario que lo abordemos aquí.[94]

Los que pertenecen a Jesús disfrutan del reino ahora y reinarán con él en el futuro (Ap. 1:6, 9; 5:10). Así como Jesús gobernará sobre las naciones con vara de hierro, también lo harán los seguidores de Jesús porque han vencido (Ap. 2:26-27; 3:21). Los que participen en la primera resurrección reinarán con Cristo durante mil años (Ap. 20:6), aunque la naturaleza de este reinado es objeto de intenso debate, y los eruditos difieren sobre si se refiere al reinado de los santos en el cielo durante el tiempo entre la resurrección y el regreso de Cristo o a un reinado de los santos en la tierra antes de la inauguración de los cielos nuevos y la tierra nueva.

El Imperio Romano, como la bestia, amenazó a la iglesia de Dios con la muerte, pero Juan asegura a sus lectores que triunfarán sobre la muerte.[95] Los que venzan recibirán la bendición que Adán nunca recibió, pues comerán del árbol de la vida en el paraíso y, por tanto, nunca morirán (Ap. 2:7). Juan describe figurativamente el árbol de la vida como un árbol con propiedades curativas (Ap. 22:2), y parece probable que la curación se refiera a la salvación final (cf. Ap. 22:18-19).[96] Solo aquellos cuyas vestiduras estén lavadas podrán participar del árbol (Ap. 22:14), y el lavado probablemente se refiera a aquellos purificados por la muerte de Jesús. Los que sean fieles a Jesús hasta la muerte recibirán una corona que es la vida eterna (Ap. 2:10). Puede que sufran la muerte física, pero la muerte segunda no los herirá (Ap. 2:11), y nunca serán borrados del libro de la vida (Ap. 3:5).

El gozo y la alegría de la recompensa futura se describen de diversas maneras en Apocalipsis. Los redimidos están de pie en el monte Sión, que simboliza el cielo, y tocan arpas y cantan un cántico nuevo de alegría (Ap.

---

[94] Para una útil discusión de los diversos puntos de vista, véase Grenz 1992. Para un argumento a favor del premilenialismo, véase Ladd 1977: 17-40; Blaising 1999: 157-227; Osborne 2002: 699-719; amilenialismo, Kline 1975; 1976; Hoekema 1979: 223-38; Beale 1999b: 972-1031; postmilenialismo, Chilton 1987: 493-529.

[95] Sobre la relación de la bestia con Nerón, véase Bauckham 1993b: 384-452.

[96] Véase Beale 1999b: 1108; Osborne 2002: 772.

14:1-3).[97] Los que pertenecen a Dios y al Cordero nunca padecerán hambre, sed ni calor intenso (Ap. 7:16). Toda lágrima será enjugada de sus ojos (Ap. 7:17; 21:4). El luto, el llanto y el dolor serán solo un recuerdo (Ap. 21:4). El Cordero saciará a su pueblo sediento con manantiales de agua de vida (Ap. 7:17; 21:6; 22:1, 17).

La gloria y la belleza del futuro preparado para el pueblo de Dios están simbolizadas en las vestiduras blancas y de lino fino que lucirán (Ap. 3:4-5, 18; 6:11; 7:9, 13-14; 19:8, 14), que representan la pureza y la plenitud que disfrutarán los santos. Los recompensados participarán del maná escondido (Ap. 2:17), que está reservado para los que pertenecen especialmente al Señor. Es probable que la piedra blanca se refiera a las piedras que servían como fichas de admisión que permitían entrar en una ciudad, significando así la entrada en la ciudad santa (Ap. 2:17). Los vencedores serán columnas en el templo de Dios, y en ellas estarán inscritos el nombre de Dios y el de la nueva Jerusalén (Ap. 3:12). En otras palabras, formarán parte de la nueva comunidad, los nuevos cielos y la nueva tierra.

Todas las bendiciones prometidas a los creyentes pueden resumirse en la promesa de que Dios mismo morará con su pueblo (Ap. 21:3).[98] La presencia permanente de Dios con su pueblo representa el cumplimiento de todas sus promesas pactuales y salvíficas y es el clímax de toda la historia de la redención. El cumplimiento de las promesas de Dios no puede limitarse a la consumación de la relación de Dios con los seres humanos. Dios cumple sus promesas en una nueva creación cuando crea un cielo nuevo y una tierra nueva (Ap. 21:1).[99]

La promesa de un cielo nuevo y una tierra nueva tiene sus raíces en el Antiguo Testamento. Vemos en Isaías que la creación del cielo nuevo y la tierra nueva transformará Jerusalén e introducirá una alegría y prosperidad que no tendrán fin (Is. 65:17-25). En este nuevo mundo, el lobo y el cordero vivirán juntos. El león ya no será carnívoro, y la serpiente (con alusiones al triunfo prometido en Génesis 3:15) comerá polvo. Quienes habiten la nueva Jerusalén

---

[97] Quizá tengamos aquí un esquema ya-no todavía (Beale 1999b: 732; Osborne 2002: 525).

[98] Beale (2004: 313-34) sostiene que en Apocalipsis encontramos la consumación de la historia de la redención en la llegada del nuevo templo.

[99] Véase Rissi 1966: 55-56.

adorarán a Dios para siempre. La nueva creación es inseparable de la creación de la nueva Jerusalén (Ap. 21:1-2), tal como se ha visto en Isaías 65:17-25.

¿La nueva Jerusalén es un lugar o un pueblo? Leemos sobre la nueva Jerusalén como una ciudad que desciende del cielo, y también se la compara con el pueblo de Dios como su esposa (Ap. 21:2). Así también, cuando el ángel le dice a Juan que le mostrará a la esposa del Cordero, su novia, Juan ve a la nueva Jerusalén descendiendo del cielo (Ap. 21:9-10). Probablemente sea mejor no optar aquí por una respuesta del tipo "o lo uno o lo otro", como si tuviéramos que elegir entre la nueva Jerusalén como lugar o como pueblo.[100] Es probable que Juan esté transmitiendo la verdad de que la nueva creación introduce un mundo nuevo y un pueblo nuevo, o consumado. Es a la vez un pueblo y un lugar, una novia asombrosamente hermosa y un nuevo mundo magníficamente luminoso.[101]

Esa lectura encaja con lo que Juan hace en otras partes: por ejemplo, Jesús es a la vez el León y el Cordero (Ap. 5:5-6). A Juan se le dice que Jesús es un león, pero cuando mira, ve un cordero; el hecho de que vea un cordero no excluye la verdad de que Jesús sea también un león. La descripción de la ciudad con sus puertas y cimientos (Ap. 21:12-14) respalda aún más la posibilidad de que sean "ambas cosas". La referencia a las puertas y los cimientos y a una muralla alta apoya una referencia a un lugar, pero también vemos que la ciudad contiene al pueblo de Dios de todas las épocas, pues los nombres de las doce tribus están inscritos en las puertas, y los de los doce apóstoles en los cimientos (Ap. 21:12-14).

Juan se aboca a describir la nueva Jerusalén, y el lenguaje empleado indica que escribe simbólicamente, pues intenta describir lo indescriptible, captar un mundo venidero más allá de la imaginación humana. Probablemente, lo más importante de la ciudad es que en ella rebosa la gloria de Dios (Ap. 21:11).[102] Quienes la habitan y la contemplan admiran la belleza, la hermosura, el poder y la fuerza de Dios. La belleza de la ciudad se compara con una joya preciosa que deslumbra (Ap. 21:11). La indescriptible hermosura de la ciudad se manifiesta en que su muralla es de jaspe, la ciudad misma de oro translúcido,

---

[100] Gundry (1987) cae en este error al afirmar que la nueva Jerusalén es un pueblo y, por tanto, excluye cualquier noción de lugar.

[101] Véase también Bauckham 1993a: 132-40; Osborne 2002: 733.

[102] Bauckham (1993a: 132-33) sostiene que también representa la montaña cósmica, el lugar donde se encuentran el cielo y la tierra.

los cimientos de la muralla con joyas deslumbrantes y las puertas con perlas deslumbrantes (Ap. 21:18-21). Las piedras representan el paraíso restaurado (Gn. 2:11-12; Ez. 28:13) y cumplen la profecía relativa a la nueva Jerusalén (Is. 54:11-12).[103]

El alto muro de la ciudad simboliza su inexpugnabilidad y seguridad frente a toda influencia maligna (Ap. 21:12).[104] En el mundo antiguo, las ciudades se fortificaban con murallas para impedir el fácil acceso de los enemigos. Esta muralla mide 144 codos (Ap. 21:17), un número que resulta de multiplicar doce por doce. El número simboliza, pues, la perfección de esta muralla. En la antigua creación ningún muro era perfecto. Todos estaban sujetos a las arenas del tiempo y a las vicisitudes de la historia. Pero este muro nunca será escalado y nunca se derrumbará. Juan procede a decir que la medida de 144 codos no es meramente una medida humana, sino que también es angélica. Por supuesto, nadie sabe lo que es una medida angélica; al referirse a los ángeles, Juan comunica a sus lectores que está escribiendo simbólicamente.[105]

Los malvados nunca podrán entrar por las puertas de la ciudad ni profanarla, pues la ciudad está reservada para los que han lavado sus vestiduras y comido del árbol de la vida (Ap. 22:14-15; cf. 21:27). La ciudad es un cubo perfecto, y su longitud, anchura y altura son de doce mil estadios (Ap. 21:16). También en el Antiguo Testamento el lugar santísimo era un cuadrado perfecto (1 R. 6:20)[106], y la alusión de Juan aquí al lugar santísimo pone de relieve el significado principal de la ciudad, pues, así como Dios habitó especialmente en el lugar santísimo con toda su imponente y temible majestad, así también habitará con gracia y majestuosidad en la nueva creación, la nueva Jerusalén. Las versiones inglesas que traducen *stadiōn dōdeka chiliadōn* como "mil quinientas millas" se equivocan por completo (p. ej., NASB),[107] privando al lector inglés del significado simbólico del número "doce" multiplicado por mil.

---

[103] Bauckham 1993a: 134. Rissi (1966: 72) ve un vínculo con Ezequiel 28 y piensa que señala "una función sacerdotal en nombre del pueblo de las doce tribus". Para una discusión más completa, véase Osborne 2002: 754-59; Beale 1999b: 1079-88.

[104] Además, los malvados están fuera de los muros (Ap. 22:15) (véase Rissi 1966: 67-68).

[105] Correctamente Beale 1999b: 1077; contra Osborne (2002: 754), que dice que el ángel utilizó lo que era típico o estándar para las medidas humanas.

[106] Acertadamente Rissi 1966: 62.

[107] Algunas versiones en español que también actualizan las medidas a estándares actuales (dos mil doscientos kilómetros) son la NTV y la RVA-2015.

El simbolismo del lenguaje de Juan también es evidente cuando dice que las puertas de la ciudad nunca se cerrarán (Ap. 21:25). Una muralla alta es inútil si los ciudadanos no protegen la ciudad cerrando sus puertas; la inexpugnabilidad de una muralla masiva se ve comprometida si se dejan las puertas de la ciudad constantemente abiertas (cf. Is. 60:11). Sin embargo, el hecho de que las puertas permanezcan abiertas comunica otra dimensión de la vida en la nueva Jerusalén. La ciudad es tan segura que las puertas no necesitan cerrarse nunca[108]. Ningún enemigo amenazará jamás la serena paz de la que disfrutan sus ciudadanos. A primera vista, las naciones que traen su honor y gloria a la nueva Jerusalén podrían sugerir su imperfección (Ap. 21:24, 26). Pero aquí Juan alude a Isaías 60, donde el Señor se levanta y hace brillar su luz sobre Israel y Jerusalén.

Las naciones verán el favor que el Señor ha concedido a Israel, y viajarán a la nación trayendo sus bienes desde lejos. Una vez más, el lenguaje empleado debe interpretarse simbólicamente, no literalmente. Las naciones no traerán literalmente sus mercancías a la nueva Jerusalén. Es simplemente la forma que tiene Juan de decir que todo buen don de la antigua creación encuentra su plenitud y cumplimiento en la nueva creación.[109]

El templo de la antigua creación siempre apuntaba al cumplimiento en la nueva creación. En la nueva Jerusalén no hay necesidad de un templo físico, porque su templo es el Señor y el Cordero (Ap. 21:22). El templo representaba la presencia del Señor con su pueblo, pero la presencia del Señor y del Cordero con su pueblo supone la culminación de lo que Dios ha prometido. Cuando Dios promete, pues, que su pueblo será columna en su templo (Ap. 3:12) o que le servirá constantemente en su templo (Ap. 7:15), queda claro en la conclusión de Apocalipsis que la referencia al templo es simbólica. Aquellos que venzan morarán con Dios para siempre.

En la antigua creación, el sol proporcionaba iluminación y calor a los seres humanos, pero en la nueva creación el sol y la luna son superfluos, como profetizó Isaías 60:19-20. La gloria de Dios y el Cordero proporcionan a la ciudad su calor e iluminación (Ap. 21:23). En la ciudad no hay noche y, por tanto, no existe peligro de maldad o corrupción (Ap. 21:25; 22:5). No hay nada

---

[108] Véase Osborne 2002: 764.

[109] Bauckham (1993a: 135) dice: "Consuma la historia y la cultura humanas en la medida en que estas han sido dedicadas a Dios". Para apoyar la opinión de que Juan no habla aquí literalmente, véase Beale 1999b: 1094-96.

maldito en la ciudad, sino que está colmada por el trono de Dios y la presencia del Cordero (Ap. 22:3). La nueva Jerusalén palpitará de alegría cuando los santos adoren a Dios para siempre. La consumación de todo lo que Dios ha prometido será suya, pues contemplarán el rostro de Dios y su nombre estará en sus frentes (Ap. 22:4).[110]

En resumen, en el Evangelio de Juan y en 1 Juan la recompensa de los creyentes se describe en términos de vida eterna, y esta vida eterna que los creyentes tienen ahora culminará en la resurrección. En el libro de Apocalipsis, la recompensa futura de los creyentes se describe con un caleidoscopio de imágenes. Juan llama la atención de sus lectores sobre la asombrosa recompensa que espera a los creyentes que perseveren hasta el final, animándoles así a seguir soportando la persecución. La suma y la sustancia de la recompensa, sin embargo, es la presencia de Dios con su pueblo: ver el rostro de Dios. Pero no es solo Dios el protagonista, sino también el Cordero. De ahí que uno de los temas principales de este libro se manifieste en la recompensa final de los creyentes, pues el gozo que aguarda a los santos es la presencia resplandeciente de Dios y del Cordero para siempre.

La literatura paulina

Pablo describe la recompensa final de los creyentes de diversas maneras. Además, lo que los creyentes recibirán en el día del juicio está ligado a la concepción paulina de la salvación, el ya-no todavía, como se ha señalado anteriormente. Por lo tanto, no repasaré lo que ya se ha dicho sobre cómo se ha inaugurado la salvación y cómo se consumará. En su lugar, esbozaré brevemente las diversas formas en que Pablo concibe la recompensa que aguarda a los creyentes.

La recompensa final para los creyentes es inseparable de la segunda venida de Cristo, y cuando venga, los creyentes le verán personalmente y cara a cara (1 Co. 13:12). Pablo no da más detalles sobre este futuro encuentro con Jesucristo, aunque en otro lugar señala que los creyentes se asombrarán y maravillarán cuando Cristo regrese (2 Ts. 1:10). La alegría que aguarda a los creyentes es comparable a la de una boda en la que una mujer desposada se

---

110 Bauckham (1993a: 142) comenta acerca de ver el rostro de Dios: "Este será el corazón del gozo eterno de la humanidad en su adoración eterna a Dios".

une por fin con la persona a la que ama (2 Co. 11:2). Puesto que Cristo aparecerá en gloria, se deduce que los que le pertenecen se manifestarán en gloria cuando venga (Col. 3:4).

La muerte no es el final para los creyentes, ni el portal hacia la inexistencia. Por el contrario, los que pertenecen a Cristo seguirán siendo del Señor (Ro. 14:8), aunque de una forma más profunda y rica de lo que se puede comprender ahora. Gozarán de alivio y libertad de los sufrimientos y aflicciones que caracterizan a esta presente era malvada (2 Ts. 1:7; cf. Gl. 1:4). Descansarán en el consuelo que Dios reserva para los suyos (2 Co. 1:3-7). Cuando Cristo venga, los creyentes se llenarán de gozo y alegría; se regocijarán en el Señor y en otros creyentes a los que ayudaron a obtener la salvación final (Fil. 4:1; 1 Ts. 2:19-20; 3:9).

Antes he argumentado que la justificación es el pronunciamiento escatológico de Dios que ha sido declarado antes del juicio final. En el último día se transmitirá al mundo la declaración de Dios de que los que creen en Cristo están exentos del juicio (p. ej., Ro. 2:13; Gl. 2:17). La recompensa final de los creyentes a menudo se designa como "salvación" porque los creyentes son rescatados de la ira de Dios, que se derramará en el último día (Ro. 5:9-10; 1 Ts. 1:10; 5:9; cf. Ro. 13:11; 1 Ti. 2:15; 4:16; 2 Ti. 2:10; 4:18). Es en ese día que los creyentes recibirán la recompensa final, y serán alabados (*epainos*) ante todos por Dios (Ro. 2:29; 1 Co. 4:5), y los que verdaderamente son del Señor estarán delante de él (Ro. 14:4; 1 Co. 10:12). La alabanza que aquí se contempla no debe interpretarse vagamente; se refiere a la vida eterna que Dios concederá a los creyentes.

La vida eterna solo se concede a los que hacen el bien, y no será la porción de los que practican el mal (Ro. 2:7; 6:22-23; 8:6; Gl. 6:8; 1 Ti. 6:19). Por otra parte, la vida eterna es un don de Dios y nadie se la gana. Algunos afirman que Pablo no advirtió ni resolvió esta tensión en su pensamiento, pero tal conclusión no es convincente porque la noción de que la vida eterna es un resultado de las obras y es un don gratuito de Dios se encuentra en el mismo contexto (Ro. 6:22-23). La vida eterna es el resultado de la misericordia de Dios y solo se concede a quienes confían en Cristo (1 Ti. 1:16). Los que disfrutan de la vida y la inmortalidad no lo hacen por sus obras, sino por la gracia de Dios, que les fue concedida antes del comienzo del mundo (2 Ti. 1:9-10; Tit. 3:5-7). Por lo tanto, Dios se encargará de que los creyentes sean santos e irreprochables el día en que evalúe a todas las personas (1 Co. 1:8; Ef. 1:4; 5:27; Col. 1:22; 1 Ts. 3:13; 5:23).

El juicio de Dios en ese día será *según* las obras, pero no *con base en* las obras (Ro. 2:6-10; 2 Co. 5:10).[111] Romanos 2:26-29 aclara que estas obras son el resultado de la energía transformadora del Espíritu en los creyentes. La recompensa final se describe a menudo en términos de herencia, y Pablo vincula a menudo la herencia de los creyentes con la entrada en el reino de Dios. Los que practican el mal y se entregan a la maldad no heredarán el reino de Dios (1 Co. 6:9-10; Gl. 5:21; Ef. 5:5). El premio escatológico está reservado para los que corren la carrera hasta el final (1 Co. 9:24-27; Fil. 3:12-14). El reino está reservado para los que Dios llama a él (1 Ts. 2:12), y Dios se compromete a salvar a los que le pertenecen para que hereden sus promesas (Gl. 3:29; 4:7; Tit. 3:7). De hecho, estos textos de Gálatas y Tito son muy enfáticos al afirmar que la herencia no puede ganarse por las obras; solo se obtiene por la fe y la gracia de Dios.

La afirmación de Pablo de que solo los que hacen buenas obras heredarán el reino requiere una explicación cuidadosa. Estas buenas obras son fruto de la fe y resultado de la obra del Espíritu. No obtienen la salvación por sí mismas.[112] Pablo sí habla de la justificación por las obras (Ro. 2:13). Gaffin señala con razón que no hay dos justificaciones:

Una presente, por la fe, y otra futura, por las obras; o la justificación presente solo por la fe, la justificación futura por la fe más las obras, la primera basada en la obra de Cristo, la segunda basada en nuestras obras, aunque se consideren impulsadas por el Espíritu; o, de nuevo, la justificación presente basada en la fe como anticipación de la justificación futura basada en toda una vida de fidelidad.[113]

Más bien, Gaffin encuentra la solución en el carácter ya-no todavía de la teología de Pablo, en la verdad de que la fe obra por el amor (Gl. 5:6). La justificación futura, pues, es la manifestación de la justificación presente. No

---

111 Gaffin (2006: 97) argumenta acertadamente que Pablo se refiere aquí a las buenas obras que son necesarias para obtener la vida eterna, no a una recompensa separada que sea distinta de la vida eterna.

112 Para más información sobre este tema, véase Schreiner 1993b.

113 Gaffin 2006: 98.

es como si la justificación presente y la futura operasen sobre principios diferentes. Las obras:

> No son el fundamento ni la base. Tampoco son (co)instrumentales, un instrumento coordinado para apropiarse de la aprobación divina al complementar la fe. Más bien, son el criterio esencial y manifiesto de esa fe, los 'frutos y evidencias integrales de una fe verdadera y viva'.[114]

Los creyentes serán glorificados (Ro. 8:17, 30; Col. 3:4) el día en que Cristo regrese. Pablo utiliza a menudo la palabra "gloria" (*doxa*) para captar el gozo futuro de los creyentes.[115] La gloria futura es la esperanza que anima a los creyentes en medio de las pruebas y dificultades (Ro. 5:2; 8:18, 21), y esta esperanza se basa en que Cristo mora en ellos incluso ahora (Col. 1:27). La gloria que aguarda a los creyentes no se percibe ahora, pero, aunque está oculta, la gloria será sobremanera grande cuando se revele (2 Co. 4:17-18; 2 Ti. 2:10). Por lo tanto, los creyentes quedarán atónitos y embargados de gozo cuando finalmente reciban la gloria que Dios les ha prometido y reservado desde el principio (Ro. 9:23; 1 Co. 2:7; 1 Ts. 2:12; 2 Ts. 2:14). Se utilizan diferentes términos para transmitir la misma realidad, pues una sola palabra no puede captar la plenitud del gozo que aguarda a los creyentes. Los creyentes no solo disfrutarán de la gloria, sino que también hallarán la paz de todo lo que ahora les perturba (Ro. 2:10; 8:6). En lugar de la vergüenza y el oprobio que provienen del mundo, Dios les dará honor (Ro. 9:21; cf. 2 Ti. 2:20-21).

Pablo promete a los que están en Cristo que obtendrán la inmortalidad o incorrupción (Ro. 2:7; 1 Co. 15:42, 50, 53-54; 2 Ti. 1:10).[116] La promesa de la inmortalidad, empero, hunde sus raíces en la concepción paulina de la resurrección. En el pensamiento judío, la resurrección significaba la llegada del escatón, la inauguración de la era venidera y, por tanto, la desaparición de esta era malvada. En la teología de Pablo, la era venidera ha llegado con la resurrección de Cristo (Ro. 1:4; 2 Ti. 2:8).

La resurrección de Cristo es un acontecimiento histórico y puede ser verificada por testigos (1 Co. 15:1-11).[117] Lo que hay que reconocer, sin

---

[114] Gaffin 2006: 98. Véase también Gaffin 2006: 102-3.
[115] Sobre la gloria en los escritos de Pablo, véase Hegermann, *EDNT* 1:346-47.
[116] Véase Harris 1983: 189-205.
[117] Sobre 1 Corintios 15:1-11, véase Wright 2003: 317-29.

embargo, es que la resurrección de los creyentes no tiene lugar inmediatamente cuando creen. La resurrección de Cristo señaló la inauguración de la era venidera, pero entre la resurrección de Cristo y la de los creyentes media un intervalo inesperado. Cristo es la primicia, y la resurrección de los creyentes no tendrá lugar hasta que Jesucristo regrese (1 Co. 15:20-28).[118] El intervalo entre la resurrección de Cristo y la de los creyentes no desempeña un papel menor en la teología paulina. Los que enseñan que la resurrección ya ha ocurrido han abandonado la fe (2 Ti. 2:18). La resurrección de los creyentes es un acontecimiento futuro y una promesa basada en la resurrección de Jesucristo (Ro. 8:10-11; 1 Co. 6:14; 2 Co. 4:14; 5:1-10).

Uno de los textos más fascinantes sobre la resurrección es 1 Tesalonicenses 4:13-18. Pablo asegura a los tesalonicenses que los muertos creyentes no están en desventaja y serán resucitados antes de que los creyentes vivos sean arrebatados. Consuela a los creyentes con la verdad de que estarán unos con otros y con el Señor para siempre. En 1 Tesalonicenses, Pablo enseña que los creyentes vivos serán arrebatados por el Señor, mientras que en 1 Corintios añade la idea de que los vivos serán transformados instantáneamente cuando el Señor regrese (1 Co. 15:51-53). Sus cuerpos mortales serán cambiados para que se conviertan en inmortales, pues los creyentes no pueden entrar en la presencia de Dios con sus cuerpos corruptibles (1 Co. 15:50).[119]

Debemos detenernos aquí para subrayar que, para Pablo, la resurrección no es etérea, sino que implica la resurrección física de los cuerpos de entre los muertos. Al parecer, a los corintios les repugnaba la noción de una resurrección física, por lo que tal vez sostenían que una resurrección espiritual con Cristo es la esperanza de los creyentes. Pablo afirma rotundamente el carácter físico de la esperanza de la resurrección, argumentando que Cristo resucitó de entre los muertos y se apareció a muchos testigos (1 Co. 15:1-11), y que la negativa a aceptar la resurrección física de los creyentes equivalía a negar la resurrección de Cristo (1 Co. 15:20-28).

Pablo identifica como necios a los que rechazan la resurrección física porque no pueden concebir cómo podrían transformarse los cuerpos,[120] y

---

[118] Es probable que Pablo no pretenda especificar un intervalo en 1 Corintios 15:24, por lo que difícilmente vemos que aquí se enseñe un reinado milenario (Fee 1987: 752-54).

[119] Véase Fee 1987: 799-802; Thiselton 2000: 1292-96.

[120] Véase Wright 2003: 342-360.

presenta un largo argumento en apoyo de la resurrección física de los creyentes (1 Co. 15:35-58). Argumenta a favor tanto de la continuidad como de la discontinuidad entre el cuerpo terrenal corruptible y el cuerpo de la resurrección, comparando la promesa de la resurrección con una semilla que parece no tener vida, pero de la que brota trigo o grano. La variedad de "cuerpos" en el mundo creado, tanto terrenal como celestial, demuestra que la resurrección será una realidad. Actualmente, el cuerpo humano está plagado de debilidad y deshonor, compartiendo el carácter perecedero del cuerpo heredado de Adán.

En el futuro, sin embargo, el cuerpo será glorioso y fuerte, compartiendo el cuerpo del Cristo glorificado y resucitado. Podría pensarse que, en opinión de Pablo, el cuerpo de la resurrección no es físico, pues se refiere a "un cuerpo espiritual" (1 Co. 15:44). Identificar el cuerpo como espiritual no significa, empero, un cuerpo no físico, pues todo 1 Corintios 15 enfatiza el carácter corporal de la resurrección.[121] Aquí "espiritual" se refiere al Espíritu Santo, el don de la nueva era, y por tanto lo que aquí se quiere decir es que el cuerpo será animado y fortalecido por el Espíritu Santo. La debilidad y la muerte del cuerpo natural quedarán relegadas al pasado, y el nuevo cuerpo será incorruptible e imperecedero por obra del Espíritu. Por lo tanto, cuando Pablo afirma que "la carne y la sangre no pueden heredar el reino de Dios" (1 Co. 15:50), no excluye a los cuerpos resucitados del reino futuro; más bien, los cuerpos corruptibles y mortales heredados de Adán no pueden entrar en el reino de Dios. Solo los transformados por el Espíritu Santo disfrutarán de la presencia de Dios.[122] Los creyentes viven en el intervalo previo a la realización de tal promesa, pero la promesa de la resurrección futura garantiza su victoria final sobre la muerte. La promesa del evangelio paulino alcanzará su plenitud con la redención del cuerpo (Ro. 8:23; Ef. 1:14): el adiós a la vieja creación y el amanecer de la nueva.

Algunos han argumentado que Pablo modificó su punto de vista sobre el momento de la resurrección. Cuando escribió 1 Corintios, creía claramente que la resurrección de los creyentes coincidiría con la venida de Cristo (1 Co. 15:23-24, 52). ¿Acaso la experiencia traumática relatada en 2 Corintios 1:8-11, entre otras cosas, sacudió a Pablo de su anterior punto de vista, de modo

---

[121] Acertadamente Lincoln 1981: 42; Wright 2003: 348-356.
[122] Acertadamente Wright 2003: 358-359; Hays 1997: 272.

que ahora preveía que la resurrección ocurriría inmediatamente después de la muerte?[123] Quienes apoyan esta opinión suelen señalar 2 Corintios 5:1-10 como prueba de tal cambio.

Sin embargo, este texto es demasiado ambiguo para señalar tal cambio.[124] Puesto que Pablo se dirige a la misma iglesia, habría necesitado dejar mucho más claro que estaba proponiendo un momento diferente para la resurrección. En cambio, en 2 Corintios 5:1-10 hace hincapié en lo que ya hemos visto en 1 Corintios 15. El gemido y la carga asociados al cuerpo presente darán paso a la estabilidad y el deleite de estar revestidos de un cuerpo nuevo. El cuerpo viejo es tan temporal y débil como un tabernáculo y está destinado a morir, mientras que el cuerpo nuevo que espera a los creyentes es tan sólido y robusto y permanente como una casa. Podría entenderse que Pablo dice que el cuerpo de resurrección se recibe en el momento de la muerte, pues afirma que cuando se desmonta nuestra tienda terrenal, "tenemos de Dios un edificio" (2 Co. 5:1).

El tiempo presente "tenemos" (*echomen*) podría interpretarse en el sentido de que el cuerpo de resurrección pasa a ser posesión de los creyentes inmediatamente después de la muerte, pero es más probable que el tiempo presente se utilice para denotar la confianza y certeza de la recepción del cuerpo de resurrección.[125] La noción de que el tiempo verbal presente denota tiempo cronológico presente es una falacia, pues el significado temporal del tiempo verbal debe discernirse en el contexto. Por lo tanto, el uso del tiempo presente no indica claramente un cambio en el momento de la resurrección.[126] Esto parece confirmarse en Filipenses 3:20-21, que probablemente se escribió

---

[123] Véase, por ejemplo, Moule 1966b; W. Davies 1948: 309-19. Véase también Harris 2005: 174-82.

[124] Acertadamente Lincoln 1981: 59-71; Witherington 1992: 204-8; Wright 2003: 361-72. Para un trabajo significativo más antiguo que demuestra la debilidad de la teoría del desarrollo en relación con la escatología de Pablo, véase Lowe 1941.

[125] Véase Lincoln 1981: 63-65; Osei-Bonsu 1986. Para una discusión exhaustiva de las opciones, véase Harris 2005: 374-80. Harris (2005: 380) sostiene que Pablo habla de una "posesión ideal del cuerpo espiritual en la muerte con posesión real en la parusía". Esto parece menos probable que el punto de vista propuesto anteriormente, ya que es muy probable que Pablo no argumente aquí de forma tan abstracta, y es difícil comprender cómo este punto de vista puede diferenciarse prácticamente del punto de vista propuesto aquí, ya que el creyente todavía no posee el cuerpo resucitado al morir.

[126] De hecho, parece que Pablo cree en un estado intermedio según 2 Corintios 5:1-10; Filipenses 1:21-23 (Lincoln 1981: 70-71, 104-6; Barrett 1973: 153-55, 159). En contra de este punto de vista, véase Garland (1999: 251-52), que rechaza aquí cualquier noción de un estado intermedio. Para una defensa más amplia de tal estado intermedio, véase Esler 2005: 199-208, 234-51.

después de 2 Corintios. Aquí Pablo espera que el cuerpo actual, con todas las dificultades que conlleva, se transforme cuando aparezca Jesucristo.

A los creyentes no solo se les prometen cuerpos resucitados, pues Dios también ha prometido a su pueblo una nueva creación (Ro. 8:18-25). En la actualidad, la creación sufre bajo el peso del pecado, de modo que el orden creado gime y se esfuerza a causa del impacto del pecado humano. Las promesas de Dios se cumplirán en su totalidad cuando amanezca la nueva creación y se superen las limitaciones del orden creado actual. La nueva creación será un mundo perfecto de libertad y alegría en el que huirán la tristeza y los suspiros del mundo actual.

La muerte y todo poder demoníaco serán derrotados para que todo enemigo quede sometido a Cristo, que entregará el reino a Dios para que Dios sea todo en todos por los siglos de los siglos (1 Co. 15:24-28).[127] Es este nuevo mundo el que Pablo tiene en mente cuando dice que Abraham y sus descendientes heredarán el mundo (Ro. 4:13). Todos los que son hijos de Abraham disfrutarán del nuevo mundo que Dios ha planeado para ellos. No solo disfrutarán de este nuevo mundo, sino que también reinarán sobre él. Los creyentes juzgarán al mundo y juzgarán a los ángeles (1 Co. 6:2-3). Los detalles sobre lo que aquí se trata son escasos, pero está claro que los creyentes reinarán con Cristo (2 Ti. 2:12; cf. Ro. 5:17) y heredarán el reino de Dios (1 Co. 6:9-10; 15:50; Gl. 5:21; Ef. 5:5).

Excursus: El futuro de Israel

La mayoría de los escritores del Nuevo Testamento no dicen nada sobre el futuro de Israel. Pablo destaca en este sentido, pues en Romanos 9-11 dedica un extenso debate al futuro de Israel. El punto de vista de Pablo sobre Israel, por supuesto, debe situarse en el contexto de lo que dice en otras partes.[128] La cuestión fundamental que se aborda en Gálatas es la identidad de los hijos de Abraham. ¿Se limita a los que han recibido la circuncisión? ¿Debe definirse el

---

[127] ¿Imagina Pablo un reino temporal gobernado por Cristo antes de la llegada del fin? Para una discusión de la historia de la erudición sobre el tema, junto con algunos argumentos que apoyan tal noción, véase Kreitzer 1987: 131-64.

[128] Algunos académicos concluyen que Pablo acaba contradiciéndose a sí mismo. E. Sanders 1983: 193, 197-99; Hübner 1984b: 122; Räisänen 1988: 192-96.

pueblo de Dios en términos étnicos y judíos? La respuesta de Pablo es clara y rotunda.

Los hijos de Abraham no pueden identificarse únicamente con los que son judíos y reciben la circuncisión. Los que creen en Cristo Jesús son los auténticos hijos de Abraham (Gl. 3:6-9). La verdadera circuncisión no tiene nada que ver con la operación física; más bien, es una realidad espiritual que pertenece a aquellos que han sido destinatarios de la obra del Espíritu Santo (Ro. 2:28-29; Fil. 3:3; Col. 2:11-12). El "Israel de Dios" (Gl. 6:16) encuentra su lugar en la obra de la nueva creación de Dios (Gl. 6:15), que es inseparable de la nueva vida que pertenece a los que han sido crucificados al mundo (Gl. 6:14).

Pablo expresa la misma verdad de un modo diferente en Efesios 2:11-3:13. El nuevo pueblo de Cristo se centra en "un nuevo hombre" (Ef. 2:15), la iglesia de Jesucristo. El "muro de separación" que segregaba a judíos y gentiles ha sido derribado (Ef. 2:14). Por la muerte de Jesucristo, tanto judíos como gentiles han sido acercados a Dios, y son un solo pueblo de Dios por medio de Jesucristo. Los gentiles ya no están fuera, como extraños a los pactos y promesas de Dios. Ahora están integrados como ciudadanos de pleno derecho en el pueblo de Dios y son coherederos con los judíos y miembros del mismo cuerpo (Ef. 2:19; 3:6). El nuevo pueblo de Dios no es fundamentalmente judío o gentil, sino que está centrado en Cristo.

Romanos 9:6-13 concuerda básicamente con esta perspectiva, ya que Dios nunca prometió que todos los descendientes biológicos de Abraham recibirían la bendición. Siempre ha habido un verdadero Israel dentro de los confines del Israel étnico. En este contexto, Pablo probablemente restringe Israel al Israel étnico, en contraste con Gálatas 6:16,[129] pues no hay pruebas claras en ninguna parte de Romanos 9-11 de que el término "Israel" se amplíe para incluir una referencia a los creyentes gentiles. Pablo enseña aquí, en continuidad con la tradición profética, que siempre ha habido un remanente dentro de Israel (Ro. 9:24-29; 11:1-10).

---

[129] Se discute si Gálatas 6:16 se refiere a la iglesia de Jesucristo como el Israel de Dios. Lo más probable es que se trate de una referencia a la iglesia. Contra Richardson 1969: 70-84. Correctamente H. Betz 1979: 322-23; Longenecker 1990: 298-99; Weima 1993: 105; Martyn 1997: 574-77; Beale 1999a. Beale argumenta que Isaías 54:10 y el trasfondo de nueva creación de Isaías 32-66 sirven de telón de fondo del uso paulino. Otros estudiosos sostienen que Pablo habla de cristianos judíos (p. ej., Richardson 1969: 74-84).

Podría parecer que la salvación de un remanente es la respuesta de Pablo respecto al futuro de Israel como pueblo étnico. Dios está cumpliendo su promesa al salvar a un segmento del Israel étnico a lo largo de la historia. La afirmación de que "todo Israel será salvo" (Ro. 11:26) es interpretada de esta manera por algunos eruditos, como si Pablo enseñara aquí que a lo largo de la historia Dios salvará a un remanente del Israel étnico.[130] Otros han sostenido que "Israel" se refiere aquí a la iglesia de Jesucristo, compuesta tanto por judíos como por gentiles.[131] Esta última opinión, aunque considera acertadamente que para Pablo "Israel" no se refiere exclusivamente al Israel étnico, adolece de graves problemas y debe ser rechazada.

En primer lugar, no queda claro en ninguna parte que el término "Israel" en Romanos 9-11 se refiera a la iglesia de Jesucristo. Se refiere sistemáticamente al Israel étnico.[132] En segundo lugar, en el versículo inmediatamente anterior, Romanos 11:25, "Israel" designa al Israel étnico en contraposición a los gentiles. El endurecimiento de Israel durará durante el tiempo en que los gentiles se incorporen al pueblo de Dios. A continuación, Pablo afirma en Romanos 11:26 que "todo Israel será salvo". Parece claro que "Israel" debe referirse a la misma entidad que se acaba de señalar en Romanos 11:25, especialmente cuando añadimos a esto el endurecimiento temporal de Israel en ese versículo que da paso a su inclusión en Romanos 11:26. En tercer lugar, Romanos 11:28 confirma que Pablo sigue hablando del Israel étnico como una entidad distinta.

La noción de que la salvación de todo Israel se refiere a la salvación de un remanente, señalada anteriormente, tampoco es persuasiva. Este punto de vista no tiene en cuenta que la preservación de un remanente nunca agota las promesas de Dios. Al contrario, el remanente da testimonio de que Dios cumplirá sus promesas en toda su riqueza y plenitud.[133] Pablo no habla de la salvación de un mero remanente, sino de "todo Israel". Además, el término "misterio" en Romanos 11:25 sugiere una revelación única y culminante en el

---

[130] Véase Ridderbos 1975: 358-59; D. Robinson 1967: 94-95; Merkle 2000; Schnabel 2004b: 1317-19.

[131] R. Martin 1989: 134-35; Wright 1992b: 236-46; Calvin 1961: 255.

[132] Acertadamente Das 2003: 106-7.

[133] Acertadamente Das 2003: 108.

curso del argumento de Pablo. No es un misterio decir que Dios seguiría salvando a un remanente de Israel a lo largo de toda la historia.[134]

Esta última observación se refuerza cuando observamos el carácter temporal del argumento de Pablo. La mayoría de los eruditos han argumentado que la frase "y de esta manera" (*kai houtōs*) designa manera más que tiempo, aunque algunos han afirmado que la frase tiene dimensiones temporales.[135] Incluso si la frase denota forma, las ideas temporales están entretejidas en el contexto. Israel se endurecerá "hasta que haya entrado la plenitud de los gentiles" (Ro. 11:25). Pablo espera el día en que Israel sea injertado de nuevo en el olivo (Ro. 11:23-24), anticipando un futuro en el que la transgresión y el endurecimiento que afligen ahora a Israel serán sustituidos por su "plena inclusión" (*plērōma* [Ro. 11:12]).

Actualmente la mayoría de Israel es rechazada (*apobolē*) por Dios, pero Pablo espera su futura "aceptación" (*proslēmpsis* [Ro. 11:15]). La aceptación y conversión de Israel es el último acontecimiento de la historia de la salvación antes de la resurrección —lo que Pablo identifica como "vida de entre los muertos" (Ro. 11:15)—. Una salvación futura también parece probable a partir de Romanos 11:26, donde el libertador que viene de Sión es probablemente una referencia a la futura venida de Cristo, sugiriendo que Israel será salvado en o cerca de la segunda venida de Cristo.[136]

Parece, pues, que la salvación de Israel se refiere a un acontecimiento del final de los tiempos cerca o en la segunda venida de Cristo, cuando el Israel étnico se salvará.[137] Decir que "todo Israel será salvo" no significa que todos

---

[134] Véase Das 2003: 108.

[135] Véase van der Horst 2000.

[136] Das (2003: 110) sostiene que la referencia aquí es a la primera venida de Cristo, pero el tiempo futuro sugiere lo contrario.

[137] Las duras palabras de Pablo contra Israel en 1 Tesalonicenses 2:14-16 parecen contradecir la esperanza expresada en Romanos 11:26, y los eruditos han respondido de diversas maneras al texto anterior. Algunos han sostenido que el pasaje es una interpolación posterior (Pearson 1971; D. Schmidt 1983). Sin embargo, los argumentos y pruebas a favor de esto no son convincentes (Hagner 1993a). Otros sostienen que debemos aceptar el hecho de que Pablo contradice lo que enseña en Rom. 9-11 (Okeke 1981; Simpson 1990). Esta última opinión exagera la importancia del texto, ya que Pablo no habla de todos los judíos, sino solo de los que persiguen a la iglesia y se oponen al evangelio. Además, el texto no excluye el futuro arrepentimiento o conversión incluso de algunos de los perseguidores judíos. De lo contrario, lo que Pablo escribe aquí excluiría la posibilidad de su propia conversión, ya que una vez persiguió a la iglesia. La referencia en 1 Tesalonicenses 2:16 a la venida de la ira de Dios, aunque se expresa con un verbo aoristo (*ephthasen*), debe interpretarse como una referencia a un acontecimiento futuro: el juicio

los israelitas de la historia se salvarán, pues Pablo se refiere a un acontecimiento escatológico. Tampoco significa que todos los israelitas étnicos vivos en el momento de la salvación de Israel estén necesariamente incluidos. La promesa es para la mayoría de la nación. De este modo, Dios cumple sus promesas de salvación a su pueblo (Ro. 9:6) y confirma la validez de su palabra. Pablo saca a colación la cuestión de la salvación de Israel porque pertenece a la fidelidad de Dios a sus promesas pactuales, mostrando que Dios es fiel a su palabra.[138]

Se ha hecho cada vez más popular argumentar que Romanos 9-11 promete la salvación para Israel, pero que dicha salvación se obtiene sin fe en Jesucristo.[139] La teoría de los dos pactos sostiene que los gentiles se salvan mediante la fe en Cristo, mientras que Israel encuentra la salvación observando su pacto único con Dios mediante la devoción a la Torá. Israel se equivoca cuando impone la Torá a los gentiles, pues entonces no reconoce que los gentiles se salvan de un modo distinto a los judíos. La idea de que Israel se salva aparte de la fe en Cristo es una mala interpretación de Romanos 9-11.[140] Debemos tener en cuenta que Romanos 9-11 es una unidad y, por tanto, cualquier parte de esta unidad debe leerse teniendo en cuenta el conjunto. Que la fe en Cristo es necesaria para la salvación de Israel se desprende claramente de varias pruebas.

(1) Pablo se aflige porque Israel está separado de Cristo, y está casi dispuesto a ser maldecido para siempre por Dios por el bien de sus parientes (Ro. 9:3). La razón por la que Pablo se aflige por Israel es que mientras estén separados de Cristo, siguen sin ser salvos (Ro. 10:1).

(2) En Romanos 9:30-10:21 se acusa a Israel de no creer en el evangelio ni confiar en Cristo para salvarse.

---

final de Dios. El uso del aoristo no es sorprendente aquí, ya que designa la certeza del juicio final, al igual que el aoristo *edoxasen* en Romanos 8:30 se refiere a la promesa cierta de la glorificación. Das (2003: 128-39) propone otra solución. Acepta el pasaje como auténtico, pero argumenta que el pronunciamiento de la ira no es definitivo, de modo que los judíos a los que aquí se hace referencia aún pueden salvarse. Donfried (2002: 195-208) dice que la ira de Dios se dirige contra Israel hasta el final, y entonces se salvarán.

[138] Este punto de vista no sugiere que los judíos se salven en la parusía sobre la base de sus prerrogativas étnicas (como parece sugerir Schnabel [2002a: 56]), sino que se salvan únicamente por la asombrosa misericordia de Dios.

[139] Por ejemplo, Stendahl 1976: 3; Gaston 1987: 92-99; Gager 1983: 252, 261.

[140] Para las críticas a este punto de vista, véase E. Sanders 1978; Hafemann 1988; Hvalvik 1990; Das 2003: 97-106.

(3) En relación con esto, Romanos 9:30-10:21 excluye específicamente la Torá como camino de salvación. Pablo no sugiere que la Torá constituya un camino diferente de salvación para los judíos. Considera que la justicia de la Torá es un camino falso que contrasta con la fe en Cristo.

(4) El libertador de Sión que rescatará a Israel de sus pecados es el propio Jesús (Ro. 11:26). Por tanto, Israel solo se salvará cuando ponga su fe en Jesús.[141]

(5) Pablo señala específicamente en Romanos 11:23 que la incredulidad de Israel es lo que le impide ser injertado en el olivo.

Concluyo, pues, con la observación de que Pablo identifica a la iglesia de Jesucristo como el verdadero Israel (p. ej., en Gálatas), y al mismo tiempo postula una salvación futura para el Israel étnico (Ro. 9-11). Sin embargo, esta salvación futura para el Israel étnico solo se obtiene mediante la fe en Jesucristo. En otras palabras, los judíos étnicos que creen pasan a formar parte del verdadero Israel: la iglesia de Jesucristo. Al invertir el orden esperado y salvar primero a los gentiles y luego a Israel, Dios muestra una misericordia inesperada a los seres humanos, de modo que nadie puede pretender que la salvación es un derecho al que se puede aspirar.[142]

Hebreos

Una de las formas en que el autor de Hebreos disuade a sus lectores de cometer apostasía es recordándoles la recompensa que obtendrán si perseveran en la fidelidad. De hecho, la teología de la recompensa figura ampliamente en Hebreos. El autor afirma que ni siquiera se puede agradar a Dios si no se está convencido de que Dios "recompensa a los que lo buscan" (Heb. 11:6). Si no abandonan su lealtad a Cristo, los lectores recibirán "gran recompensa" (Heb. 10:35). Puesto que Dios es fiel, los que persistan en creer recibirán lo que él ha prometido (Heb. 10:36).

La promesa, como aclara Hebreos 10:39, es nada menos que la salvación, pues se contrapone a la destrucción escatológica. El autor de Hebreos no contempla una recompensa más allá de la vida eterna; para él, la recompensa

---

141 Hofius (1990: 37) dice que Israel no se salva a través de "la predicación evangelística de la iglesia. En su lugar, 'todo Israel' es salvado directamente por el propio *Kyrios*. Pero eso significa que no se salva sin Cristo, ni sin el Evangelio, ni sin la fe en Cristo".

142 Esto queda bellamente plasmado en Thielman 1994a.

es la vida eterna o la salvación. La salvación es el don escatológico que heredarán los creyentes (Heb. 1:14). Esta salvación está reservada a quienes respondan a las advertencias de la carta (Heb. 6:9). Ellos heredarán las promesas salvíficas de Dios para su pueblo (Heb. 6:12). La bendición que Dios tiene para su pueblo es la esperanza de heredar todo lo que él ha prometido (Heb. 6:7, 18).

La recompensa futura también se describe como un reino inconmovible (Heb. 12:28), lo que indica la inviolabilidad de la promesa de Dios. Dios llevará a sus hijos a la gloria, de modo que la corrupción y la imperfección del mundo presente desaparecerán (Heb. 2:10). La bendición futura también se designa como "descanso" (Heb. 3:11, 18; 4:1, 3, 5, 8-11). El autor explica que el descanso no se obtuvo plenamente bajo Josué ni en los días de David, y que aún permanece para los lectores. El descanso culmina cuando termina la vida, cuando los seres humanos cesan de sus obras en la tierra (Heb. 4:10), cuando el descanso sabático del Antiguo Testamento encuentra su cumplimiento en el descanso celestial.[143]

Hebreos no hace hincapié en que la recompensa obtenida implicará la resurrección de entre los muertos. Aun así, el autor da a entender que sostiene la esperanza de la resurrección (Heb. 6:2; 11:35) y se concentra en cambio en la motivación para la perseverancia que proporciona la esperanza que tienen los creyentes. Esto resulta especialmente evidente en Hebreos 11, donde vemos, como hemos señalado anteriormente, que los creyentes de antaño no confiaban en las circunstancias presentes o en lo que sus ojos podían ver, sino en la promesa de Dios. Moisés renunció a todas las ventajas de pertenecer a la casa del Faraón por la recompensa futura (Heb. 11:24-26). Los creyentes del antiguo pacto no obtendrán la perfección prometida por Dios sin la obra de Cristo y la compañía de los creyentes del nuevo pacto (Heb. 11:39-40).

La recompensa de los creyentes también se describe en términos de la ciudad celestial venidera.[144] Esa ciudad existe incluso ahora como la ciudad celestial, la nueva Jerusalén, y los creyentes pertenecen a esta ciudad celestial aquí y ahora (Heb. 12:22-23). Sin embargo, lo que ahora es invisible para los santos —la participación en la ciudad celestial— se hará visible para todos y se cumplirá plenamente en el futuro. Al igual que Abraham, los creyentes

---

[143] Véase Lincoln 1982: 205-14.
[144] Véase Attridge 1989: 332, 374, 399.

esperan la ciudad venidera (Heb. 11:10), ya que, puesto que Dios es su constructor y diseñador, esa ciudad nunca perecerá. La patria de los creyentes no es la tierra actual; Dios ha preparado para los suyos un país y una ciudad mejores: la ciudad celestial (Heb. 11:13-16). Allí se cumplirán las promesas hechas a Abraham, Isaac y Jacob. Hebreos 13:13-14 confirma que el anhelo de la ciudad celestial no debe limitarse a Abraham, Isaac y Jacob. Los creyentes son ahora exiliados fuera del círculo de los aceptados en la sociedad terrenal. La ciudad de este mundo no perdura ni perdurará. Sin embargo, la ciudad venidera, la celestial, nunca pasará. Sigue siendo la esperanza segura y la gran expectativa de los creyentes.

La promesa de la ciudad celestial no es tan detallada como la que encontramos en Apocalipsis, pero Hebreos se mueve claramente en el mismo círculo de ideas. El actual orden creado será sacudido (Heb. 12:25-29), y se introducirá un orden nuevo e inconmovible. Este pensamiento parece bastante similar a la promesa de Apocalipsis de un cielo nuevo y una tierra nueva. La vieja creación dará paso a la nueva, la ciudad del hombre a la ciudad de Dios. Hebreos, pues, anima a los creyentes a perseverar, sabiendo que les espera una gran recompensa, para que, como Jesús, perseveren a causa del gozo que les espera (Heb. 12:2).

Santiago

Santiago apenas echa un vistazo y no profundiza en la recompensa futura de los creyentes. Aquellos que respondan a las pruebas piadosamente serán perfeccionados moralmente (Stg. 1:4). Esto es bastante similar a la promesa de Juan de que los hijos de Dios serán como Jesús (1 Jn. 3:2). A los que soporten las pruebas se les dará "la corona de la vida" (Stg. 1:12), y aquí la corona se refiere a la promesa de vida eterna que pertenecerá a los que son verdaderamente del Señor. Del mismo modo, los creyentes son herederos del reino de Dios (Stg. 2:5). Santiago no profundiza en lo que implica ser heredero del reino, pero parece encajar con las promesas que encontramos en otras partes sobre el disfrute de la nueva creación. Dios también promete que los humildes recibirán la vindicación escatológica (Stg. 1:9). Se acerca un día de cambio en el que los humildes serán recompensados por su fe y obediencia.

1 Pedro

La recompensa futura de los creyentes ocupa un lugar preponderante en 1 Pedro, presumiblemente porque Pedro deseaba consolar a los creyentes perseguidos con la esperanza cierta de la recompensa final, pues tal esperanza les alentaría a perseverar en medio de las dificultades. Por eso, desde el comienzo de la carta, Pedro recuerda a los creyentes la "esperanza viva" que tienen "mediante la resurrección de Jesucristo" (1 P. 1:3). La resurrección de Jesucristo es la inauguración de la era venidera y funciona como la promesa, implícita, de la resurrección final de los creyentes.

La recompensa de los creyentes al final de los tiempos es designada como una herencia (1 P. 1:4; 3:9), y se hace hincapié en que la herencia no puede ser manchada ni contaminada, de modo que nada puede disminuir la alegría que aguarda a los creyentes. La recompensa de los creyentes también se describe como una gracia que se recibirá en el día final (1 P. 1:13; 2:20). La vida futura es una de notable gozo y alegría (1 P. 4:13), cuando los creyentes serán exaltados en lugar de humillados (1 P. 5:6). Entonces disfrutarán de la salvación escatológica (1 P. 1:5, 9), y la alabanza, la gloria y el honor recaerán sobre sus vidas (1 P. 1:7; 2:7). Los buenos días que todos los seres humanos anhelan serán suyos para siempre (1 P. 3:10).

2 Pedro y Judas

Anteriormente señalamos que 2 Pedro y Judas se concentran en el juicio que se infligirá a los falsos maestros. Sin embargo, la recompensa futura de los creyentes también se incluye en ambas cartas. La participación en la naturaleza divina, que pertenece a los creyentes incluso ahora, se consumará en el cumplimiento de todas las promesas de Dios a su pueblo (2 P. 1:4). Así como el Señor salvó a Lot y a Noé en medio de generaciones perversas, así también preservará a su pueblo para que reciba lo prometido en el último día (2 P. 2:5, 7, 9). Los que practican virtudes piadosas y viven verdaderamente su fe no se quedarán sin recibir lo prometido; recibirán la recompensa de entrar en el reino de Jesucristo (2 P. 1:10-11).[145] Serán hallados en él como irreprensibles en el último día y heredarán la salvación (2 P. 3:14-15).

En otras palabras, disfrutarán de los cielos nuevos y la tierra nueva que Dios ha prometido (2 P. 3:13). La brevedad de la carta de Pedro es tal que no profundiza en la naturaleza de los cielos nuevos y la tierra nueva. En el nuevo mundo o nueva creación reinará la justicia. Los cielos y la tierra actuales serán pasto del fuego (2 P. 3:10, 12). Lo que no está claro es si los cielos y la tierra actuales son destruidos y luego Dios crea unos cielos nuevos y una tierra nueva, o si el incendio de los cielos y la tierra actuales constituye una transformación y purificación del mundo actual, de modo que los cielos nuevos y la tierra nueva se mantienen en continuidad con el universo actual, pero están completamente transformados. La certeza sobre esta cuestión es imposible, pero parece más probable que Pedro se refiera a una purificación y transformación de la vieja creación para que se convierta en una nueva creación. Del mismo modo, Hebreos mira hacia la ciudad celestial venidera, y Apocalipsis al descenso de la ciudad celestial, que no es otra cosa que los cielos nuevos y la tierra nueva. Pedro no promete una mera recompensa individual para los creyentes, sino una nueva creación.

Judas espera la venida de Jesucristo, que tendrá misericordia de los suyos y concederá a los creyentes el don de la vida eterna (Jud. 21). En el último día comparecerán inmaculados y con gozo inefable ante Dios (Jud. 24). La perfección que los creyentes anhelan será entonces una realidad.

Conclusión

La nueva creación prometida se hará realidad con la venida de Jesucristo. Entonces se cumplirán las promesas pactuales de Dios, y el gemido de la vieja creación terminará cuando alboree el nuevo mundo con toda su deslumbrante belleza. Lo que hará que la nueva creación sea tan deslumbrante es la visión de Dios y su morada con su pueblo. Los creyentes entrarán en la nueva creación con los cuerpos resucitados que han estado esperando ansiosamente en el intervalo entre el ya y el todavía no. Recibirán la recompensa de la vida eterna y las promesas del reino a las que se aferraron por fe mientras estuvieron

---

145 Para más apoyo de la perspectiva que se ofrece aquí, véase Schreiner 2003: 304–6.

en esta tierra. La herencia final y la salvación que anhelaban se harán entonces realidad.

Por el contrario, los que se negaron a creer en Cristo y a obedecer su palabra se enfrentarán a un juicio final. Su destrucción será concomitante con la destrucción de Satanás. La llegada del reino de Dios en su plenitud implicará no solo la recompensa para los creyentes, sino también el castigo para los malvados que se resistieron al evangelio y maltrataron a los creyentes. El nuevo mundo y el nuevo universo habrán llegado, y Dios será todo en todos. Los creyentes adorarán y disfrutarán del Padre, del Hijo y del Espíritu para siempre.

EPÍLOGO

Mi intención en el epílogo es resumir con brevedad a dónde hemos llegado en este libro. He argumentado que el Nuevo Testamento (NT) se centra en el cumplimiento de las promesas salvíficas de Dios dadas en el Antiguo Testamento (AT). El Nuevo Testamento representa el clímax de la historia iniciada en el Antiguo Testamento, pero es algo así como una novela de misterio, porque la historia se cumple de un modo sorprendente. Las promesas de Dios se cumplen en Cristo por medio del Espíritu, y sin embargo seguimos esperando la plenitud de lo prometido. El cumplimiento tiene un carácter de ya-no todavía. Las promesas se inauguran, pero no se consuman.

También debemos considerar a los protagonistas de la historia. Las promesas que se están cumpliendo son las promesas de Dios, que, como Señor de la historia, está llevando a cabo su plan. En particular, ha enviado a su Hijo, Jesucristo, como el cumplimiento de las promesas hechas a Abraham, Moisés, David y los profetas. Jesús es el hijo de Abraham, el profeta más grande que Moisés, el verdadero David (el Mesías), el Hijo del Hombre, el Señor y el Hijo de Dios. De hecho, es divino. Por medio de él se han hecho realidad las promesas de Dios. Él es el enviado del Padre, el que ha venido a hacer la voluntad de su Padre. Pero, además, las promesas se hicieron realidad a través de Jesús de una manera que subvirtió las expectativas humanas. Jesús venció al pecado y a la muerte asumiendo el papel de Siervo del Señor. Venció al mal sometiéndose al sufrimiento y asumiendo en la cruz el castigo debido a su pueblo.

Los escritores del Nuevo Testamento, utilizando palabras como "salvación", "reconciliación", "justificación", "redención" y "adopción", se desbordan tratando de expresar lo que Jesús el Cristo hizo en la cruz. Además, el Nuevo Testamento cumple el Antiguo Testamento porque la salvación que

Dios prometió ha sido efectuada por el Espíritu que fue prometido en el Antiguo Testamento. Jesús fue tanto el portador del Espíritu como el que derramó su Espíritu sobre el pueblo de Dios. Él llevó a cabo su ministerio en el poder del Espíritu, y después de su resurrección y exaltación Jesús dio ese mismo Espíritu a los que le pertenecen.

El resto del Nuevo Testamento explica cómo se desarrolla la historia de la promesa de Dios en la vida de los seres humanos. Los seres humanos necesitan la obra liberadora de Dios a causa del poder del pecado y de la muerte. El pecado y la muerte son las dos torres del mal que asolan a los seres humanos, y estos no son meros peones del pecado, sino que se han entregado activamente a él. Por eso, para disfrutar de la victoria ganada por Jesús sobre el mal, deben arrepentirse de su maldad y poner su confianza en Jesucristo como Salvador, Redentor y Señor. Esta fe arrepentida es una fe perseverante, una fe radical, una fe que honra a Dios y a Cristo en la entrega de todo su ser a Dios y a Jesucristo. De ahí que quienes viven bajo el reinado de Dios y de Cristo vivan un nuevo tipo de vida. En efecto, la iglesia de Jesucristo es una nueva comunidad en la que se manifiesta el amor de Cristo. Ellos son ahora el verdadero Israel, y deben mostrar la belleza de Dios en la forma en que se relacionan entre sí y con el mundo al proclamar la buena nueva de la salvación de Cristo al mundo.

Finalmente, la historia aún no ha terminado. Los creyentes siguen esperando la consumación. Esperan la nueva creación, la culminación del nuevo éxodo y el cumplimiento final del nuevo pacto. Jesús vendrá de nuevo y transformará el universo. Viene un mundo nuevo, una nueva creación, un nuevo cielo y una nueva tierra. En ese mundo venidero Dios será todo en todos, y Jesucristo será honrado por los siglos de los siglos. Y el paraíso que se perdió será recuperado, y más que recuperado, será superado. Y veremos su rostro (Ap. 22:4), y su gloria será magnificada por medio de Cristo por los siglos de los siglos.

APÉNDICE: REFLEXIONES SOBRE LA TEOLOGÍA DEL NUEVO TESTAMENTO

Introducción

En cierto sentido, la disciplina de la teología bíblica[1] es tan antigua como la historia de la iglesia.[2] Por ejemplo, los primeros padres de la iglesia articularon la "regla de fe" (*regula fidei*) para resumir el mensaje de las Escrituras. Ireneo, en su crítica al gnosticismo, partía de una determinada concepción de la historia de la salvación. Ciertamente, los reformadores hicieron teología bíblica, aunque no siempre la distinguieran claramente de la teología sistemática.

En el periodo posterior a la Reforma, Cocceius (1603-1669) se dio cuenta de la centralidad del pacto en las Escrituras, y desde entonces la teología del pacto ha desempeñado un papel fundamental en la tradición reformada. No debemos subestimar la importancia del pacto en la teología bíblica, ya que la teología del pacto entiende las Escrituras a lo largo de una cronología histórica centrada en el cumplimiento por parte de Dios de sus promesas salvíficas.[3] El

---

[1] Este capítulo no pretende explicar ni resolver los problemas que plantea la teología bíblica o del NT. Las cuestiones son demasiado complejas para ser tratadas en el esbozo que aquí se presenta. Mi intención es familiarizar al lector a nivel introductorio con algunas de las cuestiones e indicar mi propio enfoque de la teología bíblica.

[2] Sobre la importancia de seguir haciendo teología bíblica, véase Hengel 1994: 329.

[3] Para un excelente y perspicaz debate sobre el papel del pacto y la escatología en la teología, véase Horton 2002.

carácter histórico-redentor de la Biblia es reconocido en la teología del pacto, ya que se entiende que el programa salvífico de Dios es pactual y también se discierne que Dios cumple sus promesas por etapas. El pietismo también hace hincapié en la teología bíblica. P. J. Spener (1635-1705) y A. H. Francke (1663-1727) volvieron de nuevo a las Escrituras para distinguir el mensaje de la Biblia de la ortodoxia protestante de su tiempo, aunque no produjeron teologías bíblicas completas.

Johann Philip Gabler (1753-1826)

La mayoría de los académicos sitúan el comienzo de la teología bíblica en un discurso pronunciado por Johann Philip Gabler (1753-1826) en 1787, titulado "Una oración sobre la distinción adecuada entre la teología bíblica y la dogmática y los objetivos específicos de cada una" (An Oration on the Proper Distinction between Biblical and Dogmatic Theology and the Specific Objectives of Each).[4] Es demasiado minucioso, por supuesto, especificar una fecha en la que la teología bíblica comenzó a practicarse formalmente. J. S. Semler (1725-1791) formaba parte de un movimiento que intentaba descubrir verdades imperecederas en las Escrituras y discernir la Palabra de Dios en la Biblia. Tal empresa significaba que Semler había bautizado su propia capacidad para declarar lo que constituía la Palabra de Dios, así como la existencia de un proceso racional mediante el cual se podía extraer la Palabra de Dios de las Escrituras.

Así pues, otros pensaban en hacer teología bíblica antes que Gabler. Aun así, el discurso de Gabler es un punto de partida útil para la teología bíblica. A Gabler le preocupaba que la teología dogmática estuviera separada de las Escrituras, y esperaba que la teología bíblica abriera nuevas ventanas a viejos problemas e informara a la teología dogmática para que se pudiera alcanzar un mayor acuerdo sobre la enseñanza de las Escrituras. La frustrante diversidad presente en la teología sistemática podría remediarse, esperaba Gabler, mediante la teología bíblica.[5]

---

[4] Para una traducción al inglés, véase Sandys-Wunsch y Eldredge 1980: 134-44.

[5] Boers (1979: 24) señala que Gabler quería "asegurar el restablecimiento de la Biblia como base de toda teología, con una teología dogmática de base bíblica como corona y logro final". Véase también Sandys-Wunsch y Eldredge 1980: 145, 148-49.

Por un lado, Gabler tenía razón. La teología sistemática debería estar informada por la teología bíblica. Con demasiada frecuencia, la teología sistemática ha sido capturada por agendas ideológicas o filosóficas que han domesticado la enseñanza bíblica. Por otro lado, es llamativa la ingenuidad de Gabler. La teología bíblica y el estudio crítico no han conducido a un consenso mayor que el de la teología sistemática.[6] Los eruditos discrepan tanto sobre la teología bíblica como sobre la teología sistemática. Ahora entendemos que la teología bíblica no puede reclamar un lugar de honor en el sentido de que resolverá objetiva y claramente las disputas en el terreno sistemático. Pero esa era la esperanza de Gabler en su discurso.

También se ha dicho a menudo que Gabler defendía un enfoque histórico y objetivo de la teología bíblica.[7] Tal enfoque histórico diferenciaría la teología bíblica de la sistemática. No obstante, en tiempos recientes los eruditos han argumentado, con razón, que el enfoque de Gabler no era meramente histórico. También creía que la teología bíblica debía tener una función interpretativa.[8] Para Gabler, la historia debía ser el fundamento de la teología bíblica, pero la tarea no se llevaría a cabo correctamente si los estudiosos se contentaban con la historia o la descripción.[9]

Gabler identificó tres pasos para hacer teología bíblica. En primer lugar, debemos estudiar los textos bíblicos en su contexto histórico y recopilar todo el material del canon, tanto el contingente como el inmutable. Para Gabler, esta tarea representa la "verdadera" teología bíblica. "La 'verdadera [*wahre*] teología bíblica' es el estudio histórico del Antiguo Testamento y del Nuevo Testamento, de sus autores y de los contextos en los que fueron escritos".[10] Esta etapa comprende el trabajo histórico y descriptivo de la teología bíblica, pero no es más que el primer paso en el programa de Gabler. Él no creía que la teología bíblica consistiera simplemente en describir lo que decían las Escrituras. En segundo lugar, debemos clasificar el material que surge por encima de las particularidades históricas y no es contingente.

---

6 Baird (1992: 399), tras revisar el período que va del deísmo a Tubinga en los estudios del NT, observa que "las respuestas finales pueden ser ilusorias".

7 Por ejemplo, Hasel 1984: 115-17. Para un enfoque matizado y reflexivo de hacer teología bíblica que aboga por un enfoque histórico, véase Barr 1999.

8 Scobie, 1991a: 51.

9 Véase Scobie, *NDBT* 13.

10 Scobie, *NDBT* 13.

Lo que es normativo funciona ahora como filtro para estudiar el material recogido en la primera etapa. Claramente, en este segundo paso Gabler ha trascendido la mera descripción. El teólogo bíblico determina ahora lo que es contingente y lo que es trascendente.[11] La cosmovisión y la filosofía del intérprete desempeñan claramente un papel decisivo en la segunda etapa. En tercer lugar, hay que llegar a ideas comunes que son divinas y que trascienden lo que son pensamientos meramente humanos.[12] Se trata de ideas universales que se identifican con conceptos y preceptos ahistóricos y no condicionados.[13] Estas ideas universales son fundamentos de una teología bíblica "pura" (*reine*): "Los auténticos acuerdos entre los autores deben entonces ser verificados en su coherencia con lo que es universal".[14] Para Gabler, pues, la teología bíblica es intemporal en la medida en que coincide con las ideas universales. De hecho, Gabler ya afirmaba saber por su propia filosofía qué nociones son universales, por lo que parece que las verdades que emergen incólumes en su teología bíblica son aquellas que concuerdan con sus concepciones filosóficas preexistentes.

La teología bíblica "pura", según Gabler, trata de diferenciar "lo que es meramente condicionado por el tiempo y lo que es verdad cristiana eterna; es esta última la que se convierte en materia de la teología dogmática. Desde este punto de vista, la teología bíblica no es meramente descriptiva, sino que también forma parte del proceso hermenéutico".[15] De hecho, podríamos decir que según Gabler la teología bíblica "pura" está inextricablemente unida a su cosmovisión. Stuckenbruck concluye con razón que la comprobación histórica en el sistema de Gabler se abandona una vez que se llega a las últimas etapas del análisis.[16] Después de todo, Gabler no escapó a los preconceptos dogmáticos, ya que las ideas universales son el fundamento de la dogmática.

Gabler esperaba que se pudiera alcanzar la unidad teológica, creía en una teología bíblica coherente y pensaba que los textos bíblicos tienen un único

---

[11] Sandys-Wunsch y Eldredge (1980: 147) observan que en el esquema de Gabler uno de los propósitos de la teología bíblica es identificar las "características puramente históricas para eliminarlas y dejar expuesta la verdad".
[12] Stuckenbruck 1999: 145.
[13] Stuckenbruck 1999: 145.
[14] Stuckenbruck 1999: 146.
[15] Scobie, *NDBT* 13.
[16] Stuckenbruck 1999: 147.

significado.[17] Y, sin embargo, siguió a Semler al distinguir entre la Palabra de Dios y la Escritura.[18]

Tal paso tiene consecuencias masivas, pues ahora el intérprete determina la palabra trascendente al hacer teología bíblica. Inevitablemente, la filosofía o cosmovisión de cada uno dicta lo que se acepta como Palabra de Dios. Gabler no vio claramente que su visión de la teología bíblica estaba sesgada desde el principio, de modo que la teología bíblica "pura" fue domesticada por las llamadas ideas universales.[19] La exégesis histórica, por tanto, no era tan decisiva en la visión de Gabler de la teología bíblica como muchos afirman. De hecho, para Gabler desempeñaba un papel en gran medida negativo, ya que mediante ella determinamos los elementos de las Escrituras condicionados por el tiempo y los separamos de las nociones universales del texto.[20]

Por ejemplo, Gabler buscaba verdades detrás de los milagros al tiempo que rechazaba su historicidad. En este sentido, se diferenciaba de quienes afirmaban que la Biblia falsificaba la historia y no contenía ninguna pretensión de verdad.[21] Por tanto, era necesario extirpar el mito para ver el verdadero significado del texto, ya que una "teología bíblica 'pura' solo puede consistir en aquello que trasciende lo particular".[22] Vemos aquí el impacto de la

---

17 Stuckenbruck 1999: 147.

18 Stuckenbruck 1999: 148.

19 Algunos contemporáneos argumentan desde la parcialidad de nuestra cosmovisión a favor del posmodernismo. Green (2002: 8), por ejemplo, opta esencialmente por un enfoque posmoderno de la teología bíblica, de tal modo que las lecturas sean "válidas", "dependiendo de quién haga la lectura". En mi opinión, tal enfoque respalda el nihilismo hermenéutico. Green (2002: 9-10) acaba respaldando la opinión de que la Escritura no habla armónicamente, o al menos la noción de que nunca podremos expresar cuál es esa armonía. De ahí que Green (2002: 20) plantee una disyunción entre la obra creadora y redentora de Dios y "una lectura objetiva de los textos bíblicos". Es evidente que los textos se leen en el contexto de una cosmovisión, pero esas cosmovisiones deben defenderse. De lo contrario, parece que se nos abandona a la tarea arbitraria de leer la Biblia en nuestra comunidad sin el beneficio de controles y equilibrios externos.

20 Stuckenbruck 1999: 148-49.

21 Stuckenbruck 1999: 152.

22 Stuckenbruck 1999: 152. Sobre la importancia del mito en el pensamiento de Gabler, véase Baird 1992: 186. Baird cita la introducción de Gabler, donde Gabler dice: "Los mitos son generalmente leyendas del mundo antiguo expresadas en la forma sensual de pensar y hablar de aquella época. En estos mitos, uno no debe esperar que un evento sea explicado como realmente sucedió; sino solo como tuvo que ser presentado en esa época de acuerdo a la manera sensual de pensar y juzgar, y en el habla y expresión pictórica, visual y dramática en la que un evento podía ser representado en ese tiempo". Así, por ejemplo, la tentación de Jesús fue en realidad una experiencia interior de conflicto

cosmovisión de Gabler a la hora de hacer teología bíblica, ya que parte de la base de que los milagros no pueden ser históricos y de que la verdad reside en el mito que se enseña detrás o dentro de la cáscara de la historia.

Es interesante comparar a Gabler con una propuesta más reciente sobre teología bíblica, la obra de Krister Stendahl (nacido en 1921).[23] Stendahl se mueve en una dirección diferente a la de Gabler cuando afirma que la teología bíblica solo busca comprender lo que un texto quiso decir, y la teología sistemática lo que un texto significa. Stendahl separa claramente la teología bíblica de la sistemática, de modo que la primera es histórica y la segunda entra en el ámbito de la filosofía. Gabler mantuvo una distinción similar, pero no dejó la tarea de "lo que significa" a la teología sistemática. Aislar lo que es normativo forma *parte* de la teología bíblica para Gabler.

De ahí que tenga un ámbito más amplio para la teología bíblica que Stendahl. Gabler quería aportar ideas que fueran normativas para la dogmática. Stendahl limita la teología bíblica a la mera descripción. Hemos señalado algunos puntos débiles del enfoque de Gabler, pero el problema del enfoque de Stendahl lo capta Vanhoozer:

> Stendahl parece haber trasladado la distinción de Kant entre hechos públicos y valores privados a la práctica de la interpretación bíblica con resultados fatídicos... no está nada claro cómo se puede pasar de la descripción del pasado a la aplicación presente o futura.[24]

Por otra parte, el racionalismo de Gabler redujo la Biblia a verdades intemporales, arrastró la historia a su enfoque filosófico y eliminó verdades bíblicas que los creyentes modernos no podían aceptar. Este breve examen de la persona que estableció el programa de la teología bíblica nos lleva a la cuestión de cómo debemos abordar la teología bíblica.

---

tal vez causada por una visión, pero los evangelistas, al estar limitados a su época, la retrataron como si Satanás le hubiera tentado (Baird 1992: 187).

23 Stendahl, *IDB* 1:418-32.

24 Vanhoozer, *NDBT* 53-54.

Enfoques de la teología del Nuevo Testamento

El objetivo de esta sección no es examinar exhaustivamente la historia o los enfoques de la teología del Nuevo Testamento (NT). Me limitaré a tomar algunos sondeos de personas o movimientos concretos que aportarán algunos antecedentes a la tarea de la teología del Nuevo Testamento. Poco después de Gabler, la teología bíblica y la sistemática estaban efectivamente divorciadas la una de la otra. La teología bíblica no desempeñó prácticamente ningún papel en la tarea de informar a la dogmática. Una de las razones es que quienes hacían teología bíblica partían de presupuestos naturalistas. La teología bíblica no se exploraba desde un punto de vista neutral. La visión del mundo de los autores influía significativamente en su trabajo.

En el siglo XIX, el trabajo de F. C. Baur (1792-1860) y D. F. Strauss (1808-1874) tuvo un gran impacto en los estudios bíblicos. Su trabajo se caracterizó por un enfoque histórico en el que trataban de reconstruir la historia real de la era del Nuevo Testamento. Sus conclusiones se derivaban de su formulación crítica de los acontecimientos registrados en el Nuevo Testamento. En la obra de Baur se percibe el impacto de la filosofía hegeliana y, en particular, de la dialéctica hegeliana. Postuló una lucha entre el cristianismo judío (materiales petrinos, Mateo, Apocalipsis) y el cristianismo gentil (Gálatas, 1-2 Corintios, Romanos). Es el clásico caso de tesis y antítesis. Baur sostenía que el conflicto condujo a una síntesis que identificó como catolicismo primitivo (Marcos, Juan, Hechos).

La reconstrucción de Baur, aunque finalmente rechazada en cuanto a su propuesta específica, tuvo un enorme impacto en los estudios del Nuevo Testamento y sigue influyendo en los académicos hasta nuestros días. Strauss sostenía que la vida de Jesús, tal como la describen los evangelistas, debía entenderse míticamente, y rechazaba enérgicamente las explicaciones racionalistas de los milagros de Jesús que eran típicas de la erudición de su época. Strauss consideraba mítico todo lo que escribieron los evangelistas, pero su trabajo generó una inmensa controversia porque también identificaba como mitos cualquier relato que contuviera lo milagroso; por ejemplo, el nacimiento virginal, la alimentación de los cinco mil y la resurrección de Jesús de entre los muertos.[25] Los milagros no pueden aceptarse, porque contradicen las leyes de la naturaleza.[26] Strauss insistía en que Jesús debe estudiarse sobre bases históricas, y que ese estudio descarta la apelación a lo sobrenatural porque lo que es histórico excluye por definición lo milagroso.

El trabajo de Baur y Strauss y otros (lo que se denomina la escuela de Tubinga) tiene al menos dos puntos fuertes. Reconocen la diversidad de las Escrituras. Mateo y Santiago tienen ciertamente un énfasis diferente al de Pablo. Hay que tener cuidado con homogeneizar el testimonio del Nuevo Testamento en una unidad anodina que no reconozca las múltiples perspectivas que se encuentran en los distintos autores. Además, ellos también comprendieron la naturaleza histórica de la revelación bíblica. La teología bíblica se diferencia de la teología sistemática en que se concentra en la cronología histórica de la Escritura, prestando especial atención al progreso de la revelación. Aunque la obra de la escuela de Tubinga aplica este principio de manera defectuosa, quedó captada la naturaleza histórica de la revelación bíblica.

Pero los defectos de la escuela de Tubinga pesan más que sus aportes. En primer lugar, el enfoque hegeliano de Baur es inherentemente distorsionador, lo que demuestra que se aplicó al Nuevo Testamento una cosmovisión filosófica particular. El esquema de tesis, antítesis y síntesis atrae por su sencillez, pero en última instancia no hace justicia a la naturaleza de los documentos en cuestión porque el patrón se inserta en el Nuevo Testamento. El segundo problema está relacionado con el primero. La escuela de Tubinga reconstruyó la historia del Nuevo Testamento de acuerdo con su propia concepción filosófica de la realidad, apartándose así del propio Nuevo Testamento. Las reconstrucciones históricas arbitrarias se convirtieron en la base del estudio del Nuevo Testamento.

Por último, el legado de la Ilustración proyectó su sombra sobre la obra de Baur y otros. Se negó fundamentalmente la posibilidad de los milagros, delatando en ellos una cosmovisión antisobrenatural, una concepción atea de la teología del Nuevo Testamento. Decir que la historia excluye por definición

---

[25] En apoyo de este punto, véase Baird 1992: 251-53.

[26] D. Strauss dice que "el crítico... está haciendo un trabajo bueno y necesario, cuando barre todo lo que hace de Jesús un Ser sobrenatural... pero remite a la humanidad para la salvación al Cristo ideal, a ese modelo moral en el que el Jesús histórico sacó a la luz por primera vez muchos rasgos principales" (citado en Baird 1992: 256-57).

lo milagroso es determinar de antemano que los milagros no pueden ocurrir ni ocurrirán. Tal postura revela el compromiso filosófico de los estudiosos que defienden este punto de vista en lugar de abrirse a la posibilidad de la acción divina en la historia.[27]

Es interesante observar que en la década de 1850 los eruditos habían dejado de intentar escribir una teología de toda la Biblia. En su lugar, encontramos teologías separadas del Nuevo Testamento y del Antiguo Testamento. Difícilmente se intentará escribir una teología de toda la Biblia si los documentos no presentan un mensaje coherente al menos a cierto nivel. A finales del siglo XIX, las historias de la religión eran cada vez más populares. Una historia de la religión se limita a describir la religión del Antiguo Testamento o del Nuevo Testamento. Una teología del Nuevo Testamento sugiere algún tipo de unidad global del mensaje del Nuevo Testamento. Una historia de la religión se limita a presentar la visión del mundo y la vida religiosa de Israel o de la iglesia desde un punto de vista supuestamente distante y objetivo. Los diferentes puntos de vista sobre la teología del Nuevo Testamento se ilustran contrastando la obra de William Wrede y Wilhelm Bousset con la de Adolf Schlatter.[28]

Boers sostiene con razón que William Wrede (1859-1906), por utilizar los términos de Gabler, practicó una teología bíblica "verdadera", pero no una teología bíblica "pura".[29] Wrede creía que la teología bíblica se limitaba a la tarea histórica, por lo que no fue más allá del primer paso en el esquema de la teología bíblica de Gabler. Los académicos, según Wrede, debían intentar describir la religión contenida en el Nuevo Testamento. El programa de Wrede para la teología bíblica está enunciado en su ensayo "Sobre la tarea y el método de la llamada teología del Nuevo Testamento" (On the Task and Method of So-Called New Testament Theology), escrito en 1897.[30] Inmediatamente nos damos cuenta de que habla de la "llamada" (sogennanten) teología del Nuevo Testamento.

---

27 Por el contrario, véase Stuhlmacher (1977), que está abierto a la trascendencia al hacer teología bíblica.

28 Para una evaluación de Wrede y Schlatter con una consideración de la teología del NT en general, especialmente la contribución de Bultmann, véase Morgan 1973: 1-67.

29 Boers 1979: 46.

30 El ensayo de Wrede está traducido en Morgan 1973: 68-116.

Wrede dudaba de que se pudiera hacer teología del Nuevo Testamento. Adoptó un enfoque histórico, argumentando que la única tarea de la teología del Nuevo Testamento es descriptiva. Wrede formaba parte de la escuela de la "historia de las religiones" (*Religionsgeschichtliche Schule*). Repudiaba la idea de que se pudiera escribir una teología del Nuevo Testamento, pues tal empresa acepta una coherencia divina en el Nuevo Testamento. En cambio, si queremos actuar realmente como historiadores, nos limitaremos a una historia de la religión, ya sea de Israel o de la iglesia primitiva. Estaba convencido de que una postura creyente hacia los documentos sesgaba el trabajo histórico desde el principio y lo descalificaba a uno para el ejercicio del historiador. Hay que excluir cualquier noción de inspiración o la idea de que los documentos tienen autoridad si uno se dedica al trabajo académico. De ello se deduce que, para escribir una auténtica historia de la religión, hay que ir más allá del canon.

La propia noción de canon privilegia ciertos escritos y los acepta como autorizados, pero, según Wrede, tal juicio lo descalifica a uno como historiador. La propia naturaleza de la historia exige que se consulten todas las fuentes, y no se puede escribir una historia de la iglesia primitiva que incluya el Apocalipsis pero excluya, por ejemplo, *1 Clemente* o la *Didajé*. En definitiva, Wrede rechazó cualquier noción de teología del Nuevo Testamento. En su lugar, argumentó que uno debería dedicarse a escribir una historia de la religión.

El proyecto de Wrede es llevado a cabo, al menos en parte, por Wilhelm Bousset (1865-1920) en su obra *Kyrios Christos*, publicada en 1913.[31] Bousset intentó comprender la teología paulina sobre bases históricas, tratando de discernir el paso del cristianismo palestino al helenístico. Bousset sostenía que los cristianos helenísticos eran adoradores mistéricos antes de su conversión. No es sorprendente que transfirieran sus conceptos de los dioses mistéricos a la fe cristiana. El principal responsable de este cambio fue el apóstol Pablo, quien convirtió la fe cristiana en un culto mistérico. Bousset intentó explicar el surgimiento de la teología paulina basándose en la historia. Situó su génesis en un movimiento histórico del que las comunidades paulinas derivaron su teología.

---

[31] La traducción inglesa se publicó en 1970. Véase Bousset 1970.

Adolf Schlatter (1852-1938) propuso un enfoque radicalmente distinto de la teología del NT a finales del siglo XIX y principios del XX.[32] Boers cree que Schlatter permitió que la teología dogmática se adelantara a la teología bíblica,[33] pero parece que Schlatter comprendió correctamente que la teología bíblica no podía llevarse a cabo en un vacío filosófico. Los académicos de la escuela de historia de las religiones adoptaron presupuestos ateos al hacer teología del Nuevo Testamento. Suponían que el fundamento de la teología del Nuevo Testamento era inmanente en lugar de trascendente. Schlatter, por su parte, sostiene que la objetividad histórica absoluta es una ilusión. Los que se creen neutrales en realidad se oponen a la proclamación del Nuevo Testamento. Schlatter no defiende que la historia deba ser ignorada o barrida bajo la mesa. Advierte que quien se dedica a la labor teológica sin observar y percibir lo que ocurrió históricamente "es, en el mejor de los casos, un poeta y, en el peor, un soñador".[34]

Los teólogos bíblicos deben observar atentamente lo que los textos dicen en realidad y no cegarse ante el texto movidos por nociones preconcebidas.[35] La auténtica teología del Nuevo Testamento es un ejercicio de humildad, pues debemos reconocer que hay muchas cosas que se nos ocultan, que no tenemos una "visión divina" de todo lo que se llevó a cabo.[36] Por lo tanto, las presuposiciones desempeñan un papel vital en la teología del Nuevo Testamento: "Tenemos que tener claro que la crítica histórica nunca se basa únicamente en hechos históricos, sino que siempre tiene sus raíces también en el dogma del crítico".[37]

Además, si vamos a hacer un estudio histórico legítimo, los documentos del Antiguo Testamento (AT) son fundamentales para entender el Nuevo Testamento. Schlatter tampoco está de acuerdo con Wrede en lo que respecta al canon. Sostiene que el carácter distintivo del canon tiene sus raíces en la historia.[38] Los primeros cristianos, después de la época del NT, asignaron un

---

[32] El ensayo de Schlatter "The Theology of the New Testament and Dogmatics" está traducido en Morgan 1973: 117-66.

[33] Boers 1979: 75.

[34] Schlatter 1973: 121.

[35] "Está claro que sin el intento honesto de dejar de lado todas las preocupaciones personales y opiniones de la propia escuela o partido, y ver seriamente, el trabajo académico degenera en hipocresía" (Schlatter 1973: 122).

[36] Schlatter 1973: 143, 149-50.

[37] Schlatter 1973: 155.

[38] Schlatter 1973: 146-47.

papel único a los escritos canónicos. Por tanto, la singularidad del canon no es una mera construcción arbitraria, sino que encuentra su validez en la historia de la iglesia. Schlatter escribió su teología del Nuevo Testamento en una obra de dos volúmenes durante la primera parte del siglo XX. La calidad perdurable de su obra es evidente, ya que se tradujo al inglés a finales de la década de 1990.[39] La obra de Schlatter difiere de prácticamente todas las demás teologías del Nuevo Testamento en que hace hincapié sistemáticamente en el impacto que el mensaje de Jesús tuvo en la vida de los oyentes. Su obra no se limita a divagar en ideas, sino que pone a los lectores frente a frente con el llamado al arrepentimiento.

Durante el mismo periodo de tiempo en que Schlatter escribía, Geerhardus Vos (1862-1949) realizaba una labor silenciosa pero constante en el campo de la teología bíblica.[40] Vos comprendió el carácter escatológico de la teología bíblica y exploró este tema en muchos de sus libros y ensayos. El impacto del pensamiento de Vos es evidente en la obra más reciente de George Ladd, en la que se destaca la historia de la redención.[41] Vos trabajaba discretamente, pero reconocía el carácter histórico de la revelación bíblica y, al mismo tiempo, examinaba cuidadosamente el trabajo de los eruditos histórico-críticos, aprendiendo de ellos en los aspectos en que su trabajo era útil, pero rechazando lo que no era persuasivo.

Mientras que la obra de Vos es relativamente desconocida, Karl Barth (1886-1968) tuvo un efecto notable en la creación de un interés por la teología bíblica. Durante y después de la Primera Guerra Mundial, la gente fue perdiendo la fe en el naturalismo evolucionista y en la bondad inherente del ser humano. El siglo XX verificó que había algo terriblemente malo en la condición humana. Muchos empezaron a dudar de que la verdad histórica pudiera obtenerse mediante la pura objetividad. Barth recordó a muchos la primacía de la revelación y reavivó el interés por la teología. La influencia de Barth aparece en la obra de Walther Eichrodt y en la enorme teología veterotestamentaria de este último en la década de 1930.[42]

---

[39] Schlatter 1997; 1999.

[40] Vos 1930; 1953; 1980; 2001.

[41] Véase Ladd 1993.

[42] Eichrodt 1961; 1967. Para un útil resumen de las principales teologías del AT, véase Barr 1999: 27-51, 286-344, 439-67, 497-529, 541-62.

Rudolf Bultmann (1884-1976) parecía complementar a Barth en el ámbito de la teología del Nuevo Testamento, pero Bultmann, probablemente el estudioso del Nuevo Testamento más influyente del siglo XX, presentaba varias vertientes diferentes en su pensamiento. Boers sostiene que Bultmann intentó producir la teología bíblica "pura" defendida por Gabler, aunque no cree que lo haya conseguido. Bultmann es un estudio fascinante porque en parte aceptó el programa de Wrede y de la escuela de historia de las religiones. Aceptó el naturalismo de Wrede y eliminó la posibilidad de cualquier intervención sobrenatural de Dios a través de los milagros. El énfasis en la historia de las religiones en su obra se manifestó en sus conclusiones sobre la influencia del gnosticismo precristiano en el Nuevo Testamento.

Sin embargo, Bultmann no se contentó con una mera descripción histórica del mensaje del Nuevo Testamento. Fue más allá que Wrede (y Stendahl) al desmitificar el texto para descubrir el mensaje inmutable para sus contemporáneos. A diferencia de Wrede, escribió una teología del Nuevo Testamento y, por tanto, no se limitó a la "verdadera" teología bíblica, sino que también intentó escribir una teología bíblica "pura". Bultmann situó el kerigma en la teología de Pablo y Juan y sostuvo que el mensaje de Jesús era meramente un presupuesto para la teología del Nuevo Testamento, no parte de la teología del Nuevo Testamento en sí. Utilizó el existencialismo heideggeriano para descubrir el núcleo del kerigma, centrándose en la antropología.

El existencialismo, por tanto, se convirtió en el presupuesto por el que se evaluaba el mensaje del Nuevo Testamento. Por ejemplo, la llegada del reino de Dios no indica un acontecimiento real en la historia espacio-temporal, sino que indica que los seres humanos deben decidir si quieren a Dios antes de que sea demasiado tarde. Apenas hay espacio aquí para examinar en detalle la teología de Bultmann, pero parece que categorías y supuestos ajenos dictan los contornos de su teología del Nuevo Testamento.

El movimiento de la teología bíblica surgió en las décadas de 1940 y 1950, y puede rastrearse su origen en la influencia de Karl Barth. El movimiento de la teología bíblica se caracteriza por varios rasgos. En primer lugar, los defensores de este movimiento se oponían a los sistemas filosóficos. Deseaban que la Biblia hablara por sí misma con prístina frescura en lugar de subordinarla a cosmovisiones filosóficas. En segundo lugar, contraponían el pensamiento griego al hebreo. Este último se concebía como experiencial, concreto y temporal, mientras que el primero era abstracto, filosófico y atemporal. En tercer lugar, hacían hincapié en la unidad entre los dos Testamentos. En cuarto lugar, destacaban la singularidad de la Biblia frente a su entorno. Cuando se comparaban las culturas y religiones de la época, la Biblia destacaba. En quinto lugar, los teólogos bíblicos reaccionaron, como Barth, contra la antigua teología liberal. En sexto lugar, hacían hincapié en la revelación de Dios en la historia. Los poderosos actos de Dios en la historia revelaban su señorío y singularidad.

El movimiento de la teología bíblica tenía muchos puntos fuertes, pero también fue duramente criticado. James Barr, en particular, demostró que el supuesto contraste entre el pensamiento griego y el pensamiento hebreo no podía sostenerse.[43] El movimiento de teología bíblica hizo demasiado hincapié en la simplicidad y la naturaleza concreta del pensamiento hebreo, como si pudiera separarse completamente de cualquier cosmovisión filosófica. Tampoco estaba claro cómo se podía separar la Biblia de su entorno si se adoptaba la visión crítica de la Biblia, que no fue repudiada por completo por el movimiento de teología bíblica.[44] Por último, los hechos de Dios no se pueden separar de la Palabra de Dios. Los actos de Dios deben ser interpretados y, por tanto, las acciones sin palabras no tienen valor de revelación. El modelo bíblico de revelación contiene tanto obra como palabra, tanto acontecimiento como explicación.

Brevard Childs criticó el movimiento de teología bíblica y propuso su propia alternativa: el enfoque canónico. La forma final del texto se convierte en la base de la teología bíblica. Según Childs, la tarea histórica y descriptiva no es neutra, y la forma final del texto debe verse como testimonio de una realidad mayor. Los dos Testamentos deben interpretarse intertextualmente. En otras palabras, Childs reconocía la realidad del Dios vivo en su enfoque canónico. Consideraba que todo el canon apuntaba a la Palabra de Dios y a su obra en el mundo.

Childs repudió el enfoque de Stendahl, en el que el objetivo de la teología bíblica se limita a lo que la Biblia quiso decir, ya que en el enfoque canónico

---

[43] Véase especialmente Barr 1961: 14-88.
[44] Véase Childs 1970. Para su teología que abarca tanto el AT como el NT, véase Childs 1992.

lo que quiso decir y lo que significa están vinculados entre sí. Childs estableció acertadamente la importancia de hacer teología a partir de toda la Biblia, y vio correctamente una unidad en el canon. Aun así, cabe preguntarse por la coherencia intelectual de la propuesta de Childs. Mediante un acto de fe, separó la forma canónica final de los juicios histórico-críticos, pero adoptó conclusiones histórico-críticas en su análisis de la historia del texto.[45] ¿Cómo se puede plantear legítimamente un texto canónico que sea una unidad teológica si la base por la que se llega al texto es un método histórico que divide el texto en mil pedazos?[46] ¿Qué pasa si la redacción anterior del texto contradice la redacción final? Carson dice con razón: "Childs emerge con una unidad de resultado, pero no está muy claro cómo llega ahí mientras la unidad de los documentos fundacionales se afirme por poco más que los resultados, y sea adoptada más o menos por la asunción de la tradición eclesiástica respecto al límite del canon".[47]

Donald Guthrie propone y elabora un método notablemente diferente de hacer teología bíblica.[48] El modo de hacer teología bíblica de Guthrie tiene muchas afinidades con el modo en que se ha hecho típicamente la teología sistemática. Los académicos son propensos a tachar el trabajo de Guthrie de tendencioso, pero hay algo que decir en favor de su trabajo. Después de todo, las categorías centrales de la teología sistemática se derivan de las Escrituras. Se han mantenido durante cientos de años por su interés para el pueblo de Dios. Algunas teologías bíblicas pueden ser propensas a evitarlas porque quieren evitar cualquier impresión de que están haciendo teología sistemática. Guthrie también abordó las interrogantes que la gente tiene al acercarse a la teología bíblica con un enfoque sencillo y claro.

Sin embargo, la obra de Guthrie presenta algunas deficiencias. En primer lugar, el enfoque en la sistemática puede llevar a la imposición de categorías ajenas al pensamiento bíblico. En segundo lugar, si se adoptan categorías sistemáticas, es posible que se pasen por alto temas realmente tratados por los escritores bíblicos porque no encajan en las categorías presupuestas. Por

---

[45] Para una perspicaz interacción crítica con el programa de Childs, véase Noble 1995. Para una aguda respuesta crítica a Childs, véase Barr 1999: 378-438.

[46] Para la idea de que las fases preliminares del texto también fueron inspiradas, véase Grisanti 2001.

[47] Carson, *NDBT* 97.

[48] Guthrie 1981.

último, y lo más importante, un enfoque sistemático no se concentra suficientemente en la cronología histórica de la Escritura. La genialidad de la teología bíblica es que despliega la teología de las Escrituras históricamente, prestando atención a dónde nos encontramos en la historia de la redención.

No es mi propósito comentar aquí de forma exhaustiva las diversas propuestas de teología bíblica.[49] Resulta instructivo, sin embargo, señalar algunos de los temas o centros omnicomprensivos que se han propuesto. Walther Eichrodt sugirió el pacto para el Antiguo Testamento;[50] Gerhard von Rad, la historia de la tradición;[51] Walter Kaiser, la promesa de Dios;[52] Samuel Terrien, la esquiva presencia del Señor;[53] Graeme Goldsworthy, el reino.[54] Varios eruditos han sostenido que el tema central de las Escrituras es la justificación.[55] La historia de la salvación ha sido defendida por otros.[56] Alternativamente, William Dumbrell, en su trabajo sobre Apocalipsis 21-22, sugiere la nueva Jerusalén, el nuevo templo, el nuevo pacto, el nuevo Israel y la nueva creación.[57]

Tanto I. Howard Marshall como Frank Thielman han explicado recientemente la teología del Nuevo Testamento examinando la teología de cada uno de sus libros en orden, manteniendo al mismo tiempo la unidad del testimonio canónico.[58] Vemos un enfoque crítico más estándar en la obra de Georg Strecker.[59] Harmut Gese y Peter Stuhlmacher han elaborado con cierto

---

[49] El continuo interés por la teología bíblica es evidente en los ensayos de Rowland y Tuckett 2006, donde se discute la naturaleza de la teología bíblica. Lo que llama la atención, aunque no sorprende en nuestra era moderna, es la enorme diversidad de enfoques sugeridos.

[50] Eichrodt 1961; 1967.

[51] Von Rad 1962; 1965.

[52] Kaiser 1978.

[53] Terrien 1983.

[54] Goldsworthy 1981.

[55] Muchos académicos han propuesto este punto de vista, pero el autor principal es Martín Lutero.

[56] Por ejemplo, Cullmann 1967; Kümmel 1973; Goppelt 1981; 1982b; Ladd 1993. Véase también, sobre la obra de Pablo, Ridderbos 1975. Véase el importante trabajo de Yarbrough (2004). Yarbrough muestra el legado perdurable de los enfoques histórico-salvíficos y critica a los estudiosos que rechazan la legitimidad de la historia de la redención.

[57] Dumbrell 1985.

[58] Marshall 2004; Thielman 2005.

[59] Strecker 2000.

detalle un enfoque de historia de las tradiciones.[60] La multiplicidad de enfoques y temas revela la complejidad de la teología bíblica, y también demuestra que nunca habrá acuerdo sobre un único centro. Por otra parte, G. B. Caird, en una obra completada por L. D. Hurst, ofreció un enfoque temático cuyo tema era la salvación.

Caird imaginó una mesa de conferencias, parecida a la conferencia apostólica, donde Pablo, Pedro, Santiago y otros presentaban y debatían su comprensión de la acción salvífica de Dios en Cristo.[61] Muchos académicos coinciden ahora en que el lenguaje de un solo núcleo es reduccionista y debe evitarse. Hasel afirma que un enfoque multitemático hace más justicia a los materiales bíblicos, aunque también señala que cualquier tema central se centraría casi con toda seguridad en Dios.[62] Lemcio propone un énfasis en seis aspectos: (1) Dios (2) envió o levantó (3) a Jesús; los seres humanos (4) deben responder en arrepentimiento y fe (5) a Dios, y por tanto (6) recibirán beneficios.[63] Scobie está de acuerdo en que no debe buscarse un único centro y que, en su lugar, deben entretejerse varios temas entrelazados.[64] Yo sostengo en este libro que la magnificación de Dios en Cristo es el fundamento o la meta de la teología del Nuevo Testamento, y que Dios desarrolla su propósito en la historia de la salvación para alcanzar esa meta.[65]

---

[60] Gese 1981; Stuhlmacher 1992; 1999. Para un resumen y evaluación de Gese, véase Barr 1999: 362-77. Obsérvese también el notable proyecto de seis volúmenes de Wilckens, actualmente en curso (Wilckens 2003; 2005a; 2005b; 2005c; de próxima publicación). Otras teologías alemanas del NT han sido escritas por Hübner 1990; 1993; 1995; Weiser 1993; Gnilka 1994; Schmithals 1997; Hahn 2002a; 2002b. Para una contribución francesa, véase Vouga 2001. Para un estudio útil de las teologías del NT en la década de 1990, véase Matera 2005: 6-15.

[61] Caird 1994. Recientemente, Esler (2005) ha abogado por un enfoque interpersonal y dialógico. El libro defiende un método y un enfoque y no constituye una teología del NT propiamente dicha. Uno de los muchos elementos fascinantes del libro es la vigorosa defensa de la intención autorial en la interpretación.

[62] Hasel 1978: 204-20.

[63] Lemcio 1988. Nótese cómo la propuesta de Lemcio encaja en muchos aspectos con el esquema de este libro.

[64] Scobie 1991b: 178.

[65] A Green (2002: 15) le preocupa que un punto central delate el "idealismo de la Ilustración" y sustituya "la historia de Dios" por una "abstracción teológica". Aquellos que defienden una cosmovisión sobrenatural y una palabra bíblica veraz difícilmente pueden ser identificados como idealistas de la Ilustración, a menos que uno colocara anacrónicamente a Agustín en esa categoría. Además, la propia historia de Green se convierte en una abstracción si la historia flota al margen de toda pretensión de verdad.

Puede resultar instructivo comparar dos propuestas recientes y notablemente diferentes de hacer teología del Nuevo Testamento, las de Heikki Räisänen y Peter Balla. El esquema de Räisänen para la teología bíblica se explica en su obra de 1990, *Más allá de la teología del Nuevo Testamento* (Beyond New Testament Theology).[66] El título lo dice todo, y el libro se remonta a la obra de Wrede.[67] Según Räisänen, el objetivo de la teología del Nuevo Testamento es aclarar el papel de la religión en la sociedad más que servir a la iglesia. Räisänen lamenta la influencia de Barth y sostiene que se cometió un error fatal cuando los estudiosos abandonaron la escuela de la historia de las religiones y adoptaron la teología dialéctica. En muchos sentidos, Räisänen es una reencarnación de Wrede, argumentando que este último distinguía correctamente la teología de la religión. En su opinión, es lamentable que no se haya seguido la visión esbozada por Wrede, y que la religión y la teología se hayan amalgamado indebidamente cuando deberían mantenerse separadas.

Räisänen, por tanto, propone una forma modificada del programa de Wrede. Identifica seis principios para la teología bíblica. En primer lugar, el público al que se dirige debe ser la comunidad secular y no la iglesia. Si el foco de atención se desplaza hacia esta última, se socava el carácter científico de la empresa. En segundo lugar, la teología del Nuevo Testamento debe ocuparse más de la información que de la proclamación. Bultmann y Conzelmann se equivocaron en este punto. Cuando los teólogos del Nuevo Testamento intentan pronunciar una palabra profética, pierden una base objetiva.

El teólogo puede presentar resultados sin miedo si se dirige a la academia en lugar de comprobar cautelosamente si la iglesia aprueba los resultados. En un mundo postcristiano, los documentos cristianos no pueden ser normativos para la sociedad. Nuestra tarea consiste simplemente en explicar lo que dicen. En tercer lugar, la teología del Nuevo Testamento, según Räisänen, abarca el pensamiento cristiano primitivo y no solo el canon. Limitar la tarea al canon tiene sentido si el objetivo es la proclamación, pero tal decisión no encaja con el trabajo histórico. Quienes basan la teología del Nuevo Testamento en el

---

[66] Räisänen 1990.

[67] Diez años después apareció una edición revisada (Räisänen 2000). Para una valoración más positiva de Räisänen, véase Barr 1999: 530-40.

canon de las Escrituras están permitiendo que su fe personal y sus prejuicios se inmiscuyan en la labor de hacer teología del Nuevo Testamento.

Räisänen insiste en que, de todos modos, no se puede derivar ninguna unidad de los documentos canónicos, por lo que el canon proporciona poca ayuda. En cuarto lugar, la teología del Nuevo Testamento debería ser puramente histórica. La investigación histórica no tiene como objetivo hacer teología. Lo que Räisänen llama "preocupaciones actualizadoras" (es decir, la relevancia de la literatura para hoy) no debería afectar a la investigación histórica. Debemos ser honestos con los datos y abordarlos como lo haríamos con cualquier otra obra literaria. En quinto lugar, la fe no debería ser un requisito para realizar un trabajo histórico. De hecho, el académico debe mantener distancia con respecto al tema y a los valores personales. De lo contrario, se corre el riesgo de insertar convicciones personales en el Nuevo Testamento. Por último, una teología del Nuevo Testamento no está interesada en reconstruir al Jesús histórico, sino más bien en la imagen de fe de Jesús tal y como aparece retratado en el Nuevo Testamento. El Jesús histórico se pierde en las arenas de la historia. Solo podemos conocer a Jesús tal y como se nos presenta en los Evangelios.[68]

Peter Balla ofreció conclusiones notablemente diferentes en su monografía de 1997, *Desafíos a la teología del Nuevo Testamento: Un intento de justificar la empresa* (Challenges to New Testament Theology: An Attempt to Justify the Enterprise).[69] En cierto sentido, Balla está de acuerdo con Räisänen. Sostiene que la teología del Nuevo Testamento está justificada como empresa histórica. Balla define la teología como "todas las afirmaciones y acciones que están en relación con Dios".[70] No obstante, piensa que se puede limitar la teología del Nuevo Testamento al canon, aunque no se conceda un estatus único al Nuevo Testamento. La teología del Nuevo Testamento puede funcionar como una empresa puramente histórica en un contexto académico. No necesitamos presuponer la unicidad del canon del Nuevo Testamento o una unidad subyacente en su mensaje.

---

[68] Para una propuesta centrada en la diversidad del NT, véase Dunn 1977. Desgraciadamente, Dunn ve tanta diversidad que hay muy poca unidad (acertadamente Lemcio 1988: 4-5).

[69] Balla 1997.

[70] Balla 1997: 21.

Balla refuta eficazmente la tesis de Walter Bauer de que la herejía precedió a la ortodoxia en una serie de lugares de la historia temprana de la iglesia. Bauer llegó a la conclusión de que los factores políticos determinaban lo que se calificaba de herejía y lo que se aceptaba como ortodoxia.[71] Balla sostiene que Bauer a menudo argumentaba desde el silencio y malinterpretaba las pruebas.[72]

Balla defiende la limitación de la teología del v al canon porque la historia demuestra que los primeros cristianos hacían distinciones a la hora de reconocer qué escritos tenían autoridad.[73] Por tanto, limitar el estudio al canon es algo que se justifica por motivos históricos. La herejía de Marción, según Balla, no condujo al establecimiento del canon, sino que fortaleció el proceso de elevar ciertos escritos al mismo estatus que el Antiguo Testamento.[74] Los apóstoles probablemente se veían a sí mismos como sucesores de los profetas del Antiguo Testamento (cf. 2 P. 3:16) y eran conscientes de su autoridad única. Además, hay buenas razones para defender una unidad teológica en el estudio del Nuevo Testamento. No podemos probar la noción de desarrollo teológico en los documentos del Nuevo Testamento, ni es evidente que la teología de Jesús y Pablo diverjan. Lo que tenemos en el Nuevo Testamento es un credo básico compartido por todos los creyentes.

Balla traza una clara línea divisoria entre la teología dogmática y la teología bíblica, pues la aplicación del texto y su sistematización pertenecen a la primera, mientras que la teología bíblica es de naturaleza histórica. De ello se deduce que tanto los creyentes como los no creyentes pueden hacer teología del Nuevo Testamento. En este sentido, parece que Balla ha adoptado el programa de Stendahl. Balla insiste en que no hay que adoptar ninguna presuposición; podemos estudiar los documentos históricamente sea cual sea nuestra postura en cuanto a la fe. No exigimos que la gente se haga creyente para hacer teología del Nuevo Testamento, aunque todos deberían estar abiertos a lo que dicen los documentos.

---

[71] Bauer 1971 (original alemán, 1934).

[72] Balla 1997: 50-56.

[73] Hengel (1994: 332) también argumenta que el estudio puede limitarse al canon por motivos históricos.

[74] Balla 1997: 145.

El objetivo de la teología del Nuevo Testamento es describir el contenido del Nuevo Testamento, no defender su verdad.[75] La empresa, por tanto, es histórica, aunque un enfoque histórico no elimina la dimensión teológica de la tarea. Aun así, los presupuestos teológicos no deben presuponer ningún resultado concreto. La tarea debe limitarse al canon, pero debemos evitar cualquier canon dentro del canon.

El método en la teología del Nuevo Testamento

¿Cómo debemos encarar la tarea de hacer una teología del Nuevo Testamento? En este punto me basaré en las definiciones de varios académicos.[76] La teología sistemática tiene un enfoque atemporal, mientras que la teología bíblica hace hincapié en la cronología bíblica, en el desarrollo de la historia de la redención. Cualquier teología sistemática competente está informada, por supuesto, por la teología bíblica y tiene en cuenta constantemente el progreso de la revelación en las Escrituras.

Sin embargo, la teología bíblica explica más específicamente la línea temporal redentora-histórica de la Escritura y no va más allá de ella al aplicar las Escrituras al mundo actual. La teología sistemática, en cambio, aplica la teología de la Biblia a la actualidad. Por lo tanto, Frame dice correctamente que la teología sistemática es teología en aplicación.[77] Carson define la teología bíblica de esta manera: "La teología bíblica es la teología de toda la Biblia, descriptiva e históricamente considerada".[78] Scobie ofrece esta definición: "La teología bíblica puede definirse como el estudio ordenado de la comprensión de la revelación de Dios contenida en las Escrituras canónicas del Antiguo y Nuevo Testamento".[79] Ambas definiciones enfatizan que la teología bíblica comprende toda la Biblia, y que la historia es fundamental para la teología bíblica.

La teología bíblica reconoce las etapas de crecimiento y desarrollo en la revelación de Dios y despliega la revelación de Dios genéticamente. Otra forma de plantear esto es decir que la teología bíblica "permite que el texto

---

[75] Balla 1997: 217.
[76] En esta sección tengo una influencia especial de Carson y de Scobie.
[77] Frame 1987: 97-98.
[78] Carson 1995: 20.
[79] Scobie 1991a: 36.

bíblico establezca la agenda".[80] Vanhoozer capta bien la tarea de la teología bíblica: "Teología bíblica es el nombre de un enfoque interpretativo de la Biblia que asume que la Palabra de Dios está mediada textualmente a través de las diversas palabras literarias, e históricamente condicionadas, de los seres humanos".[81] Continúa diciendo: "Dicho de forma más positiva, la teología bíblica corresponde a los intereses de los propios textos".[82]

El enfoque en la preocupación explícita del texto bíblico distingue la teología bíblica de la teología sistemática. Carson dice que la teología bíblica "está más cerca del texto que la teología sistemática, aspira a lograr una sensibilidad genuina con respecto a lo distintivo de cada corpus, y busca conectar los diversos corpus usando sus propias categorías". Idealmente, por tanto, "la teología bíblica se sitúa como una especie de disciplina puente entre la exégesis responsable y la teología sistemática responsable (aunque cada una de ellas influya inevitablemente en las otras dos)".[83]

El sueño de Gabler, aunque llevado a cabo de forma muy imperfecta en la historia (incluso por el propio Gabler), de que la teología bíblica informe a la teología sistemática debería ser uno de los objetivos primordiales de la teología bíblica. Sin embargo, las dos disciplinas no deberían fusionarse, y es necesario mantener las distinciones entre teología bíblica y sistemática. Por ejemplo, la teología sistemática, al contrario que la teología bíblica, tiene en cuenta la teología histórica.[84] Las Escrituras no pueden aplicarse eficazmente al mundo actual si el teólogo sistemático no reflexiona sobre cómo se han aplicado a lo largo de dos mil años de historia de la iglesia. Ya hemos señalado que la teología sistemática consiste en la aplicación de la teología de la Biblia a sus lectores. La teología histórica, sin embargo, no forma parte de la base de datos de la teología bíblica.[85]

Ciertamente, todos nosotros estamos influidos por la historia de la iglesia, pero al hacer teología bíblica no consideramos explícitamente las formulaciones doctrinales de la historia de la iglesia. Carson expresa bien la

---

[80] Rosner, *NDBT* 5.

[81] Vanhoozer, *NDBT* 56.

[82] Vanhoozer, *NDBT* 56.

[83] Carson, *NDBT* 94.

[84] Para los siguientes puntos, véase Carson, *NDBT* 101-2.

[85] Goldsworthy (2003), empero, también tiene razón al sostener que la teología bíblica, para ser fructífera, debe interactuar con la teología histórica y dogmática y estar familiarizada con ellas, pues no hacemos nuestro trabajo en el vacío.

diferencia entre las teologías sistemática y bíblica, señalando que la teología bíblica es una "disciplina mediadora", mientras que la teología sistemática es una "disciplina culminante". Se deduce, pues, que el trabajo inductivo de la teología bíblica debe ser la base de toda teología sistemática. La teología sistemática expresa la cosmovisión de uno y cómo se aplica a la sociedad contemporánea; la teología bíblica contiene los bloques fundacionales de esa cosmovisión. Por tanto, la teología sistemática solo puede hablar a los contemporáneos con autenticidad si se fundamenta en la teología bíblica. El objetivo último del estudio de la Biblia es, pues, formar una teología sistemática, ya que la aplicación de la Biblia a la actualidad es el punto clave. Sin embargo, la teología bíblica impide que la teología sistemática imponga formas de pensamiento ajenas al sistema.

La teología bíblica tendrá mayor impacto en la sistemática si abarca toda la Biblia. Carson observa acertadamente:

> Pero idealmente, la teología bíblica, como su nombre indica, aunque trabaje inductivamente a partir de los diversos textos de la Biblia, busca descubrir y articular la unidad de todos los textos bíblicos tomados en conjunto, recurriendo principalmente a las categorías de esos mismos textos. En este sentido, se trata de una teología bíblica canónica, una teología bíblica de la 'Biblia entera'.[86]

En otras palabras, la teología bíblica "debe presuponer un canon coherente y consensuado".[87] Matera afirma con razón que la teología del Nuevo Testamento no es una mera historia de la religión, sino que más bien "tiene una tarea específicamente teológica".[88] Por lo tanto, sostiene que deberíamos atrevernos a decir que existe una "coherencia interna".[89]

De ello se deduce que la cuestión de los presupuestos es crucial para hacer teología bíblica. Prácticamente todos estarían de acuerdo en que el estudio del texto en su contexto histórico es fundamental para cualquier teología bíblica.[90]

---

[86] Carson, *NDBT* 100.
[87] Carson 1995: 27.
[88] Matera 2005: 15.
[89] Matera 2005: 16.
[90] Aunque cabe observar que, con demasiada frecuencia, la especulación sustituye al sobrio estudio histórico (acertadamente Hengel 1994: 334-37). En particular, Hengel

Los datos brutos del texto no deben exprimirse en un molde preformado. De hecho, algunos estudiosos (por ejemplo, Stendahl, Räisänen, Balla) sostienen que podemos actuar como historiadores objetivos al hacer teología bíblica. Afirman que tanto creyentes como no creyentes pueden abordar la teología bíblica como una disciplina histórica. Ciertamente, hay que respetar el arraigo histórico del texto, y podemos aprender de quienes adoptan cosmovisiones opuestas a la nuestra.

Sin embargo, se equivocan quienes sostienen que la teología bíblica puede estudiarse desde un punto de vista neutral. Cada cual se acerca al texto con una cosmovisión, una filosofía que influye en su lectura. No existe ningún punto de vista arquímedeo neutral desde el que evaluar el texto bíblico. Ningún ser humano tiene una "visión divina" con la que evaluar toda la realidad. Balla afirma con razón que hay razones históricas para limitar la teología bíblica al canon.

Sin embargo, esta postura no debe basarse únicamente en razones históricas. También hay que presuponer que el canon es el límite de la teología bíblica porque es la Palabra de Dios. Esto no quiere decir que se presuponga arbitrariamente la verdad de la Palabra de Dios, ya que ninguna otra cosmovisión da sentido a toda la realidad como lo hace la cosmovisión bíblica, y todas las demás cosmovisiones solo pueden sobrevivir tomando prestado de la cosmovisión bíblica en algún momento. Sin embargo, el carácter divino y la autoridad de las Escrituras no pueden demostrarse de forma definitiva; no es como si pudiéramos demostrar a otros de forma concluyente que las Escrituras son verdaderas. El punto de partida para captar toda la realidad debe presuponerse en cualquier cosmovisión filosófica, aunque puede demostrarse que ninguna otra cosmovisión da sentido al mundo salvo la cosmovisión generada por el canon de toda la Biblia.

Vanhoozer entiende correctamente que los compromisos teológicos son necesarios para hacer teología bíblica. Él afirma:

> En contra de la opinión de Gabler, uno no hace primero sus deberes históricos y solo entonces empieza a hacer teología. Al contrario, la exégesis ya se ve afectada por las creencias dogmáticas. La relación entre exégesis y teología es

---

(1994: 337) advierte a los estudiosos contra el ansia de nuevos resultados y nuevas percepciones.

más una conversación dialógica que un proceso lineal o unidireccional. La hermenéutica, al llamar la atención sobre los supuestos que los lectores aportan al texto, nos recuerda que la teología está implicada en la tarea de la exégesis desde el principio.[91]

En este punto volvemos a pensar en Balla. Hay que mantener el énfasis de Balla en la historia. Sin embargo, parece pensar que un enfoque neutral e histórico puede demostrar que Pablo y Santiago no se contradicen en la cuestión de la justificación. En cierto sentido, Balla tiene razón. Una exégesis cuidadosa del texto indica que Santiago y Pablo no son polos opuestos. De ahí que debamos argumentar a partir de los datos del texto para demostrar que Santiago y Pablo coinciden.

Por otra parte, sospecho que Balla favorece los argumentos que resuelven la supuesta contradicción entre Pablo y Santiago en virtud de su cosmovisión. Otros perciben los datos de forma diferente precisamente por su creencia de que las Escrituras no contienen una palabra sin contradicciones. De hecho, muchos eruditos modernos creen que la crítica científica, racional y razonable debe reconocer los errores de la Biblia, y que cualquier otra postura es precrítica y anti intelectual. En otras palabras, abordan la Biblia con una cosmovisión Ilustrada desde el principio. Sin embargo, se equivocan al pensar que su propia cosmovisión es neutral. Vanhoozer señala:

> La crítica bíblica moderna, aunque profesa estudiar el texto científicamente, de hecho lo aborda con los presupuestos antiteológicos de la razón secular y, por tanto, con un sesgo contra la unidad del texto y una hermenéutica antinarrativa.[92]

Muchos eruditos no se reconocerían a sí mismos en la acusación de Vanhoozer y afirmarían guiarse simplemente por los fenómenos del texto. No obstante, no se dan cuenta de que incluso su percepción de dichos fenómenos está influida por su visión del mundo, sus presupuestos filosóficos. Scobie insiste también en que la teología bíblica no es puramente neutral:

---

[91] Vanhoozer, *NDBT* 55. Green (2002: 16) también considera acertadamente que "la relación entre la Escritura y la doctrina" se "informa e influye mutuamente".

[92] Vanhoozer, *NDBT* 58.

Sus presupuestos, basados en un compromiso de fe cristiana, incluyen la creencia de que la Biblia transmite una revelación divina, que la Palabra de Dios en las Escrituras constituye la norma de la fe y la vida cristianas, y que todo el variado material tanto del Antiguo como del Nuevo Testamento puede relacionarse de algún modo con el plan y el propósito del Dios único de toda la Biblia. Tal teología bíblica se sitúa en algún lugar entre lo que la Biblia 'significó' y lo que 'significa'.[93]

Cuando hacemos teología bíblica, no debemos pensar que se puede abordar desde un punto de vista objetivo putativo. Vanhoozer dice: "Leer los Testamentos juntos implica adoptar posiciones tanto hermenéuticas como teológicas... Leer la Biblia tipológica o intertextualmente es dejar que la teología cristiana transforme las presuposiciones que uno trae al texto".[94] Una de las cuestiones cruciales en todo este empeño es si prestamos atención a la intención divina al leer la Escritura.[95]

No estoy sugiriendo que se acceda a la intención divina de alguna manera mística aparte de las palabras del texto. El significado divino del texto no se obtiene a través de sueños o revelaciones privadas. Tampoco estoy desechando la importancia del estudio histórico. Comprender el significado de los autores humanos es fundamental para la teología bíblica y para entender el significado de Dios. Centrarse en las presuposiciones no significa ignorar las pruebas históricas. Schlatter (1973: 136) nos recuerda con razón que debemos ver lo que dice el texto. Sin embargo, cuando consideramos los muchos autores de la Escritura y sus diversas intenciones, nos damos cuenta de que Dios estaba supervisando todo el proceso, y que hay una intención divina que se lleva a cabo a través del proceso histórico.[96]

---

[93] Scobie 1991a: 50-51.

[94] Vanhoozer, *NDBT* 60.

[95] Plantinga (2003: 25) expone el supuesto que sustenta este trabajo: "En segundo lugar, un supuesto de la empresa es que el autor principal de la Biblia —toda la Biblia— es Dios mismo. Por supuesto, cada uno de los libros de la Biblia tiene también un autor o autores humanos, pero el autor principal es Dios. Esto nos impulsa a tratar el conjunto más como una comunicación unificada que como una miscelánea de libros antiguos. La Escritura no es tanto una biblioteca de libros independientes como un libro en sí mismo, con muchas subdivisiones, pero con un tema central".

[96] Plantinga (2003: 19-57) sostiene que quienes aceptan la inspiración de la Escritura y la intervención de Dios en el mundo tienen sólidos fundamentos para pensar que la Escritura es la Palabra de Dios y representa la perspectiva de Dios sobre la realidad.

Por ejemplo, el escritor del Salmo 2 ciertamente estaba hablando de un rey en la historia de Israel. Pero cuando leemos toda la Escritura, está claro que este salmo se refiere en última instancia a Jesucristo. Por eso, Vanhoozer dice con razón que debemos leer la Biblia "según su intención *divina* más verdadera y plena".[97] El significado divino no es contrario al humano, sino que puede trascenderlo en formas que el autor original no comprendió. Vanhoozer dice: "Solo la forma final del texto muestra el acto comunicativo divino en su totalidad; por lo tanto, la forma final es la mejor prueba para determinar lo que los autores, humanos y divinos, están haciendo en última instancia".[98] Sin embargo, los eruditos bíblicos no leerán el texto de esta manera si no aceptan la noción de que la Escritura es la Palabra inspirada de Dios sin contradicciones.

Muchos que ven las Escrituras meramente como la Palabra de autores humanos concluyen naturalmente que estos autores humanos están en desacuerdo entre sí, que no hay una Palabra unificada. Por lo tanto, no hay posibilidad de hacer una teología bíblica de toda la Biblia, ya que la Biblia contiene teologías que compiten entre sí.[99] Vanhoozer observa con razón:

> Limitar la teología bíblica a la descripción histórica es abandonar el intento de leer la Biblia como norma teológica para la iglesia y rechazar la noción de inspiración divina y autoría divina, y por tanto negarse a leer la Biblia como Palabra de Dios.[100]

Y concluye:

> La sugerencia del presente artículo es que tener un interés teológico, lejos de ser arbitrario, es más bien necesario si se quiere hacer justicia a la naturaleza

---

Esto contrasta con el modo en que a menudo se practica la crítica histórica, según la cual se excluye a priori la intervención de Dios en el mundo.

[97] Vanhoozer, *NDBT* 61.

[98] Vanhoozer, *NDBT* 62.

[99] Green (2002: 11) sigue a Goldingay al afirmar que la Escritura es inspirada en el sentido de que sigue teniendo significado y sentido más allá de sus lectores originales. Tal definición de inspiración es bastante atenuada y difícil de distinguir de la que se aplica a los clásicos literarios apreciados a lo largo de la historia.

[100] Vanhoozer, *NDBT* 63.

de la Biblia misma, tomada no solo como una colección de actos de habla humanos, sino también como un acto *canónico* divino unificado.[101]

En este libro he asumido que la teología del Nuevo Testamento está enraizada en la Palabra de Dios unificada y coherente. Al mismo tiempo, sostengo que hay pruebas sustanciales que respaldan tal afirmación. Por ejemplo, hay buenas razones para pensar que el Evangelio de Juan no solo se interesa por la teología, sino que también se basa en una historia exacta.

La cuestión de los presupuestos es crucial para el funcionamiento de la teología bíblica, pues quienes no perciben todo el canon como la Palabra autoritativa de Dios optan inevitablemente por alguna forma de canon dentro del canon. La teología bíblica debe ser canónica y ocuparse de ambos Testamentos en su conjunto.[102] Por lo tanto, "inevitablemente implica presuposiciones cristianas".[103] Marción estableció su propio canon excluyendo una serie de libros que eran generalmente aceptados. Lutero pareció caer en el error de un canon dentro del canon cuando denigró a Santiago y exaltó aquello que presentaba a Cristo.

Los liberales le dieron el lugar de honor a su propia reconstrucción del Jesús histórico. Bultmann favoreció a Pablo y Juan frente al resto del Nuevo Testamento. Stuhlmacher representó un auténtico avance con su hermenéutica del consentimiento. Sostenía que debemos aceptar el poder inherente de la palabra escritural, que debemos estar abiertos a la trascendencia y a la fe.[104] La fe y lo milagroso no pueden excluirse al hacer teología bíblica. Son posturas notables viniendo de alguien que estudió con Ernst Käsemann. Aun así, Stuhlmacher sostiene que Pablo y Santiago se contradicen. Es difícil saber dónde está la Palabra de Dios según el esquema de Stuhlmacher.

¿Debemos preferir a Pablo o a Santiago, y sobre qué base debemos preferir a uno sobre el otro aparte de nuestras preferencias subjetivas? Cualquier canon dentro del canon desconoce que toda la Escritura es la Palabra de Dios. Hasel señala con razón que necesitamos hacer teología bíblica de un modo "que

---

101 Vanhoozer, *NDBT* 62.
102 Scobie 1991a: 52.
103 Scobie 1991a: 55.
104 Stuhlmacher 1977.

intente hacer justicia a todas las dimensiones de la realidad de las que dan testimonio los textos bíblicos".[105]

El objetivo de mi teología del Nuevo Testamento es reconocer que el Nuevo Testamento afirma ser una Palabra que viene de Dios. Como tal, el Nuevo Testamento tiene autoridad y es coherente. De ahí que sea realmente posible escribir una teología del Nuevo Testamento, aunque ninguna teología del Nuevo Testamento pueda jamás sondear las profundidades del mensaje que contiene.

---

[105] Hasel 1982: 66.

BIBLIOGRAFÍA

Aalen, S. "δόξα." *NIDNTT* 2:44–48.

Abasciano, Brian J. 2006. "Corporate Election in Romans 9: A Reply to Thomas Schreiner." *JETS* 49:351–71.

Achtemeier, Paul J. 1996. *First Peter*. Hermeneia. Minneapolis: Fortress.

Adamson, James B. 1989. *James: The Man and His Message*. Grand Rapids: Eerdmans.

Ådna, Jostein. 2006. "The Servant of Isaiah 53 as Triumphant and Interceding Messiah: The Reception of Isaiah 52:13–53:12 in the Targum of Isaiah with Special Attention to the Concept of the Messiah." Pages 189–224 in *The Suffering Servant: Isaiah 53 in Jewish and Christian Sources*. Edited by B. Janowski and P. Stuhlmacher. Translated by D. P. Bailey. Grand Rapids: Eerdmans.

Agersnap, Søren. 1999. *Baptism and the New Life: A Study of Romans 6.1–14*. Aarhus, Denmark: Aarhus University Press.

Alexander, T. D. 2002. *From Paradise to Promised Land: An Introduction to the Pentateuch*. 2nd ed. Grand Rapids: Baker Academic.

Allan, John A. 1963. "The 'in Christ' Formula in the Pastoral Epistles." *NTS* 10:115–21.

Allison, Dale. 1982. "The Pauline Epistles and the Synoptic Gospels: The Pattern of the Parallels." *NTS* 28:1–32.

____. 1993. *The New Moses: A Matthean Typology*. Minneapolis: Fortress.

Anderson, A. A. 1972. *Psalms 73–50*. Vol. 2 of *The Book of Psalms*. NCB . Grand Rapids: Eerdmans.

Anderson, Paul N. 1996. *The Christology of the Fourth Gospel: Its Unity and Disunity in the Light of John 6*. WUNT 2/78. Tübingen: Mohr Siebeck.

Angel, G. T. D. "ἐρωτάω." *NIDNTT* 2:879–81.

Arnold, Clinton E. 1994. "Jesus Christ: 'Head' of the Church (Colossians and Ephesians)." Pages 346–66 in *Jesus of Nazareth: Lord and Christ; Essays on the Historical Jesus and New Testament Christology*. Edited by J. B. Green and M. Turner. Grand Rapids: Eerdmans.

____. 1996. "Returning to the Domain of the Powers: *Stoicheia* as Evil Spirits in Galatians 4:3, 9." *NovT* 38:55–76.

Attridge, Harold W. 1989. *The Epistle to the Hebrews*. Hermeneia. Philadelphia: Fortress.

Aune, David E. 1969. "The Problem of the Messianic Secret." *NovT* 11:1–31.

____. 1983. *Prophecy in Early Christianity and the Ancient Mediterranean World*. Grand Rapids: Eerdmans.

____. 1997. *Revelation 1–5*. WBC 52A. Dallas: Word.

____. 1998. *Revelation 6–16*. WBC 52B. Nashville: Thomas Nelson.

Avemarie, Friedrich. 1996. *Tora und Leben: Untersuchungen zur Heilsbedeutung der Tora in der frühen rabbinischen Literatur.* TSAJ 55. Tübingen: Mohr Siebeck.

____. 1999. "Erwählung und Vergeltung: Zur optionalen Struktur rabbinischer Soteriologie." *NTS* 45:108–26.

Badenas, Robert. 1985. *Christ, the End of the Law: Romans 10.4 in Pauline Perspective.* JSNTSup 10. Sheffield: JSOT Press.

Bailey, Kenneth E. 1976. *Poet and Peasant: A Literary-Cultural Approach to the Parables in Luke.* Grand Rapids: Eerdmans.

____. 1980. *Through Peasant Eyes: More Lucan Parables, Their Culture and Style.* Grand Rapids: Eerdmans.

Baird, William. 1992. *From Deism to Tübingen.* Vol. 1 of *History of New Testament Research.* Minneapolis: Fortress.

____. 2003. *From Jonathan Edwards to Rudolph Bultmann.* Vol. 2 of *History of New Testament Research.* Minneapolis: Fortress.

Balch, David L. 1981. *Let Wives Be Submissive: The Domestic Code in 1 Peter.* SBLMS 26. Chico, CA: Scholars Press.

Baldwin, Joyce G. 1978. *Daniel.* TOTC. Leicester, UK: Inter-Varsity Press.

Ball, David Mark. 1996. *"I Am" in John's Gospel: Literary Function, Background and Theological Implications.* JSNTSup 124. Sheffield: Sheffield Academic Press.

Balla, Peter. 1997. *Challenges to New Testament Theology: An Attempt to Justify the Enterprise.* WUNT 2/95. Tübingen: Mohr Siebeck.

____. 2003. *The Child-Parent Relationship in the New Testament and Its Environment.* WUNT 155. Tübingen: Mohr Siebeck.

Balz, H. "κόσμος." *EDNT* 2:309–13.

Banks, Robert. 1975. *Jesus and the Law in the Synoptic Tradition.* SNTSMS 28. Cambridge: Cambridge University Press.

Barclay, John M. G. 1988. *Obeying the Truth: A Study of Paul's Ethics in Galatians.* Edinburgh: T & T Clark.

____. 1996. " 'Do We Undermine the Law?' A Study of Romans 14.1–15.6." Pages 287–308 in *Paul and the Mosaic Law.* Edited by J. D. G. Dunn. WUNT 89. Tübingen: Mohr Siebeck.

Barnett, Paul. 1999. *Jesus and the Rise of Early Christianity: A History of New Testament Times.* Downers Grove, IL: InterVarsity Press.

Barr, James. 1961. *The Semantics of Biblical Language.* Oxford: Oxford University Press.

____. 1988. " 'Abbā' Isn't 'Daddy.' " *JTS* 39:28–47.

____. 1999. *The Concept of Biblical Theology.* Minneapolis: Fortress.

Barrett, C. K. 1954. "The Eschatology of the Epistle to the Hebrews." Pages 363–93 in *The Background to the New Testament and Its Eschatology.* Edited by W. D. Davies and D. Daube. Cambridge: Cambridge University Press.

____. 1968. *A Commentary on the First Epistle to the Corinthians.* HNTC. New York: Harper & Row.

____. 1970. *Luke the Historian in Recent Study.* Philadelphia: Fortress.

____. 1973. *A Commentary on the Second Epistle to the Corinthians.* HNTC. New York: Harper & Row.

____. 1978. *The Gospel According to St. John: An Introduction with Commentary and Notes on the Greek Text.* 2nd ed. London: SPCK.

____. 1982. *Essays on John.* Philadelphia: Westminster.

____. 1994.*Acts 1–14.* ICC . Edinburgh: T & T Clark.

____. 1998. *Acts 15–28.* ICC . Edinburgh: T & T Clark.

Bartchy, S. Scott. 1973. *Mallon Chresai: First-Century Slavery and the Interpretation of 1 Corinthians 7:21.* SBLDS 11. Missoula, MT: Society of Biblical Literature.

____. "Slave, Slavery." *DLNT* 1098–1102.

____. "Slavery: New Testament." *ABD* 6:65–73.

Barth, G. 1963. "Matthew's Understanding of the Law." Pages 58–164 in *Tradition and Interpretation in Matthew.* Edited by G. Bornkamm, G. Barth, and J. H. Held. Philadelphia: Westminster.

____. "πίστις." *EDNT* 3:91–97.

Bassler, Jouette M. 1982. *Divine Impartiality: Paul and a Theological Axiom.* SBLDS 59. Chico, CA: Scholars Press.

Bauckham, Richard J. 1977. "The Eschatological Earthquake in the Apocalypse of John." *NovT* 19:224–33.

____. 1983. *Jude, 2 Peter.* WBC 50. Waco: Word.

____. 1985. "The Son of Man: 'A Man in My Position' or 'Someone'?" *JSNT* 23:23–33.

____. 1990. *Jude and the Relatives of Jesus in the Early Church.* Edinburgh: T & T Clark.

____. 1991. "The List of the Tribes in Revelation 7 Again." *JSNT* 42:99–115.

____. 1993a. *The Theology of the Book of Revelation.* NTT . Cambridge: Cambridge University Press.

____. 1993b. *The Climax of Prophecy: Studies on the Book of Revelation.* London: T & T Clark.

____. 1995. "James and the Jerusalem Church." Pages 415–80 in *The Book of Acts in Its Palestinian Setting.* Vol. 4 of *The Book of Acts in Its First Century Setting.* Edited by R. Bauckham. Grand Rapids: Eerdmans.

____. ed. 1998. *The Gospels for All Christians: Rethinking the Gospel Audiences.* Grand Rapids: Eerdmans.

____. 1999a. *God Crucified: Monotheism and Christology in the New Testament.* Grand Rapids: Eerdmans.

____. 1999b. *James: Wisdom of James, Disciple of Jesus the Sage.* New York: Routledge.

____. 2001. "The Restoration of Israel in Luke-Acts." Pages 435–87 in *Restoration: Old Testament, Jewish, and Christian Perspectives.* Edited by J. M. Scott. JSJSup 72. Leiden: Brill.

____. 2006. *Jesus and the Eyewitnesses: The Gospels as Eyewitness Testimony.* Grand Rapids: Eerdmans.

____. 2007. "Historiographical Characteristics of the Gospel of John." *NTS* 53:17–36.

Bauer, Walter. 1971. *Orthodoxy and Heresy in Earliest Christianity.* Translated by the Philadelphia Seminar on Christian Origins. Edited by R. A. Kraft and G. Krodel. Philadelphia: Fortress.

Baugh, Steven M. 1992. " 'Savior of All People': 1 Tim. 4:10 in Context." *WTJ* 54:331–40.

____. 2000. "The Meaning of Foreknowledge." Pages 183–200 in *Still Sovereign: Contemporary Perspectives on Election, Foreknowledge, and Grace.* Edited by T. R. Schreiner and B. A. Ware. Grand Rapids: Baker Academic.

Beale, G. K. 1984. *The Use of Daniel in Jewish Apocalyptic Literature and in the Revelation of St. John.* Lanham, MD: University Press of America.

____. 1999a. "Peace and Mercy upon the Israel of God: The Old Testament Background of Galatians 6,16b." *Bib* 80:204–23.

____. 1999b. *The Book of Revelation*. NIGTC . Grand Rapids: Eerdmans.

____. 2003. *1–2 Thessalonians*. IVPNTC 13. Downers Grove, IL: InterVarsity Press.

____. 2004. *The Temple and the Church's Mission: A Biblical Theology of the Dwelling Place of God*. Downers Grove, IL: InterVarsity Press.

Beare, F. W. 1947. *The First Epistle of Peter: The Greek Text with Introduction and Notes*. Oxford: Blackwell.

Beasley-Murray, G. R. 1962. *Baptism in the New Testament*. Grand Rapids: Eerdmans.

____. 1986. *Jesus and the Kingdom of God*. Grand Rapids: Eerdmans.

____. 1987. *John*. WBC . Waco: Word.

Bechtler, S. R. 1998. *Following in His Steps: Suffering, Community, and Christology in 1 Peter*. SBLDS 162. Atlanta: Scholars Press.

Beckwith, Roger T. 1995. "Sacrifice in the World of the New Testament." Pages 105–10 in *Sacrifice in the Bible*. Edited by R. T. Beckwith and M. J. Selman. Grand Rapids: Baker Academic.

Beker, J. Christiaan. 1980. *Paul the Apostle: The Triumph of God in Life and Thought*. Philadelphia: Fortress.

Bell, Richard H. 2002. "Sacrifice and Christology in Paul." *JTS* 53:1–27.

Bellefontaine, Elizabeth. 1993. "The Curses of Deuteronomy 27: Their Relationship to the Prohibitives." Pages 258–68 in *A Song of Power and the Power of Song: Essays on the Book of Deuteronomy*. Edited by D. L. Christensen. SBTS 3. Winona Lake, IN: Eisenbrauns.

Belleville, Linda L. 1980. " 'Born of Water and Spirit': John 3:5." *TJ* 1:125–41.

____. 1986. " 'Under Law': Structural Analysis and the Pauline Concept of Law in Galatians 3:21–4:11." *JSNT* 26:53–78.

____. 1991. *Reflections of Glory: Paul's Polemical Use of the Moses-Doxa Tradition in 2 Corinthians 3:1–18*. JSNTSup 52. Sheffield: Sheffield Academic Press.

Bennema, Cornelis. 2003. "Spirit-Baptism in the Fourth Gospel: A Messianic Reading of John 1,33." *Bib* 84:35–60.

Berger, K. "χάρις." *EDNT* 3:457–60.

Best, Ernest. 1969. "1 Pet. 2:4–10: A Reconsideration." *NovT* 11:270–93.

____. 1970a. "Discipleship in Mark: Mark 8:22–10:52." *SJT* 23:323–37.

____. 1970b. "1 Peter and the Gospel Tradition." *NTS* 16:95–113.

____. 1971. *1 Peter*. NCB . Grand Rapids: Eerdmans.

____. 1972. *A Commentary on the First and Second Epistles to the Thessalonians*. HNTC . New York: Harper & Row.

____. 1981. " 'Dead in Trespasses and Sins' (Eph. 2.1)." *JSNT* 13:9–25.

____. 1998. *Ephesians*. ICC . Edinburgh: T & T Clark.

Betz, Hans Dieter. 1979. *Galatians*. Hermeneia. Philadelphia: Fortress.

____. 1985. *2 Corinthians 8 and 9: A Commentary on Two Administrative Letters of the Apostle Paul*. Hermeneia. Philadelphia: Fortress.

Betz, Otto. 1998. "Jesus and Isaiah 53." Pages 70–87 in *Jesus and the Suffering Servant: Isaiah 53 and Christian Origins.* Edited by W. H. Bellinger Jr. and W. R. Farmer. Harrisburg, PA: Trinity Press International.

Beyer, Hermann W. "ἐπισκέπτομαι." *TDNT* 2:599–622.

Bietenhard, H. "ὄνομα." *NIDNTT* 2:648–56.

Bigg, Charles. 1901. *The Epistles of St. Peter and St. Jude.* ICC . Edinburgh: T & T Clark.

Black, Matthew. 1992. "The Messianism of the Parables of Enoch: Their Date and Contribution to Christological Origins." Pages 145–68 in *The Messiah: Developments in Earliest Judaism and Christianity.* Edited by J. H. Charlesworth. Minneapolis: Fortress.

Blackburn, Barry. 1991. *Theios Anēr and the Markan Miracle Traditions: A Critique of the Theios Anēr Concept as an Interpretative Background of the Miracle Traditions Used by Mark.* WUNT 2/40. Tübingen: Mohr Siebeck.

Blaising, Craig. 1999. "Premillennialism." Pages 157–227 in *Three Views on the Millennium and Beyond.* Edited by D. Bock. Grand Rapids: Zondervan.

Blattenberger, David E., III. 1997. *Rethinking 1 Corinthians 11:2–16 through Archaeological and Moral-Rhetorical Analysis.* SBEC 36. Lewiston, NY: Mellen.

Block, Daniel I. 1995. "Bringing Back David: Ezekiel's Messianic Hope." Pages 167–88 in *The Lord's Anointed: Interpretation of Old Testament Messianic Text.* Edited by P. E. Satterthwaite, R. S. Hess, and G. J. Wenham. Grand Rapids: Baker Academic.

____. 1997. *The Book of Ezekiel: Chapters 1–24.* NICOT . Grand Rapids: Eerdmans.

____. 1998. *The Book of Ezekiel: Chapters 25–48.* NICOT . Grand Rapids: Eerdmans.

Blomberg, Craig L. 1984. "The Law in Luke-Acts." *JSNT* 22:53–80.

____. 1990a. *Interpreting the Parables.* Downers Grove, IL: InterVarsity Press.

____. 1990b. "Marriage, Divorce, Remarriage, and Celibacy: An Exegesis of Matthew 19:3–12." *TJ* 11:161–96.

____. 1992. *Matthew.* NAC . Nashville: Broadman.

____. 1998. "The Christian and the Law of Moses." Pages 397–416 in *Witness to the Gospel: The Theology of Acts.* Edited by I. H. Marshall and D. Peterson. Grand Rapids: Eerdmans.

____. 2001. *The Historical Reliability of John's Gospel: Issues and Commentary.* Downers Grove, IL: InterVarsity Press.

Böcher, O. "γέεννα." *EDNT* 1:239–40.

Bock, Darrell. 1987. *Proclamation from Prophecy and Pattern: Lucan Old Testament Christology.* JSNTSup 12. Sheffield: JSOT Press.

____. 1994. *Luke 1:1–9:50.* BECNT . Grand Rapids: Baker Academic.

____. 1996. *Luke 9:51–24:53.* BECNT . Grand Rapids: Baker Academic.

____. 1998. "Scripture and the Realization of God's Promises." Pages 41–62 in *Witness to the Gospel: The Theology of Acts.* Edited by I. H. Marshall and D. Peterson. Grand Rapids: Eerdmans.

____. 2000. *Blasphemy and Exaltation in Judaism and the Final Examination of Jesus: A Philological-Historical Study of the Key Jewish Themes Impacting Mark 14:61–64.* Grand Rapids: Baker Academic.

Bockmuehl, Markus. 1989. "Matthew 5.32; 19.9 in the Light of Pre-Rabbinic Halakah." *NTS* 35:291–95.

____. 2000. *Jewish Law in Gentile Churches: Halakhah and the Beginning of Christian Public Ethics.* Grand Rapids: Eerdmans.

Boers, Hendrikus. 1979. *What Is New Testament Theology? The Rise of Criticism and the Problem of a Theology of the New Testament.* Philadelphia: Fortress.

Bolt, Peter G. 2004. *The Cross from a Distance: Atonement in Mark's Gospel.* Downers Grove, IL: InterVarsity Press.

Borgen, Peder. 1980. "Observations on the Theme 'Paul and Philo': Paul's Preaching of Circumcision in Galatia (Gal. 5:11) and Debates on Circumcision in Philo." Pages 85–102 in *The Pauline Literature and Theology: Scandinavian Contributions* [= *Die Paulinische Literatur und Theologie: Skandinavische Beiträge; Anlässlich der 50. Jährigen Gründungs-Feier der Universität von Århus*]. Edited by S. Pedersen. Teologiske Studier (Forlaget Aros) 7. Aarhus, Denmark: Aros; Göttingen: Vandenhoeck & Ruprecht.

____. 1982. "Paul Preaches Circumcision and Pleases Men." Pages 37–46 in *Paul and Paulinism: Essays in Honor of C. K. Barrett.* Edited by M. D. Hooker and S. G. Wilson. London: SPC.

____. 1988. "Catalogues of Vices: The Apostolic Decree, and the Jerusalem Meeting." Pages 126–41 in *The Social World of Formative Christianity and Judaism: Essays in Tribute to Howard Clark Kee.* Edited by J. Neusner et al. Philadelphia: Fortress.

____. 1992. "There Shall Come Forth a Man: Reflections on Messianic Ideas in Philo." Pages 341–61 in *The Messiah: Developments in Earliest Judaism and Christianity.* Edited by J. H. Charlesworth. Minneapolis: Fortress.

Boring, M. Eugene. 1990. "Mark 1:1–15 and the Beginning of the Gospel." *Semeia* 52:43–81.

Borsch, F. H. 1992. "Further Reflections on 'The Son of Man': The Origins and Development of the Title." Pages 130–44 in *The Messiah: Developments in Earliest Judaism and Christianity.* Edited by J. H. Charlesworth. Minneapolis: Fortress.

Bosch, David J. 1991. *Transforming Mission: Paradigm Shifts in Theology of Mission.* Maryknoll, NY: Orbis Books.

Bousset, Wilhelm. 1970. *Kyrios Christos: A History of Belief in Christ from the Beginnings of Christianity to Irenaeus.* Translated by J. E. Steely. 5th ed. Nashville: Abingdon.

Bowers, Paul. 1991. "Church and Mission in Paul." *JSNT* 44:89–111.

Brady, James R. 1992. *Jesus Christ: Divine Man or Son of God?* Lanham, MD: University Press of America.

Brandon, S. G. F. 1967. *Jesus and the Zealots: A Study of the Political Factor in Primitive Christianity.* New York: Scribner.

Braswell, J. P. 1991. " 'The Blessing of Abraham' versus 'The Curse of the Law': Another Look at Gal. 3:10–13." *WTJ* 53:73–91.

Brauch, M. T. 1977. "Appendix: Perspectives on 'God's Righteousness' in Recent German Discussion." Pages 523–42 in *Paul and Palestinian Judaism: A Comparison of Patterns of Religion* by E. P. Sanders. Philadelphia: Fortress.

Brent, Allen. 1999. *The Imperial Cult and the Development of Church Order: Concepts and Images of Authority in Paganism and Early Christianity before the Age of Cyprian.* VCSup 45. Leiden: Brill.

Breytenbach, Cilliers. 1989. *Versöhnung: Eine Studie zur paulinischen Soteriologie.* WMANT 60. Neukirchen-Vluyn: Neukirchener Verlag.

Broer, I. 1986. "Anmerkungen zum Gesetzesverständnis des Matthäus." Pages 128–45 in *Das Gesetz im Neuen Testament.* Edited by K. Kertelge. QD 108. Freiburg: Herder.

Brown, Colin. 1984. *Miracles and the Critical Mind.* Grand Rapids: Eerdmans.

Brown, Raymond E. 1966. *The Gospel According to John I–XII.* AB 29. Garden City, NY: Doubleday.

____. 1970. *The Gospel According to John XIII–XXI.* AB 29A. Garden City, NY: Doubleday.

____. 1977. *The Birth of the Messiah: A Commentary on the Infancy Narratives in Matthew and Luke.* Garden City, NY: Doubleday.

____. 1982. *The Epistles of John.* AB 30. Garden City, NY: Doubleday.

____. 1994. *The Death of the Messiah: From Gethsemane to the Grave; A Commentary on the Passion Narratives in the Four Gospels.* 2 vols. ABRL . New York: Doubleday.

Brox, N. 1986. *Der erste Petrusbrief.* 2nd ed. EKKNT . Neukirchen-Vluyn: Neukirchener Verlag.

Bruce, F. F. 1951. *The Acts of the Apostles: The Greek Text with Introduction and Commentary.* London: Tyndale.

____. 1954. *Commentary on the Book of Acts.* NICNT . Grand Rapids: Eerdmans.

____. 1964. *The Epistle to the Hebrews.* NICNT . Grand Rapids: Eerdmans.

____. 1975. "Paul and the Law of Moses." *BJRL* 57:259–79.

____. 1982a. *The Epistle to the Galatians.* NIGTC . Grand Rapids: Eerdmans.

____. 1982b. *1 & 2 Thessalonians.* WBC 45. Waco: Word.

____. 1984. *The Epistles to the Colossians to Philemon and to the Ephesians.* NICNT . Grand Rapids: Eerdmans.

Bryan, Steven M. 2002. *Jesus and Israel's Traditions of Judgement and Restoration.* SNTSMS 117. Cambridge: Cambridge University Press.

Büchsel, F. "ἱλάσκομαι." *TDNT* 3:310–18.

____. "μονογενής." *TDNT* 4:737–41.

Buckwalter, H. Douglas. 1996. *The Character and Purpose of Luke's Christology.* SNTSMS 89. Cambridge: Cambridge University Press.

____. 1998. "The Divine Saviour." Pages 107–23 in *Witness to the Gospel: The Theology of Acts.* Edited by I. H. Marshall and D. Peterson. Grand Rapids: Eerdmans.

Bühner, J. A. "παῖς." *EDNT* 3:5–6.

Bultmann, Rudolf K. 1951. *Theology of the New Testament.* Vol. 1. Translated by K. Grobel. New York: Scribner.

____. 1955. *Theology of the New Testament.* Vol. 2. Translated by K. Grobel. New York: Scribner.

____. 1960. "Romans 7 and the Anthropology of Paul." Pages 147–57 in *Existence and Faith.* New York: Meridian.

____. 1962. *Jesus and the Word.* Translated by L. P. Smith and E. H. Lantero. New York: Scribner.

____. 1963. *The History of the Synoptic Tradition.* Translated by J. Marsh. Rev. ed. New York: Harper & Row.

____. 1964. "*Dikaiosynē Theou.*" *JBL* 83:12–16.

____. 1971. *The Gospel of John: A Commentary.* Translated by G. R. Beasley-Murray. Philadelphia: Westminster.

____. 1995. "The Problem of Ethics in Paul." Pages 195–216 in *Understanding Paul's Ethics: Twentieth Century Approaches.* Edited by B. S. Rosner. Grand Rapids: Eerdmans.

____. "πιστεύω." *TDNT* 6:174–228.

Burge, Gary M. 1987. *The Anointed Community: The Holy Spirit in the Johannine Tradition.* Grand Rapids: Eerdmans.

Burkett, Delbert. 1994. "The Nontitular Son of Man: A History and Critique." *NTS* 40:504–21.

____. 1999. *The Son of Man Debate: A History and Evaluation.* SNTSMS 107. Cambridge: Cambridge University Press.

Byrne, B. 1996. *Romans.* SP 6. Collegeville, MN: Liturgical Press.

Cadbury, Henry J. 1927. *The Making of Luke-Acts.* New York: Macmillan.

____. 1933. "The Titles of Jesus in Acts." Pages 354–75 in *The Acts of the Apostles: Additional Notes to the Commentary.* Part 1, vol. 5 of *The Beginnings of Christianity.* Edited by F. J. Foakes-Jackson and K. Lake. London: Macmillan.

Caird, G. B. 1966. *A Commentary on the Revelation of St. John the Divine.* New York: Harper & Row.

____. 1994. *New Testament Theology.* Completed and edited by L. D. Hurst. Oxford: Clarendon Press.

Callan, Terrance. 2001. "The Christology of the Second Letter of Peter." *Bib* 82:253–63.

____. 2003. "The Style of the Second Letter of Peter." *Bib* 84:202–24.

Calvin, John. 1961. *The Epistles of Paul the Apostle to the Romans and to the Thessalonians.* Translated by R. MacKenzie. Calvin's Commentaries 8. Edited by D. W. Torrance and T. F. Torrance. Repr., Grand Rapids: Eerdmans.

Campbell, R. Alastair. 1994. *The Elders: Seniority within Earliest Christianity.* Edinburgh: T & T Clark.

____. 1996. "Jesus and His Baptism." *TynBul* 47:191–214.

Capes, David B. 1992. *Old Testament Yahweh Texts in Paul's Christology.* WUNT 2/47. Tübingen: Mohr Siebeck.

Capper, Brian. 1998. "Reciprocity and the Ethic of Acts." Pages 499–518 in *Witness to the Gospel: The Theology of Acts.* Edited by I. H. Marshall and D. Peterson. Grand Rapids: Eerdmans.

Caragounis, Chrys C. 1986. *The Son of Man: Vision and Interpretation.* WUNT 38. Tübingen: Mohr Siebeck.

Carey, George L. 1981. "The Lamb of God and Atonement Theories." *TynBul* 32:97–122.

Carras, George P. 1992. "Romans 2,1–29: A Dialogue on Jewish Ideals." *Bib* 73:183–207.

Carson, D. A. 1979. "The Function of the Paraklete in John 16:7–11." *JBL* 98:547–66.

____. 1981a. *Divine Sovereignty and Human Responsibility: Biblical Perspectives in Tension.* Atlanta: John Knox.

____. 1981b. "Historical Tradition in the Fourth Gospel: After Dodd, What?" Pages 83–145 in *Studies of History and Tradition in the Four Gospels.* Vol. 2 of *Gospel Perspectives.* Edited by R. T. France and D. Wenham. Sheffield: JSOT Press.

____. 1982. "Understanding Misunderstandings in the Fourth Gospel." *TynBul* 33:59–91.

____. 1984. "Matthew." Pages 3–599 in *The Expositor's Bible Commentary.* Edited by F. E. Gaebelein. Grand Rapids: Zondervan.

____. 1987a. "The Purpose of the Fourth Gospel: John 20:31 Reconsidered." *JBL* 106:639–51.

____. 1987b. *Showing the Spirit: A Theological Exposition of 1 Corinthians 12–14.* Grand Rapids: Baker Academic.

____. 1988. "John and the Johannine Epistles." Pages 245–64 in *It Is Written: Scripture Citing Scripture; Essays in Honour of Barnabas Lindars, SSF.* Edited by D. A. Carson and H. G. M. Williamson. Cambridge: Cambridge University Press.

____. 1991a. " 'Silent in the Churches': On the Role of Women in 1 Corinthians 14:33b–36." Pages 140–53 in *Recovering Biblical Manhood and Womanhood: A Response to Evangelical Feminism*. Edited by J. Piper and W. Grudem. Wheaton: Crossway.

____. 1991b. *The Gospel According to John*. PNTC. Grand Rapids: Eerdmans.

____. 1995. "Current Issues in Biblical Theology: A New Testament Perspective." *BBR* 5:17–41.

____. 2005. "Syntactical and Text-Critical Observations on John 20:31: One More Round on the Purpose of the Fourth Gospel." *JBL* 124:693–714.

____. "Systematic Theology and Biblical Theology." *NDBT* 89–104.

Carson, D. A., Douglas J. Moo, and Leon Morris. 1992. *An Introduction to the New Testament*. Grand Rapids: Zondervan.

Carson, D. A., Peter T. O'Brien, and Mark A. Seifrid, eds. 2001. *The Complexities of Second Temple Judaism*. Vol. 1 of *Justification and Variegated Nomism: A Fresh Appraisal of Paul and Second Temple Judaism*. WUNT 2/140. Tübingen: Mohr Siebeck; Grand Rapids: Baker Academic.

Casey, P. M. 1979. *The Son of Man: The Interpretation and Influence of Daniel 7*. London: SPCK.

____. 1985. "The Jackals and the Son of Man (Matt. 8:20//Luke 9:58)." *JSNT* 23:3–22.

____. 1987. "General, Generic, and Indefinite: The Use of the Term 'Son of Man' in Aramaic Sources and in the Teaching of Jesus." *JSNT* 29:21–56.

Catchpole, David R. 1977. "Paul, James and the Apostolic Decree." *NTS* 23:428–44.

Caulley, T. S. 1982. "The Idea of 'Inspiration' in 2 Peter 1:16–21." ThD diss., University of Tübingen.

Cervin, Richard S. 1989. "Does *Kephalē* Mean 'Source' or 'Authority Over' in Greek Literature? A Rebuttal." *TJ* 10:85–112.

Charles, J. D. 1990. " 'Those' and 'These': The Use of the Old Testament in Jude." *JSNT* 38:109–24.

____. 1997. *Virtue amidst Vice: The Catalog of Virtues in 2 Peter 1*. JSNTSup 150. Sheffield: Sheffield Academic Press.

Charlesworth, James H., ed. 1983–1985. *The Old Testament Pseudepigrapha*. 2 vols. Garden City, NY: Doubleday.

____. 1992. "From Messianology to Christology: Problems and Prospects." Pages 3–35 in *The Messiah: Developments in Earliest Judaism and Christianity*. Edited by J. H. Charlesworth. Minneapolis: Fortress.

Chester, Andrew. 1994. *The Theology of the Letters of James, Peter, and Jude*. NTT. Cambridge: Cambridge University Press. [See below, Ralph P. Martin, who wrote the sections on Peter and Jude.]

Cheung, Alex T. 1999. *Idol Food in Corinth: Jewish Background and Pauline Legacy*. JSNTSup 76. Sheffield: Sheffield Academic Press.

Cheung, Luke L. 2003. *The Genre, Composition and Hermeneutics of James*. PBTM. Carlisle: Paternoster.

Childs, Brevard S. 1970. *Biblical Theology in Crisis*. Philadelphia: Westminster.

____. 1974. *The Book of Exodus: A Critical, Theological Commentary*. OTL. Philadelphia: Westminster.

____. 1992. *Biblical Theology of the Old and New Testaments: Theological Reflection on the Christian Bible*. Minneapolis: Fortress.

____. 2001. *Isaiah*. OTL. Louisville: Westminster John Knox.

Chilton, David. 1987. *The Days of Vengeance: An Exposition of the Book of Revelation*. Fort Worth: Dominion Press.

Chin, M. 1991. "A Heavenly Home for the Homeless: Aliens and Strangers in 1 Peter." *TynBul* 42:96–112.

Clark, Andrew C. 1998. "The Role of the Apostles." Pages 169–90 in *Witness to the Gospel: The Theology of Acts*. Edited by I. H. Marshall and D. Peterson. Grand Rapids: Eerdmans.

Clarke, Andrew D. 2000. *Serve the Community of the Church: Christians as Leaders and Ministers*. Grand Rapids: Eerdmans.

Clements, R. E. 1998. "Isaiah 53 and the Restoration of Israel." Pages 39–54 in *Jesus and the Suffering Servant: Isaiah 53 and Christian Origins*. Edited by W. H. Bellinger Jr. and W. R. Farmer. Harrisburg, PA: Trinity Press International.

Cohn-Sherbok, Dan. 1997. *The Jewish Messiah*. Edinburgh: T & T Clark.

Collins, Adela Yarbro. 2004. "The Charge of Blasphemy in Mark 14.64." *JSNT* 26:379–401.

Collins, John C. 2003. "Galatians 3:16: What Kind of Exegete Was Paul?" *TynBul* 54:75–86.

Collins, John J. 1993. *A Commentary on the Book of Daniel*. Hermeneia. Minneapolis: Fortress.

_____. 1995. *The Scepter and the Star: The Messiahs of the Dead Sea Scrolls and Other Ancient Literature*. ABRL . New York: Doubleday.

Collins, John N. 1990. *Diakonia: Re-interpreting the Ancient Sources*. New York: Oxford University Press.

Conzelmann, Hans. 1960. *Theology of Luke*. Translated by G. Buswell. London: Faber & Faber.

_____. 1969. *An Outline of the Theology of the New Testament*. Translated by J. Bowden. New York: Harper & Row.

_____. 1975. *1 Corinthians*. Hermeneia. Philadelphia: Fortress.

_____. 1987. *Acts of the Apostles*. Translated by J. Limburg, A. T. Kraabel, and D. H. Juel. Edited by E. J. Epp with C. R. Matthews. Hermeneia. Philadelphia: Fortress.

Conzelmann, Hans, and Andreas Lindemann. 1988. *Interpreting the New Testament: An Introduction to the Principles and Methods of New Testament Exegesis*. Peabody, MA: Hendrickson.

Cosgrove, Charles. 1984. "The Divine *Dei* in Luke-Acts: Investigations into the Understanding of God's Providence." *NovT* 26:168–90.

Couser, Greg A. 2000. "God and Christian Existence in the Pastoral Epistles: Toward Theological Method and Meaning." *NovT* 42:262–83.

Cranfield, C. E. B. 1963. *The Gospel According to Saint Mark: An Introduction and Commentary*. Cambridge: Cambridge University Press.

_____. 1975. *A Critical and Exegetical Commentary on the Epistle to the Romans: Introduction and Commentary on Romans I–VIII*. ICC . Edinburgh: T & T Clark.

_____. 1979. *A Critical and Exegetical Commentary on the Epistle to the Romans: Commentary on Romans IX–XVI and Essays*. ICC . Edinburgh: T & T Clark.

_____. 1990. "Giving a Dog a Bad Name: A Note on Heikki Räisänen's *Paul and the Law*." *JSNT* 38:77–85.

_____. 1991. "The Works of the Law in the Epistle to the Romans." *JSNT* 43:89–101.

Creed, John Martin. 1930. *The Gospel According to St. Luke: The Greek Text with Introduction, Notes, and Indices*. London: Macmillan.

Cross, Anthony R. 1999. " 'One Baptism' (Ephesians 4.5): A Challenge to the Church." Pages 173–209 in *Baptism, the New Testament and the Church: Historical and Contemporary Studies in Honour of R. E. O. White*. Edited by S. E. Porter and A. R. Cross. JSNTSup 171. Sheffield: Sheffield Academic Press.

____. 2002. "Spirit- and Water-Baptism in 1 Corinthians 12.13." Pages 120–48 in *Dimensions of Baptism: Biblical and Theological Studies*. Edited by S. E. Porter and A. R. Cross. JSNTSup 234. London: Sheffield Academic Press.

Crouch, J. E. 1972. *The Origin and the Intention of the Colossian Haustafel*. FRLANT 109. Göttingen: Vandenhoeck & Ruprecht.

Croy, N. Clayton. 1998. *Endurance in Suffering: Hebrews 12:1–13 in Its Rhetorical, Religious, and Philosophical Context*.SNTSMS 98. Cambridge: Cambridge University Press.

Crump, David Michael. 1992. *Jesus the Intercessor: Prayer and Christology in Luke-Acts*. WUNT 2/49. Tübingen: Mohr Siebeck.

____. 2006. *Knocking on Heaven's Door: A New Testament Theology of Petitionary Prayer*. Grand Rapids: Baker Academic.

Cullmann, Oscar. 1956. *The State in the New Testament*. New York: Scribner.

____. 1963. *The Christology of the New Testament*. Translated by S. C. Guthrie and C. A. M. Hall. Rev. ed. Philadelphia: Westminster.

____. 1964. *Christ and Time: The Primitive Christian Conception of Time and History*. Translated by F. Filson. Rev. ed. Philadelphia: Westminster.

____. 1967. *Salvation in History*. Translated by S. G. Sowers. New York: Harper.

____. 1995. *Prayer in the New Testament: With Answers from the New Testament to Today's Questions*. Translated by J. Bowden. Fortress: Minneapolis.

Culpepper, R. Alan. 1983. *Anatomy of the Fourth Gospel: A Study in Literary Design*. FFNT . Philadelphia: Fortress.

Cuss, Dominique. 1974. *Imperial Cult and Honorary Terms in the New Testament*. Paradosis 23. Fribourg: University Press.

Dahl, Nils Alstrup. 1986. "Gentiles, Christians, and Israelites in the Epistle to the Ephesians." *HTR* 79:31–39.

Danby, Herbert, ed. 1933. *The Mishnah*. New York: Oxford University Press.

Danker, Frederick William, and William Arndt, eds. 2000. *A Greek-English Lexicon of the New Testament and Other Early Christian Literature*. 4th ed. Chicago: University of Chicago Press.

Das, A. Andrew. 2001. *Paul, the Law, and the Covenant*. Peabody, MA: Hendrickson.

____. 2003. *Paul and the Jews*. Peabody, MA: Hendrickson.

Davids, Peter H. 1982. *The Epistle of James*. NIGTC . Grand Rapids: Eerdmans.

Davidson, Richard M. 1981. *Typology in Scripture: A Study of Hermeneutical Typos Structures*. AUSDDS 2. Berrien Springs, MI: Andrews University Press.

Davies, Glenn N. 1990. *Faith and Obedience in Romans: A Study in Romans 1–4*. JSNTSup 39. Sheffield: JSOT Press.

Davies, W. D. 1948. *Paul and Rabbinic Judaism: Some Rabbinic Elements in Pauline Theology*. London: SPCK.

____. 1952. *Torah in the Messianic Age and/or the Age to Come*. JBLMS 7. Philadelphia: Society of Biblical Literature.

____. 1964. *The Setting of the Sermon on the Mount*. Cambridge: Cambridge University Press.

Davies, W. D., and Dale C. Allison. 1988. *Introduction and Commentary on Matthew I–VII*. Vol. 1 of *A Critical and Exegetical Commentary on the Gospel According to Saint Matthew*. ICC . Edinburgh: T & T Clark.

____. 1991. *Commentary on Matthew VIII–XVIII.* Vol. 2 of *A Critical and Exegetical Commentary on the Gospel According to Saint Matthew.* ICC . Edinburgh: T & T Clark.

____. 1997. *Introduction and Commentary on Matthew XIX–XXVIII.* Vol. 3 of *A Critical and Exegetical Commentary on the Gospel According to Saint Matthew.* ICC . Edinburgh: T & T Clark.

Deidun, Thomas J. 1981. *New Covenant Morality in Paul.* AnBib 89. Rome: Biblical Institute Press.

Deines, Roland. 1997. *Die Pharisäer: Ihr Verständnis im Spiegel der christlichen und jüdischen Forschung seit Wellhausen und Graetz.* WUNT 101. Tübingen: Mohr Siebeck.

____. 2001. "The Pharisees between 'Judaisms' and 'Common Judaism.'" Pages 443–504 in *The Complexities of Second Temple Judaism.* Vol. 1 of *Justification and Variegated Nomism: A Fresh Appraisal of Paul and Second Temple Judaism.* Edited by D. A. Carson, P. T. O'Brien, and M. A. Seifrid. WUNT 2/140. Tübingen: Mohr Siebeck; Grand Rapids: Baker Academic.

Deissmann, Adolf. 1927. *Paul: A Study in Social and Religious History.* Translated by W. E. Wilson. 2nd ed. New York: George H. Doran.

Delling, G. "τελειωτής." *TDNT* 8:86–87.

Demarest, Bruce. 1976. *A History of Interpretation of Hebrews 7,1–10 from the Reformation to the Present.* BGBE 19. Tübingen: Mohr Siebeck.

Dempster, Stephen G. 2003. *Dominion and Dynasty: A Biblical Theology of the Hebrew Bible.* Downers Grove, IL: InterVarsity Press.

____. 2007. "The Servant of the Lord." Pages 128–78 in *Central Themes in Biblical Theology: Mapping Unity in Diversity.* Edited by S. J. Hafemann and P. R. House. Nottingham, UK: Inter-Varsity Press.

deSilva, David A. 1995. *Despising Shame: Honor Discourse and Community Maintenance in the Epistle to the Hebrews.* SBLDS 152. Atlanta: Scholars Press.

Dibelius, Martin. 1934. *From Tradition to Gospel.* Translated by B. L. Woolf. 2nd ed. London: Nicholson & Watson.

____. 1975. *A Commentary on the Epistle of James.* Revised by H. Greeven. Translated by M. A. Williams. Edited by H. Koester. Hermeneia. Philadelphia: Fortress.

Dibelius, Martin, and Hans Conzelmann. 1972. *The Pastoral Epistles.* Translated by P. Buttolph and A. Yarbro. Edited by H. Koester. Hermeneia. Philadelphia: Fortress.

Doble, Peter. 1996. *The Paradox of Salvation: Luke's Theology of the Cross.* SNTSMS 87. Cambridge: Cambridge University Press.

Dodd, C. H. 1932. *The Epistle of Paul to the Romans.* MNTC. London: Hodder & Stoughton.

____. 1935. *The Bible and the Greeks.* London: Hodder & Stoughton.

____. 1936. *The Parables of the Kingdom.* London: Nisbet.

____. 1953. *The Interpretation of the Fourth Gospel.* Cambridge: Cambridge University Press.

Donfried, Karl Paul. 2002. *Paul, Thessalonica, and Early Christianity.* Grand Rapids: Eerdmans.

Drane, John W. 1975. *Paul: Libertine or Legalist? A Study in the Theology of the Major Pauline Epistles.* London: SPCK.

Dryden, J. de Waal. 2006. *Theology and Ethics in 1 Peter: Paraenetic Strategies for Christian Character Formation.* WUNT 2/209. Tübingen: Mohr Siebeck.

Dumbrell, William J. 1985. *The End of the Beginning: Revelation 21–22 and the Old Testament.* Homebush West, NSW: Lance.

____. 1986. "Law and Grace: The Nature of the Contrast in John 1:17." *EvQ* 58:25–37.

Dunn, James D. G. 1970a. *Baptism in the Holy Spirit: A Re-examination of the New Testament Teaching on the Gift of the Spirit in Relation to Pentecostalism Today*. Philadelphia: Westminster.

____. 1970b. "The Messianic Secret in Mark." *TynBul* 21:92–117.

____. 1970c. "2 Corinthians III.17—'The Lord Is the Spirit.' " *JTS* 21:309–20.

____. 1971. "John 6: A Eucharistic Discourse?" *NTS* 17:328–38.

____. 1975a. "Rom. 7,14–25 in the Theology of Paul." *TZ* 31:257–73.

____. 1975b. *Jesus and Spirit: A Study of the Religious and Charismatic Experience of Jesus and the First Christians as Reflected in the New Testament*. London: SCM Press.

____. 1977. *Unity and Diversity in the New Testament: An Inquiry into the Character of Earliest Christianity*. Westminster: Philadelphia.

____. 1983. "The New Perspective on Paul." *BJRL* 65:95–122.

____. 1985. "Works of the Law and the Curse of the Law (Galatians 3:10–14)." *NTS* 31:523–42.

____. 1988a. *Romans 1–8*. WBC 38A. Dallas: Word.

____. 1988b. *Romans 9–16*. WBC 38B. Dallas: Word.

____. 1990. *Jesus, Paul, and the Law: Studies in Mark and Galatians*. Louisville: Westminster John Knox.

____. 1991. "Once More *Pistis Christou*." Pages 730–44 in *SBL Seminar Papers, 1991*. Edited by E. H. Lovering Jr. Atlanta: Scholars Press.

____. 1992a. "Yet Once More—'The Works of the Law': A Response." *JSNT* 46:99–117.

____. 1992b. "The Justice of God: A Renewed Perspective on Justification by Faith." *JTS* 43:1–22.

____. 1993. *A Commentary on the Epistle to the Galatians*. BNTC . Peabody, MA: Hendrickson.

____. 1996a. *Christology in the Making: A New Testament Inquiry into the Origins of the Doctrine of the Incarnation*. 2nd ed. Grand Rapids: Eerdmans.

____. 1996b. *The Epistles to the Colossians and to Philemon*. NIGTC . Grand Rapids: Eerdmans.

____. 1997. "4QMMT and Galatians." *NTS* 43:147–53.

____. 1998. *The Theology of Paul the Apostle*. Grand Rapids: Eerdmans.

Du Plessis, I. J. 1994. "The Saving Significance of Jesus and His Death on the Cross in Luke's Gospel—Focusing on Luke 22:19b–20." *Neot* 28:523–40.

Easton, B. S. 1932. "New Testament Ethical Lists." *JBL* 51:1–12.

Eckert, J. "καλέω." *EDNT* 2:240–44.

Eckstein, H. J. 1987. " 'Denn Gottes Zorn wird von Himmel her offenbar werden': Exegetische Erwägungen zu Röm 1:18." *ZNW* 78:74–89.

Edgar, David Hutchinson. 2001. *Has God Not Chosen the Poor? The Social Setting of the Epistle of James*. JSNTSup 206. Sheffield: Sheffield Academic Press.

Edwards, Ruth B. 1988. "*Charin anti Charitos* (John 1:16): Grace and Law in the Johannine Prologue." *JSNT* 32:3–15.

Ehrman, Bart D. 1991. "The Cup, the Bread, and the Salvific Effect of Jesus' Death in Luke-Acts." Pages 576–91 in *SBL Seminar Papers, 1991*. Edited by E. H. Lovering Jr. Atlanta: Scholars Press.

Eichrodt, Walther. 1961. *Theology of the Old Testament*. Vol. 1. Translated by J. A. Baker. Philadelphia: Westminster.

____. 1967. *Theology of the Old Testament*. Vol. 2. Translated by J. A. Baker. Philadelphia: Westminster.

Elliott, J. H. 1966. *The Elect and the Holy: An Exegetical Examination of 1 Peter 2:4–10 and the Phrase "basileion hierateuma."* NovTSup 12. Leiden: Brill.

——. 1981. *Home for the Homeless: A Sociological Exegesis of 1 Peter, Its Situation and Strategy.* Philadelphia: Fortress.

——. 2000. *1 Peter.* AB 37B. New York: Doubleday.

Elliott, Mark A. 2000. *The Survivors of Israel: A Reconsideration of the Theology of Pre-Christian Judaism.* Grand Rapids: Eerdmans.

Elliott-Binns, L. E. 1956. "James 1:18: Creation or Redemption?" *NTS* 3:148–61.

Ellis, E. Earle. 1957. *Paul's Use of the Old Testament.* Grand Rapids: Eerdmans.

——. 1992. "Pseudonymity and Canonicity of New Testament Documents." Pages 212–24 in *Worship, Theology and Ministry in the Early Church: Essays in Honor of Ralph P. Martin.* Edited by M. J. Wilkins and T. Paige. JSNTSup 87. Sheffield: JSOT Press.

Emmrich, Martin. 2003. "Hebrews 6:4–6—Again! (A Pneumatological Inquiry)." *WTJ* 65:83–95.

Ervin, Howard M. 1984. *Conversion-Initiation and the Baptism in the Holy Spirit: A Critique of James D. G. Dunn, Baptism in the Holy Spirit.* Peabody, MA: Hendrickson.

Esler, F. S. 2005. *New Testament Theology: Communion and Community.* Minneapolis: Fortress.

Espy, John M. 1985. "Paul's 'Robust Conscience' Re-examined." *NTS* 31:161–88.

Esser, H. H. "πτωχός." *NIDNTT* 2:820–25.

Evans, Craig A. 1988. *To See and Not Perceive: Isaiah 6.9–10 in Early Jewish and Christian Interpretation.* JSOTSup 64. Sheffield: JSOT Press.

——. 1989. "Jesus' Action in the Temple: Cleansing or Portent of Destruction?" *CBQ* 51:237–70.

——. 1993. *Word and Glory: On the Exegetical and Theological Background of John's Prologue.* JSNTSup 89. Sheffield: JSOT Press.

——. 1998. "Are the 'Son' Texts at Qumran Messianic? Reflections on 4Q369 and Related Scrolls." Pages 135–53 in *Qumran-Messianism: Studies on the Messianic Expectations in the Dead Sea Scrolls.* Edited by J. H. Charlesworth, H. Lichtenberger, and G. S. Oegema. Tübingen: Mohr Siebeck.

——. 2001. *Mark 8:28–16:20.* WBC 34B. Nashville: Thomas Nelson.

——. 2002. "The Baptism of John in a Typological Context." Pages 45–71 in *Dimensions of Baptism: Biblical and Theological Studies.* Edited by S. E. Porter and A. R. Cross. JSNTSup 234. Sheffield: Sheffield Academic Press.

Evans, Craig A., and Donald A. Hagner. 1993. *Anti-Semitism and Early Christianity: Issues of Polemic and Faith.* Minneapolis: Fortress.

Farmer, W. R. 1957–1958. "Judas, Simon, and Athronges." *NTS* 4:147–55.

——. 1998. "Reflections on Isaiah 53 and Christian Origins." Pages 260–80 in *Jesus and the Suffering Servant: Isaiah 53 and Christian Origins.* Edited by W. H. Bellinger Jr. and W. R. Farmer. Harrisburg, PA: Trinity Press International.

Fee, Gordon D. 1980. "*Eidōlothyta* Once Again: An Interpretation of 1 Corinthians 8–10." *Bib* 61:172–97.

——. 1987. *The First Epistle to the Corinthians.* NICNT . Grand Rapids: Eerdmans.

——. 1988. *1 and 2 Timothy, Titus.* NIBCNT 13. Peabody, MA: Hendrickson.

——. 1992. "Philippians 2:5–11: Hymn or Exalted Pauline Prose?" *BBR* 2:29–46.

_____. 1994. *God's Empowering Presence: The Holy Spirit in the Letters of Paul.* Peabody, MA: Hendrickson.

_____. 1995. *Paul's Letter to the Philippians.* NICNT . Grand Rapids: Eerdmans.

Feldmeier, R. 1992. *Die Christen als Fremde: Die Metapher der Fremde in der antiken Welt, im Urchristentum und im 1. Petrusbrief.* WUNT 64. Tübingen: Mohr Siebeck.

Fisk, Bruce N. 1989. "Eating Meat Offered to Idols: Corinthian Response and Pauline Response in 1 Corinthians 8–10 (A Response to Gordon Fee)." *TJ* 10:49–70.

Fitzmyer, J. A. 1967. "Further Light on Melchizedek from Qumran Cave 11." *JBL* 86:25–41.

_____. 1979. *A Wandering Aramean: Collected Aramaic Essays.* SBLMS 25. Chico, CA: Scholars Press.

_____. 1981a. *The Gospel According to Luke I–IX.* 2nd ed. AB 28. New York: Doubleday.

_____. 1981b. *To Advance the Gospel: New Testament Studies.* New York: Crossroad.

_____. 1985. *The Gospel According to Luke X–XXIV.* 2nd ed. AB 28A. New York: Doubleday.

_____. 1989. *Paul and His Theology: A Brief Sketch.* Englewood Cliffs, NJ: Prentice Hall.

_____. 1993a. "*Kephalē* in I Corinthians 11:3." *Int* 47:52–59.

_____. 1993b. *According to Paul: Studies in the Theology of the Apostle.* New York: Paulist Press.

_____. 1993c. "The Consecutive Meaning of *eph' hō* in Romans 5:12." *NTS* 39:321–39.

_____. 1993d. *Romans.* AB 33. New York: Doubleday.

_____. 1998. *The Acts of the Apostles.* AB 31. New York: Doubleday.

_____. 2000. "Melchizedek in the MT , LXX , and NT." *Bib* 81:63–69.

_____. 2002. "The Savior God: The Pastoral Epistles." Pages 181–96 in *The Forgotten God: Perspectives in Biblical Theology.* Edited by A. A. Das and F. J. Matera. Louisville: Westminster John Knox.

_____. 2004. "The Structured Ministry of the Church in the Pastoral Epistles." *CBQ* 66:582–96.

_____. "κύριος." *EDNT* 2:328–31.

Fletcher-Louis, Crispin H. T. 2003. " 'Leave the Dead to Bury Their Own Dead': Q 9.60 and the Redefinition of the People of God." *JSNT* 26:39–68.

Fohrer, G., and W. Foerster. "σωτήρ." *TDNT* 7:1004–24.

Forbes, Christopher. 1995. *Prophecy and Inspired Speech in Early Christianity and Its Hellenistic Environment.* WUNT 2/75. Tübingen: Mohr Siebeck.

Fornberg, T. 1977. *An Early Church in a Pluralistic Society: A Study of 2 Peter.* ConBNT 9. Lund: Gleerup.

Fossum, Jarl. 1987. "Kyrios Jesus as the Angel of the Lord in Jude 5–7." *NTS* 33:226–43.

_____. 1995. *The Image of the Invisible God: Essays on the Influence of Jewish Mysticism on Early Christianity.* NTOA 30. Göttingen: Vandenhoeck & Ruprecht.

Frame, John M. 1987. *The Doctrine of the Knowledge of God: A Theology of Lordship.* Phillipsburg, NJ: Presbyterian & Reformed Publishing.

_____. 2002. *The Doctrine of God.* Phillipsburg, NJ: Presbyterian & Reformed Publishing.

France, R. T. 1971. *Jesus and the Old Testament: His Application of Old Testament Passages to Himself and His Mission.* Downers Grove, IL: InterVarsity Press.

_____. 1989. *Matthew: Evangelist and Teacher.* Grand Rapids: Academie Books.

_____. 1996. "The Writer of Hebrews as a Biblical Expositor." *TynBul* 47:245–76.

____. 2002. *The Gospel of Mark*. NIGTC . Grand Rapids: Eerdmans.

Frankemölle, H. 1986. "Gesetz im Jakobusbrief: Zur Tradition, kontextuellen Verwendung und Rezeption eines belaseten Begriffes." Pages 175–221 in *Das Gesetz im Neuen Testament*. Edited by K. Kertelge. QD 108. Freiburg: Herder.

Franklin, Eric. 1975. *Christ the Lord: A Study in the Purpose and Theology of Luke-Acts*. Philadelphia: Westminster.

Friedrich, Gerhard. 1954. "Das Gesetz des Glaubens Röm. 3,27." *TZ* 10:401–17.

Fuchs, E., and P. Reymond. 1980. *La deuxième épître de Saint Pierre; L'épître de Saint Jude*. CNT 2/136. Lausanne: Delachaux & Niestlé.

Fuller, Daniel P. 1975. "Paul and 'The Works of the Law.' " *WTJ* 38:28–42.

____. 1980. *Gospel and Law: Contrast or Continuum?* Grand Rapids: Eerdmans.

Fung, Ronald Y. K. 1981. "The Status of Justification by Faith in Paul's Thought: A Brief Survey of a Modern Debate." *Themelios* 6:4–11.

Furnish, Victor Paul. 1984. *II Corinthians*. AB 32A. New York: Doubleday.

Gaffin, Richard B., Jr. 1988. " 'Life-Giving Spirit': Probing the Center of Paul's Pneumatology." *JETS* 41:573–89.

____. 2006. *"By Faith, Not By Sight": Paul and the Order of Salvation*. Waynesboro, GA: Paternoster.

Gager, John G. 1983. *The Origins of Anti-Semitism: Attitudes toward Judaism in Pagan and Christian Antiquity*. New York: Oxford University Press.

Gagnon, Robert A. J. 2001. *The Bible and Homosexual Practice: Texts and Hermeneutics*. Nashville: Abingdon.

Gardner-Smith, P. 1938. *Saint John and the Synoptic Gospels*. Cambridge: Cambridge University Press.

Garland, David E. 1979. *The Intention of Matthew 23*. NovTSup 52. Leiden: Brill.

____. 1999. *2 Corinthians*. NAC . Nashville: Broadman & Holman.

____. 2003. *1 Corinthians*. BECNT . Grand Rapids: Baker Academic.

Garlington, Don B. 1994. *Faith, Obedience, and Perseverance: Aspects of Paul's Letter to the Romans*. WUNT 79. Tübingen: Mohr Siebeck.

Garrett, Duane A. 1997. *Hosea, Joel*. NAC . Nashville: Broadman & Holman.

Gasque, W. Ward. 1989. *A History of the Interpretation of the Acts of the Apostles*. Peabody, MA: Hendrickson.

Gaston, Lloyd. 1987. *Paul and the Torah*. Vancouver: University of British Columbia Press.

Gathercole, Simon J. 2003. *Where Is Boasting? Early Jewish Soteriology and Paul's Response in Romans 1–5*. Grand Rapids: Eerdmans.

____. 2006. *The Pre-existent Son: Recovering the Christologies of Matthew, Mark, and Luke*. Grand Rapids: Eerdmans.

Gempf, Conrad. 1993. "Public Speaking and Published Accounts." Pages 259–303 in *The Book of Acts in Its Ancient Literary Setting*. Vol. 1 of *The Book of Acts in Its First Century Setting*. Edited by B. W. Winter. Grand Rapids: Eerdmans.

Gentry, Peter. 2003. "The Son of Man in Daniel 7: Individual or Corporate?" Pages 59–75 in *Acorns to Oaks: The Primacy and Practice of Biblical Theology; A Festschrift for Dr. Geoff Adams*. Edited by M. A. G. Haykin. Dundas, ON: Joshua Press.

Gese, Hartmut. 1981. *Essays on Biblical Theology*. Translated by K. Crim. Minneapolis: Augsburg.

Gleason, Randall C. 2002. "The Eschatology of the Warning in Hebrews 10:26–31." *TynBul* 53:97–120.

Gnilka, Joachim. 1994. *Theologie des Neuen Testaments*. HTKNT . Freiburg: Herder.

Goldsworthy, Graeme. 1981. *Gospel and Kingdom: A Christian Interpretation of the Old Testament*. Exeter: Paternoster.

____. 2003. "The Ontological and Systematic Roots of Biblical Theology." *RTR* 62:152–64.

____. "Kingdom of God." *NDBT* 615–20.

Gombis, Timothy G. 2002. "Being the Fullness of God in Christ by the Spirit: Ephesians 5:18 in Its Epistolary Setting." *TynBul* 53:259–71.

Gooch, Peter D. 1993. *Dangerous Food: 1 Corinthians 8–10 in Its Context*. Waterloo, ON: Wilfrid Laurier University Press.

Goppelt, Leonhard. 1981. *The Ministry of Jesus in Its Theological Significance*. Vol. 1 of *Theology of the New Testament*. Translated by J. E. Alsup. Edited by J. Roloff. Grand Rapids: Eerdmans.

____. 1982a. *Typos: The Typological Interpretation of the Old Testament in the New*. Translated by D. H. Madvig. Grand Rapids: Eerdmans.

____. 1982b. *The Variety and Unity of the Apostolic Witness to Christ*. Vol. 2 of *Theology of the New Testament*. Translated by J. E. Alsup. Edited by J. Roloff. Grand Rapids: Eerdmans.

____. 1993. *A Commentary on 1 Peter*. Grand Rapids: Eerdmans.

Gordon, T. David. 1989. "A Note on *Paidagōgos* in Galatians 3.24–25." *NTS* 35:150–54.

Green, Joel B. 1988. *The Death of Jesus: Tradition and Interpretation in the Passion Narrative*. WUNT 2/33. Tübingen: Mohr Siebeck.

____. 1990. "The Death of Jesus, God's Servant." Pages 1–28 in *Reimaging the Death of the Lukan Jesus*. BBB 73. Edited by D. D. Sylva. Frankfurt: Hahn.

____. 1995. *The Theology of the Gospel of Luke*. Cambridge: Cambridge University Press.

____. 1997. *The Gospel of Luke*. NICNT . Grand Rapids: Eerdmans.

____. 1998. " 'Salvation to the End of the Earth' (Acts 13:47): God as the Saviour in the Acts of the Apostles." Pages 83–106 in *Witness to the Gospel: The Theology of Acts*. Edited by I. H. Marshall and D. Peterson. Grand Rapids: Eerdmans.

____. 2002. "Scripture and Theology: Failed Experiments, Fresh Perspectives." *Int* 56:5–20.

Green, Joel B., and Mark D. Baker. 2000. *Recovering the Scandal of the Cross: Atonement in New Testament and Contemporary Contexts*. Downers Grove, IL: InterVarsity Press.

Greeven, Heinrich. 1952–1953. "Propheten, Lehre, Vorsteher bei Paulus: Zur Frage der 'Ämter' im Urchristentum." *ZNW* 44:1–43.

____. "ἐπερωτάω, ἐπερώτημα." *TDNT* 2:687–89.

Grenz, Stanley J. 1992. *The Millennial Maze: Sorting Out Evangelical Options*. Downers Grove, IL: InterVarsity Press.

Grigsby, Bruce H. 1982. "The Cross as an Expiatory Sacrifice in the Fourth Gospel." *JSNT* 15:51–80.

Grindheim, Sigurd. 2003. "What the OT Prophets Did Not Know: The Mystery of the Church in Eph. 3,2–13." *Bib* 84:531–53.

____. 2005. *The Crux of Election: Paul's Critique of the Jewish Confidence in the Election of Israel*. WUNT 2/202. Tübingen: Mohr Siebeck.

Grisanti, Michael A. 2001. "Inspiration, Inerrancy, and the OT Canon: The Place of Textual Updating in Inerrant View of Scripture." *JETS* 44:577–98.

Grudem, Wayne A. 1982. *The Gift of Prophecy in 1 Corinthians*. Washington, DC: University Press of America.

_____. 1985. "Does *Kephalē* ('Head') Mean 'Source' or 'Authority Over' in Greek Literature? A Survey of 2,336 Examples." *TJ* 6:38–59.

_____. 1988a. *The Gift of Prophecy in the New Testament and Today*. Westchester, IL: Crossway.

_____. 1988b. *The First Epistle of Peter*. TNTC . Grand Rapids: Eerdmans.

_____. 1991. "The Meaning of *Kephalē* ('Head'): A Response to Recent Studies." Pages 452–68, 534–41 in *Recovering Biblical Manhood and Womanhood: A Response to Evangelical Feminism*. Edited by J. Piper and W. Grudem. Wheaton: Crossway.

_____. 2000. "Perseverance of the Saints: A Case Study from Hebrews 6:4–6 and the Other Warning Passages in Hebrews." Pages 133–82 in *Still Sovereign: Contemporary Perspectives on Election, Foreknowledge, and Grace*. Edited by T. R. Schreiner and B. A. Ware. Grand Rapids: Baker Academic.

_____. 2001. "The Meaning of *Kephalē* ('Head'): An Evaluation of New Evidence, Real and Alleged." *JETS* 44:25–65.

Grundmann, Walter. 1933. "Gesetz, Rechtfertigung und Mystik bei Paulus: Zum Problem der Einheitlichkeit der paulinischen Verkündigung." *ZNW* 32:52–65.

_____. "ταπεινός." *TDNT* 8:1–26.

Gundry, R. H. 1966. "Ecstatic Utterance (N.E.B.)?" *JTS* 17:299–307.

_____. 1967a. "In My Father's House Are Many *Monai* (John 14:2)." *ZNW* 58:68–72.

_____. 1967b. " '*Verba Christi*' in I Peter: Their Implications concerning the Authorship of I Peter and the Authenticity of the Gospel Tradition." *NTS* 13:336–50.

_____. 1974. "Further *Verba* on *Verba Christi* in I Peter." *Bib* 55:211–32.

_____. 1980. "The Moral Frustration of Paul before His Conversion: Sexual Lust in Romans 7:7–25." Pages 228–45 in *Pauline Studies: Essays Presented to Professor F. F. Bruce on His Seventieth Birthday*. Edited by D. A. Hagner and M. J. Harris. Grand Rapids: Eerdmans.

_____. 1985. "Grace, Works, and Staying Saved in Paul." *Bib* 66:1–38.

_____. 1987. "The New Jerusalem: People as Place, not Place for People." *NovT* 29:254–64.

_____. 1994. *Matthew: A Commentary on His Handbook for a Mixed Church under Persecution*. 2nd ed. Grand Rapids: Eerdmans.

Gundry Volf, Judith M. 1990. *Paul and Perseverance: Staying In and Falling Away*. WUNT 2/37. Tübingen: Mohr Siebeck.

Guthrie, Donald. 1981. *New Testament Theology*. Downers Grove, IL: InterVarsity Press.

Guy, Laurie. 1997. "The Interplay of the Present and the Future in the Kingdom of God (Luke 19:11–44)." *TynBul* 48:119–37.

Haenchen, Ernst. 1971. *The Acts of the Apostles*. Translated by B. Noble and G. Shinn, under the supervision of H. Anderson, and with the translation revised by R. McL. Wilson. Philadelphia: Westminster.

Hafemann, Scott J. 1986. *Suffering and Spirit: An Exegetical Study of II Cor. 2:14–3:3 within the Context of the Corinthian Correspondence*. WUNT 2/19. Tübingen: Mohr Siebeck.

_____. 1988. "The Salvation of Israel in Romans 11:25–32: A Response to Krister Stendahl." *ExAud* 4:38–58.

_____. 1995. *Paul, Moses, and the History of Israel: The Letter/Spirit Contrast and the Argument from Scripture in 2 Corinthians 3*. WUNT 81. Tübingen: Mohr Siebeck.

____. 2000. *2 Corinthians*. NIVAC . Grand Rapids: Zondervan.

Hagner, Donald A. 1993a. "Paul's Quarrel with Judaism." Pages 128–50 in *Anti-Semitism and Early Christianity: Issues of Polemic and Faith*. Edited by C. A. Evans and D. A. Hagner. Minneapolis: Fortress.

____. 1993b. *Matthew 1–13*. WBC 33a. Dallas: Word.

____. 1995. *Matthew 14–28*. WBC 33b. Dallas: Word.

Hahn, Ferdinand. 2002a. *Die Vielfalt des Neuen Testaments: Theologiegeschichte des Urchristentums*. Vol. 1 of *Theologie des Neuen Testaments*. Tübingen: Mohr Siebeck.

____. 2002b. *Die Einheit des Neuen Testaments: Thematische Darstellung*. Vol. 2 of *Theologie des Neuen Testaments*.Tübingen: Mohr Siebeck.

Hamilton, James M., Jr. 2006a. "The Glory of God in Salvation through Judgment: The Centre of Biblical Theology?" *TynBul*57:57–84.

____. 2006b. *God's Indwelling Presence: The Holy Spirit in the Old and New Testaments*. NACSBT . Nashville: Broadman & Holman.

Hanson, Paul. 1998. "The World of the Servant of the Lord in Isaiah 40–55." Pages 9–22 in *Jesus and the Suffering Servant: Isaiah 53 and Christian Origins*. Edited by W. H. Bellinger Jr. and W. R. Farmer. Harrisburg, PA: Trinity Press International.

Hare, D. R. A., and D. J. Harrington. 1975. " 'Make Disciples of All the Gentiles' (Mt 28:19)." *CBQ* 37:359–69.

Harnack, Adolf von. 1957. *What Is Christianity?* Translated by T. B. Saunders. New York: Harper.

____. 1995. "The Old Testament in the Pauline Letters and in the Pauline Churches." Pages 27–49 in *Understanding Ethics: Twentieth Century Approaches*. Edited by B. S. Rosner. Grand Rapids: Eerdmans.

Harner, Philip B. 1970. *The "I Am" of the Fourth Gospel: A Study in Johannine Usage and Thought*. Philadelphia: Fortress.

Harrill, J. Albert. 1995. *The Manumission of Slaves in Early Christianity*. HUT 32. Tübingen: Mohr Siebeck.

Harris, Murray J. 1983. *Raised Immortal: Resurrection and Immortality in the New Testament*. Grand Rapids: Eerdmans.

____. 1992. *Jesus as God: The New Testament Use of Theos in Reference to Jesus*. Grand Rapids: Baker Academic.

____. 1999. *Slave of Christ: A New Testament Metaphor for Total Devotion to Christ*. Downers Grove, IL: InterVarsity Press.

____. 2005. *The Second Epistle to the Corinthians*. NIGTC . Grand Rapids: Eerdmans.

Hartman, Lars. 1995. "Code and Context: A Few Reflections on the Parenesis of Colossians 3:6–4:1." Pages 177–91 in*Understanding Paul's Ethics: Twentieth Century Approaches*. Edited by B. S. Rosner. Grand Rapids: Eerdmans.

____. 1997. *"Into the Name of the Lord Jesus": Baptism in the Early Church*. SNTW . Edinburgh: T & T Clark.

____. "Baptism." *ABD* 1:583–94.

____. "ὄνομα." *EDNT* 2:519–22.

Hasel, Gerhard F. 1978. *New Testament Theology: Basic Issues in the Current Debate*. Grand Rapids: Eerdmans.

____. 1982. "Biblical Theology: Then, Now, and Tomorrow." *HBT* 4:61–93.

____. 1984. "The Relationship between Biblical Theology and Systematic Theology." *TJ* 5:113–27.

Hawkin, David J. 1972. "The Incomprehension of the Disciples in the Markan Redaction." *JBL* 91:491–500.

Hay, David M. 1973. *Glory at the Right Hand: Psalm 110 in Early Christianity*. SBLMS 18. Nashville: Abingdon.

Hays, Richard B. 1987. "Christology and Ethics in Galatians: The Law of Christ." *CBQ* 49:268–90.

____. 1989. *Echoes of Scripture in the Letters of Paul*. New Haven: Yale University Press.

____. 1991. "*Pistis* and Pauline Christology: What Is at Stake?" Pages 714–29 in *SBL Seminar Papers, 1991*. Edited by E. H. Lovering Jr. Atlanta: Scholars Press.

____. 1996. *The Moral Vision of the New Testament: Community, Cross, New Creation; A Contemporary Introduction to New Testament Ethics*. San Francisco: HarperSanFrancisco.

____. 1997. *First Corinthians*. IBC. Louisville: John Knox.

____. 2001. *The Faith of Jesus Christ: An Investigation of the Narrative Substructure of Galatians 3:1–4:11*. 2nd ed. SBLDS 56. Chico, CA: Scholars Press.

Head, Peter M. 1995. "The Self-Offering and Death of Christ as a Sacrifice in the Gospels and the Acts of the Apostles." Pages 111–29 in *Sacrifice in the Bible*. Edited by R. T. Beckwith and M. J. Selman. Grand Rapids: Baker Academic.

Heard, Warren. 1988. "Luke's Attitude toward the Rich and Poor." *TJ* 9:47–80.

Hegermann, H. "δόξα." *EDNT* 1:344–48.

Hemer, Colin J. 1989. *The Book of Acts in the Setting of Hellenistic History*. Edited by C. H. Gempf. WUNT 49. Tübingen: Mohr Siebeck.

Hengel, Martin. 1971. *Was Jesus a Revolutionist?* Translated by W. Klassen. Philadelphia: Fortress.

____. 1974. *Judaism and Hellenism: Studies in Their Encounter in Palestine during the Early Hellenistic Period*. London: SCM Press.

____. 1976. *The Son of God: The Origin of Christology and the History of Jewish-Hellenistic Religion*. Translated by J. Bowden. Philadelphia: Fortress.

____. 1977. *Crucifixion in the Ancient World and the Folly of the Message of the Cross*. Philadelphia: Fortress.

____. 1980. *Acts and the History of Earliest Christianity*. Translated by J. Bowden. Philadelphia: Fortress.

____. 1981. *The Atonement: The Origins of the Doctrine in the New Testament*. Translated by J. Bowden. Philadelphia: Fortress.

____. 1983. *Between Jesus and Paul: Studies in the Earliest History of Christianity*. Philadelphia: Fortress.

____. 1987. "Der Jakobusbrief als antipaulinische Polemik." Pages 248–65 in *Tradition and Interpretation in the New Testament: Essays in Honor of E. Earle Ellis for His 60th Birthday*. Edited by G. F. Hawthorne with O. Betz. Grand Rapids: Eerdmans.

____. 1989a. *The Johannine Question*. Philadelphia: Trinity Press International.

____. 1989b. *The Zealots: Investigations into the Jewish Movement in the Period from Herod I until 70 A.D.* Translated by D. Smith. Edinburgh: T & T Clark.

____. 1991. In collaboration with Roland Deines. *The Pre-Christian Paul*. Philadelphia: Trinity Press International.

____. 1994. "Aufgaben der neutestamentlichen Wissenschaft." *NTS* 40:321–57.

____. 1996. *The Charismatic Leader and His Followers.* Translated by J. C. G. Greig. Edited by J. Riches. SNTW . Edinburgh: T & T Clark.

____. 1997. "Präexistenz bei Paulus?" Pages 479–518 in *Jesus Christus als der Mitte der Schrift: Studien zur Hermeneutik des Evangeliums.* Edited by H.-J. Eckstein and H. Lichtenberger. BZNW 86. Berlin: de Gruyter.

____. 2000. *The Four Gospels and the One Gospel of Jesus Christ: An Investigation of the Collection and Origin of the Canonical Gospels.* Harrisburg, PA: Trinity Press International.

____. 2006. In collaboration with Daniel P. Bailey. "The Effective History of Isaiah 53 in the Pre-Christian Period." Pages 75–146 in *The Suffering Servant: Isaiah 53 in Jewish and Christian Sources.* Edited by B. Janowski and P. Stuhlmacher. Translated by D. P. Bailey. Grand Rapids: Eerdmans.

Hengel, Martin, and Anna Maria Schwemer. 1997. *Paul between Damascus and Antioch: The Unknown Years.* Louisville: Westminster John Knox.

Hermisson, Hans-Jürgen. 2006. "The Fourth Servant Song in the Context of Second Isaiah." Pages 16–47 in *The Suffering Servant: Isaiah 53 in Jewish and Christian Sources.* Edited by B. Janowski and P. Stuhlmacher. Translated by D. P. Bailey. Grand Rapids: Eerdmans.

Herrick, Gregg. 1997. "The Atonement in Lucan Theology in Recent Discussion." http://www.bible.org/page.php?page_id=999 (accessed April 11, 2007).

Hester, James D. 1968. *Paul's Concept of Inheritance: A Contribution to the Understanding of Heilsgeschichte.* SJTOP 14. Edinburgh: Oliver & Boyd.

Heth, William A. 2002. "Jesus on Divorce: How My Mind Has Changed." *SBJT* 6:4–29.

Heth, William A., and Gordon J. Wenham. 1984. *Jesus and Divorce: The Problem with the Evangelical Consensus.* Nashville: Thomas Nelson.

Hiers, R. "Day of the Lord." *ABD* 2:82–83.

Higgins, A. J. B. 1964. *Jesus and the Son of Man.* London: Lutterworth.

Hill, Craig C. 1992. *Hellenists and Hebrews: Reappraising Division within the Earliest Church.* Minneapolis: Fortress.

Hill, David. 1967. *Greek Words and Hebrew Meanings: Studies in the Semantics of Soteriological Terms.* SNTSMS 5. Cambridge: Cambridge University Press.

Hoehner, Harold W. 2002. *Ephesians: An Exegetical Commentary.* Grand Rapids: Baker Academic.

Hoekema, Anthony A. 1979. *The Bible and the Future.* Grand Rapids: Eerdmans.

Hofius, Otfried. 1987. "Struktur und Gedankengang des Logos-Hymnus." *ZNW* 78:1–25.

____. 1989. *Paulusstudien I.* WUNT 51. Tübingen: Mohr Siebeck.

____. 1990. " 'All Israel Will Be Saved': Divine Salvation and Israel's Deliverance in Romans 9–11." *PSB* 1:19–39.

____. 1993. "The Lord's Supper and the Lord's Supper Tradition: Reflections on 1 Corinthians 11:23b–25." Pages 75–115 in *One Loaf, One Cup: Ecumenical Studies of 1 Cor. 11 and Other Eucharistic Texts.* Edited by B. F. Meyer. Macon, GA: Mercer University Press.

____. 2000. *Neutestamentliche Studien.* WUNT 132. Tübingen: Mohr Siebeck.

____. 2001. "The Adam-Christ Antithesis and the Law: Reflections on Romans 5:12–21." Pages 165–205 in *Paul and the Mosaic Law.* Edited by J. D. G. Dunn. Grand Rapids: Eerdmans.

____. 2002. *Paulustudien II.* WUNT 143. Tübingen: Mohr Siebeck.

_____. 2006. "The Fourth Servant Song in the New Testament Letters." Pages 163–88 in *The Suffering Servant: Isaiah 53 in Jewish and Christian Sources*. Edited by B. Janowski and P. Stuhlmacher. Translated by D. P. Bailey. Grand Rapids: Eerdmans.

Holladay, Carl R. 1977. *Theios Aner in Hellenistic-Judaism: A Critique of the Use of This Category in New Testament Christology*. SBLDS 40. Missoula, MT: Scholars Press.

Holtz, Traugott. 1995. "The Question of the Content of Paul's Instructions." Pages 51–71 in *Understanding Paul's Ethics: Twentieth Century Approaches*. Edited by B. S. Rosner. Grand Rapids: Eerdmans.

Hooker, Morna D. 1959. *Jesus and the Servant: The Influence of the Servant Concept of Deutero-Isaiah in the New Testament*. London: SPCK.

_____. 1967. *The Son of Man in Mark: A Study of the Background of the Term "Son of Man" and Its Use in St. Mark's Gospel*. Montreal: McGill University Press.

_____. 1991. *A Commentary on the Gospel According to St. Mark*. London: A & C Black.

_____. 1998. "Response to Mikeal Parsons." Pages 120–24 in *Jesus and the Suffering Servant: Isaiah 53 and Christian Origins*. Edited by W. H. Bellinger Jr. and W. R. Farmer. Harrisburg, PA: Trinity Press International.

_____. 2006. "The Nature of New Testament Theology." Pages 75–92 in *The Nature of New Testament Theology: Essays in Honour of Robert Morgan*. Edited by C. Rowland and C. Tuckett. Malden, MA: Blackwell.

Hoover, Roy W. 1971. "The *Harpagmos* Enigma: A Philological Solution." *HTR* 64:95–119.

Horbury, William. 1998. *Jewish Messianism and the Cult of Christ*. London: SCM Press.

Horrell, David. 1997. "Theological Principle or Christological Praxis? Pauline Ethics in 1 Corinthians 8.1–11.1." *JSNT* 67:83–114.

_____. 2002. "The Product of a Petrine Circle? A Reassessment of the Origin and Character of 1 Peter." *JSNT* 86:29–60.

Horsley, R. A. 1992. "Messianic Figures and Movements in First-Century Palestine." Pages 276–95 in *The Messiah: Developments in Earliest Judaism and Christianity*. Edited by J. H. Charlesworth. Minneapolis: Fortress.

Horsley, Richard A., and John A. Hanson. 1985. *Bandits, Prophets, and Messiahs: Popular Movements in the Time of Jesus*. Minneapolis: Winston.

Horst, Pieter W. van der. 2000. " 'Only Then Will All Israel Be Saved': A Short Note on the Meaning of *kai houtōs* in Romans 11:26." *JBL* 119:521–25.

Horton, Michael S. 2002. *Covenant and Eschatology: The Divine Drama*. Louisville: Westminster John Knox.

House, Paul R. 1998. *Old Testament Theology*. Downers Grove, IL: InterVarsity Press.

_____. 2007. "The Day of the Lord." Pages 179–224 in *Central Themes in Biblical Theology: Mapping Unity in Diversity*. Edited by S. J. Hafemann and P. R. House. Nottingham, UK: Inter-Varsity Press.

Howard, David M., Jr. 1990. "Review Article: The Case for Kingship in Deuteronomy and the Former Prophets." *WTJ* 52:101–15.

Howard, George. 1979. *Paul: Crisis in Galatia; A Study in Early Christian Theology*. SNTSMS 35. Cambridge: Cambridge University Press.

Hubbard, Moyer V. 2002. *New Creation in Paul's Letters and Thought*. SNTSMS 119. Cambridge: Cambridge University Press.

Hübner, Hans. 1973. *Das Gesetz in der synoptischen Tradition: Studien zur These einer progressiven Qumranisierung und Judaisierung innerhalb der synoptischen Tradition*. Witten: Luther-Verlag.

____. 1984a. *Law in Paul's Thought.* Edinburgh: T & T Clark.

____. 1984b. *Gottes Ich und Israel: Zum Schriftgebrauch des Paulus in Römer 9–11.* FRLANT 136. Göttingen: Vandenhoeck & Ruprecht.

____. 1990. *Prolegomena.* Vol. 1 of *Biblische Theologie des Neuen Testaments.* Göttingen: Vandenhoeck & Ruprecht.

____. 1993. *Die Theologie des Paulus und ihre neutestamentliche Wirkungsgeschichte.* Vol. 2 of *Biblische Theologie des Neuen Testaments.* Göttingen: Vandenhoeck & Ruprecht.

____. 1995. *Hebräerbrief, Evangelien und Offenbarung, Epilegomena.* Vol. 3 of *Biblische Theologie des Neuen Testaments.*Göttingen: Vandenhoeck & Ruprecht.

____. "μένω." *EDNT* 2:407–8.

Hugenberger, Gordon. 1995. "The Servant of the Lord in the 'Servant Songs' of Isaiah: A Second Moses Figure." Pages 105–40 in *The Lord's Anointed: Interpretation of Old Testament Messianic Texts.* Edited by P. E. Satterthwaite, R. S. Hess, and G. J. Wenham. Grand Rapids: Baker Academic.

____. 1998. *Marriage as a Covenant: Biblical Law and Ethics as Developed from Malachi.* Grand Rapids: Baker Academic.

Hughes, J. J. 1979. "Hebrews ix 15ff. and Galatians iii 15ff.: A Study in Covenant Practice and Procedure." *NovT* 21:27–96.

Hughes, Philip E. 1977. *A Commentary on the Epistle to the Hebrews.* Grand Rapids: Eerdmans.

Hultgren, Arland J. 2000. *The Parables of Jesus: A Commentary.* Grand Rapids: Eerdmans.

Hurley, James B. 1981. *Man and Woman in Biblical Perspective.* Grand Rapids: Zondervan.

Hurst, L. D. 1987. "The Christology of Hebrews 1 and 2." Pages 151–64 in *The Glory of Christ in the New Testament: Studies in Christology.* Edited by L. D. Hurst and N. T. Wright. Oxford: Clarendon Press.

____. 1990. *The Epistle to the Hebrews: Its Background of Thought.* SNTSMS 65. Cambridge: Cambridge University Press.

Hurtado, Larry. 1988. *One God, One Lord: Early Christian Devotion and Ancient Jewish Monotheism.* Philadelphia: Fortress.

____. 2003. *Lord Jesus Christ: Devotion to Jesus in Earliest Christianity.* Grand Rapids: Eerdmans.

Hvalvik, Reidar. 1990. "A 'Sonderweg' for Israel: A Critical Examination of a Current Interpretation of Romans 11.25–27." *JSNT* 38:87–107.

Instone-Brewer, David. 2002. *Divorce and Remarriage in the Bible: The Social and Literary Context.* Grand Rapids: Eerdmans.

Jackson-McCabe, Matt A. 2001. *Logos and Law in the Letter of James: The Law of Nature, the Law of Moses, and the Law of Freedom.* NovTSup 100. Leiden: Brill.

Jenson, Philip P. 1995. "Models of Prophetic Prediction and Matthew's Quotation of Micah 5:2." Pages 189–211 in *The Lord's Anointed: Interpretation of Old Testament Messianic Texts.* Edited by P. E. Satterthwaite, R. S. Hess, and G. J. Wenham. Grand Rapids: Baker Academic.

Jeremias, Joachim. 1954–1955. "Paul and James." *ExpTim* 66:368–71.

____. 1967. *The Prayers of Jesus.* SBT 2/6. London: SCM Press.

____. 1971. *New Testament Theology: The Proclamation of Jesus.* Translated by J. Bowden. New York: Scribner.

____. 1972. *The Parables of Jesus.* 2nd ed. New York: Scribner.

Jervell, Jacob. 1972. *Luke and the People of God: A New Look at Luke-Acts.* Minneapolis: Augsburg.

____. 1984. *The Unknown Paul: Essays on Luke-Acts and Early Christian History.* Minneapolis: Augsburg.

____. 1996. *The Theology of the Acts of the Apostles.* Cambridge: Cambridge University Press.

Johnson, Luke T. 1977. *The Literary Function of Possessions in Luke-Acts.* SBLDS 39. Missoula, MT: Scholars Press.

____. 1982a. "Rom. 3:21–26 and the Faith of Jesus." *CBQ* 44:77–90.

____. 1982b. "The Use of Leviticus 19 in the Letter of James." *JBL* 101:391–401.

____. 1995. *The Letter of James.* AB 37A. New York: Doubleday.

____. 1996. *Letters to Paul's Delegates: 1 Timothy, 2 Timothy, Titus.* Valley Forge, PA: Trinity Press International.

____. 2002. "God Ever New, Ever the Same: The Witness of James and Peter." Pages 211–27 in *The Forgotten God: Perspectives in Biblical Theology.* Edited by A. A. Das and F. J. Matera. Louisville: Westminster John Knox.

____. 2006. "Does a Theology of the Canonical Gospels Make Sense?" Pages 93–122 in *The Nature of New Testament Theology: Essays in Honour of Robert Morgan.* Edited by C. Rowland and C. Tuckett. Malden, MA: Blackwell.

Johnson, S. Lewis, Jr. 1980. *Old Testament in the New: An Argument for Biblical Inspiration.* Grand Rapids: Zondervan.

Johnston, George. 1970. *The Spirit-Paraclete in the Gospel of John.* SNTSMS 12. Cambridge: Cambridge University Press.

Jones, Donald L. 1974. "The Title *Kyrios* in Luke-Acts." Pages 85–101 in vol. 2 of *SBL Seminar Papers, 1974.* Edited by G. MacRae. Cambridge, MA: Society of Biblical Literature.

Joubert, S. J. 1998. "Facing the Past: Transtextual Relationships and Historical Understanding of the Letter of Jude." *BZ* 42:56–70.

Juel, Donald. 1983. *Luke-Acts: The Promise of History.* Atlanta: John Knox.

Kaiser, Walter C., Jr. 1978. *Toward an Old Testament Theology.* Grand Rapids: Zondervan.

Kallas, James. 1961. *The Significance of the Synoptic Miracles.* London: SPCK.

____. 1965. "Romans xiii.1–7: An Interpolation." *NTS* 11:365–74.

Kamlah, E. 1970. " '*Hypotassesthai*' in den neutestamentlichen 'Haustafeln.' " Pages 237–43 in *Verborum Veritas: Festschrift für Gustav Stählin zum 70. Geburtstag.* Wuppertal: Brockhaus.

Kammler, Hans-Christian. 2003. "Die Prädikation Jesu Christi als 'Gott' and die paulinische Christologie: Erwägungen zur Exegese von Röm 9,5b." *ZNW* 92:164–80.

Karris, R. J. 1985. *Luke: Artist and Theologian; Luke's Passion Account as Literature.* New York: Paulist Press.

Käsemann, Ernst. 1964a. "Ministry and Community in the New Testament." Pages 63–94 in *Essays on New Testament Themes.* Translated by W. J. Montague. Philadelphia: Fortress.

____. 1964b. *Essays on New Testament Themes.* Translated by W. J. Montague. Philadelphia: Fortress.

____. 1968. *The Testament of Jesus: A Study of the Gospel of John in the Light of Chapter 17.* Translated by G. Krodel. Philadelphia: Fortress.

____. 1969. " 'The Righteousness of God' in Paul." Pages 168–82 in *New Testament Questions of Today.* Translated by W. J. Montague. Philadelphia: Fortress.

____. 1980. *Commentary on Romans.* Translated and edited by G. W. Bromiley. Grand Rapids: Eerdmans.

____. 1984. *The Wandering People of God: An Investigation of the Letter to the Hebrews.* Translated by R. A. Harrisville and I. L. Sandberg. Minneapolis: Augsburg.

Keck, Leander E. 1986. "Toward the Renewal of New Testament Christology." *NTS* 32:362–77.

____. 2006. "Paul in New Testament Theology: Some Preliminary Remarks." Pages 109–22 in *The Nature of New Testament Theology: Essays in Honour of Robert Morgan.* Edited by C. Rowland and C. Tuckett. Malden, MA: Blackwell.

Kee, Howard Clark. 1990. *Good News to the Ends of the Earth: The Theology of Acts.* Philadelphia: Trinity Press International.

Keener, Craig S. 1992. *Paul, Women and Wives: Marriage and Women's Ministry in the Letters of Paul.* Peabody, MA: Hendrickson.

____. 2003. *The Gospel of John: A Commentary.* Vol. 1. Peabody, MA: Hendrickson.

Kelly, Brian. 1995. "Messianic Elements in the Chronicler's Work." Pages 249–64 in *The Lord's Anointed: Interpretation of Old Testament Messianic Texts.* Edited by P. E. Satterthwaite, R. S. Hess, and G. J. Wenham. Grand Rapids: Baker Academic.

Kelly, J. N. D. 1981. *A Commentary on the Epistles of Peter and Jude.* Grand Rapids: Baker Academic.

Kertelge, Karl. 1967. *"Rechtfertigung" bei Paulus: Studien zur Struktur und zum Bedeutungsgehalt des paulinischen Rechtfertigungsbegriffs.* NTAbh 3. Münster: Aschendorff.

Kidd, Reggie. 1990. *Wealth and Beneficence in the Pastoral Epistles: A "Bourgeois" Form of Early Christianity?* SBLDS 122. Atlanta: Scholars Press.

Kidner, Derek. 1975. *Psalms 73–150: A Commentary on Books III–V of the Psalms.* Downers Grove, IL: InterVarsity Press.

Kilgallen, J. 1976. *The Stephen Speech: A Literary and Redactional Study of Acts 7,2–53.* AnBib 67. Rome: Biblical Institute Press.

____. 1988. "Acts 13,38–39: Culmination of Paul's Speech in Pisidia." *Bib* 69:480–506.

Kim, Seyoon. 1982. *The Origins of Paul's Gospel.* Grand Rapids: Eerdmans.

____. 1983. *The Son of Man as the Son of God.* Grand Rapids: Eerdmans.

____. 2002. *Paul and the New Perspective: Second Thoughts on the Origin of Paul's Gospel.* Grand Rapids: Eerdmans.

Kingsbury, Jack Dean. 1975. *Matthew: Structure, Christology, Kingdom.* Philadelphia: Fortress.

____. 1983. *The Christology of Mark's Gospel.* Philadelphia: Fortress.

____. 1986. *Matthew as Story.* Philadelphia: Fortress.

Klappert, B., and G. Fries. "λόγος." *NIDNTT* 3:1081–1117.

Klausner, Joseph. 1929. *Jesus of Nazareth: His Life, Times, and Teaching.* Translated by H. Danby. New York: Macmillan.

Klein, William W. 1990. *The New Chosen People: A Corporate View of Election.* Grand Rapids: Academie Books.

Kleinknecht, H. "λόγος." *TDNT* 4:77–91.

Kline, Meredith. 1975. "First Resurrection." *WTJ* 37:366–75.

____. 1976. "First Resurrection: A Reaffirmation." *WTJ* 39:110–19.

Knight, George W., III. 1992. *The Pastoral Epistles.* NIGTC . Grand Rapids: Eerdmans.

Koester, Craig R. 2003. *Symbolism in the Fourth Gospel: Meaning, Mystery, Community.* 2nd ed. Minneapolis: Fortress.

Köstenberger, Andreas. 1991. "The Mystery of Christ and the Church: Head and Body, 'One Flesh.' " *TJ* 12:79–94.

_____. 1998. *The Missions of Jesus and the Disciples according to the Fourth Gospel: With Implications for the Fourth Gospel's Purpose and the Mission of the Contemporary Church.* Grand Rapids: Eerdmans.

_____. 2002. "John." Pages 2–216 in *John, Acts.* Vol. 2 of *Zondervan Illustrated Bible Backgrounds Commentary.* Edited by C. E. Arnold. Grand Rapids: Zondervan.

_____. 2004. *John.* BECNT . Grand Rapids: Baker Academic.

_____. 2007. "Baptism in the Gospels." Pages 11–34 in *Believer's Baptism: Sign of the New Covenant in Christ.* Edited by T. R. Schreiner and S. D. Wright. Nashville: Broadman & Holman.

Köstenberger, Andreas J., with David W. Jones. 2004. *God, Marriage, and Family: Rebuilding the Biblical Foundation.* Wheaton: Crossway.

Köstenberger, Andreas J., and Peter O'Brien. 2001. *Salvation to the Ends of the Earth: A Biblical Theology of Mission.* Downers Grove, IL: InterVarsity Press.

Kreitzer, L. Joseph. 1987. *Jesus and God in Paul's Eschatology.* JSNTSup 19. Sheffield: JSOT Press.

Kroeger, Catherine Clark. 1987. "The Classical Concept of Head as Source." Pages 267–83 in *Equal to Serve: Women and Men in the Church and Home.* Edited by G. G. Hull. Old Tappan, NJ: Revell.

Kruse, Colin. "Virtues and Vices." *DPL* 962–63.

Kümmel, Werner G. 1957. *Promise and Fulfillment: The Eschatological Message of Jesus.* SBT . London: SCM Press.

_____. 1973. *The Theology of the New Testament according to Its Major Witnesses: Jesus—Paul—John.* Translated by J. E. Steely. Nashville: Abingdon.

_____. 1974. *Römer 7 und das Bild des Menschen im Neuen Testament: Zwei Studien.* TB 53. Munich: Kaiser.

Laato, Timo. 1991. *Paulus und das Judentum: Anthropologische Erwägungen.* Åbo: Åbo Akademis Förlag.

_____. 1997. "Justification according to James: A Comparison with Paul." *TJ* 18:43–84.

Ladd, George E. 1957. "Why Not Prophetic-Apocalyptic?" *JBL* 76:192–200.

_____. 1972. *A Commentary on the Revelation of John.* Grand Rapids: Eerdmans.

_____. 1977. "Historic Premillennialism." Pages 17–40 in *The Meaning of the Millennium: Four Views.* Edited by R. G. Clouse. Downers Grove, IL: InterVarsity Press.

_____. 1993. *A Theology of the New Testament.* Edited by D. A. Hagner. Rev. ed. Grand Rapids: Eerdmans.

Lake, Kirsopp, and Henry J. Cadbury. 1979. *The Acts of the Apostles: English Translation and Commentary.* Part I, vol. 4 of *The Beginnings of Christianity.* London: Macmillan.

Lane, William L. 1974. *The Gospel According to Mark.* NICNT . Grand Rapids: Eerdmans.

_____. 1991a. *Hebrews 1–8.* WBC 47A. Dallas: Word.

_____. 1991b. *Hebrews 9–13.* WBC 47B. Dallas: Word.

Lau, Andrew Y. 1996. *Manifest in the Flesh: The Epiphany Christology of the Pastoral Epistles.* WUNT 2/86. Tübingen: Mohr Siebeck.

Laws, Sophie. 1980. *A Commentary on the Epistle of James.* HNTC . San Francisco: Harper & Row.

Lee, Aquila H. I. 2005. *From Messiah to Preexistent Son: Jesus' Self-Consciousness and Early Christian Exegesis of Messianic Psalms.* WUNT 2/192. Tübingen: Mohr Siebeck.

Lehne, Susanne. 1990. *The New Covenant in Hebrews.* JSNTSup 44. Sheffield: JSOT Press.

Lemcio, Eugene E. 1988. "The Unifying Kerygma of the New Testament." *JSNT* 33:3–17.

Liebers, Reinhold. 1989. *Das Gesetz als Evangelium: Untersuchungen zur Gesetzeskritik des Paulus.* ATANT 75. Zürich: Theologischer Verlag.

Lightfoot, J. B. 1953. *St. Paul's Epistle to the Philippians.* Grand Rapids: Zondervan.

Lincoln, Andrew T. 1981. *Paradise Now and Not Yet: Studies in the Role of the Heavenly Dimension in Paul's Thought with Special Reference to His Eschatology.* SNTSMS 43. Cambridge: Cambridge University Press.

____. 1982. "Sabbath, Rest, and Eschatology in the New Testament." Pages 197–220 in *From Sabbath to Lord's Day: A Biblical, Historical, and Theological Investigation.* Edited by D. A. Carson. Grand Rapids: Zondervan.

____. 1987. "The Church and Israel in Ephesians 2." *CBQ* 49:605–24.

____. 1990. *Ephesians.* WBC 42. Dallas: Word.

____. 1999. "The Household Code and Wisdom Mode of Colossians." *JSNT* 74:93–112.

____. 2000. *Truth on Trial: The Lawsuit Motif in the Fourth Gospel.* Peabody, MA: Hendrickson.

Lindars, Barnabas. 1972. *The Gospel of John.* NCB . Grand Rapids: Eerdmans.

____. 1983. *Jesus Son of Man: A Fresh Examination of the Son of Man Sayings in the Gospels in the Light of Recent Research.* London: SPCK.

____. 1991. *The Theology of the Letter to the Hebrews.* Cambridge: Cambridge University Press.

Litfin, Duane. 1994. *St. Paul's Theology of Proclamation: 1 Corinthians 1–4 and Greco-Roman Rhetoric.* SNTSMS 79. Cambridge: Cambridge University Press.

Lohse, Eduard. 1971. *Colossians and Philemon.* Hermeneia. Philadelphia: Fortress.

Longenecker, Richard N. 1970. *The Christology of Early Jewish Christianity.* SBT 2/17. Naperville, IL: Allenson.

____. 1978. "The Melchizedek Argument of Hebrews: A Study in the Development and Circumstantial Expression of New Testament Thought." Pages 161–85 in *Unity and Diversity in New Testament Theology: Essays in Honor of George E. Ladd.* Edited by R. A. Guelich. Grand Rapids: Eerdmans.

____. 1982. "The Pedagogical Nature of the Law in Galatians 3:19–4:7." *JETS* 25:53–61.

____. 1985. "The Nature of Paul's Early Eschatology." *NTS* 31:85–95.

____. 1990. *Galatians.* WBC 41. Dallas: Word.

Longman, Tremper, III, and Daniel G. Reid. 1995. *God Is a Warrior.* SOTBT . Grand Rapids: Zondervan.

Lowe, J. 1941. "An Examination of Attempts to Detect Developments in St. Paul's Theology." *JTS* 42:129–42.

Lull, David. 1986. " 'The Law Was Our Pedagogue': A Study in Galatians 3:19–25." *JBL* 105:481–98.

Luz, Ulrich. 1968. *Das Geschichtsverständnis des Paulus.* BEvT 49. Munich: Kaiser.

____. 1989. *Matthew 1–7.* Translated by W. C. Linss. Minneapolis: Augsburg.

____. 1995. *The Theology of the Gospel of Matthew.* Translated by J. B. Robinson. Cambridge: Cambridge University Press.

____. 2001. *Matthew 8–20.* Translated by J. E. Crouch. Hermeneia. Minneapolis: Fortress.

____. 2005. *Matthew 21–28.* Translated by J. E. Crouch. Hermeneia. Minneapolis: Fortress.

Machen, J. Gresham. 1965. *The Virgin Birth of Christ.* Grand Rapids: Baker Books.

Maddox, Robert. 1982. *The Purpose of Luke-Acts*. FRLANT 126. Göttingen: Vandenhoeck & Ruprecht.

Maier, G. 1984. "Jesustradition im 1. Petrusbrief." Pages 85–128 in *The Jesus Tradition Outside the Gospels*. Vol. 5 of *Gospel Perspectives*. Edited by D. Wenham. Sheffield: JSOT Press.

Marcus, Joel. 2000. *Mark 1–8*. AB 27A. New York: Doubleday.

Marshall, I. H. 1970. *Luke: Historian and Theologian*. Grand Rapids: Zondervan.

____. 1974. "The Development of the Concept of Redemption in the New Testament." Pages 153–69 in *Reconciliation and Hope: New Testament Essays on Atonement and Eschatology Presented to L. L. Morris on His Sixtieth Birthday*. Edited by R. Banks. Grand Rapids: Eerdmans.

____. 1976. *The Origins of New Testament Christology*. Downers Grove, IL: InterVarsity Press.

____. 1978a. *The Epistles of John*. NICNT . Grand Rapids: Eerdmans.

____. 1978b. *The Gospel of Luke*. NIGTC . Grand Rapids: Eerdmans.

____. 1980a. *Last Supper and Lord's Supper*. Grand Rapids: Eerdmans.

____. 1980b. *The Acts of the Apostles*. TNTC . Grand Rapids: Eerdmans.

____. 1983. *1 and 2 Thessalonians: Based on the Revised Standard Version*. Grand Rapids: Eerdmans.

____. 1996. "Salvation, Grace and Works in the Later Writings in the Pauline Corpus." *NTS* 42:339–58.

____. 1999. In collaboration with Philip H. Towner. *The Pastoral Epistles*. ICC . Edinburgh: T & T Clark.

____. 2002. "The Meaning of the Verb 'Baptize.'" Pages 8–24 in *Dimensions of Baptism: Biblical and Theological Studies*. Edited by S. E. Porter and A. R. Cross. JSNTSup 234. London: Sheffield Academic Press.

____. 2004. *New Testament Theology: Many Witnesses, One Gospel*. Downers Grove, IL: InterVarsity Press.

____. 2005. "Political and Eschatological Language in Luke." Pages 157–77 in *Reading Luke: Interpretation, Reflection, Formation*. Edited by C. G. Bartholomew, J. B. Green, and A. C. Thiselton. SHS 6. Grand Rapids: Zondervan.

Martin, Dale B. 1990. *Slavery as Salvation: The Metaphor of Slavery in Pauline Christianity*. New Haven: Yale University Press.

Martin, Ralph P. 1986. *2 Corinthians*. WBC 40. Waco: Word.

____. 1988. *James*. WBC 48. Waco: Word.

____. 1989. *Reconciliation: A Study of Paul's Theology*. Rev. ed. Grand Rapids: Zondervan.

____. 1994. *The Theology of the Letters of James, Peter, and Jude*. NTT . Cambridge: Cambridge University Press. [See above, Andrew Chester, who wrote the section on James.]

____. 1997. *A Hymn of Christ: Philippians 2:5–11 in Recent Interpretation and the Setting of Early Christian Worship*. Rev. ed. Downers Grove, IL: InterVarsity Press.

Martyn, J. Louis. 1979. *History and Theology in the Fourth Gospel*. Rev. ed. Nashville: Abingdon.

____. 1985. "Apocalyptic Antinomies in Paul's Letter to the Galatians." *NTS* 31:410–24.

____. 1997. *Galatians*. AB 33A. New York: Doubleday.

Matera, Frank J. 1992. *Galatians*. SP . Collegeville, MN: Liturgical Press.

____. 2005. "New Testament Theology: History, Method, and Identity." *CBQ* 67:1–21.

Mathewson, Dave. 1999. "Reading Heb. 6:4–6 in Light of the Old Testament." *WTJ* 61:209–25.

Matlock, Barry. 2000. "Detheologizing the *Pistis Christou* Debate: Cautionary Remarks from a Lexical Semantic Perspective." *NovT* 42:1–23.

McCartney, D. G. 1989. "The Use of the Old Testament in the First Epistle of Peter." PhD diss., Westminster Theological Seminary.

McConnell, R. S. 1969. *Law and Prophecy in Matthew's Gospel: The Authority and Use of the Old Testament in the Gospel of St. Matthew.* Basel: Reinhardt.

McEleney, N. J. 1974. "The Vice Lists of the Pastoral Epistles." *CBQ* 36:203–19.

McKelvey, R. J. 1961–1962. "Christ the Cornerstone." *NTS* 8:352–59.

____. 2003. "Jews in the Book of Revelation." *IBS* 25:175–94.

McKnight, Scot. 1991. *A Light among the Gentiles: Jewish Missionary Activity in the Second Temple Period.* Minneapolis: Fortress.

____. 1992. "The Warning Passages in Hebrews: A Formal Analysis and Theological Conclusions." *TJ* 13:21–59.

Mearns, C. L. 1981. "Early Eschatological Development in Paul: The Evidence of I and II Thessalonians." *NTS* 27:137–57.

Meier, John P. 1976. *Law and History in Matthew's Gospel: A Redactional Study of Mt. 5:17–48.* AnBib 71. Rome: Biblical Institute Press.

____. 1977. "Nations or Gentiles in Matthew 28:19?" *CBQ* 39:94–102.

____. 1985a. "Structure and Theology in Heb. 1,1–14." *Bib* 66:168–89.

____. 1985b. "Symmetry and Theology in the Old Testament Citations of Heb. 1,5–14." *Bib* 66:504–33.

____. 1991. *The Roots of the Problem and the Person.* Vol. 1 of *A Marginal Jew: Rethinking the Historical Jesus.* New York: Doubleday.

____. 1994. *Mentor, Message and Miracles.* Vol. 2 of *A Marginal Jew: Rethinking the Historical Jesus.* New York: Doubleday.

____. 2001. *Companions and Competitors.* Vol. 3 of *A Marginal Jew: Rethinking the Historical Jesus.* New York: Doubleday.

Menzies, Robert P. 1994. *Empowered for Witness: The Spirit in Luke-Acts.* JPTSup 6. Sheffield: Sheffield Academic Press.

Merkle, Benjamin L. 2000. "Romans 11 and the Future of Ethnic Israel." *JETS* 43:709–21.

____. 2003. *The Elder and Overseer: One Office in the Early Church.* New York: Peter Lang.

Merklein, H. "πτωχός." *EDNT* 3:193–95.

Metzger, Bruce M. 1983. "The Fourth Book of Ezra: A New Translation and Introduction." Pages 517–59 in *The Old Testament Pseudepigrapha.* Vol. 1 of *Apocalyptic Literature and Testaments.* Edited by J. H. Charlesworth. Garden City, NY: Doubleday.

____. 1994. *A Textual Commentary on the Greek New Testament: A Companion Volume to the United Bible Societies' Greek New Testament.* 2nd ed. London: United Bible Societies.

Meyer, B. F. 1979. *The Aims of Jesus.* London: SCM Press.

Michaels, J. Ramsey. 1988. *1 Peter.* WBC 49. Waco: Word.

Michel, Otto. 1966. *Der Brief an die Hebräer.* 12th ed. KEK. Göttingen: Vandenhoeck & Ruprecht.

____. "παῖς θεοῦ." *NIDNTT* 3:607–13.

Mickelsen, Berkeley, and Alvera Mickelsen. 1986. "What Does *Kephalē* Mean in the New Testament?" Pages 97–110 in *Women, Authority and the Bible*. Edited by A. Mickelsen. Downers Grove, IL: InterVarsity Press.

Mitton, C. Leslie. 1966. *The Epistle of James*. Grand Rapids: Eerdmans.

Moessner, David P. 1990. " 'The Christ Must Suffer,' the Church Must Suffer: Rethinking the Theology of the Cross in Luke-Acts." Pages 165–95 in *SBL Seminar Papers, 1990*. Edited by D. J. Lull. Atlanta: Scholars Press.

———. 1996. "The 'Script' of the Scriptures in Acts: Suffering as God's 'Plan' (*Boulē*) for the World, for the 'Release of Sins.' " Pages 218–50 in *History, Literature and Society in the Book of Acts*. Edited by B. Witherington III. Cambridge: Cambridge University Press.

———. 2005. "Reading Luke's Gospel as Ancient Hellenistic Narrative: Luke's Narrative Plan of Israel's Suffering Messiah as God's Saving 'Plan' for the World." Pages 125–51 in *Reading Luke: Interpretation, Reflection, Formation*. Edited by C. G. Bartholomew, J. B. Green, and A. C. Thiselton. SHS 6. Grand Rapids: Zondervan.

Mohrlang, Roger. 1984. *Matthew and Paul: A Comparison of Ethical Perspectives*. SNTSMS 48. Cambridge: Cambridge University Press.

Moloney, Francis J. 2002. "Telling God's Story: The Fourth Gospel." Pages 107–22 in *The Forgotten God: Perspectives in Biblical Theology*. Edited by A. A. Das and F. J. Matera. Louisville: Westminster John Knox.

Montefiore, Claude G. 1914. *Judaism and St. Paul: Two Essays*. London: Goschen.

Montefiore, Claude G., and H. Loewe. 1974. *A Rabbinic Anthology*. New York: Schocken.

Moo, Douglas J. 1983. " 'Law,' 'Works of the Law,' and Legalism in Paul." *WTJ* 45:73–100.

———. 1984. "Jesus and the Authority of the Mosaic Law." *JSNT* 20:3–49.

———. 1991. *Romans 1–8*. WEC. Chicago: Moody.

———. 1996. *Romans*. NICNT. Grand Rapids: Eerdmans.

———. 2000. *The Letter of James*. PNTC. Grand Rapids: Eerdmans.

Moore, George Foote. 1921. "Christian Writers on Judaism." *HTR* 14:197–254.

Morgan, Robert. 1973. *The Nature of New Testament Theology: The Contributions of William Wrede and Adolf Schlatter*. SBT 25. Naperville, IL: Allenson.

Morris, Leon. 1959. *The First and Second Epistles to the Thessalonians*. NICNT. Grand Rapids: Eerdmans.

———. 1965. *The Apostolic Preaching of the Cross*. 3rd ed. Grand Rapids: Eerdmans.

———. 1969a. *Studies in the Fourth Gospel*. Grand Rapids: Eerdmans.

———. 1969b. *The Revelation of St. John*. TNTC. Grand Rapids: Eerdmans.

———. 1971. *The Gospel According to John*. NICNT. Grand Rapids: Eerdmans.

Motyer, J. Alec. 1993. *The Prophecy of Isaiah: An Introduction and Commentary*. Downers Grove, IL: InterVarsity Press.

Moule, C. F. D. 1966a. "The Christology of Acts." Pages 159–85 in *Studies in Luke-Acts: Essays Presented in Honor of Paul Schubert*. Edited by L. Keck and J. L. Martyn. Nashville: Abingdon.

———. 1966b. "St. Paul and Dualism: The Pauline Conception of the Resurrection." *NTS* 12:106–23.

———. 1977. *The Origin of Christology*. Cambridge: Cambridge University Press.

———. 1995. " 'The Son of Man': Some of the Facts." *NTS* 41:277–79.

Mounce, Robert H. 1977. *The Book of Revelation.* NICNT . Grand Rapids: Eerdmans.

Mounce, William D. 2000. *Pastoral Epistles.* WBC 46. Nashville: Thomas Nelson.

Moxnes, H. 1988. "Honor, Shame, and the Outside World in Paul's Letter to the Romans." Pages 207–18 in *The Social World of Formative Christianity and Judaism: Essays in Tribute to Howard Clark Kee.* Edited by J. Neusner et al. Philadelphia: Fortress.

Moyise, Steve. 1995. *The Old Testament in the Book of Revelation.* JSNTSup 115. Sheffield: Sheffield Academic Press.

Müller, Christian. 1964. *Gottes Gerechtigkeit und Gottes Volk: Eine Untersuchung zu Römer 9–11.* FRLANT 86. Göttingen: Vandenhoeck & Ruprecht.

Müller, P.-G. "ἀρχηγός." *EDNT* 1:163–64.

Munck, Johannes. 1959. *Paul and the Salvation of Mankind.* Translated by F. Clarke. Richmond: John Knox.

Murphy O'Connor, Jerome. 1976. "Christological Anthropology in Phil. II, 6–11." *RB* 83:25–50.

Murray, John. 1959. *The Epistle to the Romans.* Vol. 1. NICNT . Grand Rapids: Eerdmans.

Mussner, F. 1964. *Der Jakobusbrief.* 4th ed. HTKNT 13. Freiburg: Herder.

Neirynck, F. 1986. "Paul and the Sayings of Jesus." Pages 265–321 in *L'Apôtre Paul: Personnalité, style et conception du ministère.* Edited by A. Vanhoye. BETL 73. Leuven: Leuven University Press.

Neusner, Jacob. 1971. *The Rabbinic Traditions about the Pharisees before 70.* 3 vols. Leiden: Brill.

____. 1984. *Messiah in Context: Israel's History and Destiny in Formative Judaism.* Philadelphia: Fortress.

____. 1991. "Mr. Sanders' Pharisees and Mine: A Response to E. P. Sanders, *Jewish Law from Jesus to the Mishnah.*" *SJT* 44:73–95.

Niccum, Curt. 1997. "The Voice of the Manuscripts on the Silence of Women: The External Evidence for 1 Corinthians 14.34–35." *NTS* 43:242–55.

Nickle, Keith F. 1966. *The Collection: A Study in Paul's Strategy.* SBT 48. Naperville, IL: Allenson.

Nicole, Roger R. 1955. "C. H. Dodd and the Doctrine of Propitiation." *WTJ* 17:117–57.

____. 1975. "Some Comments on Hebrews 6:4–6 and the Doctrine of the Perseverance of God with the Saints." Pages 355–64 in *Current Issues in Biblical and Patristic Interpretation.* Edited by G. Hawthorne. Grand Rapids: Eerdmans.

Noble, Paul R. 1995. *The Canonical Approach: A Critical Reconstruction of the Hermeneutics of Brevard S. Childs.* BIS 16. Leiden: Brill.

Nolland, John. 1980. "A Fresh Look at Acts 15.10." *NTS* 27:105–15.

____. 1986. "Grace as Power." *NovT* 28:26–31.

____. 1998. "Salvation-History and Eschatology." Pages 63–81 in *Witness to the Gospel: The Theology of Acts.* Edited by I. H. Marshall and D. Peterson. Grand Rapids: Eerdmans.

____. 2005. *The Gospel of Matthew.* NIGTC . Grand Rapids: Eerdmans.

O'Brien, Peter T. 1977. *Introductory Thanksgivings in the Letters of Paul.* NovTSup 49. Leiden: Brill.

____. 1982. *Colossians, Philemon.* WBC 44. Waco: Word.

____. 1987a. "The Church as a Heavenly and Eschatological Entity." Pages 88–119 in *The Church in the Bible and the World: An International Study.* Edited by D. A. Carson. Grand Rapids: Baker Academic.

____. 1987b. "Romans 8:26, 27: A Revolutionary Approach to Prayer?" *RTR* 46:65–73.

____. 1991. *The Epistle to the Philippians*. NIGTC . Grand Rapids: Eerdmans.

____. 1992. "Justification in Paul and Some Crucial Issues of the Last Two Decades." Pages 69–95 in *Right with God: Justification in the Bible and the World*. Edited by D. A. Carson. Grand Rapids: Eerdmans.

____. 1999. *The Letter to the Ephesians*. PNTC . Grand Rapids: Eerdmans.

____. 2004. "Was Paul Converted?" Pages 361–91 in *The Paradoxes of Paul*. Vol. 2 of *Justification and Variegated Nomism: A Fresh Appraisal of Paul and Second Temple Judaism*. Edited by D. A. Carson, P. T. O'Brien, and M. A. Seifrid. WUNT 2/140. Tübingen: Mohr Siebeck; Grand Rapids: Baker Academic.

O'Donnell, Matthew Brook. 1999. "Two Opposing Views on Baptism with/by the Holy Spirit and of 1 Corinthians 12:13: Can Grammatical Investigation Bring Clarity?" Pages 311–36 in *Baptism, the New Testament and the Church: Historical and Contemporary Studies in Honour of R. E. O. White*. Edited by S. E. Porter and A. R. Cross. JSNTSup 171. Sheffield: Sheffield Academic Press.

Oegema, Gerbern S. 1998. "Messianic Expectations in the Qumran Writings: Theses on Their Development." Pages 53–82 in *Qumran-Messianism: Studies on the Messianic Expectations in the Dead Sea Scrolls*. Edited by J. H. Charlesworth, H. Lichtenberger, and G. S. Oegema. Tübingen: Mohr Siebeck.

Oepke, A. "λούω." *TDNT* 4:295–307.

Okeke, G. E. 1981. "1 Thessalonians 2:13–16: The Fate of the Unbelieving Jews." *NTS* 27:127–36.

Oropeza, B. J. 2000. *Paul and Apostasy: Eschatology, Perseverance, and Falling Away in the Corinthian Congregation*. WUNT 2/115. Tübingen: Mohr Siebeck.

Ortlund, Raymond C., Jr. 2002. *God's Unfaithful Wife: A Biblical Theology of Spiritual Adultery*. Downers Grove, IL: InterVarsity Press.

Osborne, Grant R. 2002. *Revelation*. BECNT . Grand Rapids: Baker Academic.

Osei-Bonsu, Joseph. 1986. "Does 2 Corinthians 5:1–10 Teach the Reception of the Resurrection Body at the Moment of Death?" *JSNT* 28:81–101.

Oswalt, John N. 1986. *The Book of Isaiah: Chapters 1–39*. NICOT . Grand Rapids: Eerdmans.

O'Toole, Robert F. 2000. "How Does Luke Portray Jesus as Servant of YHWH?" *Bib* 81:328–46.

Overstreet, R. Larry. 1980. "A Study of 2 Peter 3:10–13." *BSac* 137:354–71.

Owen, Paul, and David Shepherd. 2001. "Speaking Up for Qumran, Dalman and the Son of Man: Was *Bar Enasha* a Common Term for 'Man' in the Time of Jesus?" *JSNT* 81:81–122.

Page, Sidney. 1993. "Marital Expectations of Church Leaders in the Pastoral Epistles." *JSNT* 50:105–20.

Palmer, Darryl W. 1993. "Acts and the Ancient Historical Monograph." Pages 1–29 in *The Book of Acts in Its Ancient Literary Setting*. Vol. 1 of *The Book of Acts in Its First Century Setting*. Edited by B. W. Winter. Grand Rapids: Eerdmans.

Pamment, Margaret. 1981. "The Kingdom of Heaven according to the First Gospel." *NTS* 27:211–32.

Pancaro, S. 1975. *The Law in the Fourth Gospel: The Torah and the Gospel, Moses and Jesus, Judaism and Christianity according to John*. NovTSup 42. Leiden: Brill.

Pao, David W. 2000. *Acts and the Isaianic New Exodus*. Grand Rapids: Baker Academic.

____. 2002. *Thanksgiving: An Investigation of a Pauline Theme*. Downers Grove, IL: InterVarsity Press.

Parsons, Michael. 1995. "Being Precedes Act: Indicative and Imperative in Paul's Writing." Pages 217–47 in *Understanding Paul's Ethics: Twentieth Century Approaches*. Edited by B. S. Rosner. Grand Rapids: Eerdmans.

Pate, C. Marvin. 1995. *The End of the Age Has Come: The Theology of Paul*. Grand Rapids: Zondervan.

Paulsen, H. 1992. *Der Zweite Petrusbrief und der Judasbrief*. KEK . Göttingen: Vandenhoeck & Ruprecht.

Payne, Philip B. 1981. "Libertarian Women in Ephesus: A Response to Douglas J. Moo's Article, '1 Timothy 2:11–15: Meaning and Significance.' " *TJ* 2:169–97.

____. 1995. "Fuldensis, Sigla for Variants in Vaticanus, and 1 Corinthians 14.34–5." *NTS* 41:240–62.

Pearson, Birger. 1971. "I Thessalonians 2:13–16: A Deutero-Pauline Interpolation." *HTR* 64:79–91.

Peisker, C. H. "προφήτης." *NIDNTT* 3:74–92.

Penner, Todd C. 1996. *The Epistle of James and Eschatology: Re-reading an Ancient Christian Letter*. JSNTSup 121. Sheffield: Sheffield Academic Press.

Penney, John Michael. 1997. *The Missionary Emphasis of Lukan Pneumatology*. JPTSup 12. Sheffield: Sheffield Academic Press.

Pennington, Jonathan. 2007. *Heaven and Earth in the Gospel of Matthew*. NovTSup 126. Leiden: Brill.

Perrin, Norman. 1967. *Rediscovering the Teaching of Jesus*. New York: Harper & Row.

Pervo, Richard I. 1987. *Profit with Delight: The Literary Genre of the Acts of the Apostles*. Philadelphia: Fortress.

Peterlin, Davorin. 1995. *Paul's Letter to the Philippians in Light of Disunity in the Church*. NovTSup 79. Leiden: E. J. Brill.

Peterson, David. 1982. *Hebrews and Perfection: An Examination of the Concept of Perfection in the "Epistle to the Hebrews."* SNTSMS 47. Cambridge: Cambridge University Press.

____. 1993. "The Motif of Fulfillment and the Purpose of Luke-Acts." Pages 83–104 in *The Book of Acts in Its Ancient Literary Setting*. Vol. 1 of *The Book of Acts in Its First Century Setting*. Edited by B. W. Winter. Grand Rapids: Eerdmans.

____. 1995. *Possessed by God: A New Testament Theology of Sanctification and Holiness*. Grand Rapids: Eerdmans.

____. 1998. "The Worship of the New Community." Pages 373–95 in *Witness to the Gospel: The Theology of Acts*. Edited by I. H. Marshall and D. Peterson. Grand Rapids: Eerdmans.

Petzer, J. H. 1984. "Luke 22:19b–20 and the Structure of the Passage." *NovT* 26:249–52.

Petzer, Kobus. 1991. "Style and Text in the Lucan Narrative of the Institution of the Lord's Supper (Luke 22:19b–20)." *NTS* 37:113–29.

Picirilli, Robert E. 1975. "Meaning of Epignosis." *EvQ* 47:85–93.

Piper, John. 1979. *"Love Your Enemies": Jesus' Love Command in the Synoptic Gospels and in the Early Christian Paranaesis; A History of the Tradition and Interpretation of Its Uses*. SNTSMS 38. Cambridge: Cambridge University Press.

____. 1980. "Hope as the Motivation of Love: 1 Peter 3:9–12." *NTS* 26:212–31.

____. 1993. *The Justification of God: An Exegetical and Theological Study of Romans 9:1–23*. 2nd ed. Grand Rapids: Baker Academic.

____. 2002. *Counted Righteous in Christ: Should We Abandon the Imputation of Christ's Righteousness?* Wheaton: Crossway.

Plantinga, Alvin. 2003. "Two (or More) Kinds of Scripture Scholarship." Pages 19–57 in *"Behind" the Text: History and Biblical Interpretation*. SHS 4. Edited by C. Bartholomew et al. Grand Rapids: Zondervan.

Plevnik, Joseph. 1986. "Recent Developments in the Discussion concerning Justification by Faith." *TJT* 2:47–62.

____. 1989. "The Center of Pauline Theology." *CBQ* 51:461–78.

____. 1997. *Paul and the Parousia: An Exegetical and Theological Investigation.* Peabody, MA: Hendrickson.

____. 2003. "The Understanding of God as the Basis of Pauline Theology." *CBQ* 65:554–67.

Plummer, Robert L. 2006. *Paul's Understanding of the Church's Mission: Did the Apostle Paul Expect the Early Christian Communities to Evangelize?* PBM . Waynesboro, GA: Paternoster.

Pokorný, Petr. 1991. *Colossians.* Translated by S. S. Schatzmann. Peabody, MA: Hendrickson.

Polhill, John B. 1992. *Acts.* NAC . Nashville: Broadman & Holman.

Porter, Stanley E. 1989. *Verbal Aspect in the Greek of the New Testament, with Reference to Tense and Mood.* New York: Peter Lang.

____. 1990. "Two Myths: Corporate Personality and Language/Mentality Determinism." *SJT* 43:289–307.

____. 1994. *Idioms of the Greek New Testament.* 2nd ed. Sheffield: JSOT Press.

Price, S. R. F. 1984. *Rituals and Power: The Roman Imperial Cult in Asia Minor.* Cambridge: Cambridge University Press.

Procksch, O. "ἁγιάζω, ἁγιασμός." *TDNT* 1:111–13.

Provan, Iain W. 1995. "The Messiah in the Book of Kings." Pages 67–85 in *The Lord's Anointed: Interpretation of Old Testament Messianic Texts.* Edited by P. E. Satterthwaite, R. S. Hess, and G. J. Wenham. Grand Rapids: Baker Academic.

Przybylski, Benno. 1980. *Righteousness in Matthew and His World of Thought.* SNTSMS 41. Cambridge: Cambridge University Press.

Radl, W. "προορίζω." *EDNT* 3:159.

____. "σῴζω." *EDNT* 3:319–21.

Radmacher, Earl D. 1990. "First Response to 'Faith According to the Apostle James' by John F. MacArthur Jr." *JETS* 33:35–41.

Rainbow, Paul A. 2005. *The Way of Salvation: The Role of Christian Obedience in Justification.* Waynesboro, GA: Paternoster.

Räisänen, Heikki. 1983. *Paul and the Law.* Philadelphia: Fortress.

____. 1986. *The Torah and Christ: Essays in German and English on the Problem of the Law in Early Christianity.* SESJ 45. Helsinki: Finnish Exegetical Society.

____. 1988. "Paul, God, and Israel: Romans 9–11 in Recent Research." Pages 178–206 in *The Social World of Formative Christianity and Judaism: Essays in Tribute to Howard Clark Kee.* Edited by J. Neusner et al. Philadelphia: Fortress.

____. 1990. *Beyond New Testament Theology: A Story and a Progamme.* Philadelphia: Trinity Press International.

____. 1992. *Jesus, Paul, and Torah: Collected Essays.* Translated by D. E. Orton. JSNTSup 43. Sheffield: JSOT Press.

____. 2000. *Beyond New Testament Theology: A Story and a Progamme.* 2nd ed. London: SCM Press.

Reasoner, Mark. 1999. "The Theme of Acts: Institutional History or Divine Necessity in History?" *JBL* 118:635–59.

Reitzenstein, Richard. 1978. *Hellenistic Mystery-Religions: Their Basic Ideas and Significance.* Pittsburgh: Pickwick.

Rengstorf, Karl H. "διδάσκω." *TDNT* 2:135–65.

Reumann, John H. P. 1982. *Righteousness in the New Testament: Justification in the United States Lutheran-Roman Catholic Dialogue, with Responses by Joseph A. Fitzmyer and Jerome D. Quinn.* Philadelphia: Fortress.

Rhee, Victor (Sung-Yul). 2001. *Faith in Hebrews: Analysis within the Context of Christology, Eschatology, and Ethics.* StBL 19. New York: Peter Lang.

Rhyne, C. T. 1981. *Faith Establishes the Law.* SBLDS 55. Chico, CA: Scholars Press.

Richardson, Peter. 1969. *Israel in the Apostolic Church.* SNTSMS 10. Cambridge: Cambridge University Press.

Ridderbos, Herman. 1975. *Paul: An Outline of His Theology.* Grand Rapids: Eerdmans.

____. 1997. *The Gospel According to John: A Theological Commentary.* Translated by J. Vriend. Grand Rapids: Eerdmans.

Rissi, Mathias. 1966. *The Future of the World: An Exegetical Study of Revelation 19.11–22.15.* SBT 23. Naperville, IL: Allenson.

____. 1987. *Die Theologie des Hebräerbriefs: Ihre Verankerung in der Situation des Verfassers und seiner Leser.* WUNT 41. Tübingen: Mohr Siebeck.

Rivkin, Ellis. 1978. *A Hidden Revolution: The Pharisees' Search for the Kingdom Within.* Nashville: Abingdon.

Robinson, D. W. B. 1967. "The Salvation of Israel in Romans 9–11." *RTR* 26:81–96.

Robinson, J. A. T. 1962. *Twelve New Testament Studies.* Naperville, IL: Allenson.

Rodriguez, Angel Manuel. 1979. "Substitution in the Hebrew Cultus and in Cultic-Related Texts." ThD diss., Andrews University Theological Seminary.

Rogerson, John W. 1970. "The Hebrew Conception of Corporate Personality: A Re-examination." *JTS* 21:1–16.

Roloff, J. "ἐκκλησία." *EDNT* 1:410–15.

Rooke, Deborah W. 2000. "Jesus as Royal Priest: Reflections on the Interpretation of the Melchizedek Tradition in Heb. 7." *Bib* 81:81–94.

Rosner, Brian S. 1994. *Paul, Scripture, and Ethics: A Study of 1 Corinthians 5–7.* AGJU 22. Leiden: Brill.

____. 1995. *Understanding Paul's Ethics: Twentieth Century Approaches.* Grand Rapids: Eerdmans.

____. 1998. "The Progress of the Word." Pages 215–33 in *Witness to the Gospel: The Theology of Acts.* Edited by I. H. Marshall and D. Peterson. Grand Rapids: Eerdmans.

____. "Biblical Theology." *NDBT* 3–11.

Rowe, C. Kavin. 2003. "Luke and the Trinity: An Essay in Ecclesial Biblical Theology." *SJT* 56:1–26.

Rowland, Christopher, and Christopher Tuckett, eds. 2006. *The Nature of New Testament Theology: Essays in Honour of Robert Morgan.* Malden, MA: Blackwell.

Russell, Walter B. 1993. "Does the Christian Have 'Flesh' in Gal. 5:13–26?" *JETS* 36:179–87.

____. 1995. "The Apostle Paul's Redemptive-Historical Argumentation in Galatians 5:13–26." *WTJ* 57:333–57.

Sanders, E. P. 1977. *Paul and Palestinian Judaism: A Comparison of Patterns of Religion.* Philadelphia: Fortress.

____. 1978. "Paul's Attitude toward the Jewish People." *USQR* 33:175–87.

____. 1983. *Paul, the Law, and the Jewish People.* Philadelphia: Fortress.

____. 1985. *Jesus and Judaism*. Philadelphia: Fortress.

____. 1990. *Jewish Law from Jesus to the Mishnah: Five Studies.* Philadelphia: Trinity Press International.

____. 1992. *Judaism: Practice and Belief, 63 BCE–66 CE*. Philadelphia: Trinity Press International.

Sanders, Jack T. 1987. *The Jews in Luke-Acts*. Philadelphia: Fortress.

Sandys-Wunsch, John, and Laurence Eldredge. 1980. "J. P. Gabler and the Distinction between Biblical and Dogmatic Theology: Translation, Commentary, and Discussion of His Originality." *SJT* 33:133–58.

Sapp, David A. 1998. "The LXX , 1QIsa, and MT Versions of Isaiah 53 and the Christian Doctrine of Atonement." Pages 170–92 in *Jesus and the Suffering Servant: Isaiah 53 and Christian Origins*. Edited by W. H. Bellinger Jr. and W. R. Farmer. Harrisburg, PA: Trinity Press International.

Satterthwaite, Philip E. 1995. "David in the Books of Samuel: A Messianic Hope?" Pages 41–65 in *The Lord's Anointed: Interpretation of Old Testament Messianic Texts*. Edited by P. E. Satterthwaite, R. S. Hess, and G. J. Wenham. Grand Rapids: Baker Academic.

Schäfer, Peter. 1974. "Die Torah der messianischen Zeit." *ZNW* 65:27–42.

Schelke, K. H. 1980. *Die Petrusbriefe; der Judasbrief*. HTKNT . Freiberg: Herder.

Schibler, Daniel. 1995. "Messianism and Messianic Prophecy in Isaiah 1–12 and 28–33." Pages 87–104 in *The Lord's Anointed: Interpretation of Old Testament Messianic Texts*. Edited by P. E. Satterthwaite, R. S. Hess, and G. J. Wenham. Grand Rapids: Baker Academic.

Schlatter, Adolf. 1973. "The Theology of the New Testament and Dogmatics." Pages 117–66 in *The Nature of New Testament Theology: The Contributions of William Wrede and Adolf Schlatter*. Edited and translated by R. Morgan. SBT 25. Naperville, IL: Allenson.

____. 1997. *The History of the Christ: The Foundation for New Testament Theology*. Translated by A. J. Köstenberger. Grand Rapids: Baker Academic.

____. 1999. *The Theology of the Apostles: The Development of New Testament Theology*. Translated by A. J. Köstenberger. Grand Rapids: Baker Academic.

Schmidt, D. 1983. "I Thess 2:13–16: Linguistic Evidence for an Interpolation." *JBL* 102:269–79.

Schmidt, K. L. "καλέω." *TDNT* 3:487–500.

Schmithals, Walter. 1975. *Der Römerbrief als historisches Problem*. SNT 9. Gütersloh: Mohn.

____. 1997. *The Theology of the First Christians*. Louisville: Westminster John Knox.

Schnabel, Eckhard J. 1995. "How Paul Developed His Ethics." Pages 267–97 in *Understanding Paul's Ethics: Twentieth Century Approaches*. Edited by B. S. Rosner. Grand Rapids: Eerdmans.

____. 2002a. "Israel, the People of God, and the Nations." *JETS* 45:35–57.

____. 2002b. "John and the Future of the Nations." *BBR* 12:243–71.

____. 2004a. *Jesus and the Twelve*. Vol. 1 of *Early Christian Mission*. Downers Grove, IL: InterVarsity Press.

____. 2004b. *Paul and the Early Church*. Vol. 2 of *Early Christian Mission*. Downers Grove, IL: InterVarsity Press.

Schnackenburg, Rudolf. 1964. *Baptism in the Thought of St. Paul: A Study in Pauline Theology*. Translated by G. R. Beasley-Murray. Oxford: Blackwell.

____. 1970. "Apostles before and during Paul's Time." Pages 287–303 in *Apostolic History and the Gospel: Biblical and Historical Essays Presented to F. F. Bruce on His Sixtieth Birthday*. Edited by W. W. Gasque and R. P. Martin. Translated by M. Kwiran and W. W. Gasque. Grand Rapids: Eerdmans.

Schneider, G. "παιδαγωγός." *EDNT* 3:2–3.

Schnider, F. "προφήτης." *EDNT* 3:183–86.

Schoeps, H. J. 1961. *Paul: The Theology of the Apostle in the Light of Jewish Religious History.* Translated by H. Knight. Philadelphia: Westminster.

Scholer, John M. 1991. *Proleptic Priests: Priesthood in the Epistle to the Hebrews.* JSNTSup 49. Sheffield: Sheffield Academic Press.

Schrage, Wolfgang. 1981. *Die konkreten Einzelgebote in paulinischen Paränese: Ein Beitrag zur neutestamentlichen Ethik.* Gütersloh: Mohn.

____. 1995. "The Formal Ethical Interpretation of Pauline Paraenesis." Pages 301–35 in *Understanding Paul's Ethics: Twentieth Century Approaches.* Edited by B. S. Rosner. Grand Rapids: Eerdmans.

Schreiner, Thomas R. 1991. " 'Works of the Law' in Paul." *NovT* 33:217–44.

____. 1993a. *The Law and Its Fulfillment: A Pauline Theology of Law.* Grand Rapids: Baker Academic.

____. 1993b. "Did Paul Believe in Justification by Works? Another Look at Romans 2." *BBR* 3:131–58.

____. 1998. *Romans.* BECNT . Grand Rapids: Baker Academic.

____. 2000. "Does Romans 9 Teach Individual Election unto Salvation?" Pages 89–106 in *Still Sovereign: Contemporary Perspectives on Election, Foreknowledge, and Grace.* Edited by T. R. Schreiner and B. A. Ware. Grand Rapids: Baker Academic.

____. 2001. *Paul, Apostle of God's Glory in Christ: A Pauline Theology.* Downers Grove, IL: InterVarsity Press.

____. 2003. *1, 2 Peter, Jude.* NAC . Nashville: Broadman & Holman.

____. 2005. "An Interpretation of 1 Timothy 2:9–15: A Dialogue with Scholarship." Pages 85–120, 207–29 in *Women in the Church: An Analysis and Application of 1 Timothy 2:9–15.* Edited by A. J. Köstenberger and T. R. Schreiner. 2nd ed. Grand Rapids: Baker Academic.

____. 2006a. "A New Testament Perspective on Homosexuality." *Themelios* 31:62–75.

____. 2006b. "The Penal Substitution View." Pages 67–98 in *The Nature of the Atonement: Four Views.* Edited by J. Beilby and P. R. Eddy. Downers Grove, IL: InterVarsity Press.

____. 2006c. "Corporate and Individual Election in Romans 9: A Response to Brian Abasciano." *JETS* 49:373–86.

____. 2007. "The Commands of God." Pages 66–101 in *Central Themes in Biblical Theology: Mapping Unity in Diversity.* Edited by S. J. Hafemann and P. R. House. Nottingham, UK: Inter-Varsity Press.

____. "Circumcision." *DPL* 137–39.

Schreiner, Thomas R., and Ardel Caneday. 2001. *The Race Set before Us: A Biblical Theology of Perseverance and Assurance.* Downers Grove, IL: InterVarsity Press.

Schrenk, G. "δικαιοσύνη." *TDNT* 2:192–210.

Schultz, Richard. 1995. "The King in the Book of Isaiah." Pages 141–65 in *The Lord's Anointed: Interpretation of Old Testament Messianic Texts.* Edited by P. E. Satterthwaite, R. S. Hess, and G. J. Wenham. Grand Rapids: Baker Academic.

Schürmann, Heinz. 1974. " 'Das Gesetz des Christus' (Gal. 6, 2): Jesu Verhalten und Wort als letzgültige sittliche Norm nach Paulus." Pages 282–300 in *Neues Testament und Kirche: Für Rudolf Schnackenburg.* Edited by J. Gnilka. Freiburg: Herder.

Schweitzer, Albert. 1931. *The Mysticism of Paul the Apostle.* New York: Henry Holt.

____. 1968. *The Quest of the Historical Jesus: A Critical Study of Its Progress from Reimarus to Wrede.* Translated by W. Montgomery. Repr., New York: Macmillan.

Schweizer, Eduard. 1970. *The Good News According to Mark.* Translated by D. H. Madvig. Atlanta: John Knox.

____. 1979. "Traditional Ethical Patterns in the Pauline and post-Pauline Letters and Their Development (Lists of Vices and House Tables)." Pages 195–209 in *Text and Interpretation: Studies in the New Testament Presented to Matthew Black.*Edited by E. Best and R. McL. Wilson. Cambridge: Cambridge University Press.

____. 1982. *The Letter to the Colossians.* London: SPCK.

Scobie, Charles H. H. 1991a. "The Challenge of Biblical Theology." *TynBul* 42:31–61.

____. 1991b. "The Challenge of Biblical Theology." *TynBul* 42:163–94.

____. "Biblical Theology." *NDBT* 3–20.

Scott, James M. 1992. *Adoption as Sons of God: An Exegetical Investigation into the Background of Huiothesia in the Pauline Corpus.* WUNT 2/48. Tübingen: Mohr Siebeck.

____. 1993a. "Paul's Use of Deuteronomic Tradition." *JBL* 112:645–65.

____. 1993b. " 'For as Many as Are of the Works of the Law Are under a Curse' (Galatians 3:10)." Pages 187–221 in *Paul and the Scriptures of Israel.* Edited by C. A. Evans and J. A. Sanders. JSNTSup 83. Sheffield: JSOT Press.

____. 1995. *Paul and the Nations: The Old Testament and Jewish Background of Paul's Mission to the Nations with Special Reference to the Destination of Galatians.* WUNT 84. Tübingen: Mohr Siebeck.

____. 1997. *Exile: Old Testament, Jewish, and Christian Conceptions.* Edited by J. M. Scott. JSJSup 56. Leiden: Brill.

Scroggs, R. 1983. *The New Testament and Homosexuality: Background for Contemporary Debate.* Philadelphia: Fortress.

Seccombe, David Peter. 1982. *Possessions and the Poor in Luke-Acts.* SNTSU B/6. Linz: Fuchs.

____. 1998. "The New People of God." Pages 349–72 in *Witness to the Gospel: The Theology of Acts.* Edited by I. H. Marshall and D. Peterson. Grand Rapids: Eerdmans.

Segal, Alan F. 1977. *Two Powers in Heaven: Early Rabbinic Reports about Christianity and Gnosticism.* SJLA 25. Leiden: Brill.

____. 1990. *Paul the Convert: The Apostolate and Apostasy of Saul the Pharisee.* New Haven: Yale University Press.

Seifrid, Mark A. 1985. "Paul's Approach to the Old Testament in Rom. 10:6–8." *TJ* 6:3–37.

____. 1987. "Jesus and the Law in Acts." *JSNT* 30:39–57.

____. 1989. "Messiah and Mission in Acts: A Brief Response to J. B. Tyson." *JSNT* 36:47–50.

____. 1994. "Blind Alleys in the Controversy over the Paul of History." *TynBul* 45:73–95.

____. 2000a. "The 'New Perspective on Paul' and Its Problems." *Themelios* 25:8–12.

____. 2000b. *Christ, Our Righteousness: Paul's Theology of Justification.* Downers Grove, IL: InterVarsity Press.

____. 2001. "Righteousness Language in the Hebrew Scriptures and Early Judaism." Pages 415–42 in *The Complexities of Second Temple Judaism.* Vol. 1 of *Justification and Variegated Nomism: A Fresh Appraisal of Paul and Second Temple Judaism.* Edited by D. A. Carson, P. T. O'Brien, and M. A. Seifrid. WUNT 2/140. Tübingen: Mohr Siebeck; Grand Rapids: Baker Academic.

____. 2005. "The Knowledge of the Creator and the Experience of Exile: The Contours of Paul's Theology." Paper presented at the Society for New Testament Studies Seminar "Inhalte und Probleme einer neutestamentlichen Theologie," Martin-Luther-Universität, Halle-Wittenberg, 2–7 August 2005.

____. "In Christ." *DPL* 433–36.

Selwyn, E. G. 1981. *The First Epistle of St. Peter*. 2nd ed. Grand Rapids: Baker Academic.

Senior, Donald. 1984. *The Passion of Jesus in the Gospel of Mark*. Wilmington, DE: Michael Glazier.

____. 1985. *The Passion of Jesus in the Gospel of Matthew*. Wilmington, DE: Michael Glazier.

____. 1989. *The Passion of Jesus in the Gospel of Luke*. Wilmington, DE: Michael Glazier.

Shelton, James B. 1991. *Mighty in Word and Deed: The Role of the Holy Spirit in Luke-Acts*. Peabody, MA: Hendrickson.

Sherwin-White, A. N. 1963. *Roman Society and Roman Law in the New Testament*. Oxford: Clarendon Press.

Silva, Moisés. 1976. "Perfection and Eschatology in Hebrews." *WTJ* 39:60–71.

____. 1986. "The Place of Historical Reconstruction in New Testament Criticism." Pages 109–33 in *Hermeneutics, Authority, and Canon*. Edited by D. A. Carson and J. D. Woodbridge. Grand Rapids: Zondervan.

____. 1990. "Is the Law against the Promises? The Significance of Galatians 3:21 for Covenant Continuity." Pages 153–66 in *Theonomy: A Reformed Critique*. Edited by W. S. Barker and W. R. Godfrey. Grand Rapids: Zondervan.

____. 2004. "Faith versus Works of Law in Galatians." Pages 217–48 in *The Paradoxes of Paul*. Vol. 2 of *Justification and Variegated Nomism: A Fresh Appraisal of Paul and Second Temple Judaism*. Edited by D. A. Carson, P. T. O'Brien, and M. A. Seifrid. WUNT 2/140. Tübingen: Mohr Siebeck; Grand Rapids: Baker Academic.

____. 2005. *Philippians*. 2nd ed. BECNT . Grand Rapids: Baker Academic.

Simpson, John W., Jr. 1990. "The Problems Posed by 1 Thessalonians 2:15–16 and a Solution." *HBT* 12:42–72.

Smalley, Stephen S. 1973. "Spirit, Kingdom and Prayer in Luke-Acts." *NovT* 15:59–71.

____. 1978. *John: Evangelist and Interpreter*. Nashville: Thomas Nelson.

____. 1984. *1, 2, 3 John*. WBC 51. Waco: Word.

Smith, Christopher R. 1990. "The Portrayal of the Church as the New Israel in the Names and Order of the Tribes in Revelation 7.5–8." *JSNT* 39:111–18.

____. 1995. "The Tribes of Revelation 7 and the Literary Competence of John the Seer." *JETS* 38:213–18.

Snodgrass, Klyne R. 1988. "Matthew and the Law." Pages 536–54 in *SBL Seminar Papers, 1988*. Edited by D. J. Lull. Atlanta: Scholars Press.

Soards, Marion L. 1987. "Käsemann's 'Righteousness' Reexamined." *CBQ* 49:264–67.

Spencer, A. B. 2000. "Peter's Pedagogical Method in 1 Peter 3:6." *BBR* 10:107–19.

Spencer, F. Scott. 2005. "Preparing the Way of the Lord: Introducing and Interpreting Luke's Narrative; A Response to David Wenham." Pages 104–24 in *Reading Luke: Interpretation, Reflection, Formation*. Edited by C. G. Bartholomew, J. B. Green, A. C. Thiselton. SHS 6. Grand Rapids: Zondervan.

Spicq, Ceslas. 1952–1953. *L'Épître aux Hébreux*. 2 vols. EBib . Paris: Gabalda.

Sproul, R. C. 1995. *Faith Alone: The Evangelical Doctrine of Justification*. Grand Rapids: Baker Academic.

Squires, John T. 1993. *The Plan of God in Luke-Acts*. SNTSMS 76. Cambridge: Cambridge University Press.

Stanley, Christopher D. 1990. " 'Under a Curse': A Fresh Reading of Galatians 3:10–14." *NTS* 36:481–511.

Stanton, Graham. 1988. "Matthew." Pages 205–19 in *It Is Written: Scripture Citing Scripture; Essays in Honour of Barnabas Lindars.* Edited by D. A. Carson and H. G. M. Williamson. Cambridge: Cambridge University Press.

Starr, J. M. 2000. *Sharers in Divine Nature: 2 Peter 1:4 in Its Hellenistic Context.* ConBNT 33. Stockholm: Almqvist & Wiksell.

Stein, Robert H. 1981. *An Introduction to the Parables of Jesus.* Philadelphia: Westminster.

____. 1988. *Difficult Passages in the Epistles.* Grand Rapids: Baker Academic.

____. 2001. "N. T. Wright's *Jesus and the Victory of God:* A Review Article." *JETS* 44:207–18.

____. 2007. "Baptism in Luke-Acts." Pages 35–66 in *Believer's Baptism: Sign of the New Covenant in Christ.* Edited by T. R. Schreiner and S. D. Wright. Nashville: Broadman & Holman.

____. "Divorce." *DJG* 192–99.

Stendahl, Krister. 1976. *Paul among Jews and Gentiles, and Other Essays.* Philadelphia: Fortress.

____. "Biblical Theology, Contemporary." *IDB* 1:418–32.

Stenschke, Christoph. 1998. "The Need for Salvation." Pages 125–44 in *Witness to the Gospel: The Theology of Acts.* Edited by I. H. Marshall and D. Peterson. Grand Rapids: Eerdmans.

____. 1999. *Luke's Portrait of Gentiles Prior to Their Coming to Faith.* WUNT 2/108. Tübingen: Mohr Siebeck.

Stephenson, A. M. G. 1968. "On the Meaning of *enestēken hē hēmera tou kyriou* in 2 Thessalonians 2,2." Pages 442–51 in *Studia Evangelica: Papers Presented to the Third International Congress on New Testament Studies Held at Christ Church, Oxford, 1965.* Vol. 1. Edited by F. L. Cross. TUGAL 102. Berlin: Akademie-Verlag.

Stettler, Hanna. 1998. *Die Christologie der Pastoralbriefe.* WUNT 2/105. Tübingen: Mohr Siebeck.

____. 2004. "Sanctification in the Jesus Tradition." *Bib* 85:153–78.

Stockhausen, Carol Kern. 1989. *Moses' Veil and the Glory of the New Covenant: The Exegetical Structure of II Cor. 3, 1–4, 6.* AnBib 116. Rome: Pontifical Biblical Institute.

Stott, John. 1964. *The Epistles of John.* TNTC. Grand Rapids: Eerdmans.

Strauss, Mark L. 1995. *The Davidic Messiah in Luke-Acts: The Promise and Its Fulfillment in Lukan Christology.* JSNTSup 110. Sheffield: Sheffield Academic Press.

Strecker, Georg. 2000. *Theology of the New Testament.* Translated by M. E. Boring. Louisville: Westminster John Knox.

Stronstad, Roger. 1984. *The Charismatic Theology of St. Luke.* Peabody, MA: Hendrickson.

Stuckenbruck, Loren T. 1995. *Angel Veneration and Christology: A Study in Early Judaism and in the Christology of the Apocalypse of John.* WUNT 2/70. Tübingen: Mohr Siebeck.

____. 1999. "Johann Philipp Gabler and the Delineation of Biblical Theology." *SJT* 52:139–57.

Stuhlmacher, Peter. 1966. *Gerechtigkeit Gottes bei Paulus.* 2nd ed. FRLANT 87. Göttingen: Vandenhoeck & Ruprecht.

____. 1977. *Historical Criticism and Theological Interpretation of Scripture: Towards a Hermeneutics of Consent.* Translated by R. A. Harrisville. Philadelphia: Fortress.

____. 1983. "Jesustradition im Römerbrief: Eine Skizze." *TBei* 14:240–50.

____. 1986. *Reconciliation, Law, and Righteousness: Essays in Biblical Theology.* Philadelphia: Fortress.

____. 1987. "The Hermeneutical Significance of 1 Cor. 2:6–16." Pages 328–47 in *Tradition and Interpretation in the New Testament: Essays in Honor of E. Earle Ellis for His 60th Birthday*. Translated by C. Brown. Edited by G. F. Hawthorne and O. Betz. Grand Rapids: Eerdmans.

____. 1992. *Grundlegung: Von Jesus zu Paulus*. Vol. 1 of *Biblische Theologie des Neuen Testaments*. Göttingen: Vandenhoeck & Ruprecht.

____. 1993. *Jesus of Nazareth, Christ of Faith*. Translated by S. S. Schatzmann. Peabody, MA: Hendrickson.

____. 1994. *Paul's Letter to the Romans*. Translated by S. Hafemann. Louisville: Westminster John Knox.

____. 1999. *Von der Paulusschule bis zur Johannesoffenbarung: Der Kanon und seine Auslegung*. Vol. 2 of *Biblische Theologie des Neuen Testaments*. Göttingen: Vandenhoeck & Ruprecht.

____. 2006. "Isaiah 53 in the Gospel and Acts." Pages 147–62 in *The Suffering Servant: Isaiah 53 in Jewish and Christian Sources*. Edited by B. Janowski and P. Stuhlmacher. Translated by D. P. Bailey. Grand Rapids: Eerdmans.

Suggs, M. J. 1970. *Wisdom, Christology, and Law in Matthew's Gospel*. Cambridge: Harvard University Press.

Talbert, C. H. 1976. "Shifting Sands: The Recent Study of the Gospel of Luke." *Int* 30:381–95.

Talmon, S. 1992. "The Concepts of Mašiaḥ and Messianism in Early Judaism." Pages 79–115 in *The Messiah: Developments in Earliest Judaism and Christianity*. Edited by J. H. Charlesworth. Minneapolis: Fortress.

Tannehill, Robert C. 1986. *The Gospel according to Luke*. Vol. 1 of *The Narrative Unity of Luke-Acts: A Literary Interpretation*. Philadelphia: Fortress.

Terrien, Samuel L. 1983. *The Elusive Presence: The Heart of Biblical Theology*. San Francisco: Harper & Row.

Thielman, Frank. 1994a. "Unexpected Mercy: Echoes of a Biblical Motif in Romans 9–11." *SJT* 47:169–81.

____. 1994b. *Paul and the Law: A Contextual Approach*. Downers Grove, IL: InterVarsity Press.

____. 1995. "Law and Liberty in the Ethics of Paul." *ExAud* 11:63–75.

____. 1999. *The Law and the New Testament: The Question of Continuity*. New York: Crossroad.

____. 2005. *Theology of the New Testament: A Canonical and Synthetic Approach*. Grand Rapids: Zondervan.

Thiselton, Anthony C. 1977–1978. "Realized Eschatology at Corinth." *NTS* 24:510–26.

____. 1979. "The 'Interpretation' of Tongues: A New Suggestion in the Light of Greek Usage in Philo and Josephus." *JTS* 30:15–36.

____. 2000. *The First Epistle to the Corinthians*. NIGTC . Grand Rapids: Eerdmans.

Thompson, Cynthia L. 1988. "Hairstyles, Head-Coverings, and St. Paul: Portraits from Roman Corinth." *BA* 51:99–115.

Thompson, Marianne Meye. 1988. *The Humanity of Jesus in the Fourth Gospel*. Philadelphia: Fortress.

____. 2000. *The Promise of the Father: Jesus and God in the New Testament*. Louisville: Westminster John Knox.

____. 2001. *The God of the Gospel of John*. Grand Rapids: Eerdmans.

Thompson, Michael. 1991. *Clothed with Christ: The Example and Teaching of Jesus in Romans 12.1–15.13*. JSNTSup 59. Sheffield: JSOT Press.

Thompson, R. W. 1986. "How Is the Law Fulfilled in Us? An Interpretation of Rom. 8:4." *LS* 11:31–40.

Thurén, L. 1995. *Argument and Theology in 1 Peter: The Origins of Christian Paraenesis.* JSNTSup 114. Sheffield: Academic Press.

Tiede, David L. 1980. *Prophecy and History in Luke-Acts.* Philadelphia: Fortress.

——. 1993. " 'Fighting against God': Luke's Interpretation of Jewish Rejection of the Messiah Jesus." Pages 102–12 in *Anti-Semitism and Early Christianity: Issues of Polemic and Faith.* Edited by C. A. Evans and D. A. Hagner. Minneapolis: Fortress.

Turner, Max M. B. 1982. "The Sabbath, Sunday, and the Law in Luke/Acts." Pages 100–157 in *From Sabbath to Lord's Day: A Biblical, Historical and Theological Investigation.* Edited by D. A. Carson. Grand Rapids: Zondervan.

——. 1996. *Power from on High: The Spirit in Israel's Restoration and Witness in Luke-Acts.* JPTSup 9. Sheffield: Sheffield Academic Press.

——. 1998. "The 'Spirit of Prophecy' as the Power of Israel's Restoration and Witness." Pages 327–48 in *Witness to the Gospel: The Theology of Acts.* Edited by I. H. Marshall and D. Peterson. Grand Rapids: Eerdmans.

——. 2005. "Luke and the Spirit: Renewing Theological Interpretation of Biblical Pneumatology." Pages 267–93 in *Reading Luke: Interpretation, Reflection, Formation.* Edited by C. G. Bartholomew, J. B. Green, and A. C. Thiselton. SHS 6. Grand Rapids: Zondervan.

Twelftree, Graham H. 1993. *Jesus the Exorcist: A Contribution to the Study of the Historical Jesus.* WUNT 2/54. Tübingen: Mohr Siebeck.

——. 1999. *Jesus the Miracle Worker: A Historical and Theological Study.* Downers Grove, IL: InterVarsity Press.

Tyson, Joseph B. 1986. *The Death of Jesus in Luke-Acts.* Columbia: University of South Carolina Press.

Unnik, W. C. van. 1969. "The Critique of Paganism in I Peter 1:18." Pages 129–42 in *Neotestamentica et Semitica: Studies in Honour of Matthew Black.* Edinburgh: T & T Clark.

VanderKam, J. C. 1973. "The Theophany of Enoch 1:3b-7,9." *VT* 23:129–50.

——. 1992. "Righteous One, Messiah, Chosen One, and Son of Man in 1 Enoch 37–71." Pages 169–91 in *The Messiah: Developments in Earliest Judaism and Christianity.* Edited by J. H. Charlesworth. Minneapolis: Fortress.

Vanhoozer, Kevin J. "Exegesis and Hermeneutics." *NDBT* 52–64.

Vermes, Geza. 1973. *Jesus the Jew: A Historian's Reading of the Gospels.* London: William Collins.

——. 1983. *Jesus and the World of Judaism.* Philadelphia: Fortress.

——. 1993. *The Religion of Jesus the Jew.* Minneapolis: Fortress.

Verseput, Donald J. 1987. "The Role and Meaning of the 'Son of God' Title in Matthew's Gospel." *NTS* 33:532–56.

Vickers, Brian. 2004. "The Kingdom of God in Mark." *SBJT* 8:12–35.

——. 2006. *Jesus' Blood and Righteousness: Paul's Theology of Imputation.* Wheaton: Crossway.

Vielhauer, Phillip. 1963. "Jesus and der Menschensohn: Zur Diskussion mit Heinz Eduard Tödt und Eduard Schweizer." *ZTK* 60:133–77.

——. 1966. "On the 'Paulinism' of Acts." Pages 33–50 in *Studies in Luke-Acts: Essays Presented in Honor of Paul Schubert.* Edited by L. Keck and J. L. Martyn. Nashville: Abingdon.

Von Rad, Gerhard. 1962. *The Theology of Israel's Historical Traditions.* Vol. 1 of *Old Testament Theology.* Translated by D. M. G. Stalker. New York: Harper & Row.

____. 1965. *The Theology of Israel's Prophetic Traditions.* Vol. 2 of *Old Testament Theology.* Translated by D. M. G. Stalker. New York: Harper & Row.

Vos, Geerhardus. 1930. *The Pauline Eschatology.* Phillipsburg, NJ: Presbyterian & Reformed Publishing.

____. 1953. *The Self-Disclosure of Jesus: The Modern Debate about the Messianic Consciousness.* Edited by J. G. Vos. 2nd ed. Phillipsburg, NJ: Presbyterian & Reformed Publishing.

____. 1980. *Redemptive History and Biblical Interpretation: The Shorter Writings of Geerhardus Vos.* Edited by R. B. Gaffin Jr. Phillipsburg, NJ: Presbyterian & Reformed Publishing.

____. 2001. *The Eschatology of the Old Testament.* Edited by J. T. Dennison Jr. Phillipsburg, NJ: Presbyterian & Reformed Publishing.

Vouga, François. 2001. *Une théologie du Nouveau Testament.* MdB 43. Geneva: Labor et Fides.

Wagner, Günter. 1967. *Pauline Baptism and the Pagan Mysteries: The Problem of the Pauline Doctrine of Baptism in Romans VI.1–11 in the Light of Its Religio-Historical 'Parallels.'* Edinburgh: Oliver & Boyd.

Wagner, J. Ross. 2002. *Heralds of the Good News: Isaiah and Paul "in Concert" in the Letter to the Romans.* NovTSup 101. Leiden: Brill.

Wallace, Daniel B. 1996. *Greek Grammar Beyond the Basics: An Exegetical Syntax of the New Testament.* Grand Rapids: Zondervan.

Wallis, Ian G. 1995. *The Faith of Jesus Christ in Early Christian Traditions.* SNTSMS 84. Cambridge: Cambridge University Press.

Walton, Steve. 2000. *Leadership and Lifestyle: The Portrait of Paul in the Miletus Speech and 1 Thessalonians.* SNTSMS 108. Cambridge: Cambridge University Press.

Walvoord, John F. 1966. *The Revelation of Jesus Christ.* Chicago: Moody.

Wanamaker, C. A. 1990. *The Epistles to the Thessalonians.* NIGTC. Grand Rapids: Eerdmans.

Warfield, B. B. 1950. *The Person and Work of Christ.* Grand Rapids: Baker Academic.

Watson, Francis. 2004. *Paul and the Hermeneutics of Faith.* London: T & T Clark.

Watts, Rikki E. 1998. "Jesus' Death, Isaiah 53, and Mark 10:45: A Crux Revisited." Pages 125–51 in *Jesus and the Suffering Servant: Isaiah 53 and Christian Origins.* Edited by W. H. Bellinger Jr. and W. R. Farmer. Harrisburg, PA: Trinity Press International.

____. 2000. *Isaiah's New Exodus in Mark.* Grand Rapids: Baker Academic.

Webb, Robert L. 1991. *John the Baptizer and Prophet: A Socio-historical Study.* JSNTSup 62. Sheffield: Sheffield Academic Press.

Webb, W. J. 1993. *Returning Home: New Covenant and Second Exodus as the Context for 2 Corinthians 6:14–7:1.* JSNTSup 85. Sheffield: JSOT Press.

Wedderburn, A. J. M. 1987. *Baptism and Resurrection: Studies in Pauline Theology against Its Graeco-Roman Background.* WUNT 44. Tübingen: Mohr Siebeck.

Weima, Jeffrey A. D. 1990. "The Function of the Law in Relation to Sin: An Evaluation of the View of H. Räisänen." *NovT* 32:219–35.

____. 1993. "Gal. 6:11–18: A Hermeneutical Key to the Galatian Letter." *CTJ* 28:90–107.

____. 1994. *Neglected Endings: The Significance of the Pauline Letter Closings.* JSNTSup 101. Sheffield: JSOT Press.

Weinfeld, Moshe. 1972. *Deuteronomy and the Deuteronomic School.* Oxford: Clarendon Press.

Weiser, Alfons. 1993. *Theologie des Neuen Testaments II: Die Theologie des Evangelien.* KSt 8. Stuttgart: Kohlhammer.

Weiss, Johannes. 1971. *Jesus' Proclamation of the Kingdom of God.* Philadelphia: Fortress.

Wendland, E. R. 2000. " 'Stand Fast in the True Grace of God!' A Study of 1 Peter." *JTT* 13:25–102.

Wenham, David. 1987. "Being 'Found' on the Last Day: New Light on 2 Peter 3:10 and 2 Corinthians 5:3." *NTS* 33:477–79.

____. 1995. *Paul: Follower of Jesus or Founder of Christianity?* Grand Rapids: Eerdmans.

____. 2005. "The Purpose of Luke-Acts: Israel's Story in the Context of the Roman Empire." Pages 79–103 in *Reading Luke: Interpretation, Reflection, Formation.* Edited by C. G. Bartholomew, J. B. Green, and A. C. Thiselton. SHS 6. Grand Rapids: Zondervan.

Wenham, Gordon J. 1995. "The Theology of Old Testament Sacrifice." Pages 75–87 in *Sacrifice in the Bible.* Edited by R. T. Beckwith and M. J. Selman. Grand Rapids: Baker Academic.

____. 2002. "Does the New Testament Approve Remarriage after Divorce?" *SBJT* 6:30–45.

Westerholm, Stephen. 1978. *Jesus and Scribal Authority.* ConBNT 10. Lund: Gleerup.

____. 1986. "Torah, *nomos,* and Law: A Question of 'Meaning.' " *SR* 15:327–36.

____. 1988. *Israel's Law and the Church's Faith: Paul and His Recent Interpreters.* Grand Rapids: Eerdmans.

____. 2004. *Perspectives Old and New on Paul: The "Lutheran" Paul and His Critics.* Grand Rapids: Eerdmans.

____. 2006. "Justification by Faith Is the Answer: What Is the Question?" http://www.ctsfw.edu/events/symposia/papers/sym2006westerholm.pdf (accessed May 23, 2006).

Whybray, R. N. 1978. *Thanksgiving for a Liberated Prophet: An Interpretation of Isaiah Chapter 53.* JSOTSup 4. Sheffield: Department of Biblical Studies, University of Sheffield.

Wilckens, Ulrich. 1980. *Der Brief an die Römer.* Vol. 2. EKKNT . Zürich: Neukirchener Verlag.

____. 1982. "Zur Entwicklung des paulinischen Gesetzesverständnisses." *NTS* 28:154–90.

____. 2003. *Jesu Tod und Auferstehung und die Entstehung der Kirche aus Juden und Heiden.* Part 2 of *Geschichte der urchristlichen Theologie,* vol. 1 of *Theologie des Neuen Testaments.* Neukirchen-Vluyn: Neukirchener Verlag.

____. 2005a. *Geschichte des Wirkens Jesu in Galiläa.* Part 1 of *Geschichte der urchristlichen Theologie,* vol. 1 of *Theologie des Neuen Testaments.* 2nd ed. Neukirchen-Vluyn: Neukirchener Verlag.

____. 2005b. *Die Briefe des Urchristentums: Paulus und seine Schüler, Theologen aus dem Bereich judenchristlicher Heidenmission.* Part 3 of *Geschichte der urchristlichen Theologie,* vol. 1 of *Theologie des Neuen Testaments.* Neukirchen-Vluyn: Neukirchener Verlag.

____. 2005c. *Die Evangelien, die Apostelgeschichte, die Johannesbriefe, die Offenbarung und die Entstehung des Kanons.* Part 4 of *Geschichte der urchristlichen Theologie,* vol. 1 of *Theologie des Neuen Testaments.* Neukirchen-Vluyn: Neukirchener Verlag.

____. Forthcoming. *Kritik der historischen Bibelkritik.* Vol. 3 of *Theologie des Neuen Testaments.* Neukirchen-Vluyn: Neukirchener Verlag.

Wilkins, Michael J. 1995. *Discipleship in the Ancient World and Matthew's Gospel.* 2nd ed. Grand Rapids: Baker Academic.

Williams, Catrin H. 2000. *I Am He: The Interpretation of "Anî Hû" in Jewish and Early Christian Literature.* WUNT 2/113. Tübingen: Mohr Siebeck.

Williams, Sam K. 1975. *Jesus' Death as Saving Event: The Background and Origin of a Concept*. HDR 2. Missoula, MT: Scholars Press.

____. 1980. "The 'Righteousness of God' in Romans." *JBL* 49:241–90.

____. 1987. "Again *Pistis Christou*." *JBL* 49:431–47.

Williamson, Ronald H. 1970. *Philo and the Epistle to the Hebrews*. ALGHJ 4. Leiden: Brill.

Wilson, Stephen G. 1983. *Luke and the Law*. SNTSMS 50. Cambridge: Cambridge University Press.

Wink, Walter. 1984. *Naming the Powers: The Language of Power in the New Testament*. Philadephia: Fortress.

Winter, Bruce W. 1997. *Philo and Paul among the Sophists*. SNTSMS 96. Cambridge: Cambridge University Press.

Wisdom, Jeffrey R. 2001. *Blessing for the Nations and the Curse of the Law: Paul's Citation of Genesis and Deuteronomy in Gal. 3.8–10*. WUNT 2/133. Tübingen: Mohr Siebeck.

Witherington, Ben, III. 1984. *Women in the Ministry of Jesus: A Study of Jesus' Attitudes to Women and Their Roles as Reflected in His Earthly Life*. SNTSMS 51. Cambridge: Cambridge University Press.

____. 1990. *The Christology of Jesus*. Minneapolis: Fortress.

____. 1992. *Jesus, Paul and the End of the World*. Downers Grove, IL: InterVarsity Press.

____. 1994. *Jesus the Sage: The Pilgrimage of Wisdom*. Minneapolis: Fortress.

____. 1998. "Salvation and Health in Christian Antiquity: The Soteriology of Luke-Acts in Its First Century Setting." Pages 145–66 in *Witness to the Gospel: The Theology of Acts*. Edited by I. H. Marshall and D. Peterson. Grand Rapids: Eerdmans.

Witmer, Stephen E. 2006. "*Theodidaktoi* in 1 Thessalonians 4:9: A Pauline Neologism." *NTS* 52:239–50.

Wolters, A. 1987. "Worldview and Textual Criticism in 2 Peter 3:10." *CTJ* 25:28–44.

Wrede, William. 1962. *Paul*. Repr., Lexington: American Theological Library Association.

____. 1971. *The Messianic Secret*. Translated by J. C. G. Greig. Greenwood, SC: Attic.

Wright, N. T. 1980. "The Meaning of περὶ ἁμαρτίας in Romans 8:3." Pages 453–59 in *Papers on Paul and Other New Testament Authors*. Vol. 3 of *Studia Biblica 1978: Sixth International Congress on Biblical Studies, Oxford, 30 April 1978*. Edited by E. A. Livingstone. JSNTSup 3. Sheffield: JSOT Press.

____. 1992a. *The Climax of the Covenant: Christ and the Law in Pauline Theology*. Minneapolis: Fortress.

____. 1992b. *The New Testament and the People of God*. Vol. 1 of *Christian Origins and the Question of God*. Minneapolis: Fortress.

____. 1995. "Romans and the Theology of Paul." Pages 3–67 in *Romans*. Vol. 3 of *Pauline Theology*. Edited by D. M. Hay and E. E. Johnson. Minneapolis: Fortress.

____. 1996. *Jesus and the Victory of God*. Vol. 2 of *Christian Origins and the Question of God*. Minneapolis: Fortress.

____. 1997. *What St. Paul Really Said: Was Paul of Tarsus the Real Founder of Christianity?* Grand Rapids: Eerdmans.

____. 1998. "The Servant and Jesus: The Relevance of the Colloquy for the Current Quest for Jesus." Pages 281–97 in *Jesus and the Suffering Servant: Isaiah 53 and Christian Origins*. Edited by W. H. Bellinger Jr. and W. R. Farmer. Harrisburg, PA: Trinity Press International.

____. 2003. *The Resurrection of the Son of God*. Vol. 3 of *Christian Origins and the Question of God*. Minneapolis: Fortress.

Yamauchi, E. 1973. *Pre-Christian Gnosticism: A Survey of the Proposed Evidences.* Grand Rapids: Eerdmans.

Yarbrough, Robert W. 2004. *The Salvation Historical Fallacy? Reassessing the History of New Testament Theology.* History of Biblical Interpretation 2. Leiden: Deo.

Yeung, Maureen W. 2002. *Faith in Jesus and Paul: A Comparison with Special Reference to 'Faith That Can Remove Mountains' and 'Your Faith Has Healed/Saved You.'* WUNT 2/147. Tübingen: Mohr Siebeck.

Yinger, Kent L. 1999. *Paul, Judaism, and Judgment according to Deeds.* SNTSMS 105. Cambridge: Cambridge University Press.

Young, Frances M. 1994. "On *Episkopos* and *Presbyteros.*" *JTS* 45:142–49.

_____. 1998. "Who's Cursed—and Why? (Galatians 3:10–14)." *JBL* 117:79–92.

Young, Norman H. 1987. "Paidagogos: The Social Setting of a Pauline Metaphor." *NovT* 29:150–76.

Zehnle, Richard. 1969. "The Salvific Character of Jesus' Death in Lucan Soteriology." *TS* 30:420–44.

Ziesler, J. A. 1972. *The Meaning of Righteousness in Paul: A Linguistic and Theological Enquiry.* SNTSMS 20. Cambridge: Cambridge University Press.

_____. 1988. "The Role of the Tenth Commandment in Romans 7." *JSNT* 33:31–56.

_____. 1989. *Paul's Letter to the Romans.* TPINTC . Philadelphia: Trinity Press International.

Zimmerli, W., and J. Jeremias. 1957. *The Servant of God.* London: SCM Press.

ÍNDICE DE NOMBRES

ÍNDICE DE REFERENCIAS
BÍBLICAS

Nuevo Testamento

Mateo

Juan

Efesios

ÍNDICE DE TEMAS

Títulos de la serie *Fundamentos de Sermones Expositivos*

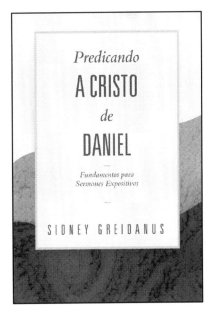

PREDICANDO A CRISTO DESDE DANIEL
Fundamentos para Sermones Expositivos

Autor: Sidney Greidanus
Páginas: 580
Disponible: Octubre 2021

Greidanus muestra a los predicadores y profesores cómo preparar mensajes expositivos a partir de los seis relatos y las cuatro visiones del libro de Daniel. Utilizando la erudición bíblica más actualizada, Greidanus aborda cuestiones fundamentales como la fecha de composición, el autor o autores y la audiencia original del libro, su mensaje y objetivo general, y las diversas formas de predicar a Cristo desde Daniel.

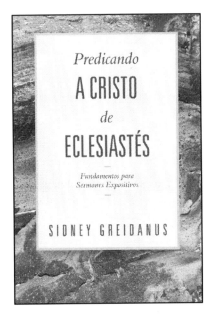

PREDICANDO A CRISTO DESDE ECLESIASTÉS
Fundamentos para Sermones Expositivos

Autor: Sidney Greidanus
Páginas: 456
Disponible: Julio 2022

El libro bíblico del Eclesiastés es especialmente relevante para nuestra cultura contemporánea porque se enfrenta a tentaciones seculares como el materialismo, el hedonismo, la competencia despiadada y la autosuficiencia. Pero, ¿cómo pueden los predicadores transmitir su mensaje para hoy? Greidanus ofrece exposiciones perspicaces que ayudan al predicador en la elaboración de los sermones.

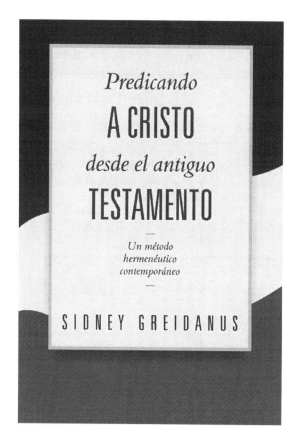

PREDICANDO A CRISTO DESDE EL ANTIGUO TESTAMENTO
Fundamentos para Sermones Expositivos

Autor: Sidney Greidanus
Páginas: 470
ISBN: 978-612-48401-4-2

El galardonado autor Sidney Greidanus presenta aquí una guía esencial para predicar a Cristo desde el Antiguo Testamento. Sosteniendo la necesidad tanto de predicar a Cristo en cada sermón como de predicar regularmente desde el Antiguo Testamento, Greidanus desarrolla un método cristocéntrico que ayudará a los predicadores a hacer ambas cosas a la vez. Este volumen combina principios hermenéuticos contemporáneos con numerosas sugerencias prácticas para una predicación bíblica eficaz, lo que lo convierte en un texto fundamental para los estudiantes de seminario y predicadores con experiencia.

Made in the USA
Columbia, SC
05 February 2024

31498363R00350